Cyflwyno
YSTADEGAETH

2il argraffiad

GRAHAM UPTON

IAN COOK

addasiad Ffion Kervegant

PRIFYSGOL
ABERYSTWYTH

Y fersiwn Saesneg gwreiddiol:

Introducing Statistics
Cyhoeddwyd gan Wasg Prifysgol Rhydychen
© Graham Upton ac Ian Cook 1998, 2001
Argraffiad cyntaf 1998
Ail argraffiad 2001

Y fersiwn Cymraeg hwn:
© Prifysgol Aberystwyth, 2012 ⓑ

Cyhoeddwyd gan Y Ganolfan Astudiaethau Addysg (CAA), Prifysgol Aberystwyth, Plas Gogerddan, Aberystwyth, Ceredigion, SY23 3EB
(http://www.aber.ac.uk/caa).

Noddwyd gan Lywodraeth Cymru.

Cyfieithu: Ffion Kervegant

Golygu: Lynwen Rees Jones

Teiposod a darlunio: Tech-Set Ltd, Gateshead, Tyne and Wear

Cynllun y clawr: Richard Huw Pritchard

Llun y clawr: iStock Photo

Argraffu: Argraffwyr Cambria

Dymuna'r cyhoeddwr ddiolch i Geraint Williams am ei gymorth gwerthfawr wrth brawfddarllen y deunyddiau hyn.

ISBN: 978-1-84521-474-6

Cynnwys

Rhagair i'r Ail Argraffiad

Arferai meysydd llafur Ystadegath cynnar gyflwyno'r pwnc fel cangen o fathemateg. Roedd y pwyslais ar fformiwlâu gyda chwestiynau ar ddosraniadau di-dor artiffisial, er enghraifft, yn esgus da am gyfle i ymarfer integru.

Mewn gwirionedd, mae Ystadegaeth yn ymwneud â dehongli data a modelu'r prosesau sydd wedi achosi'r data hynny. Mae meysydd llafur newydd (neu 'fanylebau' fel y'i gelwir erbyn hyn) yn pwysleisio fwyfwy yr angen i wneud mwy na chrynhoï data yn unig. Yn argraffiad cyntaf *Cyflwyno Ystadegaeth* pwysleisiwyd yr angen i wneud casgliadau ac yn yr ail argraffiad hwn ychwanegwyd deunydd casgliadol pellach.

Ymhlith yr ychwanegiadau at Bennod 1 y mae nifer o enghreifftiau o gymhariaethau graffigol setiau tebyg o ddata. Mae'r bennod hon yn cynnwys pum adran newydd ac yn diweddu gyda thrafodaeth o'r nodweddion i'w disgwyl mewn data go iawn. Ychwanegwyd adrannau ar ddefnyddio gwerthoedd cod at Bennod 2, mae theorem Bayes wedi ei gynnwys ym Mhennod 4, ac mae'r dull o bennu dosbarthiad ffwythiant syml hapnewidyn erbyn hyn wedi ei gynnwys ym Mhennod 9. Mae Pennod 14 yn cynnwys adran newydd ar briodweddau amcangyfrifynnau llinellau atchwel ac, yn hwyrach, is-adran ar gydberthyniad diystyr.

Rydym hefyd wedi achub ar y cyfle i gyflwyno cwestiynau ar samplu ym Mhennod 3. Mae'r cwestiynau hyn braidd yn ben-agored, yn debyg i nifer o gwestiynau na roddwyd atebion ar eu cyfer yn yr argraffiad cyntaf. Yn yr argraffiad hwn, rydym yn cynnig atebion posib i'r cwestiynau, ond ni ddylid ystyried unrhyw atebion i'r fath gwestiynau yn gyfarwyddol.

Mae'r llyfr hwn yn ymdrin â'r holl ddeunyddiau ym modiwlau ystadegaeth meysydd llafur EDEXCEL, AQA, OCR, CBAC a NICCEA ar gyfer Mathemateg safon Uwch ac yn y meysydd llafur cyfatebol a osodwyd gan *Cambridge International Examinations*. Er ei bod hi'n dal yn bosib i fyfyriwr astudio cwrs Mathemateg safon Uwch sy'n cynnwys dim Ystadegaeth, mae Ystadegaeth yn ffurfio hanner y maes llafur yn achos rhai cyrff dyfarnu. Gan fod gwahaniaethau sylweddol rhwng y meysydd llafur, bydd y llyfr hwn hefyd yn delio â llawer o'r deunydd ar gyfer Mathemateg Bellach safon Uwch ac Ystadegaeth safon UG.

GJGU
ITC
Prifysgol Essex
Colchester
Mehefin 2000

Rhagair i'r Argraffiad Cyntaf

Amser maith yn ôl, pan oedd yr awduron yn dal yn yr ysgol, doedd bron neb wedi clywed am bwnc Ystadegaeth. Ychydig iawn o Brifysgolion oedd yn cyflogi athrawon Ystadegaeth arbenigol, ac ychydig iawn o Ystadegaeth a addysgwyd mewn ysgolion – 'doedd y rhain yn bendant ddim yn ddyddiau da o ran Ystadegaeth. Ers hynny, bu cynnydd mawr mewn addysgu'r pwnc wrth i bobl werthfawrogi mwyfwy ei berthnasedd i fywyd pob dydd, gwaith ymchwil a'r llywodraeth.

Mae'r llyfr hwn yn canolbwyntio ar sylfeini'r pwnc. Er mwyn penderfynu ar ei gynnwys, nodwyd yn ofalus adrannau ystadegaeth meysydd llafur safon Uwch y pwnc unigol. Mae'r llyfr hwn yn darparu ar gyfer uniad y meysydd llafur hynny. Wrth gwrs mae meysydd llafur yn newid yn gyson, ond nid yw hyn yn broblem gan fod yn rhaid i bob un ddechrau yn yr un modd drwy ddelio â'r pynciau sylfaenol. Felly, bydd y llyfr hwn yn addas i gynulleidfa eang.

Ceir rhestr gynhwysfawr o'r hyn sydd yn y llyfr yn y Cynnwys, ond dyma grynodeb: mae Penodau 1 i 3 yn disgrfio mecanwaith sylfaenol casglu, arddangos a chrynhoi data; mae Penodau 4 i 12 yn datblygu'r modelau cyffredin sy'n seiliedig ar debygolrwydd (binomial, Poisson, normal) ac yn eu defnyddio i wneud casgliadau ynghylch priodweddau poblogaethau mawr ar sail gwybodaeth o samplau bychain; ym Mhennod 13, cyflwynir dull syml ar gyfer gwirio dilysrwydd model; mae Pennod 14 yn cyflwyno astudiaeth o'r perthnasoedd rhwng newidynnau.

Drwy gymharu'r llyfr hwn, *Cyflwyno Ystadegaeth (CY)*, â'r gyfrol arall a gyhoeddwyd gennym, sef *Deall Ystadegaeth (DY* – ar gael yn Saesneg yn unig), gwelir ar unwaith bod *CY* yn fyrrach (tua dau draean o'r maint) ac nad oes unrhyw beth yn *CY* nad yw'n ymddangos yn *DY*. Nid drwy gwtogi esboniadau na thrwy leihau'r nifer fawr o enghreifftiau a chwestiynau gosod ar y topigau dan sylw y llwyddwyd i leihau maint y gyfrol hon. Yn hytrach, gwnaed hyn drwy hepgor yr adrannau mwy datblygiedig neu esoterig a chadw'r adrannau hanfodol yn unig. Gobeithiwn y bydd myfyriwr sy'n defnyddio *CY* yn brwdfrydu ynghylch y deunydd ac yn gofyn am fwy. Yn yr achos hwn, bydd 'rhagor' wrth law yn y gyfrol *DY*, gyda'i fformat cyfatebol.

Mewn Ystadegaeth, fel yng ngweddill Mathemateg, y ffordd orau o ddysgu yw drwy wneud cwestiynau. Am y rheswm hwn, rydym wedi cynnwys cannoedd o gwestiynau, gydag atebion, yn y llyfr. Rydym yn ddiolchgar iawn i'r byrddau arholi a restrir isod am eu caniatâd i atgynhyrchu eu cwestiynau. Nodir ffynhonnell pob cwestiwn gan y llythrennau cyfatebol ar ddiwedd y cwestiwn. Ni, wrth gwrs, sy'n gyfrifol am yr atebion rhifiadol a roddir ar ddiwedd y llyfr, ac felly ni, ac nid y byrddau arholi, sy'n gyfrifol am unrhyw wallau. Pan ddefnyddir rhan o'r cwestiwn yn unig, nodir hynny gan (P) ar ôl y priodoliad.

Associated Examination Board [AEB]

Northern Examination and Assessment Board [NEAB], y *Joint Matriculation Board* [JMB] gynt

Oxford and Cambridge Schools Examination Board [O&C], a roddodd ei ganiatâd hefyd i atgynhyrchu cwestiynau o'r arholiadau ar gyfer y prosiect *Mathematics in Education and Industry* [MEI] a'r *School Mathematics Project* [SMP]

University of Cambridge Local Examinations Syndicate [UCLES], a roddodd ganiatâd i atgynhyrchu cwestiynau o'r *University of Oxford Delegacy for Local Examinations* [UODLE]

London Examinations, sef adran o'r *Edexcel Foundation*, sef yr *University of London Examinations and Assessment Council* [ULEAC] a'r *University of London School Examinations Board* [ULSEB] gynt

Cydbwyllgor Addysg Cymru [CBAC]

Yr unig beth sydd ar ôl yw dymuno i chi, y darllenydd, bleser wrth ddefnyddio'r llyfr hwn. Gobeithiwn y byddwch chi hefyd yn dod i fwynhau a gwerthfawrogi Ystadegaeth.

GJGU
ITC
Prifysgol Essex
Colchester
Hydref 1997

Rhestr nodiant

Defnyddir rhai llythrennau i nodi gwahanol fesurau mewn gwahanol gyd-destunau. Serch hynny, ni ddylai hyn achosi dryswch gan y bydd y cyd-destun yn dangos yn eglur pa ddiffiniad sy'n briodol.

∞	Anfeidredd.
$\sim$	'… â dosraniad'.
$\approx$	'yn fras yn hafal i'/'tua'r un gwerth â'.
$-$	'cymedr'/'cymedrig'.
$\wedge$	'amcangyfrif'.
$'$	'cyflenwol' (mewn perthynas â digwyddiadau).
$\mid$	'amodol', felly mae $A\mid B$ yn golygu 'bod A yn digwydd o wybod bod B yn digwydd'.
$!$	Ffactorial: $r! = r(r-1)(r-2)\ldots 1$.
$\cap$	Croestoriad dau ddigwyddiad.
Σ	Symiant: $\sum_{i=1}^{n} x_i = x_1 + \ldots + x_n$.
$\cup$	Uniad dau ddigwyddiad.
a	Rhyngdoriad llinell atchwel (amcangyfrifiedig).
α (alffa)	Rhyngdoriad llinell atchwel poblogaeth.
b	Goledd llinell atchwel (amcangyfrifiedig).
β (beta)	Goledd llinell atchwel poblogaeth.
$B(n,p)$	Y dosraniad binomial â pharamedrau n a p.
c	Gwerth critigol.
cdf	Y ffwythiant dosraniad cronnus.
χ_v^2	Dosraniad Chi sgwâr gyda v gradd o ryddid.
d_i	Gwahaniaeth rhwng rhengoedd.
e	2.718 281 828 ….
$E(X)$	Gwerth disgwyliedig X.
E	Digwyddiad.
E'	Digwyddiad cyflenwol E.
E_i	Amlder disgwyliedig.
f_j	Amlder y bydd gwerth x_j yn digwydd.
f(x)	Ffwythiant dwysedd tebygolrwydd X.
F(x)	Ffwythiant dosraniad cronnus X.
H_0, H_1	Rhagdybiaeth nwl a rhagdybiaeth arall.
λ (lamda)	Paramedr dosraniad Poisson.
m	Y canolrif.
μ (miw)	Cymedr y boblogaeth.
n	Nifer yr arsylwadau.
$n(E)$	Nifer y canlyniadau yn y digwyddiad E.
$\binom{n}{r}$	Nifer y cyfuniadau gwahanol o r gwrthrych a ddewiswyd o n.
^nP_r	Nifer y trynewidion gwahanol o r gwrthrych a ddewiswyd o n.
$N(\mu, \sigma^2)$	Y dosraniad normal â chymedr μ ac amrywiant σ^2.
ν (niw)	Graddau o ryddid o ddosraniadau t neu χ^2.
O_i	Amlder arsylwedig.

p, P	Tebygolrwydd.
P_x	$P(X = x)$.
$P(z)$	Cael ei ddefnyddio yn lle $\Phi(z)$ gan rai tablau.
pdf	Ffwythiant dwysedd tebygolrwydd.
ϕ (phi)	Ffwythiant dwysedd tebygolrwydd ar gyfer $N(0,1)$.
Φ (prif lythyren phi)	Ffwythiant dosraniad cronnus ar gyfer $N(0,1)$.
π (pi)	3.141 592 653 59 ….
q	$1 - p$, yn aml tebygolrwydd 'methiant'.
Q_1, Q_2, Q_3	Y chwartel isaf, canol ac uchaf.
$Q(z)$	Defnyddir gan rai tablau i olygu $1 - \Phi(z)$.
ρ (rho)	Cyfernod cydberthyniad poblogaeth.
r	Nifer y llwyddiannau.
r	Cyfernod cydberthyniad lluoswm-moment.
r_s	Cyfernod cydberthyniad rhestrol Spearman.
s	Ail isradd s^2.
s^2	$(= \sigma_{n-1}^2)$ Amcangyfrif di-duedd o amrywiant y boblogaeth.
s_p^2	Amcangyfrif cronedig o amrywiant y boblogaeth.
S	Y gofod sampl.
S^2	Yr hapnewidyn sy'n cyfateb i s^2.
S_{xx}, S_{xy}, S_{yy}	$\Sigma(x_i - \bar{x})^2$, $\Sigma(x_i - \bar{x})(y_i - \bar{y})$, $\Sigma(y_i - \bar{y})^2$.
σ (sigma)	Gwyriad safonol y boblogaeth.
σ^2	Amrywiant y boblogaeth.
σ_n	Gwyriad safonol y sampl.
σ_n^2	Amrywiant y sampl.
σ_{n-1}^2	$(= s^2)$ Amcangyfrif di-duedd o amrywiant y boblogaeth.
t_v	Dosraniad t gyda v gradd o ryddid.
T	Hapnewidyn â dosraniad t.
$\text{Var}(X)$	Amrywiant X.
$\bar{x}, \bar{X}$	Cymedr y sampl (gwerth neu hapnewidyn).
x_i	Gwerth wedi'i arsylwi.
$X, Y, \ldots$	Hapnewidynnau.
X^2	Ystadegyn cywirdeb ffit.
X_c^2	Fersiwn X^2 â chywiriad Yates.
Z	Hapnewidyn â dosraniad $N(0,1)$.
z	Ystadegyn prawf: arsylwad ar Z.

1 Diagramau a thablau crynhoi

1.1 Pwrpas Ystadegaeth

Yn y rhan fwyaf o wledydd y llywodraeth sy'n cyflogi'r nifer fwyaf o ystadegwyr, ac mae'n casglu gwybodaeth rifiadol am bob agwedd ar fywyd. Mae'r wybodaeth sy'n cael ei chasglu ar ffurf ystadegau dynol (megis niferoedd y di-waith), ystadegau ariannol (megis cyfradd chwyddiant), ac ar agweddau eraill ar fywyd yn cael ei chyhoeddi'n rheolaidd mewn papurau newydd ac ar y newyddion. Yn ogystal â'r ystadegau **poblogaeth** hyn, mae ystadegau **sampl** hefyd yn cael eu cyhoeddi. Er enghraifft, mae asiantaethau ymchwil i'r farchnad (e.e. Gallup) hefyd yn casglu gwybodaeth rifiadol sy'n gallu bod yn dra amlwg yn y newyddion cyn etholiad cyffredinol.

Fel enghraifft, roedd un rhifyn o *The Times* yn cynnwys y canlynol:

- Ystadegau yfed a gyrru (*Ffynhonnell:* Y Llywodraeth).
- Teimladau mamau ynglŷn â dychwelyd i weithio (ystadegau sampl – *Ffynhonnell*: Gallup).
- Nifer yr ymwelwyr i Brydain wedi eu rhannu yn ôl cenedl (ystadegau sampl – *Ffynhonnell*: Arolwg Teithwyr Rhyngwladol).
- Dadansoddiad o asedau British Rail (*Ffynhonnell*: Adroddiad blynyddol British Rail).
- Tudalennau o ystadegau ar stociau a chyfrannau.
- Tudalennau llawer mwy diddorol am ystadegau chwaraeon!
- Ystadegau am dywydd y byd (*Ffynhonnell*: Y Swyddfa Dywydd).

Yn y byd modern rydym yn cael ein boddi gan ystadegau; mae'r pwnc Ystadegaeth yn ymwneud â cheisio gwneud synnwyr o'r holl wybodaeth rifiadol hon.

Prosiect

Dewiswch un rhifyn o bapur newydd 'safonol' a chwiliwch am adroddiadau sy'n cynnwys ystadegau. Ceisiwch benderfynu pa fath o sefydliad a fu'n casglu'r ystadegau sy'n cael eu cyhoeddi.

Gan gyfrif un yn unig ar gyfer yr holl adroddiadau chwaraeon, un ar gyfer yr holl adroddiadau ariannol ac un ar gyfer yr holl wybodaeth am y tywydd, sawl math gwahanol o adroddiadau allwch chi ei ddarganfod mewn un rhifyn o'r papur?

Yn ôl yr hyn a welwch, faint o sefydliadau gwahanol sydd wedi casglu'r ystadegau?

Mae arolygon barn yn enghraifft dda o bwrpas Ystadegaeth. Mewn arolwg barn holir rhai miloedd o bobl. O'r wybodaeth a geir gan y bobl hyn, gellir dod i gasgliadau rhyfeddol o gywir sy'n adlewyrchu'r boblogaeth gyfan, sy'n llawer mwy niferus.

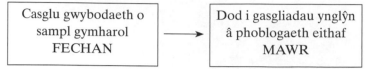

1.2 Newidynnau ac arsylwadau

Mae'r term **newidyn** yn cyfeirio at y disgrifiad o'r hyn sy'n cael ei fesur, ac mae'r term **gwerth a arsylwyd** neu **arsylwad** yn cael ei ddefnyddio am ganlyniad y mesuriad. Dyma rai enghreifftiau:

Newidyn	*Gwerth a arsylwyd*
Pwysau person	80 kg
Buanedd car	70 mya
Nifer y llythyrau mewn blwch llythyrau	23
Lliw stamp	Porffor

Os yw gwerth newidyn yn ganlyniad arsylwad ar hap neu arbrawf (e.e. taflu dis), gelwir y newidyn yn **hapnewidyn**.

1.3 Mathau o ddata

Lluosog y gair 'datwm' sy'n golygu darn o wybodaeth yw 'data' – felly darnau o wybodaeth yw **data**. Mae tri math cyffredin o ddata: ansoddol, arwahanol a di-dor.

Mae data **ansoddol** (a elwir hefyd yn ddata **enwol** neu ddata **categorïaidd**) yn cynnwys disgrifiadau sy'n defnyddio *enwau*. Er enghraifft:

'Pen' neu 'Gynffon'
'Du' neu 'Wyn'
'Byngalo', 'Tŷ' neu 'Gastell'

Mae data **arwahanol** yn cynnwys gwerthoedd rhifiadol mewn achosion lle gallwn wneud rhestr o'r gwerthoedd posibl. Mae'r rhestr yn aml yn fyr iawn:

1, 2, 3, 4, 5 a 6.

Weithiau bydd y rhestr yn ymestyn i anfeidredd, er enghraifft, y rhestr ganlynol:

0, 0.5, 1.0, 1.5, 2.0, 2.5, 3.0, 3.5, 4.0, …

Mae data **di-dor** yn cynnwys gwerthoedd rhifiadol mewn achosion lle nad yw'n bosibl llunio rhestr o'r canlyniadau. Enghreifftiau yw mesuriadau o feintiau ffisegol megis pwysau, taldra ac amser.

Noder
♦ Mae'r gwahaniaeth rhwng data arwahanol a data di-dor yn aml yn aneglur oherwydd cyfyngiadau offer mesur. Wrth fesur pobl, er enghraifft, gallwn gofnodi eu taldra i'r centimetr agosaf, ac yn yr achos hwn mae arsylwadau o fesur di-dor yn cael eu cofnodi gan ddefnyddio gwerthoedd arwahanol.

1.4 Siartiau marciau rhifo a dosraniadau amlder

Isod gwelir sgorau'r 30 prif golffiwr yn eu rownd derfynol ym Mhencampwriaeth Agored yr Alban.

62, 65, 63, 65, 70, 68, 65, 67, 67, 69, 70, 70, 70, 67, 68,
68, 66, 69, 74, 67, 68, 69, 69, 69, 71, 71, 72, 69, 72, 68

Mae'r data yn ddata arwahanol gan fod y sgorau i gyd yn rhifau cyfan. Mae'n hawdd gweld bod y rhan fwyaf o sgorau oddeutu 70 neu ychydig llai. Ond nid yw mor hawdd gweld pa sgôr oedd yr un mwyaf cyffredin. Mae **siart marciau rhifo** yn rhoi crynodeb syml o'r canlyniadau.

Mae'r siart marciau rhifo wedi ei lunio drwy 'fynd drwy'r' data unwaith. Ar gyfer pob sgôr rhoddir strôc fertigol yn y rhes briodol, gyda strôc groeslinol i gwblhau pob grŵp o bum strôc. Mae hyn yn llawer haws na mynd drwy'r data yn cyfrif sawl gwaith mae 62 yn digwydd ac yna ailadrodd hyn ar gyfer pob sgôr unigol.

Noder
◆ Mae defnyddio'r 'giatiau pum bar' yn hwyluso'r gwaith o gyfrif y marciau rhifo.
◆ Os oes bylchau cyfartal rhwng y marciau rhifo yna mae'r siart yn gynrychioliad graffigol defnyddiol o'r data.

Gelwir cyfanswm y marciau rhifo ar gyfer pob canlyniad yn **amlder** y canlyniad hwnnw. Er enghraifft, roedd amlder y canlyniad 65 yn 3. Gelwir y set o ganlyniadau gyda'u hamlderau cyfatebol yn **ddosraniad amlder**, a gellir arddangos hyn mewn **tabl amlder**, fel y gwelir isod:

Sgôr y rownd derfynol	62	63	64	65	66	67	68	69	70	71	72	73	74
Nifer y golffwyr	1	1	0	3	1	4	5	6	4	2	2	0	1

Siart marciau rhifo o sgorau'r 30 prif golffiwr yn eu rownd derfynol ym Mhencampwriaeth Agored yr Alban.

Sgôr	Marciau rhifo
62	|
63	|
64	
65	|||
66	|
67	||||
68	ⵑ
69	ⵑ |
70	||||
71	||
72	||
73	
74	|

1.5 Diagramau coesyn a deilen

Daw siartiau marciau rhifo yn anhylaw o hir os bydd yr amrediad o werthoedd posibl yn fawr iawn, fel yn achos y sgorau unigol hyn mewn gêm griced Cynghrair Dydd Sul pan yw'r sgorio yn isel:

22, 58, 12, 17, 4, 7, 26, 10, 13, 1, 39, 0, 1, 10, 6, 0, 11, 14, 1, 0

Dewis arall cyfleus yw **diagram coesyn a deilen**, lle mae'r coesyn yn cynrychioli'r digid mwyaf ystyrlon (h.y. y 'degau') a'r dail yn cynrychioli'r digidau llai ystyrlon (yr 'unedau'). Mae'r siart coesyn a deilen canlynol wedi cael ei greu gan ddilyn trefn y data:

0	4, 7, 1, 0, 1, 6, 0, 1, 0
1	2, 7, 0, 3, 0, 1, 4
2	2, 6
3	9
4	
5	8
degau	*unedau*

Petai'r diagram coesyn a deilen gwreiddiol wedi cael ei lunio ar bapur bras yna gellid llunio fersiwn daclusach â'r dail wedi eu trefnu'n dwt fel y dangosir isod:

0	0, 0, 0, 1, 1, 1, 4, 6, 7
1	0, 0, 1, 2, 3, 4, 7
2	2, 6
3	9
4	
5	8
degau	*unedau*

Weithiau cyflwynir y siartiau hyn gyda choesynnau 'hollt' (i roi mwy o fanylion). Dangosir hyn isod, lle mae'r unedau rhwng 0 a 4 (yn gynhwysol) wedi eu gwahanu oddi wrth yr unedau rhwng 5 a 9 (yn gynhwysol):

0	0, 0, 0, 1, 1, 1, 4
0	6, 7
1	0, 0, 1, 2, 3, 4
1	7
2	2
2	6
3	
3	9
4	
4	
5	
5	8
degau	*unedau*

Nawr mae'n hynod o hawdd gweld bod y rhan fwyaf o chwaraewyr wedi sgorio llai na 15 a bod y sgôr uchaf o 58 ymhell o flaen y gweddill.

Mae diagramau coesyn a deilen yn cadw gwybodaeth wreiddiol y data, ond yn ei chyflwyno mewn ffordd gryno a haws i'w deall: dyma ddilysnod crynodeb data effeithiol.

Gallwn ddefnyddio diagramau coesyn a deilen gyda data arwahanol a data di-dor (a thrin yr olaf fel petai'n arwahanol). Maen nhw'n llawer haws i'w deall pan fo'r coesyn yn cynnwys pŵer deg, ond gellir defnyddio unedau eraill hefyd petai'r coesyn fel arall yn rhy hir neu'n rhy fyr. Yn aml mae'n ddoeth rhoi eglurhad (**Allwedd**) gyda'r diagram.

Enghraifft 1

Mae rhifau ffôn mewnol hapddetholiad o unigolion o sefydliad mawr yn cael eu dangos isod.

Crynhowch y rhifau hyn gan ddefnyddio diagram coesyn a deilen.

3315, 3301, 2205, 2865, 2608, 2886, 2527, 3144, 2154, 2645, 3703, 2610, 2768, 3699, 2345, 2160, 2603, 2054, 2302, 2997, 3794, 3053, 3001, 2247, 3402, 2744, 3040, 2459, 3699, 3008, 3062, 2887, 2215, 2213, 3310, 2508, 2530, 2987, 3699, 3298, 2021, 3323, 2329, 2845, 2247, 3196, 3412, 2021

Wrth fwrw golwg sydyn ar y data gwelwn fod yr holl rifau yn cychwyn un ai â 2 neu 3, sy'n awgrymu eu bod i gyd rhwng 2000 a 3999 (yn gynhwysol).

Byddai cymryd coesyn ag unedau o 100 yn arwain at ddiagram mawr: felly, yn lle hynny, rydym yn gweithio ag unedau o 200, fel bo'r dail yn amrywio rhwng 0 a 199, yn gynhwysol. Yn yr achos hwn mae'r rhif 3315 yn cael ei gynrychioli fel coesyn o '3200' a deilen o '115' (fel bo 3200 + 115 = 3315). Dyma'r diagram a geir o ganlyniad (nid yw'r dail mewn trefn):

2000	154, 160, 54, 21, 21
2200	5, 145, 102, 47, 15, 13, 129, 47
2400	127, 59, 108, 130
2600	8, 45, 10, 168, 3, 144
2800	65, 86, 197, 87, 187, 45
3000	144, 53, 1, 40, 8, 62, 196
3200	115, 101, 110, 98, 123
3400	2, 12
3600	103, 99, 194, 99, 99

Allwedd:

3200 | 115 = 3315

Gallwn labelu'r coesyn hefyd fel '20', '22', ayb, gyda'r pennawd 'cannoedd'.

Enghraifft 2

Dyma oedd masau (mewn g) hapsampl o 20 o felysion:

1.13, 0.72, 0.91, 1.44, 1.03, 1.39, 0.88, 0.99, 0.73, 0.91, 0.98, 1.21, 0.79, 1.14, 1.19, 1.08, 0.94, 1.06, 1.11, 1.01

Crynhowch y canlyniadau hyn gan ddefnyddio diagram coesyn a deilen.

Drwy fwrw golwg sydyn drwy'r canlyniadau gwelir bod y masau i gyd oddeutu 1 g, felly dewis priodol fyddai lluosrifau 0.1 ar gyfer y coesyn a lluosrifau 0.01 ar gyfer y dail.

0.7	2, 3, 9
0.8	8
0.9	1, 9, 1, 8, 4
1.0	3, 8, 6, 1
1.1	3, 4, 9, 1
1.2	1
1.3	9
1.4	4

Allwedd:

0.7 | 2 = 0.72

Enghraifft 3

Roedd oedrannau'r cleifion mewn adran o ysbyty fel a ganlyn:

Dynion   24, 56, 71, 88, 55, 73, 32, 59, 66, 60, 90, 42, 77
Menywod   40, 59, 93, 77, 86, 82, 60, 35, 76, 82, 84, 37, 61

Crynhowch y data gan ddefnyddio diagram coesyn a deilen cefn-wrth-gefn.

Yn yr achos hwn mae gennym goesyn canolog gyda dail ar bob ochr yn dibynnu ar ryw'r claf. Ar ôl trefnu'r data, rydym yn cael

Dynion		Menywod
4	20	
2	30	5, 7
2	40	0
9, 6, 5	50	9
6, 0	60	0, 1
7, 3, 1	70	6, 7
8	80	2, 2, 4, 6
0	90	3

Allwedd: $2 \mid 80 = 82 = 80 \mid 2$

Menywod yw'r cleifion hynaf yn bennaf.

Ymarferion 1a

1 Dyma nifer yr aelodau oedd yn absennol mewn dosbarth dros gyfnod o 24 diwrnod:

0, 3, 1, 2, 1, 0, 4, 0, 1, 1, 2, 3,
1, 0, 0, 2, 4, 6, 4, 2, 1, 0, 1, 1

Drwy greu siart marciau rhifo yn gyntaf, lluniwch dabl amlder.

2 Mae chwaraewraig *bridge* yn cofnodi sawl âs mae hi'n ei gael mewn deliadau olynol. Dyma'r niferoedd:

0, 2, 3, 0, 0, 2, 1, 1, 0,
2, 3, 0, 1, 1, 2, 1, 0, 0

Lluniwch siart marciau rhifo a thrwy hynny lluniwch dabl amlder.

3 Niferoedd yr wyau a gafodd eu dodwy gan 8 iâr dros gyfnod o 21 diwrnod oedd:

6, 7, 8, 6, 5, 8, 6, 8, 6, 5, 6,
4, 7, 6, 8, 7, 5, 7, 6, 7, 5

Lluniwch siart maricau rhifo er mwyn cael tabl amlder.

4 Ar gyfer pob planhigyn tatws, mae garddwr yn cyfrif faint o datws sydd â mas mwy na 100 g. Dyma'r canlyniadau:

8, 5, 7, 10, 8, 6, 5, 6, 4, 8,
10, 9, 8, 7, 3, 10, 11, 6, 9, 8

Lluniwch dabl amlder.

5 Mae arweinydd côr yn cofnodi faint o'i aelodau sy'n dod i ymarferion côr. Dyma'r niferoedd:

25, 28, 32, 31, 31, 34, 28, 31, 29,
28, 32, 32, 30, 29, 29, 31, 28, 28

Lluniwch dabl amlder.

6 Mewn sampl o 25 bocs of fatsys, cyfrifwyd nifer y matsys ym mhob bocs. Dyma'r canlyniadau:

51, 52, 48, 53, 47, 48, 50, 51, 50,
46, 52, 53, 51, 48, 49, 52, 50,
48, 47, 53, 54, 51, 49, 47, 51

Gwnewch dabl amlder.

7 Dyma'r marciau a gafwyd mewn prawf mathemateg lle'r oedd y marciau allan o 50:

35, 42, 31, 27, 48, 50, 24, 27,
21, 37, 41, 34, 12, 18, 27

Lluniwch ddiagram coesyn a deilen i gynrychioli'r data.

8 Cofnododd pobydd faint o doesennau oedd yn cael eu gwerthu bob dydd. Dyma'r niferoedd:

35, 47, 34, 46, 62, 41, 35, 47, 51,
56, 73, 38, 41, 44, 51, 45, 74

Lluniwch ddiagram coesyn a deilen i ddangos y data.

9 Dyma gyfansymiau'r sgorau mewn cyfres o gemau pêl-fasged:

215, 224, 182, 200, 229, 219,
209, 217, 195, 162, 210, 213,
204, 208, 197, 192, 187, 213

Lluniwch ddiagram coesyn a deilen i gynrychioli'r data uchod.

10 Mae masau (mewn g) 16 o gerrig crwn a gasglwyd ar hap fel a ganlyn:

17.4, 32.1, 24.4, 37.6, 51.0, 41.4,
19.9, 36.2, 41.3, 50.2, 37.7, 28.4,
26.3, 22.2, 33.5, 42.4

Crynhowch y data hyn gan ddefnyddio diagram coesyn a deilen.

11 Gwnaed arbrawf i ddarganfod symudiad gwrthfiotigau mewn math arbennig o blanhigion ffa gan ddefnyddio 10 cyffyn a dorrwyd a 10 planhigyn gwreiddiog. Cafodd y sbesimenau i gyd eu trochi mewn hydoddiant oedd yn cynnwys cemegyn arbennig. Ar ôl 18 awr dyma faint o'r cemegyn oedd mewn rhan o ddeilen isaf pob sbesimen:

Cyff a dorrwyd	55	61	57	60	52
Planhigion gwreiddiog	53	50	43	46	35

Cyff a dorrwyd	65	48	58	68	63
Planhigion gwreiddiog	48	39	44	56	51

Dangoswch y data hyn gan ddefnyddio diagram coesyn a deilen gefn-wrth-gefn. Nodwch eich casgliadau ynglŷn ag unrhyw wahaniaeth rhwng y ddwy set o ganlyniadau.

12 Defnyddiwyd cyffur sy'n lliniaru llid y cymalau i drin ugain o gleifion. Fodd bynnag, cafodd wyth o'r cleifion adwaith anffafriol. Oedrannau'r cleifion hyn oedd 44, 51, 64, 33, 39, 37, 41 a 72. Oedrannau'r cleifion na chawsant adwaith anffafriol oedd 53, 29, 53, 67, 54, 57, 51, 68, 38, 44, 63 a 53. Dangoswch y data hyn gan ddefnyddio diagram coesyn a deilen cefn-wrth-gefn. A yw'r adwaith anffafriol i'w weld yn gysylltiedig ag oedran?

1.6 Siartiau bar

Mae hydoedd y rhesi mewn siart marciau rhifo neu ddiagram coesyn a deilen yn rhoi darlun o'r data ar unwaith. Gellir tacluso'r darlun hwn drwy ddefnyddio barrau y mae eu hydoedd mewn cyfrannedd â niferoedd yr arsylwadau ar gyfer pob canlyniad (h.y. â'r amlderau). Yn y diagram canlyniadol, a elwir yn **siart bar**, gall y barrau fod un ai'n **llorweddol** (fel y siart marciau rhifo) neu'n **fertigol**.

Noder
- Mae defnyddio'r 'giatiau pum bar' yn hwyluso'r gwaith o gyfrif y marciau rhifo.
- Nid oes angen dangos y tarddbwynt ar y graff.
- Gelwir siart bar lle mae'r barrau yn llinellau yn **graff llinell**.

Enghraifft 4

Defnyddiwch siart bar i ddangos y sgorau golff yn Adran 1.4 (tud. 3).

Gyda llawer o werthoedd gwahanol rydym yn defnyddio barrau cul wedi eu canoli ar y gwerthoedd 62, 63, ayb. Nid yw'r tarddbwynt yn y golwg.

Siart bar fertigol o sgorau'r 30 prif golffiwr yn eu rownd derfynol ym Mhencampwriaeth Agored yr Alban

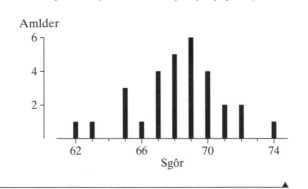

Enghraifft 5

Mae gwerthwr ceir yn ymddiddori yn hoff liwiau ei gwsmeriaid. Dyma ei gofnodion ar gyfer un math o gar:

Glas	Gwyn	Coch	Eraill
12	23	16	18

Defnyddiwch siart bar fertigol i gynrychioli'r ffigurau hyn.

Gyda phedwar categori yn unig byddai barrau cul yn edrych yn wirion. Felly rydym yn defnyddio barrau llydan wedi eu gwahanu â bylchau culach. Nid yw'r categorïau yn rhai rhifiadol felly gallwn eu gosod mewn unrhyw drefn. Trefn synhwyrol fyddai gosod y lliwiau unigol mewn trefn ddisgynnol yn ôl yr amlder a welir, gan orffen â'r categori 'Eraill'.

Siart bar gwerthiant ceir gwahanol liwiau

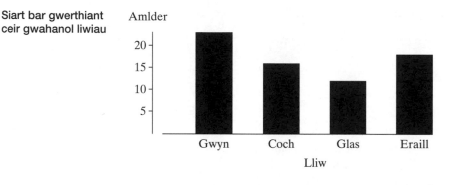

Gwaith ymarferol ——————————————

> Taflwch ddis chwe ochr cyffredin 24 o weithiau, a chofnodwch bob canlyniad wrth iddo ddigwydd (e.e. 3, 6, 2, 2, …). Crynhowch y data gan ddefnyddio siart marciau rhifo ac ysgrifennwch eich dosraniad amlder. Cymharwch eich dosraniad â dosraniad disgybl arall. Efallai y bydd gwahaniaethau mawr o ganlyniad i hapamrywiad. Cyfunwch y ddwy set o ganlyniadau a dangoswch hwy gan ddefnyddio siart bar fertigol. A yw'n ymddangos bod eich disiau yn rhai teg?

Ymarfer defnyddio cyfrifiannell ——————————————

> Gall cyfrifianellau graffigol gynhyrchu graffiau bar syml. Mae'r rhain yn ddigon da i roi syniad o'r data, ond nid ydynt yn gallu nodi bod gwerthoedd x arwahanol dan sylw. Cynhyrchwch ddiagram i ddangos y data golff yn Adran 1.4 ar eich cyfrifiannell a'i gymharu â'n diagram ni.

1.7 Siartiau aml-far

Pan fo'r data yn digwydd yn naturiol mewn grwpiau ac mai'r nod yw cyferbynnu'r amrywiadau o fewn gwahanol grwpiau, gallwn ddefnyddio **siart aml-far**. Mae hwn yn cynnwys grwpiau o ddau neu fwy o farrau cyfagos wedi eu gwahanu oddi wrth y grŵp nesaf gan fwlch, sydd, yn ddelfrydol, o led gwahanol i'r barrau eu hunain.

Gallai'r diagram fod yn llorweddol neu'n fertigol gyda'r gwerthoedd un ai wedi eu nodi ar y diagram neu wedi eu dangos drwy ddefnyddio echelin safonol.

Os oes dau grŵp o ddata sy'n cyfeirio at newidynnau arwahanol yna mae'n aml yn effeithiol dangos y data ar ddau siart bar gwahanol, er mwyn amlygu'r gwahaniaethau yn nosraniadau'r gwerthoedd. Yn yr achos hwn dylid gofalu defnyddio'r un graddfeydd ar gyfer pob siart.

Enghraifft 6

Mae'r data canlynol, sy'n dod o'r *Monthly Bulletin of Statistics* a gyhoeddir gan y Cenhedloedd Unedig, yn dangos amcangyfrif o boblogaethau pum gwlad (mewn miliynau) ar gyfer 1970 ac 1988.
Defnyddiwch siart aml-far i ddangos y data.

	Ffrainc	México	Nigeria	Pakistan	DG
1970	50	51	57	56	55
1988	55	82	104	105	57

Mae'r data yn dangos y gwahaniaeth yng nghyfraddau twf poblogaethau'r ddwy wlad Ewropeaidd a'r tair gwlad arall ac yn rhoi darlun graffig (yn llythrennol!) o broblem fyd-eang. Er mwyn cynyddu eglurder aildrefnir y gwledydd yn ôl eu poblogaethau yn 1988.

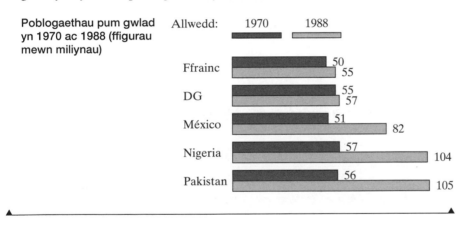

Poblogaethau pum gwlad yn 1970 ac 1988 (ffigurau mewn miliynau)

Enghraifft 7

Yn chwarter olaf y 19eg ganrif, cadwai byddin Prwsia gofnodion manwl o niferoedd ei marchfilwyr, yn y 14 corfflu, a laddwyd ar ôl cael eu cicio gan geffylau. Yn y tabl isod rhoddir y ffigurau ar gyfer 1875–1884 ac 1885–1894.

	Nifer y marwolaethau				
	0	1	2	3	4
1875–1884	78	40	16	4	2
1885–1894	66	51	16	7	0

Gan fod y data yn arwahanol, mae siartiau bar yn briodol. Mae'r diddordeb mewn gweld a oes newid posibl yn nosraniad y marwolaethau dros gyfnod o amser. Defnyddiwyd yr un graddfeydd fertigol yn y ddau siart bar gwahanol er mwyn gallu eu cymharu. Nid yw'n ymddangos bod tystiolaeth bendant o unrhyw newid.

Siartiau bar â'r un raddfa,
o nifer y marwolaethau
ymhlith marchfilwyr
Prwsia yn ystod dau
gyfnod o ddeng
mlynedd

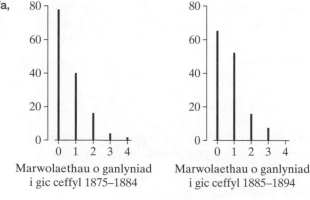

Marwolaethau o ganlyniad
i gic ceffyl 1875–1884

Marwolaethau o ganlyniad
i gic ceffyl 1885–1894

1.8 Barrau cyfansawdd ar gyfer cyfraneddau

Mewn siart bar cyfansawdd mae hyd bar cyfan yn cynrychioli 100% o'r
boblogaeth. Mae'r bar yn cael ei isrannu'n adrannau sy'n dangos meintiau
cymharol cydrannau'r poblogaethau. Drwy gymharu meintiau israniadau dau
far cyfansawdd paralel, gallwn weld gwahaniaethau rhwng cyfansoddiadau'r
poblogaethau gwahanol. Nid oes raid i'r poblogaethau fod yn boblogaethau o
greaduriaid byw – er enghraifft, gallent fod yn boblogaethau o hoelion mewn
dwy fan adeiladwr.

Enghraifft 8

Un o ganlyniadau'r twf dramatig ym mhoblogaeth gwledydd y 'trydydd
byd' yw bod cyfran uchel o boblogaeth y gwledydd hyn yn ifanc gydag
ychydig yn unig o hen bobl. Mae *World Population Prospects,* cyhoeddiad y
Cenhedloedd Unedig, yn rhoi'r ffigurau canlynol ar gyfer poblogaethau 1990:

	Ffrainc	México	Nigeria	Pakistan	DG
% dan 15	20.2	37.2	48.4	45.7	18.9
% 15 i 64	66.0	59.0	49.2	51.6	65.6
% 65 a hŷn	13.8	3.8	2.4	2.7	15.5

Dangoswch y ffigurau hyn mewn diagram priodol.

———————

Cyflwynir y data yn gyfleus ar ffurf canrannau a chan mai'r bwriad yw
cymharu, mae defnyddio siartiau bar cyfansawdd yn briodol. Mae'n anodd
gwybod ym mha drefn i gyflwyno'r gwledydd: rydym wedi defnyddio trefn
gynyddol gan ddechrau gyda'r grŵp oedran ieuengaf, gan fod hwn yn
ymddangos ar ochr chwith y diagram.

Barrau cyfansawdd ar gyfer
pum gwlad yn dangos cyfran
y boblogaeth mewn tri amrediad
oedran

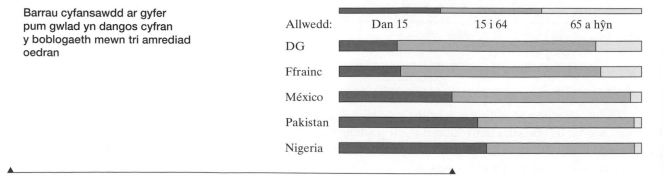

1.9 Siartiau cylch

Siartiau cylch yw'r siartiau crwn sy'n cyfateb i siartiau bar cyfansawdd. Mae arwynebeddau rhannau'r cylch mewn cyfranedd â'r symiau sy'n cael eu cynrychioli. Yn achlysurol efallai y gwelwch gylchoedd o wahanol feintiau: mae'r rhain yn nodi poblogaethau o feintiau gwahanol. Pan fyddant yn cael eu llunio'n gywir bydd yr arwynebeddau (nid y radiysau) mewn cyfrannedd â meintiau'r poblogaethau gwahanol.

Enghraifft 9

Mae *Adroddiad ar Adfer Iechyd Fforestydd 1989* y Gymuned Ewropeaidd yn dosbarthu coed yn ôl diddeiliad (h.y. yn ôl faint o ddail a gollir). Mae lefelau diddeiliad coed iach rhwng 0% a 10%. Mae'r data canlynol yn dangos y cyfran o gonwydd sydd â mesurau amrywiol o ddiddeiliad yn Ffrainc ac yn y DG.

Defnyddiwch siartiau cylch i ddangos y data.

	Maint y diddeiliad			
	0%–10%	11%–25%	26%–60%	61%–100%
Ffrainc	0.750	0.176	0.068	0.006
DG	0.358	0.303	0.250	0.089

Mae maint y siartiau cylch gwahanol yr un fath (gan nad ydym yn trafod *niferoedd* y conwydd yn y ddwy wlad). Mae segmentau'r cylchoedd wedi eu tywyllu er mwyn eu hamlygu. Dewiswyd y raddfa dywyllu fel bo'r lliw yn dywyllach pan fydd mwy o ddail (y diddeiliad lleiaf).

Gallwn weld bod diddeiliad sylweddol i'w gael mewn cyfran weddol fawr o gonwydd y DG, tra bo tua thri chwarter conwydd Ffrainc yn iach (0%–10% o ddiddeiliad). Fodd bynnag, nid yw'r gymhariaeth yn gwbl deg gan fod gwybodaeth arall yn yr adroddiad yn dangos bod conwydd Ffrainc ychydig yn iau na chonwydd y DG.

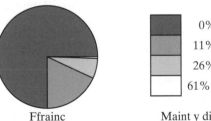

Ffrainc Maint y diddeiliad

0% – 10%
11% – 25%
26% – 60%
61% – 100%

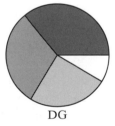

DG

Siartiau cylch yn cymharu maint y diddeiliad mewn conwydd yn Ffrainc ac yn y DG yn 1989

Ymarferion 1b

1 Dyma nifer yr aelodau oedd yn absennol mewn dosbarth dros gyfnod o 24 diwrnod:

0, 3, 1, 2, 1, 0, 4, 0, 1, 1, 2, 3,
1, 0, 0, 2, 4, 6, 4, 2, 1, 0, 1, 1

Lluniwch siart bar ar gyfer y data uchod.

2 Mae chwaraewraig *bridge* yn cofnodi sawl âs mae hi'n ei gael mewn deliadau olynol. Dyma'r niferoedd:

0, 2, 3, 0, 0, 2, 1, 1, 0,
2, 3, 0, 1, 1, 2, 1, 0, 0

Lluniwch siart bar ar gyfer y data uchod.

3 Niferoedd yr wyau a gafodd eu dodwy gan 8 iâr dros gyfnod o 21 diwrnod oedd:

6, 7, 8, 6, 5, 8, 6, 8, 6, 5, 6,
4, 7, 6, 8, 7, 5, 7, 6, 7, 5

Lluniwch siart bar ar gyfer y data uchod.

4 Ar gyfer pob planhigyn tatws, mae garddwr yn cyfrif faint o datws sydd â màs mwy na 100 g. Dyma'r canlyniadau:

8, 5, 7, 10, 8, 6, 5, 6, 4, 8,
10, 9, 8, 7, 3, 10, 11, 6, 9, 8

Lluniwch siart bar ar gyfer y data uchod.

5   Dyma niferoedd y goliau a sgoriwyd yn tair adran gyntaf y Gynghrair Pêl-droed ar 4 Chwefror 1995:

6, 5, 3, 3, 5, 3, 1, 2, 4, 2, 2, 5,
1, 2, 2, 3, 8, 2, 4, 5, 3, 3, 0, 2,
5, 0, 1, 0, 3, 0, 1, 2, 7, 1, 2

Lluniwch siart bar ar gyfer y data uchod.

6   Dyma feintiau esgidiau aelodau tîm pêl-droed:

10, 10, 8, 11, 10, 9, 9, 10, 11, 9, 10

Defnyddiwch (i) siart bar,
(ii) siart bar cyfansawdd, (iii) siart cylch
i gynrychioli'r data.

7   Cofnododd ysgol niferoedd y disgyblion oedd wedi ennill y gwahanol raddau posibl yn eu pynciau Lefel A.

E: 21; D: 47; C: 69; B: 72; A: 53

Defnyddiwch i) siart bar,
ii) siart bar cyfansawdd, iii) siart cylch
i gynrychioli'r data.

8   Dyma gyfran y gwrywod mewn cynulleidfaoedd gwahanol ornestau chwaraeon:
Gêm bêl-droed 85%, Gêm rygbi 70%,
Gêm dennis 45%, Gêm badminton 40%,
Gymnasteg 35%.
Defnyddiwch siart bar cyfansawdd i gynrychioli'r canlyniadau hyn.

9   Mae hapsamplau o unigolion 20–60 oed yn cael eu cyfweld mewn pum ardal o'r wlad. Mae canrannau'r dynion a'r menywod sydd mewn gwaith llawn amser yn cael eu dangos yn y tabl canlynol.

	Dynion	Menywod
De-Ddwyrain Lloegr	84	61
East Anglia	78	57
Gorllewin Canolbarth Lloegr	70	58
De-Orllewin Lloegr	65	40
yr Alban	63	36

Dangoswch y data gan ddefnyddio siart aml-far.

10 Cofnododd ysgol niferoedd y disgyblion oedd wedi ennill y gwahanol raddau posibl yn eu pynciau Lefel A.
Dyma'r ffigurau ar gyfer y bechgyn:
E: 14; D: 29; C: 42; B: 42; A: 21
Dyma'r ffigurau ar gyfer y merched:
E: 7; D: 18; C: 27; B: 30; A: 32
Dangoswch y canlyniadau hyn:
(i)   gan ddefnyddio siart bar cyfansawdd,
(ii) gan ddefnyddio dau siart cylch,
(iii) gan ddefnyddio siart aml-far.

11 Mae Adroddiadau Blynyddol y Cofrestrydd Cyffredinol yn datgelu'r ffigurau canlynol mewn perthynas â statws priodasol dynion yn ystod 1872, 1931 ac 1965:

	1872	1931	1965
Hen lanc	86.3	91.7	88.5
Gŵr gweddw	13.7	7.6	4.9
Wedi ysgaru	*	0.7	6.6

Canrannau yw'r ffigurau, ac mae * yn nodi ffigur llai na 0.1%. Dangoswch y ffigurau gan ddefnyddio:
(i)   siartiau cylch,
(ii) siart aml-far,
(iii) siart bar cyfansawdd.

1.10 Tablau amlder grwpiedig

Mae'r data canlynol yn dangos masau (mewn g) 30 o gerrig crwn brown a ddewiswyd ar hap o'r rheiny ar ran benodol o draeth:

3.4, 12.3, 7.5, 8.2, 8.6, 15.4, 6.9, 7.0, 2.9, 5.0,
13.5, 8.4, 9.9, 11.8, 4.6, 7.7, 3.8, 7.7, 8.6, 14.6,
4.3, 7.9, 9.1, 11.9, 17.4, 6.3, 8.7, 10.1, 5.1, 10.2

Byddai siart bar o'r data hyn yn edrych fel crib hynafol wedi cael damwain. Yn amlwg, mae'n synhwyrol gweithio gydag amrediadau o werthoedd, yr ydym yn eu galw'n **ddosbarthiadau**, yn hytrach na chyda'r gwerthoedd unigol. I ddechrau rydym yn crynhoi'r data (gan ddefnyddio siart marciau rhifo efallai i helpu gyda'r gwaith cyfrif) er mwyn ffurfio **tabl amlder grwpiedig**:

Amrediad y masau (g)	1.95–3.95	3.95–5.95	5.95–7.95	7.95–9.95	9.95–11.95	11.95–13.95	13.95–15.95	15.95–17.95
Amlder	3	4	7	7	4	2	2	1

Noder

- O edrych yn fanwl ar y data a gofnodwyd mae'n ymddangos bod y mesuriadau wedi eu rhoi yn gywir i'r 0.1 g agosaf. Felly mae gan gerrig y mae eu masau wedi eu cofnodi yn yr amrediad 2 g–3.9 g wir fasau yn yr amrediad 1.95 g–3.95 g.
- Y gwerthoedd 1.95, 3.95, …, 15.95 yw **ffiniau dosbarth isaf (ff.d.i.)** eu dosbarthiadau, tra mai'r gwerthoedd 3.95, 5.95, …, 17.95 yw'r **ffiniau dosbarth uchaf (ff.d.u.)**. Felly:
  - ff.d.u. un dosbarth = ff.d.i. y dosbarth nesaf.
  - lled dosbarth = (ff.d.u. − ff.d.i.)

  Yn yr enghraifft, mae lled pob un o'r wyth dosbarth yn 2.
- Mae tablau sy'n cael eu cyhoeddi yn aml yn defnyddio'r ffigurau talgrynedig yn y tabl amlder grwpiedig, ac efallai mai dim ond canolbwynt y dosbarth neu ddim ond un o'r ffiniau dosbarth a roddir (fel arfer y ff.d.i.). Er enghraifft gellid cofnodi data'r cerrig fel hyn:

Amrediad y masau (0.1 g agosaf)	Amlder
2–	3
4–	4
6–	7
8–	7
10–	4
12–	2
14–	2
16–	1

Yn aml mae angen cryn ofal a rhywfaint o ddyfeisgarwch i ddarganfod y gwir ffiniau dosbarth – mae hyn, fodd bynnag, yn nodweddiadol o ddata sy'n cael eu cyhoeddi.

- Mae llawer o rifau yr ydym yn eu mesur heb fod yn rhai di-dor mewn gwirionedd, ond mae'n well eu trin felly. Mae'r data canlynol yn cynnwys y prisiau sy'n cael eu hysbysebu (mewn £, yn 1992) ar gyfer ceir Ford Sierra ail-law llai na 3 oed.

> 8195, 4995, 9995, 9995, 8995, 8695, 5995, 5495, 7495, 7895, 7295, 8995,
> 8695, 8495, 7495, 8995, 4995, 7495, 4795, 4995, 4995, 8895, 5495, 6495,
> 5795, 5695, 5195, 5995, 7995, 7350, 12 395, 4995, 9495, 6495

Byddai ychwanegu 5 at y prisiau hyn yn eu gwneud yn llawer haws i'w darllen. Er nad yw pris mewn £ yn rhif di-dor (gan fod yr holl brisiau mewn punnoedd cyfan), mae'r prisiau posibl mor agos at ei gilydd fel ei bod yn synhwyrol ei drin felly.

Amrediad pris (£)	4000–4999	5000–5999	6000–6999	7000–7999	8000–8999
Amlder	6	7	2	7	8

Amrediad pris (£)	9000–9999	10 000–10 999	11 000–11 999	12 000–12 999
Amlder	3	0	0	1

1.11 Anawsterau gydag amlderau grwpiedig

- **Gwerth sero** Er enghraifft, tybiwch fod hyd galwadau ffôn yn cael eu mesur i'r funud agosaf. Os felly, mae galwad sy'n para '2 funud' mewn gwirionedd wedi para rhwng 1.5 a 2.5 munud – amrediad o funud. Yn yr un modd, mae galwad sy'n para '3 munud' yn cyfeirio at amrediad o funud. Mae'r un peth yn wir am hyd pob galwad ffôn a gofnodir ac eithrio '0 munud' sy'n cyfeirio at alwadau sy'n para rhwng 0 a 0.5 munud. Dylai'r ffordd y mae sero yn cael ei drin yma (yn achos newidyn *di-dor*) gael ei chyferbynnu â'r driniaeth isod.

♦ **Data arwahanol grwpiedig** Tybiwch fod prawf yn cael ei farcio allan o 100 a bod y dosbarthiadau 0–24, 25–49, 50–74 a 75–100 yn cael eu defnyddio. Ffiniau dosbarth rhyngol naturiol yw 24.5, 49.5 a 74.5. Mae'r ffiniau hyn 0.5 y tu allan i amrediadau datganedig y dosbarthiadau. Er mwyn cysondeb, mae hyn yn awgrymu defnyddio – 0.5 a 100.5 fel y ddwy ffin sy'n weddill, er nad yw marciau negatif, a marciau mwy na 100, yn ddichonadwy. Mae'r ffordd y mae'r sero yn cael ei drin yn y nodyn hwn yn wahanol i'r hyn a geir yn y nodyn blaenorol gan fod y swm sy'n cael ei fesur yma yn arwahanol ac nid yn ddi-dor.

♦ **Oedran** Yn wahanol i bron bob newidyn arall, mae oedran yn cael ei gynrychioli mewn ffurf *gryno*. Mae person sy'n honni ei fod yn '14 oed' mewn gwirionedd o leiaf 14.0 oed, ond nid yw wedi cyrraedd 15.0 eto.

Roedd Adolphe Quetelet (1796–1874) yn gymeriad amlwg ym myd gwyddoniaeth yng Ngwlad Belg am 50 mlynedd. Gweithiai fel seryddwr a meteorolegwr yn yr Arsyllfa Frenhinol ym Mrwsel, ond daeth yn enwog o ganlyniad i'w waith fel ystadegydd a chymdeithasegydd. Roedd yn un o sylfaenwyr Y Gymdeithas Ystadegaeth Frenhinol (Llundain). Treuliodd lawer o'i amser yn llunio tablau a diagramau i ddangos y berthynas rhwng newidynnau. Ymddiddorai yn y cysyniad o'r 'dyn cyffredin' yn yr un modd ag yr ydym ni heddiw yn cyfeirio at y 'teulu cyffredin'.

1.12 Histogramau

Nid yw siartiau bar yn addas ar gyfer data lle ceir amlderau grwpiedig yn achos amrediadau o werthoedd, yn hytrach rydym yn defnyddio **histogram** sy'n ddiagram lle defnyddir petryalau i gynrychioli amlderau. Mae histogram yn wahanol i siart bar oherwydd gall lledau'r petryalau fod yn wahanol, ond yn achos pob petryal y nodwedd allweddol yw bod:

yr **arwynebedd** mewn cyfrannedd ag **amlder dosbarth**

Pan fo lled pob dosbarth yn hafal, mae histogramau yn hawdd i'w llunio, oherwydd felly nid yn unig y mae arwynebedd ∝ amlder, ond hefyd mae uchder ∝ amlder.

Nodyn

♦ Mae rhai pecynnau cyfrifiadurol yn ceisio llunio histogramau tri dimensiwn. Dylech osgoi'r rhain os gallwch, gan fod yr effaith yn debygol o fod yn gamarweiniol.

Enghraifft 10

Defnyddiwch histogram i ddangos y data canlynol, sy'n cyfeirio at daldra 5732 o wŷr milisia yn yr Alban. Cyhoeddwyd y data yn yr *Edinburgh Medical and Surgical Journal* 1817 a chawsant eu dadansoddi gan Adolphe Quetelet (gweler uchod).

Taldra (modfeddi)	64–65	66–67	68–69	70–71	72–73
Amlder	722	1815	1981	897	317

Mae'n ymddangos bod pob taldra wedi ei gofnodi i'r fodfedd agosaf, felly'r ffiniau dosbarth yw 63.5, 65.5, 67.5, 69.5, 71.5 a 73.5. Mae'r rhain yn diffinio safleoedd ochrau'r petryalau tra bo'r taldra mewn cyfrannedd â 722, 1815, ayb.

Histogram yn dangos taldra 5732 o wŷr milisia yn yr Alban yn 1817

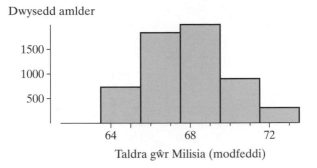

Dwysedd amlder

Taldra gŵr Milisia (modfeddi)

Noder

♦ Mae'r echelin *y* wedi ei labelu *dwysedd amlder* yn hytrach nag amlder gan mai *arwynebedd* sydd mewn cyfranedd ag amlder.

♦ Gan fod lled pob dosbarth yr un fath, gellid labelu'r raddfa fertigol (dwysedd amlder) yn 'Amlder fesul amrediad taldra o 2 fodfedd' Fodd bynnag, mae'r unedau hyn wedi eu hepgor oherwydd byddent yn peri dryswch yn hytrach nag yn rhoi gwybodaeth i unrhyw un a fyddai'n edrych ar y diagram.

Enghraifft 11

Wrth i rewlifoedd encilio maen nhw'n gadael creigiau o'r enw 'meini crwydr' gan eu bod yn fath gwahanol o greigiau i'r creigiau arferol sydd i'w cael yn yr ardal. Yn yr Alban mae llawer o'r meini crwydr hyn wedi cael eu defnyddio gan ffermwyr yn waliau eu caeau. Un ffordd o bennu maint y meini crwydr hyn yw mesur yr arwynebedd trawstoriadol (mewn cm^2), sydd i'w weld ar ochr allanol wal. Rhoddir arwynebedd 30 o feini crwydr isod. Defnyddiwch ddull addas i arddangos y data hyn.

216, 420, 240, 100, 247, 128, 540, 594, 160, 286, 216, 448, 380, 509, 90, 156, 135, 225, 304, 144, 152, 143, 135, 266, 286, 154, 154, 386, 378, 160

Wrth fwrw golwg sydyn ar y data gwelir bod y gwerthoedd yn amrywio o 90 i 594. Gan fod llawer o werthoedd yn bosibl ar gyfer arwynebedd trawstoriadol, bydd yn angenrheidiol grwpio'r data a defnyddio histogram i'w dangos. Gellir cael argraff dda o ddosraniad set o werthoedd fel arfer drwy ddefnyddio rhwng 5 a 15 dosbarth. Awgryma hyn ddefnyddio dosbarthiadau, lled 50, gyda ffiniau 'naturiol' yn 50, 100 ac yn y blaen. Rydym yn defnyddio siart marciau rhifo i helpu gyda'r gwaith cyfrif ac yn cael:

Amrediad yr arwynebeddau (cm^2)	50–99	100–149	150–199	200–249
Amlder	1	6	6	5

Amrediad yr arwynebeddau (cm^2)	250–299	300–349	350–399	400–449
Amlder	3	1	3	2

Amrediad yr arwynebeddau (cm^2)	450–499	500–549	550–599
Amlder	0	2	1

Mae'r histogram canlyniadol yn dangos bod 'cynffon' hir o werthoedd mawr ond nad oes cynffon gyfatebol o werthoedd bychain: dywedir bod y dosraniad ar **sgiw i'r dde** neu **ar sgiw positif**. Mae hyn yn digwydd yn gyffredin (fel yn yr enghraifft hon) pan ydym yn trafod meintiau ffisegol heb arffin uchaf amlwg, ond na allant fod yn negatif.

Histogram arwynebedd trawstoriadol meini crwydr, gan ddefnyddio dosbarthiadau o led cyfartal.

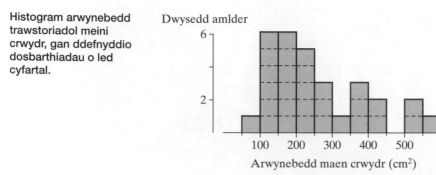

Nodiadau

- Mae ffiniau'r dosbarth mewn gwirionedd yn 49.5, 99.5, ayb ac mae'r histogram wedi ei blotio gan ddefnyddio'r gwerthoedd hyn. Fodd bynnag, mae'r echelin wedi ei labelu (yn gywir) gan ddefnyddio llai o werthoedd 'lletchwith'. Wrth gwrs, efallai nad ydych wedi sylwi.
- Pwrpas y 'blychau' mewnol yw pwysleisio'r berthynas rhwng amlder ac arwynebedd ac fel arfer ni fyddent yn cael eu dangos.

Mae'r histogram yn dangos bod arwynebedd trawstoriadol y maen crwydr nodweddiadol tua 200 cm^2, a bod rhai yn llawer mwy. Gyda sampl mwy byddem yn disgwyl amlderau fyddai fwy neu lai yn lleihau yn gyson wrth i werthoedd yr arwynebedd gynyddu. Er mwyn dileu natur 'garpiog' y diagram hwn, gallem ddefnyddio categorïau mwy llydan ar gyfer gwerthoedd mwy yr arwynebedd trawstoriadol:

Amrediad (cm^2)	50–99	100–149	150–199	200–249
Amlder	1	6	6	5

Amrediad (cm^2)	250–299	300–449	450–599
Amlder	3	6	3

Mae amlinelliad yr histogram sy'n cyfateb i'r tabl diwygiedig yn weddol lyfn, a mwy neu lai yn lleihau'n gyson. Yn wir, y cwbl sydd wedi digwydd yw bod ychydig o'r 'blychau' wedi cwympo oddi ar frigau i'r cafnau cyfagos.

Histogram llyfn o arwynebedd trawstoriadol meini crwydr, lle defnyddir dosbarthiadau o led anhafal

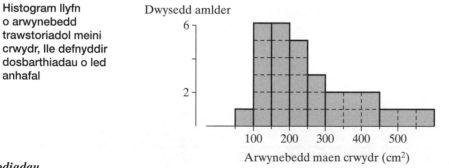

Nodiadau

- Nid yw cyfanswm arwynebedd yr histogram wedi ei newid.
- Pwrpas yr unedau ar yr echelin *y* yw galluogi'r person sy'n edrych ar yr histogram i gael argraff gywir o uchderau cymharol gwahanol rannau o'r histogram.

Enghraifft 12

Mae'r tabl ar y dudalen ganlynol yn crynhoi canlyniadau asesiad 1992 o wybodaeth plant 7 oed am y fathemateg a nodir yn y Cwricwlwm Cenedlaethol.

Cofnodwyd canlyniadau ar gyfer 105 Awdurdod Addysg Lleol, gyda'r ffigurau yn y tabl yn cynrychioli canrannau'r disgyblion a lwyddodd i gyrraedd lefel 2 neu uwch.

Dangoswch y data hyn mewn ffordd addas.

% yn cyrraedd lefel 2	50–59	60–63	64–65	66–67	68–69	70–71
Nifer yr AALl	4	4	5	8	7	18

% yn cyrraedd lefel 2	72–73	74–75	76–77	78–79	80–83
Nifer yr AALl	17	11	21	5	5

O dybio bod y ffigurau a gofnodwyd wedi eu talgrynnu i'r pwynt canrannol agosaf, y ffiniau dosbarth yw 49.5, 59.5, 63.5, 65.5, … ,79.5 ac 83.5. Mae lled y rhan fwyaf o ddosbarthiadau yn 2 bwynt canrannol, ond mae'r dosbarthiadau ar bob pen yn lletach. Gan gymryd 2 bwynt canrannol fel lled 'safonol', a chan gofio mai *arwynebedd* sydd mewn cyfrannedd ag amlder, mae'n rhaid bod uchder y petryal sy'n cynrychioli'r amlder dosbarth olaf yn $\frac{5}{2}$, gan fod y dosbarth hwn ddwywaith lletach na'r dosbarth safonol. Yn yr un modd, bydd uchder y ddau ddosbarth cyntaf yn $\frac{4}{5}$ a $\frac{4}{2}$, gan fod eu lled 5 gwaith a 2 waith y lled safonol (yn y drefn honno).

Gallwn osod y cyfrifiadau hyn mewn tabl fel a ganlyn:

Dosbarth	Lled dosbarth w	Amlder f	Dwysedd amlder $\frac{f}{w}$
50–59	10	4	0.40
60–63	4	4	1.00
64–65	2	5	2.50
66–67	2	8	4.00
68–69	2	7	3.50
70–71	2	18	9.00
72–73	2	17	8.50
74–75	2	11	5.50
76–77	2	21	10.50
78–79	2	5	2.50
80–83	4	5	1.25

Mae uchderau'r rhannau o'r histogram mewn cyfrannedd â'r dwyseddau amlder a roddir yng ngholofn olaf y tabl.

Histogram yn dangos nifer yr AALlau sy'n cyrraedd gwahanol gyfraddau llwyddo canrannol mewn Mathemateg yn y Cwricwlwm Cenedlaethol i blant 7 oed

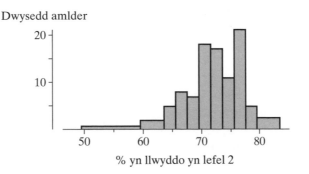

Dwysedd amlder

% yn llwyddo yn lefel 2

Dylid cyferbynnu'r histogram canlyniadol cywir â'i gynffonnau tenau
â'r histogram cynffonau tewion anghywir lle na roddwyd ystyriaeth i led
ychwanegol y cyfyngau pen.

Histogram anghywir.
Yma yn achos y
dosbarthiadau pen,
trefnwyd mai'r uchder
yn hytrach na'r
arwynebedd sydd
mewn cyfrannedd â'r
amlder

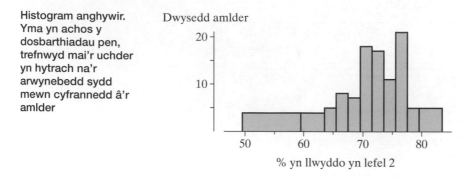

Nodyn

♦ Mae'r raddfa fwyaf cyfleus ar gyfer yr echelin *y* fel arfer yn nhermau amlderau
   ar gyfer y lled dosbarth culaf. Yn yr enghraifft hon byddai'r raddfa o 10 a 20
   a nodir yn cyfateb i amlderau o 10 a 20 mewn amrediad o 2% o gyfraddau
   llwyddo.

Enghraifft 13

Mae'r data yn y tabl yn crynhoi canlyniadau arbrawf 'hadu' stormydd glaw.
Cafodd 26 o 52 o gymylau eu dewis ar hap a'u 'hadu' gan ollwng crisialau
arian nitrad iddynt. Gwnaed amcangyfrifon o faint o ddŵr a ollyngwyd gan
bob cwmwl a rhoddir y rhain yn y tabl.

Heb eu hadu	1203, 830, 372, 346, 321, 244, 163, 148, 95, 87, 81, 69, 47, 41, 37, 29, 29, 26, 26, 24, 22, 17, 12, 5, 5, 1
Wedi eu hadu	2745, 1698, 1656, 978, 703, 489, 430, 334, 303, 275, 275, 255, 242, 201, 199, 130, 119, 118, 115 92, 41, 33, 31, 18, 8, 4

Mae gwerthoedd y data crai ar sgiw eithriadol (llawer o werthoedd
bychain ac ambell werth mawr iawn) felly mae'n gwneud synnwyr gweithio
â logarithmau'r gwerthoedd, yn hytrach na'r gwerthoedd eu hunain.
Mae'r gwerthoedd canlyniadol (sy'n defnyddio logarithmau i fôn 10 ac yn
talgrynnu i ddau le degol) fel a ganlyn:

Heb eu hadu	3.08, 2.92, 2.57, 2.54, 2.51, 2.39, 2.21, 2.17, 1.98, 1.94, 1.91, 1.84, 1.67, 1.61, 1.57, 1.46, 1.46, 1.41, 1.41, 1.38, 1.34, 1.23, 1.08, 0.70, 0.70, 0.00
Wedi eu hadu	3.44, 3.23, 3.22, 2.99, 2.85, 2.69, 2.63, 2.52, 2.48, 2.44, 2.44, 2.41, 2.38, 2.30, 2.30, 2.11, 2.08, 2.07, 2.06, 1.96, 1.61, 1.52, 1.49, 1.26, 0.90, 0.60

Gan fod perthynas rhwng y ddwy set mae'n gwneud synnwyr defnyddio'r
un math o ddiagram (histogram yn yr achos hwn) ac mae'n hanfodol
defnyddio'r un graddfeydd. Fel arfer mae'n well defnyddio diagramau
ar wahân gan ei bod yn anodd gwahaniaethu rhwng dau histogram ar un
diagram.

Y cam cyntaf yw ffurfio amlderau grŵp.

	0–	0.5–	1.0–	1.5–	2.0–	2.5–	3.0–
Heb eu hadu	1	2	8	7	3	4	1
Wedi eu hadu	0	2	2	3	11	5	3

Histogramau â'r un raddfa sy'n cyferbynnu dosraniadau glawiad (gan ddefnyddio logarithmau'r data crai) ar gyfer cymylau wedi a heb eu hadu.

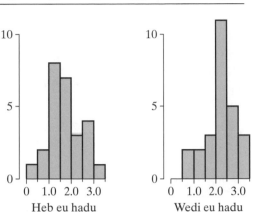

Heb eu hadu   Wedi eu hadu

Mae'r symudiad tuag at werthoedd mwy i'w weld yn eglur yn histogram data y cymylau sydd wedi eu hadu – ymddengys fod hadu cymylau yn ysgogi glawiad mwy.

Gwaith ymarferol _____

Am faint o amser allwch chi wneud i ddarn 10c droelli ar arwyneb gwastad? Gan ddefnyddio wats lle gellir darllen yr eiliadau yn gywir, nodwch hyd pedwar troelliad. Eich gwerth personol fydd hyd y troelliad hwyaf. Casglwch y gwerthoedd personol ar gyfer y dosbarth cyfan a defnyddiwch histogram i gynrychioli'r data.

A yw'r histogram yn gymesur, ynteu a yw ar sgiw?

A oedd eich gwerth personol yn nodweddiadol, ynteu a oedd yn anarferol o fyr neu hir?

Ymarfer defnyddio cyfrifiannell _____

Mae rhai 'siartiau bar' a gynhyrchir gan gyfrifianellau graffigol yn histogramau mewn gwirionedd. Nid yw'r siartiau hyn yn addas ond ar gyfer achosion lle mae lledau'r dosbarthiadau i gyd yr un fath. Defnyddiwch eich cyfrifiannell i ailgynhyrchu'r histogram ar gyfer taldra'r gwŷr milisia.

Ymarferion 1c _____

1 Mae garddwr masnachol yn plannu 20 taten ac yn pwyso'r tatws a gynhyrchir gan bob planhigyn. Mae'r canlyniadau, mewn g, fel a ganlyn:

853, 759, 891, 923, 755, 885, 821, 911, 789, 854, 861, 915, 784, 853, 891, 942, 758, 867, 896, 835

Lluniwch dabl amlder gyda ffiniau dosbarth yn 750, 800, … , 950.

Dangoswch y canlyniadau mewn histogram.

2 Mesurwyd hydoedd 20 ciwcymer a chafwyd y canlyniadau canlynol, mewn cm:

29.3, 30.5, 34.0, 31.7, 27.8, 29.4, 32.6, 33.4, 29.8, 29.8, 35.4, 36.3, 26.4, 38.8, 37.5, 34.5, 28.6, 31.9, 27.6, 32.0

Lluniwch dabl amlder gyda ffiniau dosbarth yn 25.0, 27.0, … , a lluniwch histogram ar gyfer y data.

3 Mae cymdeithas defnyddwyr yn profi hyd oes batris ceir o frand arbennig, a dyma'r canlyniadau, mewn misoedd cyfalwn:

> 45, 49, 55, 61, 47, 55, 63, 68, 58, 51, 40,
> 46, 50, 51, 57, 58, 49, 44, 65, 62, 53, 58,
> 43, 37, 48

Defnyddiwch histogram i gynrychioli'r data.

4 Dyma'r milltiredd a deithiwyd gan gynrychiolwyr mewn cynhadledd:

> 38, 47, 22, 15, 71, 54, 43, 22, 79, 65, 43,
> 33, 23, 12, 58, 63, 52, 32, 43, 48, 21, 25,
> 27, 48, 55, 10, 23, 37, 47, 51

Defnyddiwch histogram i gynrychioli'r data.

5 Mae masau (mewn gramau i'r g agosaf) darnau gweddill a gasglwyd ar hap oddi ar lawr gweithdy saer coed wedi eu crynhoi isod:

0–19	20–39	40–59	60–99
4	17	12	6

Dangoswch y data gan ddefnyddio histogram.

6 Mae'r marciau a enillwyd mewn arholiad yn cael eu crynhoi isod:

0–29	30–49	50–69	70–99
4	12	37	14

Defnyddiwch histogram i gynrychioli'r data.

7 Yn 1993 roedd dosraniad oedran poblogaeth y DG (mewn miloedd) yn:

Cyfanswm	O dan 1	1–4	5–14
58 191	759	3129	7417

15–24	25–34	35–44	45–59
7723	9295	7787	10 070

60–64	65–74	75–84	Dros 85
2839	5169	3020	982

Ffynhonnell: *Population Trends, Rhif 78, Gaeaf 1994*

Gan ddewis terfan uchaf synhwyrol (a'i nodi) ar gyfer y categori oedran uchaf, lluniwch histogram yn dangos y data uchod.

8 Yn 1991 dyma oedd dosraniad oedran mam adeg geni plentyn byw yn y DG (mewn miloedd):

Pob mam	O dan 20	20–24	25–29
699.2	52.4	173.4	248.7

30–34	35–39	Dros 40
161.3	53.6	9.8

Ffynhonnell: *Population Trends, Rhif 78 Gaeaf 1994*

Gan wneud tybiaethau addas, y dylech eu nodi, lluniwch histogram yn dangos y data uchod.

9 Dadansoddodd Quetelet (gweler y bywgraffiad blaenorol) y data canlynol a oedd yn rhoi taldra (x mm) conscriptiaid Ffrengig posibl. Roedd y rhai oedd yn mesur llai na 157 cm yn cael eu hesgusodi rhag gwneud gwasanaeth milwrol.

Amrediad taldra	Amlder
$1435 < x < 1570$	28 620
$1570 < x < 1597$	11 580
$1597 < x < 1624$	13 990
$1624 < x < 1651$	14 410
$1651 < x < 1678$	11 410
$1678 < x < 1705$	8780
$1705 < x < 1732$	5530
$1732 < x < 1759$	3190
$1759 < x < 1840$	2490

Plotiwch y data hyn ar histogram.

10 Mae arolwg o geir mewn maes parcio yn datgelu'r data canlynol am oedrannau ceir:

< 2 oed	2–4 oed	5–8 oed	9–12 oed
35	51	83	35

Defnyddiwch histogram i gynrychioli'r data.

11 Mae hydoedd galwadau ffôn (mewn munudau, i'r funud agosaf) rhwng dau berson ifanc yn eu harddegau yn cael eu crynhoi yn y tabl isod):

0–4	5–9	10–14	15–19	20–29
2	7	15	18	5

Defnyddiwch histogram i ddangos y data.

1.13   Polygonau amlder

Y syniad y tu ôl i'r histogram yw ei fod yn rhoi argraff weledol o ba werthoedd sy'n debygol o ddigwydd a pha werthoedd sy'n llai tebygol o ddigwydd. Nid yw amlinelliad 'talpiog' histogram yn 'hardd' ac mae dewis arall yn bodoli *bob tro y mae'r amlderau wedi eu grwpio mewn dosbarthiadau sydd i gyd o'r un lled.* Mae'r **polygon amlder** yn cael ei lunio fel a ganlyn. Ar gyfer pob dosbarth, darganfyddwch y pwynt sydd â'i gyfesuryn *x* yn hafal i ganolbwynt y dosbarth a'i gyfesuryn *y* yn cyfateb i amlder y dosbarth. Yna cysylltwch y pwyntiau olynol i ffurfio'r polygon. Er mwyn cael ffigur caeedig, ychwanegir dosbarthiadau eraill gydag amlderau sero ar bob pen i'r dosraniad amlder.

Nodiadau

◆ Fel gyda'r histogram yr *arwynebedd* sydd mewn cyfrannedd ag amlder. Mae hyn yn anodd iawn i'w gyflawni gyda lledau dosbarth anhafal. Gyda lledau dosbarth hafal mae'r dull uchod yn rhoi polygon amlder â'r un arwynebedd a'r histogram cyfatebol.

◆ Gan mai dim ond gyda dosbarthiadau o led hafal y defnyddir y polygon amlder, mae amlderau dosbarth yn rhoi graddfa hwylus ar gyfer yr echelin *y*.

Enghraifft 14

Defnyddiwch bolygon amlder i ddangos y data ar daldra gwŷr milisia yr Alban (Enghraifft 10).

Taldra (modfeddi)	64–65	66–67	68–69	70–71	72–73
Amlder	722	1815	1981	897	317

Ar ôl ychwanegu mwy o ddosbarthiadau â'r un lledau ond ag amlderau sero, mae'r data nawr yn cael eu crynhoi yn y tabl canlynol. Mae ychwanegu'r dosbarthiadau pen yn ein galluogi i gwblhau'r polygon amlder.

Taldra (modfeddi)	62.5	64.5	66..5	68.5	70.5	72.5	74.5
Amlder	0	722	1815	1981	897	317	0

Polygon amlder yn dangos taldra 5732 o wŷr milisia'r Alban yn 1817

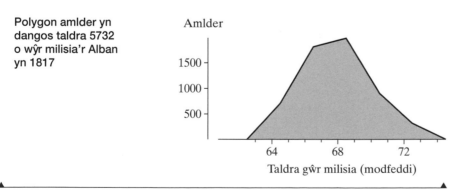

Ymarfer defnyddio cyfrifiannell

Mae defnyddio'r modd llunio ystadegol (statistical draw) *ar gyfrifiannell graffigol yn cynhyrchu polygon amlder yn hawdd iawn – er y gall y cyfarwyddiadau gyfeirio at 'graff llinell'. Defnyddiwch eich cyfrifiannell i atgynhyrchu'r polygon blaenorol.*

1.14 Diagramau amlder cronnus

Mae ffurf arall o ddiagram yn rhoi atebion i gwestiynau fel 'Pa gyfran o'r data sydd â gwerthoedd llai nag x?' Mewn diagram o'r fath, mae amlder cronnus ar yr echelin y yn cael ei blotio yn erbyn gwerth arsylwedig ar yr echelin x. Y canlyniad yw graff lle na all cyfesuryn y leihau pan yw cyfesuryn x yn cynyddu.

Gyda data grwpiedig y cam cyntaf yw cynhyrchu tabl o amlderau cronnus. Mae'r rhain wedyn yn cael eu plotio yn erbyn y ffiniau dosbarth uchaf (ff.d.u.) Gellid cysylltu'r pwyntiau olynol un ai drwy ddefnyddio llinellau syth (lle gelwir y diagram yn **bolygon amlder cronnus**) neu drwy ddefnyddio cromlin (lle gelwir y diagram yn **ogif**).

Enghraifft 15

Wrth astudio adar yn mudo y dechneg safonol a ddefnyddir yw rhoi modrwyau lliw o amgylch coesau'r adar ifanc yn eu cytref fridio. Yn ddiweddarach, gellir darganfod o ble y daw aderyn sy'n gwisgo modrwyau lliw. Mae'r data canlynol, sy'n cyfeirio at waith adfer gweilch y penwaig (*razorbills*) yn cynnwys y pellteroedd (a fesurwyd fesul cannoedd o filltiroedd) rhwng y pwynt adfer a'r gytref fridio. Dangoswch y data hyn gan ddefnyddio polygon amlder cronnus ac amcangyfrifwch y pellter y mae 50% o'r adar yn hedfan ymhellach nag ef.

Pellter (milltiroedd) (x)	Amlder	Amlder cronnus
$x < 100$	2	2
$100 \leqslant x < 200$	2	4
$200 \leqslant x < 300$	4	8
$300 \leqslant x < 400$	3	11
$400 \leqslant x < 500$	5	16
$500 \leqslant x < 600$	7	23
$600 \leqslant x < 700$	5	28
$700 \leqslant x < 800$	2	30
$800 \leqslant x < 900$	2	32
$900 \leqslant x < 1000$	0	32
$1000 \leqslant x < 1500$	2	34
$1500 \leqslant x < 2000$	0	34
$2000 \leqslant x < 2500$	2	36

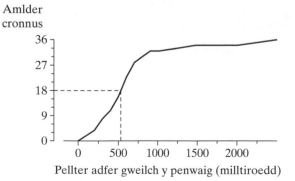

Polygon amlder cronnus o'r pellteroedd a deithiwyd gan weilch y penwaig rhwng eu cytref fridio a'u pwynt adfer.

Pellter adfer gweilch y penwaig (milltiroedd)

Mae'r polygon amlder cronnus yn dangos bod 50% o'r gweilch wedi teithio mwy na 520 milltir.

Nodyn

◆ Os yw'r anghywirdeb cofnodi (e.e. 'i'r filltir agosaf') yn fychan o gymharu
   ag amrediad y data (2500 milltir), nid oes angen bod yn or fanwl ynglŷn â'r
   pwyntiau terfyn. Ni fydd y gwahaniaeth rhwng gwerth sydd wedi ei blotio yn
   $x = 99.5$ ac $x = 100$ yn weladwy.

Ymarfer defnyddio cyfrifiannell

*Ysgrifennwch rwtîn ar gyfer cronni amlderau a defnyddiwch y cyfleuster
graff llinell i lunio diagram amlder cronnus. Profwch ef gan ddefnyddio'r
data gweilch y penwaig.*

Diagramau grisiau

Weithiau gelwir diagram amlder cronnus ar gyfer data heb eu grwpio yn
bolygon grisiau neu **ddiagram grisiau** oherwydd ei olwg.

Enghraifft 16

Mewn casgliad o storïau Sherlock Holmes, mae gan y 13 stori a geir yn *The
Return of Sherlock Holmes* y niferoedd canlynol o dudalennau:

   13.7, 15.5, 16.4, 12.8, 20.8, 13.7, 11.2, 13.7, 11.7, 15.0, 14.1, 14.8, 17.1

Rhoddwyd yr hydoedd i'r ddegfed ran o dudalen agosaf.
Dangoswch y data hyn gan ddefnyddio diagram grisiau.

Gan drin y gwerthoedd fel rhai union gywir, rydym yn eu defnyddio fel ffiniau
mewn tabl amlder cronnus. Yn gyntaf mae angen i ni drefnu'r gwerthoedd:

   11.2, 11.7, 12.8, 13.7, 13.7, 13.7, 14.1, 14.8, 15.0, 15.5, 16.4, 17.1, 20.8

Felly dyma'r tabl canlyniadol:

Hyd stori, x	Amlder cronnus
$x < 11.2$	0
$11.2 \leqslant x < 11.7$	1
$11.7 \leqslant x < 12.8$	2
$12.8 \leqslant x < 13.7$	3
$13.7 \leqslant x < 14.1$	6
$14.1 \leqslant x < 14.8$	7
⋮	⋮
$20.8 \leqslant x$	13

Sylwer bod yr amlderau cronnus yn 'neidio' ym
mhob un o'r gwerthoedd arsylwedig. Hyn sy'n
creu'r strociau fertigol yn y diagram. Mae'r
strociau llorweddol yn cynrychioli'r amrediadau
a roddir yn y tabl.

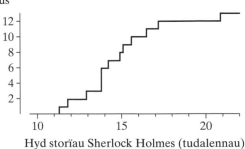

Polygon grisiau o hyd storïau Sherlock Holmes

Ymarferion 1ch

1 Gofynnwyd i fyfyrwyr amcangyfrif hyd llinell (mewn mm). Ceir crynodeb o'u hatebion yn y tabl canlynol:

10–19	20–29	30–39	40–49	50–59	60–69
1	3	10	16	6	1

Cynrychiolwch y data gan ddefnyddio
(i) polygon amlder, (ii) polygon amlder cronnus.

2 Cafodd hyd oes bylbiau ar fwrdd hysbysebu eu cofnodi a'u crynhoi yn y tabl canlynol (mewn oriau i'r awr agosaf).

650–699	700–749	750–799	800–849	850–899
1	7	18	9	2

Cynrychiolwch y data gan ddefnyddio
(i) polygon amlder, (ii) polygon amlder cronnus.

3 Niferoedd yr wyau a gafodd eu dodwy gan 8 iâr dros gyfnod o 21 diwrnod oedd:

6, 7, 8, 6, 5, 8, 6, 8, 6, 5, 6,
4, 7, 6, 8, 7, 5, 7, 6, 7, 5

Dangoswch y canlyniadau hyn gan ddefnyddio diagram grisiau.

4 Ar gyfer pob planhigyn tatws, mae garddwr yn cyfrif faint o datws sydd â màs mwy na 100 g. Dyma'r canlyniadau:

8, 5, 7, 10, 8, 6, 5, 6, 4, 8,
10, 9, 8, 7, 3, 10, 11, 6, 9, 8

Dangoswch y canlyniadau hyn gan ddefnyddio diagram grisiau.

5 Dyma niferoedd y goliau a sgoriwyd yn nhair adran gyntaf y Gynghrair Pêl-droed ar 4 Chwefror 1995:

6, 5, 3, 3, 5, 3, 1, 2, 4, 2, 2, 5, 1, 2, 2, 3, 8,
2, 4, 5, 3, 3, 0, 2, 5, 0, 1, 0, 3, 0, 1, 2, 7, 1, 2

Dangoswch y canlyniadau hyn gan ddefnyddio diagram grisiau.

6 Mae arolwg o geir mewn maes parcio yn datgelu'r data canlynol am oedrannau ceir:

< 2 oed	2–4 oed	5–8 oed	9–12 oed
35	51	83	35

Lluniwch bolygon amlder cronnus.

7 Yn 1993 roedd dosraniad oedran poblogaeth y DG (mewn miloedd) yn:

Cyfanswm	O dan 1	1–4	5–14
58 191	759	3129	7417

15–24	25–34	35–44	45–59
7723	9295	7787	10 070

60–64	65–74	75–84	Dros 85
2839	5169	3020	982

Ffynhonnell: *Population Trends, Rhif 78, Gaeaf 1994*
Lluniwch bolygon amlder cronnus

8 Yn 1992 dyma oedd dosraniad oedran mam adeg geni plentyn byw yn y DG (mewn miloedd):

Pob mam	O dan 20	20–24	25–29
699.2	52.4	173.4	248.7

30–34	35–39	Dros 40
163.3	53.6	9.8

Ffynhonnell: *Population Trends, Rhif 78 Gaeaf 1994*
Dangoswch y data gan ddefnyddio polygon amlder cronnus.

1.15 Diagramau cyfrannedd cronnus

Yr amlder yw graddfa fertigol diagram amlder cronnus, gyda gwerth uchaf yn cyfateb i *n*, sef nifer yr eitemau data. Os ydym yn newid y raddfa, drwy rannu'r holl gofnodion ag *n*, yna mae gennym echelin sy'n cofnodi cyfrannau cronnus ar raddfa o 0 i 1.

Defnyddir y math hwn o ddiagram pan fydd gennym fwy o ddiddordeb mewn cyfrannau nag mewn rhifau. Mae'n hynod o effeithiol wrth gymharu dwy set o ddata o feintiau gwahanol. Er enghraifft, mae'r diagram yn cyferbynnu dosraniadau oedran poblogaethau gwlad yn Affrica a gwlad yn Ewrop.

Diagram cyfrannedd cronnus yn cyferbynnu dosraniadau oedran mewn un wlad yn Affrica ac un yn Ewrop

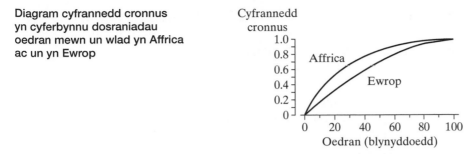

Mae cromlin y wlad Affricanaidd yn codi'n serth, gan adlewyrchu'r niferoedd mawr o bobl ifanc: mae tua chwarter y boblogaeth dan 10 oed, a bron hanner y boblogaeth dan 20 oed. Mae'r cyfrannau cyfatebol ar gyfer gwlad Ewropeaidd tua 14% a 30% yn y drefn honno.

1.16 Cyfres amser

Mae'n debyg mai graffiau cyfres amser yw'r math o ddiagram a welir amlaf mewn papurau newydd. Efallai o bosibl mai rhain yw'r diagramau mwyaf syml: mae amser yn cael ei blotio ar yr echelin x a mesur y diddordeb yn cael ei blotio ar yr echelin y.

Gwerthiant cronnus soseri lloeren yn y DG er mis Gorffennaf 1989

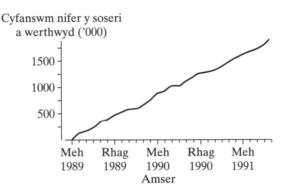

Mae'r ffigur yn dangos twf yn niferoedd y soseri lloeren yn y Deyrnas Gyfunol rhwng mis Gorffennaf 1989 a mis Hydref 1991. Daw'r wybodaeth o adroddiad a gyhoeddwyd yn *The Times* ym mis Tachwedd 1991. Mae'r data mae'n debyg yn cynnwys amcangyfrifon yn hytrach na chyfrifiadau uniongyrchol, neu fel arall byddai rhywun yn gorfod dod i'r casgliad bod tua 20 000 o soseri lloeren wedi cael eu dychwelyd i'r siopau ym mis Medi 1990.

Mae'r cysylltiadau llinell syth rhwng y gwerthoedd olynol yn ddefnyddiol yma gan eu bod yn ein galluogi i amcangyfrif cyfanswm y gwerthiant ar adegau rhyngol. Yr hyn a awgrymir gan y cynnydd di-baid (bron) ar i fyny yn y graff yw bod gwerthiant misol soseri lloeren wedi aros yn gyson ar nifer cyfartalog o tua 70 000 y mis.

Nodyn

♦ Byddwch yn wyliadwrus pan welwch hysbysebion sy'n dangos cyfres amser sy'n codi'n gyflym.

1 Efallai bod man cychwyn y graff wedi cael ei ddewis er mwyn rhoi camargraff. Cymharwch effeithiau arddangos y gyfres amser 83, 91, 87, 82, 74, 82, 91, 89 (heb unrhyw newid amlwg ar gyfartaledd), ac arddangos y pedair eitem olaf yn unig (74, 82, 91, 89) lle ymddangosir bod cynnydd cadarn.

2 Gallai'r raddfa fertigol fod wedi ei chwyddo – sicrhewch eich bod yn gwybod lle byddai 0.

1.17 Diagramau gwasgariad

Yn aml mae'n ddiddorol casglu data ar ddau newidyn (x ac y, dyweder) ar yr un pryd. Mae'r diddordeb yn codi oherwydd efallai y gallwn egluro'r amrywiad yn y naill newidyn yn nhermau'r amrywiad yn y newidyn arall.

Rydym yn archwilio'r berthynas bosibl rhwng y newidynnau drwy blotio pob pâr o werthoedd fel pwynt ar ddiagram gan ddefnyddio cyfesurynnau Cartesaidd. Gelwir y diagram canlyniadol yn ddiagram gwasgariad (neu **blot gwasgariad**). Byddai eitem ddata unigol yn ymddangos ar y diagram fel dot (**pwynt data**) neu groes. Gallai symbolau eraill syml gael eu defnyddio; er enghraifft, os daw data o sawl ffynhonnell yna gellid defnyddio symbol gwahanol ar gyfer pob ffynhonnell.

Mewn gwirionedd diagram gwasgariad yw plot cyfres amser, lle mae'r parau o werthoedd yn codi yn eu trefn a lle mae'r llinell sy'n cysylltu'r parau yn nodi'r drefn honno.

Nodyn
- Rydym yn trafod diagramau gwasgariad eto ym Mhennod 14.

Enghraifft 17

Mae'r data canlynol yn cysylltu erydiad pridd (mewn kg/dydd) a chyflymder cyfartalog dyddiol y gwynt (mewn km h^{-1}) mewn ardal arbennig ar wastadedd tywodlyd Rajasthan yn India.
Plotiwch y data hyn mewn diagram gwasgariad addas.

Cyflymder y gwynt	13.5	13.5	14	15	17.5
Erydiad y pridd	0	10	31	20	20

Cyflymder y gwynt	19	20	21	22	23
Erydiad y pridd	66	76	137	71	122

Cyflymder y gwynt	25	25	26	27
Erydiad y pridd	188	300	239	315

Rydym yn cychwyn â diagram syml lle mae'r cyfesuryn x yn nodi cyflymder cyfartalog dyddiol y gwynt a'r cyfesuryn y yn dangos yr erydiad pridd canlyniadol amcangyfrifedig.

Diagram gwasgariad yn dangos y cysylltiad rhwng cyflymder y gwynt ac erydiad y pridd ar wastadedd tywodlyd yn India

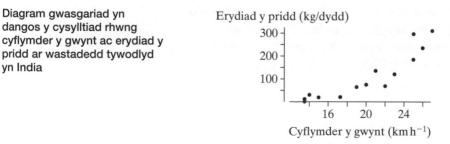

Yn aml mae'n rhaid i'r ystadegydd roi cynnig ar sawl diagram cyn darganfod yr un sy'n rhoi'r darlun mwyaf defnyddiol o'r data. Mae ein hymdrech gyntaf yn awgrymu bod erydiad pridd yn cynyddu yn ddramatig wrth i gyflymder y gwynt gynyddu, ac nad oes perthynas linol rhwng y ddau newidyn. Un posibilrwydd yw bod y berthynas yn un esbonyddol: gellir archwilio hyn drwy blotio logarithm (naturiol) erydiad y pridd yn erbyn buanedd y gwynt.

Mae'r diagram diwygedig i'w weld yn dangos perthynas linol rhwng ln(erydiad pridd) a chyflymder y gwynt.

Diagram gwasgariad diwygiedig yn dangos y berthynas rhwng cyflymder y gwynt ac erydiad y pridd ar wastadedd tywodlyd yn India gan ddefnyddio graddfa logarithmig ar gyfer yr echelin *y*

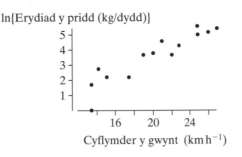

Nodyn

◆ Sylwer nad yw'r echelin *x* yn cychwyn yn sero, ond ar tua 12. Mae defnyddio echelin 'doredig' fel hyn yn ein galluogi i 'lenwi'r' diagram â'r data. Pe byddem wedi mynnu cynnwys sero byddai'r holl ddata wedi bod mewn rhan fechan ar ochr dde'r diagram. Yn aml mewn diagramau effeithiol disgwylir bod un neu'r ddwy echelin yn 'doredig' fel hyn, er bod yn rhaid i'r canlyniad beidio â bod yn gamarweiniol i'r darllenydd.

Ymarfer defnyddio cyfrifiannell

Mae cyfrifianellau graffigol yn hynod o effeithiol ar gyfer llunio diagramau gwasgariad o barau o werthoedd. Atgynhyrchwch y diagram gwasgariad gwreiddiol ac yna ymchwiliwch i ffyrdd eraill o drawsffurfio'r data er mwyn cael diagramau gwasgariad sy'n ymddangos yn fwy llinol o ran ffurf.

Prosiect cyfrifiadurol

Ymchwiliwch sut i ddefnyddio taenlen i gynhyrchu diagramau gwasgariad. Fel gyda chyfrifianellau graffigol mae'n hawdd hefyd arbrofi gyda thrawsffurfio un neu ddwy o echelinau x ac y, gyda'r bwriad o gynhyrchu bras linell syth ar y diagram.

Ymarferion 1d

1 Yn y tabl, nodir yr holl eira oedd yn gorchuddio Ewrop ac Asia yn ystod mis Hydref ar gyfer 1970 hyd at 1979 (mewn miliynau o gilometrau sgwâr):

1970	1971	1972	1973	1974
6.5	12.0	14.9	10.0	10.7

1975	1976	1977	1978	1979
7.9	21.9	12.5	14.5	9.2

Dangoswch y wybodaeth hon ar ddiagram addas.

2 Mae asidedd llaeth (gwerth pH, y) yn dibynnu ar ba dymheredd y mae'n cael ei storio (x °C).
Dangosir rhai canlyniadau arbrofol isod.

x	4	24	38	40
y	6.85	6.63	6.62	6.57

x	40	60	70	78
y	6.52	6.38	6.32	6.34

Dangoswch y wybodaeth hon ar ddiagram addas.

3 Mae nifer cyfartalog y marwolaethau ym mhob 1000 o bobl yn Norwy yn ystod y cyfnod 1750–1850 yn cael eu crynhoi isod:

1750	1770	1790	1810	1830	1850
25.5	23.6	22.9	26.8	19.7	17.2

Dangoswch y wybodaeth hon ar ddiagram addas.

4 Mae meddyg yn cofnodi nifer y cleifion sy'n dod ato yn ystod ail wythnos cyfnod o bedwar mis arbennig yn ystod y flwyddyn. Dyma'r niferoedd:

Mis	Ion	Ebr	Gorff	Hyd
Nifer a welwyd ('94)	255	235	176	219
Nifer a welwyd ('95)	215	207	139	243

Cynrychiolwch y data gan ddefnyddio diagram addas.

5 Mae cyfanswm gwerth y nwyddau (mewn miloedd o £) a gynhyrchir gan weithgynhyrchwr bob chwarter, ynghyd â gwerth y nwyddau sy'n cael eu hallforio (mewn miloedd o £) yn cael eu dangos isod.

1993	chw 1af	2il chw	3ydd chw	4ydd chw
cynhyrch.	238	316	297	286
allforio	57	89	94	82

1994	chw 1af	2il chw	3ydd chw	4ydd chw
cynhyrch.	211	297	241	270
allforio	63	82	108	103

1995	chw 1af	2il chw	3ydd chw	4ydd chw
cynhyrch.	224	289	285	228
allforio	76	97	114	91

Cynrychiolwch y data gan ddefnyddio diagram addas.

1.18 Dewis pa ddull arddangos i'w ddefnyddio

Yn yr adrannau blaenorol cyflwynwyd amrywiaeth eithaf dryslyd o fathau o ddiagramau. Bwriad y tabl canlynol yw eich helpu i ddethol y diagram addas ar gyfer eich data drwy nodi'r diagramau a gysylltir amlaf â gwahanol fathau o ddata.

Math o ddata		*Dull arddangos*
Data arwahanol	Nifer fach o werthoedd gwahanol	Siart marciau rhifo er mwyn cyfrif, siart bar er mwyn arddangos
	Llawer o werthoedd gwahanol	Diagram coesyn a deilen neu histogram, neu ddiagram bocs a wisgers (Adran 2.13)
Data ansoddol	I ddangos amlderau	Siart bar
	I ddangos cyfrannau	Siart cylch
Data grwpiedig	Cyfyngau anhafal	Histogram
	Cyfyngau hafal	Histogram, neu bolygon amlder
Data cronnus	Newidyn di-dor	Diagram amlder cronnus, neu ddiagram cyfrannedd cronnus
	Newidyn arwahanol	Diagram grisiau

Dwy sampl	Yr un categorïau	Siart aml-far, neu siart bar cyfansawdd, neu siartiau cylch ochr-yn-ochr
	Arwahanol	Diagram coesyn a deilen cefn-wrth-gefn, neu siartiau bar ochr-yn-ochr, neu siart aml-far
	Di-dor	Diagram amlder cronnus, neu ddiagram cyfrannedd cronnus
Dau newidyn	Amser yw un o'r newidynnau Data mewn parau	Cyfres amser Diagram gwasgariad

Wrth gofnodi data, un ai mewn tabl neu fel gwerthoedd unigol, ceisiwch drefnu'r unedau fel bo'r ffigurau sy'n cael eu cyflwyno yn gyfanrifau syml. (Dyma'r syniad sydd wrth wraidd y diagram coesyn a deilen). Dyma rai enghreifftiau.

Cyd-destun	*Dewis gwael*	*Dewis da*
Masau bagiau blawd	Cofnodi mewn kg: 1.004, 1.032, 1.040, 1.011	Cofnodi mewn g y swm sy'n fwy nag 1 kg: 4, 32, 40, 11
Blynyddoedd	2000, 2005, 2006, 2002	0, 5, 6, 2
Marciau arholiad cyfartalog	Gyda chywirdeb amherthnasol: 53.377, 62.401, 15.822	I'r cyfanrif agosaf: 53, 62, 16

1.19 Data budr

Mae bron yn sicr y bydd set fawr o ddata yn cynnwys gwallau. Efallai bod hyn yn ymddangos yn eithaf pesimistaidd ond cofiwch ei bod hi'n naturiol i wneud camgymeriadau. Dyma rai enghreifftiau o'r ffordd y mae gwallau yn digwydd:

♦ **Camdeipio** Cafodd y gwerth cywir ei ddarganfod, ond cafodd ei ysgrifennu neu ei deipio yn anghywir. Y gwallau mwyaf cyffredin yw digidau yn cael eu hymgyfnewid (1183 yn lle 1138) a digid yn cael ei deipio ddwywaith (993 yn lle 93).

♦ **Ateb anghywir** Mae'r person sy'n cael ei holi yn camddeall cwestiwn ac yn rhoi'r ateb anghywir. Er enghraifft, mae person sy'n ennill £24 000 y flwyddyn yn ateb £24 000 pan ofynnir iddo nodi ei gyflog misol.

♦ **Mesuriad anghywir** Mae gennym dueddiad naturiol i ffafrio rhifau crynion taclus. Tybiwch fod casgliad mawr o gerrig crwn gyda masau yn amrywio o 20 g i 60 g yn cael eu pwyso. Mae'r gwerthoedd sy'n cael eu cofnodi yn debygol o ddangos brigau pendant yn 30 g, 40 g, 50 g yn ogystal â brigau llai yn 35 g, 45 g ayb.

♦ **Talgrynnu anghywir** Mae gwerthoedd yn cael eu talgrynnu'n aml. Mae hyn yn achosi problem gyda 'haneri'. Er enghraifft, sut ydych chi'n talgrynnu 3.465 i ddau le degol, neu'n talgrynnu 4.5 i'r cyfanrif 'agosaf'? Arferiad gwael yw talgrynnu i'r un cyfeiriad bob amser, gan y bydd hyn yn rhoi cyfansymiau a chyfartaleddau tueddol. Mae'n arferiad gwell talgrynnu i ddigid eilrifol bob tro – felly daw 3.465 yn 3.46 a daw 4.5 yn 4.

- **Camgofnodi** Mewn un enghraifft enwog o gamgofnodi, roedd dwysedd sbesiffig cwrw mewn casgenni yn cael ei bennu. Roedd gan gasgenni â dwysedd sbesiffig oedd yn fwy nag *a*, gynnwys alcohol derbyniol ac yn cael eu rholio i lawr y bryn. Fodd bynnag, roedd casgenni â dwysedd sbesiffig llai nag *a* yn gorfod cael eu rholio i fyny'r bryn er mwyn eu trin ymhellach. Pan archwiliwyd y data darganfuwyd mai ychydig iawn o gasgenni oedd a dwysedd sbesiffig ychydig o dan *a*. Roedd y person oedd yn mesur wedi camddarllen ei fesurydd yn 'ffafriol'.

- **Samplu tueddol** Mae Pennod 3 yn rhoi rhai enghreifftiau o ffyrdd y gellir cam-gynrychioli'r boblogaeth o ganlyniad i weithdrefn samplu wael.

Swydd gyntaf ystadegydd, gydag unrhyw set o ddata, yw ei harchwilio gan ddefnyddio darluniau ac ystadegau crynhoi (Pennod 2) er mwyn chwilio am eitemau data anghywir. Hyd yn oed pan nad oes gwallau yn y data yn aml ceir gwerthoedd anarferol. Gelwir y rhain yn **'allanolion'** (gweler tudalennau 53, 60) a gall eu presenoldeb achosi problemau i'r broses o ddadansoddi data sy'n dilyn.

Crynodeb o'r bennod

- Prif ddiben Ystadegaeth yw dod i gasgliadau ynghylch poblogaethau mawr (dynol neu arall) gan ddefnyddio niferoedd cymharol fychan o ddata.

- Mae diagramau yn ffordd effeithiol o gyfleu gwybodaeth.

- Os nifer fechan o werthoedd arwahanol yn unig sy'n bosibl, y dull gorau i'w ddefnyddio yn aml yw **siart marciau rhifo**, yna crynodeb mewn **tabl amlder** a chynrychioliad mewn **siart bar**.

- Os oes nifer fawr o werthoedd arwahanol yn bosibl, y dull gorau i'w ddefnyddio yn aml yw **diagram coesyn a deilen**, yna crynodeb mewn **tabl amlder grwpiedig** a chynrychioliad mewn **histogram**.

- Mae **siartiau cylch** a **siartiau bar cyfansawdd** yn ddefnyddiol pan mae meintiau cymharol yr amlderau mewn categorïau eraill yw'r nodweddion sydd o ddiddordeb.

- Mae sawl ffordd o bortreadu data. Beth bynnag fo'r dull a ddefnyddir, ceisiwch ei wneud yn hunan eglurhaol i'r darllenydd (ac, o bosibl, yn ddiddorol.)

- Pan fydd data'n cael eu casglu ar ddau newidyn ar yr un pryd, gallai defnyddio cynrychioliad mewn **diagram gwasgariad** neu **graff cyfres amser** fod yn briodol.

Ymarferion 1dd (Amrywiol)

1 Cyfanswm y sgorau a roddwyd yn *The Times* ar gyfer gemau rygbi yng Nghymru a'r Alban ar 4 Chwefror 1995 oedd:

44, 21, 23, 26, 24, 39, 56, 22, 28, 25, 63, 83, 42, 39, 24, 23, 38, 61, 44, 19, 31, 24, 24, 60, 45, 48, 39, 34, 50, 46, 53, 43, 43

Lluniwch ddiagram coesyn a deilen i arddangos y data uchod.

2 Mae merch garddwr masnachol yn plannu ugain o flodau haul yn ei gardd. Ar ôl iddynt dyfu i'w llawn dwf, mae hi'n eu mesur ac yn cofnodi eu taldra mewn metrau, fel a ganlyn:

1.60, 1.72, 2.23, 2.12, 1.70, 1.93, 1.69, 2.11, 1.99, 2.08, 2.11, 1.79, 2.01, 1.88, 1.93, 2.22, 1.92, 2.44, 1.87, 1.76

Crynhowch y data hyn gan ddefnyddio diagram coesyn a deilen (!)

3 Yn 1665, cafwyd 97 308 o farwolaethau yn Llundain (o gymharu â 9967 o enedigaethau). Prif achos y marwolaethau oedd y pla, oedd yn cyfrif am 68 596 ohonynt. Dangoswch y wybodaeth hon ar siart cylch.

O'r marwolaethau nad oedd o ganlyniad i'r pla, y prif achosion (yn ôl yr *Annual Bill of Mortality for London*, a chan ddefnyddio'r hen sillafu) oedd y canlynol:

Aged	1545
Ague and Feaver	5257
Chrisomes and Infants	1258
Consumption and Tissick	4808
Convulsion and Mother	2036
Dropsie and Timpany	1478
Griping in the Guts	1288
Spotted feaver and Purples	1929
Surfet	1251
Teeth and Worms	2614

Dangoswch y wybodaeth hon ar siart bar.

4 Yn ôl *Punch*, yn ystod hanner cyntaf 1869 cafwyd 106 damwain draffig angheuol yn Llundain: "Lladdwyd 8 o bobl gan geffylau, 3 gan gerbydau, 6 gan fysiau, 15 gan gabiau, 33 gan faniau neu wagenni, a 40 gan gertiau. Lladdwyd un person gan gart gwrw." Dangoswch y wybodaeth hon gan ddefnyddio siart cylch.

5 Mae'r tabl canlynol yn dangos data sy'n ymwneud â thraffig y ffyrdd yn ystod pob blwyddyn rhwng 1984 ac 1993. Mae rhes A yn dangos amcangyfrifon o gyfanswm y pellter (mewn biliynau o gilometrau) sy'n cael ei deithio gan geir a thacsis ym mhob blwyddyn. Mae Rhes B yn dangos amcangyfrifon o gyfanswm y pellter (mewn biliynau o gilometrau) sy'n cael ei deithio gan bob cerbyd modur ym mhob blwyddyn.

Blwyddyn	1984	1985	1986	1987	1988
A: ceir, tacsis ($\times 10^9$ km)	244.0	250.5	264.4	284.6	305.4
B: pob cerbyd modur ($\times 10^9$ km)	303.1	309.7	325.3	350.5	375.7

Blwyddyn	1989	1990	1991	1992	1993
A: ceir, tacsis ($\times 10^9$ km)	331.3	335.9	335.2	336.4	336.8
B: pob cerbyd modur ($\times 10^9$ km)	406.9	410.8	411.6	410.4	410.2

© Hawlfraint y Goron

(i) Nodwch yn gryno ddwy nodwedd gyffredinol y data yn Rhes A.

(ii) Disgrifiwch ffordd addas o gyflwyno'r holl ddata yn y tabl mewn un diagram.

(iii) Trafodwch bob un o'r datganiadau canlynol, gan gyfiawnhau eich ateb.

(a) "Yn 1993, o'r cilometrau a deithiwyd gan bob cerbyd, roedd llai nag 1 o bob 5 o'r teithiau mewn cerbydau nad oeddynt yn geir nac yn dacsis."

(b) "Mae'r ffigurau yn profi bod nifer y cerbydau modur wedi cynyddu bob blwyddyn rhwng 1984 ac 1991." [UCLES]

6 Mae'r tabl canlynol yn dangos nifer cyfartalog y bobl oedd yn byw ym mhob cartref yn y Deyrnas Gyfunol yn ystod saith blwyddyn olynol.

	1985	1986	1987	1988	1989	1990	1991
Gwrywod	1.258	1.236	1.223	1.229	1.217	1.193	1.169
Benywod	1.339	1.317	1.310	1.288	1.292	1.281	1.253
Pawb	2.596	2.554	2.533	2.516	2.509	2.475	2.422

© G Dennis (gol) *Annual Abstract of Statistics 1993*, Swyddfa Ystadegau Ganolog

(i) Rhowch reswm pam, am rai blynyddoedd, nad yw'r gwerth yn y drydedd res yn union swm y gwerthoedd yn y rhes gyntaf a'r ail.

(ii) Nodwch yn gryno ddwy nodwedd amlwg sy'n perthyn i'r data.

(iii) Nodwch pam nad yw'n bosibl diddwytho, wrth edrych ar y data uchod, fod poblogaeth y DG wedi lleihau rhwng 1985 ac 1991. [UCLES]

7 Yn ystod mis arbennig mae teulu yn gwario £52.27 ar gig, £23.10 ar ffrwythau a llysiau, £19.72 ar ddiod, £12.41 ar daclau ymolchi, £102.68 ar fwydydd eraill a £9.82 ar eitemau amrywiol. Mae angen cynrychioli'r data hyn mewn siart cylch, radiws 5 cm.

(*a*) Cyfrifwch, i'r radd agosaf, yr ongl sy'n cyfateb i bob un o'r dosbarthiadau uchod. (PEIDIWCH Â LLUNIO'R SIART CYLCH).

Y mis canlynol mae'r teulu yn gwario cyfanswm o 20% yn fwy.

(*b*) Darganfyddwch radiws y siart cylch cymaradwy i gynrychioli'r data yn yr achos hwn. [ULEAC]

8 Mae galwadau ffôn sy'n cyrraedd switsfwrdd yn cael eu hateb gan deleffonydd. Mae'r tabl canlynol yn dangos yr amser, i'r eiliad agosaf, a gymer y teleffonydd i ateb y galwadau a dderbynnir yn ystod un diwrnod.

Amser i ateb (i'r eiliad agosaf)	Nifer y galwadau
10–19	20
20–24	20
25–29	15
30	14
31–34	16
35–39	10
40–59	10

Cynrychiolwch y data hyn gan histogram. Rhowch reswm i gyfiawnhau'r defnydd o histogram i gynrychioli'r data hyn.   [ULEAC]

9 Mae'r tabl canlynol yn dangos yr amser, i'r funud agosaf, sy'n cael ei dreulio yn darllen yn ystod diwrnod arbennig gan grŵp o blant ysgol.

Amser	Nifer y plant
10–19	8
20–24	15
25–29	25
30–39	18
40–49	12
50–64	7
65–89	5

(*a*) Cynrychiolwch y data hyn gan histogram.

(*b*) Trafodwch siâp y dosraniad.   [ULEAC]

2 Ystadegau cryno

2.1 Pwrpas ystadegau cryno

Digon syml! Pwrpas ystadegau cryno yw disodli niferoedd anhydrin o rifau
(y **data**) ag un neu ddau o rifau, sydd, gyda'i gilydd yn cyfleu'r rhan fwyaf o'r
wybodaeth hanfodol.

Wel, efallai nad yw pethau mor syml â hynny, gan fod hyn yn sialens anodd
iawn. Ni all yr un ystadegyn cryno ddweud popeth wrthym am set o ddata.
Mae gwahanol ystadegau yn pwysleisio gwahanol agweddau ar y data ac
ni fydd yn amlwg bob tro pa agwedd yw'r un bwysicaf. Mae trafodaethau a
gafwyd sawl blwyddyn yn ôl yn y Senedd yn enghraifft o'r anawsterau sy'n
codi. Roedd yr Aelodau Seneddol yn trafod yr angen am arwyddion ffordd
dwyieithog yng Nghymru. Dyma syniad o'r hyn a gafodd ei ddweud:

AS A: Gan fod llai na 10% o boblogaeth Cymru yn siarad Cymraeg nid oes
angen cynnwys Cymraeg ar yr arwyddion.

Mae hyn yn ymddangos yn ystadegyn eithaf argyhoeddiadol. Ond arhoswch
am funud:

AS B: Mae mwy na 90% o dir Cymru yn gartref i bobl y mae'r Gymraeg yn
famiaith iddynt – mae arwyddion Cymraeg yn hanfodol.

Mae'n hawdd gweld pam mae rhai yn eithaf beirniadol o Ystadegaeth.
Roedd y ddau ddatganiad uchod yn gywir yn eu hanfod ar y pryd (er bod
y canrannau a ddefnyddiwyd wedi eu creu gan awduron y llyfr hwn): ond
arweiniodd y ddau at gasgliadau cyferbyniol. Mae'n amlwg bod yn rhaid inni
fod yn ofalus ein bod yn dewis ystadegau cryno sy'n addas.

Yn achos data **un-newidyn** (h.y. data sy'n ymwneud ag un mesur) mae
dau brif fath o ystadegau cryno: **mesurau o leoliad** a **mesurau o wasgariad**.
Mae mesurau o leoliad yn ateb y cwestiwn 'Pa fath o werthoedd maint sydd
dan sylw?' Mae mesurau o wasgariad yn ateb y cwestiwn 'I ba raddau mae'r
gwerthoedd yn amrywio?' Trafodir y ddau fath yn y bennod hon.

Prif bwrpas Ystadegaeth yw llunio casgliadau ynglŷn â **phoblogaeth** (sydd
fel arfer yn un fawr) drwy ddefnyddio **sampl** (sydd fel arfer yn un fechan)
o **werthoedd arsylwedig**: yr **arsylwadau**. Yn y bennod hon rydym yn astudio
gwahanol ffyrdd o ddarparu crynodebau rhifiadol o'r arsylwadau.

2.2 Y modd

Modd set o ddata arwahanol yw'r un gwerth sy'n digwydd amlaf. Dyma'r
mesur lleoliad symlaf, ond mae ei ddefnydd yn gyfyngedig. Os oes dau
ganlyniad yn digwydd yr un mor aml â'i gilydd, yna nid oes un modd a disgrifir
y data fel data **deufoddol**; os yw'r un peth yn wir am dri neu fwy o ganlyniadau
yna gelwir y data yn ddata **amlfoddol.** Yr ansoddair ar gyfer y modd yw
'moddol', felly o bryd i'w gilydd gofynnir inni ddarganfod y **gwerth moddol**.

Enghraifft 1

Yn yr archfarchnad rydw i'n prynu 8 tun o gawl. Yn ôl y wybodaeth ar y tuniau, mae gan bedwar ohonynt fàs o 400 g, mae gan dri fàs o 425 g ac mae gan un fàs o 435 g.
Darganfyddwch y modd.

_____

Mae'r modd yn 400 g oherwydd 400 g yw'r gwerth mwyaf cyffredin.

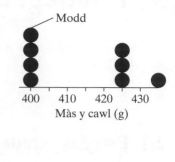

Enghraifft 2

Ar ôl dadbacio'r nwyddau, rydw i eisiau bwyd ac yn cael cawl i ginio. Rydw i'n dewis un o'r caniau 400 g a brynais yn yr enghraifft flaenorol. Beth fyddai'n ddisgrifiad addas ar gyfer dosraniad amlder y 7 màs sydd ar ôl?

_____

Erbyn hyn mae dau fodd, y naill yn 400 g a'r llall yn 425 g: disgrifiad addas ar gyfer hyn yw 'deufoddol'.

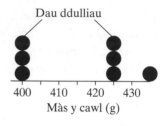

Ymarfer defnyddio cyfrifiannell _____

Pan fydd cyfrifiannellau graffigol yn cael eu defnyddio i blotio siart bar neu bolygon amlder, efallai y byddant hefyd yn nodi gwerth y modd a'r amlder cysylltiedig. Defnyddiwch gyfrifiannell i ddarganfod modd data'r tuniau cawl. Beth sy'n digwydd os newidir y tun 435 g am un 425 g?

Dosbarth moddol

Yn achos data di-dor (neu ddata arwahanol grwpiedig) syniad yn unig yw'r modd. Pan yw'n cael ei fesur yn ddigon cywir, bydd yr holl arsylwadau ar newidyn di-dor yn wahanol: hyd yn oed os yw Jac a Wil yn honni eu bod yn 1.8 metr o daldra, gallwn fod yn sicr na fydd eu taldra yn union yr un fath. Fodd bynnag, os ydym yn plotio histogram o sampl o daldra dynion, byddwn yn darganfod fel arfer ei fod yn cyrraedd brig yn y canol: y **dosbarth moddol** yw'r enw ar y dosbarth sy'n cyfateb i'r brig hwn.

Yn achos **data ansoddol** (lle mae eitemau yn cael eu disgrifio yn ôl eu priodweddau) rydym yn cyfeirio eto, nid at fodd, ond at ddosbarth moddol. Yn yr enghraifft nesaf mae 'lliw gwallt' yn newidyn ansoddol.

Enghraifft 3

Mae lliw gwallt a thaldra dosbarth o lanciau ifanc mewn prifysgol yn cael eu crynhoi isod.
Darganfyddwch y dosbarthiadau moddol.

Lliw gwallt			
Du	Brown	Melyn	Coch
63	53	9	3

Taldra (m), x			
$1.4 \leq x < 1.7$	$1.7 \leq x < 1.9$	$1.9 \leq x < 2.0$	$2.0 \leq x < 2.2$
19	56	42	11

Yn achos lliw gwallt, 'Du' yw'r dosbarth moddol. Yn achos taldra, '1.9–2.0 m' yw'r dosbarth moddol ac nid '1.7–1.9 m'. Er mwyn gweld pam, dychmygwch eich bod yn llunio'r histogram: byddai uchder y ddau betryal canol yn y gymhareb 28 i 42 (gan fod lled yr ail ddosbarth ddwywaith lled y trydydd dosbarth).

2.3 Y canolrif

Yn syml iawn, ystyr 'canolrif' yw 'y rhif yn y canol'. Ar ôl casglu'r holl arsylwadau gellir eu trefnu mewn rhes yn ôl eu maint, gan roi'r lleiaf ar y chwith a'r mwyaf ar y dde (neu i'r gwrthwyneb). Felly, bydd gan werthoedd yng nghanol y rhes drefnedig feintiau rhyngol a dylent roi syniad da o faint cyffredinol y data. Er enghraifft, tybiwch fod y gwerthoedd arsylwedig yn 13, 34, 19, 22 ac 16. Ar ôl iddynt gael eu gosod yn nhrefn eu maint daw'r rhain yn:

13, 16, **19**, 22, 34

Gelwir y gwerth canol, sef 19, yn **ganolrif**.

Pan fydd nifer eilrifol o arsylwadau ceir dau werth canol. Yr arfer yw darganfod cyfartaledd y rhain a chymryd hwn fel canolrif. Yn achos y tuniau cawl yn Enghraifft 1, y gwerthoedd oedd:

400, 400, 400, **400**, **425**, 425, 425, 435

Cymerir mai gwerth y canolrif yw:

$\frac{1}{2}(400 + 425) = 412.5$

Fel arfer, pan fydd *n* gwerth arsylwedig wedi eu trefnu yn ôl maint, cyfrifir y canolrif fel a ganlyn:

Os yw *n* yn odrif ac yn hafal i $(2k + 1)$, dyweder, yna'r canolrif yw'r $(k + 1)$ fed gwerth trefnedig.

Os yw *n* yn eilrif ac yn hafal i $2k$, dyweder, yna'r canolrif yw cyfartaledd y *k*fed gwerth a'r $(k + 1)$fed gwerth trefnedig.

Nodyn

♦ Cam cyntaf defnyddiol yw crynhoi'r data gan ddefnyddio diagram coesyn a deilen, gan fod hyn yn rhoi trefn yn syth ar y data.

Enghraifft 4

Mae gan athro cemeg beiriant pwyso manwl gywir a dau fab, Guto a Gwilym, sydd yn mwynhau chwarae concyrs. Un diwrnod mae Guto a Gwilym yn casglu concyrs newydd. Ar ôl cyrraedd gartref a ffraeo ynglŷn â phwy sydd â'r concyrs gorau, maen nhw'n defnyddio clorian eu tad i ddarganfod pwysau'r concyrs (mewn g). Dyma'u canlyniadau:

Guto: 31.4, 44.4, 39.5, 58.7, 63.6, 51.5, 60.0
Gwilym: 60.1, 34.7, 42.8, 38.6, 51.6, 55.1, 47.0, 59.2

Casgliad concyrs pa fachgen sydd â'r pwysau canolrifol mwyaf?

Yn gyntaf rydym yn trefnu pob set o werthoedd yn ôl trefn esgynnol, ac yna'n amlygu'r gwerth(oedd) canol:

Guto: 31.4, 39.5, 44.4, **51.5**, 58.7, 60.0, 63.6
Gwilym: 34.7, 38.6, 42.8, **47.0**, **51.6**, 55.1, 59.2, 60.1

Canolrif Gwilym yw cyfartaledd 47.0 a 51.6, sef 49.3. Mae hyn yn llai na chanolrif Guto, sy'n 51.5, felly mae gan gasgliad Guto bwysau canolrifol mwy.

2.4 Y cymedr

Yn aml gelwir y mesur hwn o leoliad yn **gyfartaledd**, a gellir ei ddefnyddio gyda data arwahanol a data di-dor fel ei gilydd. Mae'r cymedr yn hafal i gyfanswm yr holl werthoedd arsylwedig wedi ei rannu â nifer yr holl arsylwadau. Yn wahanol i werth y modd, fel arfer ni fydd gwerth y cymedr yn hafal i unrhyw un o'r gwerthoedd arsylwedig unigol. Felly mae màs cymedrig y tuniau o gawl (mewn g) yn:

$$\frac{(400 + 400 + 400 + 400 + 425 + 425 + 425 + 435)}{8} = 413.75$$

Mae'n bryd cyflwyno ychydig o algebra. Tybiwch fod y set ddata yn cynnwys n gwerth arsylwedig, wedi eu nodi gan $x_1, x_2, \ldots, x_n$. Yna rhoddir **cymedr y sampl**, a nodir fel arfer gan $\bar{x}$ gan:

$$\bar{x} = \frac{(x_1 + x_2 + \ldots + x_n)}{n} \tag{2.1}$$

Un ffordd o feddwl am y cymedr yw fel y **craidd màs** lle mae'r arsylwadau yn 'cydbwyso' ar yr echelin x.

Cymedr y sampl yn cael ei weld fel y craidd màs

Ymarferion 2a _____

1 Mae ysgol yn cofnodi niferoedd yr ymgeiswyr a enillodd y gwahanol raddau posibl yn eu pynciau lefel A.

   E: 21, D: 47, C: 69, B: 72, A: 53

Darganfyddwch y dosbarth moddol.

2 Mae arolwg o geir mewn maes parcio yn datgelu'r data canlynol ar oedrannau ceir:

< 2 oed	2–4 oed	5–8 oed	9–12 oed
35	51	83	35

Darganfyddwch y dosbarth moddol.

3 Yn 1993 roedd dosraniad oedran poblogaeth y DG (mewn miloedd) fel a ganlyn:

Cyfanswm	O dan 1	1–4	5–14
58 191	759	3129	7417
15–24	25–34	35–44	45–59
7723	9295	7787	10 070
60–64	65–74	75–84	Dros 85
2839	5169	3020	982

Ffynhonnell: *Population Trends, Rhif 78, Gaeaf 1994*

Darganfyddwch y dosbarth moddol.

4 Mae gan y rhan fwyaf o bobl fwy na'r nifer cyfartalog o goesau.
Eglurwch.

5 Mae wyth o athletwyr yn rhedeg 100 m. Dyma'r amseroedd a gymerwyd (mewn eiliadau):

10.34, 10.68, 10.81, 11.02,
11.35, 11.71, 11.82, 11.95

Darganfyddwch yr amser cyfartalog a gymerwyd.

6 Mae chwaraewraig *bridge* yn cofnodi sawl âs mae'n ei gael mewn deliadau olynol. Dyma'r niferoedd:

0, 2, 3, 0, 0, 2, 1, 1, 0,
2, 3, 0, 1, 1, 2, 1, 0, 0

Darganfyddwch (i) modd, (ii) cymedr, niferoedd yr asau a gafodd.

7 Mae garddwr yn ystyried bod taten sydd â màs mwy na 100 g yn 'fawr'. Mae'r garddwr yn tyfu nifer o blanhigion tatws ac mae'n cyfrif faint o datws mawr sydd gan bob planhigyn. Dyma'i ganlyniadau:

8, 5, 7, 10, 8, 6, 5, 6, 4, 8,
10, 9, 8, 7, 3, 10, 11, 6, 9, 8

Darganfyddwch (i) modd, (ii) cymedr, niferoedd y tatws mawr.

8 Roedd uchder, mewn m, 12 o goed cyll ifanc ar ôl ugain mlynedd fel a ganlyn:

4.3, 5.2, 4.1, 3.5, 5.2, 4.8,
5.3, 4.8, 3.7, 4.1, 4.5, 5.0

Darganfyddwch yr uchder cymedrig.

9 Mae cyfrifiadur yn cael ei raglennu i gynhyrchu 8 haprif rhwng -1 a $+1$.
Dyma'r rhifau a gynhyrchir:

0.269, -0.679, 0.507, -0.663,
0.325, -0.960, 0.741, 0.484

Darganfyddwch y cymedr.

10 Cofnodwyd balans cyfrif banc myfyrwraig ar ddiwedd pob mis mewn £. Mae rhif negatif yn dynodi gorddrafft.
Dyma'r ffigurau:

341.32,   97.53, -57.44,   255.93,
5.89, -83.33,   152.81, -23.11,
-105.73, -204.50, -150.46, -85.39

Darganfyddwch ei balans cymedrig ar ddiwedd pob mis.

11 Yn 1995, roedd pwysau Criw Rasio Cychod Caergrawnt fel a ganlyn:

90.7, 89.4, 93.4, 92.1, 82.6, 92.5, 94.4, 89.8

Roedd pwysau criw Rhydychen fel a ganlyn:

86.9, 90.3, 94.8, 97.5, 89.6, 89.8, 91.9, 89.1

Darganfyddwch bwysau cymedrig y ddau griw a gwiriwch fod criw Rhydychen yn drymach na chriw Caergrawnt o bwysau cyfartalog o 0.63 kg y pen.

12 Cymedr y rhifau canlynol yw 20:

20, 18, *c*, 24, 23, 13

Darganfyddwch werth *c*.

13 Dyma niferoedd y goliau a sgoriwyd yn nhair adran gyntaf y Gynghrair Pêl-droed ar 4 Chwefror 1995:

6, 5, 3, 3, 5, 3, 1, 2, 4, 2, 2, 5, 1, 2, 2, 3, 8, 2,
4, 5, 3, 3, 0, 2, 5, 0, 1, 0, 3, 0, 1, 2, 7, 1, 2

Darganfyddwch (i) modd, (ii) cymedr, niferoedd y goliau a sgorwyd.

14 Dyma daldra criw Ras Gychod Caergrawnt yn ras 1995:

6 tr 3 mod, 6 tr 5 mod, 6 tr 3 mod, 6 tr 4 mod,
6 tr 2 mod, 6 tr 6 mod, 6 tr 4 mod, 6 tr 2 mod

Dyma daldra criw Rhydychen:

6 tr 3 mod, 6 tr 1 mod, 6 tr 5 mod, 6 tr 4 mod,
6 tr 5 mod, 6 tr 3 mod, 6 tr 3 mod, 6 tr 2 mod

Darganfyddwch y gwahaniaeth yn eu taldra canolrifol.

15 Mewn sampl o 25 bocs of fatsys, cyfrifwyd nifer y matsys ym mhob bocs. Dyma'r canlyniadau:

51, 52, 48, 53, 47, 48, 50, 51, 50,
46, 52, 53, 51, 48, 49, 52, 50, 48,
47, 53, 54, 51, 49, 47, 51

Drwy lunio siart marciau rhifo, neu fel arall, darganfyddwch y nifer canolrifol o fatsys mewn bocs.

16 Cofnodir faint o gleifion sy'n dod i feddygfa bob dydd. Dyma'r niferoedd:

45, 41, 37, 48, 44, 29, 32, 43, 41, 37, 38,
31, 43, 39, 35, 31, 42, 40, 35, 42, 35

Lluniwch ddiagram coesyn a deilen a thrwy hynny darganfyddwch y nifer canolrifol o gleifion sy'n mynd i'r feddygfa bob dydd.

17 Mae pobydd yn cofnodi faint o doesenni sy'n cael eu gwerthu bob dydd yn ystod cyfnod o dair wythnos. Dyma'r niferoedd:

> 35, 47, 34, 46, 55, 82, 41, 35, 47,
> 51, 56, 75, 38, 41, 44, 51, 45, 74

Drwy lunio diagram coesyn a deilen neu fel arall, darganfyddwch y nifer canolrifol o doesenni sy'n cael eu gwerthu bob dydd.

18 Dyma'r marciau a gafwyd mewn prawf mathemateg lle'r oedd y marciau allan o 50:

> 35, 42, 31, 27, 48, 50, 24, 27,
> 21, 37, 41, 34, 12, 18, 27

Darganfyddwch:

(i) y marc cymderig,

(ii) y marc canolrifol.

19 Mae arweinydd côr yn cofnodi faint o'i aelodau sy'n dod i ymarferion côr. Dyma'r niferoedd:

> 25, 28, 32, 31, 31, 34, 28, 31, 29,
> 28, 32, 32, 30, 29, 29, 31, 28, 28

(i) Dargafnyddwch nifer cymedrig yr aelodau sy'n dod i ymarferion.

(ii) Darganfyddwch y nifer canolrifol.

20 Dyma feintiau esgidiau aelodau tîm pêl-droed:

> 10, 10, 8, 11, 10, 9, 9, 10, 11, 9, 10

Darganfyddwch:

(i) y maint esgid cymedrig,

(ii) y maint esgid canolrifol,

(iii) y maint esgid moddol.

2.5 Manteision ac anfanteision y modd, y cymedr a'r canolrif

Manteision

◆ Os oes modd yn bodoli mae'n sicr ei fod yn werth a arsylwyd mewn gwirionedd.

◆ Gellir cyfrifo'r canolrif mewn rhai achosion pan na ellir cyfrifo'r cymedr na'r modd. Er enghraifft, tybiwch fod 99 o golomennod yn hedfan o A i B. Gellir cyfrifo amser canolrifol yr ehediad cyn gynted ag y bydd y 50fed golomen wedi cyrraedd – nid oes raid inni aros am yr aderyn blinedig olaf (a allai beidio â chyrraedd o gwbl!).

Anfanteision

◆ Efallai na fydd y modd yn unigryw (oherwydd gallai dau werth neu fwy ddigwydd yr un mor aml).

◆ Gall cynnwys arsylwad anghywir (e.e. cofnodi'n anghywir fod màs tun o gawl yn 4000 g) neu arsylwad anarferol effeithio'n sylweddol ar y cymedr (e.e. cyflog cyfarwyddwr ffatri yn cael ei gynnwys gyda chyflogau gweithwyr y ffatri).

◆ Mae'n anodd pennu nodweddion ystadegol y modd a'r canolrif.

Yn ymarferol defnyddir llawer mwy ar y cymedr nag ar un o'r ddau fesur arall o leoliad.

Gwaith ymarferol _____

> *Sawl anifail anwes pedair coes sydd gan deulu cyffredin?*
> *Defnyddiwch siart marciau rhifo i gofnodi nifer cyfunol cŵn, cathod, bochdewion, ayb, pob aelod o'ch dosbarth.*
> *Darganfyddwch beth yw cymedr, canolrif a modd y gwerthoedd hyn.*
> *Pa un oedd yr hawsaf i'w gyfrifo?*
> *Mae sefydliad yn dymuno amcangyfrif cyfanswm yr anifeiliaid anwes pedair coes sydd yn eich ardal.*
> *Pa un o'ch tri ystadegyn sy'n debyg o fod fwyaf defnyddiol iddynt?*

2.6 Nodiant sigma ($\sum$)

Mae mynegiannau fel $(x_1 + x_2 + \ldots + x_n)$ yn cymryd amser i'w hysgrifennu. Rydym eisiau ysgrifennu 'Swm y gwerthoedd x', ond nid yw hyn yn fathemategol iawn – nid yw'n cynnwys llythrennau Groegaidd! Felly, yn lle hyn rydym yn ysgrifennu:

$$\sum_{i=1}^{n} x_i = x_1 + x_2 + \ldots + x_n \tag{2.2}$$

Mae'r arwydd $\sum$ yn llythyren Roegaidd sy'n cyfateb i'r llythyren S ac yn cael ei hynganu fel 'sigma'. I beri mwy o ddryswch, yn fuan byddwn hefyd yn dod ar draws y llythyren Roegaidd sy'n cyfateb i s sydd hefyd yn cael ei hynganu fel 'sigma', ond sy'n edrych yn dra gwahanol (σ) ac mae hon yn golygu rhywbeth hollol wahanol mewn ystadegaeth.

Noder

♦ Yn y fformiwla law-fer mae'r llythyren i yn cynrychioli indecs. Gellid defnyddio unrhyw lythyren, ond mae'n rhaid i hon ddisodli i bob tro y bydd yn ymddangos. Er enghraifft:

$$\sum_{j=1}^{4} y_j = \sum_{i=1}^{4} y_i = \sum_{r=1}^{4} y_r = y_1 + y_2 + y_3 + y_4$$

♦ Mae newid gwerth n yn arwain at newid yn y termau sy'n cael eu symio. Er enghraifft:

$$\sum_{j=1}^{3} y_j = y_1 + y_2 + y_3 \quad \text{ond} \quad \sum_{j=1}^{2} y_j = y_1 + y_2$$

Defnyddio nodiant sigma

Dyma fwy o enghreifftiau o adegau pan ddefnyddir yr arwydd $\sum$:

$$\sum_{r=1}^{3} r = 1 + 2 + 3 = 6$$

$$\sum_{s=2}^{4} s^2 = 2^2 + 3^2 + 4^2 = 29$$

$$\sum_{j=1}^{2} (2j + 5) = \{(2 \times 1) + 5\} + \{(2 \times 2) + 5\} = 16$$

$$\sum_{k=2}^{3} (k^2 + 6k) = \{2^2 (6 \times 2)\} + \{3^2 (6 \times 3)\} = 43$$

Mae pedwar canlyniad hynod o ddefnyddiol sy'n cynnwys trin yr arwydd $\sum$:

$$\sum_{i=1}^{n} (x_i + y_i) = \sum_{i=1}^{n} x_i + \sum_{i=1}^{n} y_i \tag{2.3}$$

$$\sum_{i=1}^{n} cx_i = c \sum_{i=1}^{n} x_i \tag{2.4}$$

$$\sum_{i=1}^{n} c = nc \tag{2.5}$$

$$\sum_{i=1}^{n} x_i = \sum_{i=1}^{m} x_i + \sum_{i=m+1}^{n} x_i \tag{2.6}$$

Yn yr uchod, cysonyn yw c a chyfanrif yw m, fel bo $1 \leqslant m < n$. Dylid nodi canlyniad (2.5) yn arbennig. Mae'n dilyn yn syth o ganlyniad (2.4) drwy roi'r holl werthoedd x yn hafal i 1. Gellir profi'r pedwar canlyniad yn rhwydd drwy ysgrifennu'r gwahanol symiannau yn llawn.

Nodiadau

♦ Yn aml mae terfannau'r symiant yn amlwg, ac yn yr achos hwn gellir eu hepgor o'r fformiwla. Er enghraifft, yn achos cymedr n o arsylwadau $x_1, x_2, \dots, x_n$ gallem ysgrifenu:

$$\bar{x} = \frac{\Sigma x_i}{n}$$

♦ Mewn testun arferol rydym yn ysgrifennu $\sum_{i=1}^{n} x_i$ yn lle

$$\sum_{i=1}^{n} x_i$$

♦ Fel dull llawfer, pan fydd llawer o fformiwlâu o gwmpas, gellir hepgor yr ôl-ddodiad hefyd:

$$\bar{x} = \frac{\Sigma x}{n} \qquad\qquad (2.7)$$

Ymarferion 2b

1 Dywedir bod $x_1 = 2, x_2 = 3, x_3 = 5, x_4 = 1$, $x_5 = 3, x_6 = 2, x_7 = 0, x_8 = 2$
Gwiriwch fod:

(i) $\displaystyle\sum_{i=1}^{8}(x_i + 2) = \sum_{i=1}^{8} x_i + 16$

(ii) $\displaystyle\sum_{i=1}^{8} x_i = \sum_{i=1}^{4} x_i + \sum_{i=5}^{8} x_i$

(iii) $\displaystyle\sum_{i=1}^{8}(3x_i) = 3\sum_{i=1}^{8} x_i$

(iv) $\displaystyle\sum_{j=1}^{8} x_j = \sum_{i=1}^{4} x_i + \sum_{k=5}^{8} x_k$

2 Dywedir bod $x_1 = 2, x_2 = -3, x_3 = 0$, $x_4 = -1, y_1 = 3, y_2 = -2, y_3 = 10, y_4 = 2$
Gwiriwch fod:

(i) $\displaystyle\sum_{i=2}^{4}(x_i + y_i) = \sum_{i=2}^{4} x_i + \sum_{i=2}^{4} y_i$

(ii) $\displaystyle\sum_{i=1}^{4}(x_i y_i) = 10$

(iii) $\displaystyle\left(\sum_{i=1}^{4} x_i\right)\left(\sum_{i=1}^{4} y_i\right) = -26$

3 Dargafnyddwch:

(i) $\displaystyle\sum_{j=1}^{8} j$

(ii) $\displaystyle\sum_{j=1}^{8} j^2$

(iii) $\displaystyle\sum_{j=1}^{8}(j-2)^2$

4 Mae gan set o ddata ar gyfer 10 arsylwad $\Sigma x = 365$. Darganfyddwch y cymedr.

5 Data wedi eu crynhoi ar gyfer set o arsylwadau yw $n = 60, \Sigma y = 74\,344$.
Darganfyddwch werth cymedrig y.

6 Mae canlyniadau 30 arbrawf i ddarganfod gwerth cyflymiad o ganlyniad i ddisgyrchiant yn cael eu crynhoi gan $\Sigma g = 294.34$.
Darganfyddwch y gwerth cymedrig.

7 Cymedr wyth o rifau yw 16.
O wybod bod y saith rhif cyntaf yn rhoi cyfanswm o 130, darganfyddwch werth yr wythfed rhif.

8 Darganfuwyd bod cymedr set o 25 arsylwad yn 15.2. Yn ddiweddarach, darganfuwyd bod un o'r eitemau data wedi ei chofnodi'n anghywir fel 23 yn hytrach na 28.
Darganfyddwch werth diwygiedig y cymedr.

2.7 Cymedr dosraniad amlder

Ym Mhennod 1 gwelsom fod data yn aml yn cael eu cynrychioli gan ddosraniad amlder. Er enghraifft, yn achos y tuniau cawl (gweler Adran 2.4) mae gennym:

Màs a gofnodwyd (g)	x	400	425	435
Amlder arsylwedig	f	4	3	1

Mae swm yr amlderau $(4 + 3 + 1)$ yn hafal i n, cyfanswm yr arsylwadau. Mae swm y tri lluoswm $4 \times 400, 3 \times 425$ ac 1×435 yn hafal i swm yr wyth arsylwad, ac felly, y màs cymedrig yw $\dfrac{1600 + 1275 + 435}{4 + 3 + 1} = 413.75$ g fel o'r blaen. Y cwbl rydyn ni wedi ei wneud yw casglu gwerthoedd x sy'n hafal. Felly fformiwla gyffredinol arall ar gyfer cymedr y sampl yw

$$\bar{x} = \frac{\sum_{j=1}^{m} f_j x_j}{\sum_{j=1}^{m} f_j} \tag{2.8}$$

lle mae'r symiant yn cynnwys yr m gwerth gwahanol o x a gofnodwyd. Yn yr enghraifft, $m = 3, x_1 = 400, x_2 = 425, x_3 = 435, f_1 = 4, f_2 = 3$ ac $f_3 = 1$.

Nawr mae $\sum_{j=1}^{m} f_j$ yn hafal i n, cyfanswm nifer yr arsylwadau, felly ffurf symlach o'r fformiwla flaenorol yw:

$$\bar{x} = \frac{1}{n} \Sigma f_j x_j$$

a gallwn ei hysgrifennu (yn llai ffurfiol) fel $\dfrac{\Sigma f x}{n}$.

Ymarfer defnyddio cyfrifiannell ⎯⎯⎯⎯⎯⎯⎯⎯⎯⎯⎯⎯⎯⎯⎯⎯⎯⎯⎯

Mae gan y rhan fwyaf o gyfrifianellau sydd â ffwythiannau ystadegol ddilyniant botymau arbennig i ddelio â mewnbynnu amlderau grwpiedig. Ymchwiliwch sut y gellir gwneud hyn gyda'ch cyfrifiannell a phrofwch y weithdrefn drwy ddefnyddio data'r tuniau cawl.

2.8 Cymedr data grwpiedig

Gellir defnyddio'r fformiwla cymedr dosraniad amlder hefyd i roi amcangyfrif o gymedr y sampl pan geir set o ddata grwpiedig:

$$\bar{x} = \frac{\Sigma f_j x_j}{n}$$

Yn yr achos hwn x_j yw **canolbwynt dosbarth** y $j$fed o'r m dosbarth, f_j yw'r amlder ar gyfer y dosbarth hwn ac mae $n = \sum_{j=1}^{m} f_j$. Amcangyfrif yn unig yw hyn o wir gymedr y sampl gan na wyddom beth yw gwerthoedd unigol y sampl.

Nodiadau
- Yn aml cyfeirir at yr amcangyfrif fel y **cymedr grwpiedig**.
- Fel arfer bydd y gwahaniaeth yng ngwerthoedd y cymedr grwpiedig a gwir gymedr y sampl yn fychan iawn.
- Fel arfer mae'n llawer cynt grwpio set o ddata a chyfrifo'r cymedr grwpiedig na chyfrifo cymedr y sampl yn uniongyrchol (oni bai eich bod yn defnyddio cyfrifiadur).
- Weithiau dim ond data grwpiedig sydd ar gael!

Enghraifft 5

Mae'r data canlynol yn crynhoi'r pellteroedd sy'n cael eu teithio gan fflyd o 190 bws cyn iddynt dorri i lawr.

Pellter ('000 milltir) (p)	$p \le 60$	$60 < p \le 80$	$80 < p \le 100$
Canolbwynt (x)	30	70	90
Amlder (f)	32	25	34

Pellter ('000 milltir) (p)	$100 < p \le 120$	$120 < p \le 140$	$140 < p \le 220$
Canolbwynt (x)	110	130	180
Amlder (f)	46	33	20

Cyfrifwch gymedr grwpiedig y data hyn.

Mae'n syniad da llunio braslun o'r data er mwyn 'cael syniad' ohonynt. Mae cipolwg ar y braslun yn awgrymu bod gan y dosraniad graidd màs o tua 100 mil o filltiroedd. Os yw'r ateb rydyn ni'n ei gyfrifo yn wahanol iawn i hyn yna dylid gwirio i weld a oes gwall posibl.

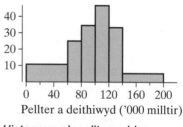

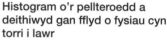

Histogram o'r pellteroedd a deithiwyd gan fflyd o fysiau cyn torri i lawr

Ystyriwch y 32 bws sydd wedi teithio llai na 60 000 milltir cyn torri i lawr. Digwyddodd pob problem rhywle rhwng 0 milltir a 60 000 milltir felly amcangyfrif synhwyrol o'r pellter cyfartalog sy'n cael ei deithio gan y bysiau hyn fyddai 30 000 milltir. Felly, amcangyfrif o gyfanswm y pellter sy'n cael ei deithio gan y bysiau hyn fyddai $32 \times 30\,000 = 960\,000$ milltir. Gan wneud yr un peth ar gyfer pob un o'r dosbarthiadau, ein amcangyfrif cyffredinol o gyfanswm y milltiredd yw $\Sigma f_i x_i = 18\,720\,000$, ac felly mae'r cymedr grwpiedig, $\dfrac{18\,720\,000}{32}$, tua 98 500 milltir.

Ymarfer defnyddio cyfrifiannell

Gellir defnyddio'r rhan fwyaf o gyfrifianellau ystadegol i gyfrifo cymedr y data grwpiedig.

Profwch eich cyfrifiannell drwy ddefnyddio'r data a roddir uchod.

Prosiect cyfrifiadurol

Mae'n hawdd rhaglennu taenlen i gyfrifo cymedr set o ddata grwpiedig. Profwch eich rhaglen gan ddefnyddio'r data blaenorol.

Ymarferion 2c

1 Mae biolegwr y môr yn astudio poblogaeth llygaid meheryn (*limpets*) ar arfordir creigiog. Mae niferoedd math prin o lygad maharen sydd i'w cael mewn rhannau 1 metr sgwâr o'r tanglogwyn yn cael eu crynhoi yn y tabl isod.

Nifer llygaid meheryn	0	1	2	3	4
Nifer y sgwariau	73	19	5	2	1

Cyfrifwch nifer cymedrig y llygaid meheryn ym mhob metr sgwâr o danglogwyn.

2 Mae prawfddarllenydd yn darllen sgript 250 tudalen. Mae niferoedd y camgymeriadau sy'n cael eu darganfod ar bob tudalen yn cael eu crynhoi yn y tabl isod.

Nifer y camgymeriadau	0	1	2	3	4
Nifer y tudalennau	61	109	53	23	4

Darganfyddwch nifer cymedrig y camgymeriadau sy'n cael eu darganfod ar bob tudalen.

3 Lluniwch ddosraniad amlder ar gyfer y data canlynol:

> 5, 7, 5, 3, 1, 4, 5, 4, 3, 2, 1, 3, 4, 5, 7, 6,
> 8, 4, 3, 1, 5, 3, 5, 7, 3, 2, 4, 2, 6, 5, 2, 2

Darganfyddwch y cymedr a'r canolrif.

4 Lluniwch ddosraniad amlder ar gyfer y data canlynol:

> 20, 30, 35, 25, 20, 30, 35, 25,
> 20, 30, 35, 40, 30, 35, 35, 25,
> 20, 40, 20, 25, 25, 30, 20, 20

Darganfyddwch y cymedr a'r canolrif.

5 Mae siop yn gwerthu bylbiau golau. Un wythnos mae Mr Watt, y perchennog, yn cofnodi watedd y bylbiau y mae'n eu gwerthu. Erbyn diwedd yr wythnos mae wedi nodi'r canlynol:

> 100, 100, 100, 60, 100, 40, 150,
> 60, 100, 100, 100, 60, 40, 150,
> 100, 100, 100, 60, 100, 60

Lluniwch ddosraniad amlder ar gyfer y data a darganfyddwch (i) y cymedr, (ii) y canolrif.

6 Mae teithiwr yn cofnodi ei filltiredd dyddiol (mewn milltiroedd cyfan) ar gyfer cyfnod o 4 wythnos:

> 153, 127, 142, 82, 91, 125, 113,
> 105, 93, 105, 88, 122, 96, 145,
> 136, 115, 107, 125, 98, 94

Grwpiwch y data gan ddefnyddio cyfyngau dosbarth, lled 20, gan roi dosbarthiadau o 80–99, 100–119, ayb.
Darganfyddwch:
(i) y cymedr grwpiedig,
(ii) y dosbarth moddol.

7 Mae garej yn nodi milltiredd y ceir sy'n dod yno i gael gwasanaeth 15 000 milltir. Mae'r data wedi eu crynhoi yn y tabl canlynol:

Milltiredd ('000 milltir)	14–	15–	16–	17–
Nifer y ceir	8	15	13	9

Gan gymryd bod terfan uchaf y dosbarth olaf yn 17 999, darganfyddwch (i) amcangyfrif ar gyfer y cymedr, (ii) y dosbarth moddol.

8 Bob dydd, cafodd nifer y cwsmeriaid, x, oedd yn dod i dŷ bwyta eu cofnodi a defnyddiwyd y canlyniadau i lunio'r tabl amlder grwpiedig canlynol:

x	16–20	21–25	26–30	31–35	36–40
Nifer y dyddiau	67	74	38	39	42

Gan ddefnyddio'r data grwpiedig uchod, darganfyddwch:
(i) amcangyfrif o'r cymedr
(ii) y dosbarth moddol.

9 Mae dis yn cael ei daflu ugain gwaith gan roi'r canlyniadau isod:

Canlyniad	1	2	3	4	5	6
Amlder	2	4	a	7	2	b

O wybod bod y cymedr yn 3.6, darganfyddwch werthoedd a a b.

10 Mae cymorthdaliadau ar gyfer ynysu to yn cael eu cynnig i gartrefi ag incwm net sy'n llai na £25 000 y flwyddyn. Roedd ymgeiswyr am y cymorthdaliadau hyn yn dosbarthu eu hincwm fel a ganlyn:

Incwm blynyddol	Nifer yr ymgeiswyr
–£4999	2
£5000–£9999	17
£10 000–£14 999	31
£15 000–£19 999	28
£20 000–£24 999	16

Darganfyddwch werth y cymedr grwpiedig.

2.9 Defnyddio gwerthoedd wedi eu codio i symleiddio cyfrifiadau

Ystyriwch y broblem o ddarganfod cymedr y gwerthoedd canlynol:

> 3001, 3003, 3005, 3005, 3007, 3007, 3007, 3009

Gallem gyfrifo:

$$\frac{1}{8}\{3001 + 3003 + (2 \times 3005) + (3 \times 3007) + 3009\} = 3005.5$$

ond mae angen cyfrifiannell i wneud hyn a llawer o bwyso botymau. Mae'n llawer haws cyfrifo:

$$3000 + \frac{1}{8}\{1 + 3 + (2 \times 5) + (3 \times 7) + 9\} = 3005.5$$

Fel ail enghraifft, ystyriwch y broblem o ddarganfod cymedr y canlynol:

0.00001, 0.00003, 0.00005, 0.00005,
0.00007, 0.00007, 0.00007, 0.00009

Gallem gyfrifo:

$$\frac{1}{8}\{0.00001 + 0.00003 + (2 \times 0.00005) + (3 \times 0.00007) + 0.00009\} = 0.000055$$

ond mae'n llawer haws cyfrifo:

$$0.00001 \times \frac{1}{8}\{1 + 3 + (2 \times 5) + (3 \times 7) + 9\} = 0.000055$$

Mae'r ddwy enghraifft uchod wedi defnyddio data **wedi eu codio**. Yn algebraidd, rydym wedi rhoi'r gwerthoedd wedi eu codio $y_1, y_2, \ldots$ yn lle'r arsylwadau $x_1, x_2, \ldots$ Yn yr enghraifft gyntaf, $y_i = x_i - 3000$ ac yn yr ail enghraifft, $y_i = 100000x_i$. Yn yr enghraifft gyntaf symudwyd y lleoliad ac yn yr ail newidiwyd y raddfa.

Gellir cyfuno'r ddau syniad hyn. Tybiwch ein bod ni eisiau darganfod cymedr y data canlynol:

10500, 11500, 12500, 12500, 13500, 13500, 13500, 14500

Drwy ysgrifennu $y = \dfrac{x - 10000}{500}$ unwaith eto rydym yn cael y gwerthoedd $1, 3, 5, 5, 7, 7, 7$ a 9, sy'n rhoi cymedr o 5.5. Gan fod $x = 10\,000 + 500y$, mae cymedr y gwerthoedd x yn:

$$10\,000 + (500 \times 5.5) = 12\,750$$

Mae symudiad cyffredinol yn y lleoliad a newid graddfa yn cael eu cynrychioli'n algebraidd gan y cod (llinol):

$$y = \frac{x - a}{b}$$

Er cyfleustra cymerir bod b yn bositif. Ar ôl ei ailysgrifennu, mae'r mynegiad hwn yn rhoi:

$$x = a + by$$

ac mae'r cymedr, $\bar{x}$, yn perthyn i gymedr, $\bar{y}$, y gwerthoedd sydd wedi eu codio yn ôl

$$\bar{x} = a + b\bar{y}$$

Yn yr enghraifft gyntaf mae $a = 3000$, $b = 1$; yn yr ail mae $a = 0$, $b = \dfrac{1}{10\,000}$ ac yn y drydedd enghraifft mae $a = 10\,000$, $b = 500$.

Nodyn
- Fel arfer mae gweithio â gwerthoedd wedi eu codio yn arbed amser. Gan fod cyfrifianellau a chyfrifiaduron yn cyfyngu ar nifer y ffigurau ystyrlon y gallant ddelio â hwy, gall defnyddio gwerthoedd wedi eu codio hefyd wella manwl gywirdeb.

Enghraifft 6

Dyma brisiau'r siacedi sy'n cael eu harddangos mewn ffenestr siop ddillad dynion (mewn £):

49.95, 79.95, 79.95, 99.95, 139.95

Defnyddiwch ddull codio i ddarganfod pris cyfartalog siaced.

Boed i'r pris sy'n cael ei arddangos fod yn x. Cod defnyddiol yw $y = x + 0.05$. Yna daw'r prisiau yn $50, 80, 80, 100, 140$. Mae swm y 5 gwerth y yn 450, felly $\bar{y} = 90$. Felly $\bar{x} = \bar{y} - 0.05 = 90 - 0.05 = 89.95$.

Y pris cyfartalog yw £89.95.

Enghraifft 7

Mae arolygwr bysiau yn cofnodi faint o deithwyr sy'n teithio ar lwybr arbennig. Mae'n cofnodi'r gwerthoedd canlynol:

31, 45, 40, 38, 39, 42, 36, 38, 44, 39, 32, 32, 38

Gan ddefnyddio'r cod $y = x - 30$, darganfyddwch gymedr y data hyn.

Gan gymryd bod y gwerthoedd arsylwedig yn x, y gwerthoedd y yw:

1, 15, 10, 8, 9, 12, 6, 8, 14, 9, 2, 2, 8

Mae'r rhain yn rhifau syml na fyddant yn ormod o straen ar ein sgiliau rhifyddeg pen. Maen nhw'n rhoi cyfanswm o 104 ac mae $n = 13$, fel bod $\bar{y} = \dfrac{104}{13} = 8$ ac felly $x = y + 30 = 38$.

Nifer cymedrig y teithwyr yw 38.

Enghraifft 8

Mae cynhyrchwr yn dymuno profi manwl gywirdeb y gwrthyddion '2000 ohm' a gynhyrchir gan beiriant. Dewiswyd hapsampl o 100 o wrthyddion a darganfuwyd eu gwir wrthiannau (yn gywir i'r ohm agosaf). Dangosir y canlyniadau yn y tabl.

Darganfyddwch wrthiant cymedrig y gwrthyddion hyn.

Mae'r gwerthoedd wedi eu clystyru o amgylch y gwerth enwol o 2000. Felly darperir cod synhwyrol gan $y = x - 2000$, lle x yw'r gwrthiant a gofnodwyd.

Gwrthiant	Amlder
1995	1
1996	3
1997	5
1998	9
1999	19
2000	21
2001	16
2002	15
2003	4
2004	4
2005	2
2006	1

x	y	f	fy	Cyfanswm
1995	−5	1	−5	
1996	−4	3	−12	
1997	−3	5	−15	
1998	−2	9	−18	
1999	−1	19	−19	−69
2000	0	21	0	
2001	1	16	16	
2002	2	15	30	
2003	3	4	12	
2004	4	4	16	
2005	5	2	10	
2006	6	1	6	90
Cyfanswm		100		21

Sylwer ar y ffordd y mae'r gwerthoedd negatif yn cael eu hadio ar wahân i'r gwerthoedd positif. Y cyfanswm cyffredinol yw $90 - 69 = 21$ ac felly $\bar{y} - \dfrac{21}{100} = 0.21$. Gan fod $\bar{x} = \bar{y} + 2000$, mae'r gwrthiant cymedrig yn 2000.21 ohm.

Cod arall, a fyddai'n osgoi rhifau negatif, fyddai $y = x - 1995$.

Ymarfer defnyddio cyfrifiannell _____

> *Cymharwch gyflymder a chywirdeb cyfrifo cymedr y ddwy set o ddata a roddir uchod gan ddefnyddio (i) y gwir werthoedd a (ii) y gwerthoedd wedi eu codio. Dylech ddarganfod eich bod yn gweithio'n gynt ac yn fwy cywir wrth ddefnyddio'r gwerthoedd wedi eu codio.*

Ymarferion 2ch _____

1 O wybod bod cymedr y rhifau 3, 5, 6, 14 ac 12 yn 8, ysgrifennwch gymedr pob un o'r setiau canlynol o rifau:
- (i)   1003, 1005, 1006, 1014, 1012
- (ii)   2.03, 2.05, 2.06, 2.14, 2.12
- (iii) 1030, 1050, 1060, 1140, 1120

2 Darganfyddwch gymedr, canolrif a modd yr arsylwadau canlynol:

> 1.000 000 002, 1.000 000 005,
> 1.000 000 006, 1.000 000 003,
> 1.000 000 009, 1.000 000 006,
> 1.000 000 005, 1.000 000 006,
> 1.000 000 003

3 Cofnodir prisiadau (£x) casgliad o 12 o hen greiriau fel a ganlyn:

> 600, 680, 1000, 750, 600, 850,
> 1000, 880, 1000, 650, 600, 1000

Defnyddiwch y cod $y = \frac{1}{10}(x - 600)$ i ddarganfod gwerth cymedrig y a thrwy hynny darganfyddwch y prisiad cymedrig.

4 Mae arweinydd yn cofnodi faint o'i aelodau sy'n dod i ymarferion côr.

> 25, 28, 32, 31, 31, 34, 28, 31, 29,
> 28, 32, 32, 30, 29, 29, 31, 28, 28

Gan ddefnyddio cod lle caiff 20 ei dynnu o bob rhif, darganfyddwch y nifer cymedrig o aelodau sy'n dod i'r ymarferion.

5 Mae prisiau (£x) parau o esgidiau sy'n cael eu harddangos mewn ffenestr siop yn cael eu dangos isod.

> 34.95, 44.95, 49.95, 69.95,
> 54.95, 64.95, 64.95, 54.95

- (i)   Gan ddefnyddio'r cod $y = \frac{1}{5}(x + 0.05)$, darganfyddwch y pris cymedrig.
- (ii) Gwiriwch fod defnyddio'r cod $y = x - 54.95$ yn rhoi'r un canlyniad.

6 Isod dangosir prisiau (mewn £) gwahanol brydau Indiaidd mewn archfarchnad.

> 1.99, 3.99, 2.99, 2.99, 1.99, 2.49, 1.99, 2.49

Gan ddefnyddio cod addas, darganfyddwch beth yw pris cymedrig y prydau hyn.

7 Mae sgorau'r 50 prif gystadleuydd yn rownd gyntaf twrnament Masters yr UD ym 1995 yn cael eu crynhoi isod:

Sgôr	66	67	68	69	70	71	72	73	74
Amlder	3	2	2	7	7	9	7	9	4

Gan ddefnyddio cod addas, darganfyddwch gymedr y sgorau hyn.

8 Mewn sampl o 25 bocs of fatsys, cyfrifwyd nifer y matsys ym mhob bocs. Dyma'r canlyniadau:

> 51, 52, 48, 53, 47, 48, 50, 51, 50,
> 46, 52, 53, 51, 48, 49, 52, 50, 48,
> 47, 53, 54, 51, 49, 47, 51

Defnyddiwch god lle mae 40 yn cael ei dynnu o bob rhif i ddarganfod nifer cymedrig y matsys mewn bocs.

Defnyddiwch god lle mae 50 yn cael ei dynnu o bob rhif (gan roi rhai gwerthoedd negatif) i ddarganfod nifer cymedrig y matsys mewn bocs.

Gwiriwch fod eich dau ateb yr un fath.

9 Cofnodir y gwasgedd barometrig canol dydd am 18 diwrnod, gan ddefnyddio milibarrau.

> 1022, 1016, 1032, 1008, 998, 985,
> 993, 1004, 1009, 1011, 1015, 1020,
> 1007, 1001, 995, 993, 975, 972

Gan ddefnyddio cod addas, darganfyddwch y gwasgedd barometrig cymedrig canol dydd.

10 Cafodd y bwlch, x mm, mewn sampl o blygiau tanio, ei fesur a chafwyd y canlyniadau isod:

> 0.81, 0.83, 0.81, 0.81, 0.82, 0.80, 0.81,
> 0.83, 0.84, 0.81, 0.82, 0.84, 0.80

Defnyddiwch y cod $y = 100x - 80$ i ddarganfod y bwlch cymedrig.

11 Mae garej yn cofnodi milltiredd y ceir sy'n dod yno i gael gwasanaeth 15 000 milltir. Mae'r data wedi eu crynhoi yn y tabl canlynol:

Milltiredd ('000 milltir)	14–	15–	16–	17–
Nifer y ceir	8	15	13	9

Gan gymryd bod canolbwyntiau'r grwpiau yn 14 500, …, 17 500, a chan ddefnyddio'r cod $y = \dfrac{1}{1000}(x - 14\ 500)$, lle mae x yn filltiredd, darganfyddwch y cymedr grwpiedig.

12 Bob dydd cafodd nifer y cwsmeriaid, x, oedd yn dod i dŷ bwyta eu cofnodi a defnyddiwyd y canlyniadau i lunio'r tabl amlder grwpiedig canlynol:

x	16–20	21–	26–	31–	36–40
Nifer y dyddiau	67	74	38	39	42

Gan ddefnyddio'r cod $y = \dfrac{1}{5}(x - 18)$, lle mae x yn nifer y cwsmeriaid, amcangyfrifwch nifer cymedrig y cwsmeriaid bob dydd.

13 Crynhoir set o ddata gan $n = 8$,
$\Sigma(x - 5) = 7.2$
Darganfyddwch gymedr x.

14 Mae cyflogau blynyddol (x £'000) gweithwyr cwmni yn cael eu crynhoi yn y tabl canlynol.

Cyflog	Amlder
$5 \leqslant x < 10$	35
$10 \leqslant x < 15$	42
$15 \leqslant x < 20$	58
$20 \leqslant x < 30$	14
$30 \leqslant x < 50$	3
$50 \leqslant x < 100$	1

Defnyddiwch y cod $y = \dfrac{1}{5}(x - 7.5)$ i ddarganfod y cyflog cymedrig grwpiedig.

15 Mae set o ddata wedi ei chrynhoi gan
$\sum_{1}^{12}(y + 0.5) = 0.234$
Darganfyddwch gymedr y.

16 Mae set o ddeg arsylwad yn gyfryw ag i beri bod
$\Sigma(2x + 3) = 427$
Darganfyddwch gymedr x.

17 O wybod bod $n = 8$ a $\Sigma\{2(z + 3)\} = 752$, darganfyddwch gymedr z.

2.10 Canolrif data grwpiedig

Rydym yn dechrau drwy ffurfio dosraniad amlder cronnus. Yna gellir amcangyfrif y canolrif gan ddefnyddio rhyngosodiad llinol (a ddangosir yn yr adran hon) neu, yn llai cywir, drwy ddarllen gwerth ar ddiagram amlder cronnus (a ddangosir yn yr adran nesaf). Yn y ddau achos, gyda data grwpiedig ac n arsylwad, mae'n arferol defnyddio $\dfrac{n}{2}$ mewn cyfrifiadau yn hytrach nag $\dfrac{n+1}{2}$ (er y bydd y gwahaniaeth a geir yn annhebygol iawn o effeithio ar sut y gwelir y data.)

Enghraifft 9

Gan barhau ag Enghraifft 5, rydym yn cofnodi data'r bysiau gan ddefnyddio amlderau cronnus a ffiniau dosbarth uchaf:

Pellter ('000 milltir)	≤60	≤80	≤100	≤120	≤140	≤220
Amlder cronnus	32	57	91	137	170	190

Amcangyfrifwch y pellter yr aeth hanner y bysiau ymhellach nag ef.

———

Mae 190 bws ac mae $\dfrac{190}{2} = 95$. Gan fod 95 yn digwydd rhwng 91 a 137, mae'r pellter canolrifol yn digwydd rhwng 100 a 120 mil o filltiroedd.
Mae cyfanswm o $(137 - 91) = 46$ bws yn y dosbarth hwn. Amcangyfrifir y canolrif fel:

$$100 + \frac{(95 - 91)}{(137 - 91)} \times (120 - 100) = 101.74 \text{ (i 2 le degol)}$$

felly mae'r canolrif tua 101 700 milltir.

Enghraifft 10

Yn ystod 1983, roedd modurwyr Adelaide yn Ne Awstralia yn cael eu profi ar hap i weld a oeddynt wedi yfed alcohol. Gwnaed mesuriadau o gynnwys alcohol yn y gwaed (CAG) mewn unedau o mg o alcohol y 100 ml o waed.

CAG: Ffin dosbarth uchaf	15	25	35	45	65
Amlder cronnus	397	785	1083	1298	1580

CAG: Ffin dosbarth uchaf	95	125	155	205	400
Amlder cronnus	1793	1903	1951	1989	2003

Amcangyfrifwch werth canolrifol CAG.

———————

Mae hanner 2003 yn 1001.5, sydd rhwng 785 a 1083. Felly mae'r canolrif rhwng 25 a 35. Rhoddir y gwerth amcangyfrifedig gan:

$$25 + \frac{(1001.5 - 785)}{(1083 - 785)} \times (35 - 25) = 32.27 \text{ (i 2 le degol)}$$

Amcangyfrifir bod cynnwys canolrifol yr alcohol yn y gwaed tua 32 mg y 100 ml o waed.

Ymarfer defnyddio cyfrifiannell ———————————————————

Ymchwiliwch a yw eich cyfrifiannell yn gallu darganfod canolrif data grwpiedig. Os nad oes dilyniant o fotymau wedi ei ragosod ar gael, yna efallai yr hoffech ysgrifennu rhaglen fer i gyfrifo'r swm.

2.11 Chwartelau, degraddau a chanraddau

Gwerth sy'n isrannu'r data trefnedig yn ddau hanner yw'r canolrif. Mae israniad pellach hefyd yn bosibl: mae'r **chwartelau** yn isrannu'r data yn chwarteri, y **degraddau** yn isrannu'n ddegfedau, a'r **canraddau** yn isrannu'n ganfedau. Mae tri chwartel: y **chwartel isaf**, Q_1, y canolrif (Q_2), a'r **chwartel uchaf**, Q_3. Gelwir y canraddau yn syml y canradd 1af, yr 2il ganradd, ac yn y blaen. Y canolrif yw'r 5ed degradd a'r 50fed canradd. Drwy astudio gwerthoedd y degraddau neu'r chwartelau cawn syniad o wasgariad y data, ond dim ond 'syniad' a gawn ac nid oes angen bod yn dra chywir.

Data grwpiedig

Gyda data grwpiedig, mae bywyd yn rhwydd. Fel rheol, yr *r*fed canradd yw'r '$\left(\frac{rn}{100}\right)$fed' arsylwad. Y canolrif felly yw'r '$\left(\frac{n}{2}\right)$fed' arsylwad (fel yn yr adran flaenorol), tra mai'r chwartelau yw'r '$\left(\frac{n}{4}\right)$ydd' a'r '$\left(\frac{3n}{4}\right)$ydd' arsylwad.

Rydym wedi defnyddio dyfynodau i'ch atgoffa y bydd angen rhyngosodiad fel arfer (er y byddai'n anaddas cofnodi'r gwerth a gafwyd i unrhyw fanylder).

Enghraifft 11

Darganfyddwch chwartelau isaf ac uchaf a 9fed degradd y data ar gyfer modurwyr Adelaide yn Enghraifft 10.

CAG: Ffin dosbarth uchaf	15	25	35	45	65
Amlder cronnus	397	785	1083	1298	1580

CAG: Ffin dosbarth uchaf	95	125	155	205	400
Amlder cronnus	1793	1903	1951	1989	2003

Gan fod y data wedi eu grwpio gallwn ddefnyddio rhyngosodiad llinol o fewn y grwpiau neu gallwn roi cynnig ar ddarllen ffigurau'r diagram amlder cronnus. Yn gyntaf rydym yn ceisio defnyddio'r diagram.

Diagram amlder cronnus o gynnwys alcohol yng ngwaed modurwyr Adelaide yn 1983

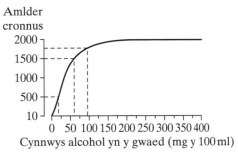

Amlder cronnus

Cynnwys alcohol yn y gwaed (mg y 100 ml)

Mae'r chwartelau isaf ac uchaf yn cyfateb i amlderau cronnus o $2003 \times 0.25 = 501$ a $2003 \times 0.75 = 1502$. O ddarllen y diagram (gyda chryn anhawster) gwelwn fod y rhain yn cyfateb i tua 20 a 60. Mae'r 9fed degradd (y 90fed canradd) yn cyfateb i amlder cronnus o $2003 \times 0.90 = 1803$ ac, o'r diagram, mae ganddo werth o tua 100.

Nawr rydym yn defnyddio rhyngosodiad. Ar gyfer y chwartel isaf mae gennym yr amcangyfrif:

$$15 + \frac{(501 - 397)}{(785 - 397)} \times (25 - 15) = 18$$

ac, ar gyfer y chwartel uchaf, mae gennym:

$$45 + \frac{(1502 - 1298)}{(1580 - 1298)} \times (65 - 45) = 59$$

Ar gyfer y 9fed degradd, mae'r un dull yn rhoi:

$$95 + \frac{(1803 - 1793)}{(1903 - 1793)} \times (125 - 95) = 98$$

Data heb eu grwpio

Yn Adran 2.3 (tudalen 35) roedd y diffiniad a roddwyd ar gyfer canolrif y data heb eu grwpio yn eithaf cymhleth. Nid yw'n edrych fawr gwell pan fydd yn cael ei fynegi mewn ffordd arall: canolrif data heb eu grwpio yw'r '$\left(\frac{n}{2} + \frac{1}{2}\right)$fed' arsylwad, lle mae'r dyfynodau yn ein hatgoffa efallai y bydd angen rhyngosod.

Gan nodi fod $\frac{n}{2} = \frac{50n}{100}$, rydym nawr yn cyffredinoli'r canlyniad hwn ac yn diffinio'r *r*fed canradd o ddata heb eu grwpio i fod yr '$\left(\frac{rn}{100} + \frac{1}{2}\right)$fed' arsylwad.

Gyda'r diffiniad hwn y chwartelau isaf ac uchaf, yn eu trefn, yw'r '$\left(\frac{n}{4} + \frac{1}{2}\right)$fed' a'r '$\left(\frac{3n}{4} + \frac{1}{2}\right)$fed' arsylwad trefnedig

Nodyn

♦ *Nid oes unrhyw fformiwlâu y cytunwyd arnynt yn fyd-eang ar gyfer unrhyw un o'r symiau hyn (ac eithrio ar gyfer y canolrif). Fodd bynnag, gan fod y defnydd o chwartelau a chanraddau yn gyfyngedig, nid oes rhaid poeni am hyn. Nid oes diben cofnodi gwerthoedd y chwartelau i fanwl gywirdeb: dylent gael eu cofnodi ar y mwyaf gan ddefnyddio un lle degol yn fwy na'r hyn a roddir yn y data gwreiddiol.*

Enghraifft 12

Dyma nifer y geiriau yn 18 brawddeg gyntaf Pennod 1, *A Tale of Two Cities* gan Charles Dickens:

118, 39, 27, 13, 49, 35, 51, 29, 68, 54, 58, 42, 16, 221, 80, 25, 41, 33

tra bo nifer y geiriau yn 17 brawddeg gyntaf Pennod 1, *Not a Penny More, Not a Penny Less* gan Jeffrey Archer fel a ganlyn:

8, 10, 15, 13, 32, 25, 14, 16, 32, 25, 5, 34, 36, 19, 20, 37, 19

Darganfyddwch y canolrif, y chwartelau a'r degradd cyntaf ar gyfer pob set o ddata.

O ailosod data Dickens yn nhrefn maint, cawn:

```
              9                        1
           ┌──┐                     ┌──┐
  13  16  25  27  29  33  35  39  41  42  49  51  54  58  68  80  118  221
      2.7│6.3     ↑            0.5│0.5            ↑
       18.7       28              41.5           58
```

Gan fod $\frac{18}{2} + \frac{1}{2} = 9.5$ y canolrif yw cyfartaledd y 9fed a'r 10fed arsylwad trefnedig, sef $\frac{1}{2}(41 + 42) = 41.5$

Gan fod $\frac{18}{4} + \frac{1}{2} = 5$, y chwartel isaf yw'r 5ed arsylwad, sef 29.

Gan fod $\frac{3 \times 18}{4} + \frac{1}{2} = 14$, y chwartel uchaf yw 58.

Yn achos y degradd cyntaf, mae arnom angen y '$\left(\frac{10 \times 18}{100} + \frac{1}{2}\right)$fed' arsylwad. Gan fod $\frac{10 \times 18}{100} + \frac{1}{2} = 2.3$, mae angen inni ryngosod rhwng yr 2il a'r 3ydd arsylwad trefnedig, a'r gwerth sydd ei angen yw:

$$16 + \{0.3 \times (25 - 16)\} = 18.7$$

Mae'r degradd cyntaf tua 19.

O ailosod data Archer yn eu trefn rydym yn cael:

```
        2       1                              0
      ┌──┐    ┌──┐                           ┌──┐
  5   8  10  13  14  15  16  19  19  20  25  25  32  32  34  36  37
    0.4│1.6  0.75│0.25              ↑            0│0
     8.4       13.75                19            32
```

Gan fod $\frac{17}{2} + \frac{1}{2} = 9$ y canolrif yw'r 9fed arsylwad mwyaf, sef 19.

Gan fod $\frac{17}{4} + \frac{1}{2} = 4.75$, rhaid inni ryngosod rhwng y 4ydd a'r 5ed arsylwad trefnedig, i gael $13 + \{0.75 \times (14 - 13)\} = 13.75$. Mae'r chwartel isaf tua 14.

Gan fod $\frac{3 \times 17}{4} + \frac{1}{2} = 13.25$, mae'n rhaid inni ryngosod rhwng y 13eg a'r 14eg arsylwad trefnedig. Gan mai 32 yw'r ddau o'r rhain, bydd y gwerth sydd wedi ei ryngosod hefyd yn 32 sef, felly, gwerth y chwartel uchaf.

Yn achos y degradd cyntaf mae angen inni gyfrifo gwerth $\frac{10 \times 17}{100} + \frac{1}{2}$, sydd yn 2.2. Drwy ryngosod rhwng yr ail a'r trydydd arsylwad trefnedig rydym yn cael $8 + \{0.2 \times (10 - 8)\} = 8.4$. Mae'r degradd cyntaf tua 8.

Mae'r gwahaniaeth rhwng y ddwy arddull ysgrifennu yn amlwg.

Prosiect cyfrifiadurol _____

> *Ysgrifennwch raglen gyfrifiadurol i gyfrifo chwartelau, degraddau a chanraddau. Os oes gan eich cyfrifiadur adnoddau graffigol yna gellid ymestyn y rhaglen i arddangos y diagram amlder cronnus ynghyd â dynodiadau o leoliadau'r chwartelau. Dylai rhaglen sydd wedi ei llunio'n dda addasu graddfeydd yr echelinau yn awtomatig fel bo'r diagram yn llenwi'r sgrin.*

Ymarferion 2d _____

1 Cafodd y bwlch, x mm, mewn sampl o blygiau tanio, ei fesur gyda'r canlyniadau isod:

> 0.81, 0.83, 0.81, 0.81, 0.82, 0.80, 0.81, 0.83, 0.84, 0.81, 0.82, 0.84, 0.80

Darganfyddwch y chwartel isaf a'r chwartel uchaf ar gyfer y set ddata hon.

2 Mewn sampl o 25 bocs of fatsys, cyfrifwyd nifer y matsys ym mhob bocs. Dyma'r canlyniadau:

> 51, 52, 48, 53, 47, 48, 50, 51, 50,
> 46, 52, 53, 51, 48, 49, 52, 50, 48,
> 47, 53, 54, 51, 49, 47, 51

Darganfyddwch yr ail a'r wythfed degradd ar gyfer y set hon o ddata.

3 Cofnodir y gwasgedd barometrig canol dydd am 18 diwrnod, gan ddefnyddio milibarrau.

> 1022, 1016, 1032, 1008, 998, 985,
> 993, 1004, 1009, 1011, 1015, 1020,
> 1007, 1001, 995, 993, 975, 972

Darganfyddwch werthoedd y chwartelau isaf ac uchaf.

4 Darganfyddwch y chwartel isaf, y chwartel uchaf a'r 9fed degradd ar gyfer y data canlynol:

> 20, 30, 35, 25, 20, 30, 35, 25,
> 20, 30, 35, 40, 30, 35, 35, 25,
> 20, 40, 20, 25, 25, 30, 20, 20

5 Darganfyddwch y chwartel isaf, y chwartel uchaf a'r 15fed canradd ar gyfer y data canlynol:

> 5, 7, 5, 3, 1, 4, 5, 4, 3, 2, 1, 3, 4, 5, 7, 6,
> 8, 4, 3, 1, 5, 3, 5, 7, 3, 2, 4, 2, 6, 5, 2, 2

6 Mae pobydd yn cofnodi faint o doesenni sy'n cael eu gwerthu bob dydd yn ystod cyfnod o dair wythnos. Dyma'r niferoedd:

> 35, 47, 34, 46, 55, 82, 41, 35, 47,
> 51, 56, 75, 38, 41, 44, 51, 45, 74

Drwy lunio diagram coesyn a deilen, neu fel arall, darganfyddwch chwartel isaf a chwartel uchaf nifer y toesenni sy'n cael eu gwerthu bob dydd. Darganfyddwch hefyd y 4ydd degradd.

7 Mae garej yn nodi milltiredd y ceir sy'n dod yno i gael gwasanaeth 15 000 milltir. Mae'r data wedi eu crynhoi yn y tabl canlynol:

Milltiredd ('000 milltir)	14–	15–	16–	17–
Nifer y ceir	8	15	13	9

Darganfyddwch y chwartel isaf, y chwartel uchaf a'r 5ed a'r 20fed canradd.

8 Bob dydd cafodd nifer y cwsmeriaid, x, oedd yn dod i dŷ bwyta eu cofnodi a defnyddiwyd y canlyniadau i lunio'r tabl amlder grwpiedig canlynol:

x	16–20	21–	26–	31–	36–40
Nifer y dyddiau	67	74	38	39	42

Gan drin x fel petai'n newidyn di-dor â ffiniau dosbarth yn 15.5, 20.5, 25.5, 35.5 a 40.5, darganfyddwch y chwartel isaf, y chwartel uchaf a'r 2il a'r 8fed degradd.

9 Mewn ymchwiliad i oediadau ar safle gwaith ffordd, cofnodwyd yr amser y bu'n rhaid i sampl o gymudwyr aros, a hynny i'r funud agosaf. Isod dangosir rhan o dabl amlder cronnus a luniwyd o ganlyniad i'r ymchwiliad.

Ffin dosbarth uchaf	2.5	4.5	7.5	8.5	9.5
Nifer cronnus y cymudwyr	0	6	21	48	97

Ffin dosbarth uchaf	10.5	12.5	15.5	20.5
Nifer cronnus y cymudwyr	149	178	191	200

(a) Ar gyfer sawl cymudwr y cofnodwyd bod yr amser yn 11 munud neu 12 munud?

(b) Amcangyfrifwch (i) chwartel isaf, (ii) 81fed canradd, yr amseroedd disgwyl hyn.

[ULEAC]

10

Cyfaint y petrol (mewn litrau)	Nifer gwerthiant
5 neu lai	6
10 neu lai	20
15 neu lai	85
20 neu lai	148
25 neu lai	172
30 neu lai	184
35 neu lai	194
40 neu lai	200

Mae'r tabl yn rhoi dadansoddiad o hapsampl o 200 gwerthiant petrol di-blwm mewn gorsaf betrol.

(a) Gan ddefnyddio graddfeydd o 2 cm i 5 litr ar yr echelin lorweddol a 2 cm i 20 gwerthiant ar yr echelin fertigol, lluniwch gromlin amlder cronnus ar gyfer y data.

(b) Defnyddiwch eich cromlin i amcangyfrif cyfaint canolrifol y gwerthiant o betrol di-blwm.

Mae petrol di-blwm yn cael ei werthu am 52.3c y litr. Defnyddiwch eich cromlin i amcangyfrif

(c) 40fed canradd gwerth y gwerthiant petrol di-blwm,

(ch) canran y gwerthiant oedd yn fwy na £12.

[ULSEB]

2.12 Amrediad, amrediad rhyngchwartel ac amrediad canol

Amrediad set o ddata rhifiadol yw'r gwahaniaeth rhwng y gwerth uchaf a'r gwerth isaf. Dyma'r mesur symlaf posibl o wasgariad. Ni ellir ei ddefnyddio gyda data grwpiedig ac mae'n anwybyddu dosraniad gwerthoedd canolraddol. Byddai un gwerth mawr iawn neu fychan iawn yn rhoi argraff gamarweiniol o wasgariad y data. Mae hyn yn digwydd gyda'r data Charles Dickens lle mae'r amrediad $(221 - 13 = 208)$ yn rhoi argraff ystumiedig oherwydd yr un frawddeg anarferol o hir.

Mae'r **amrediad rhyngchwartel**, sef y gwahaniaeth rhwng y chwartel uchaf a'r chwartel isaf, yn fwy defnyddiol, gan ei fod yn canolbwyntio ar ran ganol y dosraniad. Weithiau cyfeirir at yr **amrediad hanner-rhyngchwartel**, sef hanner yr amrediad rhyngchwartel.

Yn achos data Dickens yn Enghraifft 9, yr amrediad rhyngchwartel yw $Q_3 - Q_1 = 58 - 29 = 29$, a'r amrediad hanner-rhyngchwartel yw 14.5. Mae gan ddata Archer, sy'n amrywio llai, amrediad hanner-rhyngchwartel sy'n hafal i 9.1 (i 1 lle degol).

Mae'r gwerthoedd uchaf ac isaf wrth gwrs yn amlwg yn amgau'r data sy'n weddill, felly mae'r **amrediad canol** $= \frac{1}{2}$(gwerth uchaf + gwerth isaf) yn ddewis arall syml yn hytrach na'r cymedr neu'r canolrif fel mesur o leoliad y data. Fodd bynnag, er bod y mesur hwn yn syml, anaml iawn y bydd yn cael ei ddefnyddio oherwydd (yn wahanol i'r cymedr a'r canolrif) mae'n sensitif i allanolion (gweler Adran 2.13).

2.13 Diagramau bocs a wisgers

Mae diagramau bocs a wisgers yn rhoi llun syml o'r data yn seiliedig ar werthoedd y chwartelau. Gelwir hwy hefyd yn **blotiau bocs**. Dangosir siâp arferol diagram bocs a wisgers yn y diagram isod.

Siâp arferol diagram bocs a wisgers

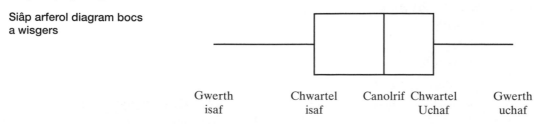

| Gwerth isaf | Chwartel isaf | Canolrif | Chwartel Uchaf | Gwerth uchaf |

Mae diagramau bocs a wisgers yn ffordd hynod o gyfleus o gymharu dau ddosraniad.

Nodyn
- Nid oes rheol gytunedig ar gyfer pennu trwch y bocs. Wrth gymharu samplau, dull synhwyrol o weithredu fyddai gwneud arwynebeddau'r bocsys mewn cyfrannedd â meintiau'r samplau. Mae trwch y bocsys felly mewn cyfrannedd â chymarebau meintiau'r samplau yn eu trefn wedi eu rhannu â'r amrediad rhyngchwartel cyfatebol.

Enghraifft 13

Defnyddiwch ddiagramau bocs a wisgers i gymharu hydoedd brawddegau Dickens ac Archer ar gyfer data Enghraifft 12.

Yn unol â'r nodyn blaenorol, rydym yn rhoi arwynebeddau i'r bocsys yn ôl y gymhareb 18 i 17. Roedd yr amrediadau rhyngchwartel yn 29 ac 18.25, felly rydym yn defnyddio trwch mewn cyfrannedd â $\frac{18}{29} : \frac{17}{18.25}$. Sylwer mai rhywbeth ychwanegol opsiynol yw hyn.

Diagramau bocs a wisgers yn cymharu hydoedd brawddegau dau awdur

Dickens

Archer

0 25 50   100   200
Hyd brawddeg (geiriau)

Mae'r gwahaniaeth yn nosraniadau hydoedd y brawddegau yn amlwg iawn.

Plotiau bocs wedi eu mireinio

Yr hyn sy'n ddefnyddiol wrth fireinio diagram bocs a wisgers syml yw bod hyn yn amlygu unrhyw werthoedd data anarferol eithafol (a elwir yn **allanolion** a dylid eu harchwilio i weld a oes unrhyw wallau trawsysgrifio neu wallau eraill).

Yn y **plotiau bocs** hyn **sydd wedi eu mireinio** mae'r holl werthoedd sydd y tu allan i ffiniau penodol (yn nodweddiadol $Q_1 - 1.5(Q_3 - Q_1)$ a $Q_3 + 1.5(Q_3 - Q_1)$) yn cael eu nodi yn unigol gan ddefnyddio croesau.

Gyda'r ffiniau hyn mae'r wisger uchaf yn ymestyn o Q_3 i'r gwerth data mwyaf sy'n llai na $Q_1 + 1.5(Q_3 - Q_1)$ tra bo'r wisger isaf yn ymestyn o Q_1 i'r gwerth lleiaf sy'n fwy na $Q_1 - 1.5(Q_3 - Q_1)$.

Enghraifft 14

Lluniwch blot bocs wedi ei fireinio ar gyfer hydoedd brawddegau Dickens a roddir yn Enghraifft 12 (gweler hefyd Enghraifft 13).

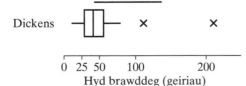

Dickens   ×   ×

0 25 50   100   200
Hyd brawddeg (geiriau)

Yn achos brawddegau *A Tale of Two Cities* roedd gennym $Q_3 = 58$ a $Q_1 = 29$. Felly $Q_3 + 1.5(Q_3 - Q_1) = 58 + 1.5 \times (58 - 29) = 101.5$. Mae gwerthoedd 118 a 221 yn fwy na 101.5 ac felly'n allanolion. Y gwerth data mwyaf sy'n llai na 101.5 yw 80, felly mae'r wisger uchaf yn ymestyn o 58 i 80.

Er mwyn archwilio'r gwerthoedd isaf, yn gyntaf rydym yn cyfrifo $Q_1 - 1.5(Q_3 - Q_1) = 29 - 1.5(58 - 29) = -14.5$. Nid oes brawddegau byrrach na hyn (!) ac felly mae'r wisger gwaelod yn ymestyn o 29 i'r gwerth arsylwedig lleiaf, sef 13.

Prosiect _____

> *Dewiswch ddau o'ch hoff awduron a gwnewch yr arbrawf Dickens/Archer unwaith eto. Ceisiwch ddewis awduron y tybiwch fod ganddynt arddulliau gwahanol. Dewiswch ddarnau disgrifiadol yn hytrach na darnau o ddialog, ond peidiwch â'u dewis ar ôl sylwi eu bod yn cynnwys brawddegau hynod o hir (neu hynod o fyr) neu bydd hyn yn gwneud y canlyniadau yn dueddol. Lluniwch ddiagramau bocs a wisgers ar gyfer pob awdur. A oes unrhyw wahaniaethau yn y ddau ddosraniad o safbwynt hyd brawddegau?*

Ymarferion 2dd _____

1 Mae'r data canlynol yn nodi niferoedd swyddogion Byddin Prwsia a laddwyd ar ôl cael eu cicio gan geffylau yn ystod y cyfnod 1875–1894. Dyma'r rhifau wedi eu trefnu yn ôl maint.

   3, 4, 5, 5, 6, 6, 7, 8, 9, 9, 10,
   11, 11, 11, 12, 14, 15, 15, 17, 18

Darganfyddwch yr amrediad, yr amrediad rhyngchwartel a'r amrediad canol. Dangoswch y data gan ddefnyddio diagram bocs a wisgers.

2 Un flwyddyn, roedd niferoedd y staff academaidd (yn cynnwys staff rhan amser) mewn gwahanol adrannau o Brifysgol Essex fel a ganlyn:

   19.0, 15.7, 25.3, 28.0, 15.0, 10.0,
   12.0, 10.3, 22.0, 24.8, 13.8, 25.9,
   23.0, 21.3, 12.0, 11.0, 23.0

Darganfyddwch yr amrediad, yr amrediad rhyngchwartel a'r amrediad canol. Dangoswch y data gan ddefnyddio diagram bocs a wisgers.

3 Yr amseroedd record (mewn oriau) ar gyfer sesiynau marathon o wahanol gemau, a gofnodwyd yn y *Guinness Book of Records* 1986 oedd:

   Y dabler (Backgammon) 151, Bridge 180, Gwyddbwyll 200, Dartiau 133, Drafftiau 108, Monopoly 660, Pŵl 300, Scrabble 153, Snwcer 301, Tennis bwrdd 148, Tidli-wincs 300

Defnyddiwch blot bocs wedi ei fireinio i ddangos y data.

4 Un flwyddyn roedd niferoedd yr israddedigion yng ngwahanol adrannau Prifysgol Essex fel a ganlyn:

   173, 166, 255, 225, 107, 146, 199, 107,
   348, 327, 236, 390, 424, 252, 125, 161, 343

Defnyddiwch blot bocs wedi ei fireinio i ddangos y data.

5 Mae pwysedd gwaed systolig 12 ysmygwr a 12 o bobl nad ydynt yn ysmygu fel a ganlyn (yn yr unedau safonol):

Ysmygwyr:
122, 146, 120, 114, 124, 126,
118, 128, 130, 134, 116, 130
Pobl nad ydynt yn ysmygu:
114, 134, 114, 116, 138, 110,
112, 116, 132, 126, 108, 116

Cymharwch y ddwy set ddata hyn gan ddefnyddio plotiau bocs mireiniedig ochr-yn-ochr.

6 Un flwyddyn roedd nifer yr ôl-raddedigion tramor mewn adrannau prifysgol arbennig fel a ganlyn:

   13, 8, 34, 24, 26, 22, 14, 44,
   0, 104, 19, 26, 9, 7, 41, 57, 6

Defnyddiwch blot bocs wedi ei fireinio i ddangos y data hyn.

7 Mae niferoedd y myfyrwyr sy'n dilyn cyrisau gradd sy'n ymwneud â mathemateg mewn prifysgol fel a ganlyn:

   22, 11, 5, 20, 15, 13, 3, 2, 5, 1, 2

Darganfyddwch yr amrediad a'r amrediad rhyngchwartel a dangoswch y data gan ddefnyddio plot bocs wedi ei fireinio.

8 Mae'r amseroedd (mewn eiliadau) a gymer grŵp o lygod mawr profiadol i redeg drwy ddrysfa yn cael ei gymharu ag amseroedd llygod mawr dibrofiad. Dyma'r data:

Llygod mawr profiadol:
121, 137, 130, 128, 132, 127, 129,
131, 135, 130, 126, 120, 118, 125
Llygod mawr dibrofiad:
135, 142, 145, 156, 149, 134, 139,
126, 147, 152, 153, 145, 144

(i) Crynhowch y ddwy set ddata gan ddefnyddio diagramau coesyn a deilen.

(ii) Darganfyddwch y canolrif a'r chwartel uchaf a'r chwartel isaf ar gyfer pob grŵp o lygod mawr.

(iii) Plotiwch y ddwy set o ddata ar un graff gan ddefnyddio plotiau bocs.
Trafodwch y canlyniadau.

9 Dewiswyd hapsampl o 500 o bobl oedd yn cael eu rhestru mewn llyfr ffôn un o siroedd Cymru. Cyfrifwyd nifer y llythrennau ym mhob cyfenw a rhoddir dosraniad hydoedd yr enwau yn y tabl isod:

Hyd enw	3	4	5	6	7	8	9	10	11
Amlder	4	31	103	124	111	63	38	19	7

(a) (i) Cynrychiolwch y dosraniad hwn yn graffigol.

   (ii) Darganfyddwch ganolrif ac amrediad rhyngchwartel y dosraniad.

(b) Mae'r 500 person yn y sampl yn annhebygol o fod yn gynrychioliadol o boblogaeth y sir. Enwch un grŵp o bobl sy'n debygol o gael eu tangynrychioli.

(c) Nodwch, gan roi rheswm, a yw'r sampl o gyfenwau yn debygol o fod yn gynrychioliadol o gyfenwau poblogaeth y sir hon yng Nghymru. [NEAB]

10 Gofynnwyd i hapsampl o 51 o bobl gofnodi sawl milltir yr oeddynt yn ei deithio mewn car mewn wythnos benodol. Dangosir y pellterau isod, i'r filltir agosaf:

67	76	85	42	93	48	93	46	52
72	77	53	41	48	86	78	56	80
70	70	66	62	54	85	60	58	43
58	74	44	52	74	52	82	78	47
66	50	67	87	78	86	94	63	72
63	44	47	57	68	81			

(a) Lluniwch ddiagram coesyn a deilen i gynrychioli'r data hyn.

(b) Darganfyddwch ganolrif a chwartelau'r dosraniad hwn.

(c) Lluniwch blot bocs i gynrychioli'r data hyn.

(ch) Rhowch un fantais o ddefnyddio
   (i) diagram coesyn a deilen,
   (ii) plot bocs, i ddangos data fel yr uchod.
               [ULEAC]

11 Mae'r tabl canlynol, sy'n dod o *Welsh Social Trends*, yn dangos dosraniad y nifer o bobl oedd yn byw ym mhob cartref yng Nghymru ym 1981.

Nifer y bobl yn y cartref	1	2	3	4	5	6+
Canran y cartrefi	21	31	18	18	8	4

(i) Drwy blotio'r polygon grisiau canrannol cronnus, neu fel arall, darganfyddwch beth yw canolrif ac amrediad hanner-rhyngchwartel nifer y bobl ym mhob cartref.

(ii) Nodwch, gan roi eich rheswm, pa un ai yw nifer cymedrig y bobl ym mhob cartref yn fwy na, yn hafal i, neu'n llai na'r nifer canolrifol. [CBAC]

2.14 Gwyriadau oddi wrth y cymedr

Tybiwch ein bod eisiau crynhoi'r data canlynol:

$$0, 99, 99, 100, 100, 100, 100, 100, 101, 101, 200$$

Mae gan y set hon o ddata gymedr, canolrif a modd sy'n hafal i 100, chwartel isaf sy'n hafal i 99, chwartel uchaf sy'n hafal i 101 ac amrediad sy'n hafal i 200. Mae'r un peth yn wir am yr ail set ddata hon:

$$0, 0, 99, 99, 100, 100, 100, 101, 101, 200, 200$$

Fodd bynnag, mae gan yr ail set o ddata bedwar arsylwad eithafol, o gymharu â dau yn unig yn y set gyntaf. Gellir mesur yr amrywiant ychwanegol hwn drwy gyfrifo'r gwahaniaethau rhwng yr arsylwadau a'u cymedr:

Set 1:   −100,   −1,   −1,   0,   0,   0,   0,   0,   1,   1,   100

Set 2:   −100,   −100,   −1,   −1,   0,   0,   0,   1,   1,   100,   100

Ym mhob achos, mae'r gwahaniaethau yn adio i roi sero. Mae hyn bob amser yn digwydd oherwydd, yn achos set o n arsylwad $x_1, \ldots, x_n$ gyda chymedr y sampl $\bar{x}$ a roddir gan $n\bar{x} = \Sigma x_i$:

$$\sum_{i=1}^{n} (x_i - \bar{x}) = (x_1 - \bar{x}) + \ldots + (x_n - \bar{x})$$
$$= (x_1 + \ldots + x_n) - (\bar{x} + \ldots + \bar{x})$$
$$= \sum_{i=1}^{n} x_i - n\bar{x}$$
$$= n\bar{x} - n\bar{x}$$
$$= 0$$

2.15 Yr amrywiant

Rhoddir mesur naturiol o wasgariad gan swm sgwariau'r gwyriadau oddi wrth y cymedr:

$$\Sigma(x_i - \bar{x})^2 = (x_1 - \bar{x})^2 + \ldots + (x_n - \bar{x})^2$$

Po fwyaf o amrywiant sydd yn y gwerthoedd x, mwyaf fydd gwerth $\Sigma(x_i - \bar{x})^2$. Fodd bynnag, gallai'r swm fod yn fawr yn syml oherwydd nifer y gwerthoedd x, a bydd angen rhyw fath o werth cyfartalog.

Byddai rhannu ag n yn ymddangos yn gam amlwg, ond (yn anffodus) mae yma achos cryf dros rannu yn hytrach ag $(n - 1)$.

Defnyddio'r rhannydd n

Mae hyn yn addas mewn dau achos:

1 Os yw'r gwerthoedd $x_1, \ldots, x_n$ yn cynrychioli poblogaeth gyfan.
2 Os yw'r gwerthoedd $x_1, \ldots, x_n$ yn cynrychioli sampl o boblogaeth a bod gennym ddiddordeb yn *yr amrywiad o fewn y sampl ei hun*.

Yn y ddau achos yr unig bethau sydd o ddiddordeb i ni yw'r n gwerth arsylwedig, a rhoddir y gwyriad wedi'i sgwario cyfartalog naturiol, a ddynodir gan σ_n^2, gan

$$\sigma_n^2 = \frac{1}{n} \sum_{i=1}^{n} (x_i - \bar{x})^2 \tag{2.9}$$

Dylid darllen y swm σ_n^2 fel 'sigma n sgwâr'.

Os yw $x_1, \ldots, x_n$ yn cynrychioli sampl o ddata yna gelwir σ_n^2 yn **amrywiant y sampl**, ond os yw $x_1, \ldots, x_n$ yn cynrychioli'r boblogaeth gyfan yna gelwir σ_n^2 yn **amrywiant y boblogaeth**.

Enghraifft o achos lle mae'r gwerthoedd x yn cyfeirio at y boblogaeth gyfan yw pan yw $x_1, \ldots, x_n$ yn cynrychioli taldra'r *holl* blant mewn dosbarth arbennig mewn ysgol. Os ydym, am unrhyw reswm, yn ymddiddori yn y dosbarth hwn *yn unig*, yna mae σ_n^2 yn addas.

Defnyddio'r rhannydd $(n - 1)$

Mae hyn yn addas yn yr achos canlynol:

Mae gwerthoedd $x_1, \ldots, x_n$ yn cynrychioli sampl o boblogaeth ac mae gennym ddiddordeb mewn amcangyfrif *yr amrywiad yn y boblogaeth*. Mae'r sampl yn bwysig dim ond oherwydd ei bod yn rhoi gwybodaeth am y boblogaeth ehangach.

Er enghraifft, gallem gasglu gwybodaeth am daldra'r plant mewn dosbarth er mwyn cael syniad o ddosraniad taldra'r plant mewn dosbarthiadau cyfatebol lledled y byd.

Yn yr achos hwn, mae'r fformiwla yn cael ei haddasu ychydig drwy rannu ag $(n-1)$ yn hytrach nag n. Weithiau defnyddir σ^2_{n-1} i ddynodi'r swm diwygiedig, weithiau $\hat{\sigma}^2$, ond yn fwy cyffredin s^2:

$$s^2 = \sigma^2_{n-1} = \frac{1}{n-1} \sum_{i=1}^{n} (x_i - \bar{x})^2 \tag{2.10}$$

Byddwn yn galw'r swm yma yn **amcangyfrif diduedd o amrywiant y boblogaeth** (a byddwn yn defnyddio'r nodiant s^2).

Nodiadau
- Gan fod s^2 a σ^2_n yn lluosrifau positif swm o sgwariau:
  - ni all eu gwerthoedd fod yn negatif,
  - mae ganddynt unedau sy'n sgwariau o unedau x.
- Os yw s^2 neu σ^2_n yn hafal i sero, yna rhaid i bob un o'r gwerthoedd x fod yn hafal i'r cymedr, $\bar{x}$, ac felly fod hefyd yn hafal i'w gilydd.
- Ac eithrio pan yw'r ddau yn sero, mae $s^2 > \sigma^2_n$.
- Anaml y bydd ystadegwyr yn defnyddio'r rhannydd n oherwydd mae ganddynt ddiddordeb mewn defnyddio sampl i ddod i gasgliadau ynglŷn â phoblogaeth. Y cwestiynau pwysig yw'r rhai sy'n ymwneud â'r boblogaeth anweledig yn hytrach na'r sampl arbennig sy'n cael ei arsylwi.

Nodyn arbennig
- Mae pethau yn amrywio'n sylweddol rhwng un llyfr a'r llall, rhwng byrddau arholi a rhwng setiau o dablau ystadegol, gyda golwg ar yr enwau a'r symbolau a ddefnyddir ar gyfer y ddwy ffurf ar y fformiwla amrywiant a gyflwynir uchod. Mae'r swm gyda rhannydd n, yr ydym ni'n ei ddynodi â σ^2_n yn cael ei ddynodi â $\hat{\sigma}^2$ mewn un set o dablau a chan s^2 mewn un arall, a gelwir pob un yn 'amrywiant sampl'. Mae set arall o dablau yn defnyddio S^2 ar gyfer yr un swm ac yn ei alw'n 'amrywiant heb ei addasu'. Mae'r mwyafrif o dablau yn defnyddio s^2 fel ni, i nodi'r swm gyda rhannydd $n-1$. Cytunir hefyd yn gyffredinol y dylid cyfeirio at s^2 fel '**amcangyfrif diduedd o amrywiant y boblogaeth**', er bod hwn hefyd yn aml yn cael ei alw'n 'amrywiant y sampl'.
  Dylech edrych ar daflen fformiwlâu, tablau, neu faes llafur eich bwrdd arholi i fod yn sicr pa fformiwla y bydd disgwyl ichi ei defnyddio.

2.16 Cyfrifo'r amrywiant

Os yw $\bar{x}$ yn gyfanrif, yna bydd gwerthoedd $(x_1 - \bar{x})^2, \ldots, (x_n - \bar{x})^2$ yn eithaf hawdd i'w cyfrifo. Fodd bynnag, bydd $\bar{x}$ fel arfer yn ddegolyn lletchwith ac mae'n llawer haws defnyddio'r canlyniad:

$$\Sigma(x_i - \bar{x})^2 = \Sigma_i^2 - \frac{(\Sigma x_i)^2}{n} \tag{2.11}$$

Drwy hynny:

$$\sigma^2_n = \frac{\Sigma x_i^2}{n} - \frac{(\Sigma x_i)^2}{n^2}$$

ac:

$$s^2 = \sigma^2_{n-1} = \frac{1}{n-1} \left\{ \Sigma x_i^2 - \frac{1}{n}(\Sigma x_i)^2 \right\} = \frac{n}{n-1}\sigma^2_n$$

Nodiadau
- Yn yr holl achosion pwysig *nid* yw'r symiau Σx_i^2 a $(\Sigma x_i)^2$ yn hafal, oherwydd:

$$\Sigma x_i^2 = x_1^2 + x_2^2 + \ldots + x_n^2$$

  tra bo:

$$(\Sigma x_i)^2 = (x_1 + x_2 + \ldots + x_n)^2$$
$$= (x_1^2 + x_2^2 + \ldots + x_n^2) + 2(x_1 x_2 + x_1 x_3 + \ldots + x_{n-1} x_n)$$

♦ Mae prawf y canlyniad yn Hafaliad (2.11) yn gofyn am algebra blêr:

$$\Sigma(x_i - \bar{x})^2 = \Sigma(x_i^2 - 2x_i\bar{x} + \bar{x}^2)$$

$$= \Sigma x_i^2 - 2\bar{x}\Sigma x_i + n\bar{x}^2$$

$$= \Sigma x_i^2 - 2\left(\frac{\Sigma x_i}{n}\right)\Sigma x_i + n\left(\frac{\Sigma x_i}{n}\right)^2$$

$$= \Sigma x_i^2 - \frac{1}{n}(\Sigma x_i)^2$$

♦ Ffordd arall o ysgrifennu $\Sigma(x_i - \bar{x})^2$ yw fel $\Sigma x_i^2 - n\bar{x}^2$, ond yn achos cyfrifiadau rhifiadol fel arfer mae'n fwy cywir cyfrifo $\frac{1}{n}(\Sigma x_i)^2$ yn hytrach na chyfrifo $n\bar{x}^2$. Y ffordd olaf yw'r un fwyaf defnyddiol wrth drin algebra.

2.17 Gwyriad safonol y sampl

Rydym yn diffinio gwyriad safonol y sampl, σ_n, fel ail isradd amrywiant y sampl, σ_n^2.

$$\sigma_n = \sqrt{\frac{\Sigma x_i^2}{n} - \frac{(\Sigma x_i)^2}{n^2}} \qquad\qquad (2.12)$$

Nodiadau

♦ Mae unedau'r gwyriad safonol yr un fath ag unedau x – h.y. os yw x yn nifer o afalau yna mae hyn yn wir am σ_n hefyd.
♦ Mewn rhai llyfrau efallai y byddwch yn gweld s, sef ail isradd s^2, yn cael ei ddisgrifio fel 'gwyriad safonol y sampl'.
♦ Mae'r geiriau 'gwyriad safonol' yn cael eu talfyrru yn aml i g.s.

Ymarfer cyfrifiannell ─────────────────────────

Bydd cyfrifianellau gyda ffwythiannau ystadegol yn cyfrif un ai un neu ddau o'r canlynol: σ_n ac s (= σ_{n-1}). Dylech wirio pa ystadegyn/ ystadegau a roddir gan eich cyfrifiannell. Fel arfer bydd gwerthoedd n, Σx a Σx^2 wedi cael eu cyfrifo a'u storio mewn cofau hygyrch yn y broses. Dylech fod yn ymwybodol o ble mae'r rhifau hyn yn cael eu storio a sut y gellir cael gafael arnynt.

Enghraifft 15

Dyma ddiamedrau cyhydeddol bras (mewn miloedd o km) naw planed cysawd yr haul:

    4.9, 12.1, 12.8, 6.8, 142.8, 120.0, 52.4, 49.5, 2.5

Darganfyddwch beth yw gwyriad safonol y diamedrau hyn.

─────────────

Yn gyntaf rydym yn cyfrifo $\Sigma x_i = (4.9 + \ldots + 2.5) = 403.8$ a $\Sigma x_i^2 = (4.9^2 + \ldots + 2.5^2) = 40\,374.6$. Y diamedr cymedrig yw $\frac{1}{9} \times 403.8 = 44.87$ mil cilometr. Gan dybio bod gennym ddiddordeb yn y naw planed hyn er eu mwyn eu hunain yn hytrach na'r hyn y gallant ei awgrymu ynglŷn â phlanedau eraill mewn rhan arall o'r bydysawd, rydym nawr yn cyfrifo:

$$\sigma_n = \sqrt{\frac{\Sigma x_i^2}{n} - \frac{(\Sigma x_i)^2}{n^2}}$$

$$= \sqrt{\frac{40.374.6}{9} - \frac{403.8^2}{9^2}}$$

$$= \sqrt{4486.066\,667 - 2013.017\,778}$$

$$= \sqrt{2473.048\,889}$$

$$= 49.73 \text{ (i 2 ll.d.)}$$

Gwyriad safonol y diamedrau cyhydeddol yw 50 mil cilometr yn fras

---

Nodiadau

◆ Mae'r gwaith cyfrifo yn cael ei wneud i gywirdeb sylweddol i ddiogelu rhag **cyfeiliornadau talgrynnu** a rhag colli arwyddocâd, gan fod y cyfrifiadau yn aml yn golygu darganfod y gwahaniaeth cymharol fychan rhwng dau rif mawr. Gyda chyfrifiadau anghywir gall

$$\frac{\Sigma x_i^2}{n} - \frac{(\Sigma x_i)^2}{n^2}$$

ymddangos yn negatif oherwydd colli ffigurau ystyrlon.

◆ Wrth gofnodi canlyniadau dylai ei bod yn hawdd cael gwerth cymharol gywir (49.73), ond dylai'r disgrifiad (50) o'r canlyniad fod mor syml ag sydd bosibl. Yn y rhan fwyaf o sefyllfaoedd ychydig o ddiddordeb a fydd yn y gwahaniaeth rhwng 49.73 a 50.

Enghraifft 16

Mae rheolwr swyddfa yn dymuno cael syniad o faint o alwadau ffôn sy'n cyrraedd y swyddfa yn ystod diwrnod arferol. Dewisir wythnos ar hap a chofnodir nifer y galwadau bob dydd yn ystod yr wythnos (5 diwrnod). Dyma'r niferoedd:

$15, 23, 19, 31, 22$

Darganfyddwch (i) gymedr y sampl, (ii) gwyriad safonol y sampl, (iii) s^2, sef amcangyfrif diduedd amrywiant y boblogaeth.

_____

(i) Ar gyfer y data hyn mae $\Sigma x = 110$, $\Sigma x^2 = 2560$. Mae'r cymedr yn $\frac{110}{5} = 22$

(ii) Mae cyfrifo gwyriad safonol y sampl yn cymryd ychydig mwy o amser.

$$\sigma_n = \sqrt{\frac{\Sigma x_i^2}{n} - \frac{(\Sigma x_i)^2}{n^2}}$$

$$= \sqrt{\frac{2560}{5} - \frac{110^2}{25}}$$

$$= \sqrt{28}$$

$$= 5.29 \text{ (i 2 ll.d.)}$$

Mae gwyriad safonol y sampl tua 5.

(iii) Yma mae angen y rhannydd $(n - 1)$:

$$s^2 = \frac{1}{n-1}\left\{\Sigma x_i^2 - \frac{1}{n}(\Sigma x_i)^2\right\}$$

$$= \frac{1}{4}\left(2560 - \frac{110^2}{5}\right)$$

$$= \frac{140}{4}$$

$$= 35$$

Mae amcangyfrif diduedd amrywiant y boblogaeth, s^2, yn hafal i 35.

Bras nodweddion y gwyriad safonol

Os yw maint y sampl yn weddol fawr ac os nad yw'r data ar ormod o sgiw (h.y. nid oes 'cynffon' hir o werthoedd mawr iawn neu fychan iawn) mae'n bosibl gwneud y datganiadau bras canlynol sy'n seiliedig ar ddamcaniaeth a drafodir yn nes ymlaen ym Mhennod 10:

◆ Bydd tua dwy ran o dair o'r arsylwadau unigol o fewn un gwyriad safonol i gymedr y sampl.

◆ Ar gyfer y rhan fwyaf o setiau data bydd tua 95% o'r arsylwadau unigol o fewn dau wyriad safonol i gymedr y sampl. Gellid ystyried arsylwadau sy'n fwy na dau wyriad safonol oddi wrth gymedr y sampl fel allanolion (gweler hefyd Adran 2.13).

◆ Bydd yr holl ddata bron o fewn tri gwyriad safonol i gymedr y sampl.

◆ Ffordd ddefnyddiol o wirio nad yw eich cyfrifiadau wedi methu'n llwyr yw nodi y bydd y gwyriad safonol fel arfer rhwng traean a chweched rhan yr amrediad.

Mae'r datganiadau hyn yn rhai *bras iawn* sy'n ein galluogi i wirio ein cyfrifiadau. Gan mai datganiadau bras ydynt nid oes raid inni boeni p'un ai y dylid defnyddio s neu σ_n.

Fel enghraifft o'r ffordd y cânt eu defnyddio, tybiwch fod y data arsylwedig yn cynnwys gwerthoedd sy'n amrywio o 0 i 30. Rydym yn disgwyl cymedr o tua 15 (gan fod hyn hanner ffordd rhwng 0 a 30) a gwyriad safonol rhwng 5 a 10. Os yw ein cyfrifiadau yn rhoi gwyriad safonol o 4 ni ddylid pryderu, ond os ydym yn cyfrifo gwerth o 40, byddwn yn sicr wedi gwneud camgymeriad.

Mae'r datganiadau hefyd yn ein galluogi i ddod i gasgliadau ynglŷn â'r boblogaeth y tynnwyd y data sampl ohoni. Fel y dywedwyd ar ddechrau Pennod 1, dyma brif ddiben Ystadegaeth.

Enghraifft 17

Defnyddiwch nodweddion bras y gwyriad safonol i wneud datganiadau sy'n ymwneud â niferoedd tebygol y galwadau ffôn a wneir yn ddyddiol i'r swyddfa yn Enghraifft 16.

———

Yma mae'r sampl yn fychan iawn, felly ni allwn ddibynnu'n ormodol ar ein brasamcanion.

Roedd amrediad y gwerthoedd arsylwedig yn $31 - 15 = 16$, felly rydym yn rhagweld cymedr o tua $\frac{1}{2}(31 + 15) = 23$ a gwyriad safonol rhwng $\frac{1}{3} \times 16 = 5.3$ ac $\frac{1}{6} \times 16 = 2.6$. Roedd y cymedr a'r gwyriad safonol a gyfrifwyd yn 22 a 5.29. Mae'n rhesymol tybio nad ydym wedi gwneud camgymeriad.

Gall y rheolwr swyddfa ddod i'r casgliad y bydd y swyddfa yn derbyn rhwng $22 - 6 = 16$ a $22 + 6 = 28$ o alwadau ar ddwy ran o dair o'r dyddiau (nid oes diben mynd i fanylder mawr gan mai atebion bras iawn yn unig yw'r rhain).

Gan gymryd bod yr wythnos sampl yn un nodweddiadol, mae'r swyddfa yn annhebygol o dderbyn llai na $22 - (3 \times 6) = 4$ o alwadau, neu fwy na $22 + (3 \times 6) = 40$ o alwadau.

Ymarferion 2e

1 Mae menyw sy'n chwarae cardiau yn cofnodi faint o gardiau calonnau mae hi'n eu cael yn ystod sampl o 5 dêl ar hap.
Y niferoedd yw 3, 2, 4, 4, 1.
Darganfyddwch gymedr y sampl a gwyriad safonol y sampl.

2 Niferoedd y trwyddedau teledu a brynwyd mewn Swyddfa Bost arbennig ar sampl o 5 dydd o'r wythnos a ddewiswyd ar hap oedd $15, 9, 23, 12, 17$.
Darganfyddwch gymedr a gwyriad safonol y sampl hon.

3 Roedd nifer y tatws mewn sampl o fagiau 2 kg yn $12, 15, 10, 12, 11, 13, 9, 14$.
Darganfyddwch y cymedr ac amcangyfrif diduedd o amrywiant y boblogaeth.

4 Yn ystod ei fywyd dim ond chwe physgodyn a ddaliodd y pysgotwr anlwcus, Mr I Walton.
Eu masau mewn kg oedd $1.35, 0.87, 1.61, 1.24, 0.95, 1.87$.
Darganfyddwch gymedr ac amrywiant y boblogaeth hon.

5 Dyma hydoedd hapsampl o ffa dringo (mewn cm, i'r cm agosaf):
$28, 31, 24, 33, 28, 32, 30$.
Darganfyddwch werth s.

6 Mewn arbrawf, mae llond cwpan o ddŵr yn cael ei dywallt i degell a nodir yr amser mae'r dŵr yn gymryd i ferwi. Gwnaed yr arbrawf hwn chwech o weithiau a chafwyd y canlyniadau hyn (mewn eiliadau):
$125, 134, 118, 143, 128, 131$.
Darganfyddwch werth s^2.

7 Cafodd y tymheredd canol dydd (mewn °C) ei gofnodi mewn gorsaf dywydd yn yr Antarctig bob dydd yn ystod wythnos arbennig o'r flwyddyn. Dyma'r canlyniadau: $-25, -18, -41, -34, -25, -33, -27$. Gan drin y canlyniadau hyn fel poblogaeth, darganfyddwch y cymedr a'r gwyriad safonol.

8 Mae gan hapsampl werthoedd wedi eu crynhoi gan
$$n = 8, \Sigma x = 671, \Sigma x^2 = 60\,304.$$
Darganfyddwch y cymedr a gwerth s^2.

9 Mae ugain arsylwad o t yn cael eu crynhoi gan
$$\Sigma t = 23.16, \Sigma t^2 = 35.4931.$$
Darganfyddwch y cymedr a gwerth s^2.

10 Mae poblogaeth yn cael ei chrynhoi gan
$$\sum_{j=1}^{52} y_j = 3.751, \sum_{j=1}^{52} y_j^2 = 0.535\,691$$
Dargafnyddwch y cymedr a gwerth s.

11 Mae hapsampl yn cael ei chrynhoi gan $n = 13$, $\Sigma u = -27.3, \Sigma u^2 = 84.77$.
Darganfyddwch y cymedr a gwyriad safonol y sampl u.

12 Mewn hapsampl, mae $n = 11, s = 1.4$ a $\Sigma x^2 = 50$.
Darganfyddwch $\bar{x}$.

13 Ar gyfer hapsampl o 15 arsylwad, cymedr y sampl yw 11.2 ac amrywiant y sampl yw 13.4. Penderfynir bod un arsylwad o 21.2 yn annibynadwy.
Darganfyddwch gymedr y sampl ac amrywiant sampl y 14 arsylwad sy'n weddill.

2.18 Amrywiant a gwyriad safonol ar gyfer dosraniadau amlder

Pan fydd data wedi eu crynhoi ar y ffurf:

'mae'r gwerth x_1 yn digwydd ag amlder f_1'

mae angen ailysgrifennu'r fformiwlâu ar gyfer yr amrywiant. Gydag m gwerth arwahanol o x, daw'r fformiwla ar gyfer amrywiant y sampl, σ_n^2, yn:

$$\sigma_n^2 = \frac{1}{n}\left\{\sum_{j=1}^{m} f_j x_j^2 - \frac{1}{n}\left(\sum_{j=1}^{m} f_j x_j\right)^2\right\} \tag{2.13}$$

a daw'r fformiwla ar gyfer amcangyfrif diduedd amrywiant y boblogaeth yn:

$$s^2 = \frac{1}{n-1}\left\{\sum_{j=1}^{m} f_j x_j^2 - \frac{1}{n}\left(\sum_{j=1}^{m} f_j x_j\right)^2\right\} \tag{2.14}$$

lle mae n yn gyfanswm yr amlderdau unigol:

$$n = \sum_{j=1}^{m} f_j$$

Fel o'r blaen, gwyriad safonol y sampl yw ail isradd amrywiant y sampl.

Defnyddir yr un fformiwlâu diwygiedig wrth weithio gyda data grwpiedig. Yn yr achos hwn y gwerthoedd x yw canolbwyntiau'r cyfyngau dosbarth a'r gwerthoedd f yw'r amlderau dosbarth. Bydd y gwerth a geir fel arfer yn amcangyfrif ychydig is na gwir amrywiant y sampl (neu un o wir werthoedd s^2).

Enghraifft 18

Darganfyddwch beth yw amrywiant y marciau a gafodd 99 myfyriwr. Mae'r rhain wedi eu crynhoi yn y tabl amlder grwpiedig canlynol:

Amrediad marc	10–19	20–29	30–39	40–49	50–59	60–69	70–79	80–89
Canolbwynt (x)	14.5	24.5	34.5	44.5	54.5	64.5	74.5	84.5
Amlder (f)	8	18	25	22	16	6	3	1

Rydym yn dechrau drwy gyfrifo:

$\Sigma f_i x_i = (8 \times 14.5) + \ldots + (1 \times 84.5) = 3965.5$ a

$\Sigma f_i x_i^2 = (8 \times 14.5^2) + \ldots + (1 \times 84.5^2) = 182\,084.75$. Felly:

$$\sigma_n^2 = \frac{1}{99}\left(182\,084.75 - \frac{3965.5^2}{99}\right) \approx 234.79$$

ac mae $\sigma_n = 15.32$ (i 2 le degol).

Mae gwiriad sydyn yn awgrymu bod y cyfrifiadau yn gywir gan fod amrediad y canolbwyntiau yn 70 ac mae 15.32 wedi ei leoli yn hwylus o fewn yr amrediad a ragfynegwyd o $\frac{70}{6} = 11.7$ i $\frac{70}{3} = 23.3$.

Mae'r cymedr yn $\frac{1}{99} \times 3965.5 = 40.06$ (i 2 le degol). Tybiwch, yn ystod y cam hwn, fod y tabl amlder gwreiddiol yn cael ei golli. Drwy gymhwyso'r rheolau bras rydym yn diddwytho bod oddeutu dwy ran o dair o'r data yn y cyfwng rhwng $(40 - 15) = 25$ a $(40 + 15) = 55$, tra bo'r holl ddata bron yn y cyfwng -6 i 86.

Ymarfer cyfrifiannell _____

> Os yw eich cyfrifiannell yn un 'ystadegol', yna mae'n debyg y gellir
> ei ddefnyddio i gyfrifo cymedr, gwyriad safonol ac amrywiant data
> grwpiedig. Darganfyddwch y dilyniant cywir o fotymau i'w pwyso.

Prosiect cyfrifiadurol _____

> Mae cyfrifiaduron yn hoffi trin rhifau! Un o fanteision taenlen yw eich
> bod yn gallu gweld beth sy'n digwydd: os ydych yn mewnbynnu'r rhif
> anghywir mae'n debyg y bydd hynny'n dod yn amlwg wrth i'r cyfrifiadur
> wneud y cyfrifiadau. Hefyd, wrth gwrs, mae'n hawdd cywiro gwall.
> Ysgrifennwch raglen i gyfrifo cymedr ac amrywiant data'r enghraifft
> flaenorol. Diwygiwch y data drwy dynnu 20 o bob marc.
> Beth sy'n digwydd i'r cymedr a'r amrywiant?
> Beth sy'n digwydd os ydych nawr yn dyblu'r marciau blaenorol?

2.19 Cyfrifiadau amrywiant gan ddefnyddio gwerthoedd cod

Yn gynharach cyflwynwyd y cod cyffredinol $y_i = \dfrac{x_i - a}{b}$ gyda $b > 0$. Ar ôl ei aildrefnu mae hyn yn rhoi

$$x_i = a + by_i$$

Canlyniad y codio hwn yw bod cymedr, $\bar{y}$, y gwerthoedd cod yn perthyn i'r cymedr gwreiddiol, $\bar{x}$, yn ôl

$$\bar{x} = a + b\bar{y}$$

fel bo $x_i - \bar{x} = (a + by_i) - (a + b\bar{y}) = b(y_i - \bar{y})$

Felly

$$\sum_{i=1}^{n} (x_i - \bar{x})^2 = b^2 \sum_{i=1}^{n} (y_i - \bar{y})^2$$

Os ydym yn dynodi amrywiant sampl y gwerthoedd x gyda σ_x^2, ac amrywiant sampl y gwerthoedd y gyda σ_y^2, yna, wrth rannu'r hafaliad blaenorol i gyd gydag n ar y ddwy ochr, cawn

$$\sigma_x^2 = b^2 \sigma_y^2$$

Nodiadau

- Yn ei hanfod mae'r un fformiwlâu yn gymwys i ddata grwpiedig. Yn yr achos hwn y gwerthoedd x gwreiddiol yw canolbwyntiau'r dosbarth.
- Gan ysgrifennu s_x^2 ac s_y^2 ar gyfer amcangyfrifon diduedd amrywiannau poblogaeth y gwerthoedd x a'r gwerthoedd y, mae'r cod blaenorol yn arwain at y canlyniad cymaradwy bod

$$s_x^2 = b^2 s_y^2$$

Enghraifft 19

Mae faint o brotein sydd mewn llaeth yn dibynnu ar ddeiet y fuwch. Yr arsylwadau canlynol yw'r canrannau o brotein mewn llaeth a gynhyrchwyd gan 25 o wartheg sy'n cael eu bwydo â barlys:

> 3.73, 3.33, 3.25, 3.11, 3.53, 3.73, 3.42, 3.57, 3.13, 3.27, 3.60, 3.26, 3.40,
> 3.24, 3.63, 3.15, 3.00, 3.28, 3.84, 3.57, 3.35, 3.24, 3.66, 3.50, 3.47

Cyfrifwch gymedr, amrywiant a gwyriad safonol y data hyn.

Mae cyfrifo cymedr ac amrywiant y data hyn yn cael ei symleiddio drwy ddefnyddio'r cod $y = 100(x - 3)$, pan fo $a = 3$ a $b = \frac{1}{100}$. Mae hyn yn arwain at y gwerthoedd y canlynol:

73, 33, 25, 11, 53, 73, 42, 57, 13, 27, 60, 26, 40,
24, 63, 15, 0, 28, 84, 57, 35, 24, 66, 50, 47

Yn achos y gwerthoedd y hyn mae $\Sigma y_i = 1026$ fel bo $\bar{y} = \frac{1026}{25} = 41.04$.

Felly $\bar{x} = 3 + \frac{1}{100}\bar{y} = 3.4104$. Mae'r cymedr yn 3.41 (i 2 le degol).

Hefyd mae $\Sigma y_i^2 = 53\,814$ fel bo:

$$\Sigma(y_i - \bar{y})^2 = \Sigma y_i^2 - \frac{1}{n}(\Sigma y_i)^2 = 53\,814 - \frac{1026^2}{25} = 11\,706.96$$

ac felly $\sigma_y^2 = \frac{1}{25} \times 11\,706.96 = 468.28$. Drwy hynny:

$$\sigma_x^2 = \left(\frac{1}{100}\right)^2 \times 468.28 = 0.046\,828$$

Mae'r amrywiant felly yn 0.047 (i 3 lle degol)

Mae'r gwyriad safonol yn $\sqrt{0.046\,828} = 0.216$ (i 3 lle degol).

Ymarferion 2f

1 Dyma nifer yr aelodau oedd yn absennol mewn dosbarth dros gyfnod o 24 diwrnod:

0, 3, 1, 2, 1, 0, 4, 0, 1, 1, 2, 3,
1, 0, 0, 2, 4, 6, 4, 2, 1, 0, 1, 1

Darganfyddwch:
(i)   y nifer cymedrig o aelodau oedd yn absennol,
(ii) y nifer moddol o aelodau oedd yn absennol,
(iii) amrywiant sampl y nifer o aelodau oedd yn absennol.

2 Niferoedd yr wyau a gafodd eu dodwy gan 8 iâr dros gyfnod o 21 diwrnod oedd:

6, 7, 8, 6, 5, 8, 6, 8, 6, 5, 6,
4, 7, 6, 8, 7, 5, 7, 6, 7, 5

Darganfyddwch:
(i)   y nifer moddol o wyau a gafodd eu dodwy bob dydd,
(ii) y nifer cymedrig o wyau a gafodd eu dodwy bob dydd,
(iii) gwyriad safonol sampl nifer yr wyau a gafodd eu dodwy bob dydd.

3 Dyma feintiau esgidiau aelodau tîm pêl-droed:

10, 10, 8, 11, 10, 9, 9, 10, 11, 9, 10

Darganfyddwch beth yw amrywiant y boblogaeth hon.

4 Mae arweinydd yn cofnodi faint o'i aelodau sy'n dod i ymarferion côr ar sampl o 18 o ddyddiau sy'n cael eu dewis ar hap.

Dyma'r niferoedd:

25, 28, 32, 31, 31, 34, 28, 31, 29,
28, 32, 32, 30, 29, 29, 31, 28, 28

Gan ddefnyddio'r cod $y = x - 30$, lle x yw'r nifer arsylwedig, darganfyddwch beth yw gwerth s_x^2. Cadarnhewch eich ateb drwy gyfrifo'n uniongyrchol heb ddefnyddio cod.

5 Mae dis chwech ochr tueddol yn cael ei daflu 60 gwaith ac yn rhoi'r canlyniadau isod:

Ochr y dis	1	2	3	4	5	6
Amlder	6	15	2	4	16	17

Heb ddefnyddio cyfrifiannell (ac eithrio yn y sym rhannu olaf), cyfrifwch gymedr y sampl ac amcangyfrif diduedd o amrywiant y boblogaeth, gan ddangos eich gwaith yn eglur.

6 Mae gyrrwr yn nodi ei filltiredd cyfartalog i'r galwyn, ac yn cofnodi ei ddarganfyddiadau yn gywir i'r cyfanrif agosaf. Mae ei 25 canlyniad cyntaf wedi eu crynhoi isod.

myg	34	35	36	37	38	39
Amlder	2	4	10	6	2	1

Gan ddefnyddio'r trawsffurfiad $x = m - 34$, lle mae m yn cynrychioli'r myg, a heb ddefnyddio cyfrifiannell (ac eithrio yn y sym rhannu olaf), cyfrifwch gymedr y sampl ac amcangyfrif diduedd o amrywiant y boblogaeth, gan ddangos eich gwaith cyfrifo yn eglur.

7 Mae hapsampl o werthoedd x fel a ganlyn:

20, 30, 35, 25, 20, 30, 35, 25, 20, 30, 35, 40,
30, 35, 35, 25, 20, 40, 20, 25, 25, 30, 20, 20

Gan ddefnyddio'r cod $y = \dfrac{x - 35}{5}$,
darganfyddwch beth yw amcangyfrif diduedd amrywiant y boblogaeth.

8 Dyma brisiau set o lyfrau, mewn £:

12.95, 12.95, 12.95, 9.95, 16.95,
16.95, 16.95, 16.95, 14.95, 14.95,

Defnyddiwch god addas i ddarganfod cymedr y sampl ac amrywiant sampl y prisiau hyn.

9 Cafodd y bwlch, x mm, mewn sampl o blygiau tanio, ei fesur a chafwyd y canlyniadau isod:

0.81, 0.83, 0.81, 0.82, 0.80, 0.81, 0.81,
0.83, 0.84, 0.81, 0.82, 0.84, 0.80

Defnyddiwch y cod $y = 100x - 80$ i ddarganfod amcangyfrif diduedd amrywiant poblogaeth bylchau mewn plygiau tanio.

10 Mae garej yn cofnodi milltiredd y ceir sy'n dod yno i gael gwasanaeth 15 000 milltir. Mae'r data wedi eu crynhoi yn y tabl canlynol:

Milltiredd ('000 milltir)	14–	15–	16–	17–
Nifer y ceir	8	15	13	9

Gan gymryd bod gan y grwpiau ganolbwyntiau 14 500, ..., 17 500, a chan ddefnyddio'r cod $y = \dfrac{x - 14\,500}{1000}$, lle mae x yn filltiredd, darganfyddwch amcangyfrif diduedd o amrywiant y boblogaeth ar gyfer y data grwpiedig hyn.

11 Bob dydd, cofnodwyd nifer (x) y cwsmeriaid oedd yn dod i dŷ bwyta a defnyddiwyd y canlyniadau i lunio'r tabl amlder grwpiedig canlynol:

x	16–20	21–25	26–30	31–35	36–40
Nifer y dyddiau	67	74	38	39	42

Gan ddefnyddio'r cod $y = \dfrac{x - 18}{5}$, darganfyddwch werth s_x. Cadarnhewch eich ateb drwy gyfrifo'n uniongyrchol heb ddefnyddio cod.

12 Cofnodir y gwasgedd barometrig canol dydd am 18 diwrnod, mewn milibarrau.

1022, 1016, 1032, 1008, 998, 985,
993, 1004, 1009, 1011, 1015, 1020,
1007, 1001, 995, 993, 975, 972

Gan ddefnyddio cod addas, darganfyddwch werth s.

13 Dyma oedd sgorau terfynol cyfres o gemau pêl-fasged:

215, 224, 182, 200, 229, 219,
209, 217, 195, 162, 210, 213,
204, 208, 197, 192, 187, 213

Gan ddefnyddio cod addas, darganfyddwch gymedr y sampl ac amrywiant y sampl.

14 Cafodd uchder hapsampl o 100 coeden Nadolig eu mesur, a chafwyd y canlyniadau isod. Mae h yn cynrychioli uchder coeden mewn metrau.

$0.5 < h \leqslant 1.0$	$1.0 < h \leqslant 1.5$	$1.5 < h \leqslant 2.0$
8	23	48

$2.0 < h \leqslant 2.5$	$2.5 < h \leqslant 3.0$
16	5

Darganfyddwch y cymedr grwpiedig a gwerth s ar gyfer y set hon o ddata grwpiedig.

15 Mae perchennog siop yn dadansoddi ei werthiant er mwyn darganfod faint mae pob cwsmer yn ei wario. Dynodir y swm sy'n cael ei wario gan £c. Mae'r canlyniadau yn cael eu crynhoi isod.

$0 < c \leqslant 10$	$10 < c \leqslant 15$	$15 < c \leqslant 20$
128	223	148

$20 < c \leqslant 30$	$30 < c \leqslant 50$
56	15

Darganfyddwch y swm cymedrig grwpiedig a wariodd pob cwsmer.
Hefyd, darganfyddwch werth s ar gyfer y data grwpiedig hyn.

16 Mae peiriant yn profi'r pellter, w, y mae teiars car yn teithio cyn i'r teiars dreulio i bwynt critigol. Mesurir y pellter mewn miloedd o km. Ar gyfer hapsampl o deiars, mae'r canlyniadau'n cael eu crynhoi fel a ganlyn.

$0 < w \leqslant 25$	$25 < w \leqslant 30$	$30 < w \leqslant 35$
12	23	48

$35 < w \leqslant 45$	$45 < w \leqslant 60$
15	3

Darganfyddwch y cymedr grwpiedig ar gyfer y data hyn.
Hefyd, darganfyddwch amcangyfrif diduedd o amrywiant y boblogaeth yn seiliedig ar y data grwpiedig hyn.

17 Er mwyn profi eu gallu i gyflawni tasgau yn gywir, gofynnir i ddosbarth o fyfyrwyr cemeg roi union un kg o flawd mewn bicer. Yna mae'r athro dosbarth yn dewis chwe myfyriwr ar hap ac yn defnyddio clorian fanwl gywir (sy'n cofnodi pwysau mewn miligramau) i benderfynu ar y gwir fesurau o flawd.

Dyma'r canlyniadau:

1 000 007, 1 000 006, 999 992, 1 000 015,
999 998, 1 000 000

Dargafnyddwch gymedr y sampl a gwerth *s*, gan roi eich atebion mewn miligramau, yn gywir i ddau le degol.

2.20 Data cymesur a data sgiw

Os yw poblogaeth yn fras yn **gymesur** yna mewn sampl o faint rhesymol bydd gan y cymedr a'r canolrif werthoedd tebyg. Yn nodweddiadol, bydd eu gwerthoedd hefyd yn agos at rai modd y boblogaeth (os bydd un). Dywedir bod poblogaeth nad yw'n gymesur yn un **sgiw**. Dywedir bod gan ddosraniad â 'chynffon' hir o werthoedd uchel **sgiw bositif**, ac yn yr achos hwn fel arfer mae'r cymedr yn fwy na'r modd neu'r canolrif. Os oes cynffon hir o werthoedd isel yna mae'n debyg mai'r cymedr yw gwerth isaf y tri mesur lleoliad a dywedir bod gan y dosraniad **sgiw negatif**.

Ceir gwahanol fesurau o sgiwedd. Rhoddir un, a elwir yn **gyfernod sgiwedd Pearson**, gan:

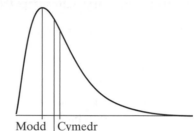

Modd | Cymedr
Canolrif

Dosraniad â sgiw bositif

$$\frac{\text{cymedr} - \text{modd}}{\text{gwyriad safonol}}$$

Os nad yw'r modd yn hysbys, neu os oes mwy nag un, neu os nad oes digon o ddata iddo gael ei gyfrifo'n ddibynadwy, dewis arall yw:

$$\frac{3(\text{cymedr} - \text{canolrif})}{\text{gwyriad safonol}}$$

Dewis arall yn lle cyfernod Pearson yw **cyfernod chwartel sgiwedd**:

$$\frac{Q_3 - 2Q_2 + Q_1}{Q_3 - Q_1} = \frac{(Q_3 - Q_2) - (Q_2 - Q_1)}{Q_3 - Q_1}$$

Mae'r cyfernod hwn yn cymryd gwerthoedd rhwng –1 (pan yw $Q_2 = Q_3$) ac 1 (pan yw $Q_2 = Q_1$). Os yw'r canolrif (Q_2) yn gorwedd hanner ffordd rhwng y ddau chwartel yna mae gan y cyfernod hwn werth o 0. Mae'n bositif os yw $(Q_3 - Q_2) > (Q_2 - Q_1)$ ac yn negatif os yw $(Q_3 - Q_2) < (Q_2 - Q_1)$.

Nodyn

♦ Mae'n bosibl i un cyfernod gael gwerth negatif ac i un arall gael gwerth positif. Heddiw, anaml iawn y bydd ystadegwyr proffesiynol yn defnyddio unrhyw un o'r cyfernodau hyn: cânt eu cynnwys yma ar gyfer y maes llafur yn unig.

Enghraifft 20

Mae dosraniad y marciau traethawd (allan o 20) ar gyfer grŵp o 80 myfyriwr fel a ganlyn:

Marc, x	9	10	11	12	13	14	15	16	17	18
Amlder, f	1	1	4	11	17	19	15	8	3	1

Darganfyddwch beth yw gwerthoedd y gwahanol fesurau o sgiwedd.

Mae'n hawdd cyfrifo'r cyfernod chwartel. Rhoddir y chwartelau gan $Q_1 = 13$, $Q_2 = 14$ a $Q_3 = 15$ fel bo $(Q_3 - 2Q_2 + Q_1) = 0$ ac felly'r cyfernod chwartel yw 0.

   Mae Cyfernod Pearson efallai'n fwy sensitif – ond mae hefyd yn gofyn am fwy o waith cyfrifo. Cymedr y sampl yw 13.8 a gwyriad safonol y sampl yw 1.68, felly, gan ddefnyddio'r cymedr a'r modd (14) rydym yn cael -0.12, ond wrth ddefnyddio'r canolrif rydym yn cael -0.36.

   Mae rhyw arwydd o sgiwedd negatif, ond mae'r tair fformiwla wahanol yn rhoi gwerthoedd gwahanol.

Ymarferion 2ff

1 Cyfrifwch gyfernod sgiwedd Pearson:
   (i) ar gyfer set o ddata lle mae'r cymedr yn 15.0, y modd yn 12.0 a'r gwyriad safonol yn 3.1,
   (ii) ar gyfer set o ddata lle mae'r cymedr yn 100, y modd yn 112 a'r gwyriad safonol yn 20,
   (iii) ar gyfer set o ddata lle mae'r cymedr yn -0.9, y canolrif yn -1.1 a'r amrywiant yn 0.9.

2 Cyfrifwch fesur sgiwedd ar gyfer set o ddata lle mae'r 25ain, 50fed a'r 75ed canradd yn hafal i, 14, 31 a 73 yn ôl eu trefn.

3 Roedd niferoedd y gemau sboncen oedd yn cael eu chwarae yn ystod wythnos benodol gan hapsampl o fyfyrwyr prifysgol fel a ganlyn:

Nifer y gemau	0	1	2	3	7
Nifer y myfyrwyr	42	11	2	1	1

Defnyddiwch y modd i ddarganfod cyfernod sgiwedd Pearson.

4 Mae uchder coed pyrwydd Sitca mewn planhigfa wedi eu crynhoi isod, mewn *x* m:

$x < 1.5$	$1.5 \leqslant x < 2$	$2 \leqslant x < 2.5$
11	58	74

$2.5 \leqslant x < 3$	$3 \leqslant x < 4$
41	6

Darganfyddwch beth yw'r cyfernod sgiwedd chwartel.

5 Mae cost (£*x*) yr eitemau a brynir gan hapsampl o 30 o gwsmeriaid mewn archfarchnad yn cael eu crynhoi yn y tabl canlynol:

$x < 20$	$20 \leqslant x < 50$	$50 \leqslant x < 80$
3	19	5

$80 \leqslant x < 100$	$100 \leqslant x < 150$
2	1

Darganfyddwch beth yw'r cyfernod sgiwedd chwartel.

6 Gofynnwyd i hapsampl o 100 oedolyn nodi pa rai o'r rhifau 0, 1, 2, 5, 10, 50, 100 oedd y brasamcan gorau gyda golwg ar sawl gwaith yr oeddynt wedi bod yn yr eglwys y flwyddyn flaenorol. Ceir crynodeb o'u hatebion isod:

Nifer o weithiau	0	1	2	5	10	50	100
Nifer yr atebion	72	13	7	2	3	2	1

Defnyddiwch y modd i benderfynu beth yw cyfernod sgiwedd Pearson.

7 Mae nifer y llythyrau sy'n cael eu dosbarthu i dŷ arbennig yn cael ei gofnodi am 30 diwrnod olynol (ac eithrio dydd Sul).
   Ar 4 diwrnod nid oes llythyrau yn cael eu dosbarthu, ar 12 diwrnod mae 1 llythyr yn cael ei ddosbarthu, ar 6 diwrnod mae 2 lythyr yn cael eu dosbarthu, ar 5 diwrnod mae 3 llythyr yn cael eu dosbarthu. Ar y diwrnodau sy'n weddill mae mwy na 3 llythyr yn cael eu dosbarthu. Cyfrifwch gyfernod sgiwedd.

8 Ar ôl i olew golli yn y môr, mae traethau cyfagos yn cael eu harchwilio i weld a oes adar wedi eu llygru. I gael syniad o natur y broblem, mae'r traethau yn cael eu rhannu yn leiniau 100 m ac mae niferoedd yr adar sydd wedi eu llygru yn cael eu cofnodi ar wahân ar gyfer pob llain. Mae hanner cant o'r cofnodion yn cael eu crynhoi isod.

   0, 1, 5, 2, 19, 47, 21, 8, 7, 4, 0, 1, 1, 0, 0, 0,
   0, 0, 0, 1, 3, 15, 11, 4, 3, 7, 2, 2, 0, 0, 0, 0,
   0, 1, 0, 0, 1, 0, 0, 1, 4, 6, 6, 0, 1, 2, 2, 0, 0, 0

   (i) Darganfyddwch y cymedr, y canolrif, y gwyriad safonol, y chwartel isaf a'r chwartel uchaf.
   (ii) Defnyddiwch y modd i ddarganfod beth yw cyfernod sgiwedd Pearson.
   (iii) Defnyddiwch y canolrif i ddarganfod beth yw cyfernod sgiwedd Pearson.
   (iv) Darganfyddwch beth yw'r cyfernod sgiwedd chwartel.

9 Mae archfarchnad yn stocio 184 math gwahanol o win. Mae'r prisiau (£x) yn cael eu crynhoi yn y tabl canlynol.

$x < 2$	$2 \leq x < 3$	$3 \leq x < 4$
7	59	58

$4 \leq x < 5$	$5 \leq x < 8$	$x > 8$
37	15	8

Darganfyddwch werth cyfernod sgiwedd.

2.21 Y cymedr pwysol a rhifau indecs

Mae cwmni yn rhoi codiad cyflog o £1000 i'w holl weithwyr, ac mae eisiau gwybod beth yw'r codiad sy'n dilyn *yn nhermau canrannau* yn ei fil cyflog blynyddol. Er mwyn darganfod yr ateb mae angen inni wybod un ai'r holl gyflogau gwreiddiol, neu nifer y gweithwyr a chyfanswm y bil cyflog gwreiddiol. Tybiwch fod gennym y wybodaeth ganlynol:

Math o staff	Hen gyflog (£'000)	Cyflog newydd (£'000)	Nifer y gweithwyr
Is	15	16	24
Canol	20	21	8
Uwch	25	26	8

Rydym yn dechrau drwy gyfrifo cyfanswm y bil cyflog gwreiddiol (mewn £'000) ar gyfer y 40 gweithiwr. Roedd hyn yn:

$$(24 \times 15) + (8 \times 20) + (8 \times 25) = 720$$

felly roedd yr hen gyflog cymedrig yn $\frac{720}{40} = 18$ mil o bunnoedd. Sylwer nad oedd y cyflog cyfartalog yn gyfartaledd syml y tri chyflog posibl, ond roedd yn cael ei **bwyso** gan niferoedd y gweithwyr dan sylw. Heb unrhyw ymdrech rydym wedi cyfrifo **cymedr pwysol**. Os oes gennym nifer o werthoedd (x) a phwysau cysylltiedig (w), yna mae'r cyfartaledd pwysol yn:

$$\frac{\Sigma w_i x_i}{\Sigma w_i}$$

sef y fformiwla arferol $\frac{\Sigma f_i x_i}{\Sigma f_i}$ ar ffurf arall.

Y bil cyflog newydd yw:

$$(24 \times 16) + (8 \times 21) + (8 \times 26) = 760$$

felly, y cynnydd canrannol cyffredinol yw:

$$\frac{(760 - 720)}{720} \times 100 = 5.56\%$$

Am bob £100 yr oedd y cwmni yn arfer ei dalu, nawr bydd angen iddo dalu £105.56.

Tybiwch ein bod yn dymuno cyferbynnu'r cynnydd hwn â chynnydd mewn adran arall sy'n defnyddio'r un graddfeydd cyflog ond sy'n cynnwys 21 Is-Aelod staff, 3 Aelod Canol o staff ac 1 Aelod Uwch o staff. Roedd cyfanswm y bil blaenorol ar gyfer yr adran hon yn £400 000, tra'r oedd y bil newydd yn £425 000. Mae hyn yn gynnydd o 6.25%: am bob £100 yr oedd y cwmni yn arfer ei dalu o hyn ymlaen bydd yn talu £106.25.

Mae cofnodi'r newidiadau drwy gyfeirio at y llinyn mesur cyfleus o £100 yn ein caniatáu i gymharu'n rhwydd. Mae'r arwydd £ yn ddiangen o ran y cymariaethau felly byddai crynodeb sy'n defnyddio **rhifau indecs** fel a geir yn y tabl canlynol:

	Adran gyntaf	Ail adran
Indecs cyflog gwreiddiol	100	100
Indecs diwygiedig	105.56	106.25

Ymarferion 2g

1 Mae bocs o ffrwythau yn cynnwys deg afal, tri deg banana a phedwar deg lemon. Os yw pwysau cyfartalog yr afalau yn 140 g, pwysau cyfartalog y bananas yn 130 g a phwysau cyfartalog y lemonau yn 115 g, darganfyddwch beth yw pwysau cyfartalog y ffrwythau yn y bocs.

2 Mae'r marc sy'n cael ei roi i fyfyrwraig Mathemateg yn gyfartaledd pwysol ei gwaith cwrs a'i marc arholiad, ac mae'r pwysau yn 4 i 1 o blaid y marc arholiad.
Os yw'r fyfyrwraig yn cael 53% yn ei harholiad a 62% yn ei gwaith cwrs, cyfrifwch ei marc cyffredinol.

3 Mae siop chwaraeon yn stocio pedwar math o racedi badminton. Prisiau'r rhain yw £15, £25, £30 a £50. O wybod bod gan y siop 20, 12, 8 a 2 o'r pedwar math yn ôl eu trefn, darganfyddwch beth yw cost gymedrig y racedi badminton yn y siop.

4 Mae dau fersiwn o fath arbennig o stamp. Yn ôl y catalog stampiau mae un fersiwn yn werth 20c tra bo'r llall yn werth 60c. Os yw gwerth cyfartalog y math hwn o stamp yn 23c ac os oes 5 miliwn o'r fersiwn rhataf mewn cylchrediad, cyfrifwch faint o'r fersiwn drutaf sydd mewn cylchrediad.

5 (i) Os yw pris wyau yn codi 10% a'r hen indecs prisiau wyau yn 120, cyfrifwch yr indecs prisiau newydd.
   (ii) Os yw pris bacwn yn codi 8% a'r hen indecs prisiau yn 116, penderfynwch beth yw'r indecs prisiau newydd.
   (iii) Mae brecwast 'drwy'r dydd' yn cynnwys wyau sy'n costio 40c, bacwn sy'n costio 35c, ac eitemau eraill sy'n costio 62c. Mae'r codiadau pris a nodir yn rhannau (i) a (ii) yn effeithio ar yr wyau a'r bacwn, tra bo'r cynhwysion eraill yn parhau i gostio'r un faint. Os oedd yr hen indecs prisiau am y brecwast yn 100, cyfrifwch beth yw'r indecs prisiau newydd.

6 Mae teulu'r Jonesiaid yn cynnal partïon yn rheolaidd. Ar gyfer parti arferol mae'n nhw'n prynu 6 photel o win a 2 kg o gaws arbennig. Mae'r Smithiaid yn ceisio cystadlu â'r Jonesiaid, felly maen nhw'n prynu'r un mathau o win a chaws. Fodd bynnag, ar gyfer eu partïon maen nhw'n prynu nifer cyfartalog o 7 potel o win ac 1.8 kg o gaws.

Yn 2005 mae pris cyfartalog gwin yn £3.10 y botel a phris cyfartalog caws yn £5.25 y cilogram. Yn 2010 mae'r ddau bris hyn wedi codi yn ôl £1.

Gan ddynodi cost parti yn 2005 drwy ddefnyddio'r rhif indecs 100, darganfyddwch y rhif indecs ar gyfer 2010 yn achos y ddau deulu.

7 Mae fersiwn Ebrill 2010 o'r *Monthly Digest of Statistics* yn defnyddio indecsau i gofnodi'r newidiadau yn niferoedd y gwahanol fathau o drafnidiaeth ar y ffordd.

Blwyddyn 20–	Ceir a thacsis	Bysiau a choetsis	Faniau	Beiciau modur
02	147	126	131	108
03	157	134	145	97
04	171	140	160	96
05	173	142	161	90
06	173	149	168	87
07	173	142	166	73
08	173	142	164	68

(i) Trawsnewidiwch y rhain yn indecsau gyda 100 yn cyfateb i'r gwerth yn 2002.
(ii) Plotiwch y canlyniadau hyn ar graff cyfres amser.
(iii) Yn achos pa fath o drafnidiaeth y cafwyd y cynnydd canrannol mwyaf rhwng 2002 a 2008?

Crynodeb o'r bennod

◆   **Nodiant Sigma:**

$$\sum_{i=1}^{n} x_i = x_1 + x_2 + \ldots + x_n$$

$$\Sigma c = nc$$

$$\Sigma(x + y) = \Sigma x + \Sigma y$$

◆   **Mesurau o leoliad:**

- Y **modd** yw'r gwerth unigol sy'n digwydd amlaf (os oes un).
- Y **cymedr** yw 'gwerth cyfartalog' sy'n cael ei ddynodi ag $\bar{x}$.
  - Yn achos gwerthoedd unigol, $x_1, \ldots x_n$:

    $$\bar{x} = \frac{\Sigma x_j}{n}$$

  - Pan yw gwerth x_j yn digwydd gydag amlder f_j:

    $$\bar{x} = \frac{\Sigma f_j x_j}{\Sigma f_j}$$

  - Yn achos data grwpiedig, x_j yw canolbwynt dosbarth j.
- Y **canolrif** (Q_2) yw gwerth canol gwerthoedd trefnedig.
  - Yn achos $(2k + 1)$ arsylwad y canolrif yw'r $(k + 1)$fed.
  - Yn achos $2k$ arsylwad y canolrif yw cyfartaledd y $k$fed a'r $(k + 1)$fed.
  - Yn achos data grwpiedig (n arsylwad) cyfrifir y canolrif fel gwerth yr '$\left(\frac{n}{2}\right)$fed' arsylwad, gan ddefnyddio rhyngosodiad llinol.

- Mae **chwartelau** $(Q_1, Q_2$ a $Q_3)$ a **degraddau** yn rhannu'r data trefnedig yn chwarteri a degfedau yn ôl eu trefn.

◆   **Mesurau o wasgariad:**

- Yr **amrediad** yw'r gwahaniaeth rhwng yr arsylwad mwyaf a'r arsylwad lleiaf.
- Yr **amrediad rhyngchwartel** (ARhCh) yw'r gwahaniaeth rhwng y chwartel uchaf a'r chwartel isaf.
- Mae gan yr **amrywiant** unedau sy'n sgwariau unedau x.
  - Os yw'r arsylwadau yn cynnwys y boblogaeth gyfan, neu os ydynt yn cynrychioli sampl o'r boblogaeth ac os oes gennym ddiddordeb yn *yr amrywiant o fewn y sampl ei hun*, yna mae'r amrywiant yn:

    $$\sigma_n^2 = \frac{1}{n} \sum_{i=1}^{n} (x_i - \bar{x})^2$$

    $$= \frac{1}{n} \left\{ \Sigma x_i^2 - \frac{1}{n} (\Sigma x_i)^2 \right\}$$

  Os yw $x_1, \ldots, x_n$ yn cynrychioli'r boblogaeth gyfan yna σ_n^2 yw **amrywiant y boblogaeth**; fel arall **amrywiant y sampl** ydyw.

(parhad)

○ Os yw'r arsylwadau yn cynrychioli sampl o boblogaeth, yna mae'r swm y cyfeirir ato fel **amcangyfrif diduedd amrywiant y boblogaeth**, yn:

$$s^2 = \sigma_{n-1}^2 = \frac{1}{n-1} \sum_{i=1}^{n} (x_i - \bar{x})^2$$

$$= \frac{1}{n-1} \left\{ \Sigma x_i^2 - \frac{1}{n} (\Sigma x_i)^2 \right\}$$

○ Os yw'r data yn cael eu crynhoi ag x_j yn digwydd gydag amlder f_j, lle gallai x_j ddynodi canolbwynt dosbarth, yna amrywiant y sampl yw:

$$\sigma_n^2 - \frac{1}{n} \left[\Sigma f_j x_j^2 \quad \frac{1}{n} (\Sigma f_j x_i)^2 \right]$$

a rhoddir gwerth cyfatebol s^2 gan:

$$s^2 = \frac{1}{n-1} \left\{ \Sigma f_j x_j^2 - \frac{1}{n} (\Sigma f_j x_i)^2 \right\}$$

lle mae $n = \Sigma f_j$.

- Y **gwyriad safonol** (g.s.) yw ail isradd yr amrywiant ac mae ganddo'r un unedau ag x.

♦ **Defnyddio gwerthoedd wedi eu codio**

Gan ddefnyddio'r cod $y = \frac{x-a}{b}$, gyda $b > 0$,

$$\bar{x} = a + b\bar{y}, \quad \sigma_x^2 = b^2 \sigma_y^2, \quad s_x^2 = b^2 s_y^2$$

♦ Gwerth eithafol yw **allanolyn**. Nid oes diffiniad penodol. Rhai gwerthoedd y gellid eu hystyried yn allanolion yw (i) gwerthoedd sy'n fwy nag $1.5 \times$ ARhCh uwchlaw'r chwartel uchaf (neu islaw'r chwartel isaf), (ii) gwerthoedd sydd fwy na 2 wyriad safonol uwchlaw neu islaw cymedr y sampl.

♦ **Plotiau bocs (diagramau bocs a wisgers)**: mae'r rhain yn nodi'r gwerthoedd lleiaf a mwyaf ynghyd â'r chwartelau a'r canolrif.

♦ **Sgiwedd:**

- Mae **cyfernod Pearson** yn hafal i

$$\frac{(\text{cymedr} - \text{modd})}{\text{g.s}} \quad \text{neu} \quad \frac{3(\text{cymedr} - \text{canolrif})}{\text{g.s.}}$$

- Mae'r **cyfernod chwartel** yn hafal i

$$\frac{(Q_3 - 2Q_2 + Q_1)}{(Q_3 - Q_1)}$$

♦ Rhoddir **cymedr pwysol** gwerthoedd $x_1, x_2, \ldots$, gyda phwysau $w_1, w_2, \ldots$ gan:

$$\frac{\Sigma w_i x_i}{\Sigma w_i}$$

♦ **Rhif indecs** gwerth arbennig (e.e. ffigurau gwerthiant) yw cymhareb y gwerth hwn i werth cyfeirnod (fel arfer gwerth cyfatebol o bwynt amser blaenorol). Fel arfer mae'r gymhareb yn cael ei lluosi â 100.

Ymarferion 2ng (Amrywiol)

1 Rhoddir meintiau crysau fel lluosrifau $\frac{1}{2}$.
Mae'r data canlynol yn cyfeirio at feintiau
crysau hapsampl o 250 o ddynion.

Maint	14	$4\frac{1}{2}$	15	$5\frac{1}{2}$	16	>16
Amlder	19	41	43	53	38	56

Yn achos y data hyn cyfrifwch, pan fo'n bosibl,
y cymedr, canolrif, modd, amrediad ac
amrywiant.

2 Yng Nghymru a Lloegr, yn 1993 roedd
canrannau nifer preswylwyr tai fel a ganlyn:

1 person	27
2 o bobl	35
3 o bobl	16
4 o bobl	15
5 o bobl	5
6 neu fwy o bobl	2

Ffynhonnell: *Social Trends, 25,* 1995.

Darganfyddwch y dosbarth moddol.
Cynrychiolwch y data gyda diagram addas.

3 Roedd cyfanswm sgorau cyfres o gêmau
pêl-fasged fel a ganlyn:

215, 224, 182, 200, 229, 219,
209, 217, 195, 162, 210, 213,
204, 208, 197, 192, 187, 213

Defnyddiwch ddiagram coesyn a deilen i
ddarganfod y cyfanswm sgôr canolrifol.

4 Mae garddwr masnachol yn paratoi 100
hambwrdd pwrpasol ar gyfer tyfu hadau ac
yn hau 20 o hadau blodau haul ym mhob un
ohonynt. Mae nifer yr hadau (n) sy'n egino ym
mhob un o'r hambyrddau yn cael ei gofnodi.
Mae gwerthoedd n a'u hamlderau yn cael eu
crynhoi isod.

Nifer hadau sy'n egino	20	19	18	17	16	15	<15
Nifer yr hambyrddau	53	25	12	6	3	1	0

(*a*) Dangoswch ddosraniad n gan ddefnyddio
graff llinell.
(*b*) Cyfrifwch gymedr a modd dosraniad n.
(*c*) Cyfrifwch pa gyfran o'r hadau a
eginodd.

5 Cafodd niferoedd y cartrefi yn Lloegr oedd yn
derbyn cymorth cartref gan yr awdurdod lleol
neu wasanaethau gofal cartref, eu dangos mewn
tablau, fesul miloedd, yn erbyn oedran y cleient
hynaf, fel a ganlyn:

O dan 18	3.5
18–64	47.0
65–74	83.8
75–84	207.9
85 a hŷn	143.6

Ffynhonnell: *Social Trends*, 25, 1995.

Darganfyddwch y dosbarth moddol.
Defnyddiwch ddiagram addas i gynrychioli'r
data.

6 Cofnodir y tymheredd canol nos, mewn °C.
Dyma'r ffigurau ar gyfer 25 Rhagfyr hyd at 6
Ionawr:

−3, −2, −5, 1, 3, 2, 2,
0, −4, −7, −8, −4, 2

Darganfyddwch:
(i)   y tymheredd cymedrig,
(ii) y tymheredd canolrifol,
(iii) amrywiant y tymereddau,
(iv) gwyriad safonol y tymereddau.

7 Mae ardal yn cael ei rhannu yn ddellten o
100 cwadrad sy'n mesur un metr sgwâr. Mae
nifer y rywogaethau o blanhigion gwahanol yn
cael ei bennu ar gyfer pob cwadrad, gan roi'r
canlyniadau a grynhoir isod.

Nifer y rhywogaethau	4	5	6	7	8	9
Nifer y cwadradau	1	2	5	9	8	15

Nifer y rhywogaethau	10	11	12	13	14	15
Nifer y cwadradau	12	8	10	15	10	5

(i)   Ar gyfer y set hon o ddata cyfrifwch y
cymedr, canolrif, gwyriad safonol, a'r
chwartel isaf ac uchaf.
(ii) Eglurwch pam na ellir cyfrifo cyfernod
sgiwedd Pearson drwy ddefnyddio'r modd.
Defnyddiwch y canolrif i'w gyfrifo.
(ii) Darganfyddwch gyfernod chwartel y
sgiwedd.

8 Yn y tabl canlynol rhoddir dosraniad cronnus oedrannau (mewn blynyddoedd) gweithwyr cwmni.

Oedran	< 15	< 20	< 30	< 40
Amlder Cronnus	0	17	39	69

Oedran	< 50	< 60	< 65	< 100
Amlder Cronnus	87	92	98	98

Darganfyddwch:
(i) yr oedran canolrifol a'r chwartel uchaf a'r chwartel isaf,
(ii) y cymedr grwpiedig a'r gwyriad safonol ar gyfer y boblogaeth hon.

9 Yn Nhabl 1 dangosir dosraniad amlder cronnus oedrannau 358 o bobl sy'n gweithio mewn ffatri.

Oed pen-blwydd diwethaf	16–20	21–25	26–30
Nifer y gweithwyr	36	56	58

Oed pen-blwydd diwethaf	31–35	36–40	41–45
Nifer y gweithwyr	52	46	38

Oed pen-blwydd diwethaf	46–50	51–60	61–
Nifer y gweithwyr	36	36	0

Tabl 1

Amcangyfrifwch, i'r mis agosaf, gymedr a gwyriad safonol oedrannau'r gweithwyr hyn.

Gan ddefnyddio graff, neu fel arall, amcangyfrifwch:
(*a*) ganolrif ac amrediad rhyngchwartel yr oedrannau, i'r mis agosaf.
(*b*) canran y gweithwyr sy'n hŷn na 27 oed ac sy'n iau na 55 oed (i un lle degol).
[ULSEB]

10 (i) Mewn prifysgol, cymerwyd hapsampl o 100 o fyfyrwyr a chofnododd pob un faint o laeth yr oedd yn ei yfed (mewn ml) yn ystod diwrnod penodol. Mae'r canlyniadau wedi eu crynhoi yn Nhabl 1.

Llaeth	< 25	25–	50–	100–	150–
Nifer y myfyrwyr	1	3	20	48	11

Llaeth	200–	300–	500–	700–	800–
Nifer y myfyrwyr	11	4	1	1	0

Tabl 1

(*a*) Lluniwch histogram i ddangos y data hyn.
(*b*) Amcangyfrifwch y mesur cymedrig o laeth sy'n cael ei yfed, gan egluro cyfyngiadau eich cyfrifiad.

(*c*) Lluniwch gromlin amlder cronnus i ffitio'r data hyn. Defnyddiwch eich cromlin i amcangyfrif, i'r 5 ml agosaf, y mesur canolrifol o laeth sy'n cael ei yfed ar y diwrnod hwnnw ar gyfer yr holl fyfyrwyr sydd yn y brifysgol hon.
(*ch*) Nodwch, gan roi rhesymau, p'un ai yr ydych yn ystyried y cymedr ynteu'r canolrif yn fesur mwy addas ar gyfer faint o laeth mae myfyrwyr yn ei yfed yn y brifysgol ar y diwrnod hwnnw.
(ii) Defnyddiwyd ffon fesur i fesur hyd rhoden o hyd penodol o 1 m. Ar 8 achlysur olynol cafwyd y canlyniadau hyn, mewn milimetrau:

999, 1000, 999, 1002,
1001, 1000, 1002, 1001

Cyfrifwch amcangyfrifon diduedd o'r cymedr ac, i 2 ffigur ystyrlon, amrywiant y cyfeiliornadau sy'n digwydd pan ddefnyddir y ffon fesur hon i fesur hyd o 1 m.
[ULSEB]

11 Mae'r tabl isod yn dangos dosraniad amlder grwpiedig ar gyfer taldra 50 o ferched, wedi eu mesur i'r centimetr agosaf.

Taldra (cm)	102–105	106–107	108–109
Nifer y merched	14	16	10

Taldra (cm)	110–111	112–115
Nifer y merched	8	2

Darganfyddwch amcangyfrifon ar gyfer
(i) canolrif y taldra,
(ii) chwartel uchaf y taldra,
(iii) cyfran y merched oedd yn dalach na 108.8 cm. [CBAC]

12 Isod ceir crynodeb o werthoedd yr archebion a gymerwyd gan gynrychiolydd gwerthiant ar gyfer cwmni cyfanwerthu yn ystod blwyddyn arbennig. Rhoddir y gwerthoedd i'r £ agosaf.

Gwerth yr archeb (£)	Nifer yr archebion
llai na 10	3
10–19	9
20–29	15
30–39	27
40–49	29
50–59	34
60–69	19
70–99	10
100 neu fwy	4

(parhad)

(*a*) Gan ddefnyddio rhyngosodiad, amcangyfrifwch y canolrif a'r amrediad hanner-rhyngchwartel ar gyfer y data hyn.

(*b*) Eglurwch pam y gallai'r canolrif a'r amrediad hanner-rhyngchwartel fod yn fesurau crynhoi mwy addas ar gyfer y data hyn na'r cymedr a'r gwyriad safonol.

[ULEAC]

13 Mae'r tabl isod yn dangos faint oedd oedran (pen-blwydd diwethaf) menywod oedd yn priodi yn 1986 yng Nghymru a Lloegr.

Oedran (mewn blynyddoedd)	16–20	21–24	25–29	30–34
Menywod (fesul degau o filoedd)	6	12	8	3

Oedran (mewn blynyddoedd)	35–44	45–54	55–99
Menywod (fesul degau o filoedd)	3	1	1

Lluniwch histogram a diagram amlder cronnus i ddangos y data hyn.

Drwy hynny amcangyfrifwch

(i) faint o fenywod oedd yn 40 oed neu hŷn yn priodi.

(ii) oed canolrifol menywod yn priodi.

[O&C]

14 Cofnodwyd hyd y cyfyngau amser rhwng galwadau ffôn oedd yn cyrraedd cyfnewidfa swyddfa.

Cofnodwyd y 100 cyfwng amser cyntaf a chafwyd y dosraniad amlder grwpiedig canlynol.

Cyfwng amser (*x* munud)	Amlder
$0 < x \leqslant 0.5$	39
$0.5 < x \leqslant 1.0$	23
$1.0 < x \leqslant 2.0$	23
$2.0 < x \leqslant 3.0$	9
$3.0 < x \leqslant 6.0$	6

(i) Lluniwch histogram i ddangos y dosraniad hwn.

(ii) Cyfrifwch, gan ddangos eich gwaith, amcangyfrifon ar gyfer cymedr a gwyriad safonol y dosraniad.

(iii) Eglurwch yn fyr pa agweddau o'r data a fesurir gan y cymedr a'r gwyriad safonol.

[JMB]

15 Ar y 1af o Fedi 2002 cofnodwyd dosraniad amlder grwpiedig o oedrannau (mewn blynyddoedd cyfan) 1000 o ddisgyblion dan 16 oed mewn ysgol gyfun, yn y tabl canlynol:

Oedran (mewn blynyddoedd cyflawn)	11	12	13	14	15
Amlder	165	184	216	231	204

(i) Cyfrifwch amcangyfrifon ar gyfer cymedr a gwyriad safonol oedrannau'r disgyblion hyn ar 1 Medi 2002, i dri ffigur ystyrlon.

(ii) Lluniwch bolygon amlder cronnus ac amcangyfrifwch oedran canolrifol y disgyblion ar 1 Medi 2002 i dri ffigur ystyrlon.

(iii) Gan gymryd hefyd bod 222 o ddisgyblion yn 16 oed neu hŷn, amcangyfrifwch oedran canolrifol yr holl ddisgyblion yn yr ysgol ar 1 Medi 2002, i dri ffigur ystyrlon.

[NEAB]

16 Amcangyfrifwyd faint o gaws, mewn ownsys, gafodd ei fwyta'n wythnosol gan 50 o bobl oedd yn cymryd rhan mewn astudiaeth maeth. Rhoddir y ffigurau isod.

3.89	3.80	4.01	3.84	3.91
4.16	3.98	3.87	3.97	4.04
3.96	4.12	4.05	4.03	4.02
4.07	3.90	4.03	3.94	3.91
3.97	3.91	3.98	4.05	4.03
4.16	4.09	4.13	4.07	4.00
4.06	3.97	4.07	3.90	3.91
4.02	4.20	4.11	3.99	4.02
4.01	4.01	4.05	4.18	3.99
4.21	3.77	3.96	3.84	3.83

(*a*) Lluniwch ddiagram coesyn a deilen i ddangos y data hyn.

(*b*) Darganfyddwch y chwartelau.

(*c*) Cynrychiolwch y data gan ddefnyddio plot bocs a wisgers.

(*ch*) Gan ddefnyddio dosbarthiadau o led cyffredin a chan gymryd bod y dosbarth cyntaf yn 3.75–3.79, lluniwch ddosraniad amlder grwpiedig o'r data a defnyddiwch histogram addas i gynrychioli'r dosraniad grwpiedig hwn.

(*d*) Rhowch grynodeb o brif nodweddion y dosraniad o faint o gaws sy'n cael ei fwyta gan y 50 o bobl hyn.

[O&C]

17 Cofnododd cwmni o gyfrifwyr, Auditem Cyf, faint o amser, x munud, a gymerwyd i archwilio pob cyfrif, i'r funud agosaf. Y gwerthoedd x isod oedd y rhai a gofnodwyd ar gyfer hapsampl o gyfrifon a archwilwyd gan y cwmni.

37	33	24	36	31	31	24	51
31	47	40	40	55	42	30	34
41	36	42	46	34	38	33	42
56	37	39	36	31	30	45	50
43	41	46	41	30	51	36	21
32	34	62	43	46	34	34	56
32	62	30					

(a) Ar gyfer y data hyn,
   (i) lluniwch ddiagram coesyn a deilen,
   (ii) darganfyddwch y canolrif a'r chwartelau,
   (iii) lluniwch blot bocs.
(b) Ysgrifennwch pa un o'r canlynol: y modd, y canolrif ynteu'r cymedr fyddai'n well gennych ei ddefnyddio i gynrychioli gwerth y data hyn. Cyfiawnhewch eich dewis.

[ULEAC]

18 Rhowch **un** fantais ac **un** anfantais grwpio data mewn tabl amlder.

Mae'r tabl yn dangos diamedrau boncyffion hapsampl o goed llarwydd, mewn centimetrau.

Diamedr (cm)	15–	20–	25–	30–	35–	40–50
Amlder	22	42	70	38	16	12

Plotiwch gromlin amlder cronnus o'r data hyn.

Gan ddefnyddio'r gromlin hon, neu fel arall, amcangyfrifwch ganolrif ac amrediad rhyngchwartel diamedrau boncyffion y coed llarwydd.

Mae hapsampl o 200 o goed sbriws yn rhoi'r wybodaeth ganlynol mewn perthynas â diamedrau eu boncyffion, mewn centimetrau.

Minimwm 13	Chwartel isaf 27	Canolrif 32	Chwartel uchaf 35	Macsimwm 42

Defnyddiwch y crynodeb data hwn i lunio ail gromlin amlder cronnus ar eich graff.

Trafodwch unrhyw debygrwydd neu wahaniaethau rhwng diamedrau boncyffion y llarwydd a diamedrau'r coed sbriws.

[AEB 93]

19 Mae'r tabl yn dangos dosraniadau oedrannau'r disgyblion ysgol yn y Deyrnas Gyfunol yn 1984.

Oedran mewn blynyddoedd cyfan	*Nifer y disgyblion* (1000)
2 i 4	887
5 i 10	4140
11	825
12 i 14	2631
15 i 16	1183
17 i 18	210

(a) Beth yw'r amrediad oedran a gynrychiolir gan y cofnod 11 yn y tabl? Eglurwch yr hyn a olygir gan y rhif 2631 yn y tabl. Faint o ddisgyblion sy'n cael eu cynrychioli yn y tabl hwn?
(b) Cyfrifwch amcangyfrif ar gyfer oedran cymedrig y disgyblion.
(c) Ar gyfer pob un o'r dosbarthiadau cyfrifwch ei ddwysedd amlder ac ar bapur graff lluniwch histogram o'r data. Rhowch sylwadau cryno ar ddosraniad oedrannau'r disgyblion. [UODLE]

20 (a) Mae data yn cael eu cyflwyno yn aml ar ffurf graffigol yn hytrach nag yn eu cyflwr crai. Rhowch
   (i) **un** rheswm dros ddefnyddio cyflwyniad graffigol,
   (ii) **un** anfantais cyflwyniad graffigol.

Eglurwch yn gryno beth yw'r gwahaniaeth **yn y defnydd** a wneir o *ddiagram bar* a *histogram*.

(b) Mae ffiwsiau trydan 30 A yn cael eu profi drwy yrru cerrynt sy'n graddol godi trwyddynt. Cofnodir y cerrynt, x ampère, pan fyddant yn chwythu.
Dangosir canlyniadau'r prawf hwn ar sampl o 125 ffiws o'r fath yn y tabl canlynol.

Cerrynt (xA)	Nifer y ffiwsiau
$25 \leqslant x < 28$	6
$28 \leqslant x < 29$	12
$29 \leqslant x < 30$	27
$30 \leqslant x < 31$	30
$31 \leqslant x < 32$	18
$32 \leqslant x < 33$	14
$33 \leqslant x < 34$	9
$34 \leqslant x < 35$	4
$35 \leqslant x < 40$	5

(*parhad*)

Lluniwch histogram i gynrychioli'r data hyn.

Ar gyfer y sampl hon cyfrifwch:

(i)   y cerrynt canolrifol,

(ii) y cerrynt cymedrig,

(iii) gwyriad safonol y cerrynt.

Mae mesur o *sgiwedd* (neu anghymesuredd) dosraniad yn cael ei roi gan

$$\frac{3(\text{cymedr} - \text{canolrif})}{\text{gwyriad safonol}}.$$

Cyfrifwch werth y mesur hwn o sgiwedd ar gyfer y data uchod. Eglurwch yn fyr sut y mae'r sgiwedd hwn yn amlwg yn siâp eich diagram.   [JMB]

21 Mewn ymgais i ddyfeisio prawf cymhwyster ar gyfer ymgeiswyr sy'n chwilio am waith mewn ffatri, cynigiwyd bod pos adeiladu syml yn cael ei ddefnyddio. Fel cam cyntaf yn y gwaith o werthuso'r cynnig hwn, arsylwyd yr amseroedd a gymerodd hapsampl o 95 gweithiwr i gwblhau'r pos, gyda'r canlyniadau isod:

Amser i gwblhau pos (eiliadau)	Nifer y gweithwyr
10–	5
20–	11
30–	16
40–	19
45–	14
50–	12
60–	9
70–	6
80–100	3

Lluniwch ddiagram amlder cronnus i gynrychioli'r data hyn. Drwy wneud hyn, neu fel arall, amcangyfrifwch y canolrif a'r amrediad rhyngchwartel.

Cyfrifwch amcangyfrifon ar gyfer y cymedr a gwyriad safonol y sampl hon.

Penderfynir graddio'r ymgeiswyr yn seiliedig ar yr amser a gymerodd pob un, yn dda, yn gyffredin neu yn wael.

Mae dull *A* yn nodi bod canrannau'r ymgeiswyr yn y graddau hyn i fod oddeutu 15%, 70% a 15% yn y drefn honno. Amcangyfrifwch derfynnau'r graddau.

Mae dull *B* yn graddio'r ymgeiswyr fel a ganlyn

yn dda, os yw'r amser a gymerir yn llai na (cymedr − gwyriad safonol),

yn wael, os yw'r amser a gymerir yn fwy na (cymedr + gwyriad safonol),

yn gyffredin, fel arall.

Cymharwch ddulliau A a B mewn perthynas â'r canrannau ym mhob gradd, a rhowch sylwadau.   [JMB]

22 (a) Rhowch enghraifft o ddata lle gallai'r mesur lleoliad mwyaf addas fod yn

(i)   fodd,

(ii) canolrif,

(iii) cymedr.

(b) Fel rhan o ymchwiliad astudiaeth gwaith ar gyfer y Post Brenhinol, gwnaed cofnod dyddiol am chwe diwrnod i nodi faint o lythyrau, *x*, oedd yn cael eu dosbarthu i bob un o'r 175 tŷ preifat ar lwybr fan bost arbennig. Mae'r tabl isod yn crynhoi'r canlyniadau ar gyfer y 1050 dosbarthiad posibl.

Nifer y llythyrau a ddosbarthwyd yn ddyddiol	Canran y dosbarthiadau
0	13.2
1	26.7
2	18.9
3	15.8
4	10.5
5	5.2
6	2.6
7	1.1
>7	6.0

Lluniwch gynrychioliad darluniadol addas o'r data hyn.

Cyfrifwch y canolrif a'r amrediad rhyngchwartel ar gyfer nifer y llythyrau a ddosbarthwyd yn ddyddiol.

Ar gyfer y data hyn rhowch **ddau** reswm pam y mae'r amrediad rhyngchwartel yn fesur gwasgariad mwy addas na'r gwyriad safonol.   [NEAB(P)]

23 Mae'r tabl canlynol yn dangos dosraniad amlder grwpiedig ar gyfer enillion blynyddol crynswth 110 gweithiwr mewn ffatri arbennig yn 1988.

(*parhad*)

Enillion Crynswth	Nifer y gweithwyr
hyd at £5000	14
mwy na £5000 a hyd at £6000	25
mwy na £6000 a hyd at £7000	30
mwy na £7000 a hyd at £10 000	25
mwy na £10 000 a hyd at £15 000	13
mwy na £15 000	3

(a) Amcangyfrifwch yn graffigol neu drwy gyfrifo,

   (i) ganolrif ac amrediad hanner-rhyngchwartel enillion crynswth y 110 gweithiwr hyn, gan roi **pob** ateb yn gywir i'r £ agosaf,

   (ii) canran y gweithwyr yr oedd eu henillion crynswth yn fwy na £9000, gan roi eich ateb yn gywir i'r rhif cyfan agosaf.

(b) Eglurwch, drwy ddefnyddio'r data uchod, pam nad yw'n bosibl cael amcangyfrifon dibynadwy ar gyfer cymedr a gwyriad safonol yr enillion crynswth.

(c) Dangosodd gwybodaeth fanylach ar enillion crynswth y 110 gweithiwr yn 1988 fod y cymedr yn £7470 a'r gwyriad safonol yn £3550. Yn ystod y flwyddyn, roedd undeb y gweithwyr yn negydu er mwyn i'r enillion crynswth cymedrig gael eu cynyddu yn 1989 i £8000. Darganfyddwch y cynnydd canrannol cyson cyffredinol a fyddai'n bodloni'r cais hwn; rhowch eich ateb yn gywir i'r rhif cyfan agosaf.

Petai'r ganran hon yn cael ei chaniatáu darganfyddwch werth gwyriad safonol enillion crynswth y gweithwyr yn 1989.

Tybiwch, yn hytrach, fod y cyflogwyr wedi penderfynu rhoi £500 ychwanegol i bob gweithiwr yn 1989. Yn yr achos hwn, darganfyddwch gymedr a gwyriad safonol enillion crynswth y 110 gweithiwr yn 1989.

[CBAC]

24 Dros gyfnod o bedair blynedd mae banc yn cadw cofnod wythnosol o'r nifer o sieciau gwallus sy'n cael eu defnyddio i dalu. Mae'r canlyniadau ar gyfer 200 wythnos gyfrifo fel a ganlyn:

Nifer y sieciau sy'n cynnwys gwallau (x)	Nifer yr wythnosau (f)
0	5
1	22
2	46
3	38
4	31
5	23
6	16
7	11
8	6
9	2

$(\Sigma fx = 706; \Sigma fx^2 = 3280)$

Lluniwch gynrychioliad darluniadol addas ar gyfer y data hyn.

Nodwch y gwerth moddol a chyfrifwch y canolrif, y cymedr a gwyriad safonol nifer y sieciau sy'n cynnwys gwallau mewn wythnos.

Mae rhai gwerslyfrau yn mesur *sgiwedd* (neu anghymesuredd) dosraniad gan ddefnyddio

$$\frac{3(\text{cymedr} - \text{canolrif})}{\text{gwyriad safonol}}$$

ac eraill yn ei fesur drwy ddefnyddio

$$\frac{(\text{cymedr} - \text{modd})}{\text{gwyriad safonol}}$$

Cyfrifwch a chymharwch werthoedd y ddau fesur sgiwedd hyn ar gyfer y data uchod.

Nodwch sut y mae'r sgiwedd hwn yn cael ei adlewyrchu yn siâp eich graff. [AEB 90]

25 Mae athrawes yn cyflwyno'r cysyniad o gyfartaleddau pwysol a rhifau indecs. Fel enghraifft mae hi'n defnyddio cost brecwast nodweddiadol ar gyfer un person. Mae ei brecwast nodweddiadol yn cynnwys wy, bacwn, bara, menyn a the. Mae ganddi'r wybodaeth ganlynol:

Eitem	Mesur	Cost 1986	Cost 1990
Bacwn	1 pwys	£0.88	£1.60
Menyn	$\frac{1}{2}$ pwys	£0.42	£1.00
Wy	1 dwsin	£0.36	£1.20
Bara	1 dorth	£0.35	£0.65
Te	$\frac{1}{4}$ pwys	£0.44	£1.08

(*parhad*)

(a) Awgrymodd un myfyriwr y gellid cael amcangyfrif rhesymol o gost brecwast nodweddiadol yn 1986 drwy adio'r holl gostau yn y golofn honno a rhannu'r cyfanswm â 5. Nid oedd ei athro yn meddwl llawer o hyn. Cyflwynwch **ddwy** feirniadaeth o'r dull hwn.

(b) Aeth yr athro ymlaen i ddweud mai maint pob eitem o fwyd oedd yn cael eu bwyta yn y brecwast nodweddiadol hwn oedd:

$\frac{1}{10}$ pwys o facwn, $\frac{1}{30}$ pwys o fenyn, 1 wy, 2 dafell o fara ($= \frac{1}{10}$ o dorth), $\frac{1}{100}$ pwys o de. Cyfrifwch gost realistig ar gyfer pryd o'r fath yn 1986.

(c) Erbyn 1990 roedd costau'r eitemau wedi codi i'r hyn a welir yng ngholofn 1990. Gan gymryd bod yr un faint yn cael ei fwyta ag yn 1986, cyfrifwch rif indecs ar gyfer cost brecwast nodweddiadol yn 1990 gan ddefnyddio 1986 fel sylfaen.   [UODLE]

26 Mae'r tabl isod yn dangos rhan o gyfrifiad indecs amhwysol syml o gostau cyflog cwmni sy'n cyflogi gweithwyr lled-grefftus, crefftwyr, staff clerigol a staff goruchwylio. Copïwch y tabl a llenwch y gwerthoedd coll a ddangosir gan ddotiau.

	DATA Cyfraddau cyflog wythnosol (£)		
	1980	1984	1988
Lled-grefftus	52	72	82
Crefftwyr	79	93	110
Clerigol	58	71	76
Goruchwylio	88	126	160

	CYFRIFIAD Cyfraddau cyflog o'u cymharu ag 1980 (1980 = 100)		
	1980	1984	1988
Lled-grefftus	100	138.46	157.69
Crefftwyr	100	117.72	•
Clerigol	100	•	•
Goruchwylio	100	•	•
Indecs (indecs cyfartalog cyffredinol costau cyflog) (1980 = 100)	100	130.44	•

Pa anfantais y mae'r indecs hwn yn ei gael wrth nodi costau cyflog y cwmni yn y tair blynedd hyn?

Yn 1980, cyflogodd y cwmni 30 gweithiwr lled-grefftus, 40 crefftwr, 20 o staff clerigol a 10 staff goruchwylio. Cyfrifwch gyfanswm bil cyflog wythnosol y gweithwyr hyn yn 1980. Gan gymryd bod niferoedd y gweithwyr wedi aros yr un fath, cyfrifwch y cyfansymiau hyn ar gyfer 1984 ac 1988 hefyd. Defnyddiwch y cyfansymiau hyn i lunio indecs, yn seiliedig ar 1980 = 100, ar gyfer 1984 ac 1988.

Ydych chi'n ystyried yr indecs newydd hwn yn welliant ar yr indecs amhwysol gwreiddiol? Pam?

Pa wybodaeth arall fyddech chi'n ddymuno ei chael wrth feirniadu pa un ai yw'r indecs newydd yn foddhaol ai peidio? Gan dybio bod y wybodaeth hon ar gael, disgrifiwch yn fyr sut y byddech chi'n ei defnyddio wrth lunio indecs. Trafodwch a fyddai unrhyw anfanteision yn dal i fod yn gysylltiedig â'ch dull.   [O&C]

27 Mae'r tablau isod yn dangos data meteorolegol ar gyfer yr un safle ar gyfer y blynyddoedd 1994 ac 1995. Ar gyfer pob mis, mae'r tablau'n dangos y tymheredd macsimwm cymedrig (h.y. cymedr y tymereddau dyddiol macsimwm yn ystod y mis), y tymheredd minimwm cymedrig, y tymheredd uchaf ac isaf a gofnodwyd a chyfanswm y glawiad a gofnodwyd.

	Cymedr Macs °C	Cymedr Min °C	Tymheredd Uchaf °C	Tymheredd Isaf °C	Glawiad mm
Ion	7.6	2.1	12.0	−1.8	53.6
Chwe	5.7	−0.1	11.8	−4.8	47.2
Maw	10.8	4.0	16.0	0.0	35.4
Ebr	11.5	4.0	21.4	−0.9	53.2
Mai	14.3	6.5	20.5	−0.3	58.2
Meh	19.4	9.5	26.3	4.2	20.6
Gorff	24.2	12.5	30.4	7.3	7.2
Awst	21.3	11.5	29.8	4.6	33.0
Medi	16.1	9.5	20.5	5.9	54.4
Hyd	13.0	5.7	17.6	−0.3	60.8
Tach	11.3	6.3	16.8	−1.6	25.8
Rhag	8.4	1.8	13.2	−7.9	52.2
Blwyddyn	13.6	6.1	30.4	−7.9	501.6
Crynodeb o dywydd 1994					

(parhad)

	Cymedr Macs °C	Cymedr Min °C	Tymheredd Uchaf °C	Tymheredd Isaf °C	Glawiad mm
Ion	8.0	0.6	13.5	−7.1	106.3
Chwe	9.7	3.0	12.4	−1.9	59.5
Maw	10.3	0.5	16.1	−6.8	56.0
Ebr	14.0	3.9	19.7	−4.3	14.2
Mai	17.7	5.0	26.0	−1.2	32.8
Meh	19.0	8.9	30.8	5.2	11.8
Gorff	24.2	12.4	31.2	6.7	24.6
Awst	25.8	11.6	32.8	5.0	8.4
Medi	18.1	8.6	22.0	0.8	121.3
Hyd	17.6	8.0	24.0	−0.9	24.5
Tach	11.1	3.8	14.0	−4.8	45.2
Rhag	3.8	−1.1	12.1	−10.6	89.0
Blwyddyn	14.9	5.4	**q**	−10.6	**r**
Crynodeb o dywydd 1995					

(i) Disgrifiwch sut y gellir dangos y data yn y ddwy golofn dywyll ar gyfer 1995 mewn un diagram.

(ii) Darganfyddwch y gwerthoedd y dylid eu rhoi yn nhabl 1995 yn lle'r llythrennau **q** ac **r**.

(iii) A ellir dod i'r casgliadau canlynol o edrych ar y tablau? Dylech gyfiawnhau eich atebion.

(a) Roedd o leiaf 3 diwrnod yn 1995 yn boethach nag unrhyw ddiwrnod yn 1994.

(b) Cafwyd mwy o ddyddiau rhewllyd (h.y. tymereddau is na 0°C) yn 1995 nag yn 1994. [UCLES]

28 Mae'r tabl canlynol yn dangos data a ymddangosodd yn *Annual Abstract of Statistics, 1993*. Mae'r rhes gyntaf yn rhoi niferoedd, mewn miloedd, yr holl drwyddedau teledu lliw mewn grym yn y Deyrnas Gyfunol ar 31^{ain} Mawrth ar bob un o ddeng mlynedd olynol. Mae'r ail res yn rhoi niferoedd, mewn miloedd, yr holl drwyddedau mewn grym (h.y. y rhai ar gyfer teledu lliw a du a gwyn fel ei gilydd).

Blwyddyn	1983	1984	1985	1986	1987
Trwyddedau lliw ('000)	14 699	15 370	15 819	16 025	16 539
Holl drwyddedau ('000)	18 494	18 632	18 716	18 705	18 953

Blwyddyn	1988	1989	1990	1991	1992
Trwyddedau lliw ('000)	17 134	17 469	17 964	18 111	18 426
Holl drwyddedau ('000)	19 354	19 396	19 645	19 546	19 631

© HMSO

(i) Nodwch yn fyr pa dueddiadau cyffredinol a ddangosir gan y ffigurau yn y tabl.

(ii) Disgrifiwch sut y gellir dangos y wybodaeth yn y tabl mewn un diagram.

(iii) Rhowch sylwadau llawn ar gywirdeb yr holl agweddau rhifiadol yn yr adroddiad papur newydd canlynol.

"Gostyngodd nifer y trwyddedau du a gwyn fwy na 68% yn ystod y cyfnod 10 mlynedd. Mae hyn yn ostyngiad blynyddol cymedrig o 6.8% ac erbyn 1992 dim ond tua 1200 o drwyddedau du a gwyn oedd mewn grym."

[UCLES]

3 Casglu data

3.1 Casglu data drwy arsylwi

Dyma fu'r dull safonol o gasglu data am filoedd o flynyddoedd. Mae'r holl ddamcaniaethau enwog, megis Damcaniaeth Disgyrchiant Newton a Damcaniaeth Perthnasedd Einstein, yn deillio o ddata rhifiadol a gasglwyd drwy arsylwi gofalus. Ar lefel fwy cyffredin, mae penderfyniadau ynghylch llif traffig lleol (e.e. 'A fyddai'n syniad cael cylchfan yn lle'r groesffordd?') yn seiliedig ar arsylwadau o lif traffig gan gamerâu fideo neu dimau o arsylwyr.

Mae casglu data o natur wyddonol (e.e. data ffisegol, cemegol, biolegol) yn dibynnu bron yn gyfan gwbl ar arsylwi. Fodd bynnag, yn ystod y ddwy ganrif ddiwethaf bu diddordeb cynyddol yn y gwyddorau cymdeithasol (e.e. cymdeithaseg, gwleidyddiaeth, economeg) lle mae dulliau eraill o gasglu data yn berthnasol.

3.2 Pwrpas samplu

Byddai rhai pobl yn dweud na fyddai Ystadegaeth yn bod heb samplu. Y rheswm am hyn yw:

> drwy wneud astudiaeth ofalus o nifer cymharol fychan o ddata
> (y *sampl*)
> rydym yn dod i gasgliadau ynglŷn â set lawer mwy o ddata
> (y *boblogaeth*),
> heb astudio'r set fawr i gyd.

Er mwyn i sampl fod yn ddefnyddiol:

◆ *rhaid iddi beidio â bod yn dueddol*
Os oes gennym ddiddordeb yn nosraniad meintiau esgidiau swyddogion y fyddin, yna ni ddylai ein sampl gael ei chyfyngu i swyddogion tal.

◆ *rhaid cymryd y sampl o'r boblogaeth gywir*
Os oes gennym ddiddordeb yn nodweddion swyddogion y fyddin ni ddylem fynd ati i astudio swyddogion y llynges.

3.3 Dulliau ar gyfer samplu poblogaeth

Yr hapsampl syml

Mae'r rhan fwyaf o ddulliau samplu yn ceisio sicrhau bod pob aelod o'r boblogaeth yr un mor debygol o gael ei gynnwys yn y sampl. Os yw pob aelod o'r sampl yn cael ei ddewis gan ddull sy'n cyfateb i fwrw coelbren, yna disgrifir y sampl a ddewisir fel **hapsampl syml.**

Un dull o fwrw coelbren yw'r canlynol:

1 Llunio rhestr o bob un o *N* aelod y boblogaeth.
2 Neilltuo rhif gwahanol i bob aelod o'r boblogaeth.
3 Ar gyfer pob aelod o'r boblogaeth, rhoi pêl â rhif cyfatebol mewn bag.

4 Tynnu *n* pêl o'r bag, heb roi pêl yn ôl. Dylid dewis y peli ar hap.

5 Mae'r rhifau ar y peli yn nodi aelodau a ddewiswyd o'r boblogaeth.

Mae hyn yn debyg i'r dull a ddefnyddir i benderfynu pa dimau fydd yn chwarae yn erbyn ei gilydd mewn cystadleuaeth Cwpan pêl-droed. Mae'r broses o dynnu peli o fag weithiau'n cael ei dangos ar y teledu.

Byddai fersiwn awtomataidd yn defnyddio cyfrifiadur i efelychu tynnu'r peli o'r bag. Trafodir egwyddorion efelychu yn adrannau nesaf y bennod hon.

Yr anhawster pennaf sy'n codi gyda'r dull uchod yw'r cam cyntaf: creu rhestr o bob un o'r *N* aelod o'r boblogaeth. Yr enw ar y rhestr hon yw'r **ffrâm samplu**. Mewn sawl achos ni fydd rhestr ganolog o'r fath. Er enghraifft, tybiwch fod angen profi effaith bwyd gwartheg newydd ar hapsampl o wartheg Prydeinig. Efallai bod gan bob fferm unigol restr o enwau i'w gwartheg (Seren, Modlen, …) ond nid yw'r Llywodraeth yn cadw rhestr ganolog.

Ar gyfer y wlad yn gyffredinol nid oes hyd yn oed un rhestr o bobl, sy'n gywir gant y cant (oherwydd genedigaethau, marwolaethau, mewnfudiad ac ymfudiad).

Oherwydd natur 'syml' yr hapsampl syml, mae'r rhan fwyaf o ddadansoddiadau (a bron bob cwestiwn arholiad) yn cymryd yn ganiataol bod y math hwn o sampl wedi cael ei ddefnyddio i gael y data. Mae'r addasiadau angenrheidiol sydd eu hangen o bosibl wrth ddelio â dulliau eraill o samplu ymhell y tu hwnt i gwmpas y llyfr hwn. Fodd bynnag, mae angen trafod natur y dulliau eraill hyn o samplu.

Amrywiad ar y dull hapsamplu syml yw **samplu a dychwelyd**, a elwir hefyd yn **samplu anghyfyngedig**. Mae'r dull yn union yr un fath ond gydag un eithriad, sef yng ngham 4, ar ôl tynnu'r bêl o'r bag (ar hap) a nodi ei rhif, fod y bêl yn cael ei rhoi yn ôl yn y bag. Anaml y defnyddir yr amrywiad hwn ond gallai fod yn addas petai peidio â rhoi'r 'bêl' yn ôl yn arwain at ganlyniadau anffodus. Er enghraifft, gallai pysgod o afon sy'n cael eu samplu farw pe na fyddent yn cael eu gollwng yn ôl i'r dŵr.

Samplu clwstwr

Hyd yn oed petai rhestr cwbl gywir o'r boblogaeth ar gael, mae bron yn sicr na fyddai hapsamplu syml holl boblogaeth Prydain yn digwydd oherwydd y gost. Mae'n hawdd dychmygu polwyr yn griddfan wrth dynnu o'r bag bêl sy'n cyfateb i un o breswylwyr Land's End neu Ynysoedd y Shetland. Byddai'n rhaid i'r cyfwelydd druan deithio ymhell iawn.

Er mwyn osgoi'r broblem hon, fel arfer mae poblogaethau sydd wedi eu gwasagaru'n ddaearyddol wedi eu rhannu'n ardaloedd o feintiau cyfleus. Yna y dulliau posibl yw:

1 Dewis ardal ar hap.

2 Dewis unigolion ar hap o'r ardal honno.

Canlyniadau defnyddio'r dull hwn yw, yn hytrach na chael gwasgariad ar hap o unigolion a ddetholwyd ceir clystyrau gwasgaredig o unigolion. Nid yw'r tebygolrwyddau dethol ar gyfer y gwahanol ardaloedd yn gyfartal, ond maent yn cael eu haddasu i fod mewn cyfrannedd â nifer yr unigolion sydd yn yr ardaloedd. Os yw'r *i*fed ardal yn cynnwys N_i unigolyn, yna mae'r siawns ei bod yn cael ei dethol yn cael ei ddewis i fod yn $\frac{N_i}{N}$, lle mae $N = \Sigma N_i$.

Fel arfer mae maint yr ardal a ddewisir yn ddigon bychan fel y gall y sawl sy'n cyfweld gynnal yr holl gyfweliadau yn yr ardal honno heb dalu costau teithio anferth. Yn ymarferol, oherwydd poblogaeth wasgarog ac anawsterau teithio yn ucheldiroedd ac ynysoedd yr Alban, mae astudiaethau o boblogaeth Prydain fel arfer yn cael eu cyfyngu i'r ardal i'r de o Gamlas Caledonia.

Samplu haenedig

Mae'r rhan fwyaf o boblogaethau yn cynnwys **haenau** adnabyddadwy, sy'n is-setiau neilltuol o'r boblogaeth nad ydynt yn gorgyffwrdd. Er enghraifft, yn achos poblogaethau o bobl, haenau defnyddiol posibl fyddai 'gwrywod' a 'benywod', neu 'rhai sy'n derbyn addysg', 'mewn gwaith' ac 'wedi ymddeol', neu gyfuniadau megis 'menywod wedi ymddeol'. O ddata cyfrifiad gallem wybod pa gyfrannau o'r boblogaeth sy'n syrthio i'r gwahanol gategorïau hyn. Gyda samplu haenedig, rydym yn sicrhau bod y cyfrannau hyn yn cael eu hatgynhyrchu gan y sampl. Tybiwch, er enghraifft, fod dosraniad oedran poblogaeth yr oedolion mewn ardal arbennig yn cael ei roi yn y tabl isod.

Iau na 40 oed	Rhwng 40 a 60 oed	Hŷn na 60 oed
38%	40%	22%

Byddai hapsampl syml o 200 oedolyn yn annhebygol o atgynhyrchu'r ffigurau hyn yn union. Petaem yn anffodus iawn, gallai mwy na hanner yr unigolion yn y sampl fod yn iau na 40 oed. Petai'r sampl yn ymwneud â chwaeth cerddorol pobl, yna, yn ddamweiniol, gallai'r hapsampl roi darlun camarweiniol o'r boblogaeth.

   Mae **sampl haenedig** yn cynnwys hapsamplau syml ar wahân ar gyfer pob un o'r haenau. Yn yr achos hwn, byddem yn dewis hapsampl syml o 76 oedolyn dan 40 oed, hapsampl syml ar wahân o 80 oedolyn rhwng 40 a 60 oed, a hapsampl syml ar wahân o 44 oedolyn dros 60 oed.

   Mae samplau haenedig yn atgynhyrchu nodweddion yr haenau yn union ac mae hyn bron bob amser yn cynyddu cywirdeb yr amcangyfrifon sy'n dilyn o baramedrau'r boblogaeth. Yr anfantais fechan yw eu bod ychydig yn fwy anodd i'w trefnu.

Samplu systematig

Mae samplu clwstwr a samplu haenedig yn isrannu'r boblogaeth yn gydrannau. Yn y ddau achos mae'r cam terfynol yn cynnwys dethol hapsampl o gyfran o'r boblogaeth. Un dull posibl o gyflawni'r detholiad terfynol yw drwy hapsamplu syml. Ffordd arall yw defnyddio **samplu systematig**, sy'n cael ei ddisgrifio isod yn achos sampl o *n* unigolyn sy'n cael eu tynnu o boblogaeth restredig o *N* unigolyn.

1 Dewiswch un unigolyn ar hap.
2 Ar ôl hynny, dewiswch bob *k*fed unigolyn, gan ddychwelyd i ddechrau'r rhestr pan gyrhaeddir y diwedd. Nid yw gwerth *k* o bwys, ond dylid ei ddewis ymlaen llaw. Dewis poblogaidd yw gwerth cyfleus sy'n agos at $\frac{N}{n}$.

   Mae defnyddio'r bylchau eang hyn yn sicrhau nad yw'r rhestr yn cynnwys clystyrau o unigolion tebyg.

Er enghraifft, tybiwch ein bod eisiau dewis chwe unigolyn o restr o 250. Gwerth cyfleus posibl ar gyfer *k* fyddai 40. Tybiwch mai'r unigolyn cyntaf a ddewisir yw rhif 138. Byddai'r gweddill yn rhifau 178, 218, 8, 48 ac 88.

   Petai'r rhestr wedi ei threfnu yn ôl nodweddion perthnasol (e.e. oedran, neu flynyddoedd o wasanaeth), yna gyda $k \approx \frac{N}{n}$, mae'r dull hwn yn cynhyrchu gwasgariad o werthoedd ar gyfer y nodwedd – math o haeniad anffurfiol.

Samplu cwota

Defnyddir y dull hwn yn aml ar gyfer cyfweliadau ar y stryd. Rhoddir cyfres o dargedau i'r sawl sy'n cyfweld. Er enghraifft, efallai ei fod ef/hi yn cael cyfarwyddiadau i gyfweld yr un nifer o ddynion ag o fenywod, ac y dylai chwarter ohonynt fod dros 60 oed ac y dylai traean ohonynt fod mewn swyddi cyflog isel. Byddai'r cyfarwyddiadau yn fwy manwl na hyn, gyda'r bwriad y bydd pob cyfwelydd yn dewis trawstoriad cynrychioliadol o'r boblogaeth. Mae'n hawdd gweld y gallai cyfwelydd gael trafferth i gwblhau ei **gwota** – oherwydd wrth iddi nosi efallai y bydd yn dal i chwilio am gawr o ddyn gwalltgoch oedrannus!

Rhaid trin canlyniadau samplu cwota bob amser gyda rhywfaint o amheuaeth, gan nad yw'r cyfweleion yn cael eu dewis ar hap. Er hynny, gan gymryd bod y cwotâu wedi eu pennu'n synhwyrol, bydd canlyniadau sampl cwota yn fwy dibynadwy na chanlyniadau o **samplu cyfle** lle mae'r cyfwelydd yn casglu gwybodaeth gan unrhyw un a fydd yn fodlon ateb ei gwestiynau. Y boblogaeth sy'n cael ei samplu felly yw poblogaeth y rhai sy'n cytuno i gael eu holi – sydd ychydig yn wahanol, efallai, i'r boblogaeth gyffredinol.

Hunan-ddethol

Waeth pa mor wael yw samplu cwota, mae'n ardderchog o'i gymharu â hunan-ddethol. Enghreifftiau o hyn yw pan fydd gwylwyr rhaglenni teledu neu wrandawyr rhaglenni radio yn 'ffonio i mewn' er mwyn i'w 'pleidlais' gael ei chyfrif. Mae barn y mwyafrif difater yn cael ei thangynrychioli'n ddifrifol (er efallai nad oes ganddynt farn yn y mater o gwbl).

Arolwg cenedlaethol

Er mwyn dangos y dulliau o samplu a drafodwyd yn yr adran flaenorol, nawr rydym yn rhoi amlinelliad byr o'r dull dethol ar gyfer yr aelwydydd sy'n cael eu cynnwys yn y BHPS (*British Household Panel Study* – Astudiaeth Panel Aelwydydd Prydain), sy'n astudiaeth flynyddol a gynhelir gan staff Prifysgol Essex.

Y *ffrâm samplu* ar gyfer y BHPS oedd y Ffeil Cyfeiriadau Cod Post, sef prif restr (gyfrifiadurol) yr 1.5 miliwn cod post ym Mhrydain. Mae pob un cod post (e.e. SY23 3EB) yn perthyn i Sector Cod Post (e.e. SY23 3). Ceir oddeutu 9000 sector cod post, ac mae pob un ohonynt yn cynrychioli *clwstwr* o tua 2500 aelwyd.

Dyma fersiwn wedi ei symleiddio o'r camau sy'n gysylltiedig wrth ddethol yr aelwydydd.

1 *Dethol y sectorau*

Gwnaed y gwaith o ddethol sectorau drwy ddefnyddio samplu *systematig* o restr oedd wedi ei haildrefnu yn fedrus. Roedd y broses aildrefnu fel a ganlyn:

(a) Isrannwyd y 9000 sector cod post yn 18 ardal ddaearyddol.

(b) O fewn pob ardal trefnwyd y sectorau cod post yn ôl rhestr drefnedig. Sector gyntaf y rhestr oedd y sector cod post â'r gyfran uchaf o benaethiaid teulu proffesiynol, a'r olaf oedd y sector â'r gyfran isaf. Defnyddiwyd data o Gyfrifiad 1981 i bennu'r cyfrannau hyn.

(c) Nawr rhannwyd pob grŵp rhanbarthol yn hanner 'uchaf' a hanner 'isaf', i ffurfio dau is-grŵp.

(ch) Aildrefnwyd pob is-grŵp drwy ddefnyddio trefn ddisgynnol canran y pensiynwyr fel maen prawf cyn eu rhannu'n ddau unwaith eto.

(d) Ailadroddwyd y broses aildrefnu unwaith eto, gan ddefnyddio nodwedd gymdeithasol arall, i roi cyfanswm o 144 is-grŵp, pob un wedi ei drefnu ar wahân.

Bydd dethol sectorau yn systematig o'r rhestr a aildrefnwyd yn golygu bod y sectorau a ddetholwyd yn cael eu gwasgaru ar draws y wlad ac ar draws y nodweddion a ddefnyddiwyd i aildrefnu. Mae'r effaith yn debyg i effaith *haeniad*.

2 *Dethol cartrefi*
Hapsampl syml o tua 35 cartref a ddewiswyd o bob sector a ddetholwyd oedd y rhain. Detholwyd 8000 cartref i gyd.

Gellir gweld bod arolwg eang yn debyg o gyfuno sawl math gwahanol o ddulliau samplu. Mae'n amlwg na fyddai arolwg ysgol hanner mor gymhleth, ond mae'n dal yn wir bod angen gofal mawr er mwyn osgoi tuedd.

3.4   Haprifau

Tybiwch fod gennym focs yn cynnwys deg pêl wedi eu labelu o 0 i 9 ond sydd fel arall yn unfath. Mae pêl yn cael ei thynnu ar hap o'r bocs, nodir ei rhif ac yna rhoddir hi yn ôl yn y bocs. Bydd ailadrodd y broses hon o dynnu peli yn rhoi dilyniant o ddigidau, a fydd yn amhosibl eu rhagweld, ond er hynny bydd ganddynt un nodwedd yn gyffredin, sef mewn dilyniant o $10N$ digid, byddai'r nifer disgwyliedig o weithiau y byddai pob digid yn digwydd yn N. Dangosir enghraifft o ddechrau dilyniant fel hyn isod:

85113	47660	38795	86932	04334
60952	44952	45981	54876	87666
44303	61914	54504	18774	29845
50836	38781	50084	98521	78069
19190	50125	54011	39418	12020

Sylwer y gellid darllen yr **haprifau** hyn fel digidau unigol $(8, 5, 1, 1, \ldots)$ neu fel parau o ddigidau $(85, 11, 34, 76, \ldots)$ neu ym mha bynnag ddull sy'n gyfleus. Ym mhob achos arsylwadau ydynt o ddosraniad arwahanol unffurf.

Gellid dehongli'r rhifau hefyd fel arsylwadau o ddosraniad *di-dor* unffurf yn syml drwy ychwanegu pwyntiau degol:

.85113   .47660   .38795   .86932   .04334

Yn wir arsylwadau ar hap yw'r rhain o ddosraniad unffurf gydag amrediad o 0 i 1, wedi eu byrhau i gywirdeb o 5 lle degol.

Rhifau ffug-hap

Tybiwch fod arnom angen sampl o 1000 digid ar hap. Byddai tynnu mil o beli o focs yn bosib ond yn broses ddiflas iawn. Yn lle hynny felly, rydym yn defnyddio **rhifau ffug-hap** a gynhyrchir gan gyfrifiadur. Mae'r rhain yn rhifau a gynhyrchir gan fformiwla fathemategol. Mae ganddynt y nodweddion canlynol:

◆ ni fyddai rhywun na wyddai o ble yr oeddynt yn dod yn gallu dod i'r casgliad nad oeddynt wedi eu cynhyrchu drwy ddefnyddio dis 10-ochr, ond

◆ gallai'r cyfrifiadur gynhyrchu'r un dilyniant yn union dro ar ôl tro petai angen.

Yn ymarferol, fel arfer mae'r disgrifiad 'ffug' yn cael ei hepgor ac mae'r rhifau hyn hefyd yn cael eu disgrifio fel **haprifau**.

Tablau o haprifau

Er ei bod yn hawdd defnyddio cyfrifiadur i gynhyrchu rhifau ffug-hap, ac mae llawer o gyfrifianellau hefyd yn cynhyrchu rhifau o'r math hwn, yn aml mae'n gyfleus gallu cyfeirio at restr barod o haprifau. Felly mae gan lawer o lyfrau tablau a gwerslyfrau (yn cynnwys hwn) restr o'r fath (gweler yr Atodiad, tud. 445).

Er mwyn defnyddio rhestr o'r fath mae'n ddigon penderfynu ar y man cychwyn, a'r cyfeiriad (i fyny, i lawr, i'r chwith, i'r dde, yn groeslinol, ayb) cyn gweld y rhifau yn y tabl. Diben hyn yw osgoi detholiad tueddol o rif 'diddorol' fel man cychwyn.

Prosiect cyfrifiadurol _____

Mae llawer o gyfrifianellau yn honni eu bod yn gallu cynhyrchu dilyniant o haprifau. Fel arfer rhifau ffug-hap yw'r rhain sydd wedi eu dosrannu bron yn unffurf yn y cyfwng (0,1). Yn yr un modd, mae gan bron bob iaith gyfrifiadurol ffwythiant hwylus (a elwir yn aml yn RAN neu RAND) i gynhyrchu rhifau unffurf yn y cyfwng hwn.
Ymchwiliwch i'r gorchmynion sydd eu hangen ar eich cyfrifiannell/cyfrifiadur. A yw'r rhifau yn ymddangos yn anrhagweladwy mewn gwirionedd?

3.5 Dulliau o gasglu data drwy ddefnyddio holiadur (neu arolwg)

Y dull mwyaf cyffredin o gasglu data sy'n ymwneud â'r gwyddorau cymdeithasol yw drwy ddefnyddio **holiadur** sy'n cynnwys cyfres o gwestiynau am ffeithiau am fywyd rhywun neu farn rhywun ar rai pynciau. Fel arfer cyfeirir at y sawl sy'n derbyn holiadur fel **ymatebydd**.

Mae tri phrif ddull o gasglu'r data drwy ddefnyddio holiadur:

1 Cyfweliad wyneb yn wyneb
2 Drwy'r post
3 Dros y ffôn

Cyfweliad wyneb yn wyneb

Yma mae'r cyfwelydd a'r ymatebydd yn cyfathrebu'n uniongyrchol, un ai mewn cyfweliad ar y stryd (lle mae'r cyfwelydd yn dewis pobl sy'n mynd heibio i'w cyfweld) neu mewn cyfweliad yng nghartref yr ymatebydd.

Manteision

◆ **Strwythur cymhleth**   Gall strwythur yr holiadur (e.e. 'Os yw'r ateb yn 'Ie' yna ewch i gwestiwn 23c') fod yn gymharol gymhleth, gan mai dim ond y cyfwelydd sydd angen ei ddeall

◆ **Cysondeb**   Os y cyfwelydd sy'n ysgrifennu, yna bydd yr holiadur yn cael ei gwblhau mewn modd cyson.

◆ **Cymorth**   Os yw'r ymatebydd yn cael trafferth i ddeall cwestiwn, yna mae'r cyfwelydd ar gael i egluro.

◆ **Cyfradd ymateb**   Mae'r **gyfradd ymateb** yn cael ei diffinio fel nifer y cyfweliadau a gwblhawyd wedi ei rannu â'r nifer a geisiwyd. Gan gymryd bod y cyfwelydd yn gyfeillgar, mae hyn yn debygol o fod yn eithaf uchel (dyweder 70%).

Anfanteision

◆ **Cost**   Mae pob cyfweliad yn golygu bod y cyfwelydd yn treulio cryn amser yn gwneud y gwaith. Efallai hefyd bod costau'n gysylltiedig â'r teithio i fynd o un ymatebydd i'r llall.

◆ **Tuedd**   Er bod yr holiadur yn cael ei lenwi mewn dull cyson, gallai'r cysondeb hwn gynnwys tuedd (e.e. y cyfwelydd yn camddehongli ateb yn gyson, neu'n gofyn cwestiynau camarweiniol).

◆ **Diffyg anhysbysrwydd**   Gallai ymatebydd wrthod ateb cwestiynau gan ei fod yn teimlo'n swil yng ngŵydd y cyfwelydd.

Yr holiadur 'trwy'r post'

Yma rydym yn golygu unrhyw holiadur sy'n cael ei ddosbarthu i ymatebwyr (dienw) i'w llenwi eu hunain a'u dychwelyd. Enghraifft o hyn fyddai holiadur am fwyd ysgol yn cynnwys cwestiynau ar ddwy ochr i bapur, i'w ddychwelyd drwy ei 'bostio' mewn bocs ar ddiwedd amser cinio.

Prif fantais y dull hwn o gasglu gwybodaeth yw:

◆ **Arbed arian**   Gan nad oes angen cyfwelydd, mae'n ddull rhad o gasglu data.

Fodd bynnag, mae gan y dull hwn un brif anfantais:

◆ **Diffyg ymateb**   Mae'r gyfradd ymateb (a fesurir fel cyfran yr holiaduron sy'n cael eu dychwelyd) yn gallu bod yn isel iawn (e.e. 10%) ac anaml y bydd yn fwy na 50%. Mae'r lefel ymateb isel hon yn broblem oherwydd mae'r atebion sy'n cael eu derbyn yn annhebygol o gynrychioli atebion y boblogaeth gyfan. Nid yw'r bobl sy'n mynd i drafferth i lenwi a dychwelyd holiadur yn nodweddiadol (mae pawb yn gwybod bod difaterwch yn rhywbeth tra chyffredin). Os yw'r gyfradd ymateb yn isel iawn yna gallai'r atebion fod yn gamarweiniol tu hwnt.

Cyfweliad dros y ffôn

Yn achlysurol bydd sefydliadau ymchwil i'r farchnad yn defnyddio cyfweliadau dros y ffôn gan ei bod yn ffordd ratach na chyfweliad wyneb yn wyneb ar gyfer holiaduron byr. Un broblem fawr sy'n codi wrth gyfweld dros y ffôn (ac eithrio'r ffaith fod ymatebydd posibl yn rhoi'r ffôn i lawr) yw ei bod yn anodd cysylltu'r wybodaeth a geir â'r boblogaeth gyfan, gan na fydd y bobl sy'n cael eu cyfweld yn gynrychioliadol.

Ym Mhrydain yn y 90au, dim ond tua 85% o gartrefi oedd â ffôn, tra nad oedd 25% o danysgrifwyr domestig yn y llyfr ffôn. O ganlyniad, dim ond tua dwy ran o dair o gartrefi Prydain oedd wedi eu rhestru yn y llyfr ffôn.

Os ystyrir y broblem hon ochr yn ochr â diffyg ymateb mae'n hawdd gweld pam y mae dibynadwyedd arolygon ffôn braidd yn amheus. Os ydych yn darllen mewn papur newydd bod arolwg ffôn wedi datgelu ffeithiau newydd diddorol am gymdeithas Prydain, yna dylech dderbyn hyn gyda phinsiaid o halen.

3.6 Cynllun holiadur

Efallai bod gofyn cyfres o gwestiynau i rywun yn swnio'n dasg hynod o syml, ond yn sicr nid yw hyn yn wir. Mae'n hawdd, ar ddamwain, llunio cwestiynau nad oes modd eu hateb, tra gall newidiadau bychain i eiriad cwestiwn wneud byd o wahaniaeth i'r ateb a geir. Mae'n rhaid meddwl yn ofalus ynghylch trefn y cwestiynau hyd yn oed.

Rhai cwestiynau gwael

1   Yn eich barn chi ai bechgyn ynteu merched sydd â'r chwaeth gwisgo gorau, ynteu ai dylanwad eu rhieni sy'n gyfrifol am hyn?
Amhosibl ei ateb! Mae'r 'cwestiwn' hwn yn cynnwys o leiaf ddau gwestiwn ac yn annhebygol o gael ei ddeall gan unrhyw un (yn cynnwys y person a'i lluniodd!)

2   A yw eich teulu chi yn gwylio llawer o deledu?
Amhosibl ei ateb! Efallai bod rhai o aelodau'r teulu yn gwylio gormod o lawer o deledu, ac eraill na fyddant byth yn ei wylio. Hefyd, nid yw 'llawer' yn cael ei ddiffinio'n glir.

3   Ydych chi'n meddwl bod Ystadegaeth yn bwnc:
(a) hynod o ddiddorol,
(b) diddorol,
(c) eithaf diddorol?
Set dueddol o ddewisiadau.

4   Ydych chi'n fyw?
Nid yw hwn werth ei ateb! Dylech osgoi cwestiynau a fydd yn cael eu hateb yn yr un ffordd gan bawb (neu bron bawb).

5   Rydw i'n mynd i'ch holi chi am y Frenhiniaeth. Dywedodd Saunders Lewis unwaith … [rhywbeth hirwyntog sy'n cymryd sawl munud i'w ddarllen]. Ydych chi'n cytuno?
Dylech osgoi cwestiynau hirfaith – bydd yr ymatebydd yn anghofio am beth mae'r cwestiwn yn sôn.

6   Rydych chi yn erbyn y gosb eithaf, onid ydych?
Mae hwn yn gwestiwn arweiniol – mae pwysau ar yr ymatebydd i ddweud 'Ydw'.

7   Beth yw eich barn chi ynglŷn ag amryfusedd y dynwarediad hwn?
Dylech osgoi geiriau anghyfarwydd.

8   Faint yw eich oedran?
(a) dros 30 oed
(b) dan 21,
(c) dan 18.
Wrth roi amrediad o wahanol ddewisiadau gofalwch nad ydynt yn gorgyffwrdd a chofiwch gynnwys yr holl bosibiliadau.

9   Pan nad ydynt yn chwarae gartref, nid yw Arsenal yn dda am sgorio goliau. Ydych chi'n cytuno ynteu'n anghytuno â hyn?
Dylech osgoi defnyddio negatif dwbl (neu sawl negatif) – bydd rhai ymatebwyr yn camddeall y cwestiwn.

10   Peidiwch â gadael i'r cwestiwn hwn wneud ichi deimlo'n chwithig: ydych chi'n pigo eich trwyn?
Heb y cymal cyntaf, byddai llawer o ymatebwyr wedi ateb y cwestiwn yn ddibryder. Peidiwch â gwahodd ymatebwyr i beidio ag ateb.

11   Ble oeddech chi ar Fawth 7fed?
Oni bai bod y cwestiwn hwn yn cael ei ofyn yn fuan wedyn, mae'n annhebygol y cewch chi ymateb. Mae cwestiynau am y gorffennol pell yn debygol o arwain at ddyfaliadau.

12   Ydych chi'n Gomiwnydd?
Gan fod bod yn Gomiwnydd yn anffasiynol ar hyn o bryd, mae rhai o gefnogwyr Comiwnyddiaeth yn annhebygol o gyfaddef hynny. Mae ymatebwyr yn dueddol o roi atebion sy'n dderbyniol gan gymdeithas.

Rhai cwestiynau da

Y cwestiynau gorau mae'n debyg yw'r rhai a ddefnyddiwyd mewn arolygon ymchwiliadau i'r farchnad neu sefydliadau eraill sy'n arbenigo ar ofyn cwestiynau. Byddant wedi dysgu o brofiad pa gwestiynau sy'n gweithio'n dda. Gallai llyfrgell gyhoeddus fawr eich helpu yn y maes hwn.

◆   Gall llyfrau ar ddulliau arolygu gynnwys holiaduron enghreifftiol.

◆   Gall papurau newydd 'safonol' gofnodi cwestiynau a ofynnir mewn arolygon cenedlaethol gan sefydliad megis Gallup.

◆   Gallai'r sefydliadau arolygon eu hunain gyhoeddi manylion holiaduron.

Mae'r rhan fwyaf o gwestiynau da yn *fyr* ac yn *syml*. Mae'r un peth yn wir am holiaduron.

Trefn cwestiynau

Dyma ddwy reol gyffredinol:

◆   Gofynnwch gwestiynau hawdd i ddechrau.
    Mae hyn yn annog yr ymatebydd i gymryd rhan.

◆   Gofynnwch gwestiynau cyffredinol yn gyntaf (e.e. 'Pa mor fodlon ydych chi â chinio ysgol?'), a chwestiynau penodol wedyn (e.e. 'Beth yw eich câs beth ynglŷn â chinio ysgol?')
    Pwrpas hyn yw rhwystro'r cwestiwn 'pa mor fodlon' rhag dylanwadu ar y cwestiwn 'câs beth'.

Mae rhai cwestiynau'n digwydd yn naturiol cyn rhai eraill. Er enghraifft, petai rhywun yn ymchwilio i hanes ymatebydd, byddai'n naturiol yn cychwyn gyda chwestiynau am blentyndod cyn holi am ganol oed.

Trefn cwestiynau a thueddiad

Gall trefn y cwestiynau ddylanwadu ar ateb ymatebydd. Cymharwch:

1 Ydych chi'n bwriadu bod yn rhoddwr organau?
2 Wyddech chi fod dwsinau o bobl yn marw bob blwyddyn oherwydd diffyg rhoddwyr organau?

gyda:

1 Wyddech chi fod dwsinau o bobl yn marw bob blwyddyn oherwydd diffyg rhoddwyr organau?
2 Ydych chi'n bwriadu bod yn rhoddwr organau?

Cwestiynau wedi eu hidlo

Mae llawer o holiaduron yn cynnwys yr hyn y gellid ei ddisgrifio fel 'adrannau y gellir eu hanwybyddu' (sydd wedi eu nodi â datganiadau fel 'Os NA ewch i C24'). Felly ni ddylai cwestiwn fel:

Faint o arian wnaethoch chi ei ennill yr wythnos ddiwethaf?

ddod o flaen:

Oeddech chi'n gyflogedig yr wythnos ddiwethaf?

oherwydd, os yw'r ateb i'r ail gwestiwn yn 'Na', yna ni ddylid gofyn y cwestiwn cyntaf (dylid ei **hidlo**).

Cwestiynau agored a chaeedig

Cwestiwn agored yw cwestiwn lle nad oes atebion awgrymedig:

> Beth yw eich barn chi am y Prif Weinidog?

Mantais y math hwn o gwestiwn yw y gall yr ymatebydd ddewis yn union sut i ateb. Yr anfantais yw y gall pob ymatebydd ateb mewn ffordd wahanol, gan ei gwneud yn anodd crynhoi'r data a geir.

Cwestiwn caeedig yw un lle mae set ragnodedig o atebion dewisol:

> Ym mha ffordd ydych chi'n meddwl y mae'r Llywodraeth gyfredol yn cymharu â llywodraethau eraill yn y gorffennol? A yw (i) yn well na'r cyffredin, (ii) yn gyffredin, (iii) yn waeth na'r cyffredin?

Gyda chwestiwn caeedig gallai'r ymatebydd gael anhawster i ateb oherwydd nid oes yr un o'r atebion a gynigir i'w gweld yn addas. Fodd bynnag, ni fydd y broblem hon yn codi os ystyrir yr holl bosibiliadau (fel yn yr enghraifft hon).

Trefn atebion ar gyfer cwestiynau caeedig

Crybwyllwyd ynghynt y gall trefn cwestiynau effeithio ar yr ymateb a geir. Mae'r un peth yn wir am yr atebion dewisol a ddarperir ar gyfer cwestiynau caeedig.

◆ Mae tuedd tuag at yr ateb ar y chwith mewn holiaduron 'drwy'r post'. *Gan fod yr ymatebydd yn darllen o'r chwith i'r dde a gallai golli diddordeb cyn cyrraedd yr atebion ar y dde.*

◆ Mae tuedd tuag at yr ateb ar y dde mewn cyfweliadau wyneb yn wyneb. *Gan mai dyma'r ateb olaf i gael ei ddarllen yn uchel ac felly dyma'r ateb y mae'r ymatebydd yn ei gofio orau.*

◆ Os oes dilyniant o gwestiynau tebyg mae'r ymatebydd yn debygol o ddatblygu 'arferiad' ac ateb bob cwestiwn yn yr un ffordd. *Felly mae'n syniad da amrywio'r cwestiynau – mae hyn hefyd yn gwneud yr holiadur yn fwy diddorol.*

Yr astudiaeth beilot

Cyn defnyddio holiadur mae'n hanfodol gofalu ei fod yn 'gweithio'. A oes unrhyw gwestiynau amwys? A oes unrhyw gwestiynau caeedig sy'n achosi problem gan fod posibiliad wedi cael ei anwybyddu? A oes unrhyw gwestiynau yr ydych wedi anghofio eu gofyn? Mae'r astudiaeth beilot yn defnyddio'r holiadur cyfan gyda nifer fechan o bobl ac nid oes angen eu dewis mewn unrhyw ffordd wyddonol. Y nod yn syml yw darganfod a goresgyn unrhyw anawsterau cyn defnyddio'r holiadur terfynol.

3.7 Data cynradd ac eilaidd

Data cynradd yw data sy'n cael eu casglu gan, neu ar gyfer yr ymchwilydd sy'n cynnal y dadansoddiad ystadegol cyfredol. Y broses o gasglu data o'r fath yw thema'r bennod hon. Yn fynych, fodd bynnag, mae angen mwy o wybodaeth ar yr ymchwilydd ac yn aml mae'r wybodaeth hon ar gael yn rhwydd yng nghyhoeddiadau'r llywodraeth, e.e. *The Monthly Digest of Statistics* neu *The Annual Abstract of Statistics*. Mae data o'r math hwn, a gasglwyd yn wreiddiol i ddiben arall, yn cael eu disgrifio fel **data eilaidd**.

Ymarferion 3a

1 (a) 'Mae'n well gan naw cath o bob deg fwyta Miaw'. Trafodwch.

  (b) 'O hapsampl o ddeg o gathod, roedd yn well gan naw ohonynt Miaw'. Trafodwch.

  (c) 'O hapsampl o ddeg o gathod, roedd yn well gan naw ohonynt Miaw na'u brand arferol'. Trafodwch.

2 Mae cyngor tref yn ystyried adeiladu pwll nofio i'r bobl leol. Trafodwch bob un o'r cwestiynau posibl canlynol ar gyfer holiadur i'w gyflwyno i'r holl breswylwyr lleol.

  (a) Ydych chi'n meddwl y byddai pobl yn defnyddio pwll nofio newydd?

  (b) Ydych chi'n meddwl y dylai'r cyngor adeiladu pwll nofio?

  (c) Rhowch y prosiectau canlynol yn nhrefn blaenoriaeth: (i) llyfrgell newydd (ii) pwll nofio newydd (iii) maes parcio aml lawr newydd (iv) canolfan hamdden newydd.

3 Mae ymchwilydd yn dymuno darganfod beth yw hoff raglenni teledu cyplau sydd newydd briodi. Mae'r ymchwilydd eisiau cynnal cyfweliadau wyneb yn wyneb ac felly mae'n rhaid iddo ddod o hyd i gyfweleion posibl. Yn fyr, nodwch fanteision ac anfanteision pob un o'r dulliau canlynol.

  (a) Hysbysebu mewn papur newydd cenedlaethol i gyplau sydd newydd briodi gan nodi'r dymuniad i gynnal cyfweliadau wyneb yn wyneb am hoff raglenni teledu.

  (b) Hysbysebu mewn papur newydd cenedlaethol am gyplau sydd newydd briodi gan nodi'r dymuniad i gynnal cyfweliadau wyneb yn wyneb.

  (c) Darllen colofn 'Priodasau' papur lleol.

  (ch) Dewis hapsampl o bapurau newydd lleol (o restr genedlaethol), ac yna dewis hapsamplau o'r adran 'Priodasau' ym mhob papur.

4 Yn Academi Arthur Frenin, mae dosbarthiadau 3, 4 a 5 yn cynnwys 35, 42 a 28 o fyfyrwyr yn ôl eu trefn. Mae Huw Williams yn aelod o ddosbarth 4. Mae un myfyriwr yn mynd i gael ei ddewis o'r tri dosbarth i gynrychioli'r ysgol mewn cystadleuaeth gwybodaeth gyffredinol. Awgrymir tri dull ar gyfer gwneud hyn:

  (i) Gwneud restr o'r holl fyfyrwyr a dewis un ar hap.

  (ii) Dewis dosbarth ar hap a dewis myfyriwr ar hap o'r dosbarth hwnnw.

  (iii) Dewis dosbarth ar hap a'i hepgor. Dewis dosbarth ar hap o'r ddau ddosbarth sydd ar ôl. Dewis myfyriwr ar hap o'r dosbarth hwn.

Darganfyddwch y tebygolrwydd y bydd Huw Williams yn cael ei ddewis gan bob dull. Pa un o'r dulliau hyn yw'r un mwyaf teg?

5 Mae ymchwilydd yn dymuno cael gwybodaeth ar y mathau o geir sy'n defnyddio maes parcio aml lawr. Ei ddull yw dewis diwrnod o'r wythnos ar hap ac, ar ôl cyrraedd mynediad y maes parcio am 10 am, nodi beth yw gwneuthuriad pob 10fed car sy'n dod i mewn i'r maes parcio. Mae'n dychwelyd adref am 6 pm i lunio tabl o'i ganlyniadau. Trafodwch y dull samplu hwn.

6 Mae gorsaf deledu yn dymuno samplu safbwyntiau'r etholwyr mewn tref fechan. Mae enwau'r N etholwr yn cael eu rhestru ar gofrestr etholiadol. Mae pob un o'r dulliau canlynol yn anelu at roi sampl o n etholwr.

  (i) Defnyddio'r gofrestr etholiadol. Cynhyrchu n cyfanrif ar hap yn yr amrediad $(1, \ldots, N)$ a chyfweld â'r etholwyr cyfatebol.

  (ii) Defnyddio'r gofrestr etholiadol. Tybio bod y gymhareb N i n yn fras yn hafal i'r cyfanrif r. Cynhyrchu cyfanrif yn y cyfwng $(1, \ldots, r)$. Gan nodi hyn fel k, cyfweld yr etholwyr sydd wedi eu rhifo $k, k + r, k + 2r, \ldots$

  (iii) Defnyddio'r gofrestr etholiadol. Cynhyrchu $3n$ cyfanrif ar hap yn y cyfwng $(1, \ldots, N)$. Anfon llythyr i bob un o'r rhain (gan gymryd y bydd y gyfradd ateb yn 1 o bob 3).

Trafodwch rinweddau pob dull.

7 Mae gan yr archfarchnad 'Bargeinion a Mwy!' ddiddordeb yn safbwyntiau'r cwsmeriaid ar drefniant newydd ei silffoedd. Trafodwch rinweddau pob un o'r dulliau samplu posibl canlynol.

  (i) Rhoi taflen wybodaeth i bob cwsmer sy'n dod i mewn i'r siop rhwng 1 pm a 2 pm ar ddydd Llun a ddewisir ar hap. Ar ôl eu llenwi dylid rhoi'r taflenni mewn bin pwrpasol yn y cyntedd.

  (iii) Dewis diwrnod o'r wythnos ar hap a chynnig taflen, i'w llenwi'n syth, i bob cwsmer sy'n dod i'r siop.

(iii) Tybiwch fod yr archfarchnad yn agored 11 awr y dydd, am chwe diwrnod yr wythnos. Yn ystod yr wythnos gyntaf, holi union 10 cwsmer rhwng 9 am a 10 am ar ddydd Llun, union 10 cwsmer rhwng 10 am a 11 am ar ddydd Mawrth, … union 10 rhwng 2 pm a 3 pm ar ddydd Sadwrn. Yr wythnos ganlynol, holi 10 o bobl rhwng 3 pm a 4 pm ar ddydd Llun, ac yn y blaen, gan ddechrau holi awr yn ddiweddarach bob dydd a pharhau i wneud hyn am bum wythnos i gyd.

8   Mae rhaglen deledu yn trafod materion o ddiddordeb cenedlaethol. Un o brif elfennau'r rhaglen yw'r nodwedd 'Gadewch i'r bobl benderfynu'. Rhoddir rhifau gwahanol i'r gwylwyr eu ffonio, yn ôl a ydynt o blaid ynteu yn erbyn cynnig yr wythnos. Gan roi rhesymau, nodwch a yw hyn yn brawf da o farn gyhoeddus ai peidio.

9   Mae gan athronydd lawer o lyfrau, ac mae'n eu cadw mewn dwy ystafell lychlyd (un frown ac un lwyd). Yn yr ystafell frown mae dau gwpwrdd llyfrau mawr sy'n dal 300 o lyfrau yr un. Yn yr ystafell lwyd mae tri chwpwrdd llyfrau llai sy'n dal 100 llyfr yr un yn unig. Mae un o'i lyfrau 'Ystyr Bywyd' yn y cwpwrdd llyfrau lleiaf. Mae'r athronydd ar ei ffordd i fyny'r grisiau ac mae eisiau dewis llyfr i'w ddarllen yn ei wely. Cyfrifwch y tebygolrwydd y bydd yn dewis 'Ystyr Bywyd':

(i)   os yw'n dewis llyfr drwy gymryd cerdyn ar hap o'i indecs cardiau (sy'n cynnwys un cerdyn ar gyfer pob llyfr)

(ii) os yw'n dewis cwpwrdd llyfrau ar hap, ac yna lyfr ar hap o'r cwpwrdd hwnnw.

(iii) os yw'n dewis ystafell ar hap, yna gwpwrdd ar hap o'r cypyrddau yn yr ystafell honno, yna lyfr ar hap o'r cwpwrdd hwnnw.

Crynodeb o'r bennod

- **Ffrâm samplu:** Y rhestr o aelodau'r boblogaeth.

- **Hapsamplu syml:** Dewis unigolion yn uniongyrchol o ffrâm samplu gyda thebygolrwydd hafal y bydd pob unigolyn yn cael ei ddewis.

- **Samplu clwstwr:** Dewis o grwpiau a ddewiswyd ar hap o unigolion cyfagos.

- **Samplu haenedig:** Rhannu'r ffrâm samplu yn is-setiau nad ydynt yn gorgyffwrdd o'r enw **strata** neu **haenau**, gyda hapsamplu syml cyfatebol o bob is-set.

- **Samplu systematig:** Samplu ar gyfnodau rheolaidd o ffrâm samplu drefnedig.

- **Samplu cwota:** Samplu penodol (heb fod ar hap) o fathau o unigolion a dargedwyd.

- **Rhifau ffug-hap:** Rhifau, sy'n cael eu creu gan ddefnyddio fformiwla fathemategol, na ellir eu gwahaniaethu oddi wrth haprifau gwirioneddol.

4 Tebygolrwydd

4.1 Amlder cymharol

Tybiwch ein bod yn taflu dis a bod gennym ddiddordeb yn y canlyniad '6'. Er mwyn cael rhyw syniad o ba mor debygol yw'r canlyniad, rydym yn taflu'r dis dro ar ôl tro. Dyma'r 30 tafliad cyntaf:

     2 4 4 1 2   3 2 4 3 1   4 5 6 4 3
     2 3 6 2 4   3 4 2 2 5   4 6 5 3 3

Ar ôl 10 tafliad ni chawsom yr un '6' a gallem fod yn meddwl bod cael '6' yn amhosibl. Fodd bynnag, wrth i nifer y tafliadau gynyddu mae'r rhif '6' yn dechrau ymddangos: ar ôl 30 tafliad, rydym wedi cael 3 rhif 6 – **amlder cymharol** o $\frac{3}{30} = 0.1$.

Beth fydd yn digwydd wrth inni gynyddu nifer y tafliadau? Yr ateb yw y bydd nifer y rhifau '6' yn cynyddu, ond bydd cyfran y rhifau '6' (yr amlder cymharol) yn sefydlogi. Mae gwerth terfannol yr amlder cymharol hwn yn cael ei alw'n **debygolrwydd**. Felly, os yw pob un o chwe ochr y dis yr un mor debygol â'i gilydd (sy'n wir yn achos *dis teg*), yna bydd terfan yr amlder cymharol yn $\frac{1}{6}$ a byddwn yn dweud bod y tebygolrwydd o gael '6' yn $\frac{1}{6}$.

4.2 Diffiniadau rhagarweiniol

♦ **Arbrawf ystadegol** yw un lle mae nifer o ganlyniadau yn bosibl ond nid oes gennym unrhyw fodd o ragfynegi pa ganlyniad fydd yn digwydd mewn gwirionedd. Weithiau efallai y bydd yr arbrawf wedi digwydd eisoes, ond ni wyddwn beth yw'r canlyniad.

♦ Y **gofod sampl**, a ddynodir yn aml ag S, yw'r set o holl ganlyniadau posibl yr arbrawf.
  • Damwain hanesyddol anffodus yw'r defnydd o'r gair *sampl* yn niffiniad S – *nid* yw'n cyfeirio at sampl o arsylwadau.

♦ **Digwyddiad** yw unrhyw set o ganlyniadau posibl yr arbrawf (felly mae digwyddiad yn is-set o S). Wrth daflu dis efallai bod gennym ddiddordeb mewn digwyddiadau megis 'cael eilrif' neu 'gael rhif mwy na 3'.

♦ **Digwyddiad syml** yw digwyddiad sy'n cynnwys un canlyniad yn unig. Wrth daflu dis y digwyddiadau syml yw '1', '2' ayb.

Enghraifft 1

Mae angen dis chwe ochr i chwarae llawer o gemau bwrdd. Y canlyniadau posibl yw 1, 2, 3, 4, 5, 6. Cyn taflu'r dis ni allwn ragweld y canlyniad – felly mae hyn yn enghraifft o arbrawf ystadegol.

Yn ein nodiant newydd y chwe gwerth yw'r chwe digwyddiad syml posibl a'r gofod sampl yw $S = \{1, 2, 3, 4, 5, 6\}$. Enghraifft o ddigwyddiad syml yw: '6 yw'r canlyniad'. Enghreifftiau o ddigwyddiadau yw 'mae'r canlyniad yn eilrif' ac 'mae'r canlyniad yn rhif llai na 4'.

4.3 Y raddfa tebygolrwydd

Mae rhif yn cael ei briodoli i'r digwyddiad E, a hwn yw tebygolrwydd digwyddiad E, ac mae'n cymryd gwerth yn y cyfwng 0 i 1 (yn gynwysedig). Dynodir y rhif gan $P(E)$. Yn ogystal â bodloni:

$$0 \leqslant P(E) \leqslant 1$$

dewisir gwerth $P(E)$ fel bod:

$P(E) = 0$ os yw E yn amhosibl

$P(E) = 1$ os yw E yn sicr o ddigwydd

Mae gan werthoedd rhyngol $P(E)$ ddehongliadau naturiol:

$P(E) = 0.5 \rightarrow$ Mae E yr un mor debygol o ddigwydd â pheidio

$P(E) = 0.001 \rightarrow$ Mae E yn annhebygol iawn

$P(E) = 0.999 \rightarrow$ Mae E yn debygol iawn

Enghraifft 2

Tybiwch ein bod yn taflu darn arian cyffredin. Diffiniwn y digwyddiadau A a B fel:

A: Mae'r darn arian yn glanio i ddangos pen.

B: Mae'r darn arian yn ffrwydro mewn fflach o olau gwyrdd.

Gallwn dybio yn rhesymol fod $P(A) = \frac{1}{2}$ a bod $P(B) = 0$.

4.4 Tebygolrwydd gyda chanlyniadau yr un mor debygol

Tybiwch fod y gofod sampl, S, yn cynnwys $n(S)$ canlyniad posibl, a bod pob un yr un mor debygol. Tybiwch fod nifer y canlyniadau yn y digwyddiad E yn $n(E)$. Yna rhoddir $P(E)$, y tebygolrwydd fod digwyddiad E yn digwydd, gan yr hafaliad:

$$P(E) = \frac{n(E)}{n(S)} \tag{4.1}$$

Mae hyn yn amlwg yn bodloni'r amod bod $0 \leqslant P(E) \leqslant 1$.

Enghraifft 3

Mae dis teg yn cael ei daflu. Mae digwyddiad A yn cael ei ddiffinio fel 'mae'r rhif sy'n ymddangos yn lluosrif 3'.
Cyfrifwch $P(A)$.

———

Yma, mae'r gofod sampl S yn cynnwys y canlyniadau $\{1, 2, 3, 4, 5, 6\}$, fel bo $n(S) = 6$. Y canlyniadau sy'n cyfateb i A yw $\{3, 6\}$, fel bo $n(A) = 2$. Felly
$P(A) = \dfrac{n(A)}{n(S)} = \dfrac{2}{6} = \dfrac{1}{3}$.

Enghraifft 4

Mae dau ddarn arian teg yn cael eu taflu. Mae digwyddiad A yn cael ei ddiffinio fel 'mae union un pen yn ymddangos'.
Cyfrifwch $P(A)$.

———

Ystyriwch y darn arian sy'n cael ei daflu gyntaf. Mae'r darn arian hwn yr un mor debygol o roi pen (P) neu gynffon (C). Tybiwch ei fod yn rhoi pen. Yna, mae'r ail ddarn arian yn cael ei daflu. Mae hwn hefyd yr un mor debygol o roi pen neu gynffon, felly, os glaniodd y darn arian cyntaf fel bo pen yn ymddangos mae dau ddilyniant yr un mor debygol: PP a PC. Ar y llaw arall, os glaniodd y darn arian cyntaf i ddangos cynffon yna'r dilyniannau sydd yr un mor debygol yw CP a CC. Gan fod y darn arian cyntaf yr un mor debygol o ddangos pen â chynffon, mae'r pedwar canlyniad PP, PC, CP, CC, sy'n llunio'r gofod sampl, S, yr un mor debygol. Mae'r digwyddiad A yn cyfateb i'r canlyniadau PC, CP. Felly $n(A) = 2$, $n(S) = 4$ ac felly $P(A) = \dfrac{n(A)}{n(S)} = \dfrac{2}{4} = \dfrac{1}{2}$.

Ymarferion 4a

1 Mae dis diduedd yn cael ei daflu.
Darganfyddwch y tebygolrwyddau canlynol:
  (i) bydd y sgôr yn eilrif,
  (ii) bydd y sgôr o leiaf yn ddau,
  (iii) bydd y sgôr ar y mwyaf yn ddau,
  (iv) bydd y sgôr yn rhanadwy â 3.

2 Mae bocs yn cynnwys 4 pêl goch, 6 phêl werdd a 5 pêl felen. Mae pêl yn cael ei thynnu o'r bocs ar hap.
Darganfyddwch y tebygolrwyddau canlynol:
  (i) bydd y bêl yn wyrdd,
  (ii) bydd y bêl yn goch,
  (iii) na fydd y bêl yn felyn.

3 Mae cerdyn yn cael ei dynnu ar hap o bac o gardiau.
Darganfyddwch y tebygolrwyddau canlynol:
  (i) bydd y cerdyn yn gerdyn rhawiau,
  (ii) bydd y cerdyn yn âs,
  (iii) bydd y cerdyn yn âs y rhawiau,
  (iv) bydd y cerdyn yn gerdyn 'brenhinol' (Brenin, Brenhines neu Jac).

4 Mae cyfrifiadur yn cynhyrchu 4 haprif yn y cyfwng 0000 i 9999 yn gynwysedig, yn y fath fodd fel bo pob rhif o'r fath yr un mor debygol â'i gilydd.
Darganfyddwch y tebygolrwyddau canlynol:
  (i) bydd y rhif o leiaf yn 1000,
  (ii) bydd y rhif rhwng 1000 a 5000 yn gynwysedig,
  (iii) bydd y rhif yn 4321,
  (iv) bydd y rhif yn gorffen gyda 0,
  (v) bydd y rhif yn cychwyn ac yn gorffen gydag 1.

5 Ar ddau wyneb disg ceir y rhifau 1 a 2. Mae'r disg yn cael ei daflu ar yr un pryd â dis teg. Y sgôr yw cyfanswm y ddau rif sydd yn y golwg.
Darganfyddwch y tebygolrwyddau canlynol:
  (i) bydd y sgôr o leiaf yn 4,
  (ii) bydd y sgôr ar y mwyaf yn 6.

6 Mae bag yn cynnwys 30 pêl. Mae'r peli wedi eu rhifo 1, 2, 3, …, 30. Mae pêl yn cael ei thynnu o'r bag ar hap.
Darganfyddwch y tebygolrwydd y bydd y rhif ar y bêl:
  (i) yn rhanadwy â 3,
  (ii) ddim yn rhanadwy â 3,
  (iii) yn rhanadwy â 4,
  (iv) yn rhif cysefin (2, 3, 5, …),
  (v) llai na 5 i ffwrdd o 10,
  (vi) dros 6 i ffwrdd o 25.

7 Mae dau ddis diduedd, un yn goch a'r llall yn wyrdd, yn cael eu taflu ac mae'r gwahanol sgorau yn cael eu nodi. Cynrychiolwch y canlyniad fel (c, g), lle mae c ac g yn cynrychioli'r sgorau ar y disiau coch a gwyrdd yn eu trefn.
Rhowch reswm pam y ceir 36 o'r digwyddiadau syml hyn.
Drwy hynny cyfrifwch y tebygolrwyddau canlynol:
  (i) ceir dwbl chwech,
  (ii) ceir dwbl (unrhyw sgôr),
  (iii) bydd swm y ddau sgôr yn 4,
  (iv) bydd swm y ddau sgôr yn 5,
  (v) bydd y sgôr ar y dis coch 3 yn fwy na'r sgôr ar y dis gwyrdd,
  (vi) bydd y ddau sgôr yn rhanadwy â 3.

8 Mae gen i 14 darn arian yn fy mhwrs: dau ddarn 1c, tri darn 2c, pedwar darn 5c a phum darn 10c. Rydw i'n dewis un o'r darnau ar hap.
Cyfrifwch y tebygolrwyddau canlynol:
  (i) mae'n ddarn 2c,
  (ii) mae'n werth o leiaf 5c,
  (iii) mae'n werth llai na 3c,
  (iv) mae'n werth o leiaf 1c,
  (v) mae'n werth o leiaf 20c.

4.5 Y digwyddiad cyflenwol, *E'*

Mae digwyddiad *E* un ai'n digwydd neu ddim yn digwydd. Ni allwn gael digwyddiadau sy'n 'hanner digwydd'. Felly mae pob un o'r canlyniadau posibl sydd yr un mor debygol â'i gilydd yn cyfateb i sefyllfa lle mae'r digwyddiad yn digwydd neu ddim yn digwydd. Os yw $n(E)$ yn nifer y canlyniadau lle mae *E* yn digwydd ac $n(S)$ yn faint y gofod sampl, yna $n(S) - n(E)$ yw nifer y canlyniadau sy'n cyfateb i'r digwyddiad 'nid yw *E* yn digwydd', a elwir yn **ddigwyddiad cyflenwol**, ac mae'n cael ei ddynodi ag *E'*. Felly:

$$P(E') = \frac{n(S) - n(E)}{n(S)} = 1 - \frac{n(E)}{n(S)} = 1 - P(E)$$

Mae'r canlyniad hwn:

$$P(E') = 1 - P(E) \tag{4.2}$$

neu'r hyn sy'n gyfwerth ag ef:

$$P(E) = 1 - P(E')$$

yn aml yn caniatáu inni symleiddio cyfrifiadau.

Nodiadau

- ◆ Weithiau dynodir y digwyddiad cyflenwol ag $\overline{E}$, $C(E)$ neu E^c.
- ◆ $(E')' = E$, oherwydd os nad yw *E'* yn digwydd yna mae *E* yn digwydd ac i'r gwrthwyneb.

Enghraifft 5

Rydym yn taflu dis coch a dis glas. Mae'r ddau ddis yn rhai teg.
Rydym eisiau cyfrifo $P(A)$, lle mae *A* yn cynrychioli'r digwyddiad 'mae cyfanswm y rhifau a ddangosir ar y ddau ddis yn fwy na 3'.

I ddechrau rydym yn darganfod $n(S)$, sef nifer y canlyniadau posibl yn y gofod sampl. Mae chwe chanlyniad yr un mor debygol yn achos y dis coch. Waeth pa un o'r canlyniadau hyn sy'n digwydd, bydd chwe chanlyniad yr un mor debygol ar gyfer y dis glas hefyd. Felly, mae 36 canlyniad i gyd sydd yr un mor debygol: $n(S) = 36$. Gallwn weld hyn yn hawdd ar ddiagram a gellir defnyddio hwn hefyd i ddangos cyfansymiau posibl y ddau ddis.

		Dis coch					
		1	2	3	4	5	6
	1	2	3	4	5	6	7
	2	3	4	5	6	7	8
Dis	3	4	5	6	7	8	9
glas	4	5	6	7	8	9	10
	5	6	7	8	9	10	11
	6	7	8	9	10	11	12

Y digwyddiad cyflenwol, *A'*, yw'r digwyddiad 'nid yw cyfanswm y ddau ddis yn fwy na 3'. Nawr, tra bo llawer o ganlyniadau lle mae *A* yn digwydd, ychydig iawn sydd lle mae *A'* yn digwydd ac mae'n hawdd eu cyfrif: y posibiliadau (dis coch, dis glas) yw $\{(1, 1), (1, 2), (2, 1)\}$. Felly $n(A') = 3$. Mae'r 33 canlyniad sy'n weddill yn y diagram yn cyfateb i'r digwyddiad *A*.

Nawr, gan fod yr holl ganlyniadau yr un mor debygol:

$$P(A') = \frac{n(A')}{n(S)} = \frac{3}{36} = \frac{1}{12}.$$

Ond $P(A) = 1 - P(A')$, fel bo $P(A) = \frac{11}{12}$.

Nodyn

♦ Nid yw'r ffaith fod y disiau yn rhai lliw yn effeithio ar P(*A*), ond mae'n ei gwneud yn haws disgrifio'r hyn sy'n digwydd. Y cwbl sydd ei angen yw dull o wahaniaethu'r disiau, ac mae hyn *bob amser* yn bosibl, hyd yn oed os dywedir bod y disiau yn rhai unfath. Gallem wahaniaethu rhwng y disiau drwy eu taflu un ar ôl y llall, neu drwy gael pobl wahanol i'w taflu, neu drwy eu taflu ar yr un pryd o'r cwpan taflu disiau o wahanol fannau cychwyn.

Darlithydd yn Nghaergrawnt oedd John Venn (1834–1923) ac roedd yn arbenigo ym maes rhesymeg. Cafodd ei brif waith, *The Logic of Chance*, ei gyhoeddi yn 1866. Erbyn heddiw mae'r gwaith hwn yn enwog am gyflwyno'r diagramau sy'n dwyn ei enw. Roedd gan Venn ddiddordeb cyffredinol ym mhob cangen o Ystadegaeth ac yn dilyn llythyr a ysgrifennodd yn 1887 at olygydd y cylchgrawn dylanwadol *Nature*, bu cynnydd aruthrol yn y diddordeb yn theori fathemategol Ystadegaeth.

4.6 Diagramau Venn

Cynrychioliad syml o'r gofod sampl yw diagram Venn, ac mae'n aml yn ddefnyddiol er mwyn gweld yr hyn sy'n digwydd. Fel arfer mae'r gofod sampl yn cael ei gynrychioli gan betryal, gyda rhanbarthau unigol o fewn y petryal yn cynrychioli digwyddiadau.

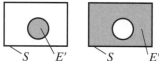

Yn aml mae'n ddefnyddiol dychmygu bod y rhannau o'r gwahanol ranbarthau mewn diagram Venn mewn cyfrannedd â'r tebygolrwyddau cyfatebol. Fodd bynnag, nid oes angen treulio gormod o amser yn llunio'r diagramau hyn – eu pwrpas yw eich atgoffa o'r hyn sy'n digwydd.

Diagramau Venn yn dangos digwyddiadau *E* ac *E'*

4.7 Uniadau a chroestoriadau digwyddiadau

Tybiwch fod *A* a *B* yn ddau ddigwyddiad sy'n gysylltiedig ag arbrawf ystadegol arbennig. Nawr rydym yn ystyried y digwyddiadau a ddynodir gan $A \cup B$ ac $A \cap B$, sy'n cael eu diffinio fel a ganlyn:

$A \cup B$ '*A* **neu** *B*'   O leiaf un o'r digwyddiadau *A* a *B* yn digwydd.

$A \cap B$ '*A* **a** *B*'   Y ddau ddigwyddiad *A* **a** *B* yn digwydd.

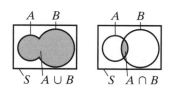

Diagramau Venn yn dangos y digwyddiadau $A \cup B$ ac $A \cap B$

Nodiadau

♦ Mae $A \cup B$ yn cynnwys y posibilrwydd fod *A* a *B* yn digwydd.
♦ Mewn nodiant setiau:
   Gelwir $A \cup B$ yn **uniad** *A* a *B*.
   Gelwir $A \cap B$ yn **groestoriad** *A* a *B*.

Nifer y canlyniadau yn *A* yw *n*(*A*) a nifer y canlyniadau yn *B* yw *n*(*B*). Hefyd mae cyfanswm o *n*($A \cap B$) canlyniad yn *A* a *B* gyda'i gilydd. Mae'r canlyniadau yn $A \cup B$ yn cynnwys yr holl rai yn *A* a'r holl rai yn *B* ond nid rhai eraill. Fodd bynnag, os ydym yn adio *n*(*A*) ac *n*(*B*) byddwn yn mynd heibio'r nifer yn $A \cup B$ oherwydd byddwn wedi cyfri'r rhai yn $A \cap B$ ddwywaith.

Drwy hynny:

$$n(A \cup B) = n(A) + n(B) - n(A \cap B)$$

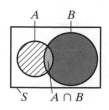

Mae'r canlyniadau yn $A \cap B$ yn cael eu cyfrif ddwywaith

Drwy rannu popeth ag *n*(*S*) rydym yn cael:

$$P(A \cup B) = P(A) + P(B) - P(A \cap B) \tag{4.3}$$

Nodiadau

◆ Mewn iaith bob dydd, mae'r ymadrodd '*A neu B*' fel arfer yn golygu naill ai *A* neu *B*, ond *nid* y ddau. Fodd bynnag, mewn cwestiynau tebygolrwydd nid yw '*A neu B*' yn diystyru'r posibilrwydd y gall y ddau ddigwydd. Mae'r amwyster yn diflannu os defnyddir nodiant setiau.

◆ O Hafaliad (4.3) (neu o'r diagram Venn) gellir gweld bod yn rhaid i P($A \cup B$) fod o leiaf cymaint â'r mwyaf o P(*A*) a P(*B*).

◆ Yn yr un modd, ni all P($A \cap B$) fod yn fwy na'r lleiaf o P(*A*) a P(*B*).

Enghraifft 6

Bob mis mae cwmni gwerthu drwy'r post yn dyfarnu 'Gwobr Arbennig' i gwsmer a ddewisir ar hap. Mae'r cwmni'n defnyddio'r dull canlynol. Yn gyntaf dewisir wyth cwsmer ar hap. Rhoddir enwau'r wyth cwsmer hyn mewn het. Yna mae person enwog yn tynnu enw'r unigolyn lwcus sy'n ennill y 'Wobr Arbennig' o'r het ac mae'r saith cwsmer arall yn cael gwobr gysur bob un.

Un mis roedd y cyntaf o'r wyth cwsmer yn ddyn oedd yn byw yn y de. Dyma'r rhestr gyflawn o'r rhai a ddewiswyd:

	Rhif siopwr							
	1	2	3	4	5	6	7	8
Dyn (G) neu Menyw (M)	D	M	M	M	D	M	M	M
Gogledd (G) neu De (De)	De	De	G	De	G	De	De	G

Mae'r digwyddiadau *A* a *B* yn cael eu diffinio gan:

A: Mae enillydd y 'Wobr Arbennig' yn ddyn.

B: Mae enillydd y 'Wobr Arbennig' yn byw yn y de.

(i)   Diffiniwch, mewn geiriau, y digwyddiadau $A \cap B$ ac $A \cup B$.

(ii) Cyfrifwch debygolrwyddau'r digwyddiadau hyn.

(i)   Y digwyddiad $A \cap B$ yw'r digwyddiad: 'mae enillydd y "Wobr Arbennig" yn ddyn sy'n byw yn y de'.
Y digwyddiad $A \cup B$ yw'r digwyddiad: ' mae enillydd y "Wobr Arbennig" un ai'n ddyn, neu'n byw yn y de (neu'r ddau)'.

(ii) Mae'r sefyllfa yn cael ei disgrifio yn y diagram Venn, lle mae'r wyth digwyddiad syml, sydd i gyd yr un mor debygol â'i gilydd, yn llunio'r gofod sampl, *S*, a nodir gan rifau. Sylwch nad yw'r holl setiau yn rhai siâp wy. Mae'n bosibl gweld mai dim ond y cyntaf o'r wyth digwyddiad syml sy'n cyfateb i $A \cap B$.

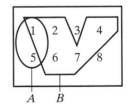

Mae'r tabl canlynol yn rhoi rhestr gynhwysfawr o'r gwahanol ddigwyddiadau:

Digwyddiad (*E*)	Digwyddiadau syml yn *E*	$n(E)$	$P(E)$
Gofod sampl, *S*	1, 2, 3, 4, 5, 6, 7, 8	8	1
A	1, 5	2	$\frac{2}{8} = \frac{1}{4}$
B	1, 2, 4, 6, 7	5	$\frac{5}{8}$
$A \cap B$	1	1	$\frac{1}{8}$
$A \cup B$	1, 2, 4, 5, 6, 7	6	$\frac{6}{8} = \frac{3}{4}$

Er mwyn gwirio sylwer bod:

$$P(A \cup B) = P(A) + P(B) - P(A \cap B) = \tfrac{2}{8} + \tfrac{5}{8} - \tfrac{1}{8} = \tfrac{6}{8}$$

Tebygolrwyddau'r ddau ddigwyddiad yw $\frac{1}{8}$ a $\frac{3}{4}$.

Enghraifft 7

Yn achos y gofod sampl S gwyddom fod $P(A) = 0.5, P(B) = 0.6$.
Cyfrifwch werthoedd minimwm a macsimwm posibl $P(A \cap B)$.
Defnyddiwch ddiagram Venn i egluro pob achos.

_____

Gan roi gwerthoedd i mewn yn Hafaliad (4.3) mae gennym:

$$P(A \cup B) = 0.5 + 0.6 - P(A \cap B) = 1.1 - P(A \cap B)$$

Gan na all $P(A \cup B)$ fod yn fwy nag 1, gwerth minimwm $P(A \cap B)$ yw 0.1.
Pan yw $P(A \cap B) = 0.1$, mae $P(A \cup B)$ yn cymryd ei werth macsimwm $=$
1 ac $A \cup B$ yw S yn gyfan. Y lleiaf o $P(A)$ a $P(B)$ yw $P(A)$, felly y gwerth
macsimwm ar gyfer $P(A \cap B)$ yw 0.5, lle $A \cap B$ yw A yn gyfan.

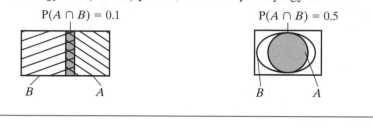

Enghraifft 8

Mewn cyfweliadau â 18 o bobl datgelwyd bod yn well gan 5 o'r 8 menyw ac
8 o'r 10 dyn yfed coffi na the.
Cyfrifwch y tebygolrwydd fod y person cyntaf a gafodd ei gyfweld un ai'n
fenyw neu'n berson yr oedd yn well ganddynt goffi na the.

_____

Yn absenoldeb unrhyw wybodaeth i'r gwrthwyneb, rydym yn dechrau
drwy gymryd yn ganiataol bod pob un o'r 18 person yr un mor debygol o
gael ei holi gyntaf. Pe byddem yn dyfalu pwy oedd y cyntaf i gael ei holi,
byddai'r tebygolrwydd y byddem yn dyfalu'n gywir yn $\frac{1}{18}$.

Rydym yn diffinio'r digwyddiadau M: 'roedd y person yn fenyw' ac C:
'roedd yn well gan y person goffi na the'. Rydym yn *tybio* bod y broses o
gyfweld yn digwydd ar hap, fel bo'r tebygolrwydd bod pob un o'r 18 person
yn cael ei holi gyntaf yn $\frac{1}{18}$. Mae'r cwestiwn a ofynnir wedi ei eirio fymryn yn
amwys – rydym yn cymryd yn ganiataol ei fod yn gofyn inni gyfrifo $P(M \cup C)$.

Nawr $P(M) = \frac{8}{18}, P(C) = \frac{13}{18}$, a

$P(M$ ac $C) = P($roedd y person yn fenyw ac roedd yn well ganddi goffi na the$)$
$\qquad = P(M \cap C) = \frac{5}{18}$.

Drwy hynny:

$$P(M \text{ neu } C) = \frac{8}{18} + \frac{13}{18} - \frac{5}{18} = \frac{16}{18} = \frac{8}{9}$$

felly, y tebygolrwydd bod y person cyntaf i gael ei holi un ai'n fenwy neu'n
rhywun oedd yn well ganddo goffi na the yw $\frac{8}{9}$.

	Coffi	Te	Cyfanswm
Menywod	<u>5</u>	<u>3</u>	8
Dynion	<u>8</u>	2	10
Cyfanswm	13	5	18

Ffordd hawdd o weld yr ateb yn yr achos hwn yw drwy adio'r rhifau sydd
wedi eu tanlinellu yn y tabl, a mynegi'r cyfanswm fel cyfran o'r cyfanswm
cyffredinol (18).

4.8 Digwyddiadau cyd-anghynhwysol

Dywedir bod digwyddiadau $A, B, ..., M$, yn **gyd-anghynhwysol** os yw'r ffaith fod un ohonynt yn digwydd yn awgrymu na all unrhyw un o'r lleill ddigwydd. Os yw D ac E yn ddau ddigwyddiad cyd-anghynhwysol yna $P(D \cap E) = 0$.

Nodyn
  ◆ Mae pob digwyddiad syml yn gyd-anghynhwysol.

Y rheol adio

Os yw digwyddiadau A a B yn gyd-anghynhwysol, mae Hafaliad (4.3) yn symleiddio, gan fod $P(A \cap B) = 0$, i roi:

$$P(A \cup B) = P(A) + P(B) \qquad (4.4)$$

Cyfeirir at hwn fel y **rheol adio**.

Nodyn
  ◆ Mae'r rheol adio yn gymwys i ddigwyddiadau cyd-anghynhwysol *yn unig*.

Enghraifft 9

Mae clwb rygbi Gwyddelig yn cynnwys 40 o chwaraewyr. Mae cyfenwau 7 ohonynt yn O'Brien, 6 yn O'Connell, 4 yn O'Hara, 8 yn O'Neill ac mae 15 arall ar ôl. Mae'r 40 chwaraewr yn bwrw coelbren i benderfynu pwy ddylai fod yn gapten y tîm cyntaf. Cyfrifwch y tebygolrwyddau hyn:
(i) cyfenw capten y tîm cyntaf fydd O'Brien neu O'Connell,
(ii) nid cyfenw capten y tîm cyntaf fydd O'Hara neu O'Neill.

Mae'r gofod sampl yn cynnwys y 40 chwaraewr, a phob un ohonynt yr un mor debygol o gael ei ddewis fel capten. Dynodwch y digwyddiad 'mae'r capten yn O'Brien' â'r symbol B, a'r digwyddiadau eraill â'r symbolau C, H ac N. Mae'r digwyddiadau B, C, H ac N yn gyd-anghynhwysol, oherwydd ni all chwaraewr gael dau gyfenw.

(i) $P(B \text{ neu } C) = P(B \cup C) = P(B) + P(C) = \frac{7}{40} + \frac{6}{40} = \frac{13}{40}$

Y tebygolrwydd mai enw'r capten fydd O'Brien neu O'Connell yw $\frac{13}{40}$.

(ii) $P(\text{Dim } H \text{ nac } N) = 1 - P(H \text{ neu } N) = 1 - \{P(H) + P(N)\}$
$$= 1 - \left\{\frac{4}{40} + \frac{8}{40}\right\} = 1 - \frac{12}{40} = \frac{28}{40} = \frac{7}{10}.$$

Y tebygolrwydd nad yw enw'r capten yn O'Hara nac yn O'Neill yw $\frac{7}{10}$. Gellir ateb y cwestiwn hefyd drwy lunio tabl yn dangos y posibiliadau:

	O'Brien	O'Connell	O'Hara	O'Neill	Eraill
Nifer	7	6	4	8	15
Bodloni rhan (i)	*	*			
Bodloni rhan (ii)	*	*			*

O'r tabl gallwn weld ar unwaith bod 13 chwaraewr yn bodloni gofynion (i) a 28 yn bodloni gofynion (ii), felly mae'r tebygolrwyddau yn $\frac{13}{40}$ a $\frac{28}{40}$, yn ôl eu trefn.

4.9 Digwyddiadau cynhwysfawr

Dywedwn fod dau ddigwyddiad yn gynhwysfawr os oes sicrwydd bod o leiaf un ohonynt yn digwydd. Er enghraifft, wrth daflu dis mae'n sicr y bydd o leiaf un o'r digwyddiadau A: 'mae'r rhif a geir un ai'n 1, 2, 3 neu 5' a B: ' mae'r rhif a geir yn eilrif' yn digwydd. Yn yr enghraifft hon, os ceir 2 yna mae A a B yn digwydd. Os yw digwyddiadau A a B yn gynhwysfawr yna:

$$P(A \cup B) = 1 \qquad\qquad (4.5)$$

Nodiadau

- Mae unrhyw ddigwyddiad A a'i gyflenwad, A', yn gynhwysfawr ac yn gyd-anghynhwysol:

  $$P(A \cup A') = 1, \quad P(A \cap A') = 0$$

- Dywedwn fod digwyddiadau $A, B, ..., N$ yn gynhwysfawr os yw'n sicr bod o leiaf un ohonynt yn digwydd:

  $$P(A \text{ neu } B \text{ neu } ... \text{ neu } N) = P(A \cup B \cup ... \cup N) = 1$$

  Felly, mae'r digwyddiadau syml sy'n llunio'r gofod sampl, S, yn gyd-anghynhwysol ac yn gynhwysfawr.

Ymarferion 4b

1 Mae dis teg yn cael ei daflu. Mae digwyddiadau A, B, C, D yn cael eu diffinio fel a ganlyn:

   A: Mae'r sgôr yn eilrif.
   B: Mae'r sgôr yn rhanadwy â 3.
   C: Nid yw'r sgôr yn fwy na 2.
   D: Mae'r sgôr yn fwy na 3.
   Gwiriwch fod:
   $P(A) + P(B) = P(A \cup B) + P(A \cap B)$
   Darganfyddwch:
   (i) $P(A')$, (ii) $P(B')$, (iii) $P(C')$, (iv) $P(D')$
   (v)   Nodwch ddau bâr o ddigwyddiadau sy'n gyd-anghynhwysol, a gwiriwch y rheol adio ym mhob achos.
   (vi) Nodwch dri digwyddiad sy'n gynhwysfawr.
   (vii) Darganfyddwch $P(A \cup B \cup C)$.
   (viii) Darganfyddwch $P(C \cap D)$.

2 Mae dau ddis teg, un coch ac un gwyrdd, yn cael eu taflu a nodir y gwahanol sgorau. Dynodir y canlyniad gan (c, g) lle mae c ac g yn cynrychioli'r sgorau ar y dis coch a'r dis gwyrdd yn ôl eu trefn.
   Cynrychiolwch y canlyniadau hyn ar grid 6×6, gydag echelin lorweddol c ac echelin fertigol g.
   Mae digwyddiadau A, B, C yn cael eu diffinio fel a ganlyn:
   A: Mae'r sgôr ar y dis coch yn fwy na'r sgôr ar y dis gwyrdd.
   B: Mae cyfanswm y sgôr yn chwech neu fwy.
   C: Nid yw'r sgôr ar y dis coch yn fwy na 4.

   (i)   Ar eich diagram, nodwch y setiau sy'n cyfateb i A, B, C.
   (ii) Gwiriwch fod:
         $P(A) + P(B) = P(A \cup B) + P(A \cap B)$
   (iii) Gwiriwch fod:
         $P(A) + P(C) = P(A \cup C) + P(A \cap C)$
   (iv) Nodwch bâr o ddigwyddiadau sy'n gynhwysfawr.
   (v)   Darganfyddwch $P(A'), P(B'), P(C')$.
   (vi) Darganfyddwch $P(A' \cup B), P(A \cap B')$, $P(B \cup C), P(B' \cap C'), P(B' \cup C')$.

3 Mae dyn yn taflu dau ddis teg. Mae un wedi ei rifo o 1 i 6 yn y ffordd arferol. Mae'r llall wedi ei rifo 1, 3, 5, 7, 9, 11. Mae'r digwyddiadau A i E wedi eu diffinio fel a ganlyn:

   A: Mae'r ddau ddis yn dangos odrifau.
   B: Y rhif a ddangosir gan y dis normal yw'r mwyaf.
   C: Mae cyfanswm y ddau rif a ddangosir yn fwy na 10.
   D: Mae'r cyfanswm yn llai na, neu'n hafal i 4.
   E: Mae'r cyfanswm yn odrif.

   (a)   Cyfrifwch debygolrwydd pob digwyddiad.
   (b)   Nodwch pa barau o ddigwyddiadau (os o gwbl) sy'n gyd-anghynhwysol a pha rai (os o gwbl) sy'n gynhwysfawr.

4 Yn achos y gofod sampl, *S*, gwyddom fod:
P(*A*) = 0.5, P(*A* ∪ *B*) = 0.6,
P(*A* ∩ *B*) = 0.2.
Darganfyddwch:
(i) P(*B*),
(ii) P(*A'* ∩ *B*),
(iii) P(*A* ∩ *B'*),
(iv) P(*A'* ∩ *B'*).

5 Yn achos y gofod sampl *S*, gwyddom fod:
P(*A'* ∩ *B*) = $\frac{3}{7}$, P(*A* ∩ *B'*) = $\frac{2}{7}$, P(*A'* ∩ *B'*) = $\frac{1}{7}$.
Darganfyddwch:
(i) P(*A* ∩ *B*),
(ii) P(*A*),
(iii) P(*B*).

6 Yn achos y gofod sampl *S*, gwyddom fod:
P(*B* ∩ *C*) = 0, P(*A* ∩ *B*) = $\frac{1}{20}$, P(*A* ∩ *C*) = $\frac{2}{5}$,
P(*A*) = $\frac{3}{5}$, P(*B*) = $\frac{3}{20}$, P(*C*) = $\frac{13}{20}$.
Brasluniwch ddiagram Venn cyfatebol a dangoswch *A* ∩ *B* ac *A* ∩ *C*.
Darganfyddwch:
(i) P(*A'* ∩ *B*),
(ii) P(*A'* ∩ *C*),
(iii) P(*A* ∪ *B*),
(iv) P(*B* ∪ *C*),
(v) P(*A'* ∩ *B'* ∩ *C'*).

7 Mae cerdyn yn cael ei dynnu ar hap o bac cyffredin o 52 cerdyn. Mae digwyddiadau *A*, *B*, *C*, *D* yn cael eu diffinio fel a ganlyn:

A: Mae'r cerdyn un ai'n Frenhines neu'n gerdyn Calonnau.
B: Mae'r cerdyn yn Frenin du.
C: Mae'r cerdyn un ai'n Âs neu'n Frenin neu'n Frenhines neu'n Jac.
D: Mae'r cerdyn yn gerdyn Rhawiau.

Darganfyddwch:
(i) P(*A*), (ii) P(*B*), (iii) P(*C*), (iv) P(*D*),
(v) P(*A* ∩ *D*), (vi) P(*A* ∪ *D*), (vii) P(*A* ∪ *B*),
(viii) P(*C* ∩ *D*), (ix) P(*C* ∪ *D*), (x) P(*B* ∩ *D*),
(xi) P(*B* ∪ *D*).

8 Mewn arolwg o 1000 o bobl datgelwyd y bwriadau pleidleisio canlynol.

	Menywod	Dynion	Cyfanswm
Ceidwad	153	130	283
Llafur	220	194	414
Dem. Rhydd	157	146	303
Cyfanswm	530	470	1000

Mae person yn cael ei ddewis ar hap o'r sampl. Darganfyddwch y tebygolrwyddau canlynol:
(i) mae'r person yn bwriadu pleidleisio i'r Ceidwadwyr,
(ii) mae'r person yn fenyw sy'n bwriadu pleidleisio i'r blaid Lafur,
(iii) mae'r person un ai'n fenyw neu'n bwriadu pleidleisio i'r Ceidwadwyr,
(iv) nid yw'r person yn ddyn nac yn bwriadu pleidleisio i'r Dem Rhydd.
(v) mae'r person yn ddyn ac yn bwriadu pleidleisio un ai i'r Dem Rhydd neu i'r blaid Lafur.

4.10 Coed tebygolrwydd

Diagramau yw coed tebygolrwydd sy'n ein helpu i weld beth sy'n digwydd. Ystyriwch y broblem ganlynol. Mae darn arian teg yn cael ei daflu deirgwaith. Cyfrifwch P(cael union ddau ben).

Bob tro rydyn ni'n taflu'r darn arian mae nifer y canlyniadau gwahaniaethadwy yn cynyddu:

Ar ôl y tafliad cyntaf	Un ai P neu C
Ar ôl yr ail dafliad	Rhaid i'r dilyniant o ganlyniadau fod yn PP, PC, CP neu CC
Ar ôl y trydydd tafliad	Un ai PPP, PPC, PCP, PCC, CPP, CPC, CPP neu CCC

Mae'r un posibiliadau yn cael eu cynrychioli yn fwy syml (ac rydym yn llai tebygol o fethu un o'r posibiliadau) mewn diagram coeden lle mae'r golofn olaf yn rhestru'r gofod sampl cyfan.

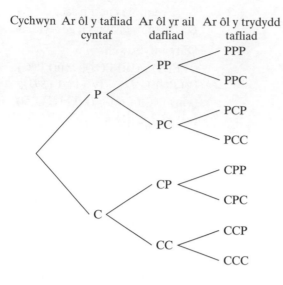

Mae pob un o'r wyth dilyniant yr un mor debygol â'i gilydd o ddigwydd. Mae tri dilyniant yn cynnwys union ddau ben (PPC, PCP, CPP) ac felly mae'r tebygolrwydd o gael union ddau ben yn $\frac{3}{8}$.

Ystyriwch y broblem newydd.

Mae dyn yn taflu darn 5c, darn 10c a darn 20c.
Cyfrifwch P(cael union ddau ben).

Yn ei hanfod, mae'r un diagram coeden yn gwneud y tro:

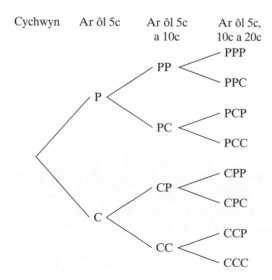

Unwaith eto, mae'r tebygolrwydd yn hafal i $\frac{3}{8}$.

Ystyriwch un broblem olaf.

Mae menyw yn taflu tri darn arian.
Cyfrifwch P(cael union ddau ben)

Unwaith eto rydym yn defnyddio'r un diagram coeden:

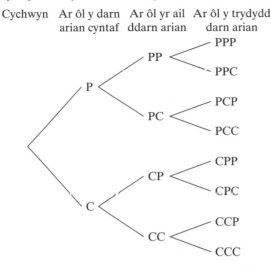

Y tro hwn mae'r goeden wedi cael ei labelu 'Ar ôl y darn arian cyntaf', 'Ar ôl yr ail ddarn arian' ac 'Ar ôl y trydydd darn arian'. Gallwn feddwl am y tri darn arian yn cael eu taflu un ar ôl y llall, er mwyn gwahaniaethu rhyngddynt. Syniad mwy craff fyddai dychmygu bod y geiriau 'Darn arian cyntaf', 'Ail ddarn arian' a 'Trydydd darn arian' wedi eu hysgrifennu ar y darnau cyn eu taflu. Unwaith eto mae'r tebygolrwydd angenrheidiol yn $\frac{3}{8}$.

Er bod y tair problem yn cyfeirio at daflu darnau arian, maen nhw'n disgrifio gwahanol sefyllfaoedd ffisegol sydd yn gyfwerth o ran strwythur tebygolrwydd bob un. Mae hyn yn enghraifft o egwyddor gyffredinol: gellir trosi'r rhan fwyaf o broblemau tebygolrwydd yn broblemau sy'n ymwneud un ai â thaflu darnau arian (o bosibl rhai annheg), neu dynnu peli lliw o focsys. Mae'r rheiny sy'n llunio problemau tebygolrwydd yn gwneud eu gorau i guddio'r ffaith hon.

4.11 Cyfrannau sampl a thebygolrwydd

Hyd yma mae'r tebygolrwydd sy'n gysylltiedig â digwyddiad wedi ei fynegi yn nhermau niferoedd y digwyddiadau syml mewn gofod sampl lle mae'r holl ganlyniadau posibl yr un mor debygol â'i gilydd. Mae ffordd arall o edrych ar debygolrwydd yn deillio o'r syniad cyffredinol bod sampl o arsylwadau yn rhoi gwybodaeth am y boblogaeth y mae'n deillio ohoni. Po fwyaf yw'r sampl, y mwyaf dibynadwy yw'r wybodaeth.

Rydym yn gorfod addasu'r dull hwn pan na fydd y canlyniadau yn y gofod sampl bellach yr un mor debygol. Er enghraifft, os oes gennym ddiddordeb yn y tebygolrwydd bod ceiniog annheg yn glanio i ddangos pen, yna dull amlwg i'w ddefnyddio yw taflu'r geiniog nifer o weithiau (y sampl) a gweld pa gyfran o'r amser mae pen yn ymddangos:

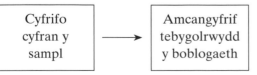

Wrth i faint y sampl gynyddu, bydd cyfran arsylwedig y sampl o'r adegau y ceir digwyddiad *E* hefyd yn amrywio. Fodd bynnag, bydd yr amrywiadau fel arfer yn lleihau o ran maint, ac rydym yn disgwyl y bydd cyfran arsylwedig y sampl yn agosáu at werth y byddwn yn ei gymryd fel tebygolrwydd *E* a bydd yn cael ei ddynodi â P(*E*).

Ystyriwch y ddwy sefyllfa ganlynol:

Arbrawf	Digwyddiad
Taflu dis teg.	A: Cael rhif 6.
Dewis car ar hap.	B: Y car yn un gwyn.

Yn achos digwyddiad A mae'n ymddangos yn rhesymol, os taflwn ddis teg nifer fawr o weithiau, y byddai digwyddiad A 'yn amlwg' yn digwydd tua un ym mhob chwech o weithiau: $P(A) = \frac{1}{6}$. Nid oes angen gwneud unrhyw samplu go iawn – mae meddwl am y peth yn ddigon.

Yn achos digwyddiad B, fodd bynnag, nid oes dewis arall ond cyfrifo drwy samplu. Er mwyn cael unrhyw syniad o werth $P(B)$, mae angen inni astudio sampl fawr o geir i ddarganfod (yn fras) pa gyfran o'r ceir sy'n wyn.

Prosiect _____

Felly, beth yw tebygolrwydd digwyddiad B, sef bod car a ddewisir ar hap yn wyn? Er mwyn ateb hyn, mae angen ichi fynd at ffordd gyfleus yn yr ardal a chyfrif ceir, a chadw cofnod o nifer y ceir gwyn. Er mwyn gweld sut y mae cyfran y sampl yn sefydlogi wrth i faint y sampl gynyddu, cwblhewch y tabl canlynol ar gyfer eich canlyniadau:

Nifer y ceir n	Nifer y ceir gwyn g	Cyfran y sampl $c = \dfrac{g}{n}$
2		
5		
10		
50		
100		
200		
500		

Efallai yr hoffech roi'r gorau iddi cyn gweld 500 o geir, os nad yw'r ffordd yn un brysur iawn.

Yn syml, eich amcangyfrif gorau ar gyfer P(B) yw eich gwerth terfynol ar gyfer c. Cymharwch y gwerth rydych chi'n ei gael â'r gwerthoedd a gafodd aelodau eraill o'ch dosbarth (a welodd wahanol setiau o geir gobeithio). Penderfynwch ar amcangyfrif dosbarth ar gyfer P(B).

Prosiect cyfrifiadurol _____

Mae cyfrifiaduron yn ffynhonnell dda o'r hyn a elwir yn 'haprifau'. Am y tro, y cwbl sydd angen inni ei wybod am y rhifau hyn yw, os yw'r generadur haprifau yn cael ei osod i gynhyrchu rhifau rhwng 0 ac 1, ac os yw'n gweithio'n gywir, yna bydd gan union 10% o'r haprifau werthoedd llai na 0.1. Yn nhermau tebygolrwydd, os yw E yn cynrychioli'r digwyddiad 'rhif llai na 0.1', yna, mewn egwyddor, P(E) = 0.1.

Ysgrifennwch raglen gyfrifiadurol i gynhyrchu tabl ar y ffurf a ddangosir ar gyfer y prosiect ceir uchod. Gan mai'r cyfrifiadur sy'n gwneud y gwaith cyfrif, gall y tabl fynd yn ei flaen ychydig eto – dylai sampl derfynol o 10 000 fod yn ddigon.

Oherwydd hapamrywiad, ni ddylech ddisgwyl gweld union 1000 'llwyddiant' bob tro, ond mae'r theori a drafodir yn nes ymlaen ym Mhennod 10 yn awgrymu eich bod yn debygol o gael rhwng 940 a 1060 'llwyddiant', sy'n cyfateb i amcangyfrif o P(E) yn y cyfwng 0.094 i 0.106.

Mae llawer o gyfrifianellau hefyd yn cynnwys generadur haprifau sy'n cynhyrchu haprifau rhwng 0 ac 1.

Os yw'n bosibl rhaglennu eich cyfrifiannell, gallech ysgrifennu rhaglen fer i efelychu taflu dis teg 6-ochr. Byddai haprif rhwng 0 ac $\frac{1}{6}$ yn cyfateb i 1, rhif rhwng $\frac{1}{6}$ a $\frac{2}{6}$ yn cyfateb i 2, ac yn y blaen.

Defnyddiwch raglen o'r fath i efelychu 6000 tafliad dis ac i gyfrif niferoedd 1, 2 ac yn y blaen. Os yw'r generadur haprifau yn deg dylech bron bob amser gael rhwng 900 a 1100 o bob un o'r chwe chanlyniad.

4.12 Posibiliadau anghyfartal debygol

Daeth yr holl ganlyniadau hyd yma o ddigwyddiadau syml oedd yr un mor debygol â'i gilydd. Fodd bynnag, mae'r cyfyngiad hwn yn artiffisial ac mae Hafaliadau (4.2) i (4.5) yr un mor ddilys yn achos digwyddiadau anghyfartal debygol.

Enghraifft 10

Mae'r digwyddiadau A a B yn peri bod $P(A) = 0.4$, $P(B') = 0.3$ a $P(A \cap B) = 0.2$.
Cyfrifwch (i) $P(A \cup B)$,   (ii) $P(A' \cap B')$.

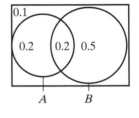

(i)   Gan fod $P(B') = 0.3$, mae $P(B) = 1 - 0.3 = 0.7$

$$P(A \cup B) = P(A) + P(B) - P(A \cap B)$$
$$P(A \cup B) = 0.4 + 0.7 - 0.2 = 0.9$$

(ii) Drwy edrych ar ddiagram Venn gallwn weld bod
$P(A' \cap B') = 1 - P(A \cup B)$. Felly mae $P(A' \cap B') = 0.1$.

4.13 Annibyniaeth ffisegol

Mae'r enghreifftiau taflu dis yn Adrannau 4.4 (tud 93) a 4.10 (tud 101) yn enghreifftiau o sefyllfaoedd lle mae'r gwahanol gydrannau (e.e. taflu un darn o arian a thaflu darn arall o arian) yn ddigwyddiadau ffisegol annibynnol. Mae **annibyniaeth ffisegol** yn golygu na all canlyniad un gydran (e.e. y tafliad cyntaf) ddylanwadu o gwbl ar ganlyniad unrhyw gydran arall (e.e. yr ail dafliad).

Y rheol lluosi

Os yw A a B yn ddau ddigwyddiad *sy'n gysylltiedig â sefyllfaoedd ffisegol annibynnol* yna:

$$P(A \cap B) = P(A) \times P(B) \qquad (4.6)$$

Yn fwy cyffredinol, os yw $A, B, ..., N$ i gyd yn gysylltiedig â sefyllfaoedd *ffisegol annibynnol* (er enghraifft, N tafliad dis ar wahân) yna:

$$P(A \cap B \cap ... \cap N) = P(A) \times P(B) \times ... \times P(N) \qquad (4.7)$$

Yr enw ar y canlyniad hynod ddefnyddiol hwn yw **rheol lluosi**.

Enghraifft 11

Mae gan geiniog annheg debygolrwydd o 0.8 o ddangos pen pan yw'n cael ei thaflu. Mae'r geiniog yn cael ei thaflu chwe gwaith.

Beth yw'r tebygolrwydd y bydd yn dangos pen bob tro?

_____

Mae'r chwe thafliad yn ffisegol annibynnol – nid oes posibilrwydd o gwbl i ganlyniad un tafliad effeithio ar ganlyniadau'r tafliadau eraill.
Felly:

P(6 phen) = P('Pen ar y tafliad cyntaf' *a* 'Pen ar yr ail dafliad'
 ... *a* 'Pen ar y chweched tafliad')
= P('Pen ar y tafliad cyntaf') $\times$ P('Pen ar yr ail dafliad') $\times$
 ... $\times$ P('Pen ar y chweched tafliad')
= $0.8 \times 0.8 \times ... \times 0.8$
= 0.8^6
= 0.262 (i 3 ll.d.)

Mae'r tebygolrwydd o gael 6 phen gyda'r geiniog annheg ychydig mwy na chwarter.

Enghraifft 12

Mae system gyfrifiadurol yn cynnwys bysellfwrdd, monitor a'r cyfrifiadur ei hun. Mae'r tair rhan yn cael eu cynhyrchu ar wahân. Gwyddom o brofiad, pan fydd y rhannau yn cael eu danfon, mai'r tebygolrwydd y bydd y monitor yn gweithio'n gywir yw 0.99, y tebygolrwydd y bydd y bysellfwrdd yn gweithio'n gywir yw 0.98 a'r tebygolrwydd y bydd y cyfrifiadur yn gweithio'n gywir yw 0.95. Beth yw'r tebygolrwydd y bydd:
(i)   y system i gyd yn gweithio'n gywir,
(ii) union ddwy ran yn gweithio'n gywir?

_____

Diffiniwch y digwyddiadau *M*, *B* ac *C* fel a ganlyn:

M: Mae'r monitor yn gweithio'n gywir.
B: Mae'r bysellfwrdd yn gweithio'n gwyir.
C: Mae'r cyfrifiadur yn gweithio'n gywir.

Yn rhan (i) rydyn ni eisiau P(*M a B ac C*) = P(*M* $\cap$ *B* $\cap$ *C*). Gan fod y rhannau yn cael eu cynhyrchu ar wahân mae'r tri digwyddiad yn cyfeirio at brosesau cynhyrchu ffisegol annibynnol ac felly:

P(*M* $\cap$ *B* $\cap$ *C*) = P(*M*) $\times$ P(*B*) $\times$ P(*C*) = $0.99 \times 0.98 \times 0.95$
= 0.922 (i 3 ll.d.)

Er mwyn ateb rhan (ii) mae'n rhaid inni edrych ar nifer o bosibiliadau. Y sefyllfa o ddiddordeb yw un lle mae un yn unig o'r tair cydran yn gweithio'n anghywir (neu ddim yn gweithio o gwbl). Gall y gydran hon fod yn un ai'r monitor, y bysellfwrdd neu'r cyfrifiadur. Byddai ysgrifennu hyn i gyd mewn geiriau yn hynod o ddiflas, felly rydym yn defnyddio'r nodiant uniad/croestoriad. Y digwyddiad sydd o ddiddordeb yw:

$E = E_1 \cup E_2 \cup E_3$

lle mae:

$$E_1 = (M' \cap B \cap C), \qquad E_2 = (M \cap B' \cap C), \qquad E_3 = (M \cap B \cap C')$$

Yma, er enghraifft, M' yw cyflenwad digwyddiad M, sef y digwyddiad: Nid yw'r monitor yn gweithio'n gywir.

Mae digwyddiadau E_1, E_2 ac E_3 yn gyd-anghynhwysol, felly, gan ddefnyddio'r rheol adio:

$$P(E) = P(E_1) + P(E_2) + P(E_3)$$

Oherwydd annibyniaeth ffisegol:

$$P(E_1) = P(M' \cap B \cap C) = P(M') \times P(B) \times P(C)$$

a chan fod $P(M') = 1 - P(M)$, yn y diwedd rydym yn cael:

$$\begin{aligned}
P(E) &= \{1 - P(M)\} \times P(B) \times P(C) + P(M) \times \{1 - P(B)\} \times P(C) \\
&\quad + P(M) \times P(B) \times \{1 - P(C)\} \\[6pt]
&= (0.01 \times 0.98 \times 0.95) + (0.99 \times 0.02 \times 0.95) \\
&\quad + (0.99 \times 0.98 \times 0.05) \\[6pt]
&= 0.009\ 31 + 0.018\ 81 + 0.048\ 51 \\[6pt]
&= 0.076\ 63 \\[6pt]
&= 0.077\ \text{(i 3 ll.d.)}
\end{aligned}$$

Os yw'r datrysiad uchod i'w weld ychydig yn frawychus, yna efallai y byddwch yn falch iawn o weld coeden debygolrwydd:

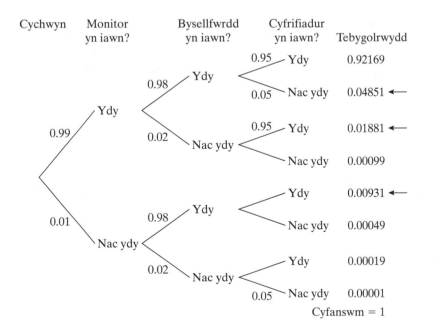

Mae'r golofn olaf yn dangos lluosymiau'r canghennau cyfatebol.

Ymarferion 4c

1 Mae dau ddis teg, wedi eu rhifo 1, 1, 2, 2, 2, 3 yn cael eu taflu.

Lluniwch goeden debygolrwydd.

Drwy hynny cyfrifwch y tebygolrwydd y bydd:

(i)   cyfanswm y sgôr yn 4,

(ii) cyfanswm y sgôr yn llai na 4,

(iii) cyfanswm y sgôr yn fwy na 4,

(iv) o leiaf un dis yn dangos y rhif 2.

2 Mae dau ddis teg, wedi eu rhifo 1, 1, 1, 1, 2, 2 yn cael eu taflu.

Lluniwch goeden debygolrwydd ar gyfer y sgorau.

Cyfrifwch y tebygolrwydd y bydd:

(i)   cyfanswm y sgôr yn 2,

(ii) cyfanswm y sgôr yn 3,

(iii) cyfanswm y sgôr yn 4.

Mae trydydd dis tebyg yn cael ei daflu.

Ychwanegwch hwn at eich coeden debygolrwydd a thrwy hynny darganfyddwch y tebygolrwydd y bydd:

(iv) cyfanswm y sgôr yn 4,

(v) cyfanswm y sgôr yn 5.

3 Mae dyn yn teithio i'w waith bob dydd ar y trên am dri diwrnod. Bob dydd mae'r tebygolrwydd y bydd y trên yn hwyr yn 0.1.

Cyfrifiwch y tebygolrwydd y bydd ei drên yn hwyr ar ddau achlysur ar y mwyaf.

4 Mae'r tebygolrwydd bod darn arian tueddol yn glanio i ddangos pen yn 0.4. Mae'n cael ei daflu dair gwaith.

Darganfyddwch y tebygolrwydd y bydd:

(i)   yn dangos union dau ben,

(ii) yn dangos o leiaf dau ben.

5 Mae gan deulu A ddwy ferch ac un mab. Mae gan deulu B dair merch ac un mab. Mae gan deulu C ddwy ferch a dau fab. Mae un plentyn yn cael ei ddewis ar hap o bob teulu.

Lluniwch goeden debygolrwydd.

Darganfyddwch y tebygolrwydd y bydd:

(i)   3 merch yn cael eu dewis,

(ii) o leiaf 2 ferch yn cael eu dewis,

(iii) dim un ferch yn cael ei dewis,

(iv) merch yn cael ei dewis o A a'r ddau arall yn un o bob rhyw.

6 Mae plentyn yn cael tynnu anrheg o bob un o dri thwba lwcus. Mae un bocs yn cynnwys 10 siocled a 15 mint, mae bocs arall yn cynnwys 8 afal a 4 oren, ac mae'r trydydd bocs yn cynnwys 7 dinosor (plastig) a 3 chrwban (plastig). Mae digwyddiadau A, B ac C yn cael eu diffinio fel a ganlyn:

A: Mae'r plentyn yn tynnu siocled a dinosor

B: Mae'r plentyn yn tynnu mint neu grwban (neu'r ddau).

C: Mae'r plentyn yn tynnu afal.

Cyfrifwch   (i) $P(A)$,   (ii) $P(B)$,   (iii) $P(A \cap C)$,   (iv) $P(B \cup C)$,   (v) $P(A \cap B)$,   (vi) $P(A \cup B)$.

7 Mae menyw yn teithio i'w gwaith mewn car. Mae tair cylchfan ar y ffordd. Mae'r tebygolrwydd y bydd hi'n gorfod aros ger y gylchfan gyntaf yn 0.3. Y ffigurau sy'n cyfateb i'r ail a'r drydedd gylchfan yw 0.5 a 0.7 yn ôl eu trefn.

Cyfrifwch y tebygolrwydd y bydd y fenyw:

(i)   yn gorfod aros wrth un gylchfan yn unig,

(ii) yn gorfod aros wrth 2 neu fwy o gylchfannau.

8 Mae dau bencampwr gwyddbwyll, Boris ac Igor, yn chwarae twrnament o 3 gêm. Mae profiad blaenorol o gemau rhwng y ddau yn awgrymu bod canlyniadau gemau olynol yn annibynnol ar ei gilydd ac, yn achos pob gêm:

P(Boris yn ennill) $= \frac{1}{4}$

P(Igor yn ennill) $= \frac{1}{5}$

P(cyfartal) $= \frac{11}{20}$

Cyfrifwch debygolrwyddau pob un o'r digwyddiadau canlynol:

A: Bydd Boris yn ennill y tair gêm.

B: Bydd union ddwy gêm yn gyfartal.

C: Bydd Igor yn ennill o leiaf un gêm.

D: Bydd Boris yn ennill mwy o gemau nag Igor.

4.14 **Trefniannau**

Ystyriwch y broblem ganlynol.

Mae pedwar marciwr yn cael eu trefnu mewn rhes. Mae'r marcwyr wedi eu labelu A, B, C a D. O gymryd bod yr holl drefniadau posibl yr un mor debygol â'i gilydd, cyfrifwch y tebygolrwydd bod y marcwyr yn y drefn ABCD.

Dyma restr systematig (yn nhrefn yr wyddor) o'r trefniannau posibl:

ABCD	ABDC	ACBD	ACDB	ADBC	ADCB
BACD	BADC	BCAD	BCDA	BDAC	BDCA
CABD	CADB	CBAD	CBDA	CDAB	CDBA
DABC	DACB	DBAC	DBCA	DCAB	DCBA

Mae 24 trefniant posibl i gyd yn achos y marcwyr. Gan fod pob trefniant yr un mor debygol, mae'r tebygolrwydd sydd ei angen yn $\frac{1}{24}$.

Y broblem sy'n codi gyda dull o'r math hwn yw, yn aml mae nifer y digwyddiadau elfennol yn y gofod sampl mor fawr fel bod perygl inni hepgor rhai ohonynt. Yr hyn sydd ei angen yw fformiwla sy'n caniatáu inni gyfrif y posibiliadau *heb* orfod gwneud rhestr. Gellir diddwytho'r fformiwla hon drwy edrych ar y tabl o bosibiliadau uchod. Mae 4 posibilrwydd ar gyfer y marciwr cyntaf. Tybiwch mai A yw hwn (y trefniannau posibl yw'r rhai yn rhes gyntaf y tabl). Yna mae 3 posibilrwydd ar gyfer yr ail farciwr (B, C neu D). Tybiwch mai B yw'r ail. Yna mae 2 bosibilrwydd ar gyfer y trydydd lle (C neu D), gyda'r marciwr sydd ar ôl, beth bynnag ydyw, yn y lle olaf. Gwelwn fod 24 trefniant posibl oherwydd bod $4 \times 3 \times 2 \times 1 = 24$.

Yn gyffredinol, felly, petai *n* gwrthrych, byddai nifer y trefniannau posibl yn:

$$n \times (n-1) \times (n-2) \times \ldots \times 3 \times 2 \times 1$$

Mae'n cymryd amser ac yn ddiflas i ysgrifennu hyn, felly rydym yn defnyddio'r nodiant:

$$n! = n \times (n-1) \times (n-2) \times \ldots \times 3 \times 2 \times 1$$

Yr enw ar y swm *n*! yw '*n* **ffactorial**'.

Nodiadau
- $(n+1)! = (n+1) \times n!$
- Er hwylustod, diffinir 0! i fod yn hafal i 1.

Ymarfer cyfrifiannell _____

Gwiriwch werthoedd 0!, 1!, 2! ac yn y blaen ar eich cyfrifiannell.
Beth sy'n digwydd pan ydych yn ceisio cyfrifo 99!?
Pam mae hyn yn digwydd?
Beth yw gwerth mwyaf n y gall eich cyfrifiannell gyfrifo n! ar ei gyfer?
Gallech hefyd geisio cyfrifo 4.5! Bydd cyfrifianellau mwy drudfawr yn rhoi gwerth o tua 52.3, tra bydd cyfrifianellau rhatach neu hŷn yn gwrthod rhoi ateb. Os nad yw eich cyfrifiannell yn rhoi ateb, yna efallai yr hoffech blotio gwerthoedd, dyweder 3.9!, 4!, 4.1! …, 5!, 5.1! ar bapur graff.
Ydych chi'n cael cromlin lefn?

Enghraifft 13

Mae archfarchnad yn defnyddio cod i nodi pob cynnyrch y mae'n ei stocio. Mae'r cod yn cynnwys trefniant (heb ailadrodd) o'r llythrennau A-E, wedi ei ddilyn gan drefniant (heb ailadrodd) o'r rhifau 1-6. Sawl cod gwahanol y gellir ei ffurfio?

_____

Mae nifer y trefniannau yn achos 5 gwrthrych yn $5! = 5 \times 4! = 5 \times 24 = 120$. Mae nifer y trefniannau ar gyfer 6 gwrthrych yn $6! = 6 \times 5! = 720$. Gan ei bod yn bosibl cysylltu pob trefniant o'r llythrennau gydag unrhyw un o'r 720 trefniant o rifau, mae cyfanswm o $120 \times 720 = 86\ 400$ cod gwahanol.

Trefniannau gwrthrychau tebyg

Ystyriwch y broblem ganlynol.

Mae pedwar marciwr yn cael eu trefnu mewn rhes. Mae'r marcwyr yn cael eu labelu yn A, B, A a B. Cyfrifwch nifer y trefniannau gwahaniaethadwy.

Yr unig beth sy'n wahanol i'r sefyllfa flaenorol yw bod y marciwr sydd wedi ei labelu yn C nawr wedi ei labelu yn A, tra bo D wedi dod yn B. Gan wneud yr addasiadau priodol i'r tabl blaenorol, cawn:

ABAB	ABBA	AABB	AABB	ABBA	ABAB
BAAB	BABA	BAAB	BABA	BBAA	BBAA
AABB	AABB	ABAB	ABBA	ABAB	ABBA
BABA	BAAB	BBAA	BBAA	BAAB	BABA

Erbyn hyn mae llawer o ailadrodd. Yr unig drefniannau gwahaniaethadwy (yn nhrefn yr wyddor) yw AABB, ABAB, ABBA, BAAB, BABA a BBAA. Y rheswm am y lleihad yw bod A wedi ei dilyn gan C ac C wedi ei dilyn gan A erbyn hyn yn rhoi canlyniad unfath (A wedi ei dilyn gan A). Mae hyn yn haneru nifer y trefniannau gwahaniaethadwy. Mae haneru tebyg yn digwydd wrth roi B yn lle D.

Dyma'r rheol gyffredinol:

Os oes n gwrthrych, yn cynnwys a o un math, b o fath arall, ac yn y blaen, yna mae nifer y trefniannau *gwahanol* mewn rhes yn:

$$\frac{n!}{a!b! \dots}$$

Enghraifft 14

Mae pedair llythyren y gair YNNI yn cael eu trefnu mewn rhes.
(i)   Sawl trefniant gwahanol sydd?
(ii) Os dewisir trefniant ar hap, beth yw'r tebygolrwydd y bydd y ddwy N yn olynol?

(i)   Mae 4 llythyren, yn cynnwys un Y, dwy N ac un I. Mae nifer y trefniannau felly yn:

$$\frac{4!}{1!1!2!} = \frac{24}{1 \times 1 \times 2} = 12$$

Mae 12 trefniant posibl o'r llythrennau yn y gair YNNI.

(ii) Mae angen i'r ddwy N fod yn olynol. Dychmygwch eu bod wedi eu gludo at ei gilydd. Yna dim ond tair eitem yn unig sydd gennym i'w gosod mewn trefn: Y, NN ac I. Mae nifer y trefniannau posibl yn $3! = 6$. Felly mae 6 o'r 12 trefniannau posibl o'r llythrennau yn y gair YNNI yn cynnwys N ddwbl: y tebygolrwydd sydd ei angen yw $\frac{6}{12} = \frac{1}{2}$.

Yn y cwestiwn hwn mae nifer y trefniannau yn fychan felly gallem eu hysgrifennu i gyd. Nid yw bywyd bob amser mor hawdd â hynny, fodd bynnag, fel y dengys yr enghraifft nesaf.

Enghraifft 15

Mae pum cadair yn cael eu trefnu mewn rhes. Mae pump o fechgyn yn gorfod eistedd arnynt. Os yw Arthur a Bedwyr yn eistedd nesaf at ei gilydd, yna mae'r ddau yn sicr o ddechrau ymladd.

(i) Sawl trefniant posibl sydd heb unrhyw gyfyngiadau?

(ii) Os rhoddir cadair ar hap i'r bechgyn, beth yw'r tebygolrwydd na fydd Arthur a Bedwyr yn eistedd yn ymyl ei gilydd?

_____

(i) Mae $5! = 120$ trefniant posibl, a phob un yr un mor debygol â'i gilydd.

(ii) Y ffordd hawdd i ateb hyn yw ystyried y digwyddiad cyflenwol 'dechrau ymladd'! Dychmygwch fod Arthur a Bedwyr wedi eu 'gludo' wrth ei gilydd yn y drefn AB. Nawr mae 4 'gwrthrych' (bechgyn neu fechgyn dwbl) i'w gosod mewn trefn.

Felly mae $4! = 24$ trefniant posibl o'r gwrthrychau. Mae 24 trefniant arall posibl lle mae Arthur a Bedwyr wedi eu 'gludo' wrth ei gilydd yn y drefn BA. Felly, mae 48 trefniant annerbyniol i gyd ac felly $120 - 48 = 72$ trefniant derbyniol. Y tebygolrwydd na fydd Arthur a Bedwyr yn eistedd nesaf at ei gilydd felly yw $\frac{72}{120} = \frac{3}{5}$.

C   A ═══ B   E   D

Un trefniant lle mae A, B wedi eu 'gludo' wrth ei gilydd

Mae trefniannau o n gwrthrych mewn cylch yn fwy caeth oherwydd bod n 'man cychwyn' posibl ar y cylch. Drwy ddefnyddio'r llythrennau G, De, Dn a Gn, i ddynodi'r cyfeiriadau Gogledd, De, Dwyrain a Gorllewin, gellid cynrychioli'r trefniant clocwedd cyfarwydd GDnDeGn hefyd fel DnDeGnG, DeGnGDn neu GnGDnDe, yn dibynnu ar y man cychwyn. Mae'r rheol cyffredinol ar gyfer gwrthrychau sydd wedi eu trefnu mewn cylch fel a ganlyn.

Mae nifer y trefniannau o n gwrthrych sydd wedi eu trefnu mewn cylch yn hafal i'r nifer cyfatebol o drefniannau ar linell syth, wedi ei rhannu ag n.

Nodyn

◆ Os gellir 'troi'r cylch drosodd', fel na ellir gwahaniaethu rhwng trefniannau clocwedd a gwrthglocwedd, mae nifer y trefniannau yn hafal i'r nifer cyfatebol o drefniannau ar linell, wedi eu rhannu â $2n$ yn hytrach nag n.

Enghraifft 16

Os yw'r pum cadair yn yr enghraifft flaenorol nawr yn cael eu trefnu mewn cylch, beth yw'r tebygolrwydd na fydd Arthur a Bedwyr yn eistedd nesaf at ei gilydd?

_____

Erbyn hyn mae nifer y trefniannau gwahanol sydd yr un mor debygol yn $\frac{120}{5} = 24$. Mae nifer y trefniannau AB erbyn hyn yn $\frac{24}{4} = 6$, ac mae nifer y trefniannau BA hefyd yn 6, fel bo cyfanswm nifer y trefniannau annerbyniol yn 12. Mae'r tebygolrwydd na fydd Arthur a Bedwyr yn eistedd nesaf at ei gilydd felly yn $\frac{1}{2}$, sef ychydig yn llai nag o'r blaen.

D   B

E   C

Un trefniant lle mae A, B wedi eu 'gludo' wrth ei gilydd

Nodyn

◆ Dyma ffordd symlach o ddatrys yr enghraifft ddiwethaf. Mae'n amlwg bod Arthur yn eistedd yn rhywle. Mae hyn yn gadael pedair cadair. Mae Bedwyr yr un mor debygol o fod yn eistedd ar un o'r rhain. Mae dau o'r pedwar heb fod yn eistedd nesaf at Arthur, felly'r tebygolrwydd sydd ei angen yw $\frac{2}{4} = \frac{1}{2}$.

Gellir defnyddio'r math hwn o ymresymiad ar gyfer Enghraifft 15 (ii), ond mae angen bod yn ofalus gan fod yr achosion lle mae Arthur yn eistedd ar ben y rhes (ac felly dim ond un cymydog sydd ganddo) yn wahanol i'r achosion eraill lle mae ganddo ddau gymydog.

Enghraifft 17

Mae pump llythyren y gair HEFYD yn cael eu trefnu mewn llinell. Sawl trefniant gwahanol sy'n bosibl?

Mae'r llythrennau wedi'u trefnu ar hap. Cyfrifwch y tebygolrwydd:
(i)   y bydd y ddwy lafariad nesaf at ei gilydd,
(ii)   na fydd y ddwy lafariad nesaf at ei gilydd,
(iii) un ai y bydd HYD yn ymddangos nesaf at ei gilydd ac yn y drefn honno neu y bydd EF yn ymddangos nesaf at ei gilydd ac yn y drefn honno (neu'r ddau).

Mae'r holl lythrennau yn wahanol, felly nifer y trefniannau gwahanol yw $5! = 120$.

(i)   Gallwn ludo'r ddwy lafariad gyda'i gilydd mewn 2! trefn. Nawr mae gennym 4 gwrthrych, (er enghraifft, EY, H, F a D) y gellir eu trefnu mewn 4! ffordd. Felly mae 2! × 4! o drefniannau ac mae'r tebygolrwydd y bydd y ddwy lafariad nesaf at ei gilydd felly yn

$$\frac{2! \times 4!}{5!} = \frac{2}{5}$$

(ii)   Dyma ddigwyddiad cyflenwol y digwyddiad yn rhan (i) ac mae'r tebygolrwydd yn $1 - \frac{2}{5} = \frac{3}{5}$.

(iii) Mae dau ddigwyddiad o ddiddordeb:

A   Mae'r llythrennau HYD yn ymddangos nesaf at ei gilydd

B   Mae'r llythrennau EF yn ymddangos nesaf at ei gilydd

Gofynnir inni ddarganfod $P(A \cup B)$. Un ffordd o wneud hyn yw drwy ddarganfod pob un o'r canlynol: $P(A)$, $P(B)$ a $P(A \cap B)$.

Os yw'r llythrennau HYD yn ymddangos nesaf at ei gilydd ac yn y drefn honno yna mae gennym dri gwrthrych i'w gosod mewn trefn (E, F a HYD). Mae 3! threfniant posibl.

Yn yr un modd, os yw'r llythrennau EF yn ymddangos nesaf at ei gilydd ac yn y drefn honno, yna mae pedwar gwrthrych i'w gosod mewn trefn (EF, H, Y a D) gyda 4! trefniant posibl.

Yn olaf, os yw'r llythrennau HYD yn ymddangos nesaf at ei gilydd a'r llythrennau EF yn ymddangos nesaf at ei gilydd yna dim ond dau wrthrych sydd i'w gosod mewn trefn (EF a HYD) gyda 2! drefniant posibl.

Mae'r tebygolrwydd y bydd un ai'r llythrennau HYD yn ymddangos nesaf at ei gilydd ac yn y drefn honno neu'r llythrennau EF yn ymddangos nesaf at ei gilydd ac yn y drefn honno (neu'r ddau) felly yn cael ei roi gan

$$\frac{3!}{5!} + \frac{4!}{5!} - \frac{2!}{5!} = \frac{6 + 24 - 2}{120} = \frac{28}{120} = \frac{7}{30}$$

Ymarferion 4ch

1 Mae chwech o blant: Alys, Beth, Carys, Dafydd, Emyr a Ffred yn sefyll mewn rhes.
Sawl trefn wahanol sy'n bosibl?
Maen nhw'n sefyll ar hap.
Darganfyddwch y tebygolrwydd:
(i)   y bydd y tair merch nesaf at ei gilydd,
(ii) y bydd Beth a Ffred nesaf at ei gilydd,
(iii) na fydd Carys a Dafydd nesaf at ei gilydd.

2 Mae llaw o gardiau chwarae yn cynnwys pob un o'r 13 cerdyn Calonnau o bac cyffredin. Mewn sawl trefn wahanol y gellir eu trefnu?
Trefnir y cardiau ar hap.
Darganfyddwch y tebygolrwydd y bydd:
(i)   yr Âs yn gyntaf a'r Brenin yn olaf,
(ii) yr Âs a'r Brenin yn ddau gerdyn cyntaf, waeth ym mha drefn,
(iii) yr Âs rhywle o flaen y Brenin.

3 Rydw i'n gwacáu fy mhwrs ar y bwrdd. Mae gen i bedwar darn 1c, tri darn 2c, dau ddarn 5c ac un darn 10c. Tybiwch nad yw'n bosibl gwahaniaethu rhwng darnau arian o'r un gwerth. Mewn sawl ffordd wahanol y gellir trefnu'r 10 darn arian mewn rhes?
Mewn sawl un o'r ffyrdd hyn mae'r tri darn 2c i gyd nesaf at ei gilydd?
Mae'r darnau arian wedi eu trefnu mewn rhes ar hap.
Cyfrifwch y tebygolrwydd:
(i)   na fydd y ddau ddarn 5c nesaf at ei gilydd,
(ii) y bydd gan y darn 10c ddarn 5c nesaf ato ar bob ochr.

4 Mae 13 cownter (4 coch, 4 gwyrdd, 3 glas a 2 felyn) wedi eu gosod yn eu trefn mewn linell. Mae'r cownteri yn unfath ar wahân i'w lliw. Darganfyddwch y nifer o drefniannau gwahaniaethadwy. Mae'r cownteri wedi eu trefnu ar hap.
Darganfyddwch y tebygolrwydd y bydd:
(i)   y 4 cownter gwyrdd i gyd nesaf at ei gilydd,
(ii) pob cownter sydd o'r un lliw nesaf at ei gilydd.

5 Mae'n rhaid i chwe nofel, sydd wedi eu labelu A, B, C, D, E, F, gael eu trefnu yn ôl teilyngdod ar gyfer gwobr lenyddol. Darganfyddwch sawl ffordd bosibl sydd o wneud hyn.
Tybiwch fod y nofelau wedi eu trefnu ar hap.
Darganfyddwch y tebygolrwydd y bydd:
(i) F yn gyntaf,
(ii) A yn olaf,
(iii) C yn gyntaf a D yn ail,
(iv) D yn dod yn union ar ôl C,
(v)   un ai B neu E (neu'r ddau) yn ymddangos yn y ddau safle cyntaf.

6 Erbyn hyn mae'r chwe phlentyn, Alys, Beth, Carys, Dafydd, Emyr a Ffred, yn sefyll mewn cylch. Gan wahaniaethu rhwng trefn glocwedd a threfn wrthglocwedd, darganfyddwch sawl trefn wahanol sy'n bosibl.
Darganfyddwch y tebygolrwydd:
(i)   y bydd y tair merch nesaf at ei gilydd,
(ii) y bydd Beth a Ffred nesaf at ei gilydd,
(iii) na fydd Carys a Dafydd nesaf at ei gilydd.

7 Darganfyddwch nifer y trefniannau gwahanol ar gyfer y chwe llythyren yn y gair AFALAU lle mae:
(i)   pob un o'r tair A yn olynol,
(ii) y llythyren gyntaf yn A a'r llythyren olaf yn U.
[UCLES]

4.15 Trynewidion a chyfuniadau

Ystyriwch y broblem ganlynol.

Mae pac o 52 cerdyn chwarae (pob un yn wahanol) yn cael eu cymysgu. Darganfyddwch y tebygolrwydd y bydd y cerdyn ar ben y pac yn Âs y Rhawiau, y nesaf yn Âs y Calonnau a'r nesaf yn Âs y Diemyntau.

Gallai unrhyw un o'r 52 cerdyn fod wedi bod ar ben y pac. Mae hyn yn gadael 51 cerdyn, a gallai unrhyw un o'r rhain fod wedi bod nesaf. Yn yr un modd, mae 50 o bosibiliadau ar gyfer y trydydd cerdyn. Felly mae $52 \times 51 \times 50 = 132\,600$ posibilrwydd i gyd ar gyfer y tri cherdyn cyntaf yn eu trefn. Dim ond un o'r rhain sy'n cyfateb i'r digwyddiad a ddisgrifir, felly mae tebygolrwydd y digwyddiad hwnnw yn $\frac{1}{132\,600}$.

Mae nifer y trefniannau *trefnedig* o r gwrthrych a ddewiswyd o gasgliad o n gwrthrych yn cael ei ddynodi gan ^nP_r (sy'n cael ei ddarllen fel **'n p r'** neu **'n perm r'**) a'r enw ar bob trefniant yw **trynewidiad** o'r gwrthrychau dethol.

Rhoddir gwerth ^nP_r gan:

$$^nP_r = n \times (n - 1) \times \ldots \times (n - r + 1) \tag{4.8}$$

Sylwer bod r term yn y mynegiad sydd ar ochr dde'r hafaliad hwn. Mynegiad arall, sy'n defnyddio ffactorialau, yw:

$$^nP_r = \frac{n!}{(n - r)!}$$

Gan ddefnyddio Hafaliad (4.8) gydag $n = 52$ ac $r = 3$, cawn $^{52}P_3 = 52 \times 51 \times 50 = 132\,600$, fel o'r blaen.

Nawr, ystyriwch y broblem hon sydd ychydig yn wahanol.

> Mae pac o 52 cerdyn chwarae (pob un yn wahanol) yn cael ei gymysgu. Cyfrifwch y tebygolrwydd y bydd y tri cherdyn sydd ar ben y pac yn Âs y Rhawiau, Âs y Calonnau ac Âs y Diemyntau.

Mae'r broblem hon yn wahanol i'r un flaenorol oherwydd *nid yw'r drefn y mae'r cardiau yn ymddangos o bwys*. Mae $3! = 6$ trefn bosibl ar gyfer tri cherdyn, felly nifer y grwpiau *gwahaniaethadwy* o dri cherdyn, a ddewiswyd o 52, yw nifer y posibiliadau trefnedig ($132\,600$) wedi eu rhannu â 6 gan roi'r ateb 22 100. Mae'r tebygolrwydd y bydd y tri cherdyn cyntaf yn dri âs felly yn $\frac{1}{22\,100}$.

Mae nifer y trefniannau *anhrefnedig* o r gwrthrych a ddetholwyd o gasgliad o n gwrthrych, yn cael ei ddynodi un ai gan ^nC_r neu $\binom{n}{r}$. Yn y llyfr hwn rydym yn defnyddio'r ail ffurf sef y ffurf a ddefnyddir ym mhob testun ystadegol uwch. Yn y ddau achos mae'r fformiwla yn cael ei darllen un ai fel **'n c r'** neu **'n dewis r'**. Yr enw ar bob casgliad o wrthrychau a ddewiswyd yw **cyfuniad**.

Y fformiwa gyffredinol ar gyfer $\binom{n}{r}$ yw:

$$\binom{n}{r} = \frac{^nP_r}{r!} = \frac{n \times (n - 1) \times \ldots \times (n - r + 1)}{r \times (r - 1) \times \ldots \times 1} = \frac{n!}{(n - r)!r!} \tag{4.9}$$

Dylid nodi bod gan y ffracsiwn:

$$\frac{n \times (n - 1) \times \ldots \times (n - r + 1)}{r \times (r - 1) \times \ldots \times 1}$$

r term yn y rhifiadur ac yn yr enwadur.

Gan ddefnyddio Hafaliad (4.9) gydag $n = 52$ ac $r = 3$, cawn:

$$\binom{52}{3} = \frac{52 \times 51 \times 50}{3 \times 2 \times 1}$$

$$= 22\,100$$

Nodiadau

- $\binom{n}{r} = \binom{n}{n - r}; \quad \binom{n}{0} = \binom{n}{n} = 1$
- Mae gan rai cyfrifianellau fotymau ar gyfer cyfrifo trynewidion a chyfuniadau.
- Mae cyfuniadau yn digwydd yn naturiol yng nghyd-destun yr ehangiad binomial, gan fod:

$$(a + b)^n = \sum_{r=0}^{n} \binom{n}{r} a^r b^{n-r}$$

Enghraifft 18

Mae menyw yn plannu coed rhosod. Mae ganddi wyth goeden wahanol, pob un â lliw blodyn gwahanol ac mae hi eisiau plannu pump o'r coed yn ei gardd gefn.

Sawl dewis gwahanol sydd ganddi?

Mae trefn yn bwysig yma, felly nifer y trefniannau posibl yw:

$$^8P_5 = \frac{8!}{5!} = 8 \times 7 \times 6 = 336$$

Enghraifft 19

Mae pac o gardiau yn cael ei gymysgu ac mae llaw o 13 cerdyn a ddewisir ar hap yn cael eu delio i un chwaraewr.

Sawl llaw posibl all y chwaraewr hwnnw ei dderbyn?

Yn yr achos hwn mae'r drefn y mae'r chwaraewr yn derbyn y cardiau yn amherthnasol. Mae nifer y llawiau posibl felly yn:

$$\binom{52}{13} = \frac{52 \times 51 \times 50 \times \ldots \times 41 \times 40}{13 \times 12 \times 11 \times \ldots \times 2 \times 1}$$

$$\approx 6.35 \times 10^{11}$$

Mae tua 635 mil miliwn llaw posibl.

Enghraifft 20

Ar ddechrau sioe deledu mae cystadleuydd yn cael pum eiliad i edrych ar fwrdd lle ceir tegan meddal fflwfflyd a phedair eitem arall (pob un yn wahanol). Ar y diwedd, gofynnir i'r cystadleuydd enwi cynifer o'r gwrthrychau ag sydd bosibl.

(i)   Sawl cyfuniad gwahanol o eitemau y gellid eu henwi?
(ii) Pa gyfran sy'n cynnwys y tegan fflwfflyd?

(i)   Gallai'r cystadleuydd enwi 0, 1, 2, 3, 4 neu 5 o'r eitemau.
      Mae cyfanswm nifer y cyfuniadau felly yn:

$$\binom{5}{0} + \binom{5}{1} + \binom{5}{2} + \binom{5}{3} + \binom{5}{4} + \binom{5}{5}$$

$$= 1 + 5 + 10 + 10 + 5 + 1 = 32$$

(ii) O wybod bod y tegan fflwfflyd yn cael ei enwi, gall y cystadleuydd enwi hyd at bedwar o'r eitemau sydd ar ôl. Mae cyfanswm y cyfuniadau sy'n cynnwys y tegan fflwfflyd felly yn:

$$\binom{4}{0} + \binom{4}{1} + \binom{4}{2} + \binom{4}{3} + \binom{4}{4} + = 1 + 4 + 6 + 4 + 1 = 16$$

Felly, cyfran y cyfuniadau sy'n cynnwys y tegan fflwfflyd yw $\frac{16}{32} = \frac{1}{2}$.

Nodyn

♦ Ffordd arall o wneud rhan (i) yw dadlau y gall pob un o'r pum eitem un ai gael ei 'dewis' neu 'beidio â chael ei dewis'. Felly mae 2 bosibilrwydd ar gyfer pob un o'r 5 eitem, sy'n golygu bod cyfanswm y cyfuniadau yn $2^5 = 32$. Yn rhan (ii) mae nifer y posibiliadau yn cael ei leihau i $2^4 = 16$, ac felly mae'r gyfran sydd ei hangen yn $\frac{16}{32} = \frac{1}{2}$.

Ymarferion 4d

1 Mae dirprwyaeth o 3 myfyriwr yn cael ei dewis o ddosbarth o 15.
Mewn sawl ffordd wahanol y gellir gwneud hyn?
Mae'r dosbarth yn cynnwys 10 merch a 5 bachgen.

(i) Os yw dau o'r dirprwyon i fod yn ferched a'r llall i fod yn fachgen, mewn sawl ffordd y gellir gwneud hyn?

(ii) Os yw'r ddirprwyaeth i fod i gynnwys o leiaf un bachgen ac un ferch, mewn sawl ffordd y gellir gwneud hyn?

2 Sawl llaw wahanol o 13 cerdyn, wedi eu tynnu o bac cyffredin, sy'n cynnwys 6 cherdyn rhaw, 4 cerdyn calon, 2 gerdyn diemwnt ac 1 cerdyn mwyar duon?
Sawl llaw sy'n cynnwys 6 o un siwt, 4 o un arall, 2 o un arall ac un o'r pedwerydd siwt?

3 Yn nhalaith Iwtopia, mae'r wyddor yn cynnwys 25 llythyren. Mae rhif cofrestru car yn cynnwys dwy lythyren **wahanol** o'r wyddor wedi eu dilyn gan gyfanrif n lle mae $100 \leqslant n \leqslant 999$. Darganfyddwch nifer y rhifau cofrestru posibl.
[UCLES(P)]

4 Mae gan athrawes ysgol feithrin 4 afal, 3 oren a 2 fanana i'w rhannu rhwng 9 plentyn, ac mae pob plentyn yn cael un ffrwyth. Darganfyddwch mewn sawl ffordd wahanol y gellir gwneud hyn.
[UCLES]

5 Mae cod yn cynnwys bloc o ddeg digid. Mae pedwar ohonynt yn seroau a chwech yn rhifau 1; e.e. 1011011100. Cyfrifwch mewn sawl bloc o'r fath y mae'r digid cyntaf a'r olaf yr un peth â'i gilydd.
[UCLES]

6 Gall sgrin cyfrifiadur gynhyrchu 16 lliw gwahanol wedi eu rhifo o 1 i 16. Gellir defnyddio unrhyw un o liwiau 1 i 8 fel 'lliw cefndir' ar y sgrin, a gellir defnyddio unrhyw un o'r lliwiau 1 i 16 fel 'lliw testun'; fodd bynnag, mae dewis yr un lliw ar gyfer y cefndir a'r ysgrifen yn gwneud y testun yn anweledig, felly ni ddefnyddir y cyfuniad hwn. Darganfyddwch nifer y cyfuniadau o liwiau cefndir a lliwiau testun gwahanol y gellir eu defnyddio.
[UCLES]

7 Darganfyddwch mewn sawl ffordd y gellir dewis 4 cwestiwn o'r 7 cwestiwn mewn papur arholiad, gan gymryd nad yw trefn y cwestiynau yn berthnasol.
[UCLES]

8 Mae gwobrau i'w dyfarnu i bedwar aelod gwahanol o grŵp o wyth o bobl. Darganfyddwch mewn sawl ffordd y gellir dyfarnu'r gwobrau

(i) os oes un wobr 1af, un 2il wobr, un 3edd wobr ac un 4edd wobr,

(ii) os oes dwy wobr 1af a dwy 2il wobr.
[UCLES]

9 Mae deuddeg ceffyl yn rhedeg mewn ras. Mae'r canlyniadau sydd wedi eu cyhoeddi yn rhestru'r ceffylau sy'n gorffen yn gyntaf, yn ail ac yn drydydd. Gan gymryd nad oes ras yn gorffen yn gyfartal, darganfyddwch nifer y canlyniadau posibl y gellir eu cyhoeddi.
[UCLES]

10 Mae grŵp o 12 o bobl yn mynd ar daith mewn 3 char, gyda 4 person ym mhob car. Mae pob car yn cael ei yrru gan ei berchennog. Darganfyddwch mewn sawl ffordd y gall y 9 person sydd ar ôl gael eu cludo yn y ceir. (Nid yw'r ffordd y mae'r bobl wedi cael eu trefnu mewn car penodol yn berthnasol).
[UCLES]

11 Mae digidau'r rhif 314152 yn cael eu haildrefnu i roi odrif. Darganfyddwch mewn sawl ffordd wahanol y gellir gwneud hyn.
[UCLES]

12 Gofynnir i ysgol anfon dirprwyaeth o chwe disgybl wedi eu dewis o blith chwe chwaraewr badminton, chwe chwaraewr tennis a phum chwaraewr sboncen. Ni all yr un disgybl chwarae mwy nag un gêm. Mae'r ddirprwyaeth i fod i gynnwys o leiaf un, ond nid mwy na thri chwaraewr o bob gêm. Gan roi manylion llawn eich gwaith cyfrifo, darganfyddwch mewn sawl ffordd y gellir dewis y ddirprwyaeth.
[UCLES]

4.16 Samplu gyda dychwelyd

Mae'r sefyllfa hon yn ymwneud ag annibyniaeth ffisegol a gallwn ddefnyddio'r rheolau adio a lluosi a choed tebygolrwydd. Dyma broblem nodweddiadol.

> Mae pac o gardiau yn cynnwys Breninesau'r Rhawiau, Calonnau, Diemyntau a Mwyar Duon ynghyd ag Âs, Brenin a Jac y Rhawiau. Mae'r pac yn cael ei gymysgu ac mae cerdyn yn cael ei ddewis ar hap. Ar ôl nodi beth ydyw, mae'r cerdyn yn cael ei roi yn ôl yn y pac, sy'n cael ei gymysgu eto. Mae hyn yn cael ei ailadrodd ddwywaith eto.
> Cyfrifwch y tebygolrwydd y bydd Brenhines yn cael ei dewis ar un achlysur yn unig.

Ar bob achlysur mae'r tebygolrwydd bod Brenhines yn cael ei dewis yn $\frac{4}{7}$. Gan ddefnyddio B i ddynodi Brenhines ac R i ddynodi un o'r cardiau eraill, mae'r posibiliadau sy'n cynnwys union un Frenhines yn RRB, RBR a BRR. Ar gyfer pob un o'r posibiliadau hyn, y tebygolrwydd yw lluoswm $\frac{3}{7}, \frac{3}{7}$ a $\frac{4}{7}$, felly mae'r tebygolrwydd cyflawn yn:

$$3 \times \left(\frac{3}{7}\right)^2 \times \frac{4}{7} = \frac{108}{343}$$

sydd tua 0.315 (i 3 ll.d.)

4.17 Samplu heb ddychwelyd

Ystyriwch y broblem ganlynol.

> Mae pac o gardiau yn cynnwys Breninesau'r Rhawiau, Calonnau, Diemyntau a Mwyar Duon ynghyd ag Âs, Brenin a Jac y Rhawiau. Mae'r pac yn cael ei gymysgu ac mae tri cherdyn yn cael eu dewis ar hap.
> Cyfrifwch y tebygolrwydd mai un yn unig o'r tri cherdyn sy'n Frenhines.

Mae hyn yn debyg i'r broblem flaenorol, ond y tro hwn mae'n rhaid i'r cardiau fod yn wahanol. Yn yr achos blaenorol gallai'r un cerdyn fod wedi cael ei ddewis ar fwy nag un achlysur.

Yn ein problem newydd nid yw trefn y detholiad yn bwysig ac felly rydym yn ymwneud â chyfuniadau yn hytrach na thrynewidiadau. Nifer y cyfuniadau arbennig o dri cherdyn sy'n cael eu dewis o saith cerdyn yw:

$$\binom{7}{3} = \frac{7 \times 6 \times 5}{3 \times 2 \times 1} = 35$$

Rhestrir y rhain yn systematig yn y tabl canlynol gan ddefnyddio'r ffurfiau cryno A, B a J i gynrychioli'r Âs, y Brenin a'r Jac ac R, C, D ac M yn cynrychioli'r pedair brenhines.

Wrth lunio rhestrau mae'n bwysig gweithio'n systematig (neu byddwn yn mynd ar goll yn llwyr!) Yn yr achos hwn rydym yn gweithio yn nhrefn yr wyddor:

<u>ABC</u>	<u>ABD</u>	ABJ	<u>ABM</u>	<u>ABR</u>	ACD	<u>ACJ</u>
ACM	ACR	<u>ADJ</u>	ADM	ADR	<u>AJM</u>	<u>AJR</u>
AMR	BCD	<u>BCJ</u>	BCM	BCR	<u>BDJ</u>	BDM
BDR	<u>BJM</u>	<u>BJR</u>	BMR	CDJ	CDM	CDR
CJM	CJR	CMR	DJM	DJR	DMR	JMR

Mae'r 12 canlyniad sy'n cyfateb i'r digwyddiad o ddiddordeb wedi eu tanlinellu.

Ar gyfer pob un o'r $\binom{4}{1} = 4$ detholiad posibl o Frenhines mae $\binom{3}{2} = 3$ detholiad posibl o ddau gerdyn arall o'r tri sydd ar gael. Cyfanswm nifer y posibiliadau yw lluoswm $\binom{4}{1} \times \binom{3}{2} = 4 \times 3 = 12$. Tebygolrwydd y digwyddiad o ddiddordeb yw:

$$\frac{\binom{4}{1} \times \binom{3}{2}}{\binom{7}{3}} = \frac{12}{35}$$

Mae'r broblem hon yn enghraifft syml o fath cyffredinol a ddangosir gan y canlynol:

> Mae bocs yn cynnwys cyfanswm o N pêl. Mae k math gwahanol o beli.
> Mae N_1 pêl o fath 1, N_2 o fath 2, ac yn y blaen ($\sum_{i=1}^{k} N_i = N$).
> Mae hapsampl o n pêl yn cael ei thynnu o'r bocs *heb ei dychwelyd*.
> Beth yw'r tebygolrwydd y bydd y sampl yn cynnwys union n_1 pêl o fath 1,
> n_2 o fath 2, ac yn y blaen ($\sum_{i=1}^{k} n_i = n$)? Nid yw trefn dethol y peli yn bwysig.

Yn yr achos hwn mae canlyniad yn cynnwys casgliad o n pêl sydd heb fod mewn trefn. Cyfanswm nifer y canlyniadau yn y gofod sampl yw nifer y ffyrdd y gall hapsampl o n pêl gael eu dethol o grŵp o N pêl. Dyma sawl ffordd sydd o ddewis n o N, sef $\binom{N}{n}$.

Mae nifer y ffyrdd o ddewis n_1 pêl o'r N_1 o fath 1, yn $\binom{N_1}{n_1}$. Pa un bynnag o'r detholiadau hyn sy'n digwydd mae hefyd $\binom{N_2}{n_2}$ detholiad o beli o fath 2, ac yn y blaen. Mae cyfanswm nifer y detholiadau sy'n cyfateb i'r digwyddiad sydd ei angen (h.y. cyfanswm nifer y canlyniadau) felly yn:

$$\binom{N_1}{n_1} \times \binom{N_2}{n_2} \times \ldots \times \binom{N_k}{n_k}$$

Mae'r tebygolrwydd o ddewis n_1 o N_1, n_2 o N_2, ac yn y blaen ar yr un pryd, felly yn:

$$\frac{\binom{N_1}{n_1} \times \binom{N_2}{n_2} \times \ldots \times \binom{N_k}{n_k}}{\binom{N}{n}}$$

Nodyn

Gellir cyfyngu'r gwaith meddwl sydd ei angen i wneud problemau fel hyn fel a ganlyn. Mewn rhes, ysgrifennwch niferoedd pob un o'r mathau gwahanol yn y boblogaeth (h.y. $N_1, N_2, \ldots, N_k$, sy'n adio i N). O dan y rhes hon ysgrifennwch y rhifau cyfatebol sydd eu hangen ar gyfer y sampl (yn cynnwys seroau). Rhain yw'r rhifau $n_1, n_2 \ldots, n_k$ sy'n adio i n. Gan osod cromfachau mewn mannau priodol, mae gennym y rhifiadur sydd ei angen tra bo $\binom{N}{n}$ yn rhoi'r enwadur.

Enghraifft 21

Dewisir pwyllgor o bump drwy fwrw coelbren o grŵp o wyth dyn a phedair menyw.

Cyfrifwch y tebygolrwydd y bydd y pwyllgor yn cynnwys union dri dyn.

_____

Gan na ellir dewis neb fwy nag unwaith, nid oes dychwelyd yn digwydd. Mae canlyniad yn cynnwys grŵp heb eu trefnu o dri o bobl. Nawr rydym yn rhoi'r gorau i feddwl ac yn hytrach yn nodi gwerthoedd rhannau N ac n. Mae gennym $N = 12, n = 5, N_1 = 8, N_2 = 4, n_1 = 3$ ac $n_2 = 2$. Drwy hynny:

$$\frac{\binom{N_1}{n_1} \times \binom{N_2}{n_2}}{\binom{N}{n}} = \frac{\binom{8}{3} \times \binom{4}{2}}{\binom{12}{5}}$$

$$= \frac{8 \times 7 \times 6}{3 \times 2 \times 1} \times \frac{4 \times 3}{2 \times 1} \times \frac{5 \times 4 \times 3 \times 2 \times 1}{12 \times 11 \times 10 \times 9 \times 8}$$

$$= 56 \times 6 \times \frac{1}{792}$$

$$= \frac{14}{33}$$

Mae'r tebygolrwydd y bydd y pwyllgor yn cynnwys union dri dyn yn $\frac{14}{33}$, sy'n 0.424 i 3 lle degol.

Enghraifft 22

Mae criw o ddihirod enwog yn cynnwys pump o saethwyr o'r enw Smith, pedwar o'r enw Jones ac un o'r enw Cassidy. Mewn ysgarmes, mae tri o'r criw yn cael eu lladd. Gan gymryd bod pob saethwr yr un mor debygol o gael ei ladd, beth yw'r tebygolrwydd bod gan y tri a laddwyd yn yr ysgarmes enwau gwahanol?

_____

Y tro hwn mae'r canlyniadau yn grwpiau heb eu trefnu o dri dihiryn. Mae tri math o ddihiryn: Smith, Jones a Cassidy. Eu niferoedd yw 5, 4 ac 1 (cyfanswm 10), a'r rhifau sydd eu hangen yw 1, 1 ac 1 (cyfanswm 3). Drwy hynny, y tebygolrwydd sydd ei angen yw:

$$\frac{\binom{5}{1} \times \binom{4}{1} \times \binom{1}{1}}{\binom{10}{3}} = \frac{5 \times 4 \times 1}{120}$$

$$= \frac{1}{6}$$

Mae'r tebygolrwydd bod gan y tri a laddwyd enwau gwahanol yn $\frac{1}{6}$.

Enghraifft 23

Dewisir tair llythyren ar hap (heb ddychwelyd) o'r gair STATISTICS. Beth yw'r tebygolrwydd:

(i)   y bydd pob un yr un fath,
(ii)   y bydd pob un yn gytseiniaid,
(iii) y bydd pob un yn wahanol,
(iv) y bydd union ddau ohonynt yr un fath?

_____

Mae'r gofod sampl yn cynnwys yr holl ddetholiadau anhrefnedig posibl o dair o'r deg llythyren S, T, A, T, I, S, T, I, C ac S. Nifer y canlyniadau yw nifer y ffyrdd o ddewis tair o'r deg llythyren (gan anwybyddu'r ffaith fod llythrennau'n cael eu hailadrodd), ac felly mae'n $\binom{10}{3} = 120$.

(i)   Un o'r detholiadau hyn yw SSS ac un arall yw TTT. Dyma'r unig ganlyniadau sy'n cynnwys tair llythyren sydd yr un fath ac felly mae'r tebygolrwydd sydd ei angen yn $\frac{2}{120} = \frac{1}{60}$.

(ii) Mae saith cytsain a thair llafariad yn y gair STATISTICS. Mae nifer y ffyrdd o ddewis tair cytsain a dim llafariad yn:

$\binom{7}{3} \times \binom{3}{0} = 35$. Felly mae tebygolrwydd y digwyddiad hwn yn $\frac{35}{120} = \frac{7}{24}$.

(iii) Roedd rhan (i) yn syml oherwydd roedd yn hawdd gweld mai dim ond dau ganlyniad posibl oedd. Roedd rhan (ii) yn hawdd gan fod y llythrennau wedi eu rhannu yn ddau fath. Mae'r rhan hon yn fwy anodd gan fod 5 math o lythyren (S, T, A, I ac C) i'w hystyried ac – yn waeth fyth – mae angen inni ystyried y rhain dair ar y tro.

Gan fod $\binom{5}{3} = 10$, mae 10 math gwahanol o ganlyniad i'w hystyried.

Y rhain yw (gan anwybyddu'r drefn) STI, STA, STC, SIA, SIC, SAC, ITA, ITC, IAC a TAC. Nifer y ffyrdd o gael canlyniad o'r math STI, mewn rhyw fath o drefn, yw nifer y ffyrdd o gael S, wedi ei luosi â nifer y ffyrdd o gael T, wedi ei luosi â nifer y ffyrdd o gael I. Mae hyn yn:

$$\binom{3}{1} \times \binom{3}{1} \times \binom{2}{1} = 18$$

Mae'r tabl isod yn dangos niferoedd y posibiliadau ar gyfer y deg math o ganlyniad.

Math o ganlyniad	STI	STA	STC	SIA	SIC	SAC	TIA	TIC	TAC	IAC	Cyfanswm
Nifer y posibiliadau	18	9	9	6	6	3	6	6	3	2	68

Mae'r tebygolrwydd y bydd y tair llythyren a ddewisir i gyd yn wahanol yn $\frac{68}{120} = \frac{17}{30}$.

(iv) Gellir ateb y cwestiwn hwn drwy rifo, ond mae angen gofal wrth sicrhau bod yr holl bosibiliadau wedi eu nodi. Mae'r dull yn gweithio fel o'r blaen. Felly, yn achos canlyniad o'r math SSI mae nifer y posibiliadau yn:

$$\binom{3}{2} \times \binom{2}{1} = 6$$

Fodd bynnag, mae'n symlach sylweddoli ein bod eisoes wedi gwneud y gwaith caled. Bydd y tair llythyren un ai i gyd yr un fath, i gyd yn wahanol neu bydd dwy lythyren yr un fath ac un yn wahanol. Rydym wedi cyfrifo bod 2 gyfuniad lle mae'r llythrennau i gyd yr un fath a 68 lle mae pob un yn wahanol. Drwy dynnu, felly, mae nifer y cyfuniadau lle mae un llythyren yn digwydd union ddwywaith yn 50 a'r tebygolrwydd sydd ei angen yn $\frac{50}{120}$, h.y. $\frac{5}{12}$.

Ymarferion 4dd

1. Mae deg potel wedi eu trefnu ar hap ar silff. Mae pump yn wyrdd, tair yn las a dwy yn felyn. Mae dwy botel yn cael eu taro oddi ar y silff. Darganfyddwch y tebygolrwydd y bydd:
   (i)   y ddwy botel yn wyrdd,
   (ii) y ddwy botel o'r un lliw,
   (iii) lliwiau'r ddwy botel yn wahanol.

2. Mae dosbarth o 100 o fyfyrwyr yn cynnwys grŵp o 40 o bobl o'r enw 'twpsod' a grŵp o 60 o'r enw 'twpsod llwyr'. Mae sampl o dri myfyriwr yn cael ei ddewis ar hap o'r dosbarth. Cyfrifwch y tebygolrwydd y bydd y sampl yn cynnwys mwy o 'dwpsod llwyr' nag o 'dwpsod'.

3. Mae bag o ffrwythau yn cynnwys 5 afal, 8 oren a 3 gellygen. Mae tri ffrwyth yn cael eu tynnu o'r bag ar hap heb eu dychwelyd. Cyfrifwch y tebygolrwydd:
   (i)   na fydd afalau yn cael eu dewis,
   (ii)   y bydd pob ffrwyth a ddewisir yn wahanol,
   (iii) y bydd union un afal yn cael ei ddewis,
   (iv)   y bydd union ddau afal yn cael eu dewis,
   (v)   y bydd tri afal yn cael eu dewis,
   (vi)   y bydd dau afal ac un oren yn cael eu dewis.

4. Mae dyn yn mynd â 12 crys gydag ef ar awyren. Mae'n cymryd 4 crys ffurfiol ac 8 crys cyffredin, 3 ohonynt yn rhai llewys hir a 5 yn rhai llewys byr. Mae'n rhannu ei grysau ar hap rhwng ei ddau gês, ac yn rhoi 6 chrys ym mhob cês. Mae un cês yn cael ei golli. Darganfyddwch y tebygolrwydd y bydd wedi colli:
   (i)   union dri chrys ffurfiol,
   (ii)   mwy na dau grys ffurfiol,
   (iii) ei holl grysau cyffredin llewys hir.

5. Mae pwyllgor yn cynnwys 5 o bobl: Anne, Bet, Carwyn, Delyth ac Ed. Mae dau aelod yn cael eu dewis ar hap i fod yn Gadeirydd ac Is-Gadeirydd.
   Mewn sawl ffordd wahanol y gellir llenwi'r swyddi hyn?

   Cyfrifwch y tebygolrwydd y bydd:
   (i)   y ddau aelod a ddewisir yn ddynion,
   (ii)   y ddau aelod a ddewisir yn fenywod,
   (iii) y Cadeirydd yn fenyw a'r Is-Gadeirydd yn ddyn,
   (iv)   y Cadeirydd yn ddyn a'r Is-Gadeirydd yn fenyw,
   (v)   rhyw y ddau yn wahanol.

6. Mae gan Menna y darnau arian canlynol yn ei phwrs:
   wyth darn 1c, tri darn 2c, pedwar darn 5c, dau ddarn 10c a phedwar darn 20c. Mae hi'n gollwng tri darn arian yn y tywyllwch. Darganfyddwch y tebygolrwydd y bydd:
   (i)   pob darn arian sy'n cael ei golli yn werth 5c neu fwy,
   (ii)   cyfanswm gwerth y tri darn yn 3c,
   (iii) cyfanswm gwerth y tri darn yn llai na 7c,
   (iv)   gwerth y tri darn arian yr un fath.

7. Mae pwyllgor clwb yn cynnwys 2 gwpl priod, 3 menyw sengl a 5 dyn sengl. Mae pedwar aelod yn cael eu dewis ar hap o 12 aelod y pwyllgor i ffurfio dirprywaeth i gynrychioli'r clwb mewn cynhadledd. Darganfyddwch y tebygolrwydd y bydd y ddirprwyaeth yn cynnwys:
   (i)   4 dyn sengl,
   (ii)   2 ddyn a 2 fenyw.   [JMB(P)]

8. Mae bag yn cynnwys 5 pêl goch, 3 pêl las a 2 bêl wen. Mae pedair pêl yn cael eu tynnu o'r bag ar hap heb eu dychwelyd. Cyfrifwch y tebygolrwydd y bydd y pedair pêl sy'n cael eu tynnu yn cynnwys o leiaf un o bob lliw.   [CBAC]

9. Mae côr yn cynnwys 7 soprano, 6 alto, 3 thenor a 4 baswr. Mewn ymarfer arbennig, mae tri aelod o'r côr yn cael eu dewis ar hap i wneud te.
   (i)   Darganfyddwch y tebygolrwydd y bydd pob un o'r tri thenor yn cael eu dewis.
   (ii)   Darganfyddwch y tebygolrwydd y bydd un baswr yn union yn cael ei ddewis.
                                              [UCLES(P)]

4.18 Tebygolrwydd amodol

Mae'r wybodaeth sydd ar gael bob amser yn debygol o ddylanwadu ar y tebygolrwydd yr ydym yn ei gysylltu â digwyddiad. Er enghraifft, tybiwch fy mod yn gweld dyn yn gorwedd yn llonydd ar y glaswellt mewn parc ac mae gen i ddiddordeb yn y tebygolrwydd 'bod y dyn wedi marw'. Os nad oes unrhyw wybodaeth arall ar gael dyfaliad rhesymol fyddai bod y tebygolrwydd yn un mewn miliwn. Fodd bynnag, petawn i newydd glywed gwn yn tanio, ac wedi gweld dyn amheus-yr-olwg yn cario dryll yn y cyffiniau yna byddai'r tebygolrwydd gryn dipyn yn uwch!

Rydym yn ysgrifennu:

$P(B|A)$

sy'n golygu'r tebygolrwydd y bydd digwyddiad B yn digwydd (neu wedi digwydd) o gael gwybod bod digwyddiad A yn digwydd (neu wedi digwydd).

Mae $B|A$ yn golygu 'B **o wybod** A' ac mae $P(B|A)$ yn cael ei ddisgrifio fel **tebygolrwydd amodol** gan ei fod yn cyfeirio at y tebygolrwydd y bydd B yn digwydd (neu wedi digwydd) *ar yr amod* bod A yn digwydd (neu wedi digwydd).

Enghraifft 24

Mae gan ystadegydd ddau ddarn arian. Mae un ohonynt yn ddarn teg, ond mae'r llall yn ddeuben. Mae'r ystadegydd yn dewis un darn arian ar hap ac yn ei daflu. Dyma'r diffiniadau ar gyfer digwyddiadau A_1, A_2 a B:

    A_1: Mae'r darn arian teg yn cael ei ddewis.
    A_2: Mae'r darn arian deuben yn cael ei ddewis.
    B: Mae pen yn ymddangos.

Cyfrifwch werthoedd $P(B|A_1)$ a $P(B|A_2)$.

Os yw'r darn arian teg yn cael ei daflu mae'r tebygolrwydd o gael pen yn $\frac{1}{2}$:
$P(B|A_1) = \frac{1}{2}$.

Os yw'r darn arian deuben yn cael ei daflu yna mae'r tebygolrwydd yn 1:
$P(B|A_2) = 1$.

Mewn ychydig, byddwn yn cysylltu $P(B|A)$ â thebygolrwyddau diamod digwyddiadau $A, B, A \cap B$, ond yn gyntaf edrychwn ar ddwy enghraifft sy'n cynnwys digwyddiadau syml hafal debygol.

Enghraifft 25

Mae bocs yn cynnwys pedwar darn arian. Mae tri darn arian yn deg, ond mae'r pedwerydd yn ddeuben. Tynnir darn arian o'r bocs ar hap a'i daflu.

(i) Cyfrifwch y tebygolrwydd fod pen yn ymddangos.
(ii) O wybod bod pen wedi ymddangos, cyfrifwch y tebygolrwydd amodol mai'r darn deuben a gafodd ei daflu.

Gallwn weld y gwahanol bosibiliadau yn eithaf hawdd trwy lunio coeden debygolrwydd.

(i) Mae tri 'chanlyniad' posibl (pen gyda darn arian teg, cynffon gyda darn arian teg, pen gyda'r darn arian deuben).
Mae dau yn cyfateb i gael pen, ac felly
$P(\text{pen}) = \frac{3}{8} + \frac{1}{4} = \frac{5}{8}$.

(ii) Mae cyfraniad y darn arian deuben i $P(\text{pen})$ yn $\frac{1}{4}$ ac felly y tebygolrwydd amodol sydd ei angen yw

$$\frac{\frac{1}{4}}{\frac{5}{8}} = \frac{2}{5}$$

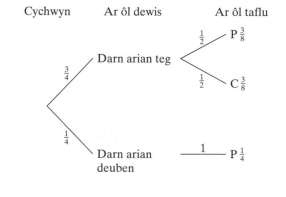

Enghraifft 26

Mae sgrin electronig yr un mor debygol o ddangos unrhyw un o'r digidau
$1, \ldots, 8, 9$.

Cyfrifwch y tebygolrwydd y bydd yn dangos rhif cysefin (h.y. un o'r rhifau:
$2, 3, 5$ a 7):

(i)   os na chafwyd unrhyw wybodaeth am y rhif,

(ii) o wybod bod y rhif yn odrif.

_____

Gadewch i B fod y digwyddiad 'rhif cysefin' ac i A fod y digwyddiad 'odrif'.
Felly $A \cap B$ yw'r digwyddiad 'odrif cysefin'.

(i)   Gan fod naw canlyniad posibl, $n(S) = 9$. Gan fod pedwar canlyniad yn
      cyfateb i'r digwyddiad dan sylw, $n(B) = 4$. Gan fod y canlyniadau i gyd
      yr un mor debygol â'i gilydd, $P(B) = \dfrac{n(B)}{n(S)} = \frac{4}{9}$.

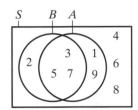

(ii) O gael y wybodaeth bod y rhif yn odrif, gwyddom fod yn rhaid ei
      fod yn un o'r rhifau $n(A)$ $1, 3, 5, 7$ a 9. I ddechrau, roedd pob un o'r
      canlyniadau hyn yr un mor debygol â'i gilydd. Nid yw gwybod bod un
      ohonynt wedi digwydd yn golygu bod y siawns y byddant yn digwydd
      yn anghyfartal. O'r pum canlyniad posibl hyn, mae tri ($3, 5$ a 7) yn
      rhifau cysefin. Y canlyniadau hyn yw'r digwyddiadau syml sy'n cyfateb
      i'r digwyddiad $A \cap B$. Felly,

$$P(B|A) = \frac{n(A \cap B)}{n(A)} = \frac{3}{5}$$

Dangosodd yr enghreifftiau blaenorol, mewn dau achos arbennig, y canlyniad,
yn achos digwyddiadau syml sydd yn hafal debygol fod:

$$P(B|A) = \frac{n(A \cap B)}{n(A)}$$

Os rhannwn rifiadur ac enwadur ochr dde'r hafaliad hwn ag $n(S)$, cawn:

$$P(B|A) = \frac{P(A \cap B)}{P(A)} \tag{4.10}$$

Mae'r canlyniad hwn bob amser yn wir (os yw A yn ddigwyddiad posibl) ac
nid yw'n cael ei gyfyngu i ddigwyddiadau sydd yn hafal debygol.
Gallwn egluro'r canlyniad drwy ddefnyddio diagramau Venn.

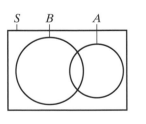
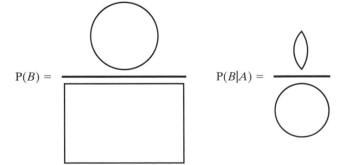

Mae gwybod bod A wedi digwydd yn golygu ein bod yn gallu anwybyddu
pob rhan o'r gofod sampl ac eithrio'r rhan lle ceir y digwyddiad A. Y rhan o
A lle mae B hefyd yn digwydd yw'r rhan a ddynodir gan $A \cap B$, a gwelir mai
datganiad syml ynghylch cyfrannedd yw Hafaliad (4.10).

Drwy ad-drefnu'r hafaliad blaenorol cawn:

$$P(A \cap B) = P(A) \times P(B|A) \qquad (4.11)$$

Drwy gildroi swyddogaethau A a B:

$$P(B \cap A) = P(B) \times P(A|B)$$

Gan fod $A \cap B$ a $B \cap A$ yn disgrifio'r un digwyddiad, sef croestoriad A a B, mae gennym:

$$P(A \cap B) = P(B \cap A)$$

a thrwy hynny:

$$P(A \cap B) = P(A) \times P(B|A) = P(B) \times P(A|B) \qquad (4.12)$$

Y rheol luosi gyffredinoledig

Yn achos tri digwyddiad, mae cymhwyso Hafaliad (4.12) dro ar ôl tro yn rhoi:

$$P(A \cap B \cap C) = P(A) \times P(B|A) \times P(C|A \cap B) \qquad (4.13)$$

ac o hyn mae'r estyniad i fwy o ddigwyddiadau yn eglur.

Gan fod $(A \cap B \cap C)$ yr un fath, er enghraifft, â $(B \cap C \cap A)$, un arall o nifer o fynegiadau cywerth ar gyfer $P(A \cap B \cap C)$ yw:

$$P(A \cap B \cap C) = P(B) \times P(C|B) \times P(A|B \cap C)$$

4.19 Annibyniaeth ystadegol

Dywedir bod dau ddigwyddiad A a B yn **ystadegol annibynnol** *os nad* yw'r wybodaeth bod un yn digwydd yn newid y tebygolrwydd y bydd y llall yn digwydd. Yn ffurfiol, os yw A a B yn ddau ddigwyddiad ystadegol annibynnol gyda thebygolrwyddau ansero, yna:

◆ $P(A|B) = P(A)$
◆ $P(B|A) = P(B)$
◆ $P(A \cap B) = P(A) \times P(B)$

Nodiadau
  ◆ Mae unrhyw un o'r tri hafaliad uchod yn ddigon i sicrhau annibyniaeth A a B (gan gymryd bod gan y ddau debygolrwydd ansero y byddant yn digwydd).
  ◆ Mae digwyddiadau ffisegol annibynnol bob amser yn ystadegol annibynnol.
  ◆ Mae'r geiriau 'ystadegol' a 'ffisegol' yn aml yn cael eu hepgor a dywedir yn syml bod digwyddiadau yn 'annibynnol'.
  ◆ Ni all digwyddiadau anghynhwysol gyda thebygolrwydd positif fod yn annibynnol.

Enghraifft 27

Mae dau ddigwyddiad, A a B yn peri bod $P(A) = 0.5$, $P(B) = 0.4$ a $P(A|B) = 0.3$.

(i)   Nodwch a yw'r digwyddiadau yn annibynnol.
(ii) Darganfyddwch werth $P(A \cap B)$.

———

(i)   *Nid yw* digwyddiadau A a B yn annibynnol oherwydd $P(A) \neq P(A|B)$
(ii) $P(A \cap B) = P(B) \times P(A|B) = 0.4 \times 0.3 = 0.12$

Enghraifft 28

Mae dau ddigwyddiad A a B yn peri bod $P(A) = 0.7, P(B) = 0.4$ a
$P(A|B) = 0.3$.
Cyfrifwch y tebygolrwydd na fydd A na B yn digwydd.

———

Nid yw'n amlwg sut i ateb y cwestiwn hwn. Un ffordd yw drwy 'sgriblan'
ac ysgrifennu tebygolrwyddau'r pethau yr ydym yn eu gwybod. Felly, o
Hafaliad (4.12):

$$P(A \cap B) = P(B) \times P(A|B) = 0.4 \times 0.3 = 0.12$$

O Hafaliad (4.3) nawr mae'n bosibl inni gael $P(A \cup B)$:

$$P(A \cup B) = P(A) + P(B) - P(A \cap B) = 0.7 + 0.4 - 0.12 = 0.98$$

Ond, wrth edrych ar ddiagram Venn:

$$P(\text{nid } A \text{ na } B) = 1 - P(A \cup B):$$

Felly mae'r tebygolrwydd sydd ei angen yn $1 - 0.98 = 0.02$

———

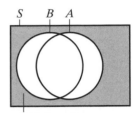

Nid A na B

Dull arall mwy algebraidd o wneud hyn yw dechrau drwy drefnu'r
wybodaeth mewn tabl tebygolrwyddau'r cyd-ddigwyddiadau $A \cap B$,
$A \cap B', A' \cap B, A' \cap B'$, gyda'r gwerth sydd ei angen, $P(A' \cap B')$ yn cael
ei osod yn hafal i x.

	B	B'	Cyfanswm
A			0.7
A'		x	0.3
Cyfanswm	0.4	0.6	1.0

sy'n rhoi:

	B	B'	Cyfanswm
A	$0.1 + x$	$0.6 - x$	0.7
A'	$0.3 - x$	x	0.3
Cyfanswm	0.4	0.6	1.0

I gael yr ail dabl, er enghraifft, rydym wedi defnyddio'r ffaith fod:

$$P(B) = P(B \cap A) + P(B \cap A')$$

Gwyddom hefyd fod $P(A|B) = 0.3$. Felly $\dfrac{0.1 + x}{0.4} = 0.3$. Drwy luosi'r ddwy
ochr â 0.4, cawn $0.1 + x = 0.3 \times 0.4$ fel bod $x = 0.12 - 0.1 = 0.02$, fel o'r
blaen.
  Gellid defnyddio'r un dull gan ddefnyddio'r diagram Venn a ddangosir.

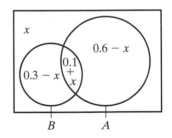

Enghraifft 29

Mae'r tabl canlynol yn rhoi gwybodaeth ar ddwy agwedd o gynefinoedd
rhai madfallod trofannol yn achos sampl o 207 cynefin.

		Diamedr clwyd (cm)		Cyfanswm
		$\leqslant 10$	> 10	
Uchder	> 1.5	64	22	86
clwyd (m)	$\leqslant 1.5$	86	35	121
Cyfanswm		150	57	207

Tybiwch fod un o'r 207 cynefin yn y sampl yn cael ei ddewis ar hap.

Cyfrifwch, i'r 2 le degol agosaf, y tebygolrwydd bod:

(i)   diamedr y glwyd yn fwy na 10 cm,

(ii) diamedr y glwyd yn fwy na 10 cm, o wybod bod uchder y glwyd yn fwy nag 1.5 m,

(iii) uchder y glwyd yn fwy nag 1.5 m,

(iv) uchder y glwyd yn fwy nag 1.5 m, o wybod bod diamedr y glwyd yn fwy na 10 cm.

_____

Diffiniwch ddigwyddiadau A a B fel a ganlyn:

  A: Mae diamedr y glwyd yn fwy na 10 cm.

  B: Mae uchder y glwyd yn fwy nag 1.5 m.

Gallwn ddarllen yr atebion yn uniongyrchol o'r tabl.

(i) $P(A) = \frac{57}{207} = 0.28$ (i 2 ll.d.)

(ii) $P(A|B) = \frac{22}{86} = 0.26$ (i 2 ll.d.)

(iii) $P(B) = \frac{86}{207} = 0.42$ (i 2 ll.d.)

(iv) $P(B|A) = \frac{22}{57} = 0.39$ (i 2 ll.d.)

Gan fod $P(A) \approx P(A|B)$ a $P(B) \approx P(B|A)$ mae'n ymddangos bod uchder clwyd a diamedr clwyd fwy neu lai yn annibynnol.

Enghraifft 30

Dewisir person ar hap o'r boblogaeth. Boed i A fod y digwyddiad 'mae'r person yn fenyw' a boed i B fod y digwyddiad 'mae'r person yn 80 oed o leiaf'. Tybiwch fod $P(A) = 0.5$, $P(B) = 0.1$ a $P(A|B) = 0.7$. Boed i ddigwyddiad C gael ei ddiffinio gan $C = A \cap B'$.

(i) Disgrifiwch ddigwyddiad C mewn termau real.

(ii) Cyfrifwch $P(A|B')$.

_____

Mae'r cwestiwn hwn yn llawer haws i'w ateb ar ôl iddo gael ei ysgrifennu mewn geiriau.

Mewn poblogaeth benodol, mae 50% yn fenywod, 10% yn 80 oed o leiaf a 70% o'r bobl hŷn yn fenywod.

(i) Digwyddiad C yw 'benyw sy'n iau nag 80 oed'.

(ii) Mae angen inni ddarganfod y tebygolrwydd bod rhywun iau nag 80 yn fenyw. Ffordd syml o fynd ati i wneud hyn yw ffurfio tabl. Hefyd, gall rhoi maint pendant i'r boblogaeth (N, dyweder) fod o gymorth. Felly mae nifer y benywod 80 oed neu hŷn yn $0.7 \times 0.1N = 0.07N$. Mae gweddill y tabl yn cael ei lenwi drwy dynnu.

	<80	⩾80	
Gwrywod	0.47N	0.03N	0.50N
Benywod	0.43N	0.07N	0.50N
	0.90N	0.10N	N

Felly cyfran y benywod sydd ymhlith y bobl dan 80 oed yw

$\frac{0.43N}{0.90N} = \frac{43}{90}$. Felly $P(A|B') = \frac{43}{90}$, sydd ychydig yn llai na $\frac{1}{2}$.

Ymarferion 4e

1 O wybod bod $P(A) = 0.4$, $P(B) = 0.7$, $P(A \cap B) = 0.2$, darganfyddwch (i) $P(A|B)$, (ii) $P(A'|B)$, (iii) $P(A|B')$, (iv) $P(A'|B')$.

2 O wybod bod $P(A) = 0.8$, $P(A|B) = 0.8$, $P(A \cap B) = 0.5$, darganfyddwch (i) $P(B)$, (ii) $P(B|A)$, (iii) $P(A \cup B)$, (iv) $P(A|A \cup B)$, (v) $P(A \cap B|A \cup B)$, (vi) $P(A \cap B|B')$, (vii) $P(A \cap B|A)$.

3 O wybod bod $P(C \cap D) = \frac{1}{4}$, $P(C|D) = \frac{1}{3}$, $P(D|C) = \frac{3}{5}$, darganfyddwch (i) $P(C)$, (ii) $P(D)$, (iii) $P(C|D')$, (iv) $P(C|C \cup D)$.

4 O wybod bod $P(A) = 0.8$, $P(B) = 0.7$, $P(C) = 0.6$, $P(A|B) = 0.8$, $P(C|B) = 0.7$, $P(A \cap C) = 0.48$, cyfrifwch pa un ai yw:
   (i) A a B yn annibynnol,
   (ii) A ac C yn annibynnol,
   (iii) B ac C yn annibynnol.

5 O wybod bod C a D yn annibynnol a bod $P(C|D) = \frac{2}{3}$, $P(C \cap D) = \frac{1}{3}$, darganfyddwch (i) $P(C)$, (ii) $P(D)$.

6 O wybod bod $P(B) = \frac{4}{5}$, $P(C) = \frac{2}{3}$, $P(A|B) = \frac{1}{2}$, $P(B|A) = \frac{3}{4}$, $P(C|A \cap B) = \frac{1}{3}$, darganfyddwch (i) $P(A \cap B)$, (ii) $P(A \cap B \cap C)$, (iii) $P(A)$, (iv) $P(A \cap B|C)$.

7 Mae tri dis 6-ochr cyffredin diduedd yn cael eu taflu ar yr un pryd. Mae un yn goch, yr ail yn wyrdd a'r trydydd yn las. Diffinnir digwyddiadau C, G, S a T fel a ganlyn:
   C: Y sgôr ar y dis coch yw 3.
   G: Y sgôr ar y dis gwyrdd yw 2.
   S: Cyfanswm y sgorau ar y disiau coch a gwyrdd yw 4.
   T: Cyfanswm y sgorau ar y tri dis yw 5.
   Darganfyddwch y tebygolrwyddau canlynol:
   (a) $P(C \cap G)$, (b) $P(S|C)$, (c) $P(C|S)$, (ch) $P(C \cup G)$, (d) $P(T)$, (dd) $P(S|T)$.

8 Ar ynys drofannol heulog Iwtopia, mae chwarter y nifer fawr o oedolion yn ddynion a'r gweddill yn fenywod. Mae pwyllgor croesawu ymwelwyr yr ynys yn cynnwys chwe unigolyn a ddewiswyd ar hap o blith oedolion yr ynys. Cyfrifwch y tebygolrwydd y bydd:
   (a) union un aelod o'r pwyllgor yn ddyn,
   (b) holl aelodau'r pwyllgor yn fenywod,
   (c) o leiaf pum aelod o'r pwyllgor yn fenywod,
   (ch) holl aelodau'r pwyllgor o'r un rhyw,
   (d) holl aelodau'r pwyllgor yn fenywod, o wybod eu bod i gyd o'r un rhyw.

9 Mae bocs yn cynnwys 5 pêl goch a 3 pêl wen. Mae bocs arall yn cynnwys 4 pêl goch a 4 pêl wen. Mae dwy bêl yn cael eu tynnu ar hap o'r bocs cyntaf a'u gosod yn yr ail focs. Yna mae un bêl yn cael ei thynnu ar hap o'r 10 pêl sydd bellach yn yr ail focs.
   Cyfrifwch y tebygolrwydd y bydd hon yn bêl goch.

10 Roedd y Giang Werdd yn cynnwys 12 unigolyn. Roedd gan 8 ohonynt yr enw Smith a 4 yr enw Jones. Cawsant un flwyddyn wael ar ôl ffraeo â giang arall, a phob mis byddai un aelod o'r Giang Werdd yn cael ei 'ddileu' ar hap. Cyfrifwch debygolrwydd pob un o'r digwyddiadau canlynol:
   A: Roedd union dri o'r pump cyntaf a ddilëwyd yn Jones.
   B: Roedd y ddau olaf i gael eu dileu yn Smith.
   Cyfrifwch hefyd $P(A|B)$ a $P(B|A)$.

11 Mae digwyddiadau A a B yn peri bod $P(A) = \frac{2}{5}$, $P(B) = \frac{1}{6}$ a $P(A \cup B) = \frac{13}{30}$. Dangoswch nad yw A a B yn gyd-anghynhwysol nac yn annibynnol.
   [CBAC]

12 Mae bocs yn cynnwys deg eitem. Mae 1 o'r rhain yn bêl goch, 2 yn beli gwyn, 3 yn giwbiau coch a 4 yn giwbiau gwyn. Tynnir tair eitem ar hap o'r bocs, un ar ôl y llall a heb eu rhoi yn ôl. Dyma ddiffiniadau digwyddiadau B ac C:
   B: Mae union ddwy eitem sy'n cael eu tynnu yn beli.
   C: Mae union un o'r eitemau sy'n cael eu tynnu yn goch.
   Dangoswch fod $P(B) = \frac{7}{40}$ a chyfrifwch $P(C)$, $P(B \cap C)$, $P(B \cup C)$ a $P(B|C)$.
   [UCLES]

13 Mae bocs yn cynnwys 25 afal. Mae 20 o'r rhain yn goch a 5 yn wyrdd. Mae 3 o'r afalau coch yn cynnwys cynrhon ac 1 o'r afalau gwyrdd yn cynnwys cynrhon. Tynnir dau afal ar hap o'r bocs. Darganfyddwch y tebygolrwyddau canlynol, mewn unrhyw drefn:
   (i)   bydd y ddau afal yn cynnwys cynrhon,
   (ii) bydd y ddau afal yn goch ac o leiaf un yn cynnwys cynrhon,
   (iii) bydd o leiaf un afal yn cynnwys cynrhon, o wybod bod y ddau afal yn goch,
   (iv) bydd y ddau afal yn goch o wybod bod o leiaf un afal yn goch.
   [UCLES]

14 Wrth chwarae twll arbennig ar ei gwrs lleol mae golffiwr yn sylwi ei fod yn taro dreif syth ar 80 y cant o adegau pan nad yw'n wyntog ond dim ond ar 30 y cant o adegau pan yw'n wyntog. Mae cofnodion lleol yn awgrymu bod y tywydd yn wyntog ar 55 y cant o bob diwrnod.

  (i) Dangoswch mai'r tebygolrwydd y bydd y golffiwr yn taro dreif syth at y twll, ar ddydd a ddewisir ar hap, yw 0.525.

  (ii) O wybod ei fod yn methu taro dreif syth at y twll, cyfrifwch y tebygolwydd bod y tywydd yn wyntog.   [JMB]

15 Mae digwyddiadau A a B yn peri bod:

$P(A') = \frac{3}{4}$,

$P(A|B) = \frac{1}{3}$,

$P(A \cup B) = \frac{2}{3}$,

lle mae A' yn dynodi'r digwyddiad "Nid yw A yn digwydd".

Darganfyddwch (i) $P(A)$, (ii) $P(A \cap B)$, (iii) $P(B)$, (iv) $P(A|B')$,

lle mae B' yn dynodi'r digwyddiad "Nid yw B yn digwydd". Cyfrifwch pa un ai yw A a B yn annibynnol ai peidio.

[Gellir mynegi atebion fel ffracsiynau yn eu ffurf symlaf.]   [O&C]

16 Defnyddir dis 6-ochr cyffredin i chwarae gêm. Mae chwaraewr yn taflu'r dis hwn, ac os yw'n cael 2, 3, 4 neu 5, dyna yw ei sgôr. Os yw'r canlyniad yn 1 neu 6, mae'r chwaraewr yn taflu'r dis yr eilwaith a chyfanswm y ddau rif a deflir yw sgôr y chwaraewr. Mae digwyddiadau A a B yn cael eu diffinio fel a ganlyn:

A: mae sgôr y chwaraewr yn 5, 6, 7, 8 neu 9;

B: mae'r chwaraewr yn cael dau dafliad.

Dangoswch fod $P(A) = \frac{1}{3}$.

Darganfyddwch (i) $P(A \cap B)$, (ii) $P(A \cup B)$, (iii) $P(A|B)$, (iv) $P(B|A')$.   [UCLES]

17 Mae bag yn cynnwys 4 cownter coch a 6 chownter gwyrdd. Mae pedwar cownter yn cael eu tynnu ar hap o'r bag, heb eu rhoi yn ôl. Cyfrifwch y tebygolrwyddau canlynol:

  (i) mae pob cownter sy'n cael ei dynnu yn wyrdd,

  (ii) mae o leiaf un cownter o bob lliw yn cael ei dynnu,

  (iii) mae o leiaf dau gownter gwyrdd yn cael eu tynnu,

  (iv) mae o leiaf dau gownter gwyrdd yn cael eu tynnu, o wybod bod o leiaf un o bob lliw yn cael eu tynnu.

Gan roi rheswm, nodwch pa un ai yw'r digwyddiadau 'mae o leiaf dau gownter gwyrdd yn cael eu tynnu' ac 'mae o leiaf un cownter o bob lliw yn cael eu tynnu' yn annibynnol ai peidio.   [UCLES]

18 Mae bag yn cynnwys 5 pêl wen a 3 pêl goch. Mae dau chwaraewr, A a B, yn cymryd tro i dynnu un bêl o'r bag ar hap, ac nid yw'r peli a dynnir yn cael eu dychwelyd. Y chwaraewr cyntaf i gael dwy bêl goch yw'r enillydd, ac mae'r gêm yn gorffen cyn gynted ag y bydd unrhyw un o'r chwaraewyr wedi tynnu dwy bêl goch. Mae chwaraewr A yn tynnu pêl gyntaf. Darganfyddwch y tebygolrwydd:

  (i) y bydd chwaraewr A yn ennill ar ôl tynnu ei ail bêl,

  (ii) y bydd chwaraewr A yn ennill, o wybod bod yr enillydd yn ennill ar ôl tynnu ei ail bêl,

  (iii) na fydd yr un o'r ddau chwaraewr yn ennill ar ôl tynnu dwy bêl, o wybod bod A yn tynnu pêl goch y tro cyntaf.   [UCLES]

19 Yn achos parau priod, mae'r tebygolrwydd y bydd y gŵr wedi pasio ei brawf gyrru yn $\frac{7}{10}$ a'r tebygolrwydd y bydd y wraig wedi pasio ei phrawf gyrru yn $\frac{1}{2}$. Mae'r tebygolrwydd y bydd y gŵr wedi pasio, o wybod bod y wraig wedi pasio, yn $\frac{14}{15}$. Yn achos pâr priod a ddewisir ar hap, cyfrifwch y tebygolrwydd:

  (*a*) bod y ddau wedi pasio'r prawf gyrru,

  (*b*) bod un yn unig wedi pasio'r prawf gyrru,

  (*c*) nad yw'r un ohonynt wedi pasio'r prawf gyrru.

Os dewisir dau bâr priod ar hap, cyfrifwch y tebygolrwydd mai dim ond un o'r gwŷr a dim ond un o'r gwragedd fydd wedi pasio eu prawf gyrru.   [ULSEB]

20 Ysgrifennwch fynegiad yn ymwneud â thebygolrwyddau ar gyfer $P(B|A)$, sef tebygolrwydd digwyddiad B o wybod bod digwyddiad A yn digwydd. Mae Alys a Beth yn chwarae tennis lle mae'r chwaraewr cyntaf sy'n ennill dwy set yn ennill y gêm. Mewn tennis ni all setiau fod yn gyfartal. Mae'r tebygolrwydd y bydd Alys yn ennill y set gyntaf yn $\frac{1}{3}$; yn achos setiau ar ôl y gyntaf, mae'r tebygolrwydd y bydd Alys yn ennill y set yn $\frac{3}{5}$ os enillodd y set flaenorol, ond dim ond $\frac{1}{4}$ os collodd y set flaenorol.

Gan ddefnyddio diagram addas i'ch helpu, neu fel arall, cyfrifwch y tebygolrwydd:

  (i) y bydd y gêm yn para am ddwy set yn unig,

  (ii) y bydd Alys yn ennill y gêm o wybod ei bod yn para am ddwy set yn unig,

  (iii) y bydd Alys yn ennill y gêm,

  (iv) y bydd Alys yn ennill y gêm o wybod ei bod yn para am dair set,

  (v) os yw Alys yn ennill y gêm, yna mae hi'n gwneud hynny mewn dwy set.   [JMB(P)]

4.20 Theorem cyfanswm tebygolrwydd

Mae'r broblem ganlynol yn rhoi enghraifft syml o hyn (gweler Enghraifft 24):

> Mae gan ystadegydd ddarn arian teg a darn arian deuben. Mae'n dewis un o'r darnau arian ar hap ac yn ei daflu. Cyfrifwch y tebygolrwydd ei bod yn cael pen.

Gallwn ddisgrifio'r sefyllfa hon gan ddefnyddio coeden debygolrwydd:

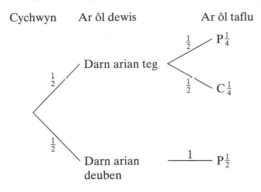

Mae'r cyfanswm tebygolrwydd y bydd yn cael pen yn $\frac{3}{4}$, sef cyfanswm dwy gangen y goeden sy'n gorffen â'r canlyniad 'Pen'. (Gallai'r tebygolrwydd hwn hefyd gael ei ddiddwytho drwy nodi bod gan y ddau ddarn arian bedair ochr rhyngddynt a bod pen ar dair o'r pedair ochr sydd yr un mor debygol â'i gilydd).

Mae'r theorem cyfanswm tebygolrwydd yn gyfwerth â'r mynegiad bod y cyfan yn swm ei rannau. Mae'r canlynol yn rhoi darlun syml o'r syniad cyffredinol.

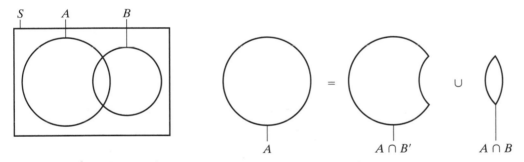

O drosi'r diagram yn fynegiadau tebygolrwydd sy'n defnyddio'r ffaith bod $A \cap B$ ac $A \cap B'$ yn gyd-anghynhwysol, cawn:

$$P(A) = P(A \cap B) + P(A \cap B')$$
$$= \{P(B) \times P(A|B)\} + \{P(B') \times P(A|B')\}.$$

Yn yr achos hwn mae A yn cynnwys dwy 'sleisen' yn unig, $A \cap B$ ac $A \cap B'$. Mae'r canlyniad yn cyffredinoli yn rhwydd ar gyfer m 'sleisen' fel a ganlyn. Tybiwch fod $B_1, B_2, ..., B_m$ yn m digwyddiad cyd-anghynhwysol a chynhwysfawr yn y gofod sampl S. Boed i A fod yn ddigwyddiad arall yn S. Yna

$$P(A) = \sum_{i=1}^{m} P(A \cap B_i) \tag{4.14}$$

a thrwy hynny, wrth ddefnyddio Hafaliad (4.12), rydym yn cael y theorem cyfanswm tebygolrwydd, yn achos digwyddiadau cyd-anghynhwysol a chynhwysfawr $B_1, B_2, ..., B_m$,

$$P(A) = \sum_{i=1}^{m} P(B_i) \times P(A|B_i) \tag{4.15}$$

Enghraifft 31

O'r myfyrwyr sy'n llwyddo'n dda mewn Ffiseg, mae 80% hefyd yn llwyddo'n dda mewn Mathemateg. O'r rhai nad ydynt yn llwyddo'n dda mewn Ffiseg, dim ond 30% sy'n llwyddo'n dda mewn Mathemateg. Os oes 40% yn llwyddo'n dda mewn Ffiseg, pa gyfran sy'n llwyddo'n dda mewn Mathemateg?

Diffiniwch y digwyddiadau A, B_1 a B_2 fel a ganlyn:

  A: Llwyddo'n dda mewn Mathemateg.
  B_1: Llwyddo'n dda mewn Ffiseg.
  B_2: Ddim yn llwyddo'n dda mewn Ffiseg.

Mae'r wybodaeth a roddir yn dweud wrthym bod $P(A|B_1) = 0.8$, $P(A|B_2) = 0.3$ a $P(B_1) = 0.4$. O'r olaf gallwn ddiddwytho bod $P(B_2) = 0.6$. Mae digwyddiadau B_1 a B_2 yn gyd-anghynhwysol a chynhwysfawr, felly gan ddefnyddio Hafaliad (4.15):

$$P(A) = \{P(B_1) \times P(A|B_1)\} + \{P(B_2) \times P(A|B_2)\}$$
$$= (0.4 \times 0.8) + (0.6 \times 0.3)$$
$$= 0.50$$

Felly mae hanner y myfyrwyr yn llwyddo'n dda mewn Mathemateg.

Enghraifft 32

Dyma enghraifft lle mae peli yn cael eu tynnu o focs a darnau arian yn cael eu taflu. Tybiwch fod bocs yn cynnwys 3 pêl wedi eu rhifo 0, 1 a 2, yn ôl eu trefn. Tynnir pêl ar hap o'r bocs a darganfyddir bod ei rhif yn n, dyweder. Nawr rydym yn taflu n darn arian.

Beth yw'r tebygolrwydd y byddwn yn cael union un pen?

Rydym yn cychwyn drwy lunio coeden debygolrwydd a diffinio digwyddiadau:

  A: Cael union un pen.
  B': Mae'r bêl a dynnir wedi ei rhifo yn i, lle mae $i = 0, 1$ neu 2.

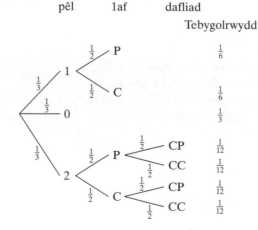

| Cychwyn | Ar ôl pêl | Ar ôl tafliad 1af | Ar ôl 2il dafliad | Tebygolrwydd |

Fel y dengys y diagram, $P(B_0) = P(B_1) = P(B_2) = \frac{1}{3}$, tra bo $P(A|B_0) = 0$, $P(A|B_1) = \frac{1}{2}$ a $P(A|B_2) = \left(\frac{1}{2} \times \frac{1}{2}\right) + \left(\frac{1}{2} \times \frac{1}{2}\right) = \frac{1}{2}$.

Rhoddir cyfanswm tebygolrwydd digwyddiad A gan:

$$P(A) = \{P(B_0) \times P(A|B_0)\} + \{P(B_1) \times P(A|B_1)\} + \{P(B_2) \times P(A|B_2)\}$$
$$= \left(\tfrac{1}{3} \times 0\right) + \left(\tfrac{1}{3} \times \tfrac{1}{2}\right) + \left(\tfrac{1}{3} \times \tfrac{1}{2}\right)$$
$$= 0 + \tfrac{1}{6} + \tfrac{1}{6}$$
$$= \tfrac{1}{3}$$

Mae'r tebygolrwydd ein bod yn cael union un pen yn $\tfrac{1}{3}$.

Enghraifft 33

Gwneir tair fersiwn o gar: 2-ddrws, 4-drws a chefn-codi. Cyfrannau'r tri math yw 25%, 40% a 35% yn ôl eu trefn. Mae gan bob fersiwn o'r car un ai beiriant 1400 cc neu beiriant 1600 cc. O'r ceir 2-ddrws, mae gan 70% ohonynt beiriant 1400 cc. Y cyfrannau ar gyfer y fersiynau 4-drws a chefn-codi yw 40% a 35% yn ôl eu trefn.

Mewn ymgyrch gyhoeddusrwydd mae gwneuthurwyr y car yn dewis perchennog un o'r ceir ar hap i dderbyn gwobr, sef gwasanaeth am ddim yn ystod oes y car.

Cyfrifwch y tebygolrwydd y bydd gan gar y perchennog beiriant 1600 cc.

Diffiniwch ddigwyddiadau A, B_1, B_2 a B_3 fel a ganlyn:

A: Mae gan gar y perchennog beiriant 1600 cc.
B_1:   Mae car y perchennog yn fersiwn 2-ddrws.
B_2:   Mae car y perchennog yn fersiwn 4-drws.
B_3:   Mae car y perchennog yn fersiwn cefn-codi.

Mae digwyddiadau B_1, B_2 a B_3 yn gyd-anghynhwysol a chynhwysfawr, felly gan ddefnyddio Hafaliad (4.15):

$$P(A) = \{P(B_1) \times P(A|B_1)\} + \{P(B_2) \times P(A|B_2)\} + \{P(B_3) \times P(A|B_3)\}$$
$$= (0.25 \times 0.3) + (0.4 \times 0.6) + (0.35 \times 0.65)$$
$$= 0.5425$$

Mae'r tebygolrwydd fod gan gar y perchennog beiriant 1600 cc tua 54%.

Ymarferion 4f

1 Mae cwmni yswiriant cerbydau yn dosbarthu gyrwyr yn A, B neu C, yn ôl pa un ai ydynt yn risg dda, risg ganolig neu risg wael o ran cael damwain. Mae'r cwmni yn amcangyfrif bod A yn cynnwys 30% o yrwyr sydd wedi eu hyswirio a bod B yn cynnwys 50%.

Mae'r tebygolrwydd y bydd gyrrwr dosbarth A wedi cael un ddamwain neu fwy mewn unrhyw gyfnod 12 mis yn 0.01, a'r gwerthoedd cyfatebol ar gyfer B ac C yn 0.03 a 0.06 yn ôl eu trefn.

(a) Darganfyddwch y tebygolrwydd bod modurwr, a ddewisir ar hap, yn cael ei asesu fel risg dosbarth C ac y bydd yn cael un ddamwain neu fwy yn ystod cyfnod o 12 mis.

(b) Darganfyddwch y tebygolrwydd y bydd modurwr, a ddewisir ar hap, yn cael un ddamwain neu fwy yn ystod cyfnod o 12 mis.

(c) Mae'r cwmni yn gwerthu polisi i gwsmer ac o fewn 12 mis mae'r cwsmer hwnnw'n cael damwain. Darganfyddwch y tebygolrwydd y bydd y cwsmer yn perthyn i ddosbarth risg C.

(ch) Os na fydd deiliad polisi wedi cael damwain yn ystod 10 mlynedd ac os yw damweiniau yn ystod pob blwyddyn yn annibynnol ar y rhai yn ystod blynyddoedd eraill, dangoswch ei bod yn bosibl mynegi'r tebygolrwyddau bod y deiliad polisi yn perthyn i bob un o'r dosbarthiadau, yn gywir i 2 le degol, yn ôl y gymhareb 2.71 : 3.69 : 1.08.   [AEB 90]

2 Mae digwyddiadau A a B yn peri bod
$P(A) = x + 0.2, P(B) = 2x + 0.1, P(A \cap B) = x$.

(*a*) O wybod bod $P(A \cup B) = 0.7$,
darganfyddwch werth x a nodwch
werthoedd $P(A)$ a $P(B)$.

(*b*) Gwiriwch fod digwyddiadau A a B yn
annibynnol.

Mae digwyddiadau A ac C yn gyd-
anghynhwysol, $P(A \cup B \cup C) = 1$ a $P(B|C) = 0.4$.

(*c*) Darganfyddwch werthoedd $P(B \cap C)$ a $P(C)$.

(*ch*) Gan roi rheswm, nodwch a yw
digwyddiadau B ac C yn annibynnol ai
peidio.   [ULSEB]

3 Yn achos dau ddigwyddiad A a B, mae
$P(A|B) = \frac{5}{11}, P(A \cup B) = \frac{9}{10}, P(B) = x$.

(*a*) Ysgrifennwch $P(A \cap B)$ yn nhermau x a
thrwy hynny dangoswch fod $P(A) = \frac{9}{10} - \frac{6x}{11}$.

O wybod bod $P(A \cap B) = 2P(A \cap B')$,

(*b*) darganfyddwch hafaliad ar gyfer x.

(*c*) diddwythwch fod $x = \frac{11}{15}$.

Ar gyfer y ddau ddigwyddiad A a B a thrydydd
digwyddiad C,
$P(A \cup B \cup C) = 1$
Mae A ac C yn gyd-anghynhwysol,
Mae B ac C yn annibynnol.

(*ch*) Gan gymryd bod $P(B \cap C) = y$, ffurfiwch
hafaliad ar gyfer y a thrwy hynny
dangoswch fod $P(C) = \frac{3}{8}$.

(*d*) Darganfyddwch werth $P(A \cup C)$.
                                          [ULSEB]

4 (i) Mae digwyddiadau A a B yn peri bod
$P(A) = \frac{2}{5}, P(B) = \frac{1}{4}$ a $P(A \cup B) = \frac{11}{20}$.
Cyfrifwch pa un ai yw digwyddiadau A a B:
(*a*) yn annibynnol ai peidio,
(*b*) yn gyd-anghynhwysol ai peidio.
Mae trydydd digwyddiad C yn peri bod
$P(A \cup C) = \frac{7}{10}, P(B \cup C) = \frac{3}{4}$ a
$P(A \cap C) = 2P(B \cap C)$.

(*c*) Darganfyddwch $P(C)$ a chyfrifwch
pa un ai yw digwyddiadau B ac C yn
annibynnol ai peidio.

(ii) Mae dis tueddol wedi ei lunio fel bod y
rhifau 3 a 4 ddwywaith mor debygol o
ddigwydd â'r rhifau 1, 2, 5 a 6.
Darganfyddwch

(*a*) y tebygolrwydd o daflu 4,

(*b*) y tebygolrwydd o daflu 4, o wybod bod
y tafliad yn fwy na 2.

Mae dau ddis o'r fath yn cael eu taflu.

(*c*) Darganfyddwch y tebygolrwydd bod
cyfanswm y rhifau sy'n cael eu taflu
yn 7.   [ULSEB]

5 (i) Mae digwyddiadau A a B yn peri bod
$P(A|B) = \frac{7}{10}, P(B|A) = \frac{7}{15}$ a
$P(A \cup B) = \frac{3}{5}$.
Darganfyddwch werthoedd

(*a*) $P(A \cap B)$,

(*b*) $P(A' \cap B)$.

(ii) Mae llaw o bedwar cerdyn yn cael eu
tynnu ar hap a heb eu dychwelyd, o bac
o 52 o gardiau chwarae. Gan roi eich
ateb ym mhob achos i dri ffigur ystyrlon,
darganfyddwch y tebygolrwyddau y bydd y
llaw hwn yn cynnwys

(*a*) pedwar cerdyn o'r un siwt,

(*b*) un ai dau âs a dau frenin *NEU* ddau âs
a dwy frenhines.   [ULSEB]

6 (*a*) Defnyddiwch y ffaith bod
$P(A) = P(A \cap B) + P(A \cap B')$ i ddangos
bod $P(A'|B) = 1 - P(A|B)$.

(*b*) O wybod bod gan ddigwyddiadau A a B
debygolrwyddau ansero, a bod
$P(A|B) = P(A)$,

(i) dangoswch fod $P(B|A) = P(B)$.

(ii) defnyddiwch y canlyniad yn (a) i
ddangos bod $P(A'|B) = P(A')$.

(iii) O wybod bod $P(B) \neq 1$ yn ogystal,
dangoswch hefyd fod $P(A|B') = P(A)$
a $P(A'|B') = P(A')$.

Gweinidog anghydffurfiol yn Tunbridge Wells, Caint, oedd y Parchedig Thomas Bayes
(1701–61). Cafodd ei ethol yn Gymrawd o'r Gymdeithas Frenhinol yn 1742. Mae'r theorem
sy'n dwyn ei enw (ac sy'n cael ei disgrifio yn yr uned nesaf), wedi arwain at ddatblygiad
ymagwedd tuag at ystadegaeth sy'n cydredeg â llawer o'r hyn a geir yn y penodau sy'n
dilyn. Cyfeirir at yr ymagwedd hon fel 'Ystadegaeth Bayes' a chyfeirir at ei hyrwyddwyr
fel 'Bayesiaid'. Yn eironig, cafodd y theorem ei chynnwys mewn traethawd nad oedd wedi
ymddangos tan ar ôl ei farwolaeth a chafodd ei hanwybyddu i raddau helaeth ar y pryd.

4.21 Theorem Bayes

Wrth gyflwyno'r syniad o debygolrwydd amodol, i bob pwrpas roeddem yn gofyn y cwestiwn:

O wybod bod digwyddiad B wedi digwydd yn y gorffennol, beth yw'r tebygolrwydd y bydd digwyddiad A yn digwydd?

Nawr rydym yn ystyried y cwestiwn cildro.

O wybod bod digwyddiad A newydd ddigwydd, beth yw'r tebygolrwydd bod digwyddiad B wedi digwydd o'i flaen?

Fel enghraifft, ystyriwch y broblem ganlynol:

Mae gan ystadegydd ddarn arian teg a darn arian deuben. Mae hi'n dewis un o'r darnau arian ar hap ac yn ei daflu. Mae hi'n cael pen. Cyfrifwch y tebygolrwydd ei bod hi wedi taflu darn arian deuben.

Rydym wedi ystyried y sefyllfa hon o'r blaen. Gwelsom fod y cyfanswm tebygolrwydd o gael pen wedi ei wneud o gyfraniad o $\frac{1}{2} \times 1$ gan y darn arian deuben a $\frac{1}{2} \times \frac{1}{2}$ gan y darn arian teg, gan roi cyfanswm tebygolrwydd o $\frac{3}{4}$. Cysylltir dwy ran o dair o'r cyfanswm hwn â thynnu'r darn arian deuben (oherwydd bod $\frac{1}{2} \times 1$ yn hafal i $\frac{1}{2}$, sy'n ddwy ran o dair o $\frac{3}{4}$). I fynegi hyn mewn geiriau gwahanol: ar $\frac{2}{3}$ o'r achlysuron y ceir pen, y darn arian deuben a gafodd ei daflu. Mae'r tebygolrwydd sydd ei angen felly yn $\frac{2}{3}$.

Os cawsoch drafferth i ddilyn y paragraff diwethaf, peidiwch â phoeni. Rydym nawr yn datblygu canlyniad cyffredinol, gan ddechrau gydag ailfynegiad o Hafaliad (4.12):

$$P(A) \times P(B|A) = P(B) \times P(A|B)$$

Drwy rannu popeth â $P(A)$ cawn:

$$P(B|A) = \frac{P(B) \times P(A|B)}{P(A)} \tag{4.16}$$

Yn hytrach nag un digwyddiad, B, tybiwch y gallai fod m digwyddiad arall blaenorol wedi digwydd, sef, $B_1, B_2 \ldots, B_m$. Fel yn achos y theorem cyfanswm tebygolrwydd, tybiwch fod y digwyddiadau hyn yn rhai cyd-anghynhwysol a chynhwysfawr. O Hafaliad (4.16):

$$P(B_j|A) = \frac{P(B_j) \times P(A|B_j)}{P(A)}$$

a, thrwy roi gwerth $P(A)$ yn Hafaliad (4.15), cawn **theorem Bayes**:

$$P(B_j|A) = \frac{P(B_j) \times P(A|B_j)}{\sum_{i=1}^{m}\{P(B_i) \times P(A|B_i)\}} \tag{4.17}$$

Efallai na fyddwch yn credu hynny, ond nid yw cynddrwg ag y mae'n ymddangos – wedi'r cwbl yr enwadur, yn syml iawn, yw $P(A)$.

Nodyn
- Yn Hafaliad (4.17) dylid nodi bod y rhifiadur, sef $P(B_j) \times P(A|B_j)$, yn un o'r termau yn y swm yn yr enwadur, sef $\sum_{i=1}^{m}\{P(B_i) \times P(A|B_i)\}$.

Enghraifft 34

Mae gan ystadegydd ddarn arian teg a darn arian deuben. Mae hi'n dewis un o'r darnau arian ar hap ac yn ei daflu. Mae hi'n cael pen. Cyfrifwch y tebygolrwydd fod y darn arian a gafodd ei daflu yn ddeuben.

———

Dyma'r broblem a atebwyd gennym mewn dull braidd yn hirwyntog ar ddechrau'r adran hon. Nawr defnyddiwn ddull ffurfiol gan ddefnyddio theorem Bayes. Rydym yn diffinio digwyddiadau A, B_1 a B_2 fel a ganlyn:

A: Cael pen.

B_1: Y darn arian teg yn cael ei ddewis.

B_2: Y darn arian deuben yn cael ei ddewis.

Rydym eisiau $P(B_2|A)$ a gwyddom y tebygolrwyddau canlynol: $P(B_1) = \frac{1}{2}$, $P(B_2) = \frac{1}{2}$, $P(A|B_1) = \frac{1}{2}$, $P(A|B_2) = 1$. Gan ddefnyddio theorem Bayes mae gennym:

$$P(B_2|A) = \frac{P(B_2) \times P(A|B_2)}{P(B_1) \times P(A|B_1) + P(B_2) \times P(A|B_2)}$$

$$= \frac{\frac{1}{2} \times 1}{\left(\frac{1}{2} \times \frac{1}{2}\right) + \left(\frac{1}{2} \times 1\right)} = \frac{\frac{1}{2}}{\frac{1}{4} + \frac{1}{2}} = \frac{2}{3}$$

Mantais theorem Bayes yw (unwaith y bydd y digwyddiadau wedi cael eu diffinio yn ofalus) nad oes gwaith meddwl.

Enghraifft 35

Yn ôl arolwg mewnol cwmni, mae 90% o'r gweithwyr sy'n byw dros 2 filltir o'u gwaith yn teithio yno mewn car. O'r gweithwyr sy'n weddill, dim ond 50% sy'n teithio i'r gwaith mewn car. Gwyddom fod 75% o weithwyr yn byw dros 2 filltir o'u gwaith.

Cyfrifwch y canlynol:

(i) cyfran gyffredinol y gweithwyr sy'n teithio i'w gwaith mewn car,

(ii) y tebygolrwydd bod gweithiwr sy'n teithio i'r gwaith mewn car yn byw dros 2 filltir o'r gwaith.

———

Diffiniwch ddigwyddiadau A, B_1 a B_2 fel a ganlyn:

A: Teithio i'r gwaith mewn car.

B_1: Byw dros 2 filltir o'r gwaith.

B_2: Byw dim mwy na 2 filltir o'r gwaith.

Mae digwyddiadau B_1 a B_2 yn gyd-anghynhwysol a chynhwysfawr, gyda $P(B_1) = 0.75$, $P(B_2) = 0.25$, $P(A|B_1) = 0.9$ a $P(A|B_2) = 0.5$.

(i) O'r theorem cyfanswm tebygolrwydd:

$$P(A) = \{P(B_1) \times P(A|B_1)\} + \{P(B_2) \times P(A|B_2)\}$$
$$= (0.75 \times 0.9) + (0.25 \times 0.5) = 0.675 + 0.125 = 0.8$$

felly mae 80% o weithwyr yn teithio i'r gwaith mewn car.

(ii) O theorem Bayes:

$$P(B_1|A) = \frac{P(B_1) \times P(A|B_1)}{P(A)} = \frac{0.75 \times 0.9}{0.8} = 0.843\,75$$

felly mae'r tebygolrwydd bod gweithiwr, sy'n teithio i'r gwaith mewn car, yn byw dros 2 filltir o'r gwaith, tua 0.84 (i 2 ll.d.).

———

Ffordd arall o wneud hyn yw drwy lunio'r tabl canlynol o'r wybodaeth yn y cwestiwn:

	Dros 2 filltir	Dim mwy na 2 filltir	Cyfanswm
Teithio mewn car	67.5	12.5	80.0
Ddim yn teithio mewn car	7.5	12.5	20.0
Cyfanswm	75.0	25.0	100.0

Canrannau o'r gweithlu yw'r cofnodion. Ceir y cofnod cyntaf, sef 67.5%, drwy gyfrifo'r gwerth sy'n cyfateb i 90% o'r 75% sy'n byw mwy na 2 filltir o'r gwaith (gan ddefnyddio $0.90 \times 0.75 = 0.675$).

(i) Yr ateb yw cyfanswm y rhes gyntaf, sef 80%.

(ii) Yr ateb yw cyfran y rhes gyntaf sydd yng nghell uchaf y tabl ar y chwith, sef $\frac{67.5}{80} = 0.84$ (i 2 ll.d.).

Enghraifft 36

Mae bocs yn cynnwys tri darn arian. Mae dau ddarn arian yn deg, ond mae'r trydydd darn arian yn ddeuben. Dewisir darn arian ar hap a'i daflu.

(i) Cyfrifwch y tebygolrwydd o gael pen.

(ii) Os ceir pen, cyfrifwch y tebygolrwydd mai'r darn arian deuben a gafodd ei daflu.

———

Rydym yn darparu dewis o dri ateb. Mae un yn defnyddio ffurfioldeb theorem Bayes, un arall yn defnyddio coeden debygolrwydd a'r olaf yn defnyddio dull 'synnwyr cyffredin'. Y cyntaf yw'r ateb a argymhellir.

Diffiniwch ddigwyddiadau A, B_1 a B_2 fel a ganlyn:

A: Ceir pen.

B_1: Cafodd darn arian teg ei daflu.

B_2: Cafodd darn arian deuben ei daflu.

Mae digwyddiadau B_1 a B_2 yn rhai cyd-anghynhwysol a chynhwysfawr, gyda $P(B_1) = \frac{2}{3}$ a $P(B_2) = \frac{1}{3}$. Hefyd mae $P(A|B_1) = \frac{1}{2}$ a $P(A|B_2) = 1$.

(i) $P(A) = \{P(B_1) \times P(A|B_1)\} + \{P(B_2) \times P(A|B_2)\}$

$$= \left(\frac{2}{3} \times \frac{1}{2}\right) + \left(\frac{1}{3} \times 1\right) = \frac{1}{3} + \frac{1}{3} = \frac{2}{3}$$

Mae'r tebygolrwydd o gael pen yn $\frac{2}{3}$.

———

(ii) $P(B_2|A) = \dfrac{P(B_2) \times P(A|B_2)}{P(A)} = \dfrac{\frac{1}{3}}{\frac{2}{3}} = \frac{1}{2}$

O wybod bod y darn arian wedi glanio i ddangos pen, mae'r tebygolrwydd mai'r darn deuben a gafodd ei daflu yn $\frac{1}{2}$.

———

Gallwn weld y gwahanol bosibiliadau yn eithaf rhwydd drwy ddefnyddio coeden debygolrwydd.

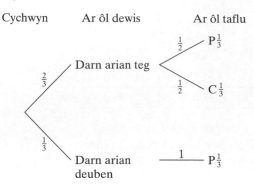

Yn yr achos hwn mae tri chanlyniad gwahanol, a phob un ohonynt â'r tebygolrwydd $\frac{1}{3}$.

Mae dau yn cyfateb i gael pen, felly $P(\text{Pen}) = \frac{2}{3}$. O'r ddau ganlyniad hyn mae un yn cyfateb i'r achos lle cafodd y darn arian deuben ei daflu ac felly mae'r ail o'r tebygolrwyddau sydd eu hangen yn $\frac{1}{2}$.

Mae'r canlynol yn ddadl arall. Mae gan y tri darn arian chwe ochr i gyd. Mae'r ochr a welir yr un mor debygol o fod yn unrhyw un o'r chwe ochr. Gan mai pen yw pedair o'r ochrau, mae'r tebygolrwydd o gael pen yn $\frac{4}{6} = \frac{2}{3}$. Gan fod dau o'r pedwar pen ar y darn arian deuben, mae'r tebygolrwydd mai hwn oedd y darn a gafodd ei daflu yn $\frac{2}{4} = \frac{1}{2}$. Mae dadl o'r math hwn yn gwbl dderbyniol pan yw'n gywir. Fodd bynnag, mae'n hawdd i bethau fynd o chwith – mae'n fwy diogel dilyn y fformiwlâu.

Ymarferion 4ff

1 O wybod bod B_1 a B_2 yn gyd-anghynhwysol ac yn gynhwysfawr, a bod $P(A|B_1) = 0.3$, $P(A|B_2) = 0.4$, $P(B_1) = 0.4$, darganfyddwch (i) $P(B_1|A)$, (ii) $P(B_2|A)$, (iii) $P(B_1|A')$, (iv) $P(B_2|A')$.

2 O wybod bod $P(A) = 0.3$, $P(B) = 0.2$, $P(C) = 0.5$, $P(A \cap B) = 0$, $P(B \cap C) = 0$, $P(C \cap A) = 0$, ac o wybod hefyd bod $P(D|A) = 0.1$, $P(D|B) = 0.4$, $P(D|C) = 0.6$, darganfyddwch (i) $P(A|D)$, (ii) $P(A'|D)$, (iii) $P(A|D')$, (iv) $P(A'|D')$.

3 Mae bag yn cynnwys 7 pêl wen a 3 pêl ddu. Mae bocs gwyn yn cynnwys 5 pêl werdd a 2 bêl goch. Mae bocs du yn cynnwys 3 pêl werdd ac 1 bêl goch. Tynnir pêl ar hap o'r bag, ac os yw'r bêl hon yn wyn tynnir pêl ar hap o'r bocs gwyn. Os yw hon yn ddu tynnir pêl ar hap o'r bocs du. O wybod bod y bêl sy'n cael ei thynnu o'r bocs yn goch, cyfrifwch y tebygolrwydd bod y bocs yn un gwyn.

4 Mae gan ffatri dri pheiriant sy'n gwneud nifer fawr o gydrannau. Mae nam ar 10% o'r cydrannau a wneir gan beiriant I. Y ffigurau cyfatebol ar gyfer peiriannau II a III yw 5% ac 1% yn ôl eu trefn. Mae cyfrannau cyfanswm holl gynnyrch peiriannau I, II a III yn 50%, 30% a 20% yn ôl eu trefn.
   (i)   Gwelir bod nam ar gydran a ddewisir ar hap. Darganfyddwch y tebygolrwydd mai peiriant I gynhyrchodd y gydran dan sylw. Hefyd, darganfyddwch y tebygolrwydd nad peiriant II gynhyrchodd y gydran dan sylw.
   (ii) Dewisir cydran ar hap a gwelir nad oes nam arni. Darganfyddwch y tebygolrwydd mai peiriant I gynhyrchodd hon.

5 Tybiwch fod glaw yn syrthio ar fy ngardd ar draean o ddyddiau'r flwyddyn. Tybiwch hefyd pan yw'n glawio fod tebygolrwydd o 0.7 y bydd baromedr yn dangos glaw, ond pan nad yw hi'n glawio fod tebygolrwydd o 0.1 y bydd y baromedr yn dal i ddangos glaw.   (*parhad*)

(a) Cyfrifwch y tebygolrwydd y bydd y baromedr yn dangos glaw ar ddiwrnod a ddewisir ar hap.

(b) O wybod bod y baromedr yn dangos glaw, cyfrifwch y tebygolrwydd ei bod yn glawio mewn gwirionedd.

6 Mewn arholiad, mae'r tebygolrwydd y bydd tri ymgeisydd Alun, Bryn a Caio, yn datrys problem arbennig yn $\frac{4}{5}$, $\frac{3}{4}$ a $\frac{2}{3}$, yn ôl eu trefn. Cyfrifwch y tebygolrwydd y bydd yr arholwr yn derbyn y canlynol gan yr ymgeiswyr hyn.

(a) un ateb cywir yn unig,

(b) dim mwy nag un ateb cywir,

(c) o leiaf un ateb cywir.

O wybod bod yr arholwr yn derbyn union un ateb cywir, cyfrifwch y tebygolrwydd mai Bryn a roddodd yr ateb hwnnw.

7 Mae prawf ar gyfer afiechyd arbennig yn cynnwys y nodweddion canlynol. Os oes gan rywun yr afiechyd mae'r tebygolrwydd bod y prawf yn bositif yn 90%, ac mae'r tebygolrwydd bod y canlyniad yn negatif ('negatif ffug') yn 10%. Os nad oes gan rywun yr afiechyd mae'r tebygolrwydd y bydd prawf yn bositif ('positif ffug') yn 20%, ac mae'r tebygolrwydd o ganlyniad negatif yn 80%. Dynodir cyfran y boblogaeth sydd â'r afiechyd gan y llythyren p. Dewisir person ar hap o'r boblogaeth a'i brofi. O wybod bod canlyniad y prawf yn bositif, darganfyddwch, yn nhermau p, y tebygolrwydd, P, bod gan y person yr afiechyd.
Pan fo $p = 0.05$ gwiriwch fod gwerth P ychydig yn llai nag 20%.
Brasluniwch graff P yn erbyn p a thrafodwch y canlyniad.

8 Mae pedwar peiriant, A, B, C a D yn cynhyrchu 30%, 30%, 15% a 25% yn ôl eu trefn o gyfanswm yr eitemau a ddaw o ffatri. Canrannau cynnyrch diffygiol y peiriannau hyn yw 1%, 1.5%, 3% a 2% yn ôl eu trefn. O wybod bod eitem yn cael ei dewis ar hap o gyfanswm y cynnyrch, darganfyddwch y tebygolrwydd y bydd yr eitem yn ddiffygiol. Dewisir eitem ar hap a darganfyddir ei bod yn ddiffygiol. Darganfyddwch y tebygolrwydd mai peiriant A gynhyrchodd yr eitem.

[ULSEB(P)]

9 Mewn model syml o'r tywydd ym mis Hydref, mae pob dydd yn cael ei ddosbarthu un ai yn braf neu yn lawog. Mae'r tebygolrwydd bod diwrnod braf yn dilyn diwrnod braf yn 0.8. Mae'r tebygolrwydd bod diwrnod braf yn dilyn diwrnod glawog yn 0.4. Mae'r tebygolrwydd bod 1 Hydref yn ddiwrnod braf yn 0.75.

(i) Darganfyddwch y tebygolrwydd bod 2 Hydref yn ddiwrnod braf a'r tebygolrwydd bod 3 Hydref yn ddiwrnod braf.

(ii) Darganfyddwch y tebygolrwydd amodol bod 3 Hydref yn lawog, o wybod bod 1 Hydref yn braf.

(iii) Darganfyddwch y tebygolrwydd amodol bod 1 Hydref yn braf, o wybod bod 3 Hydref yn lawog. [UCLES]

10 (a) Rhowch hafaliad sy'n cynnwys tebygolrwyddau sy'n gywerth â'r mynegiad

(i) mae digwyddiadau L ac M yn *gyd-anghynhwysol*,

(ii) mae digwyddiadau L, M ac N yn *gynhwysfawr*.

Os yw digwyddiadau L, M ac N yn gyd-anghynhwysol yn ogystal â bod yn gynhwysfawr, ysgrifennwch hafaliad sy'n cysylltu P(L), P(M) a P(N).

(b) Mae Adran Weithredol Cludiant Teithwyr (AWCT) dinas yn cynnal arolwg o arferion cymudo'r bobl sy'n gweithio yng nghanol y ddinas. Mae'r AWCT yn darganfod bod 40% o gymudwyr yn teithio ar y bws, 25% yn teithio ar y trên a'r gweddill yn defnyddio cerbydau preifat.
O'r rhai sy'n teithio ar y bws, mae gan 60% daith o lai na 5 milltir ac mae gan 30% daith rhwng 5 a 10 milltir.
O'r rhai sy'n teithio ar y trên, mae gan 30% daith o rhwng 5 a 10 milltir ac mae gan 60% daith o fwy na 10 milltir.
O'r rhai sy'n defnyddio cerbydau preifat, mae 20% yn teithio llai na 5 milltir, a'r un canran yn teithio mwy na 10 milltir. Drwy drefnu'r wybodaeth uchod mewn tabl neu ddiagram addas, neu fel arall, cyfrifwch y tebygolrwydd y bydd cymudwr a ddewisir ar hap:

(i) yn defnyddio bws i deithio llai na 5 milltir,

(ii) yn teithio mwy na 10 milltir,

(iii) yn teithio ar y bws neu yn teithio mwy na 10 milltir,

(iv) yn defnyddio cerbyd preifat o wybod ei fod yn teithio rhwng 5 a 10 milltir.

[JMB(P)]

11 Mewn geiriau nodwch y berthynas rhwng dau ddigwyddiad E ac F pan fo

(*a*) $P(E \cap F) = P(E).P(F)$,

(*b*) $P(E \cap F) = 0$.

O wybod bod $P(E) = \frac{1}{3}, P(F) = \frac{1}{2}, P(E' \cap F) = \frac{1}{2}$, darganfyddwch

(*c*) y berthynas rhwng E ac F,

(*ch*) gwerth $P(E|F)$,

(*d*) gwerth $P(E' \cap F')$.

Mae bachgen bob amser un ai'n cerdded i'r ysgol neu'n cymryd y bws. Os yw'n mynd i'r ysgol un diwrnod ar y bws, yna mae'r tebygolrwydd y bydd yn cymryd y bws y diwrnod canlynol yn $\frac{7}{10}$. Os yw'n cerdded i'r ysgol un diwrnod, yna mae'r tebygolrwydd y bydd yn cymryd y bws y diwrnod canlynol yn $\frac{2}{5}$. O wybod ei fod yn cerdded i'r ysgol ar ddydd Mawrth arbennig, lluniwch ddiagram coeden a thrwy hynny darganfyddwch y tebygolrwydd y bydd yn mynd i'r ysgol ar y bws ar ddydd Iau yr wythnos honno.

O wybod bod y bachgen yn cerdded i'r ysgol ar ddydd Mawrth a dydd Iau yr wythnos honno, darganfyddwch y tebygolrwydd y bydd hefyd yn cerdded i'r ysgol ar ddydd Mercher.

[Gallech gymryd yn ganiataol na fydd y bachgen yn absennol o'r ysgol ar ddydd Mercher nac ar ddydd Iau yr wythnos honno.] [ULSEB]

Crynodeb o'r bennod

♦ Dynodir **tebygolrwydd** digwyddiad E gan $P(E)$.

♦ Y digwyddiad 'nid yw E yn digwydd', yw'r **digwyddiad cyflenwol**, ac mae'n cael ei ddynodi gan E'.

$$P(E') = 1 - P(E)$$

♦ Y digwyddiad 'Mae o leiaf A neu B yn digwydd' yw **uniad** digwyddiadau A a B ac mae'n cael ei ddynodi gan $A \cup B$.

♦ Y digwyddiad 'Mae A a B ill dau yn digwydd' yw **croestoriad** digwyddiadau A a B ac mae'n cael ei ddynodi gan $A \cap B$.

♦ $P(A \cup B) = P(A) + P(B) - P(A \cap B)$

♦ Os yw digwyddiadau A a B yn **gyd-anghynhwysol** yna:

$$P(A \cap B) = 0$$
$$P(A \cup B) = P(A) + P(B): \text{ y } \textbf{rheol adio}.$$

♦ Os yw digwyddiadau A a B yn **gynhwysfawr** yna:

$$P(A \cup B) = 1$$
$$P(A) + P(B) = 1 + P(A \cap B)$$

♦ Os yw digwyddiadau A a B yn **gyd-anghynhwysol a chynhwysfawr** yna:

$$P(A \cap B) = 0$$
$$P(A) + P(B) = 1$$

♦ Os yw digwyddiadau A a B yn **annibynnol** yna:

$$P(A \cap B) = P(A) \times P(B): \text{ y } \textbf{rheol lluosi}.$$

◆ Trefniannau

- **Ffactorialau** $n! = n \times (n-1) \times \ldots \times 1$; $0! = 1$

  Nifer y ffyrdd y gellir trefnu n gwrthrych gwahanol yw $n!$

- Os yw set o n gwrthrych yn cynnwys a gwrthrych o un math, b o fath arall, ayb, yna

  nifer y trefniannau arbennig yw $\dfrac{n!}{a! \, b! \, \ldots}$

- Pan ddewisir r gwrthrych o grŵp o n gwrthrych annhebyg, lle mae'r trefniant yn bwysig, mae nifer y **trynewidion** gwahanol yn:

$$^nP_r = n \times (n-1) \times \ldots \times (n-r+1) = \frac{n!}{(n-r)!}$$

- Pan nad yw trefn y dewis yn bwysig, mae nifer y casgliadau (**cyfuniadau**) posibl o r gwrthrych a dynnir o n yn:

$$^nC_r = \binom{n}{r} = \frac{n \times (n-1) \times \ldots \times (n-r+1)}{r \times (r-1) \times \ldots \times 1} = \frac{n!}{r!(n-r)!}$$

$$\binom{n}{r} = \binom{n}{n-r}; \quad \binom{n}{0} = \binom{n}{n} = 1$$

◆ Mae $P(B|A)$ yn dynodi'r tebygolrwydd bod B yn digwydd (neu wedi digwydd) o gael y wybodaeth bod A yn digwydd (neu wedi digwydd). Yr enw ar $P(B|A)$ yw **tebygolrwydd amodol B o wybod A**.

◆ $P(B|A) = \dfrac{P(A \cap B)}{P(A)}$

◆ $P(A \cap B) = P(A) \times P(B|A) = P(B).P(A|B)$

◆ **Annibyniaeth ystadegol**: mae pob un o'r mynegiadau canlynol yn awgrymu pob un o'r lleill.

- Mae digwyddiadau A a B yn ystadegol annibynnol.
- $P(A|B) = P(A)$
- $P(B|A) = P(B)$
- $P(A \cap B) = P(A) \times P(B)$: y **rheol lluosi**.

◆ Mae digwyddiadau **ffisegol annibynnol** yn ystadegol annibynnol.

◆ **Theorem cyfanswm tebygolrwydd:**

Os yw digwyddiadau $B_1, B_2, \ldots B_n$ yn gyd-anghynhwysol ac yn gynhwysfawr, yna

$$P(A) = \sum P(A \cap B_i) = \sum \{P(B_i) \times P(A|B_i)\}$$

◆ **Theorem Bayes:**

$$P(B_j|A) = \frac{P(B_j) \times P(A|B_j)}{\Sigma\{P(B_i) \times P(A|B_i)\}}$$

Ymarferion 4g (Amrywiol)

1 Yn Rwritania mae'r holl geir wedi eu gwneud gan un cwmni a'r unig wahaniaeth rhyngddynt yw eu lliwiau. Mae 6 lliw gwahanol ar gael (yn cynnwys 'coch comiwnyddol'). Defnyddir y 6 lliw hyn i beintio'r un niferoedd o geir.

Wrth deithio o amgylch y wlad, o gymryd bod lliwiau'r ceir i'w cael ar hap, cyfrifwch y tebygolrwydd:

(a) bod gan bob un o'r chwe char cyntaf sy'n mynd heibio Rolff liw gwahanol,

(b) bod yr ail gar o'r un lliw â'r cyntaf, ond bod lliwiau'r 5 car nesaf yn wahanol i'r ceir o'u blaenau,

(c) bod lliw y ddau gar cyntaf yn wahanol, bod lliw y trydydd yr un fath â lliw y naill neu'r llall o'r ddau gar cyntaf, a bod y pedwar car nesaf i gyd o wahanol liwiau i'r ceir o'u blaenau,

(ch) bod o leiaf 8 car yn mynd heibio Rolff cyn iddo weld pob un o'r 6 lliw,

(d) nad oedd yr un o'r chwe char cyntaf i fynd heibio i Rolff yn un 'coch comiwnyddol'.

2

	Bach	Canolig	Mawr
Gwyn	40	35	20
Glas	25	30	15
Hufen	10	20	5

Tabl 1

Mae Tabl 1 yn dangos dosbarthiad swp o 200 crys yn ôl maint a lliw. Mae crys yn cael ei ddewis ar hap o'r swp. Cyfrifwch y tebygolrwydd y bydd:

(*a*) yn grys bach,

(*b*) un ai'n las neu'n wyn.

Mae dau grys i gael eu dewis ar hap, heb eu dychwelyd, o'r crysau mawr. Cyfrifwch, i 4 lle degol, y tebygolrwydd y bydd:

(*c*) y ddau grys yn rhai gwyn,

(*ch*) un crys yn wyn a'r llall yn lliw hufen.

[ULSEB]

3 Yn nosbarth Ystadegaeth Chwech Dau mae dau fachgen a phedair merch, ac yn nosbarth Ystadegaeth Chwech Un mae pedwar bachgen a chwe merch. Mae dau ddisgybl gwahanol yn cael eu dewis ar hap o **bob un** o'r ddau ddosbarth. Cyfrifwch y tebygolrwyddau y bydd y pedwar a ddewisir yn cynnwys:

(i) dau fachgen o Chwech Dau a dwy ferch o Chwech Un,

(ii) dau fachgen a dwy ferch.   [CBAC]

4 Mewn gêm gyfrifiadurol i un chwaraewr, mae'r chwaraewr yn gorfod darganfod y llwybr drwy ddrysfa a ddangosir ar sgrin y cyfrifiadur o fewn amser penodol. Y tro cyntaf y bydd chwaraewr arbennig yn chwarae'r gêm, bydd y cyfrifiadur yn dangos drysfa syml, ac mae'r tebygolrwydd y bydd y chwaraewr yn llwyddo i ddarganfod y llwybr yn yr amser a ganiateir yn $\frac{3}{4}$. Yna, mae'r ddrysfa a ddangosir yn dibynnu ar ganlyniad y gêm flaenorol. Os llwyddodd y chwaraewr yn y gêm flaenorol, mae'r ddrysfa nesaf yn fwy anodd, ac mae'r tebygolrwydd y bydd y chwaraewr yn llwyddo yn hanner tebygolrwydd llwyddiant y gêm flaenorol. Os na lwyddodd y chwaraewr yn y gêm flaenorol, dangosir drysfa syml ac mae'r tebygolrwydd y bydd y chwaraewr yn llwyddo yn $\frac{3}{4}$ unwaith eto. Mae'r chwaraewr yn chwarae tair gêm:

(i) Dangoswch fod y tebygolrwydd y bydd y chwaraewr yn llwyddo ym mhob un o'r tair gêm yn $\frac{27}{512}$.

(ii) Darganfyddwch y tebygolrwydd y bydd y chwaraewr yn llwyddo mewn union un o'r gemau.

(iii) Darganfyddwch y tebygolrwydd na fydd y chwaraewr yn llwyddo ddwywaith yn olynol.   [UCLES(P)]

5 Mae'r tebygolrwydd y bydd dyn arbennig yn byw am y 25 mlynedd nesaf yn 0.6, ac yn annibynnol, mae'r tebygolrwydd y bydd gwraig y dyn yn byw am y 25 mlynedd nesaf yn 0.7. Cyfrifwch y tebygolrwydd, mewn 25 mlynedd:

(i) mai'r dyn yn unig fydd yn fyw,

(ii) y bydd o leiaf un ohonynt yn fyw.

[CBAC]

6 Yn achos unrhyw ddau ddigwyddiad *E* ac *F*, dangoswch y canlynol:

$$P(E \cup F) = P(E) + P(F) - P(E \cap F).$$

Mynegwch mewn geiriau ystyr $P(E|F)$. O wybod bod *E* ac *F* yn ddigwyddiadau annibynnol, mynegwch $P(E \cap F)$ yn nhermau $P(E)$ a $P(F)$, a dangoswch fod *E′* ac *F* yn annibynnol. Mewn coleg, mae 60 myfyriwr yn astudio un neu fwy o'r tri phwnc Daearyddiaeth, Ffrangeg a Chymraeg. O'r rhain, mae 25 yn astudio Daearyddiaeth, 26 yn astudio Ffrangeg, 44 yn astudio Cymraeg, 10 yn astudio Daearyddiaeth a Ffrangeg, 15 yn astudio Ffrangeg a Chymraeg, ac 16 yn astudio Daearyddiaeth a Chymraeg.   (*parhad*)

Ysgrifennwch y tebygolrwydd y bydd myfyriwr a ddewisir ar hap o'r rhai sy'n astudio Cymraeg hefyd yn astudio Ffrangeg.

Penderfynwch pa un ai yw'r digwyddiadau 'astudio Daearyddiaeth' ac 'astudio Ffrangeg' yn annibynnol ei peidio.

Dewisir myfyriwr ar hap o blith bob un o'r 60 myfyriwr. Darganfyddwch y tebygolrwydd y bydd y myfyriwr a ddewisir yn astudio'r tri phwnc. [ULSEB]

7 Rhoddwyd dwy broblem ystadegol i fyfyrwyr mewn dosbarth. Roedd yr ail broblem yn fwy anodd na'r gyntaf. Cafodd $\frac{5}{6}$ o fyfyrwyr y dosbarth y cwestiwn cyntaf yn gywir a chafodd $\frac{7}{12}$ ohonynt yr ail gwestiwn yn gywir. O'r myfyrwyr a gafodd y cyntaf yn gywir, cafodd $\frac{3}{5}$ yr ail yn gywir. Dewiswyd un myfyriwr ar hap o'r dosbarth.

Boed i A fod y digwyddiad lle mae myfyriwr yn cael y broblem gyntaf yn gywir a B fod y digwyddiad lle mae myfyriwr yn cael yr ail gwestiwn yn gywir.

(*a*) Mynegwch mewn geiriau ystyr $A \cap B$ ac $A \cup B$.

(*b*) Darganfyddwch P($A \cap B$) a P($A \cup B$).

(*c*) O wybod bod y myfyriwr wedi cael yr ail broblem yn gywir, darganfyddwch y tebygolrwydd bod y broblem gyntaf wedi ei datrys yn gywir.

(*ch*) O wybod bod y myfyriwr wedi cael yr ail broblem yn anghywir, darganfyddwch y tebygolrwydd bod y broblem gyntaf wedi cael ei datrys yn gywir.

(*d*) O wybod bod y myfyriwr wedi cael y broblem gyntaf yn anghywir, darganfyddwch y tebygolrwydd bod y myfyriwr wedi cael yr ail broblem yn anghywir hefyd. [ULSEB]

8 Mae dwy ffatri borslen, A a B, yn cynhyrchu yr un nifer o gwpanau rhad. Os edrychir yn fanwl ar gwpan o ffatri A mae'r tebygolrwydd na fydd nam arno yn $\frac{3}{4}$, ond mae tebygolrwydd na fydd nam ar gwpan o ffatri B yn $\frac{1}{2}$. Mae Jim yn dewis dau gwpan o swp mewn siop. Mae perchennog y siop yn dweud bod yr holl gwpanau yn y swp yn dod o'r un ffatri, ond mae'r swp yr un mor debygol o ddod o ffatri A ag o ffatri B.

(i) Beth yw'r tebygolrwydd na fydd nam ar y cwpan cyntaf y bydd Jim yn edrych arno?

(ii) O wybod nad oes nam ar y cwpan cyntaf, beth yw'r tebygolrwydd amodol y bydd y swp wedi dod o ffatri A?

(iii) Yn anffodus, mae Jim yn gollwng yr ail gwpan cyn gallu ei archwilio. O wybod nad oedd nam ar y cwpan cyntaf, darganfyddwch y tebygolrwydd nad oedd nam ar yr ail gwpan chwaith cyn y ddamwain. [SMP]

9 Mae athletwraig naid uchel yn amcangyfrif y tebygolrwyddau y bydd yn gallu neidio dros y bar ar wahanol uchderau, ar sail ei phrofiad wrth hyfforddi. Rhoddir y rhain yn y tabl:

Uchder	Tebygolrwydd o lwyddo ym mhob ymgais
1.60 m	1
1.65 m	0.6
1.70 m	0.2
1.75 m	0

Mewn cystadleuaeth mae hi'n cael tri chynnig i neidio dros y bar ar bob uchder. Os yw hi'n llwyddo, codir y bar 5 cm ac mae'n cael tri chynnig i neidio dros yr uchder newydd; ac yn y blaen. Cymerir yn ganiataol bod canlyniad pob ymgais yn annibynnol ar ei holl gynigion blaenorol.

(i) Dangoswch fod y tebygolrwydd y bydd hi'n llwyddo i neidio 1.65 m yn 0.936.

(ii) Os yw hi'n llwyddo i neidio 1.65 m cyfrifwch y tebygolrwydd na fydd hi'n llwyddo i neidio 1.70 m.

Drwy hynny darganfyddwch y tebygolrwyddau y bydd pob uchder y bydd yn ei neidio yn y gystadleuaeth yn cael eu cofnodi fel

(*a*) 1.60 m, (*b*) 1.65 m, (*c*) 1.70 m. [SMP]

10 Mewn ymgyrch werthu, mae cwmni petrol yn rhoi cerdyn â llun actor enwog arno i bob modurwr sy'n prynu petrol ganddynt. Mae 10 llun gwahanol, sef 10 actor enwog gwahanol, ac mae unrhyw fodurwr sy'n casglu set gyfan o'r 10 llun yn cael anrheg am ddim. Ar unrhyw un achlysur pan yw modurwr yn prynu petrol, mae'r cerdyn a geir yr un mor debygol o ddangos unrhyw un o'r 10 llun yn y set.

(i) Darganfyddwch y tebygolrwydd y bydd pob un o'r pedwar cerdyn cyntaf y bydd y modurwr yn ei gael yn dangos lluniau gwahanol.

(ii) Darganfyddwch y tebygolrwydd y bydd y pedwar cerdyn cyntaf fydd y modurwr yn ei gael yn dangos union dri llun gwahanol.

(iii) Dau o'r deg actor enwog yn y set yw X ac Y. Darganfyddwch y tebygolrwydd y bydd y pedwar cerdyn cyntaf fydd y modurwr yn ei gael yn cynnwys llun X neu Y (neu'r ddau).

(iv) Ar un adeg arbennig mae'r modurwr wedi casglu naw o'r deg llun. Darganfyddwch werth lleiaf n fel bod P(ar y mwyaf mae angen n cerdyn arall i gwblhau'r set) > 0.99.   [UCLES]

11 Mae'r staff a gyflogir gan goleg yn cael eu dosbarthu yn staff academaidd, gweinyddol neu gynorthwyol. Mae'r tabl canlynol yn dangos y niferoedd a gyflogir yn y categorïau hyn ynghyd â'u rhyw.

	Gwyrywaidd	Benywaidd
Academaidd	42	28
Gweinyddol	7	13
Cynorthwyol	26	9

Dewisir aelod o staff ar hap.

A yw'r digwyddiad bod y person a ddewisir yn fenyw.

B yw'r digwyddiad bod y person a ddewisir yn staff academaidd.

C yw'r digwyddiad bod y person a ddewisir yn staff gweinyddol.

($\overline{A}$ yw'r digwyddiad nid A, $\overline{B}$ yw'r digwyddiad nid B, $\overline{C}$ yw'r digwyddiad nid C.)

(a) Ysgrifennwch werthoedd y canlynol:
  (i) $P(A)$,
  (ii) $P(A \cap B)$,
  (iii) $P(A \cup \overline{C})$,
  (iv) $P(\overline{A}|C)$.

(b) Ysgrifennwch un o'r digwyddiadau:
  (i)   nad yw'n annibynnol ar A,
  (ii) sydd yn annibynnol ar A,
  (iii) sy'n gyd-anghynhwysol ar A.
  Ym mhob achos dylech gyfiawnhau eich ateb.

(c) O wybod bod gan 90% o'r staff academaidd gar, ac felly hefyd 80% o'r staff gweinyddol a 30% o'r staff cynorthwyol,
  (i)   beth yw'r tebygolrwydd bod car gan aelod o staff a ddewisir ar hap?
  (ii) Dewisir aelod o staff ar hap a darganfyddir bod ganddo gar. Beth yw'r tebygolrwydd bod y person hwn yn aelod o'r staff cynorthwyol?
                                [AEB 91]

12 Ar un o'i deithiau glaniodd Gulliver ar ynys lle'r oedd yr un nifer o ddau grŵp o bobl – y Feraciaid oedd yn dweud y gwir bob amser a'r Conffiwsiaid oedd yn dweud y gwir gyda thebygolrwydd o $\frac{2}{3}$, yn annibynnol ar gyfer pob cwestiwn. Roedd yn amhosibl gwahaniaethu rhwng y Feraciaid a'r Conffiwsiaid yn ôl eu hymddangosiad a'u gwisg, ayb. Un prynhawn aeth Gulliver ar goll ar yr ynys a phan gyfarfu ag un o'r trigolion gofynnodd y ddau gwestiwn canlynol iddo:
"Ai dydd ynteu nos ydy hi?"
"I ba gyfeiriad mae'r dref agosaf?"
  (i)   Darganfyddwch y tebygolrwydd bod yr ateb i'r cwestiwn cyntaf yn gywir.
  (ii) O wybod bod yr ateb i'r cwestiwn cyntaf yn gywir, cyfrifwch y tebygolrwydd amodol bod yr ateb i'r ail gwestiwn yn gywir.   [JMB]

13 Nid yw'r tri phlentyn, A, B ac C yn rhai da am gadw cyfrinachau. Mae'r tebygolrwydd y bydd A yn datgelu unrhyw gyfrinach wrth unrhyw blentyn arall yn p. Yn yr un modd, yn achos B ac C mae'r tebygolrwyddau o ddatgelu cyfrinachau yn q ac r yn ôl eu trefn. Mae A yn gwybod cyfrinach. Yn gyntaf mae A yn cyfarfod B, yna mae A yn cyfarfod C ac yn olaf mae B yn cyfarfod C.
  (i)   Ar ôl y tri chyfarfod hyn, dangoswch fod y tebygolrwydd y bydd B yn gwybod y gyfrinach ond na fydd C yn ei gwybod yn $p(1-p)(1-q)$.
  Gwyddom fod $p = \frac{1}{2}, q = \frac{1}{3}, r = \frac{1}{4}$.
  (ii) Ar ôl y tri chyfarfod hyn, dangoswch fod y tebygolrwydd y bydd B ac C ill dau yn gwybod y gyfrinach yn $\frac{19}{48}$.
  (iii) Ar ôl y tri chyfarfod hyn mae plentyn arall, sef D, nad yw byth yn datgelu cyfrinachau, yn cyfarfod B yn gyntaf ac yna yn cyfarfod C. Yn dilyn y pum cyfarfod hyn darganfyddwch y tebygolrwydd:
    (*a*) bod A, B ac C yn gwybod y gyfrinach ond nad yw D,
    (*b*) bod y pedwar plentyn yn gwybod y gyfrinach,
    (*c*) mai dim ond tri o'r plant sy'n gwybod y gyfrinach.
[Cymerwch yn ganiataol bod yr holl ddigwyddiadau yn annibynnol ym mhob rhan o'r cwestiwn. Gellir gadael atebion fel ffracsiynau yn eu ffurf symlaf.]
                                [O&C]

5 Dosraniadau tebygolrwydd a disgwyliadau

Mae'r bennod hon yn trafod hapnewidynnau arwahanol. Cofiwch fod newidyn yn cael ei alw yn **hapnewidyn** os yw ei werth yn deillio o arsylwad neu arbrawf a wneir ar hap, a bod **arwahanol** yn awgrymu y gellid llunio rhestr o'i werthoedd rhifiadol posibl. Dyma rai enghreifftiau:

Hapnewidyn arwahanol	Gwerthoedd posibl
Y rhif a geir wrth daflu dis teg 6-ochr	$1, 2, 3, 4, 5, 6$
Nifer y 'pennau' a geir wrth daflu pedwar darn arian teg	$0, 1, 2, 3, 4$
Yr arian (mewn £) a enillir mewn lotri lle ceir gwobrau o 50c, £5 a £50	$0, 0.5, 5, 50$
Yr elw clir (mewn £) a wneir wrth brynu tocyn 25c yn y lotri uchod	$-0.25, 0.25, 4.75, 49.75$
Nifer y dyddiau glawog ym mis Mai	$0, 1, \ldots, 31$
Nifer y pennau a geir wrth daflu darn arian teg unwaith	$0, 1$
Nifer o weithiau y teflir darn arian teg cyn cael pen	$1, 2, 3, \ldots$ (dim terfyn!)

Ym mhob achos gellir ysgrifennu'r canlyniadau posibl fel rhestr o werthoedd rhifiadol. Nid oes raid i'r gwerthoedd hyn fod yn bositif, ac nid oes raid iddynt fod yn gyfanrifau. Fel arfer, ond nid bob tro, mae'r rhestr wedi ei chyfyngu i ychydig o werthoedd yn unig.

5.1 Nodiant

Rydym yn ysgrifennu:

HAPNEWIDYNNAU   fel e.e. X, Y, Z
gwerthoedd arsylwedig   fel e.e. x, y, z

Mae hyn yn arwain at fynegiad fel:

$$P(X = x) = \tfrac{1}{4}$$

y dylid ei ddarllen fel:

Y tebygolrwydd y bydd yr hapnewidyn X yn cymryd gwerth x yw $\tfrac{1}{4}$.

Gallwn gysylltu'r mynegiad hwn â thebygolrwydd digwyddiad drwy ddiffinio digwyddiad A fel 'mae'r hapnewidyn X yn cymryd y gwerth arbennig x', felly $P(A) = \tfrac{1}{4}$.

Er mwyn ei symleiddio, yn aml byddwn yn amnewid y fformiwla anhylaw $P(X = x)$, â P_x, sy'n llawer symlach. Weithiau defnyddir $p(x)$ yn lle hyn.

5.2 Dosraniadau tebygolrwydd

Tybiwch ein bod yn taflu dis tueddol ac iddo ochrau wedi eu rhifo o 1 i 6. Diffiniwch yr hapnewidyn X fel 'y rhif sydd i'w weld ar ben y dis'. Gwyddom ddau beth:

1 Rhaid i werth arsylwedig X fod yn 1, 2, 3, 4, 5 neu 6.
2 Ar dafliad arbennig dim ond *un* o'r gwerthoedd hynny sydd gan yr hapnewidyn X.

Mae'r rhain yn cyfateb i fynegiadau sy'n nodi bod y chwe chanlyniad yn gynhwysfawr ac yn gyd-anghynhwysol, a thrwy hynny:

$$P_1 + P_2 + \ldots + P_6 = 1$$

Gan gyffredinoli, yn achos hapnewidyn arwahanol X na all ond cymryd y gwerthoedd arbennig $x_1, x_2, \ldots, x_m$ yn unig:

$$\sum_{i=1}^{m} P_{xi} = 1 \qquad\qquad (5.1)$$

Mae meintiau $P_{x_1}, P_{x_2}, \ldots$, yn dangos sut y mae'r cyfanswm tebygolrwydd 1 yn cael ei rannu rhwng gwerthoedd posibl X. Gwerth mwyaf tebygol X fydd yr un â'r tebygolrwydd mwyaf. Mae hyn yn cyfateb i ddosraniad amlder, ac oherwydd bod y mesurau yn debygolrwyddau, dywedir bod gwerthoedd P_{x_1}, $P_{x_2}, \ldots$, yn diffinio **dosraniad tebygolrwydd**.

Enghraifft 1

Lluniwch dabl dosraniad tebygolrwydd nifer y pennau a geir pan fydd darn arian teg yn cael ei daflu ddwy waith.

———

Boed i X fod yr hapnewidyn 'nifer y pennau a geir'. Y gwerthoedd posibl yw 0, 1 a 2. Y ffordd symlaf o ddarganfod y tebygolrwyddau sydd eu hangen yw llunio coeden debygolrwydd a defnyddio hon i lunio'r tabl angenrheidiol.

Cychwyn	Ar ôl y tafliad cyntaf	Ar ôl yr ail dafliad	Nifer y pennau

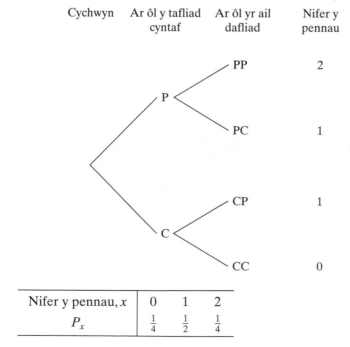

	PP	2
P	PC	1
C	CP	1
	CC	0

Nifer y pennau, x	0	1	2
P_x	$\frac{1}{4}$	$\frac{1}{2}$	$\frac{1}{4}$

Cafodd Jean-le-Rond d'Alembert (1717–83) ei ddarganfod yn faban newydd anedig ger eglwys Saint Jean-le-Rond yn Paris. Penderfynodd y *gendarme* a ddaeth o hyd iddo ei enwi ar ôl yr eglwys. Er gwaetha'r dechrau anaddawol hwn aeth y bachgen o nerth i nerth. Pan oedd yn 24 oed cafodd ei dderbyn i'r *Académie française* (y sefydliad sy'n cyfateb i'r Gymdeithas Frenhinol Brydeinig). Mae fwyaf adnabyddus am ei waith ar gineteg mewn cysylltiad â'r hyn a elwir heddiw yn egwyddor d'Alembert. Serch hynny, mae arbenigwyr ym maes tebygolrwydd yn ei adnabod orau oherwydd iddo ateb yr enghraifft uchod yn anghywir. Dadleuai, yn anghywir, gan fod tri phosibilrwydd, fod yn rhaid bod pob tebygolrwydd yn $\frac{1}{3}$.

Gwaith ymarferol _____

Camgymeriad d'Alembert oedd cymryd yn ganiataol bod y tri phosibilrwydd yr un mor debygol â'i gilydd. Er mwyn gwirio nad yw hyn yn wir, taflwch ddau ddarn arian 20 o weithiau. Lluniwch siart marciau rhifo i ddangos sawl pen (0, 1 neu 2) a gafwyd.

Ydych chi'n credu d'Alembert? Petai wedi gweld canlyniadau cyfunol eich dosbarth, byddai wedi sylwi ar ei gamgymeriad.

Ffwythiant tebygolrwydd

Mewn nifer o sefyllfaoedd ni fydd angen llunio rhestr o bob un o'r *m* tebygolrwydd, er mwyn nodi dosraniad y tebygolrwydd, oherwydd gellir darganfod fformiwla syml sy'n cwmpasu popeth (a elwir weithiau yn **ffwythiant tebygolrwydd**).

Enghraifft 2

Darganfyddwch fformiwla ar gyfer dosraniad tebygolrwydd yr hapnewidyn *X* sy'n cael ei ddiffinio fel 'canlyniad taflu dis teg 6-ochr'.

_____

Mae gan bob un o chwe gwerth posibl *X* debygolrwydd o $\frac{1}{6}$, felly gallwn ysgrifennu:

$$P_x = \tfrac{1}{6} \qquad (x = 1, 2, ..., 6)$$

Dangos dosraniadau tebygolrwydd

Fel bob amser wrth weithio gydag ystadegau mae'n syniad tynnu lluniau os yn bosibl. Gan mai gwerthoedd arwahanol yn unig y gall hapnewidyn arwahanol eu cymryd, mae siart bar yn addas, gydag echelin *y* yn mesur tebygolrwydd.

Enghraifft 3

Mae'r hapnewidyn *X* yn cael ei ddiffinio fel 'cyfanswm y sgorau a ddangosir gan ddau ddis teg 6-ochr'.

Lluniwch dabl o ddosraniad tebygolrwydd *X* a thynnwch ddiagram addas.

_____

Rydym yn dechrau trwy lunio tabl sy'n dangos y 36 canlyniad posibl, a phob un ohonynt (gan fod y dis yn un teg) yr un mor debygol â'i gilydd:

Dis cyntaf

		1	2	3	4	5	6
Ail ddis	1	2	3	4	5	6	7
	2	3	4	5	6	7	8
	3	4	5	6	7	8	9
	4	5	6	7	8	9	10
	5	6	7	8	9	10	11
	6	7	8	9	10	11	12

Y cofnodion yn y tabl yw cyfansymiau'r rhifau a ddangosir gan y ddau ddis.

Tebygolrwydd

Cyfanswm sgôr, x

Drwy archwilio'r tabl (edrychwch ar hyd y croesliniau GDd-DOr) gallwn weld, o'r 36 posibilrwydd sydd yr un mor debygol â'i gilydd, mai dim ond 1 posibilrwydd sy'n arwain at y canlyniad $X = 2$, felly $P_2 = \frac{1}{36}$. Y gwerth mwyaf tebygol ar gyfer X yw 7, sydd â thebygolrwydd $\frac{6}{36} = \frac{1}{6}$.
Ceir tabl o'r dosraniad llawn isod.

Gwerth x	2	3	4	5	6	7	8	9	10	11	12
P_x	$\frac{1}{36}$	$\frac{2}{36}$	$\frac{3}{36}$	$\frac{4}{36}$	$\frac{5}{36}$	$\frac{6}{36}$	$\frac{5}{36}$	$\frac{4}{36}$	$\frac{3}{36}$	$\frac{2}{36}$	$\frac{1}{36}$

Ymarferion 5a

Yng Nghwestiynau **1–9**, darganfyddwch set o werthoedd posibl yr hapnewidyn X, a lluniwch dabl sy'n dangos P_x (lle mae $P_x = P(X = x)$) ar gyfer pob gwerth x. Bydd y dosraniadau yn cael eu defnyddio yn *Ymarferion 5c* a *5ch*.

1   Mae bocs yn cynnwys 3 marblen goch a 5 marblen werdd. Tynnir dwy farblen o'r bocs ar hap heb eu dychwelyd, ac X yw nifer y marblis gwyrdd a dynnir.

2   Mae bocs yn cynnwys 3 marblen goch a 5 marblen werdd. Tynnir dwy farblen ar hap ac yna eu dychwelyd, ac X yw nifer y marblis gwyrdd a dynnir.

3   Mae'r rhif '1' wedi ei ysgrifennu ar un o wynebau darn arian teg a'r rhif '2' ar yr wyneb arall. Teflir y darn arian ar yr un pryd â dis teg ac X yw cyfanswm y sgorau.

4   Mewn raffl, gwerthir 20 tocyn ac mae dwy wobr. Mae un rhif yn cael ei dynnu ar hap ac mae'r tocyn sy'n cyfateb iddo yn ennill gwobr o £10. Mae ail rif gwahanol yn cael ei dynnu ar hap, ac mae'r tocyn sy'n cyfateb yn ennill gwobr o £3. Mae'r wobr a enillir gan un tocyn arbennig o'r 20 tocyn gwreiddiol yn £X.

5   Mae dau gerdyn yn cael eu tynnu ar hap (heb eu dychwelyd) o bac o gardiau chwarae, ac X yw nifer y Calonnau a geir.

6   Mae dis teg yn cael ei daflu ac X yw cilydd y sgôr (h.y. 'un dros y sgôr').

7   Mae dau ddis teg, y naill yn goch a'r llall yn wyrdd, yn cael eu taflu ac X yw'r sgôr ar y dis coch minws y sgôr ar y dis gwyrdd.

8   Mae dau ddis teg, y naill yn goch a'r llall yn wyrdd, yn cael eu taflu ac X yw'r gwahaniaeth positif yn y sgorau, (h.y. modwlws yr hapnewidyn yn yr enghraifft flaenorol).

9   Mae pacedi grawnfwyd 'Crensh Aur' yn cael eu gwerthu am £1.20 yr un. Mae un o bob ugain o'r pacedi yn cynnwys darn £1. Mae siopwr yn prynu dau faced ac £X yw cost net y ddau baced.

10   Pa un o'r arbrofion canlynol sy'n rhoi hapnewidyn arwahanol? (Ni ofynnir ichi ddarganfod unrhyw debygolrwyddau.)
(i)   Dewisir llyfr ar hap oddi ar silff sy'n dal 50 llyfr a nodir enw'r awdur.

(parhad)

(ii)   Dewisir llyfr ar hap oddi ar silff sy'n dal 50 llyfr a nodir sawl tudalen sydd ynddo.

(iii)   Dewisir llyfr ar hap oddi ar silff sy'n dal 50 llyfr a nodir y bumed llythyren ar y ddegfed tudalen.

(iv)   Dewisir disgybl ar hap o ddosbarth arbennig a nodir enw'r disgybl.

(v)   Dewisir disgybl ar hap o ddosbarth arbennig a chofnodir ei daldra i'r fodfedd agosaf.

(vi)   Nifer y ceir sy'n mynd heibio man arbennig ar y ffordd rhwng 0800 ac 0900 yfory.

(vii)   Lliw'r car cyntaf i fynd heibio man arbennig ar ôl 0900 yfory.

(viii)   Yr amser, ar ôl 0900 yfory, wedi ei gofnodi i'r eiliad agosaf, pan fydd y ffôn yn canu am y tro cyntaf yn Neuadd y Dref.

(ix)   Dewisir pwynt ar hap yn y plân x–y a chofnodir y pellter o'r tardd i'r mm agosaf.

Amcangyfrif dosraniadau tebygolrwydd

Fel y nodwyd yn Adran 4.1 (t. 92) gellir meddwl am debygolrwyddau fel gwerthoedd terfannol amlderau cymharol. Os ydym yn canolbwyntio ar un canlyniad, megis cael chwech wrth daflu dis, a phlotio amlder cymharol yn erbyn nifer y tafliadau, yna rydym yn cael graff fel y canlynol, a gafwyd drwy ddefnyddio cynhyrchydd haprifau i efelychu'r weithred o daflu dis.

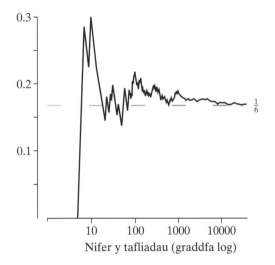

Sylwer sut y mae'r 'wigladau' yn araf ddiflannu wrth i nifer y tafliadau gynyddu a sut y daw'r amlder cymharol yn nes fyth at ei werth cyfyngol o $\frac{1}{6}$. Rhoddir crynodeb o'r chwe chanlyniad isod:

Nifer y tafliadau	Amlder cymharol					
	1	2	3	4	5	6
36	0.222	0.083	0.167	0.167	0.139	0.222
216	0.185	0.139	0.167	0.162	0.185	0.162
1296	0.156	0.171	0.168	0.159	0.176	0.170
7776	0.161	0.164	0.173	0.160	0.168	0.173
46 656	0.168	0.164	0.167	0.168	0.165	0.168
Targed	$\frac{1}{6}$	$\frac{1}{6}$	$\frac{1}{6}$	$\frac{1}{6}$	$\frac{1}{6}$	$\frac{1}{6}$

Wrth i faint y sampl (nifer y tafliadau) gynyddu, mae'r amlderau cymharol yn cydgyfeirio'n nes at y tebygolrwyddau damcaniaethol, ac mae dosraniad arsylwedig y canlyniadau posibl yn cydgyfeirio at y dosraniad tebygolrwydd damcaniaethol.

Prosiect cyfrifiadurol _____

> *Ysgrifennwch eich rhaglen gyfrifiadurol (neu eich rhaglen gyfrifiannell) eich hun i efelychu'r broses o daflu dis. Er mwyn trawsnewid haprif r sydd â gwerth rhwng 0 ac 1 yn sgôr d ar ddis, gosodwch d = 1 + INT(6 * r), lle mae INT yn ffwythiant sy'n crynhoi degolyn yn gyfanrif (e.e. INT(5.8) = 5). Archwiliwch yr amlderau cymharol wrth ichi gynyddu maint y sampl – os ydynt i gyd yn cydgyfeirio at $\frac{1}{6}$ yna mae'r rhaglen yn gweithio.*

Gwaith ymarferol _____

> *Mae angen bod yn ofalus wrth wneud yr ymarferiad hwn, oherwydd mae'n golygu defnyddio pinnau bawd. Cymerwch ddeg pin bawd (heb eu gwasgu) a'u gollwng ar arwyneb fflat. Cyfrwch nifer y pinnau bawd, x, sy'n glanio â'u pigyn ar i fyny. Ailadroddwch yr arbrawf ugain gwaith. Lluniwch siart bar o'r canlyniadau a darganfyddwch amlder cymharol y canlyniad x = 5.*
>
> *Cyfunwch eich canlyniadau â chanlyniadau pedwar aelod arall o'r dosbarth ac ail-gyfrifwch yr amlder cymharol.*
>
> *Yn eich tyb chi, beth yw gwerth rhifiadol P_5?*

Prosiect _____

> *Mae edrych ar rifau ceir yn ffordd ddefnyddiol o ddarganfod oedran ceir. Nid yw'r berthynas rhwng rhif ac oedran car yn berffaith, wrth gwrs, gan fod gan rai perchnogion rifau 'personol' gafodd eu trosglwyddo o'u hen geir i'w ceir newydd. Hefyd, gall y gwahaniaeth rhwng oedran dau gar â'r un rhif fod gymaint â 365 o ddyddiau (mewn blwyddyn naid). Er hynny, gellir cael dynodiad bras o ddosraniad oedran ceir. Ffordd gyfleus o osgoi'r rhan fwyaf o broblemau o benderfynu beth yw oedran car yw diffinio'r hapnewidyn X fel 'oedran y car mewn blynyddoedd cyfan fel y nodir gan y rhif'. Felly mae ceir a gofrestrwyd yn y flwyddyn gyfredol yn cyfateb i X = 0.*
>
> *Nawr mae nifer o gwestiynau diddorol yn codi. A yw'n wir bod dosraniad oedran ceir ar ffordd ddeuol (ceir cwmni, dynion busnes, ayb) yr un fath â dosraniad oedran ceir mewn maes parcio archfarchnad (siopwyr sy'n defnyddio 'ail' geir hŷn(?)). A yw'r dosraniad oedran yn amrywio yn ôl pa amser o'r dydd yw hi? Gallai hyn fod yn wir petai'r 'car cyntaf' yn gadael yn gynnar yn y bore i fynd i'r gwaith a'r 'ail gar' yn gadael yn hwyrach i fynd i'r siopau. Byddwch yn gallu meddwl am bosibiliadau eraill. Bydd angen cannoedd o arsylwadau eraill cyn y gellir darganfod unrhyw wahaniaethau yn hyderus.*

Y ffwythiant dosraniad cronnus

Mae hwn yn ffwythiant arall a ddefnyddir i grynhoi dosraniad tebygolrwydd. Mae ffwythiant F yn cael ei ddiffinio gan

$$F(x_0) = P(X \leq x_0) = \sum_{x \leq x_0} P(X = x)$$

Enghraifft 4

Darganfyddwch ffwythiant dosraniad cronnus yr hapnewidyn X sy'n cael ei ddiffinio fel 'canlyniad taflu dis teg 6-ochr'.

Mae'r fformiwla ganlynol yn ateb y gofyn:

$$P(X \leqslant x) = \begin{cases} 0 & x < 1 \\ \frac{1}{6}m & m \leqslant x < (m+1); m = 1, 2, ..., 5 \\ 1 & x \geqslant 6 \end{cases}$$

oherwydd, er enghraifft:

$$P(X \leqslant 3) = P(X = 1) + P(X = 2) + P(X = 3) = \frac{1}{6} + \frac{1}{6} + \frac{1}{6} = \frac{3}{6}$$

5.3 Rhai dosraniadau tebygolrwydd arwahanol arbennig

Y ddau ddosraniad arwahanol pwysicaf yw'r dosraniadau binomial a Poisson, a fydd yn cael eu trafod ym Mhenodau 7 ac 8. Nawr rydym yn edrych ar rai craill.

Y dosraniad unffurf arwahanol

Yma mae'r hapnewidyn X yr un mor debygol o gymryd unrhyw un o k o werthoedd, $x_1, x_2, ..., x_k$, fel y gellir crynhoi'r dosraniad:

$$P_{x_i} = c \quad (i = 1, 2, ..., k)$$

lle mae c yn gysonyn. A all c gymryd unrhyw werth a ddymunwn? Na, yn sicr! Nododd Hafaliad (5.1) fod yn rhaid i'r tebygolrwyddau adio i 1 ac felly mae c yn cael ei bennu gan yr angen bod:

$$c + c + ... + c = 1$$

sy'n awgrymu bod $c = \dfrac{1}{k}$. Mae'r dosraniad yn cael ei nodi'n briodol gan:

$$P_{x_i} = \frac{1}{k} \quad (i = 1, 2, ..., k)$$

Enghraifft 5

Mae'r enghraifft fwyaf cyfarwydd yn digwydd pan yw X yn cael ei ddiffinio fel 'y sgôr a geir pan fo dis teg 6-ochr yn cael ei daflu'. Yn yr achos hwn mae $k = 6$. Mae'r dosraniad yn cael ei ddangos yn y tabl isod:

Gwerth X	1	2	3	4	5	6
Tebygolrwydd	$\frac{1}{6}$	$\frac{1}{6}$	$\frac{1}{6}$	$\frac{1}{6}$	$\frac{1}{6}$	$\frac{1}{6}$

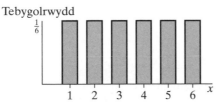

Roedd James Bernoulli (1654–1705) yn dod o deulu eithriadol o dalentog o'r Swistir. Yr aelodau enwocaf oedd James, ei frawd John a'i ddau nai Nicholas a Daniel – er y byddai saith Bernoulli wedi haeddu lle yn *Who's Who* y Mathemategwyr. Roedd James yn 21 oed pan raddiodd (mewn Diwinyddiaeth) ym Mhrifysgol Basel. Dychwelodd i'r brifysgol fel darlithydd (mewn Ffiseg) pan oedd yn 29 oed a daeth yn Athro Mathemateg pan oedd yn 33 oed. Ei brif waith oedd traethawd ar debygolrwydd, *Ars Conjectandi* (Celfyddyd Damcaniaethu).

Dosraniad Bernoulli

Mae dosraniad Bernoulli yn syml iawn. Mae'n cyfeirio at hapnewidyn X na all ond cymryd gwerthoedd 0 ac 1 yn unig:

$$P_0 = 1 - p \qquad P_1 = p$$

Enghraifft o hapnewidyn X yw 'nifer y pennau a geir wrth daflu darn arian annheg unwaith', lle mae'r tebygolrwydd o gael pen yn p. Bydd pwysigrwydd y dosraniad syml hwn yn dod yn amlwg ym Mhennod 7.

5.4 Y dosraniad geometrig

Unwaith eto gallwn ddefnyddio taflu darn arian fel eglurhad. Tybiwch fod gennym geiniog annheg gyda $P(\text{Pen}) = p$ a $P(\text{Cynffon}) = 1 - p$, gyda $0 < p < 1$. Y tro hwn rydym yn dechrau ar gyfres o dafliadau ac yn diffinio hapnewidyn X fel nifer y tafliadau hyd at, ac yn cynnwys y pen cyntaf ('Llwyddiant').

Yn amlwg, $P_1 = p$ gan mai dyma'r tebygolrwydd o gael pen yn syth. Er mwyn i X fod yn hafal i 2 rhaid inni gael cynffon ar y tafliad cyntaf a phen ar yr ail dafliad. Felly:

$$
\begin{aligned}
P_2 &= P(\text{Cynffon yna Pen}) \\
&= P(\text{Cynffon}) \times P(\text{Pen}) \qquad \text{digwyddiadau ffisegol annibynnol} \\
&= (1 - p)p
\end{aligned}
$$

Yn yr un modd, er mwyn i X fod yn hafal i x, rhaid inni gael dilyniant o $(x - 1)$ cynffon wedi ei ddilyn gan ben. Mae pob cynffon yn digwydd gyda thebygolrwydd o $(1 - p)$ fel ein bod yn cael y canlyniad cyffredinol:

$$P_x = (1 - p)^{x-1}p \qquad (x = 1, 2, \ldots) \tag{5.2}$$

Mae'r canlyniad cyffredinol hwn, sy'n ddilys ar gyfer pob gwerth cyfanrifol positif o x, yn diffinio **dosraniad geometrig**.

Yn achos ceiniog deg, $p = \frac{1}{2}$. Mewn cyfres o bum gêm brawf yn ddiweddar collodd capten Lloegr y pedwar tafliad cyntaf, ond enillodd y pumed. Gan ddefnyddio Hafaliad (5.2) gwelwn fod y tebygolrwydd y bydd yn gorfod aros cyhyd cyn ennill yn ystod y gyfres nesaf o dafliadau yn:

$$\left(1 - \tfrac{1}{2}\right)^4 \tfrac{1}{2} = \tfrac{1}{32}$$

Nodiadau
- Gelwir y dosraniad yn geometrig gan fod y tebygolrwyddau olynol, $p, (1 - p)p, (1 - p)^2p, \ldots$ yn ffurfio **dilyniant geometrig** gyda'r term cyntaf p a'r gymhareb gyffredin $(1 - p)$.

◆ Gan ysgrifennu q am $(1 - p)$, a nodi bod $0 < q < 1$:

$$\sum_{x=1}^{\infty} P_x = p(1 + q + q^2 + q^3 + \ldots)$$

$$= p\frac{1}{1 - q} \qquad \text{swm dilyniant geometrig i anfeidredd}$$

$$= 1 \qquad \text{gan fod } q = 1 - p$$

Mae hyn yn dangos bod y cyfanswm tebygolrwydd sy'n cael ei ddosrannu yn hafal i 1 fel sydd ei angen. Mae'n profi hefyd y bydd llwyddiant yn digwydd ym mhen hir a hwyr – os ydych newydd fethu am y 3000 fed tro, peidiwch â phoeni. Os yw $0 < p < 1$, byddwch yn cael llwyddiant yn y diwedd (oni fyddwch wedi cyrraedd pen eich tennyn cyn hynny).

◆ Weithiau ysgrifennir y dosraniad fel a ganlyn:

$$P_x = (1 - p)^x p \qquad (x = 0, 1, 2, \ldots)$$

Nodiant

Er mwyn osgoi ysgrifennu: 'Mae gan hapnewidyn X ddosraniad geometrig ac mae'r tebygolrwydd o "lwyddiant" yn p ar gyfer pob cynnig', rydym yn ysgrifennu:

$$X \sim \text{Geo}(p)$$

Mae'r symbol $\sim$ yn golygu 'â dosraniad' a defnyddir 'Geo' fel talfyriad am 'geometrig'.

Tebygolrwyddau cronnus

Er mwyn cyfrifo $P(X \leq x)$ rydym yn nodi bod hyn yn golygu bod o leiaf un o'r x cynnig cyntaf yn gorfod bod yn llwyddiant. Cyflenwad y digwyddiad hwn yw bod pob un o'r x cynnig wedi bod yn fethiannau. Os yw'r tebygolrwydd o fethiant yn $(1 - p)$ yna mae'r tebygolrwydd o x methiant yn $(1 - p)^x$. Wrth ysgrifennu q ar gyfer $(1 - p)$ mae gennym

$$P(X \leq x) = 1 - q^x \tag{5.3}$$

Yn yr un modd:

$$P(X < x) = 1 - q^{x-1}$$
$$P(X > x) = q^x$$
$$P(X \geq x) = q^{x-1}$$

Nodyn

◆ Gallwn hefyd brofi'r canlyniad yn Hafaliad (5.3) fel a ganlyn:

$$P(X \leq x) = P(X = 1) + P(X = 2) + \ldots + P(X = x)$$
$$= p + pq + \ldots + pq^{x-1}$$
$$= p(1 + q + \ldots + q^{x-1})$$

Mae'r termau mewn cromfachau yn gyfres geometrig gyda swm o $\frac{1 - q^x}{1 - q}$.
Gan fod $p = (1 - q)$, mae hyn yn sefydlu'r canlyniad a roddir.

Enghraifft 6

Dim ond 1% o'r cerbydau sy'n gadael traffordd sy'n fodlon cario bodwyr. Mae Dylan Druan yn cyrraedd allanfa traffordd ac yn dechrau bodio. Darganfyddwch y tebygolrwydd y bydd o leiaf pedwar cerbyd yn gwrthod stopio iddo (h.y. nad yw'n cael pàs nes cerbyd 5 o leiaf).

Bydd Dylan yn bodio nes bydd yn cael pàs. Felly mae pob cerbyd un ai'n 'Llwyddiant' (gyda thebygolrwydd, p, yn hafal i 0.01), neu yn 'Fethiant' (gyda thebygolrwydd, q, yn hafal i 0.99). Gadewch i nifer y cerbydau hyd at, ac yn cynnwys y cerbyd sy'n rhoi pàs i Dylan, fod yn X. Mae'r cwestiwn yn gofyn inni gyfrifo $P(X > 4)$:

$$P(X > 4) = q^4 = 0.99^4 = 0.961 \text{ (i 3 ll.d.)}$$

Mae'r tebygolrwydd y bydd o leiaf bedwar cerbyd yn gwrthod stopio tua 0.96.

Paradocs!

O gymryd bod $0 < p < 1$, mae gan bob dosraniad geometrig siâp tebyg: dilyniant anfeidraidd o debygolrwyddau sy'n lleihau bob tro. Mae cyfradd gostwng maint y tebygolrwyddau yn dibynnu ar werth p, ond mae'r modd (y gwerth mwyaf tebygol) yn $x = 1$ ym mhob achos.

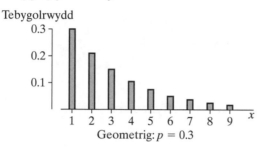

Mae effaith ymarferol y canlyniad hwn yn syndod a dweud y lleiaf. Tybiwch, er enghraifft, fy mod yn penderfynu sefyll y tu allan i'm cartref nes y byddaf yn gweld sbortscar coch. Mae'n amlwg y byddaf yn gorfod sefyll yno am gryn amser, gan nad yw sbortsceir mor gyffredin â hynny. Ystyriwch felly'r cwestiwn canlynol: 'Beth yw'r nifer mwyaf tebygol o geir sy'n pasio fy nhŷ hyd at, ac yn cynnwys y sbortscar coch?' Mae'r sefyllfa yn un geometrig, gyda gwerth p yn fychan. Er hynny, mae'r canlyniad blaenorol yn dal yn ddilys a'r ateb i'r cwestiwn yw mai'r nifer mwyaf tebygol o geir yw 1 yn unig!

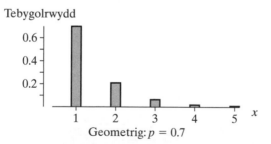

Nodyn

♦ Mae'n ddigon hawdd camddehongli'r canlyniad hwn. Mae tebygolrwydd y canlyniad penodol 1 yn $P_1 = p$, felly $P(X > 1) = 1 - p$. Po fwyaf anghyffredin yw'r digwyddiad dan sylw (h.y. po leiaf yw gwerth p), mwyaf tebygol yw'r gwerth arsylwedig o fod yn fwy nag 1. Er hynny, mae'r gwerth unigol mwyaf tebygol yn parhau i fod yn 1.

Gwaith ymarferol _____

Taflwch ddis 6-ochr cyffredin dro ar ôl tro nes cael 6. Cofnodwch sawl tafliad sydd ei angen. Gwnewch hyn 9 gwaith eto. Cyfunwch eich canlyniadau â chanlyniadau eich cymdogion, neu â chanlyniadau'r dosbarth cyfan. Dylech ddarganfod, fel y rhagwelwyd, bod y modd yn 1 – er y gallai rhai pobl fod wedi gorfod taflu gymaint ag 20 gwaith cyn cael 6.

Gwaith ymarferol

> Mae angen pac o gardiau i wneud yr ymarfer hwn. Dechreuwch drwy
> gymysgu'r pac fel bo'r cardiau wedi eu trefnu ar hap a thynnwch gerdyn
> ar hap ohono. Rhowch y cerdyn yn ôl yn y pac, ei gymysgu unwaith eto
> ac ailadrodd y broses. Daliwch ati i wneud hyn nes cael 'Llwyddiant'.
> Gallai'r digwyddiad a elwir yn 'Llwyddiant' fod yn 'gerdyn Rhaw'
> ($p = \frac{1}{4}$), 'cerdyn Âs' ($p = \frac{1}{13}$) neu beth bynnag sydd o ddiddordeb. Fodd
> bynnag, cynghorir chi i beidio â defnyddio digwyddiad anghyffredin
> iawn fel 'cerdyn Âs y Rhawiau' ($p = \frac{1}{52}$), oni bai bod gennych dipyn o
> amser. Cofnodwch sawl cerdyn sydd ei angen (x).
>
> Ailadroddwch y broses gyfan nifer o weithiau a chyfunwch eich
> canlyniadau gyda chanlyniadau gweddill y dosbarth. Cymharwch
> amlderau cymharol y dosbarth â'r tebygolrwyddau damcaniaethol. Dylid
> cael cytundeb rhesymol, yn arbennig yn achos gwerthoedd isel o x. Ym
> Mhennod 13 byddwn yn edrych ar ffyrdd o brofi pa mor dda yw'r cytundeb.

Ymarferion 5b

1 Mae tudalennau llyfr wedi eu rhifo o 1 i 300.
Dewisir tudalen ar hap ac X yw digid olaf rhif y
dudalen.
 (i) Darganfyddwch ddosraniad tebygolrwydd X.
 (ii) Digid cyntaf rhif y dudalen yw Y.
  A oes gan Y ddosraniad unffurf arwahanol?
  Darganfyddwch ddosraniad Y.

2 Mewn gêm o Ludo mae'n rhaid taflu chwech
gydag un dis teg er mwyn gallu cychwyn. Nifer y
tafliadau sydd eu hangen i gael y 6 cyntaf yw N.
Darganfyddwch ddosraniad tebygolrwydd N.
Darganfyddwch (i) $P(N > 6)$, (ii) $P(N \leq 5)$.

3 Cyfrifwch ddosraniad X, lle mae X yn
hapnewidyn sy'n nodi sawl chwech a geir wrth
daflu dis teg unwaith.

4 Mae gan hapnewidyn X ddosraniad sydd yn
ddosraniad unffurf ac yn ddosraniad Bernoulli.
Disgrifiwch y dosraniad.

5 Yr hapnewidyn X yw sawl pen a geir wrth daflu
darn arian teg ddwywaith. Dangoswch nad
yw dosraniad X (i) yn ddosraniad unffurf (ii)
yn ddosraniad Bernoulli, (iii) yn ddosraniad
geometrig.

6 Mae pacedi o rawnfwyd 'Crensh Aur' yn cael eu
gwerthu am £1.20 yr un. Mae un o bob ugain o'r
pacedi yn cynnwys darn £1.
 (i) Mae cwsmer yn parhau i brynu pacedi
  ncs bydd yn cacl paced sy'n cynnwys £1.
  Darganfyddwch ddosraniad tebygolrwydd
  nifer y pacedi a brynir.
 (ii) Mae cwsmer yn prynu un paced.
  Darganfyddwch ddosraniad tebygolrwydd
  nifer y darnau arian a geir.

5.5 Disgwyliadau

Ym Mhennod 2 gwelsom fod cymedr dosraniad amlder yn cael ei roi gan:

$$\bar{x} = \frac{1}{n} \Sigma f_j x_j$$

lle mae f_j yn cynrychioli amlder gwerth x_j, n yn cynrychioli cyfanswm yr arsylwadau, a'r
symiant yn cwmpasu holl werthoedd x_j. Gellir ailysgrifennu'r fformiwla fel a ganlyn:

$$\bar{x} = \Sigma \left\{ x_j \left(\frac{f_j}{n} \right) \right\}$$

sy'n pwysleisio, yn y symiant, bod pob gwerth x yn cael ei luosi gan ei amlder cymharol.

Wrth i faint y sampl gynyddu, beth sy'n digwydd i $\bar{x}$? Mae'n bosibl inni gael syniad
drwy ailedrych ar y canlyniadau taflu dis (gweler Adran 5.2, t. 147) a phlotio gwerth $\bar{x}$
yn erbyn nifer y tafliadau.

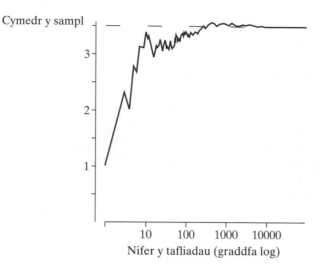

Gallwn weld, fel gydag amlder cymharol, ei bod yn ymddangos fel petai'n sefydlogi i roi ryw werth ar ôl tipyn o osgiliadu ar y dechrau. Rydym yn galw'r gwerth terfannol hwn yn **ddisgwyliad** X ac yn defnyddio'r nodiant $E(X)$. Gallwn feddwl amdano fel gwerth cyfartalog hir dymor X. Tra bo $\bar{x}$ yn nesáu at $E(X)$, mae pob amlder cymharol yn nesáu at y tebygolrwydd poblogaeth cyfatebol. Felly, i gyfrifo gwerth $E(X)$ rydym yn cyfrifo:

$$E(X) = \Sigma x P_x \qquad (5.4)$$

lle mae'r symiant dros holl werthoedd posibl X. Oherwydd ei ddeilliant fel gwerth terfannol cymedr y sampl gwelwn mai:

$E(X)$ yw gwerth cymedrig poblogaeth X.

Nodiadau

♦ Nid oes raid i ddisgwyliad X fod yn hafal i gyfanrif, ac nid oes raid iddo fod yn un o'r gwerthoedd posibl ar gyfer X. Nid oes angen y nodweddion hyn arnom ar gyfer cymedr y sampl, felly nid oes rheswm dros eu hangen ar gyfer cymedr y boblogaeth.

♦ Cysyniad cysylltiedig yw **amlder disgwyliedig**: os yw tebygolrwydd digwyddiad yn p ac os oes gennym n arsylwad, yna mae amlder disgwyliedig y digwyddiad yn np.

Enghraifft 7

Dim ond y gwerthoedd 2 a 5 y gall yr hapnewidyn X eu cymryd. O wybod bod gwerth 5 ddwywaith mor debygol â gwerth 2, cyfrifwch ddisgwyliad X.

Tybiwch ein bod yn dynodi'r tebygolrwydd fod X yn hafal i 2 â p. Yna mae'r tebygolrwydd bod X yn hafal i 5 yn $2p$. Gan mai dyma'r unig werthoedd posibl ar gyfer X, mae swm eu tebygolrwyddau yn 1: $p + 2p = 1$. Gan fod $3p = 1$ mae'n dilyn bod $p = \frac{1}{3}$. Rhoddir disgwyliad X felly gan:

$$E(X) = (2 \times P_2) + (5 \times P_5)$$
$$= \left(2 \times \tfrac{1}{3}\right) + \left(5 \times \tfrac{2}{3}\right)$$
$$= \tfrac{2}{3} + \tfrac{10}{3}$$
$$= 4$$

Mae gan hapnewidyn X werth cyfartalog hirdymor o 4, er na fydd unrhyw werth unigol o X yn hafal i'r gwerth hwnnw.

Enghraifft 8

Cyfrifwch ddisgwyliad yr hapnewidyn X, y rhoddir ei ddosraniad tebygolrwydd isod.

Gwerth X	0	1	2	3
Tebygolrwydd	0.3	0.4	0.2	0.1

$$E(X) = (0 \times P_0) + (1 \times P_1) + (2 \times P_2) + (3 \times P_3)$$
$$= 0 + 0.4 = 0.4 + 0.3$$
$$= 1.1$$

Disgwyliad X yw 1.1.

Gwaith ymarferol

> *Taflwch ddis bedair gwaith gan gofnodi eich canlyniadau ar siart marciau rhifo. Cyfrifwch gymedr y sampl. Cymharwch eich canlyniadau â chanlyniadau aelodau eraill y dosbarth. Dylech ddarganfod bod gan bron pawb gymedr sampl rhwng 2 a 5.*
>
> *Nawr taflwch y dis 36 gwaith eto a chyfrifwch gymedr y sampl ar gyfer y set gyfunol o 40 gwerth. Pa mor amrywiol yw canlyniadau pobl erbyn hyn? Dylech ddarganfod bod y rhan fwyaf o bobl wedi cael gwerthoedd yn yr cyfwng 3 i 4. Wrth i faint y sampl gynyddu mae cymedr y sampl yn dod yn llai tebygol o wyro ymhell oddi wrth 3.5.*
> *Cyfrifwch gymedr sampl ar gyfer y dosbarth cyfan.*

Gwerth disgwyliedig neu rif disgwyliedig

Weithiau defnyddir un ai '**gwerth disgwyliedig**' neu '**rif disgwyliedig**' yn lle 'disgwyliad' – yr un yw'r ystyr. Pa derm bynnag a ddefnyddir, gellir ystyried y gwerth rhifiadol sy'n cael ei geisio fel *y gwerth cyfartalog hirdymor*.

Nodyn

♦ Dyma un yn unig o sawl enghraifft lle mae Ystadegaeth wedi 'benthyca' gair o iaith bob dydd ac wedi newid ychydig ar yr ystyr – pan ddefnyddir 'gwerth disgwyliedig X', yn ystyr ystadegol yr ymadrodd, nid yw'n gorfod bod yn werth X sy'n cael 'ei ddisgwyl' mewn gwirionedd, yn ystyr gyffredin y gair.

Enghraifft 9

Mewn papur amlddewis dilynir pob cwestiwn gan ddewis o bedwar ateb. Gofynnir i'r ymgeisydd roi cylch o amgylch un o'r atebion hyn. Os yw'r ateb mewn cylch yn gywir, yna mae'r ymgeisydd yn cael 3 marc, ond os yw'r ateb yn anghywir mae'r ymgeisydd yn colli 1 marc. Cyfrifwch werth disgwyliedig y marc mae'r ymgeisydd yn ei ennill am bob cwestiwn os yw'r ymgeisydd:

(i) yn dewis ateb ar hap,

(ii) yn gwybod bod un o'r atebion anghywir yn anghywir ac yn dewis un o'r tri phosibilrwydd sy'n weddill ar hap.

Trafodwch y canlyniadau ym mhob achos.

Boed i X fod yn nifer y marciau a enillir.

(i) Mae dosraniad tebygolrwydd X yn:

$$P_3 = \tfrac{1}{4} \qquad P_{-1} = \tfrac{3}{4}$$

fel bo:

$$E(X) = \left\{3 \times \left(\tfrac{1}{4}\right)\right\} + \left\{(-1) \times \left(\tfrac{3}{4}\right)\right\} = \tfrac{3}{4} - \tfrac{3}{4} = 0$$

Mae cynllun marcio'r arholiad wedi ei lunio fel bo'r marc disgwyliedig a geir gan rywun nad yw'n gwybod dim ac sy'n dyfalu pob cwestiwn yn sero.

(ii) Ar ôl i un o'r atebion anghywir gael ei ddileu mae'r dosraniad tebygolrwydd diwygiedig yn:

$$P_3 = \tfrac{1}{3} \qquad P_{-1} = \tfrac{2}{3}$$

fel bo:

$$E(X) = \left\{3 \times \left(\tfrac{1}{3}\right)\right\} + \left\{(-1) \times \left(\tfrac{2}{3}\right)\right\} = 1 - \tfrac{2}{3} = \tfrac{1}{3}$$

Gan fod $E(X)$ yn fwy na 0, os gellir dileu un neu fwy o'r posibiliadau gan eu bod yn sicr o fod yn anghywir, yna bydd mantais o ddyfalu'r ateb. Petai'r ymgeisydd yn dyfalu'r atebion i nifer o gwestiynau dan yr amodau hyn, yna ar gyfartaledd byddai'n ennill $\tfrac{1}{3}$ o farc y cwestiwn.

Disgwyliad X^2

Gwelsom mai $E(X)$, yn ei hanfod, yw gwerth cyfartalog hir-dymor yr hapnewidyn X. Yn yr un modd $E(X^2)$ yw gwerth cyfartalog hir-dymor X^2. Mae gwerth $E(X^2)$ yn cael ei gyfrifo gan ddefnyddio:

$$E(X^2) = \Sigma x^2 P_x \tag{5.5}$$

lle mae'r symiant dros holl werthoedd posibl X.

Nodyn

♦ Byddwn fel arfer yn darganfod bod:

$$E(X^2) \neq [E(X)]^2$$

Enghraifft 10

Cyfrifwch werth disgwyliedig X^2, lle mae X yn werth a geir drwy daflu dis teg 6-ochr.

$$E(X^2) = 1^2 \times P_1 + 2^2 \times P_2 + \ldots + 6^2 \times P_6$$

$$= \tfrac{1}{6} + \tfrac{4}{6} + \ldots + \tfrac{36}{6}$$

$$= \tfrac{91}{6}$$

Mae gwerth disgwyliedig X^2 tua 15 ac *nid* $E(X)$ wedi ei sgwario (a fyddai wedi rhoi'r ateb $3.5^2 \approx 12$).

Ymarferion 5c

Darganfyddwch $E(X)$ ac $E(X^2)$ ar gyfer Cwestiynau **1–9** isod sy'n seiliedig ar Gwestiynau **1–9** Ymarferion 5a.

1 Mae bocs yn cynnwys 3 marblen goch a 5 marblen werdd. Tynnir dwy farblen o'r bocs ar hap heb eu dychwelyd, ac X yw nifer y marblis gwyrdd a dynnir.

2 Mae bocs yn cynnwys 3 marblen goch a 5 marblen werdd. Tynnir dwy farblen ar hap ac yna eu dychwelyd, ac X yw nifer y marblis gwyrdd a dynnir.

3 Mae'r rhif '1' wedi ei ysgrifennu ar un o wynebau darn arian teg a'r rhif '2' ar yr wyneb arall. Teflir y darn arian ar yr un pryd â dis teg ac X yw cyfanswm y sgorau.

4 Mewn raffl, gwerthir 20 tocyn ac mae dwy wobr. Mae un rhif yn cael ei dynnu ar hap ac mae'r tocyn sy'n cyfateb iddo yn ennill gwobr o £10. Mae ail rif gwahanol yn cael ei dynnu ar hap, ac mae'r tocyn sy'n cyfateb yn ennill gwobr o £3.

Mae'r wobr a enillir gan un tocyn arbennig o'r 20 tocyn gwreiddiol yn £X.

5 Mae dau gerdyn yn cael eu tynnu ar hap (heb eu dychwelyd) o bac o gardiau chwarae, ac X yw nifer y Calonnau a geir.

6 Mae dis teg yn cael ei daflu ac X yw cilydd y sgôr (h.y. 'un dros y sgôr').

7 Mae dau ddis teg, y naill yn goch a'r llall yn wyrdd, yn cael eu taflu ac X yw'r sgôr ar y dis coch minws y sgôr ar y dis gwyrdd.

8 Mae dau ddis teg, y naill yn goch a'r llall yn wyrdd, yn cael eu taflu ac X yw'r gwahaniaeth positif yn y sgorau, (h.y. modwlws yr hapnewidyn yn yr enghraifft flaenorol).

9 Mae pacedi grawnfwyd 'Crensh Aur' yn cael eu gwerthu am £1.20 yr un. Mae un o bob ugain o'r pacedi yn cynnwys darn £1. Mae siopwr yn prynu dau baced ac £X yw cost net y ddau baced.

5.6 Amrywiant

Rydym wedi gweld, wrth i sampl dyfu a thyfu, y bydd ei nodweddion fel arfer yn ymdebygu fwyfwy i'r boblogaeth gyfatebol. Yn arbennig, mae gennym:

Sampl		Poblogaeth
Amlder cymharol, $\dfrac{f_j}{n}$	$\rightarrow$	Tebygolrwydd, P_{x_j}
Cymedr y sampl, $\bar{x}$	$\rightarrow$	Cymedr y boblogaeth, $E(X)$
at y rhain rydym nawr yn ychwanegu:		
Amrywiant y sampl, σ_n^2	$\rightarrow$	Amrywiant y boblogaeth, $\text{Var}(X)$

Dau fynegiad cyfwerth ar gyfer amrywiant y boblogaeth yw:

$$\text{Var}(X) = E[\{X - E(X)\}^2] = E(X^2) - \{E(X)\}^2 \qquad (5.6)$$

Nodiadau
- Yn ymarferol, mae'r gair 'poblogaeth' yn aml yn cael ei hepgor ac 'amrywiant X' yn unig a ysgrifennir.
- Ni all yr amrywiant fyth fod yn negatif, h.y. $\text{Var}(X) \geqslant 0$.

Enghraifft 11

Rhoddir dosraniad tebygolrwydd yr hapnewidyn X gan:

Gwerth X	2	5
Tebygolrwydd	0.4	0.6

Cyfrifwch amrywiant X.

Yn gyntaf rydym yn cyfrifo disgwyliad X:

$$E(X) = (2 \times 0.4) + (5 \times 0.6) = 3.8$$

Yna, rydym yn cyfrifo $E(X^2)$:

$$E(X^2) = (2^2 \times 0.4) + (5^2 \times 0.6) = 16.6$$

Yn olaf, gan ddefnyddio Hafaliad (5.6), cawn:

$$Var(X) = E(X^2) - \{E(X)\}^2 = 16.6 - 3.8^2 = 2.16$$

Enghraifft 12

Rhoddir dosraniad tebygolrwydd yr hapnewidyn X gan:

Gwerth X	2	3	4
Tebygolrwydd	p	p	$1 - 2p$

Dangoswch fod amrywiant X yn hafal i $p(5 - 9p)$

Yn gyntaf rydym yn cyfrifo disgwyliad X:

$$E(X) = (2 \times p) + (3 \times p) + \{4 \times (1 - 2p)\} = 4 - 3p$$

Yna rydym yn cyfrifo $E(X^2)$:

$$E(X^2) = (2^2 \times p) + (3^2 \times p) + \{4^2 \times (1 - 2p)\} = 16 - 19p$$

Yn olaf, gan ddefnyddio Hafaliad (5.6), rydym yn cael:

$$Var(X) = E(X^2) - \{E(X)\}^2 = (16 - 19p) - (4 - 3p)^2$$
$$= 5p - 9p^2 = p(5 - 9p)$$

fel yr oeddem ei angen

Enghraifft 13

Mae gan hapnewidyn X ddosraniad Bernoulli:

$$P_0 = 1 - p \qquad P_1 = p$$

Darganfyddwch ddisgwyliad ac amrywiant X.

Mae darganfod $E(X)$ yn syml:

$$E(X) = \{0 \times (1 - p)\} + \{1 \times p\} = p$$

Er mwyn cyfrifo amrywiant X rydym yn defnyddio Hafaliad (5.6) ac i ddechrau rydym yn darganfod $E(X^2)$:

$$E(X^2) = \{0^2 \times (1 - p)\} + \{1^2 \times p\} = p$$

Drwy hynny:

$$\begin{aligned}\mathrm{Var}(X) &= \mathrm{E}(X^2) - \{\mathrm{E}(X)\}^2 \\ &= p - (p)^2 \\ &= p(1 - p)\end{aligned}$$

Mae gan ddosraniad Bernoulli â pharamedr p gymedr p ac amrywiant $p(1 - p)$.

Nodiadau

◆ Mae gan y dosraniad geometrig â pharamedr p gymedr $\dfrac{1}{p}$ ac amrywiant $\dfrac{1-p}{p^2}$. Mae'r prawf yn anodd ac yn cael ei hepgor.

◆ Os yw X yn hapnewidyn â dosraniad unffurf gyda'r nifer k o werthoedd $x_1, \ldots, x_k$ sydd yn hafal debygol yna

$$\mathrm{E}(X) = \frac{1}{k}\sum_{i=1}^{k} x_i \qquad \mathrm{Var}(X) = \frac{1}{k}\sum_{i=1}^{k} x_i^2 - \left(\frac{1}{k}\sum_{i=1}^{k} x_i\right)^2$$

Os yw gwerthoedd X yn $1, \ldots, k$ yna mae'r fformiwlâu hyn yn symleiddio i roi

$$\mathrm{E}(X) = \tfrac{1}{2}(k + 1) \qquad \mathrm{Var}(X) = \tfrac{1}{12}(k^2 - 1)$$

Prosiect

Bydd natur y prosiect hwn, sy'n golygu defnyddio llyfr ffôn, yn dibynnu ar ble'r ydych yn byw. Mewn ardal wledig dylech ddewis tref fawr o blith y rhai sy'n cael eu cynrychioli yn y llyfr ffôn; mewn dinas, dylech ddewis is-ardal fawr glir ddiffiniedig. Agorwch y llyfr ffôn ar hap a chychwyn ar ben y dudalen ar y chwith (os nad oes hysbyseb yno). Cyfrifwch nifer y tanysgrifwyr nes cyrraedd y cyntaf sydd â rhif sy'n perthyn i'ch tref neu'ch is-ardal chi. Rydym yn dewis tref fawr er mwyn i'r gwaith cyfrif beidio â chymryd gormod o amser. Cofnodwch eich gwerth. Ailadroddwch y broses nes bydd gennych gyfanswm o 50 gwerth. Crynhowch eich data gan ddefnyddio siart bar (os yw'r rhan fwyaf o'r gwerthoedd yn fychan) neu histogram (os yw'r rhan fwyaf o'r gwerthoedd yn fawr).

A yw eich data yn ymddangos fel pe gellid eu disgrifio gan ddosraniad geometrig?

Cyfrifwch gymedr y sampl, $\bar{x}$. Cofiwch fod cymedr y boblogaeth yn hafal i $\dfrac{1}{p}$, gan gymryd mai dosraniad geometrig sydd yma. Diddwythwch amcangyfrif o'r gyfran o danysgrifwyr yn y llyfr ffôn sy'n byw yn y dref neu'r is-ardal dan sylw. (Mae hon yn ffordd eithaf cymhleth o amcangyfrif y gyfran hon – ym mha ffordd arall allech chi fod wedi ei amcangyfrif?)

5.7 Y gwyriad safonol

Yn syml, ail-isradd amrywiant y boblogaeth yw gwyriad safonol y boblogaeth.

Enghraifft 14

Mae gan yr hapnewidyn arwahanol X ddosraniad tebygolrwydd a roddir gan:

$$P_x = \begin{cases} kx^3 & (x = 1, 2, 3) \\ 0 & \text{fel arall} \end{cases}$$

Cyfrifwch werthoedd y canlynol, yn gywir i 3 lle degol:

(i)   y cysonyn k,

(ii) disgwyliad X,

(iii) gwyriad safonol X.

_____

(i)   Er mwyn darganfod gwerth k rydym yn defnyddio'r ffaith fod y tebygolrwyddau yn adio i roi 1. Felly:

$$k(1^3 + 2^3 + 3^3) = 1$$

Mae cyfanswm yr ochr chwith yn $36k$ ac felly $k = \frac{1}{36}$.

(ii) Y disgwyliad yw $E(X)$, a roddir gan:

$$E(X) = (1 \times k) + (2 \times 8k) + (3 \times 27k) = (1 + 16 + 81)k$$
$$= 98k = \frac{98}{36}$$
$$= 2.722 \text{ (i 3 ll.d.)}$$

(iii) Er mwyn cyfrifo'r gwyriad safonol, yn gyntaf mae'n rhaid inni gyfrifo'r amrywiant. Gan nad yw $E(X)$ yn gyfanrif rydym yn defnyddio Hafaliad (5.6) ac yn dechrau drwy gyfrifo $E(X^2)$:

$$E(X^2) = (1^2 \times k) + (2^2 \times 8k) + (3^2 \times 27k) = (1 + 32 + 243)k$$
$$= 276k = \frac{276}{36}$$

Drwy hynny:

$$\text{Var}(X) = E(X^2) - \{E(X)\}^2 = \frac{276}{36} - \left(\frac{98}{36}\right)^2 \approx 0.2562$$

Felly gwyriad safonol X yw $\sqrt{0.2562} = 0.506$ (i 3 ll.d.).

Nodyn

♦ Er mwyn cael manwlgywirdeb o 3 lle degol, defnyddiwyd ffracsiynau mewn cyfrifiadau lle roedd hynny'n ymarferol ac, fel arall, gweithiwyd gyda manwlgywirdeb estynedig er mwyn lleihau cyfeiliornadau talgrynnu.

Ymarferion 5ch

Darganfyddwch amrywiant a gwyriad safonol X ym mhob un o Gwestiynau **1–9** isod, a welwyd eisoes yn Ymarferion 5a a 5c.

1 Mae bocs yn cynnwys 3 marblen goch a 5 marblen werdd. Tynnir dwy farblen o'r bocs ar hap heb eu dychwelyd, ac X yw nifer y marblis gwyrdd a dynnir.

2 Mae bocs yn cynnwys 3 marblen goch a 5 marblen werdd. Tynnir dwy farblen ar hap ac yna eu dychwelyd, ac X yw nifer y marblis gwyrdd a dynnir.

3 Mae'r rhif '1' wedi ei ysgrifennu ar un o wynebau darn arian teg a'r rhif '2' ar yr wyneb arall. Teflir y darn arian ar yr un pryd â dis teg ac X yw cyfanswm y sgorau.

4 Mewn raffl, gwerthir 20 tocyn ac mae dwy wobr. Mae un rhif yn cael ei dynnu ar hap ac mae'r tocyn sy'n cyfateb iddo yn ennill gwobr o £10. Mae ail rif gwahanol yn cael ei dynnu ar hap, ac mae'r tocyn sy'n cyfateb yn ennill gwobr o £3. Mae'r wobr a enillir gan un tocyn arbennig o'r 20 tocyn gwreiddiol yn £X.

5 Mae dau gerdyn yn cael eu tynnu ar hap (heb eu dychwelyd) o bac o gardiau chwarae, ac X yw nifer y Calonnau a geir.

6 Mae dis teg yn cael ei daflu ac X yw cilydd y sgôr (h.y. 'un dros y sgôr').

7 Mae dau ddis teg, y naill yn goch a'r llall yn wyrdd, yn cael eu taflu ac X yw'r sgôr ar y dis coch minws y sgôr ar y dis gwyrdd.

8 Mae dau ddis teg, y naill yn goch a'r llall yn wyrdd, yn cael eu taflu ac X yw'r gwahaniaeth positif yn y sgorau, (h.y. modwlws yr hapnewidyn yn yr enghraifft flaenorol).

9 Mae pacedi grawnfwyd 'Crensh Aur' yn cael eu gwerthu am £1.20 yr un. Mae un o bob ugain o'r pacedi yn cynnwys darn £1. Mae siopwr yn prynu dau baced ac £X yw cost net y ddau baced.

10 Os oes gan X ddosraniad unffurf arwahanol ar y cyfanrifau $1, 2, \ldots, n$ yna dangoswch fod:

$$E(X) = \tfrac{1}{2}(n + 1)$$
$$\text{Var}(X) = \tfrac{1}{12}(n^2 - 1)$$

11 Mae gan yr hapnewidyn X ddosraniad geometrig gydag amrywiant 6. Darganfyddwch $E(X)$.

12 Mae gan hapnewidyn Y ddosraniad Bernoulli â gwyriad safonol $\tfrac{3}{10}$. Darganfyddwch werthoedd posibl disgwyliad Y.

13 Mae menyw yn tynnu labeli oddi ar 3 thun o gawl tomato ac oddi ar 4 tun o eirin. Mae hi'n anfon y labeli i'r cwmni er mwyn ennill tedi bêr blewog. Mae hi wedi cynhyrfu gymaint wrth feddwl am gael tedi, fel ei bod yn anghofio marcio'r tuniau, sydd, heb y labeli, yn edrych yn union yr un fath â'i gilydd. Yr wythnos ganlynol mae'n paratoi swper i ffrindiau ac mae hi angen tun o eirin. Mae'n dewis tuniau ar hap, ac yn agor pob un yn ei dro nes bydd yn darganfod tun o eirin. Gadewch i p_r gynrychioli'r tebygolrwydd mai'r $r$fed tun fydd y cyntaf i gynnwys eirin.

Cyfrifwch werthoedd p_1, p_2, p_3 a p_4. Cyfrifwch ddisgwyliad ac amrywiant nifer y tuniau sydd wedi cael eu hagor.

5.8 Nodiant Groegaidd

Mae pob cangen o Fathemateg yn dangos hoffter o symbolau Groegaidd ac nid yw Ystadegaeth yn eithriad. Fel arfer mae'r symbolau μ (sy'n cael ei ynganu 'miw') a σ (llythyren 'sigma' fechan) yn cael eu defnyddio i gynrychioli cymedr y boblogaeth a gwyriad safonol y boblogaeth yn unig, ac mae σ^2 yn cael ei defnyddio ar gyfer yr amrywiant. Felly, wrth astudio'r hapnewidyn X gallem ysgrifennu:

$$E(X) = \mu \tag{5.7}$$
$$\text{Var}(X) = \sigma^2 \tag{5.8}$$

Nodyn

♦ Yn achos hapnewidyn X, ffordd ddefnyddiol o ddarganfod a ydym wedi cyfrifo μ a σ^2 yn anghywir yw drwy nodi'r canlynol:

  ♦ Rhaid i gymedr y boblogaeth, μ, gael gwerth rhwng gwerthoedd lleiaf a mwyaf posibl X.

  ♦ Os yw amrediad gwerthoedd posibl X yn feidraidd, yna mae ei werth rhwng 3σ a 6σ.

Enghraifft 15

Gwiriwch fod y cyfrifiadau yn Enghraifft 14 yn ymddangos yn rhesymol.

Yn yr enghraifft flaenorol cyfrifwyd disgwyliad X i fod oddeutu 2.7 sydd rhwng 1 a 3, y gwerthoedd eithaf posibl ar gyfer X. Felly nid oes arwydd amlwg ein bod wedi cyfrifo $E(X)$ yn anghywir.

Mae amrediad gwerthoedd posibl X yn $3 - 1 = 2$. Mae hyn tua 4 gwaith 0.5, sef y gwyriad safonol y gwnaethom ei gyfrifo, felly nid yw'n rhoi unrhyw awgrym o gyfrifiad anghywir.

Cynodeb o'r bennod

♦ Dynodir **hapnewidyn** gan BRIFLYTHYREN, e.e. X; dynodir gwerth arsylwedig gan lythyren fechan, e.e. x.

♦ Dynodir **tebygolrwydd** y gwerth x, $P(X = x)$, gan P_x.

♦ Mae tebygolrwyddau **yn adio i roi 1**. Yn achos hapnewidyn arwahanol sy'n gallu cymryd gwerthoedd $x_1, x_2, ..., x_n$

$$P_{x_1} + ... + P_{x_n} = 1$$

♦ **Disgwyliad** (cymedr y boblogaeth):
$$E(X) = \Sigma x P_x \qquad E(X^2) = \Sigma x^2 P_x$$

♦ **Amrywiant**: $Var(X) = E[(X - \mu)^2] = E(X^2) - \{E(X)\}^2$

♦ *Dosraniadau arbennig:*
  ● **Bernoulli**:
  $$P_0 = 1 - p \qquad P_1 = p$$
  $$E(X) = p \qquad Var(X) = p(1 - p)$$

  ● **Geometrig** $Geo(p)$ $(0 < p < 1, q = 1 - p)$:

  $$P_x = q^{x-1}p \qquad\qquad x = 1, 2, ...$$
  $$P(X \leq x) = 1 - q^x \qquad P(X < x) = 1 - q^{x-1}$$
  $$P(X > x) = q^x \qquad\qquad P(X \geq x) = q^{x-1}$$
  $$E(X) = \frac{1}{p} \qquad\qquad Var(X) = \frac{q}{p^2}$$

Ymarferion 5d (Amrywiol)

1 Mae ystadegydd gwallgof yn cynnal yr arbrawf canlynol. Yn gyntaf mae'n taflu tetrahedron teg, â'i ochrau wedi eu rhifo 0, 1, 2 a 3. Pan yw'n glanio, mae tair ochr i'w gweld. Boed i n fod y rhif ar y bedwaredd ochr. Nawr mae'r ystadegydd yn taflu n darn arian diduedd. Boed i X fod yn nifer y pennau a geir.
  (a) Darganfyddwch ddosraniad tebygolrwydd X.
  (b) Dangoswch fod gan X ddisgwyliad $\frac{3}{4}$. Darganfyddwch amrywiant X.
  (c) Tybiwch, ar adeg arbennig, fod yr ystadegydd wedi cael union un pen. Cyfrifwch y tebygolrwydd y bydd $n = 2$ y tro hwnnw.

2 Mae Penri yn dechrau gyda dau ddarn 50c a thri darn 10c yn ei boced. Pan yw'n dod i dalu am nwyddau mewn siop, mae'n darganfod bod dau o'r darnau ar goll. Darganfyddwch:
  (i) y tebygolrwydd y bydd yn gallu talu am werth £1 o nwyddau,
  (ii) cyfanswm gwerth disgwyliedig yr arian a gollwyd.
  [Cymerwch yn ganiataol bod pob darn arian yr un mor debygol o gael ei golli.]   [SMP]

3 Mae gan ddis di-duedd 6-ochr rifau, 1, 1, 1, 2, 2, 3 ar ei wynebau. Mae'n cael ei daflu ddwywaith.
  (i) Drwy lunio diagram coeden neu fel arall, darganfyddwch y tebygolrwydd y bydd cyfanswm y sgôr yn 4.
  (ii) Darganfyddwch werth disgwyliedig cyfanswm y sgôr.   [SMP]

4 Yn nhreial cyntaf haparbrawf mae'r tebygolrwydd y bydd canlyniad yn llwyddiannus yn $\frac{2}{5}$. Yn yr ail dreial bydd y tebygolrwydd o ganlyniad llwyddiannus yn $\frac{1}{5}$ os oedd canlyniad y treial cyntaf yn llwyddiannus, ac yn $\frac{4}{5}$ os nad oedd canlyniad y treial cyntaf yn llwyddiannus. Darganfyddwch ddosraniad tebygolrwydd a gwerth cymedrig nifer y canlyniadau llwyddiannus a geir yn nau dreial cyntaf yr haparbrawf. [CBAC]

5 Rhoddir dosraniad tebygolrwydd hapnewidyn arwahanol X gan

$$P(X = r) = kr, \quad r = 1, 2, 3, \ldots, n,$$

lle mae k yn gysonyn. Dangoswch fod

$$k = \frac{2}{n(n + 1)}$$

a darganfyddwch, yn nhermau n, gymedr X. [JMB]

6 Cynhelir arbrawf gyda thri darn arian. Mae dau o'r darnau yn deg, felly mae'r tebygolrwydd o gael pen ar unrhyw dafliad yn $\frac{1}{2}$, tra bo'r trydydd darn arian yn dueddol fel bo'r tebygolrwydd o gael pen ar unrhyw dafliad yn $\frac{1}{4}$.

Mae'r tri darn arian yn cael eu taflu, ac mae digwyddiadau A a B yn cael eu diffinio fel a ganlyn:

Mae A yn digwydd os yw'r tri darn arian yn dangos yr un canlyniad;

Mae B yn digwydd os yw'r darn arian tueddol yn dangos pen.

Darganfyddwch (i) $P(A)$, (ii) $P(A \cup B)$, (iii) $P(A' \cap B)$.

Mae'r hapnewidyn N yn dynodi nifer y pennau sydd yn y golwg o ganlyniad i'r arbrawf sy'n cael ei gynnal. Lluniwch dabl o ddosraniad tebygolrwydd N, a thrwy hynny neu fel arall cyfrifwch $E(N)$. [UCLES]

7 Mae cerdyn crwn yn cael ei rannu yn 3 sector sy'n sgorio 1, 2, 3 a chydag onglau $135°, 90°$, $135°$ yn ôl eu trefn. Ar gerdyn crwn arall, ceir sectorau sy'n sgorio 1, 2, 3 gydag onglau o $180°, 90°, 90°$ yn ôl eu trefn. Mae gan bob cerdyn bwyntydd sy'n troi ar golyn yn ei ganol. Ar ôl cael eu troi mae'r ddau bwyntydd yn stopio yn annibynnol mewn hapsafleoedd. Darganfyddwch y tebygolrwyddau:

(i) bod y sgôr ar bob cerdyn yn 1,

(ii) bod y sgôr ar o leiaf un o'r cardiau yn 3.

Hapnewidyn X yw'r mwyaf o'r ddau sgôr os ydynt yn wahanol, a'u gwerth cyffredin os ydynt yr un fath.

Dangoswch fod $P(X = 2) = \frac{9}{32}$.

Dangoswch fod $E(X) = \frac{75}{32}$ a darganfyddwch $Var(X)$. [UCLES]

8 (a) Mae tetrahedron rheolaidd yn solid pedwar wyneb, a phob wyneb yn unfath. Beth yw'r tebygolrwydd, os yw'n cael ei daflu i'r awyr, y bydd yn glanio ar wyneb penodol?

Mae dis wedi cael ei lunio drwy rifo'r pedwar wyneb yn 1, 2, 3, 4. Mae hapnewidyn X yn cynrychioli'r rhif ar yr wyneb y mae'r tetrahedron yn glanio. Cymedr X yw 2.5. Cyfrifwch amrywiant X.

(b) Mae disg crwn wedi ei farcio ag '1' ar un ochr a '2' ar yr ochr arall. Y yw'r hapnewidyn sy'n cynrychioli'r rhif sydd i'w weld ar wyneb y disg ar ôl iddo lanio. Dangoswch fod cymedr ac amrywiant Y yn $1\frac{1}{2}$ a $\frac{1}{4}$ yn ôl eu trefn.

(c) Mae'r disg a'r dis yn cael eu taflu ar yr un pryd. Mae cyfanswm y canlyniadau yn cael ei gofnodi. Z yw'r hapnewidyn sy'n cynrychioli symiau annibynnol o X ac Y. Ysgrifennwch ddosraniad tebygolrwydd Z, a defnyddiwch hyn i gyfrifo ei gymedr ac amrywiant. [UODLE(P)]

9 Mae menyw yn disgwyl am dacsi i ddod i'r golwg er mwyn iddi allu ei stopio. Eglurwch pam y mae'r dosraniad geometrig yn addas i fodelu nifer y cerbydau mae hi'n eu gweld hyd at, ac yn cynnwys y tacsi cyntaf.

Os yw 5% o'r cerbydau yn yr ardal yn dacsis:

(a) ysgrifennwch nifer cymedrig y cerbydau hyd at ac yn cynnwys y tacsi cyntaf;

(b) cyfrifwch, gan roi eich ateb yn gywir i dri ffigur ystyrlon, y tebygolrwydd mai'r tacsi cyntaf fydd y 6ed cerbyd i ddod i'r golwg;

(c) cyfrifwch y tebygolrwydd y bydd y tacsi cyntaf ymysg y 6 cherbyd cyntaf y bydd hi'n eu gweld. [UODLE]

6 Algebra disgwyliadau

Yn y bennod hon rydym yn deillio rhai canlyniadau defnyddiol iawn sy'n ymwneud â thrawsffurfio un hapnewidyn a chyfuno gwybodaeth am amryw o hapnewidynnau. Pan fo'n briodol byddwn yn defnyddio'r nodiant syml, P_x yn lle $P(X = X)$. Rydym yn cychwyn ag enghraifft sy'n rhagfynegi rhai o'r canlyniadau hyn.

Enghraifft 1

Tybiwch fod dosraniad tebygolrwydd yr hapnewidyn arwahanol X yn cael ei roi gan:

$$P_0 = P_1 = 0.4 \qquad P_2 = 0.2$$

Mae'r hapnewidyn Y yn cael ei ddiffinio gan $Y = 2X - 1$
Cyfrifwch gymedr ac amrywiant X ac Y.
Trafodwch y canlyniadau.

Y dull mwyaf syml yw llunio tabl o'r tebygolrwyddau a gwerthoedd posibl X ac Y:

Tebygolrwydd	0.4	0.4	0.2
Gwerth X	0	1	2
Gwerth $Y = 2X - 1$	-1	1	3

$$E(X) = (0 \times 0.4) + (1 \times 0.4) + (2 \times 0.2) = 0.8$$
$$E(Y) = \{(-1) \times 0.4\} + (1 \times 0.4) + (3 \times 0.2) = 0.6$$

Er mwyn darganfod yr amrywiannau, yn gyntaf rydym yn cyfrifo $E(X^2)$ ac $E(Y^2)$:

$$E(X^2) = (0^2 \times 0.4) + (1^2 \times 0.4) + (2^2 \times 0.2) = 1.2$$
$$E(Y^2) = \{(-1)^2 \times 0.4\} + (1^2 \times 0.4) + (3^2 \times 0.2) = 2.6$$

Drwy hynny:

$$Var(X) = 1.2 - 0.8^2 = 1.2 - 0.64 = 0.56$$
$$Var(Y) = 2.6 - 0.6^2 = 2.6 - 0.36 = 2.24$$

Wrth gymharu'r gwerthoedd a geir rydym yn darganfod:

$$E(Y) = E(2X - 1) = 2E(X) - 1$$
$$Var(Y) = Var(2X - 1) = 2^2 \times Var(X)$$

Nid cyd-ddigwyddiad yw'r cysylltiadau hyn rhwng $E(X)$ ac $E(Y)$ a rhwng $Var(X)$ a $Var(Y)$, ond maen nhw'n enghreifftiau o ganlyniadau cyffredinol yr ydym yn eu deillio'n ddiweddarach yn y bennod.

6.1 E(*X* + *a*) a Var(*X* + *a*)

Tybiwch fod yr hapnewidyn *X* yn cyfeirio at y pellter (mewn cm) rhwng corun rhywun a lefel y llawr. Isod dangosir grŵp o dri o bobl.

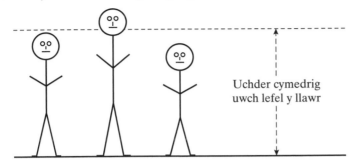

Nawr mae'r tri pherson yn sefyll ar lwyfan, uchder 20 cm, fel y dangosir isod.

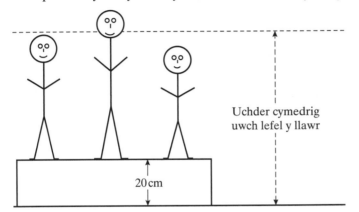

Gan fod pob un yn sefyll ar y llwyfan, mae gwerth *X* ar gyfer pob person wedi cynyddu 20 cm ac felly mae gwerth cyfartalog *X* wedi cynyddu 20 cm. Fodd bynnag, nid yw gwerthoedd newydd *X* yn ddim mwy amrywiol na'r hen rai, gan fod y gwahaniaethau unigol o'r uchder cymedrig yr un fath ag yr oeddynt o'r blaen. O gyffredinoli'r canlyniadau hyn i lwyfan, uchder *a* cm, mae gennym y canlyniadau:

$$E(X + a) = E(X) + a \qquad (6.1)$$
$$Var(X + a) = Var(X) \qquad (6.2)$$

Nawr tybiwch fod y bobl yn sefyll mewn ffos, dyfnder 50 cm.

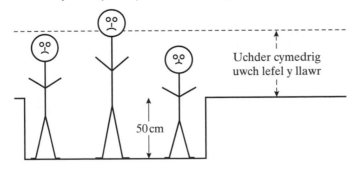

Mae pob gwerth *X* wedi ei leihau 50 cm, felly tynnir y rhif hwnnw o werth cyfartalog *X*. Fodd bynnag, nid cffcithir eto ar amrywioldeb gwerthoedd *X*. O gyffredinoli i ffos, dyfnder *a* cm, mae gennym:

$$E(X - a) = E(X) - a \qquad (6.3)$$
$$Var(X - a) = Var(X) \qquad (6.4)$$

Rydym nawr yn profi'r cyntaf o'r canlyniadau hyn yn algebraidd, yn achos hapnewidyn arwahanol. Boed i $Y = X + a$, lle mae a yn unrhyw gysonyn (positif neu negatif). Rydym eisiau $E(Y)$ a $Var(Y)$.

Nawr:

$$E(Y) = E(X + a) = \Sigma(x + a)P_x$$

lle mae'r symiant dros holl werthoedd posibl X. Felly:

$$
\begin{aligned}
E(X + a) &= \Sigma x P_x + \Sigma a P_x \\
&= E(X) + a\Sigma P_x \qquad \text{drwy ddiffiniad } E(X) \\
&= E(X) + a \qquad\quad \text{gan fod } \Sigma P_x = 1
\end{aligned}
$$

sy'n profi'r canlyniad cyntaf.
Gellir profi'r ail ganlyniad mewn ffordd debyg.

Enghraifft 2

Mae tocyn lotri yn costio 10c. Mae 10 000 tocyn ar gyfer y loteri. Y brif wobr yw £100 ac mae 9 gwobr arall o £10 yr un. Cyfrifwch yr ennill neu'r golled disgwyliedig sy'n deillio o brynu tocyn.

Gadewch i X fod yr hapnewidyn sy'n nodi'r swm (mewn £) a enillir gan docyn. Gan gymryd bod pob tocyn yn cael ei werthu, rhoddir dosraniad tebygolrwydd X gan:

Gwerth X	100	10	0
Tebygolrwydd	0.0001	0.0009	0.9990

Drwy hynny:

$$E(X) = (100 \times 0.0001) + (10 \times 0.0009) + (0 \times 0.999) = 0.01$$

Gan fod y tocyn loteri yn costio £0.10, rydym eisiau disgwyliad $Y = X - 0.10$. Gan ddefnyddio'r canlyniad cyffredinol:

$$E(Y) = E(X - 0.10) = E(X) - 0.10 = -0.09$$

Ar gyfartaledd, felly, bydd prynu tocyn yn arwain at golled o 9c. Wrth gwrs nid oes raid i hyn ein rhwystro. Mae'n debyg y gallwn fforddio gamblo colli 10c, hyd yn oed yn yr amgylchiadau tra anffafriol hyn, er mwyn cael y siawns bychan o ennill £99.90.

6.2 $E(aX)$ a $Var(aX)$

Er mwyn symleiddio pethau, tybiwch fod $a = 2$ a bod pob un o'r bobl a ddangosir yn y diagram gwreiddiol yn un o bâr o efeilliaid unfath, sy'n gymnastwyr hynod fedrus – fel y dangosir ar y dudalen nesaf.

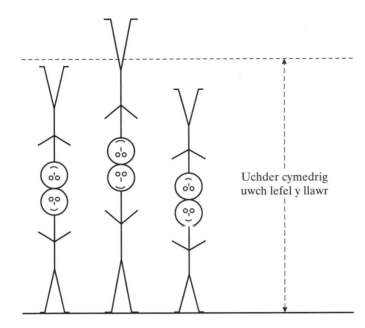

Uchder cymedrig
uwch lefel y llawr

Gadewch i'r hapnewidyn Y gynrychioli'r pellter rhwng blaen traed yr efaill a lefel y llawr. Yn amlwg, yn achos pob pâr o efeilliaid, mae $Y = 2X$, lle'r oedd X yn daldra un o'r efeilliaid. Felly mae'n rhaid i gyfartaledd y gwerthoedd Y fod yn ddwbl cyfartaledd y gwerthoedd X. Y canlyniad cyffredinol, sy'n gywir yn achos unrhyw hapnewidyn ac unrhyw gysonyn a (positif neu negatif) yw:

$$E(aX) = aE(X) \tag{6.5}$$

Byddwn hefyd angen y canlyniad:

$$E(a^2X^2) = a^2E(X^2) \tag{6.6}$$

Mae'r canlyniadau yn dilyn yn union o Hafaliadau (5.4) a (5.5) (tudalennau 154, 156).

Mae'n amlwg o'r ffigur bod y gwerthoedd Y yn llawer mwy amrywiol na'r gwerthoedd X, ond i ddarganfod yn union i ba raddau maen nhw'n fwy amrywiol mae'n rhaid defnyddio rhywfaint o algebra.

Boed i $Y = aX$ a defnyddiwn μ i ddynodi $E(X)$, fel bo:

$$Var(X) = E(X^2) - \{E(X)\}^2 = E(X^2) - \mu^2 \text{ ac } E(Y) = a\mu.$$

Yna:

$$\begin{aligned}
Var(Y) &= E(Y^2) - \{E(Y)\}^2 \\
&= E(a^2X^2) - (a\mu)^2 \\
&= a^2E(X^2) - a^2\mu^2 \\
&= a^2\{E(X^2) - \mu^2\} \\
&= a^2Var(X)
\end{aligned}$$

Y canlyniad cyffredinol felly yw:

$$Var(aX) = a^2Var(X) \tag{6.7}$$

6.3 E(*aX* + *b*) and Var (*aX* + *b*)

Drwy gyfuno canlyniadau'r ddwy adran flaenorol mae gennym y canlyniad, os yw *a* a *b* yn unrhyw ddau gysonyn, yna:

$$E(aX + b) = E(aX) + b \qquad \text{drwy Hafaliad (6.1)} \qquad (6.8)$$
$$= aE(X) + b \qquad \text{drwy Hafaliad (6.5)} \qquad (6.9)$$

a hefyd:

$$Var(aX + b) = Var(aX) \qquad \text{drwy Hafaliad (6.2)} \qquad (6.10)$$
$$= a^2Var(X) \qquad \text{drwy Hafaliad (6.7)} \qquad (6.11)$$

Enghraifft 3

Mae'r gêm ganlynol mewn cae ffair. Mae'r chwaraewr yn talu 20c er mwyn taflu tri darn arian. Mae dyn y stondin yn talu (mewn ceiniogau) 10 gwaith nifer y pennau mae'r chwaraewr yn ei gael.
Darganfyddwch gymedr ac amrywiant colled net y chwaraewr.

Boed i'r hapnewidyn sy'n nodi nifer y pennau a gafwyd fod yn *X*. Mae arnom angen cymedr ac amrywiant y golled net (mewn ceiniogau) a roddir gan *Y* = 20 − 10*X*.

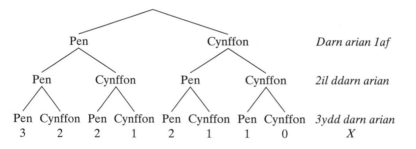

Gan gymryd bod y darnau arian yn rhai teg, mae gan bob un o'r 8 dewis debygolrwydd o $\frac{1}{8}$, sy'n golygu mai dosraniad tebygolrwydd *X* yw:

Gwerth X	0	1	2	3
Tebygolrwydd	$\frac{1}{8}$	$\frac{3}{8}$	$\frac{3}{8}$	$\frac{1}{8}$

Gallwn gyfrifo E(*X*) o'i ddiffiniad, neu, yn fwy syml, gallwn nodi, gan fod y dosraniad yn gymesur, y bydd E(*X*) yn hafal i'r amrediad-canol, sy'n $\frac{3}{2}$ yn yr achos hwn. Hefyd:

$$E(X^2) = \left(0^2 \times \tfrac{1}{8}\right) + \left(1^2 \times \tfrac{3}{8}\right) + \left(2^2 \times \tfrac{3}{8}\right) + \left(3^2 \times \tfrac{1}{8}\right) = \tfrac{24}{8} = 3$$

Drwy hynny:

$$Var(X) = 3 - \left(\tfrac{3}{2}\right)^2 = \tfrac{3}{4}$$

Felly, gan ddefnyddio'r canlyniadau cyffredinol rydym yn cael:

$$E(Y) = E(20 - 10X) = 20 - 10E(X) = 20 - 10 \times \left(\tfrac{3}{2}\right) = 5$$

sy'n golygu colled net gyfartalog o 5c y tro, a:

$$Var(Y) = Var(20 - 10X) = (-10)^2Var(X) = 100 \times \tfrac{3}{4} = 75$$

Ymarferion 6a

1 O wybod bod $E(X) = 4, \text{Var}(X) = 2$, darganfyddwch
(i) $E(3X + 6)$, (ii) $\text{Var}(3X + 6)$, (iii) $E(6 - 3X)$, (iv) $\text{Var}(6 + 3X)$.

2 O wybod bod $E(X) = 3, \text{Var}(X) = 4$, darganfyddwch ddisgwyliad ac amrywiant
(i) $X - 2$, (ii) $3X + 1$, (iii) $2 - 3X$.

3 O wybod bod $E(Y) = \frac{3}{4}$ a $\text{Var}(Y) = \frac{1}{4}$, darganfyddwch $E\left(\frac{1}{3}Y\right)$ a $\text{Var}\left(\frac{1}{3}Y\right)$.

4 O wybod bod disgwyliad X yn -2, a gwyriad safonol X yn 9, darganfyddwch
(i) $E\{(X + 2)^2\}$,
(ii) $E(X^2)$,
(iii) $\{(X - 1)(X + 3)\}$.

5 O wybod bod $E(3Y + 2) = 8$ a $\text{Var}(4 - 2Y) = 12$, darganfyddwch werth disgwyliedig ac amrywiant Y.

6 O wybod bod $E(Z) = 0, \text{Var}(Z) = 1$ ac $Y = 3Z - 4$, darganfyddwch $E(Y)$ a $\text{Var}(Y)$.

7 Mae gan yr hapnewidyn U gymedr o 10 a gwyriad safonol o 5. Mae hapnewidyn V yn cael ei ddiffinio gan $V = \frac{1}{2}(U + 5)$. Darganfyddwch gymedr a gwyriad safonol V.

8 Mae'n costio £30 i logi car am y diwrnod, ac mae tâl milltiredd o 10c y filltir. Mae disgwyliad y pellter sy'n cael ei deithio mewn diwrnod yn 200 milltir a'i wyriad safonol yn 20 milltir. Darganfyddwch ddisgwyliad a gwyriad safonol y gost y dydd.

9 O wybod bod $E(X) = \mu$ a $\text{Var}(X) = \sigma^2$, darganfyddwch ddau bâr o werthoedd y cysonion a a b fel bod $E(aX + b) = 0$ a $\text{Var}(aX + b) = 1$.

10 O wybod bod $E(X) = \mu, \text{Var}(X) = \sigma^2$ a bod a yn gysonyn, dangoswch fod:
$$E\{(X - a)^2\} = (\mu - a)^2 + \sigma^2$$
Drwy hynny dangoswch, wrth i a amrywio, fod $E\{(X - a)^2\}$ leiaf pan yw $a = \mu$ a darganfyddwch y gwerth lleiaf.

11 Mae cymedr hapnewidyn T yn 5 a'i amrywiant yn 16.
Darganfyddwch ddau bâr o werthoedd y cysonion c a d fel bod $E(cT + d) = 100$ a $\text{Var}(cT + d) = 144$.

12 Darganfyddwch $E(2S - 6)$ a $\text{Var}(2S - 6)$, lle mae S yn cynrychioli'r sgôr sy'n deillio o daflu dis diduedd unwaith.

13 Mae hapnewidyn Y yn cymryd y gwerthoedd $-1, 0, 1$ gyda thebygolrwyddau $\frac{1}{4}, \frac{1}{2}, \frac{1}{4}$, yn ôl eu trefn.
Darganfyddwch $E(10Y + 10)$ a $\text{Var}(10Y + 10)$.

6.4 Disgwyliadau sy'n ymwneud â mwy nag un newidyn

Nawr rydym yn nodi canlyniad sydd braidd yn amlwg, ond sydd yn rhyfeddol o anodd i'w brofi, sef yn achos dau hapnewidyn, X ac Y bod:

$$E(X + Y) = E(X) + E(Y) \tag{6.12}$$

Drwy gyfuno'r canlyniad hwn â rhai o'r adrannau blaenorol mae gennym y canlyniadau mwy cyffredinol:

$$E(aX + bY + c) = aE(X) + bE(Y) + c \tag{6.13}$$
$$E(R + S + T + U) = E(R) + E(S) + E(T) + E(U) \tag{6.14}$$

Var($X + Y$)

Os yw X ac Y yn annibynnol, yna mae:

$$\text{Var}(X + Y) = \text{Var}(X) + \text{Var}(Y) \tag{6.15}$$

Drwy gyfuno'r canlyniad hwn â Hafaliad (6.11) cawn y canlyniad mwy cyffredinol, sef, os yw X ac Y yn annibynnol, yna mae:

$$\text{Var}(aX + bY + c) = a^2\text{Var}(X) + b^2\text{Var}(Y) \qquad (6.16)$$

Unwaith eto, gellir ymestyn y canlyniadau hyn i achosion sy'n ymwneud â mwy na dau hapnewidyn. Er enghraifft, os yw R, S, T ac U i gyd yn gyd-annibynnol, yna mae:

$$\text{Var}(R + S + T + U) = \text{Var}(R) + \text{Var}(S) + \text{Var}(T) + \text{Var}(U) \qquad (6.17)$$

Nodyn
- Achos arbennig o Hafaliad (6.16) y dylid ei nodi yw:

$$\text{Var}(X - Y) = \text{Var}(X) + \text{Var}(Y) \qquad (6.18)$$

Enghraifft 4

Mae dau ddis teg 6-ochr yn cael eu taflu. Mae ochrau un dis wedi eu rhifo $0, 0, 0, 1, 1, 2$; mae gan y dis arall ochrau wedi eu rhifo $2, 2, 3, 3, 4, 4$. Darganfyddwch gymedr ac amrywiant Z, sef cyfanswm y rhifau a ddangosir gan y dis.

Boed i'r rhifau a ddangosir gan y ddau ddis fod yn X ac Y.

Mae gennym ddiddordeb yn $Z = X + Y$. Mae arnom angen $E(Z)$ a $\text{Var}(Z)$.

Gallwn ddefnyddio'r canlyniad $E(Z) = E(X) + E(Y)$. Hefyd, gan fod y ddau ddis yn annibynnol ar ei gilydd, $\text{Var}(Z) = \text{Var}(X) + \text{Var}(Y)$

Yn achos X mae gennym y dosraniad tebygolrwydd:

$$P(X = 0) = \tfrac{3}{6} \qquad P(X = 1) = \tfrac{2}{6} \qquad P(X = 2) = \tfrac{1}{6}$$

Drwy hynny:

$$E(X) = \left(0 \times \tfrac{3}{6}\right) + \left(1 \times \tfrac{2}{6}\right) + \left(2 \times \tfrac{1}{6}\right) = \tfrac{4}{6} = \tfrac{2}{3}$$

Hefyd:

$$E(X^2) = \left(0^2 \times \tfrac{3}{6}\right) + \left(1^2 \times \tfrac{2}{6}\right) + \left(2^2 \times \tfrac{1}{6}\right) = 1$$

fel bod:

$$\text{Var}(X) = E(X^2) - \{E(X)^2\} = 1 - \left(\tfrac{2}{3}\right)^2 = \tfrac{5}{9}$$

Yn achos Y mae gennym y dosraniad tebygolrwydd:

$$P(Y = 2) = P(Y = 3) = P(Y = 4) = \tfrac{1}{3}$$

Drwy gymesuredd mae $E(Y) = 3$. Hefyd:

$$E(Y^2) = \left(2^2 \times \tfrac{1}{3}\right) + \left(3^2 \times \tfrac{1}{3}\right) + \left(4^2 \times \tfrac{1}{3}\right) = \tfrac{29}{3}$$

fel bod:

$$\text{Var}(Y) = E(Y^2) - \{E(Y)^2\} = \tfrac{29}{3} - 3^2 = \tfrac{2}{3}$$

Felly:

$$E(Z) = E(X) + E(Y) = \tfrac{2}{3} + 3 = \tfrac{11}{3}$$

a:

$$\text{Var}(Z) = \text{Var}(X) + \text{Var}(Y) = \tfrac{5}{9} + \tfrac{2}{3} = \tfrac{11}{9}$$

Dull amgen (hir!)

Gellir gwirio'r canlyniadau uchod drwy fynd i'r afael yn uniongyrchol â dosraniad Z. Unwaith eto, boed i'r rhifau a ddangosir ar y ddau ddis fod yn X ac Y. Gan fod X ac Y yn annibynnol, mae tebygolrwydd y canlyniad (dyweder) $X = 0$ ac $Y = 2$ yn lluoswm eu tebygolrwyddau gwahanol: $\frac{3}{6} \times \frac{1}{3} = \frac{1}{6}$. Dyma grynodeb cyfleus o'r 9 cyfuniad gwerth posibl:

Tebygolrwyddau Ail ddis

Dis cyntaf	2	3	4
0	$\frac{3}{18}$	$\frac{3}{18}$	$\frac{3}{18}$
1	$\frac{2}{18}$	$\frac{2}{18}$	$\frac{2}{18}$
2	$\frac{1}{18}$	$\frac{1}{18}$	$\frac{1}{18}$

Cyfanswmiau Ail ddis

Dis cyntaf	2	3	4
0	2	3	4
1	3	4	5
2	4	5	6

Felly mae dosraniad Z yn:

Gwerth Z	2	3	4	5	6
Tebygolrwydd	$\frac{3}{18}$	$\frac{5}{18}$	$\frac{6}{18}$	$\frac{3}{18}$	$\frac{1}{18}$

Drwy hynny:

$$E(Z) = \left(2 \times \tfrac{3}{18}\right) + \left(3 \times \tfrac{5}{18}\right) + \left(4 \times \tfrac{6}{18}\right) + \left(5 \times \tfrac{3}{18}\right) + \left(6 \times \tfrac{1}{18}\right)$$
$$= \tfrac{66}{18} = \tfrac{11}{3}$$

fel o'r blaen.

Hefyd:

$$E(Z^2) = \left(2^2 \times \tfrac{3}{18}\right) + \ldots + \left(6^2 \times \tfrac{1}{18}\right) = \tfrac{264}{18} = \tfrac{44}{3}$$

Fel bod:

$$\text{Var}(Z) = E(Z^2) - \{E(Z)\}^2 = \tfrac{44}{3} - \left(\tfrac{11}{3}\right)^2 = \tfrac{11}{9}$$

Ymarferion 6b

1 Mae hapnewidynnau annibynnol X ac Y yn golygu bod $E(X) = 5, E(Y) = 7, \text{Var}(X) = 3$ a $\text{Var}(Y) = 4$. Darganfyddwch gymedr ac amrywiant hapnewidynnau U, V ac W a ddiffinnir gan:
$$U = 2X, \quad V = X + Y, \quad W = X - 2Y$$

2 O wybod bod $E(X) = 3, \text{Var}(X) = 16$, $E(Y) = 4, \text{Var}(Y) = 9$ a bod X ac Y yn annibynnol, darganfyddwch:
(i) $E(X + Y)$, (ii) $\text{Var}(X + Y)$, (iii) $E(4X - 3Y)$,
(iv) $\text{Var}(4X - 3Y)$, (v) $E\left(\tfrac{1}{4}X + \tfrac{1}{3}Y\right)$,
(vi) $\text{Var}\left(\tfrac{1}{4}X + \tfrac{1}{3}Y\right)$.

3 O wybod bod X_1 ac X_2 yn annibynnol, a bod $E(X_1) = E(X_2) = \mu, \text{Var}(X_1) = \text{Var}(X_2) = \sigma^2$, darganfyddwch $E(\overline{X})$ a $\text{Var}(\overline{X})$, lle mae $\overline{X} = \tfrac{1}{2}(X_1 + X_2)$.

4 O wybod bod $E(X) = -5, \text{Var}(X) = 25$, $E(Y) = 8, \text{Var}(Y) = 9$ a bod X ac Y yn annibynnol, darganfyddwch:
(i) $E(X^2)$ ac $E(Y^2)$, (ii) $E(3X^2 + 4Y^2)$.

5 H yw nifer y pennau a geir wrth daflu darn arian diduedd ac S yw'r sgôr a geir pan deflir dis diduedd. Mae'r hapnewidyn X yn cael ei ddiffinio gan $X = 2H - 6S$. Darganfyddwch ddisgwyliad ac amrywiant X.

6 Mae gan fanc ddwy gangen yn Abertawe. Mae nifer cymedrig y cwsmeriaid ar ddydd Llun yng nghangen y Stryd Fawr yn 100 a'r gwyriad safonol yn 15. Mae nifer cymedrig y cwsmeriaid ar ddydd Llun yng nghangen Stryd yr Orsaf yn 50 a'r gwyriad safonol yn 20. Darganfyddwch gymedr a gwyriad safonol cyfanswm nifer y cwsmeriaid yn y ddwy gangen ar ddydd Llun. Nodwch unrhyw dybiaethau sydd angen ichi eu gwneud er mwyn gallu ateb y cwestiwn.

E(X_1 + X_2) a Var(X_1 + X_2)

Mae cymhwysiad pwysig o'r canlyniadau blaenorol yn ymwneud â'r sefyllfa lle rhoddir dau newidyn X_1 ac X_2 yn lle'r ddau hapnewidyn X ac Y. Mae X_1 ac X_2 yn annibynnol, ond mae ganddynt ddosraniadau tebygolrwydd unfath. Mewn geiriau eraill mae X_1 ac X_2 yn rhannu'r un nodweddion, sef:

$$P(X_1 = x) = P(X_2 = x) \quad \text{(ar gyfer holl werthoedd } x)$$
$$E(X_1) = E(X_2)$$
$$\text{Var}(X_1) = \text{Var}(X_2)$$

Gan ddefnyddio μ i ddynodi gwerth cyffredin cymedr y boblogaeth a σ^2 i ddynodi'r amrywiant cyffredin, yna defnyddio Hafaliadau (6.3) a (6.15), mae gennym:

$$E(X_1 + X_2) = \mu + \mu = 2\mu$$

a:

$$\text{Var}(X_1 + X_2) = \text{Var}(X_1) + \text{Var}(X_2) = \sigma^2 + \sigma^2 = 2\sigma^2$$

Y gwahaniaeth rhwng 2X ac X_1 + X_2

Tybiwch fod gan bob un o'r hapnewidynnau X, X_1 ac X_2 gymedr μ ac amrywiant σ^2. Gan gasglu'r canlyniadau blaenorol ynghyd mae gennym:

$$E(2X) = 2E(X) = 2\mu \qquad E(X_1) + E(X_2) = 2\mu$$

sef yr hyn y byddem yn ei ddisgwyl. Fodd bynnag, nid yw'r canlyniadau ar gyfer yr amrywiannau mor hwylus:

$$\text{Var}(2X) = 2^2\text{Var}(X) = 4\sigma^2 \qquad \text{ond} \qquad \text{Var}(X_1 + X_2) = 2\sigma^2$$

Pam y mae gwahaniaeth? Er mwyn gweld yr ateb, ystyriwch yr acrobatiaid unwaith eto.

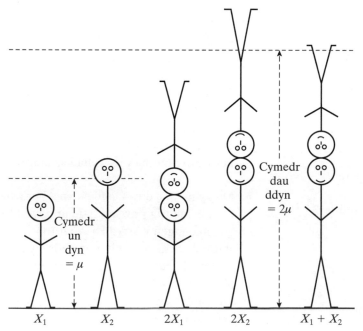

Tybiwch fod gwerth arsylwedig X_1 yn llai na μ: yna yn sicr mae'n rhaid bod $2X_1$ yn llai na 2μ. Yn yr un modd, os yw gwerth arsylwedig X_2 yn fwy na μ, yna mae'n rhaid bod $2X_2$ yn fwy na 2μ.

Fodd bynnag, ar rai adegau pan fydd X_1 yn llai na μ, bydd X_2 yn fwy na μ. Bob tro y bydd hyn yn digwydd, mae cyfanswm gwerthoedd X_1 ac X_2 yn debygol o fod yn eithaf agos at 2μ. Yn yr achos hwn felly mae cyfle i werthoedd canolog nad yw'n bodoli yn yr achos blaenorol – ac o ganlyniad mae'r dosraniad yn llai amrywiol.

Gwaith ymarferol ⎯⎯⎯⎯⎯⎯⎯⎯⎯⎯⎯⎯⎯⎯⎯⎯⎯

Er mwyn gwirio bod gwahaniaeth gwirioneddol rhwng $2X$ ac $X_1 + X_2$, gallwn gynnal dau arbrawf syml gan ddefnyddio disiau.

1 *Taflwch ddis cyffredin 25 gwaith. Ar bob tafliad dyblwch y sgôr cyn ei gofnodi ar siart marciau rhifo.*
   Cyfrifwch werthoedd cymedr ac amrywiant y sampl.

2 *Taflwch bâr o ddisiau 25 gwaith. Ar bob tafliad cofnodwch gyfanswm y rhifau ar y ddau ddis ar siart marciau rhifo arall.*
   Cyfrifwch werthoedd cymedr ac amrywiant y sampl.

Gwiriwch fod cymedr y ddau sampl fwy neu lai yn hafal, tra bod amrywiant y sampl cyntaf tua dwywaith yr ail.
Er mwyn gweld pam y mae hyn wedi digwydd lluniwch siart bar o ganlyniadau'r arbrawf cyntaf ac arosod siart bar yr ail arbrawf arno (mewn lliw gwahanol).

⎯⎯⎯⎯⎯⎯⎯⎯⎯⎯⎯⎯⎯⎯⎯⎯⎯⎯⎯⎯⎯⎯⎯⎯⎯⎯⎯⎯⎯

Enghraifft 5

Mae gan yr hapnewidynnau annibynnol X_1 ac X_2 y dosraniad tebygolrwydd: $P_2 = 0.4, P_3 = 0.6$.
Cyfrifwch werthoedd (i) $\text{Var}(X_1)$, (ii) $\text{Var}(2X_1)$, (iii) $\text{Var}(X_1 + X_2)$.

⎯⎯⎯⎯⎯⎯⎯⎯

Ar gyfer pob newidyn X mae gennym:

$$E(X) = (2 \times 0.4) + (3 \times 0.6) = 2.6$$
$$E(X^2) = (2^2 \times 0.4) + (3^2 \times 0.6) = 7.0$$

Drwy hynny:

$$\text{Var}(X) = E(X^2) - \{E(X)\}^2 = 7.0 - 2.6^2 = 0.24$$

Nawr gallwn ateb y gwahanol gwestiynau:
(i) $\text{Var}(X_1) = 0.24$
(ii) $\text{Var}(2X_1) = 2^2\text{Var}(X_1) = 4 \times 0.24 = 0.96$
(iii) $\text{Var}(X_1 + X_2) = \text{Var}(X_1) + \text{Var}(X_2) = 2 \times 0.24 = 0.48$

Gallwn hefyd ddod o hyd i'r canlyniad terfynol drwy ystyried dosraniad $Y = X_1 + X_2$ yn uniongyrchol:

$$P(Y = 4) = 0.4^2 = 0.16, \quad P(Y = 6) = 0.6^2 = 0.36$$

a thrwy hynny:

$$P(Y = 5) = 1 - 0.16 - 0.36 = 0.48$$

Drwy hynny:

$$E(Y) = (4 \times 0.16) + (5 \times 0.48) + (6 \times 0.36) = 5.2$$
$$E(Y^2) = (4^2 \times 0.16) + (5^2 \times 0.48) + (6^2 \times 0.36) = 27.52$$

ac felly:

$$\text{Var}(X_1 + X_2) = \text{Var}(Y) = E(Y^2) - \{E(Y)\}^2 = 27.52 - 5.2^2 = 0.48$$

6.5 Disgwyliad ac amrywiant cymedr y sampl

Tybiwch ein bod yn cymryd m sampl i gyd, a phob un yn cynnwys n arsylwad annibynnol o'r hapsampl X. Bydd gan bob sampl arsylwad cyntaf, ail arsylwad, ac yn y blaen. Defnyddiwch x_{ij} i ddynodi'r $j$fed arsylwad yn yr $i$fed sampl. Mae'r arsylwadau wedi eu crynhoi yn y tabl canlynol:

Rhif sampl	Arsylwad 1af	...	$j$fed arsylwad	...	$n$fed arsylwad
1	x_{11}	...	x_{1j}	...	x_{1n}
2	x_{21}	...	x_{2j}	...	x_{2n}
i	x_{i1}	...	x_{ij}	...	x_{in}
m	x_{m1}	...	x_{mj}	...	x_{mn}

Ystyriwch arsylwadau cyntaf yr holl samplau a gymerwn: $x_{11}, x_{21}, ..., x_{m1}$. Mae'r gwerthoedd hyn yn amrywio o ganlyniad i hapamrywiad. Yn achos yr $i$fed sampl, gellir ystyried x_{i1} fel arsylwad ar yr hapnewidyn 'yr arsylwad cyntaf' yr ydym yn ei ddynodi ag X_1. Yn yr un modd gallwn ddiffinio $(n-1)$ hapnewidyn arall: $X_2, X_3, ..., X_n$. Gan fod yr arsylwadau yn annibynnol a chan eu bod i gyd yn arsylwadau o'r un hapnewidyn X sylfaenol, mae'r n hapnewidyn $X_1, ..., X_n$ yn annibynnol ac wedi eu dosbarthu'n unfath, gyda'u dosraniad cyffredin fel un X.

Defnyddiwch $\bar{x}_i$ i ddynodi cymedr y sampl ar gyfer yr $i$fed sampl. O ganlyniad i hapamrywiad bydd gwerthoedd $\bar{x}_1, \bar{x}_2, ..., \bar{x}_m$ hefyd yn amrywio. Felly mae hapnewidyn arall eto yn cuddio, sef 'cymedr y sampl', y byddwn yn ei ddynodi ag $\bar{X}$. Yn amlwg:

$$\bar{X} = \frac{1}{n}(X_1 + X_2 + ... + X_n)$$

$$= \frac{1}{n}X_1 + \frac{1}{n}X_2 + ... + \frac{1}{n}X_n$$

Tybiwch fod $E(X) = \mu$ a $Var(X) = \sigma^2$. Gan ddefnyddio'r canlyniad sy'n ymwneud â disgwyliadau symiau hapnewidynnau, mae gennym:

$$E(\bar{X}) = E\left(\frac{1}{n}X_1 + \frac{1}{n}X_2 + ... + \frac{1}{n}X_n\right)$$

$$= \frac{1}{n}E(X_1) + \frac{1}{n}E(X_2) + ... + \frac{1}{n}E(X_n)$$

$$= \frac{1}{n}\mu + \frac{1}{n}\mu + ... + \frac{1}{n}\mu$$

$$= n\left(\frac{1}{n}\mu\right)$$

$$= \mu$$

Felly, disgwyliad cymedr y sampl yw cymedr y boblogaeth – canlyniad dymunol.

Gan fod hapnewidynnau $X_1, X_2, \ldots, X_n$ yn gyd-annibynnol:

$$\text{Var}(\overline{X}) = \text{Var}\left(\frac{1}{n}X_1 + \frac{1}{n}X_2 + \ldots + \frac{1}{n}X_n\right)$$

$$= \text{Var}\left(\frac{1}{n}X_1\right) + \text{Var}\left(\frac{1}{n}X_2\right) + \ldots + \text{Var}\left(\frac{1}{n}X_n\right)$$

$$= \left(\frac{1}{n}\right)^2 \text{Var}(X_1) + \left(\frac{1}{n}\right)^2 \text{Var}(X_2) + \ldots + \left(\frac{1}{n}\right)^2 \text{Var}(X_n)$$

$$= \left(\frac{1}{n}\right)^2 \sigma^2 + \left(\frac{1}{n}\right)^2 \sigma^2 + \ldots + \left(\frac{1}{n}\right)^2 \sigma^2$$

$$- n\left(\frac{1}{n}\right)^2 \sigma^2$$

$$= \frac{\sigma^2}{n}$$

Mae hyn yn ganlyniad pwysig, oherwydd yn achos $n > 1$, mae'n dweud wrthym bod cymedr y sampl yn llawer llai amrywiol na'r arsylwadau unigol. Gallwn hefyd weld bod yr amrywiant yn lleihau wrth i n gynyddu, fel bo cymedr y sampl yn fwyfwy tebygol o fod yn agos at gymedr y boblogaeth wrth i faint y sampl gynyddu.

Enghraifft 6

Mae gan yr hapnewidyn arwahanol X ddosraniad tebygolrwydd $P_x = \dfrac{4 - x}{10}$ ar gyfer $x = 0, 1, 2, 3$.
Darganfyddwch amrywiant cymedr y sampl (i) pan yw maint y sampl yn 2, (ii) pan yw maint y sampl yn 16.

Ar ffurf tabl mae dosraniad tebygolrwydd X fel a ganlyn:

x	0	1	2	3
P_x	$\frac{4}{10}$	$\frac{3}{10}$	$\frac{2}{10}$	$\frac{1}{10}$

Mae'r tebygolrwyddau yn adio i 1, felly mae'n ymddangos ein bod wedi dehongli'r fformiwla yn gywir. I ateb y cwestiwn, yn gyntaf mae'n rhaid inni ddarganfod amrywiant un arsylwad ar X. Nawr:

$$E(X) = (0 \times 0.4) + (1 \times 0.3) + (2 \times 0.2) + (3 \times 0.1) = 1.0$$
$$E(X^2) = (0^2 \times 0.4) + (1^2 \times 0.3) + (2^2 \times 0.2) + (3^2 \times 0.1) = 2.0$$

fel bo:

$$\text{Var}(X) = E(X^2) - \{E(X)\}^2 = 2.0 - (1.0)^2 = 1.0$$

O'r fformiwla gyffredinol ar gyfer sampl maint n mae gennym felly'r atebion (i) $\text{Var}(\overline{X}) = \frac{1}{2}$, a (ii) $\text{Var}(\overline{X}) = \frac{1}{16}$.

Nodyn

♦ Yn aml gelwir ail isradd amrywiant cymedr y sampl, $\dfrac{\sigma}{\sqrt{n}}$, yn **gyfeiliornad safonol y cymedr**, neu'n syml y **cyfeiliornad safonol**. Gellid defnyddio'r un termau ar gyfer gwerth cyfatebol y sampl $\dfrac{s}{\sqrt{n}}$.

Ymarferion 6c

1 Mae disgwyliad hapnewidyn yn 12 a'i wyriad safonol yn 3. Cymerir sampl o 81 arsylwad. Darganfyddwch ddisgwyliad ac amrywiant cymedr y sampl.

2 Teflir dis diduedd 100 gwaith a chofnodir y sgôr. Darganfyddwch ddisgwyliad a chyfeiliornad safonol y sgôr cymedrig.

3 Mae dis diduedd yn cael ei daflu nes bydd y rhif chwech cyntaf yn ymddangos. Cofnodir nifer X y tafliadau sydd eu hangen i gael y chwech cyntaf. Mae'r broses yn cael ei hailadrodd 50 gwaith, gan roi 50 arsylwad o X. Gan ddefnyddio $\overline{X}$ i ddynodi cymedr y sampl darganfyddwch gymedr a gwyriad safonol $\overline{X}$.

4 Mae hapnewidyn Y yn cymryd y gwerth 1 a 10, gyda thebygolrwyddau p ac $1 - p$ yn ôl eu trefn. Cofnodir 200 o werthoedd Y a chymedr y sampl yw $\overline{Y}$.
Darganfyddwch fynegiadau ar gyfer cymedr ac amrywiant $\overline{Y}$.

5 Gellid cymryd bod pwysau cymedrig milwr yn 90 kg, a gellir cymryd bod y gwyriad safonol yn 10 kg. Mae 250 o filwyr ar fwrdd awyren. Darganfyddwch ddisgwyliad ac amrywiant eu pwysau cymedrig. Nodwch unrhyw dybiaethau anghenrheidiol.

Drwy hynny, neu fel arall, darganfyddwch gymedr a gwyriad safonol cyfanswm pwysau'r milwyr.

6 Mae cymedr hapnewidyn V yn 150 a'i wyriad safonol yn 2. Cymerir hapsampl o n arsylwad o V.
Darganfyddwch werth lleiaf n fel bo cyfeiliornad safonol cymedr y sampl yn llai na 0.1.

7 Mae cymedr hapnewidyn R yn 12 a'i amrywiant yn 3. Cymerir hapsampl o n arsylwad o R. Darganfyddwch werth lleiaf n fel bo gwerth disgwyliedig cyfanswm y sampl yn fwy na 1000, a darganfyddwch amrywiant cyfanswm y sampl ar gyfer y gwerth hwn o n.

8 Mae rhaglen gyfrifiadurol yn cynhyrchu un o'r tri rhif 0, 1 neu 2 gyda thebygolrwyddau hafal. Mae newidynnau X, Y a Z yn deillio o dri rhediad annibynnol o'r rhaglen. Os yw m yn gymedr X, Y a Z, cyfrifwch gymedr ac amrywiant m.
Os yw M yn ganolrif X, Y a Z dangoswch fod $P(M = 0) = \frac{7}{27}$. Diddwythwch werthoedd $P(M = 2)$ a $P(M = 1)$. Drwy hynny cyfrifwch gymedr ac amrywiant M.
Os U yw'r mwyaf o X, Y a Z cyfrifwch gymedr ac amrywiant U.   [SMP]

6.6 Amcangyfrif diduedd o amrywiant y boblogaeth

Ym Mhennod 2, cyflwynwyd y swm s^2, a roddwyd, ar gyfer sampl o n arsylwad $x_1, x_2, \ldots, x_n$, gan y fformiwla:

$$s^2 = \frac{1}{n - 1} \Sigma(x_i - \overline{x})^2$$

Ystyr yr ymadrodd 'amcangyfrif diduedd' yn syml yw bod disgwyliad yr hapnewidyn cyfatebol yn hafal i σ^2, sef amrywiant y boblogaeth:

$$E\left[\frac{1}{n - 1} \Sigma(X_i - \overline{X})^2\right] = \sigma^2$$

lle, fel yn yr adran flaenorol, X_i yw'r hapnewidyn 'yr $i$fed arsylwad' ac $\overline{X}$ yw'r hapnewidyn 'cymedr y sampl'.

Crynodeb o'r bennod

◆ **Disgwyliadau ac amrywiannau ffwythiannau X:**

$$E(X + a) = E(X) + a$$
$$E(aX) = aE(X)$$
$$\text{Var}(X + a) = \text{Var}(X)$$
$$\text{Var}(aX) = a^2\text{Var}(X)$$

◆ **Disgwyliadau cyfuniadau o hapnewidynnau:**

$$E(X + Y) = E(X) + E(Y)$$
$$E(aX + bY + c) = aE(X) + bE(Y) + c$$
$$E(R + S + T + U) = E(R) + E(S) + E(T) + E(U)$$

◆ **Amrywiannau cyfuniadau o hapnewidynnau *annibynnol*:**

$$\text{Var}(aX + bY + c) = a^2\text{Var}(X) + b^2\text{Var}(Y)$$
$$\text{Var}(X - Y) = \text{Var}(X) + \text{Var}(Y)$$
$$\text{Var}(R + S + T + U) = \text{Var}(R) + \text{Var}(S) + \text{Var}(T) + \text{Var}(U)$$

◆ **Lluosrifau a symiau hapnewidynnau:**

Cyfuniadau o hapnewidynnau sydd wedi eu dosrannu'n unfath gyda chymedr μ ac amrywiant σ^2

$$E(2X) = 2\mu \qquad \text{ac} \qquad E(X_1) + E(X_2) = 2\mu$$
$$\text{Var}(2X) = 4\sigma^2 \qquad \text{ond} \qquad \text{Var}(X_1 + X_2) = 2\sigma^2$$

◆ **Disgwyliad ac amrywiant cymedr y sampl:**

$$E(\overline{X}) = \mu \qquad \text{Var}(\overline{X}) - \frac{\sigma^2}{n}$$

Ymarferion 6ch (Amrywiol)

1 Mewn sefydliad arbennig, mae myfyrwyr nad ydynt yn byw ar y campws yn cerdded yno $(0, 30\%)$, yn dod ar feic $(2, 20\%)$, mewn car $(4, 30\%)$ neu ar y bws $(6, 20\%)$. Mae'r ffigurau mewn cromfachau yn nodi sawl olwyn sydd gan y dull o deithio dan sylw a chanran y myfyrwyr sy'n defnyddio'r dull.

(a) Boed i X fod yn nifer yr olwynion a ddefnyddir gan fyfyriwr a ddewisir ar hap. Darganfyddwch $E(X)$ a $\text{Var}(X)$.

(b) Boed i S fod yn gyfanswm nifer yr olwynion a ddefnyddir gan ddau fyfyriwr a ddewisir ar hap sy'n teithio yn annibynnol. Cyfrifwch ddosraniad tebygolrwydd S. Nodwch gymedr ac amrywiant S.

(c) Nawr mae trydydd myfyriwr yn cael ei ddewis ar hap. Mae'r myfyriwr hwn yn teithio yn annibynnol ar y ddau fyfyriwr arall. Defnyddiwch T i ddynodi cyfanswm nifer yr olwynion a ddefnyddiwyd gan y tri myfyriwr.
Dangoswch fod $P(T = 4) = 0.117$.
Darganfyddwch $P(S = 2|T = 4)$.

(ch) Gadewch i C fod y digwyddiad bod o leiaf un o'r tri myfyriwr yn cerdded. Darganfyddwch $P(T = 4|C)$ a $P(C|T = 4)$.

2 (i) Mae chwe ffiws – dau ohonynt yn ddiffygiol a phedwar yn gweithio – yn cael eu profi un ar ôl y llall ar hap nes dod o hyd i'r ddau ffiws diffygiol. Darganfyddwch y tebygolrwydd mai nifer y ffiwsiau a fydd yn cael eu profi fydd

(*a*) tri,

(*b*) pedwar neu lai.

(parhad)

(ii)   Mae hapnewidyn R yn cymryd y gwerth cyfanrifol r gyda thebygolrwydd p(r) lle mae

$p(r) = kr^3, \quad r = 1, 2, 3, 4,$
$p(r) = 0, \quad$ fel arall.

Darganfyddwch:
(*a*)   werth k, a dangoswch y dosraniad ar bapur graff,
(*b*)   cymedr ac amrywiant y dosraniad,
(*c*)   cymedr ac amrywiant $5R - 3$.

[ULSEB]

3   Mae chwaraewraig dartiau yn ymarfer taflu dart at ganol y bwrdd dartiau. Yn achos pob tafliad, sy'n annibynnol, y tebygolrwydd y bydd hi'n taro'r canol yw 0.2. Boed i X fod yn nifer ei thafliadau, hyd at ac yn cynnwys ei llwyddiant cyntaf.

(a)   Darganfyddwch y tebygolrwydd y bydd hi'n llwyddo am y tro cyntaf ar ei thrydydd tafliad.
(b)   Ysgrifennwch ddosraniad X, a rhowch enw'r dosraniad hwn.
(c)   Darganfyddwch y tebygolrwydd y bydd hi'n methu o leiaf deirgwaith cyn ei llwyddiant cyntaf.
(ch)   Dangoswch fod gwerth cymedrig X yn 5. (Gallwch gymryd y canlyniad

$$\sum_{r=1}^{\infty} rq^{r-1} = \frac{1}{(1-q)^2} \text{ yn ganiataol pan}$$

yw $|q| < 1$.)

Dro arall mae'r chwaraewraig yn taflu'r dart at y canol nes llwyddo ddwywaith. Boed i nifer y tafliadau hyd at ac yn cynnwys ei hail lwyddiant fod yn Y. O wybod bod Var(X) = 20, cyfrifwch gymedr ac amrywiant Y, a darganfyddwch y tebygolrwydd fod $Y = 4$.   [ULSEB]

4   Mae hapnewidyn X yn cymryd gwerthoedd $-1, 0, +1$ gyda thebygolrwyddau $p, q, 2p$, yn ôl eu trefn, ac ni all gymryd unrhyw werthoedd eraill.
(i)   Mynegwch q yn nhermau p.
(ii)   Darganfyddwch, yn nhermau p, werth disgwyliedig a gwyriad safonol X.
(iii)   Os yw X_1 ac X_2 yn hapnewidynnau annibynnol a chanddynt yr un dosraniad ag X, darganfyddwch ddosraniad tebygolrwydd $Y = X_1 + X_2$ a darganfyddwch E(Y), gan roi eich atebion yn nhermau p.   [UCLES]

5   Mae darn arian a dis 6-ochr yn cael eu taflu ar yr un pryd. Mae'r hapnewidyn X yn cael ei ddiffinio fel a ganlyn:

Os yw'r darn arian yn dangos pen,
yna X yw'r sgôr ar y dis.

Os yw'r darn arian yn dangos cynffon,
yna mae X yn ddwywaith y sgôr ar y dis.

Darganfyddwch werth disgwyliedig, μ, X a dangoswch fod P($X < \mu$) = $\frac{7}{12}$.

Dangoswch fod Var(X) = $\frac{497}{48}$.

Mae'r arbrawf yn cael ei ailadrodd a dynodir cyfanswm y ddau werth a geir ar gyfer X gan Y. Darganfyddwch P($Y = 4$) ac E(Y).   [UCLES]

6   Mae'r hapnewidyn X yn cymryd gwerthoedd $-2, 0, 2$ gyda thebygolrwyddau $\frac{1}{4}, \frac{1}{2}, \frac{1}{4}$, yn ôl eu trefn. Darganfyddwch Var(X) ac E($|X|$).
Mae'r hapnewidyn Y yn cael ei ddiffinio gan $Y = X_1 + X_2$, lle mae X_1 ac X_2 yn ddau arsylwad annibynnol o X. Darganfyddwch ddosraniad tebygolrwydd Y.
Darganfyddwch Var(Y) ac E($Y + 3$).

[UCLES]

7   Mae'r tebygolrwydd y bydd X matsien na ellir eu defnyddio mewn bocs llawn o fatsys Tân y Ddraig yn cael ei roi gan

$P(X = 0) = 8k, P(X = 1) = 5k,$
$P(X = 2) = P(X = 3) = k, P(X \geqslant 4) = 0.$

Cyfrifwch y cysonyn k a disgwyliad ac amrywiant X.
Mae dau focs llawn o fatsys Tân y Ddraig yn cael eu dewis ar hap a chyfrifir cyfanswm nifer y matsys Y na ellir eu defnyddio. Cyfrifwch P($Y > 4$), a nodwch werthoedd disgwyliad ac amrywiant Y.   [UCLES]

8   Mae Alun a Bryn yn chwarae gêm, ac ar y cychwyn mae gan y naill a'r llall werth £100 o arian parod. Mae dau ddis yn cael eu taflu.
Os yw cyfanswm y sgorau yn 5 neu fwy yna mae Alun yn talu £x, lle mae $0 < x \leqslant 8$, i Bryn.
Os yw cyfanswm y sgorau yn 4 neu lai yna mae Bryn yn talu £($x + 8$) i Alun. Dangoswch fod disgwyliad arian Alun ar ôl y gêm gyntaf yn £$\frac{1}{3}(304 - 2X)$.
Darganfyddwch ddisgwyliad arian Alun ar ôl chwe gêm.
Darganfyddwch werth x fel bo'r gêm yn deg, h.y. fel bo disgwyliad enillion Alun yn hafal i ddisgwyliad enillion Bryn.
O wybod bod $x = 3$, darganfyddwch amrywiant arian Alun ar ôl y gêm gyntaf.   [UCLES]

7 Y dosraniad binomial

Ychydig o bobl sy'n gwybod bod Hamlet yn gricedwr. Ef oedd capten y tîm lleol ond yn anffodus roedd ganddo broblem: pan oedd hi'n adeg galw pen neu gynffon ar ddechrau'r gêm, anaml iawn y byddai'n dyfalu'n gywir − dim ond dwywaith yn ystod y gyfres olaf o chwe gêm yn erbyn y Fisigothiaid. Roedd y canlyniadau yn drychinebus: lladdwyd teuluoedd cyfan … Meddyliai beth oedd y tebygolrwydd o fod mor anlwcus â hynny?

Wrth gwrs, nid oedd y dosraniad binomial wedi cael ei ddarganfod bryd hynny! Petai wedi cael ei ddarganfod, yna byddai Hamlet wedi bod yn ymwybodol o'r ffaith, yn achos 6 threial annibynnol, gyda'r tebygolrwydd o lwyddo yn $\frac{1}{2}$ ar gyfer pob treial, bod y tebygolrwydd o alw yn gywir ddwywaith yn unig yn $\binom{6}{2}\left(\frac{1}{2}\right)^6 = \frac{15}{64}$ (sydd tua $\frac{1}{4}$, felly nid oedd mor anlwcus â hynny wedi'r cwbl!).

7.1 Deilliant

Elfennau hanfodol problem Hamlet, y byddwn yn datblygu fformiwla gyffredinol ar ei chyfer, yw:

- Nifer sefydlog, n, o dreialau annibynnol.
- Mae pob treial yn arwain at 'lwyddiant' neu 'fethiant'.
- Mae'r tebygolrwydd o lwyddiant, p, yr un fath ar gyfer pob treial.

Rydym eisoes wedi dod ar draws problemau o'r math hwn ac mae defnyddio diagramau canghennog yn gymorth.

Enghraifft 1

Cyfrifwch y tebygolrwydd o gael 2 ben wrth daflu ceiniog dueddol, sydd â $P(\text{Pen}) = \frac{1}{5}$, deirgwaith.

Dyma'r goeden o ganlyniadau posibl:

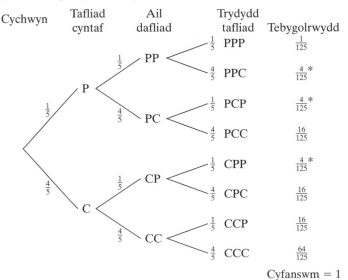

Mae tri dilyniant posibl (wedi eu nodi ag *) sy'n arwain at y canlyniad 'union 2 ben'. Mae gan bob dilyniant y tebygolrwydd $\frac{4}{125}$. Drwy hynny mae cyfanswm y tebygolrwydd o gael union 2 ben yn $\frac{12}{125}$.

Ymarferion 7a

1 Mae gan giwb y llythyren 'A' ar bedwar o'i wynebau a'r llythyren B ar y ddau wyneb arall. Mae'n cael ei daflu deirgwaith.
Lluniwch ddiagram canghennog addas a darganfyddwch y tebygolrwydd fod y nifer o lythrennau 'A' a geir yn (i) 0, (ii) 1, (iii) 2, (iv) 3. Darganfyddwch hefyd y tebygolrwydd y bydd nifer y llythrennau 'B' a geir yn (v) 0, (vi) 1, (vii) 2, (viii) 3.

2 Mae gan bedwar chwaraewr bac o gardiau yr un ac, ar ôl cymysgu pob pac, mae pob un ohonynt yn troi'r cerdyn uchaf yn eu pac.
Drwy lunio diagram canghennog addas, darganfyddwch y tebygolrwydd y bydd nifer y Calonnau a geir yn (i) 0, (ii) 2, (iii) 4.

3 Mae darn arian yn cael ei daflu ar ddechrau pob gêm griced mewn cyfres o 4 gêm brawf. Mae un capten yn taflu a'r llall yn galw 'Pen' neu 'Gynffon', ar hap. Darganfyddwch y tebygolrwydd fod y capten yn galw'n gywir (i) union unwaith, (ii) union ddwywaith.
Tybiwch fod y sawl sy'n galw bob amser yn galw 'Pen'. A yw hyn yn newid y tebygolrwyddau? Rhowch reswm dros eich ateb.

4 Defnyddiwch ddiagram canghennog i gyfrifo'r tebygolrwydd o gael union ddau 6 wrth daflu tri dis teg un ar ôl y llall.

A fyddai'n gwneud unrhyw wahaniaeth i'r tebygolrwydd:
(i) pe byddai pob dis yn cael ei daflu ar yr un pryd,
(ii) yn hytrach na thaflu tri dis gwahanol, y byddai'r un dis yn cael ei daflu bob tro?

5 Mae menyw yn ceisio tanio coelcerth. Dim ond 4 matsien sydd ganddi ar ôl yn ei bocs matsys. O wybod bod deg y cant o'r matsys yn torri pan fydd hi'n ceisio eu tanio, cyfrifwch y tebygolrwydd:
(i) y bydd y pedair matsien yn torri wrth iddi geisio eu tanio,
(ii) y bydd o leiaf un fatsien ddim yn torri wrth gael ei thanio,
(Tybiwch fod y pedair matsien yn cael eu tanio yn y ddau achos).

6 Mae pob milfed person sy'n mynd i weld arddangosfa yn cael taleb gwerth £50. Gan dybio bod 65% o'r rhai sy'n mynd i'r arddangosfa yn ddynion, darganfyddwch y tebygolrwydd y bydd union dri o'r pum person cyntaf i gael taleb yn ddynion.

Dim ond pan fydd nifer y treialau, n, yn fychan y mae'n ymarferol defnyddio diagram canghennog. Fel arall mae arnom angen fformiwla.

Edrychwch eto ar Enghraifft 1. Roedd tri dilyniant posibl yn arwain at y canlyniad a geisid, a'r un oedd tebygolrwydd pob dilyniant. Yr ateb y gwnaethom ei gyfrifo oedd:

$$P(\text{union 2 ben}) = (\text{Nifer y dilyniannau}) \times \{P(\text{Pen})\}^2 \times \{P(\text{Cynffon})\}^1$$
$$= 3 \qquad \times \left(\tfrac{1}{5}\right)^2 \qquad \times \left(\tfrac{4}{5}\right)^1$$
$$= \tfrac{12}{125}$$

Mae'r dull hwn yn gweithio bob tro.

Enghraifft 2

Tybiwch fod gan gamblwr (cyfoethog) ddarn arian tueddol a bod y tebygolrwydd o gael pen yn 0.55. Mae'n taflu'r darn arian 8 gwaith. Beth yw'r tebygolrwydd y bydd yn cael 6 phen.

Wrth ddefnyddio'r dull uchod, rydym yn cael:

$$P(\text{6 phen mewn 8 tafliad}) = (\text{Nifer y dilyniannau}) \times \{P(\text{Pen})\}^6 \times \{P(\text{Cynffon})\}^2$$
$$= (\text{Nifer y dilyniannau}) \times (0.55)^6 \times (0.45)^2$$

Yn yr achos hwn mae nifer y dilyniannau sy'n arwain at y canlyniad a ddymunir yn digwydd bod yn 28, felly:

$$P(\text{6 phen mewn 8 tafliad}) = 28 \times (0.55)^6 \times (0.45)^2 = 0.157 \text{ (i 3 ll.d.)}$$

Y cwestiwn hanfodol, mewn achos cyffredinol o n treial annibynnol, yw: 'Sawl dilyniant mewn coeden debygolrwydd sy'n arwain at union r llwyddiant?' Er mwyn ateb y cwestiwn hwn, nodwch y gallai'r r llwyddiant fod yn ganlyniad i unrhyw gyfuniad o r o'r n treial. Ym Mhennod 4 cyflwynwyd y nodiant $\binom{n}{r} = \dfrac{n \times (n-1) \times \ldots \times (n-r+1)}{r \times (r-1) \times \ldots \times 1}$ i gynrychioli nifer y ffyrdd o ddewis r allan o n: felly mae nifer y dilyniannau yn $\binom{n}{r}$. (Mae'r rhif '28' a ddefnyddir yn Enghraifft 2 uchod yn $\binom{8}{6}$.)

Er mwyn egluro'r dull hwn, ystyriwch y broblem ganlynol:

> Mae saethwr yn saethu at darged 10 gwaith.
> Gan dybio bod canlyniadau'r ergydion yn annibynnol ar ei gilydd, a bod gan bob ergyd debygolrwydd o 0.96 o daro canol y targed, cyfrifwch y tebygolrwydd y bydd y saethwr yn taro canol y targed union 9 gwaith.

Yn y broblem hon mae pob ergyd un ai'n 'llwyddiant' (canol y targed) neu'n 'fethiant'. Gan ddefnyddio X i ddynodi nifer y llwyddiannau, mae arnom angen P($X = 9$), a fydd yn cael ei ysgrifennu fel P_9 er cyfleuster. Gan fod nifer y dilyniannau sy'n arwain at union 9 llwyddiant yn $\binom{10}{9}$ ($= 10$), rydym yn cael:

$$P_9 = 10(0.96)^9(0.04)^1 = 0.277 \text{ (i 3 ll.d.)}$$

Beth fyddai'n digwydd pe byddai'r tebygolrwydd y byddai'r saethwr yn taro'r canol wedi bod yn 0.92, yn hytrach na 0.96? Er mwyn darganfod yr ateb rydym yn rhoi 0.92 yn lle 0.96 ac yn rhoi 0.08 yn lle 0.04, i gael:

$$P_9 = 10(0.92)^9(0.08)^1 = 0.378 \text{ (i 3 ll.d.)}$$

Wrth i debygolrwydd y saethwr o daro canol y targed newid, rydym hefyd yn newid y gwerthoedd yn y fformiwla. Pe byddai ei debygolrwydd o daro canol y targed wedi bod yn p, yna byddem wedi cael:

$$P_9 = 10p^9(1-p)^1$$

Mae'r cyffredinoliad yn eglur:

> **Mae'r tebygolrwydd o gael r llwyddiant mewn n treial annibynnol, pan fo'r tebygolrwydd o lwyddo ym mhob treial yn p, yn:**
>
> $$P_r = \binom{n}{r} p^r (1-p)^{n-r} \tag{7.1}$$

Nid yw'r canlyniad hwn, sy'n diffinio'r **dosraniad binomial**, yn gwneud unrhyw dybiaethau ynglŷn â maint r ac o'r herwydd mae'n ddilys ar gyfer holl werthoedd r, o 0 i n yn gynwysedig.

Nodiadau

- Cofiwch $\binom{n}{r} = \binom{n}{n-r}$, $\binom{n}{0} = \binom{n}{n} = 1$ a $p^0 = 1$.
- Yn aml mae'r swm $1 - p$ yn cael ei ysgrifennu fel q.
- Ysgrifennwch q yn lle $(1 - p)$ ac ystyriwch **ehangiad binomial** $(q + p)^n$, sy'n:

$$(q + p)^n = q^n + \binom{n}{1} q^{n-1}p^1 + \binom{n}{2} q^{n-2}p^2 + \ldots + \binom{n}{n-1} q^1 p^{n-1} + p^n$$

  Mae'r tebygolrwyddau $P_0, P_1, \ldots, P_n$ yn dermau olynol yn yr ehangiad hwn. Gan fod $q + p = 1$ mae hyn yn cadarnhau bod swm y tebygolrwyddau binomial yn 1.
- Y gwall mwyaf cyffredin wrth gyfrifo tebygolrwydd binomial yw anghofio, er mwyn cael union r llwyddiant, bod yn rhaid hefyd cael $n - r$ methiant. Rhaid i'r ffactor $(1 - p)^{n-r}$ beidio â chael ei hepgor o'r fformiwla.

- ◆ Gellir defnyddio'r dosraniad binomial fel model ar gyfer samplu *gyda dychweliad* o boblogaeth o unrhyw faint.
- ◆ Dim ond os yw poblogaeth (feidraidd) yn fawr iawn y gellir defnyddio'r dosraniad binomial fel model ar gyfer samplu *heb ddychweliad*.

Enghraifft 3

Yn ôl cylchgrawn moduro, ym Mhrydain, mae ceir Japaneaidd yn cyfrif am 5% o'r ceir sydd ar y ffyrdd. Pan fyddaf mewn tagfa draffig byddaf yn sylwi ar y ceir sy'n gwibio heibio ar ochr arall y ffordd.
Gan dybio bod y cylchgrawn yn gywir, cyfrifwch y tebygolrwydd bod 4 o'r 50 car cyntaf sy'n mynd heibio imi yn rhai Japaneaidd.

Mae pob car un ai'n gar Japaneaidd ('llwyddiant') neu heb fod yn gar Japaneaidd. Gan gymryd nad yw'r dagfa draffig yn union y tu allan i ffatri geir, gellir tybio bod y 50 car yn hapsampl o'r ceir ar y ffordd. Mae poblogaeth y ceir yn ddigon mawr inni ddefnyddio'r dosraniad binomial.

Mae nifer y treialau, n yn 50, gan fod 50 car yn cael eu hastudio. Mae'r tebygolrwydd o gael 'llwyddiant', p, yn 0.05 ac mae gwerth r yn 4. Drwy hynny mae'r tebygolrwydd sydd ei angen yn:

$$\binom{50}{4} (0.05)^4 (0.95)^{46} = 0.136 \text{ (i 3 ll.d.)}$$

Enghraifft 4

Mae pedwar cerdyn yn cael eu tynnu ar hap o bac cyffredin o 52 o gardiau chwarae. Cyfrifwch y tebygolrwydd bod union dri ohonynt yn gardiau Rhawiau (i) os yw'r pedwar cerdyn yn cael eu tynnu *heb* eu dychwelyd, (ii) os yw'r pedwar cerdyn yn cael eu tynnu un ar y tro *ac yn cael eu dychwelyd*.

(i) Mae'r pac yn cynnwys 13 cerdyn Rhawiau a 39 cerdyn arall. Mae'r tebygolrwydd y bydd y cerdyn cyntaf sy'n cael ei dynnu yn gerdyn Rhawiau yn $\frac{13}{52} = \frac{1}{4}$. Fodd bynnag, mae'r tebygolrwydd y bydd yr ail gerdyn sy'n cael ei dynnu yn gerdyn Rhawiau yn dibynnu ar ganlyniad tynnu'r cerdyn cyntaf. Os yw'r cyntaf yn gerdyn Rhawiau yna mae'r tebygolrwydd y bydd yr ail yn gerdyn rhawiau yn $\frac{12}{51}$, ond os nad yw'r cerdyn cyntaf yn gerdyn Rhawiau yna mae'r tebygolrwydd y bydd yr ail yn gerdyn Rhawiau yn $\frac{13}{51}$. Trafodwyd y sefyllfa hon yn Adran 4.17 (tud. 95) a'r tebygolrwydd sydd ei angen yw:

$$\frac{\binom{13}{3} \times \binom{39}{1}}{\binom{52}{4}} = \frac{286 \times 39}{270\,725} = 0.041 \text{ (i 3 ll.d.)}$$

(ii) Yn yr achos hwn, bob tro y tynnir cerdyn mae'r tebygolrwydd o gael cerdyn Rhawiau yn gyson ar $\frac{13}{52} = \frac{1}{4}$. Nawr mae'r dosraniad binomial yn briodol ac mae'r tebygolrwydd yn:

$$\binom{4}{3} \left(\frac{1}{4}\right)^3 \left(\frac{3}{4}\right)^1 = \frac{3}{64} = 0.047 \text{ (i 3 ll.d.)}$$

Mae'r tebygolrwydd a geir yn yr achos 'gyda dychweliad' gryn dipyn yn fwy na'r tebygolrwydd a geir yn yr achos 'heb ddychweliad'.

Ymarferion 7b

1 Mae nifer y llwyddiannau mewn *n* treial annibynnol yn *X*. Mae'r tebygolrwydd o gael llwyddiant ym mhob treial yn *p*.

   (i) O wybod bod $n = 10, p = \frac{1}{4}$, darganfyddwch P(*X* = 3).

   (ii) O wybod bod $n = 8, p = \frac{3}{4}$, darganfyddwch P(*X* = 6)

   (iii) O wybod bod $n = 12, p = \frac{1}{3}$, darganfyddwch P(*X* ≤ 3).

   (iv) O wybod bod $n = 11, p = \frac{4}{5}$, darganfyddwch P(*X* ≥ 9).

   (v) O wybod bod $n = 7, p = \frac{1}{2}$, darganfyddwch P(3 ≤ *X* ≤ 5).

2 Mae gan 5% o glychau'r gog flodau gwyn. Mae gan y gweddill flodau glas. Cyfrifwch y tebygolrwydd y bydd hapsampl o ddeg planhigyn clychau'r gog yn cynnwys union un gyda blodau gwyn.

3 Mewn arolwg dros y ffôn roedd 22% o'r rhai a ymatebodd yn credu mewn astroleg a 78% ddim yn credu.
Gan dybio y gallwn gymhwyso'r un cyfrannau i'r boblogaeth gyfan, darganfyddwch y tebygolrwydd bod llai nag 20% yn credu mewn astroleg mewn hapsampl o 10 o bobl.

4 Mae 15 myfyriwr mewn dosbarth.
Gan dybio bod pob myfyriwr yr un mor debygol o fod wedi ei eni ar unrhyw ddiwrnod o'r wythnos, darganfyddwch y tebygolrwydd bod tri neu lai ohonynt wedi eu geni ar ddydd Llun. Darganfyddwch hefyd y tebygolrwydd bod pedwar neu fwy wedi eu geni ar ddydd Mawrth.

5 Mae gan ddau riant y gennyn sy'n gyfrifol am ffibrosis y bledren. Mae'r tebygolrwydd y bydd unrhyw un o'u plant yn datblygu ffibrosis y bledren yn $\frac{1}{4}$. Os oes pedwar o blant, darganfyddwch y tebygolrwydd y bydd union ddau yn datblygu ffibrosis y bledren.

6 Mae pâr o ddisiau yn cael eu taflu 20 gwaith. Darganfyddwch y tebygolrwydd o gael dwbl chwech o leiaf 3 gwaith.

7 Pan oedd y Rhufeiniaid yn cosbi trwy ladd roeddynt yn gorfodi'r dynion i sefyll mewn rhes ac yn lladd pob degfed dyn. Roedd chwech o frodyr yn sefyll mewn hapsafleoedd yn y rhes. Darganfyddwch y tebygolrwydd:

   (i) na fyddai'r un ohonynt yn cael eu lladd,

   (ii) bod pedwar neu fwy yn osgoi cael eu lladd.

8 Mae bocs mawr yn cynnwys cymysgedd o'r un nifer o dri math o folltau. Mae bocs arall yn cynnwys nytiau sy'n perthyn i'r bolltau. Dim ond ar follt o'r un math â hi y gellir ffitio nyten. Mae nyten a bollt yn cael eu dewis ar hap a'u gwirio i weld a ydynt yn perthyn i'w gilydd (h.y. a ydynt o'r un math). Mae'r broses yn cael ei hailadrodd 12 gwaith. Darganfyddwch y tebygolrwydd o ddod o hyd i fwy na 4 pâr.

9 Wrth yrru i'r gwaith, mae'n rhaid imi fynd drwy dair set o oleuadau. Rydw i wedi sylwi bod pob un o'r rhain yn dangos gwyrdd am 0.45 o'r amser, coch am 0.45 o'r amser ac oren am weddill yr amser.
Gan dybio bod lliwiau'r goleuadau traffig yn annibynnol ar ei gilydd ac ar yr adeg yr ydw i'n eu cyrraedd, cyfrifwch y tebygolrwydd bod union ddau o'r goleuadau yn fy ngorfodi i aros (drwy droi un ai'n oren neu'n goch).

10 Mae'r cymeriadau mewn ffilm yn cael eu dosbarthu fel a ganlyn: un ai 'Da', 'Drwg' neu 'Hyll'. Mae'r cyfrannau yn y dosbarthiadau hyn yn 0.4, 0.4 a 0.2 yn ôl eu trefn. Mae gan saith o'r cymeriadau wallt coch. Gan dybio bod dosbarth a lliw gwallt yn annibynnol, cyfrifwch y tebygolrwydd bod union ddau o'r cymeriadau hyn yn 'Hyll'.

Prosiect

Mae ceir yn darparu set gyfleus tu hwnt o ddata hwylus i'w casglu ac y gellir eu defnyddio i brofi pa mor dda mae model binomial yn gweithio. Tybiwch ein bod yn diffinio llwyddiant fel 'plât cofrestru lle mae'r digid olaf yn 3, 6 neu 9'. Gan dybio bod pob un o'r 10 digid o 0 i 9 yr un mor debygol â'i gilydd, mae'r tebygolrwydd o lwyddiant felly yn 0.3. Mewn sampl o bum car dylai'r tebygolrwydd o arsylwi, er enghraifft, 3 llwyddiant, fod yn:

$$\binom{5}{3}(0.3)^3(0.7)^2 = 0.132 \text{ (i 3 ll.d.)}.$$

Ai fel hyn mae pethau'n gweithio mewn gwirionedd? Er mwyn darganfod yr ateb, cofnodwyd digidau olaf dilyniant o 200 car a aeth heibio.

Roedd y car cyntaf a aeth heibio yn hen racsyn. Ei rif oedd GJG 1944, lle mae'r rhif olaf yn '4' − methiant yn syth. Ar ôl i 15 car fynd heibio roedd ein cofnodion yn edrych fel hyn:

Grwpiau o bum car	4, 9, 1, 7, 4 3, 5, 5, 6, 0 4, 4, 2, 0, 8		
Nifer y llwyddiannau	1	2	0

Ar ôl casglu'r holl ddata roedd nifer y llwyddiannau a gafwyd fel a ganlyn:

1, 2, 0, 0, 0   2, 0, 3, 0, 1   1, 1, 2, 2, 4   0, 1, 1, 1, 2
3, 2, 0, 1, 2   0, 1, 1, 0, 1   2, 3, 4, 2, 1   0, 1, 2, 1, 1

Y cam nesaf oedd crynhoi'r gwerthoedd gan ddefnyddio siart marciau rhifo, fel y gallem wneud tabl o'r canlyniadau fel a ganlyn:

Nifer y llwyddiannau	0	1	2	3	4	5
Amlder a arsylwyd	10	15	10	3	2	0
Amlder cymharol	0.250	0.375	0.250	0.075	0.050	0.000
Tebygolrwydd damcaniaethol	0.168	0.360	0.309	0.132	0.028	0.002

At ei gilydd nid yw'r model wedi gwneud yn rhy ddrwg. Mae'r gyfran fwyaf a arsylwyd yn cyfateb i'r achos '1' fel y rhagfynegwyd, ac ni ddylai'r ffaith na welwyd '5' o gwbl beri syndod.

Gellir amrywio'r prosiect yn hawdd. Er enghraifft, nid oes raid i werth n fod yn bump. Yn yr un modd, gellir newid gwerth p yn hawdd: er enghraifft, gallem drefnu bod p yn 0.15 drwy ddiffinio 'llwyddiant' fel plât cofrestru sy'n gorffen â rhif rhwng '00' ac '14', yn gynwysedig − gan anwybyddu platiau cofrestru rhifau un digid.

Penderfynwch ar werthoedd n a p a chasglwch rai eich hunain. Os yw canlyniadau'r dosbarth yn cael eu cyfuno, yna (gan gymryd bod aelodau'r dosbarth wedi cael samplau annibynnol) dylai'r cytundeb â'r model damcaniaethol fod hyd yn oed yn well.

Gwaith ymarferol

Gwelsom fod taflu darn arian yn enghraifft syml o sefyllfa binomial. Os yw darn arian teg yn cael ei daflu chwe gwaith, a'r hapnewidyn X yn dynodi nifer y pennau a geir, yna:

$$P_r = \binom{6}{r} (0.5)^r (0.5)^{6-r} \qquad r = 0, 1, \ldots, 6$$

$$= \binom{6}{r} (0.5)^6$$

mae tebygolrwyddau'r gwahanol werthoedd r yn:

Canlyniad, r	0	1	2	3	4	5	6
Tebygolrwydd (i 3 ll.d.)	0.016	0.094	0.234	0.313	0.234	0.094	0.016

Taflwch ddarn arian chwe gwaith a chofnodwch nifer y pennau, r, yr ydych yn eu cael. Gwnewch hyn naw gwaith eto a chymharwch amlder cymharol eich canlyniadau â'r tebygolrwyddau damcaniaethol. Mae'r tebygrwydd yn annhebyg o fod yn agos gan fod deg arsylwad yn sampl fechan iawn.

*Cyfunwch eich canlyniadau â rhai gweddill y dosbarth i gael mwy o
ddata. Dylech ddarganfod bod canlyniadau cyffredinol y dosbarth yn
debyg iawn i'r rhai a ragfynegwyd gan y dosraniad binomial.*

*Ym Mhennod 13 byddwn yn gweld sut i ddefnyddio dulliau manwl
gywir i brofi cywirdeb ffitio rhwng dosraniad damcaniaethol a set
arsylwedig o ddata.*

Gwaith ymarferol

*Tynnwch un siwt allan o bac o gardiau chwarae. Cymysgwch y cardiau
hyn a dewiswch un cerdyn ar hap. Rhowch y cerdyn yn ôl a gwnewch hyn
bedair gwaith eto. Cofnodwch sawl gwaith (allan o bump) yr ydych yn
cael cerdyn brenhinol (Jac, Brenhines neu Frenin). Er enghraifft, tybiwch
fod y cerdyn gwreiddiol yn 7, a'r pedwar nesaf yn 9, 3, Brenin a 7 yn ôl eu
trefn. Un tro yn unig o'r pump y cafwyd cerdyn brenhinol, felly canlyniad
yr arbrawf yw '1'.*

*Ailadroddwch y broses gyfan i gael ugain arsylwad i gyd, a phob
un ohonynt â gwerth rhwng 0 a 5, yn gynwysedig. Cyfunwch eich
canlyniadau â rhai eich cymdogion yn y dosbarth a chyfrifwch amlderau
cymharol y canlyniadau yn eich sampl gyfunol o ganlyniadau. Cyfrifwch
debygolrwyddau damcaniaethol y sefyllfa hon a'u cymharu â'ch
amlderau cymharol.*

*Yn yr arbrawf uchod dychwelwyd y cardiau ar ôl cofnodi eu
gwerthoedd. Ailadroddwch yr arbrawf heb ddychwelyd y cardiau. Y
ffordd hawsaf o wneud hyn yw drwy ddewis pum cerdyn o'r casgliad o
13 a chofnodi nifer y cardiau brenhinol.*

Cymharwch eich canlyniadau â'r rhai a gafwyd yn flaenorol.

Ymarfer cyfrifiannell

*Os gall eich cyfrifiannell gynhyrchu haprifau ac os gellir ei osod i
ddangos nifer benodol o leoedd degol, yna gellir profi haprwydd y
generadur fel a ganlyn. Trefnwch fod (dyweder) 6 lle degol yn cael eu
dangos ar y sgrin. Cynhyrchwch haprif a chyfrwch sawl rhif 9 sydd
ynddo. Mae nifer y rhifau 9 yn arsylwad o ddosraniad binomial, lle
mae $n = 6$ a $p = 0.1$. Ailadroddwch y broses 99 gwaith eto, crynhowch
eich canlyniadau gan ddefnyddio tabl marciau rhifo a chymharwch
gyfrannau arsylwedig y canlyniadau 0 i 6 â'r rhai a ragfynegwyd gan
y model binomial. Os ydynt yn ymddangos yn wahanol iawn yna mae
rhywbeth (eich cyfrifiadau?) yn anghywir neu rydych wedi bod yn hynod
o anlwcus.*

Prosiect cyfrifiadurol

*Gyda chyfrifiadur mae'n hawdd ysgrifennu rhaglen a fydd yn cynhyrchu
haprifau (fel yn y prosiect cyfrifiannell blaenorol) a chyfrif sawl gwaith
mae'r rhif 9 yn ymddangos (neu unrhyw beth arall sy'n apelio). Mantais
y cyfrifiadur yw y gall wneud hyn nifer fawr iawn o weithiau. Bydd
uwch raglenwyr yn trefnu i'r allbwn restru'r cyfrannau arsylwedig a'r
tebygolrwyddau damcaniaethol. Os oes sgrin graffigol ar gael yna gellir
creu darluniau hefyd.*

7.2 Nodiant

Er mwyn osgoi ysgrifennu: 'Mae gan yr hapnewidyn X ddosraniad binomial. Mae n treial annibynnol. Mae'r tebygolrwydd o "lwyddiant" yn p ar gyfer pob treial', rydym yn ysgrifennu:

$$X \sim B(n,p)$$

Yma, mae'r symbol $\sim$ yn golygu 'â dosraniad' a defnyddir 'B' fel ffurf gryno am 'binomial'.

Gelwir y meintiau n a p yn **'baramedrau'** y dosraniad; dyma'r meintiau y mae angen eu gwerthoedd i nodi'r dosraniad yn llwyr.

7.3 'Llwyddiannau' a 'methiannau'

Nid oes ots pa un o'r ddau ganlyniad posibl yr ydym yn ei ystyried fel 'llwyddiant' − yr un fydd y canlyniadau. Er enghraifft, tybiwch fy mod yn chwarae siawns gyda gwrthwynebydd a thybiwch fod y tebygolrwydd y byddaf yn ennill yn p. Mae'n amlwg bod fy 'llwyddiannau' i yn 'fethiannau' i'm gwrthwynebydd ac i'r gwrthwyneb.

	Fi	Gwrthwynebydd
P(llwyddiant)	p	$q = 1 - p$
Nifer y llwyddiannau	r	$n - r$

Enghraifft 5

Yn Enghraifft 3, pan oedd arnom angen darganfod y tebygolrwydd o weld pedwar car Japaneaidd mewn hapsampl o 50 car, diffiniwyd 'llwyddiant' fel 'car Japaneaidd'. Yn lle hynny, tybiwch ein bod yn diffinio 'llwyddiant' fel 'car *an*-Japaneaidd'. Felly mae n yn 50, mae'r tebygolrwydd o 'lwyddiant', p, yn 0.95 a gwerth r, y nifer angenrheidiol o 'lwyddiannau', erbyn hyn yn 46. Mae'r tebygolrwydd sydd ei angen yn:

$$P_{46} = \binom{50}{46} (0.95)^{46}(0.05)^4 = 0.136 \text{ (i 3 ll.d.)}$$

sef yr un gwerth ag a gafwyd yn flaenorol.

7.4 Siâp y dosraniad

Mae siâp y dosraniad binomial yn dibynnu ar werth p. Pan yw $p = \frac{1}{2}$, mae hyn yn golygu bod 'llwyddiant' yr un mor debygol â 'methiant'. Felly, er enghraifft, mae'r tebygolrwydd o gael dau 'lwyddiant' (a thrwy hynny $n - 2$ 'methiant') yn hafal i'r tebygolrwydd o gael dau 'fethiant' (a thrwy hynny $n - 2$ 'llwyddiant'); pan yw $p = \frac{1}{2}$ mae'r dosraniad binomial yn gymesur. Yn achos gwerthoedd eraill p mae'r dosraniad yn anghymesur (ar sgiw), gyda modd yn agos at np (gweler yr enghreifftiau yn y diagram).

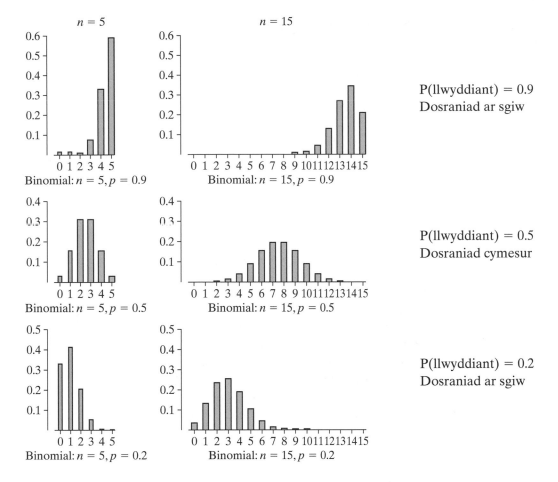

P(llwyddiant) = 0.9
Dosraniad ar sgiw

P(llwyddiant) = 0.5
Dosraniad cymesur

P(llwyddiant) = 0.2
Dosraniad ar sgiw

Prosiect

Un o hanfodion cynllunio trefol yw gwybodaeth am y math o draffig sy'n defnyddio'r prif ffyrdd. Yn arbennig, mae angen i gynllunwyr wybod pa gyfran o gerbydau sy'n geir (o gymharu â lorïau, faniau, ayb).

Tybiwch eich bod yn rhan o'r awdurdod trafnidiaeth leol. Ewch i gyffordd brysur a chofnodwch pa fath o gerbydau sy'n mynd heibio. Cofnodwch 1 bob tro y gwelwch gar yn mynd heibio, a 0 bob tro y gwelwch unrhyw gerbyd arall. Trefnwch eich cofnodion yn ofalus mewn grwpiau o ddeg cerbyd, er mwyn iddynt edrych yn debyg i hyn:

    1111110111   1100111011   1000111110 …

Daliwch ati i wneud hyn nes byddwch wedi cofnodi 200 o gerbydau. Nawr nodwch sawl car sydd ym mhob grŵp o 10 cerbyd. Yn yr enghraifft uchod, roedd y tri grŵp yn cynnwys 9, 7 a 6 o geir yn ôl eu trefn. Crynhowch eich data, yn gyntaf gan ddefnyddio siart marciau rhifo, ac yna gan ddefnyddio dosraniad amlder, a allai edrych fel hyn:

Nifer y ceir mewn grŵp (r)	*10*	*9*	*8*	*7*	*6*
Nifer y grwpiau gyda'r nifer hwn					
o geir	*8*	*5*	*4*	*2*	*1*
Amlderau cymharol	*0.40*	*0.25*	*0.20*	*0.10*	*0.05*

Nawr cyfrwch gyfanswm nifer y ceir a arsylwyd gennych. Yn yr enghraifft uchod, mae hyn yn:

$$(10 \times 8) + (9 \times 5) + (8 \times 4) + (7 \times 2) + (6 \times 1) = 177$$

Yn olaf cyfrifwch eich amcangyfrif personol ar gyfer p, y tebygolrwydd bod cerbyd yn gar. Yn yr enghraifft mae hyn yn $\frac{177}{200} = 0.885$. Gallwch nawr gyfrifo'r tebygolrwyddau damcaniaethol o weld 10, 9, 8, … car mewn grŵp o 10 cerbyd, yn seiliedig ar eich amcangyfrif personol o werth p. Yn yr enghraifft sydd gennym mae'r model binomial yn rhagfynegi y byddai cyfran y grwpiau sy'n cynnwys yr holl geir yn:

$$\binom{10}{10}(0.885)^{10}(0.115)^0 = 0.295 \text{ (i 3 ll.d.)}$$

tra bydd y gyfran gyda naw car yn:

$$\binom{10}{9}(0.885)^9(0.115)^1 = 0.383 \text{ (i 3 ll.d.)}$$

ac yn y blaen.

Gwaith estynedig i'r prosiect hwn yw cymharu (gan ddefnyddio, er enghraifft, siart bar deuol) y tebygolrwyddau damcaniaethol â'ch amlderau cymharol arsylwedig. Os yw eich amlderau cymharol o werthoedd bychain r yn annisgwyl o fawr yna mae hyn yn awgrymu bod lorïau (a bysiau) yn teithio mewn grwpiau.

Yn naturiol ni fydd eich amcangyfrif personol o werth p yn fanwl gywir. Felly, fel tasg olaf, gellid ailadrodd y cymariaethau gan ddefnyddio data'r dosbarth cyfan wedi eu cyfuno. (Er mwyn i hyn fod yn synhwyrol, dylai'r arsylwadau sy'n cael eu cymryd gan bob aelod o'r dosbarth fod yn annibynnol ar ei gilydd, e.e. ar adegau ychydig yn wahanol ar yr un gyffordd). A yw'n ymddangos bod y model binomial yn addas, neu a yw cerbydau sydd heb fod yn geir (a cheir) i'w gweld yn clystyru?

7.5 Tablau o ddosraniadau binomial

Gall tablau o ddosraniadau binomial gymryd unrhyw un o'r ffurfiau canlynol:

(i)　tablau $P(X = r)$,
(ii)　tablau $P(X \geq r)$,
(iii)　tablau $P(X \leq r)$.

Gall tablau amrywio o'r naill lyfr i'r llall (rhoddir tablau o'r trydydd math yn yr Atodiad, t. 437). Mae'r tablau a argymhellir neu a gyflenwir gan y gwahanol fyrddau arholi hefyd yn amrywio. Gofalwch ymgyfarwyddo â'r tablau sy'n berthnasol i'ch arholiad: nid oes pwrpas gwastraffu amser yn cyfrifo gwerth os yw'n cael ei gynnwys yn y tablau.

Dyma ddarn o dabl (o'r trydydd math) sy'n rhoi gwerthoedd $P(X \leq r)$:

n	r	p
		0.10
5	0	0.5905
	1	0.9185
	2	0.9914
	3	0.9995
	4	
	5	

Mae'r tabl yn rhoi'r tebygolrwyddau cronnus yn gywir i bedwar lle degol. Yn achos unrhyw gyfuniadau o n a p, unwaith y cyrhaeddir gwerth mwy na 0.999 95 bydd hwn yn ymddangos fel lle gwag yn y tabl.

Yn y darn o dabl a roddir gwelwn, os yw $X \sim B(5, 0.1)$, yna $P(X \leq 2) = 0.9914$.

Er mwyn defnyddio'r tablau i ddarganfod tebygolrwyddau gwerthoedd unigol r, neu ar gyfer mathau eraill o anhafaleddau, mae arnom angen y perthnasau canlynol:

$$P(X < r) = P(X \leqslant r - 1)$$
$$P_r = P(X = r) = P(X \leqslant r) - P(X \leqslant r - 1)$$
$$P(X > r) = 1 - P(X \leqslant r)$$
$$P(X \geqslant r) = 1 - P(X \leqslant r - 1)$$

Nodiadau

♦ Mae'n hawdd cymysgu rhwng $P(X < r)$ a $P(X \leqslant r)$, felly dylid darllen cwestiynau yn hynod o ofalus bob amser.

♦ Mae'n bwysig ymgyfarwyddo â'r tablau sydd ar gael ar gyfer eich arholiadau. Er cyfleustra yn unig y rhoddir y tablau yn y llyfr hwn.

♦ Yn y llyfr hwn mae gwerthoedd p yn y tabl yn amrywio o 0.05 i 0.5 yn unig. Yn achos gwerthoedd p sy'n fwy na 0.5 rhaid inni ymgyfnewid y diffiniadau o lwyddiant a methiant.

Felly, os yw $Y \sim B(n, q)$ a $q = 1 - p$, yna:

$$P(X = r) = P(Y = n - r).$$

felly, er enghraifft:

$$P(X \geqslant r) = P(Y \leqslant n - r)$$

♦ Mae'n anochel na fydd y tablau yn darparu ar gyfer bob cyfuniad o n a p. Os oes angen gwerth na ellir ei gael yn uniongyrchol o'r tablau, yna, os yw'n bosibl, dylid ei gyfrifo o'r fformiwla yn hytrach na thrwy ryngosod yn y tablau (oherwydd efallai na fydd hyn yn gywir iawn).

Enghraifft 6

O wybod bod $X \sim B(5, 0.1)$ darganfyddwch (i) $P(X < 2)$, (ii) $P(X = 2)$, (iii) $P(X > 2)$, (iv) $P(X \geqslant 2)$.

(i) $P(X < 2) = P(X \leqslant 1) = 0.9185$
(ii) $P(X = 2) = P(X \leqslant 2) - P(X \leqslant 1) = 0.9914 - 0.9185 = 0.0729$
(iii) $P(X > 2) = 1 - P(X \leqslant 2) = 1 - 0.9914 = 0.0086$
(iv) $P(X \geqslant 2) = 1 - P(X \leqslant 1) = 1 - 0.9185 = 0.0815$

Enghraifft 7

O wybod bod $X \sim B(5, 0.9)$ darganfyddwch (i) $P(X \geqslant 2)$, (ii) $P(X \leqslant 2)$.

Yn yr achos hwn mae gwerth p yn 0.9, sy'n fwy na 0.5, felly mae'n rhaid inni weithio yn hytrach gydag Y, lle mae $Y \sim B(5, 0.1)$
(i) $P(X \geqslant 2) = P[Y \leqslant (5 - 2)] = P(Y \leqslant 3) = 0.9995$
(ii) $P(X \leqslant 2) = P(Y \geqslant 3) = 1 - P(Y \leqslant 2) = 1 - 0.9914 = 0.0086$

Ymarferion 7c

Defnyddiwch y tablau y byddwch yn eu defnyddio yn eich arholiad, neu'r tablau yn yr Atodiad yng nghefn y llyfr hwn, i ateb y cwestiynau canlynol.

1 O wybod bod $X \sim B(8, 0.3)$, darganfyddwch
(i) $P(X \leqslant 4)$, (ii) $P(X > 6)$.

2 O wybod bod $X \sim B(10, 0.4)$, darganfyddwch
(i) $P(X \geqslant 7)$, (ii) $P(X = 6)$, (iii) $P(X < 5)$.

3 O wybod bod $X \sim B(15, 0.7)$, darganfyddwch
(i) $P(X \geqslant 9)$, (ii) $P(X \leqslant 11)$.

4 O wybod bod $X \sim B(12, 0.6)$, darganfyddwch
$P(5 \leqslant X \leqslant 8)$.

5 Wrth serfio mewn gêm o dennis, mae'r tebygolrwydd y bydd serfiad Tina Taro yn glanio yn y cwrt yn 30%. Os yw'r serfiad cyntaf yn methu (h.y. ddim yn glanio o fewn y cwrt), ceir ail serfiad ac mae'r tebygolrwydd bod hwn yn glanio o fewn y cwrt yn 90%. Darganfyddwch y tebygolrwydd y bydd mwy na 10 o'r 20 serfiad cyntaf yn glanio o fewn y cwrt.

Dangoswch fod y tebygolrwydd o ffawt dwbl (h.y. dim un o'r serfiadau yn glanio yn y cwrt) yn 0.07.

Darganfyddwch y tebygolrwydd y bydd mwy na 3 ffawt dwbl mewn 20 serfiad (cyfunol).

6 Mae myfyriwr prifysgol, Huwcyn Williams yn aml yn colli darlithoedd 9 y bore drwy gysgu'n hwyr. Mae'r tebygolrwydd y bydd yn cysgu'n hwyr yn 0.4.

Yn ystod tymor o 9 wythnos, lle mae ganddo ddwy ddarlith 9 o'r gloch bob wythnos, darganfyddwch y tebygolrwydd y bydd yn colli mwy na'u hanner.

7.6 Disgwyliad ac amrywiant hapnewidyn binomial

Rydym eisiau darganfod gwerthoedd $E(X)$ a $Var(X)$, lle mae $X \sim B(n, p)$. Mae ychydig yn anodd cyfrifo'r meintiau hyn gan ddefnyddio'r fformiwla ar gyfer $P(X = r)$. Yn lle hynny nodwn fod:

$$X = Y_1 + Y_2 + ... + Y_n$$

lle Y_i yw nifer y llwyddiannau (0 neu 1) a geir yn yr $i$fed treial. Nawr mae $Y_1, Y_2, ...$ yn hapnewidynnau Bernoulli annibynnol o'r math a astudiwyd ym Mhennod 5. Gwelsom fod gan hapnewidyn Bernoulli gyda pharamedr p ddisgwyliad yn hafal i p ac amrywiant yn hafal i $p(1 - p)$. Wrth gyfuno'r wybodaeth hon â'r wybodaeth o Bennod 6 ar ddisgwyliadau symiau o hapnewidynnau, mae gennym:

$$
\begin{aligned}
E(X) &= E(Y_1 + Y_2 + ... + Y_n) \\
&= E(Y_1) + E(Y_2) + ... + E(Y_n) \\
&= (p + p + ... + p) \\
&= np
\end{aligned}
$$

Yn yr un modd, gan ysgrifennu q ar gyfer $(1 - p)$:

$$
\begin{aligned}
Var(X) &= Var(Y_1) + Var(Y_2) + ... + Var(Y_n) \\
&= pq + pq + ... + pq \\
&= npq
\end{aligned}
$$

Felly:

mae gan hapnewidyn â dosraniad B(n, p) ddisgwyliad np ac amrywiant npq.

Mae canlyniadau yn nes ymlaen (Adran 10.11 a 10.8) yn dangos (os yw n yn gymharol fawr, ac os nad yw p a q yn rhy fychan) ar tua 95% o achlysuron bydd gwerth arsylwedig hapnewidyn X â dosraniad B(n, p) yn yr amrediad: cymedr ± 2 gwyriad safonol, h.y. yn yr amrediad $np \pm 2\sqrt{npq}$.

Nodyn

◆ Mae dosraniad Bernoulli mewn gwrionedd yn achos arbennig o ddosraniad binomial lle mae $n = 1$.

Enghraifft 8

Nid yw myfyriwr hynod o ddiog wedi gwneud unrhyw waith adolygu ar gyfer ei arholiad ystadegau amlddewis ac mae'n dyfalu'r ateb i bob un o'r 40 cwestiwn. O wybod bod pob cwestiwn yn cynnig pedwar ateb gwahanol, a dim ond un ohonynt yn gywir, darganfyddwch gymedr ac amrywiant nifer yr atebion cywir, X, a gafwyd.

———————

Mae'r tebygolrwydd, p, bod yr ymgeisydd yn dyfalu'r ateb cywir i gwestiwn yn $\frac{1}{4}$. Mae'r sefyllfa yn finomial, oherwydd, ar gyfer pob cwestiwn, mae'r ymgeisydd un ai'n gywir neu'n anghywir. Felly $X \sim B(40, \frac{1}{4})$. Drwy hynny:

$$E(X) = np = 40 \times 0.25 = 10$$

a

$$Var(X) = npq = E(X) \times 0.75 = 7.5$$

Ymarferion 7ch

1 Cyfrifwch ddisgwyliad ac amrywiant hapnewidyn X lle mae $n = 50$ a $p = 0.2$.

2 Mae dau fachgen yn sgimio cerrig ar hyd y dŵr. Mae'r tebygolrwydd y bydd carreg a deflir gan Aled yn neidio 5 gwaith (llwyddiant) yn 0.2, ac yn achos Bedwyr mae'r tebygolrwydd yn 0.1. Mae'r ddau fachgen yn taflu 10 carreg. Cyfrifwch:
(i) ddisgwyliad ac amrywiant nifer llwyddiannau Aled,
(ii) disgwyliad ac amrywiant nifer llwyddiannau Bedwyr,
(iii) disgwyliad ac amrywiant cyfanswm nifer llwyddiannau'r ddau fachgen.

3 Mae dis yn cael ei daflu 10 gwaith. Boed i X gynrychioli nifer y rhifau chwech a geir. Darganfyddwch μ, sef nifer disgwyliedig y rhifau chwech.
Darganfyddwch hefyd $Var(X)$ a $P(X < \mu)$.

4 Mae menyw sy'n gyrru'n rheolaidd i'w gwaith yn darganfod ei bod yn cael ei dal ar groesfan arbennig unwaith bob pum taith, ar gyfartaledd. Gan ddefnyddio model binomial, darganfyddwch nifer disgwyliedig y teithiau y caiff ei dal wrth y groesfan mewn mis pan yw'n teithio 22 gwaith i'w gwaith, a hefyd darganfyddwch y tebygolrwydd ei bod yn cael ei dal ar lai na 4 achlysur.

Trafodwch pa mor addas yw'r model binomial.

5 Mae erthyglau a gyhoeddwyd mewn cylchgronau meddygol yn nodi y bydd, ar gyfartaledd, 35 allan o 100 o gleifion sydd wedi cael triniaeth i dynnu hylif o fadruddyn y cefn yn dioddef o gur pen difrifol (CPD). Mae 12 o gleifion yn cael triniaeth i dynnu hylif o fadruddyn y cefn.

Gan ddefnyddio model binomial, darganfyddwch y nifer disgwyliedig o gleifion a fydd yn dioddef CPD, a darganfyddwch hefyd y gwyriad safonol.

Darganfyddwch y tebygolrwydd y bydd pedwar neu fwy o'r deuddeg claf yn dioddef o CPD.

6 Mae gan yr hapnewidyn X ddosraniad binomial â chymedr 12 ac amrywiant 3. Darganfyddwch $P(X \geqslant 14)$.

7 Dywedir bod $Y \sim B(9, p)$ a bod gwyriad safonol Y yn $\frac{9}{10}$.
Darganfyddwch werthoedd posibl p.
Ar gyfer pob gwerth p darganfyddwch $P(Y = 4)$, gan roi 3 ffigur ystyrlon yn eich atebion.

8 Mae swyddfa'r post yn honni bod 92% o lythyrau dosbarth cyntaf yn cael eu dosbarthu y diwrnod ar ôl iddynt gael eu postio. Mae cwmni yn dewis 20 llythyr ar hap o swp mawr o lythyrau dosbarth cyntaf er mwyn darganfod y nifer X a ddosbarthwyd y diwrnod canlynol.
Darganfyddwch ddisgwyliad μ a gwyriad safonol σ ar gyfer X.
Darganfyddwch $P(|X - \mu| < 1)$, a $P(|X - \mu| < 2\sigma)$.

9 Mae hapnewidyn X yn bodoli fel bod $X \sim B(n, p)$. Gwyddom fod $\dfrac{Var(X)}{E(X)} = 0.3$ a bod cymedr X yn 10.5.
Cyfrifwch werthoedd n a p.

10 Mae hapnewidyn X yn bodoli fel bod $X \sim B(n, 0.5)$.
Cyfrifwch werth lleiaf n lle mae cymhareb gwyriad safonol X i gymedr X yn llai nag 1 i 10.

Crynodeb o'r bennod

◆ Mae'r **dosraniad binomial** yn berthnasol mewn sefyllfaoedd lle mae pob canlyniad un ai'n 'llwyddiant' neu'n 'fethiant'. Os oes gan bob un o n treial annibynnol debygolrwydd p o fod yn llwyddiant ac os yw X yn dynodi nifer y llwyddiannau, yna:

- $X \sim B(n, p)$
- $P(X = r) = P_r = \binom{n}{r} p^r q^{n-r}$ $r = 0, 1, \ldots, n$
  lle mae $q = (1 - p)$
- $E(X) = np$
- $Var(X) = npq$

Ymarferion 7d (Amrywiol)

1 Nid yw'n hawdd cael hadau cactws i egino. O brofiad, mae Mr Draenen, sy'n arbenigwr ar dyfu cactws, yn gwybod mai dim ond 40% ar gyfartaledd sy'n egino. Mae casglwr dewr yn dychwelyd o anialwch sych gyda chwe hedyn cactws cwbl newydd.
   (i) Cyfrifwch y tebygolrwydd mai dim ond 1 hedyn fydd yn egino.
   (ii) Cyfrifwch sawl hedyn sydd fwyaf tebygol o egino.

2 Mae lori sy'n cludo nifer fawr o focsys wyau yn cael damwain. Mae pob bocs yn cynnwys chwech wy. Ar ôl y ddamwain mae cynnwys hapsampl o 100 bocs yn cael ei archwilio a chofnodir niferoedd yr wyau sydd wedi torri (x). Mae nifer y bocsys (n) sy'n cynnwys niferoedd gwahanol o wyau wedi torri yn cael eu dangos yn y tabl isod.

x	0	1	2	3	4	5	6
n	31	37	22	7	2	1	0

O'r dosraniad amlder hwn amcangyfrifwch gyfran yr wyau sydd wedi torri, p.

Cyfrifwch, yn gywir i 1 ll.d., amlderau disgwyliedig dosraniad binomial â'r gwerth p hwn.
(Cyfrifir amlderau disgwyliedig drwy luosi'r tebygolrwyddau damcaniaethol â maint y sampl).

3 Mae cwmni yn cynhyrchu cydrannau trydanol ac mae nam ar rai ohonynt. Mae cyfran y cydrannau diffygiol yn isel iawn fel arfer, ond pe byddai'n cyrraedd 10% yna byddai'r cwmni eisiau cael gwybod er mwyn addasu'r peiriannau. Felly, mae hapsampl o n cydran yn cael ei harchwilio.
O wybod bod cyfran y cydrannau diffygiol a gynhyrchir yn hafal i 10%, darganfyddwch fynegiad, yn nhermau n, ar gyfer y tebygolrwydd nad yw'r sampl yn cynnwys unrhyw gydrannau diffygiol.
Gan ddefnyddio P_0 i ddynodi'r tebygolrwydd hwn, cyfrifwch werth lleiaf n pan fydd P_0 yn llai na 5%.

4 Mae lle i 53 o deithwyr ar ehediad ZJ142. Mae pris tocyn yn £130. Os yw tocyn yn cael ei werthu, a'r teithiwr yn methu hedfan, nid yw'r cwmni awyr yn ad-dalu unrhyw arian. O brofiad, gwyddom mai 95% yn unig o'r rhai sy'n prynu tocyn sy'n hedfan mewn gwirionedd. Os gwerthir tocyn i deithiwr, ond os nad oes sedd ar gael iddo mae cost gyfartalog o £200 i'r cwmni.
Drwy gyfrifo'r refeniw net i'r cwmni hedfan o ganlyniad i werthu N tocyn, ar gyfer gwerthoedd N o 53 i 57, cyfrifwch y gwerth N sy'n cynhyrchu'r refeniw disgwyliedig uchaf.

5 Ar gyfartaledd, ymddengys bod y gyfradd fethu wrth geisio egino hadau mynawyd y bugail, sy'n cael eu gwerthu fesul pacedi o ddeg, yn 0.8 hedyn y paced. Darganfyddwch
   (a) amrywiant nifer yr hadau ym mhob paced sy'n methu ag egino,
   (b) y tebygolrwydd, i 3 lle degol, y bydd paced a ddewisir ar hap yn cynnwys mwy nag un hedyn sy'n methu ag egino.   [ULSEB]

6 Mamolyn prin iawn yw'r bŵjwm, sy'n byw mewn moroedd trofannol ac sy'n treulio'r rhan fwyaf o'i amser dan y dŵr. Mae cyrch ecolegol yn amau bod bŵjwm mewn ardal arbennig ac yn ceisio tynnu ffotograffau fel tystiolaeth. Dyma'r dechneg a ddefnyddir: os bydd bŵjwm yn bresennol, mae'r tebygolrwydd y bydd i'w weld ar unrhyw ffotograff penodol yn $\frac{1}{4}$. Mae aelod o'r cyrch yn tynnu chwe ffotograff. Os oes bŵjwm yn yr ardal, dangoswch fod y tebygolrwydd na fydd i'w weld ar unrhyw un o'r ffotograffau tua 0.178.

Mae pum aelod o'r cyrch yn archwilio'r ardal yn annibynnol, a phob un yn tynnu chwe ffotograff gan ddefnyddio'r un dechneg. Beth yw'r tebygolrwydd y bydd o leiaf un ohonynt yn llwyddo i gael ffotograff o'r bŵjwm?　　[SMP]

7 Mae darllenydd cylchgrawn yn penderfynu trio cystadleuaeth lle mae'n rhaid i'r cystadleuwyr ddewis yr atebion cywir i nifer o gwestiynau. Awgrymir pum ateb ar gyfer pob cwestiwn, ond nid yw'r darllenydd yn wybodus iawn, felly, ym mhob cwestiwn mae'n dewis ateb ar hap, fel bo'r tebygolrwydd o ddewis yr ateb cywir ym mhob cwestiwn yn $\frac{1}{5}$. Mewn cystadleuaeth lle ceir 12 cwestiwn, darganfyddwch y tebygolrwydd y bydd y darllenydd yn cael mwy na 3 ateb yn gywir, gan roi eich ateb i 3 lle degol.　　[UCLES(P)]

8 Mae timau o bedwar o bobl yn cymryd rhan mewn cystadleuaeth saethu â reiffl. Mae pob person mewn tîm yn tanio un ergyd at y targed. Mae'r tabl isod yn dangos nifer y pwyntiau mae tîm yn eu hennill am daro'r targed.

Nifer y trawiadau	0	1	2	3	4
Nifer y pwyntiau	0	2	4	8	16

Yn achos un tîm arbennig, mae gan bob aelod o'r tîm yn unigol debygolrwydd o 0.7 o daro'r targed. Darganfyddwch:
(i) y tebygolrwydd y bydd y tîm yn taro'r targed r gwaith, ar gyfer pob $r = 0, 1, 2, 3, 4$;
(ii) sgôr pwyntiau disgwyliedig y tîm;
(iii) sgôr pwyntiau mwyaf tebygol y tîm;
(iv) y tebygolrwydd y bydd y tîm yn sgorio mwy na 6 phwynt.　　[O&C]

9 Ym mhob treial mewn haparbrawf mae'r tebygolrwydd y bydd A yn digwydd yn 0.6 a'r tebygolrwydd y bydd B yn digwydd yn 0.5. Gwyddom fod A a B yn annibynnol.
(i) Cyfrifwch y tebygolrwydd y bydd o leiaf un o A a B yn digwydd mewn un treial unigol.
(ii) Gan ddefnyddio'r tablau a roddir, neu fel arall, darganfyddwch y tebygolrwydd y bydd A yn digwydd union 12 gwaith mewn 20 treial annibynnol; rhowch eich ateb yn gywir i dri lle degol.　　[CBAC]

10 (a) Mae dosbarth o 16 disgybl yn cynnwys 10 merch, tair ohonynt yn llawchwith, a 6 bachgen, un ohonynt yn unig yn llawchwith. Mae dau ddisgybl yn cael eu dewis ar hap o'r dosbarth i fod yn fonitoriaid. Cyfrifwch y tebygolrwyddau y bydd y disgyblion a ddewisir yn cynnwys:
(i) un ferch ac un bachgen,
(ii) un ferch lawchwith ac un bachgen llawchwith,
(iii) dau ddisgybl llawchwith,
(iv) o leiaf un disgybl llawchwith.

(b) Mae'r tebygolrwydd y bydd eitem sy'n cael ei chynhyrchu yn cynnwys nam yn 0.1. Mae swp sy'n cynnwys nifer fawr o'r eitemau yn cael ei archwilio fel a ganlyn. Dewisir hapsampl o 5 eitem. Os nad yw'r sampl hon yn cynnwys eitem ddiffygiol yna mae'r swp yn cael ei dderbyn, ond os yw'r sampl yn cynnwys 3 neu fwy o eitemau diffygiol mae'n cael ei wrthod. Os yw'r sampl yn cynnwys un ai 1 neu 2 eitem ddiffygiol dewisir ail hapsampl o bum eitem o'r swp. Bydd y swp yn cael ei dderbyn os na fydd yr ail sampl hon yn cynnwys unrhyw eitem ddiffygiol ac yn cael ei wrthod fel arall. Cyfrifwch, yn gywir i dri lle degol, y tebygolrwyddau canlynol:
(i) ar ôl archwilio'r sampl gyntaf bydd y swp yn cael ei dderbyn,
(ii) ar ôl archwilio'r sampl gyntaf bydd y swp yn cael ei wrthod,
(iii) bydd angen archwilio ail sampl ac yn dilyn hyn bydd y swp yn cael ei dderbyn.　　[CBAC]

8 Y dosraniad Poisson

8.1 Y broses Poisson

Mewn dosraniad Poisson (llythyren P fawr gan fod y dosraniad wedi ei enwi ar ôl Siméon Poisson – mwy amdano yn y man) mae'r hapnewidyn yn gyfrif o ddigwyddiadau sy'n digwydd *ar hap* mewn parthau o amser neu ofod. Yma, mae gan 'ar hap' ystyr arbennig a manwl iawn: mae angen i'r digwyddiadau fod wedi eu dosrannu drwy amser neu ofod fel eu bod yn bodloni'r canlynol:

♦ Mae digwyddiad yn digwydd neu beidio ar bwynt arbennig mewn amser neu ofod yn annibynnol ar yr hyn sy'n digwydd yn rhywle arall.

♦ Ar bob pwynt mewn amser mae'r tebygolrwydd y ceir digwyddiad o fewn cyfwng bychan o amser penodol yr un fath. Mae hyn hefyd yn gymwys i ddigwyddiadau mewn parthau bychain o ofod.

♦ Nid oes siawns y bydd dau ddigwyddiad yn digwydd ar union yn yr un pwynt mewn amser neu ofod.

Dywedir bod **proses Poisson** yn disgrifio digwyddiadau sy'n ufuddhau i'r gofynion hyn. Yn nodweddiadol, mewn proses Poisson ofodol, ymddengys bod clystyrau o bwyntiau wedi eu trefnu yn ddamweiniol yn ogystal â bylchau eang.

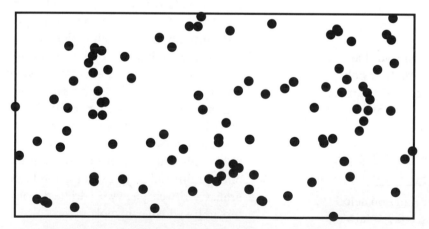

Proses Poisson ofodol

Dyma enghreifftiau o brosesau Poisson mewn bywyd bob dydd:

♦ Y pwyntiau mewn amser pan fydd darn penodol o sylwedd ymbelydrol yn allyrru gronyn gwefriog.

♦ Y pwyntiau mewn gofod lle ceir micro-organebau mewn hapsampl o ddŵr pwll sydd wedi ei gymysgu'n dda.

Mae dosraniad Poisson yn disgrifio tebygolrwyddau'r cyfrifiadau cysylltiedig:

♦ Nifer y gronynnau sy'n cael eu hallyrru bob munud gan y sylwedd ymbelydrol.

♦ Nifer y micro-organebau sydd mewn 1 ml o ddŵr pwll.

Mae llawer o sefyllfaoedd eraill lle mae dosraniad Poisson yn rhoi brasamcan da ar gyfer cyfnodau byr o amser neu barthau o ofod sydd heb fod yn rhy fawr:

- Nifer y galwadau ffôn a geir ar ddiwrnod a ddewisir ar hap.
- Nifer y ceir sy'n mynd heibio yn ystod cyfnod o bum munud a ddewisir ar hap ar ffordd lle nad oes goleuadau traffig na chiwiau hir (gan gymryd bod ffordd o'r fath yn bodoli).
- Nifer y cyrens mewn teisen gyrens a ddewisir ar hap.
- Nifer y damweiniau mewn ffatri yn ystod wythnos a ddewisir ar hap.
- Nifer y gwallau teipio ar dudalen a ddewisir ar hap.
- Nifer y blodau llygad-y-dydd mewn metr sgwâr a ddewisir ar hap mewn cae chwarae.

Dwy enghraifft waedlyd ond nodweddiadol sy'n ymddangos mewn hen lyfrau Ystadegaeth yw:

- Nifer y craterau a achoswyd gan fomiau mewn ardaloedd o'r un maint yn Llundain adeg y rhyfel.
- Nifer y marchfilwyr a laddwyd ar ôl cael eu cicio gan geffyl. Bob blwyddyn roedd y data hyn yn cael eu casglu'n ofalus iawn ar gyfer pob un o wahanol gorffluoedd byddin Prwsia.

8.2 Ffurf y dosraniad

Mae fformiwla dosraniad Poisson yn ymwneud ag un o 'rifau hud' mathemateg, sef $e = 2.718\,28\ldots$

$$P_r = P(X = r) = \frac{\lambda^r e^{-\lambda}}{r!} \qquad r = 0, 1, 2, \ldots \tag{8.1}$$

lle mae'r llythyren λ, sy'n cael ei hynganu 'lamda', yn rhif positif. Yn achos $r = 0$ daw hyn yn:

$$P_0 = e^{-\lambda}$$

gan fod $0! = 1$ a $\lambda^0 = 1$ ar gyfer holl werthoedd λ.

Ar gyfer dosraniad Poisson:

$$E(X) = \text{Var}(X) = \lambda$$

Un ffordd o ddiffinio gwerth e yw drwy'r mynegiad:

$$e^c = 1 + \frac{c}{1!} + \frac{c^2}{2!} + \frac{c^3}{3!} + \frac{c^4}{4!} + \ldots$$

fel bo:

$$e = e^1 + 1 + \frac{1}{1} + \frac{1}{2} + \frac{1}{6} + \frac{1}{24} + \ldots$$

Gallwn ddefnyddio diffiniad e^c i wirio bod tebygolrwyddau'r dosraniad Poisson yn wir yn adio i roi 1:

$$P_0 + P_1 + P_2 + \ldots = \left(1 + \frac{\lambda}{1!} + \frac{\lambda^2}{2!} + \ldots\right) e^{-\lambda}$$
$$= e^{\lambda} e^{-\lambda}$$
$$= 1$$

Nodiadau

- Gellir defnyddio'r nodiant $X \sim \text{Po}(\lambda)$ fel llawfer am 'Mae gan X ddosraniad Poisson, â pharamedr λ'.
- Gellid defnyddio unrhyw symbol ar gyfer paramedr y dosraniad. Mae rhai awdurdodau yn defnyddio μ. Rydym ni wedi defnyddio λ er mwyn osgoi'r cymhlethdod posibl o gael amrywiant sy'n hafal i μ.
- Mae gan bron bob cyfrifiannell gwyddonol fotwm e^x sy'n hwyluso cyfrifio'r tebygolrwyddau hyn heb orfod cofio gwerth e.

Enghraifft 1

Rhwng 6 pm a 7 pm, mae'r Swyddfa Ymholiadau Rhifau Ffôn yn derbyn 2 alwad y funud.

Gan dybio bod y galwadau yn cyrraedd ar hap, cyfrifwch y tebygolrwydd bod:

(i) 4 galwad yn cyrraedd yn ystod munud a ddewisir ar hap,

(ii) 6 galwad yn cyrraedd mewn cyfnod o ddwy funud a ddewisir ar hap.

_____

Gan fod galwadau yn cyrraedd ar bwyntiau ar hap mewn amser, dyma broses Poisson.

(i) Boed i X fod yn nifer y galwadau sy'n cyrraedd mewn munud a ddewisir ar hap. Gan fod nifer cyfartalog y galwadau bob munud yn 2, rydym yn rhoi $\lambda = 2$.
     Drwy hynny:

$$P(X = 4) = \frac{2^4 e^{-2}}{4!} = 0.090 \text{ (i 3 ll.d.)}$$

(ii) Boed i Y fod yn nifer y galwadau sy'n cyrraedd mewn cyfnod o ddwy funud a ddewisir ar hap. Mae nifer cymedrig y galwadau bob 2 funud yn 4, felly rydym yn rhoi $\lambda = 4$. Drwy hynny:

$$P(Y = 6) = \frac{4^6 e^{-4}}{6!} = 0.104 \text{ (i 3 ll.d.)}$$

Enghraifft 2

Mewn afiechyd arbennig mae cyfran fechan o'r corffilod gwaed coch yn arddangos nodwedd arwyddocaol. Mae prawf yn golygu cymryd hapsampl o 2 ml o waed person a chyfrif nifer y corffilod arbennig. Os ceir pump neu fwy cymerir bod hyn yn dangos bod gan y person yr afiechyd. Mae Mrs Waeliams yn dioddef o'r afiechyd: mae nifer cymedrig y corffilod arbennig yn ei gwaed yn 1.6 y ml.

Darganfyddwch y tebygolrwydd y bydd hapsampl o 2 ml o'i gwaed yn cynnwys pump neu fwy o'r corffilod arbennig.

A yw'r prawf hwn i'w weld yn un da?

_____

Boed i nifer y corffilod arbennig mewn 2 ml o waed Mrs Waeliams fod yn X. Ar gyfartaledd, mae 2 ml o'i gwaed yn cynnwys 3.2 corffilyn arbennig. Gan gymryd bod y corffilod wedi eu dosbarthu ar hap yn ei gwaed, mae gan yr hapnewidyn X ddosraniad Poisson â $\lambda = 3.2$. Rydym eisiau $P(X \geqslant 5)$. Gan nad oes arffin uchaf i'r gwerthoedd X posibl, mae'n symlach o lawer cyfrifo tebygolrwydd y digwyddiad cyflenwol, $(X \leqslant 4)$:

$$P(X \leqslant 4) = P_0 + \ldots + P_4$$

$$= 1 + \frac{(3.2)^1}{1!} + \frac{(3.2)^2}{2!} + \frac{(3.2)^3}{3!} + \frac{(3.2)^4}{4!} e^{-3.2}$$

$$= 0.781 \text{ (i 3 ll.d.)}$$

Drwy hynny: $P(X \geqslant 5) = 1 - 0.781 = 0.219$

Drwy hynny mae'r tebygolrwydd y bydd 2 ml o waed Mrs Waeliams yn cynnwys pump neu fwy o'r corffilod arbennig yn 0.219 (i 3 ll.d.). Mae siawns o tua 80% y bydd y prawf yn methu dweud bod Mrs Waeliams yn dioddef o'r afiechyd – nid yw'r prawf yn un da iawn.

Ymarferion 8a

Yng Nghwestiynau **1–5**, mae gan yr hapnewidyn X ddosraniad Poisson, cymedr λ.

1 O wybod bod $\lambda = 2$, darganfyddwch
(i) $P(X = 0)$, (ii) $P(X = 1)$, (iii) $P(X = 2)$,
(iv) $P(X \leqslant 2)$, (v) $P(X \geqslant 2)$.

2 O wybod bod $\lambda = 0.5$, darganfyddwch
(i) $P(X < 3)$, (ii) $P(2 \leqslant X \leqslant 4)$, (iii) $P(X \geqslant 3)$.

3 O wybod bod $\lambda = 5$, darganfyddwch
(i) $P(X = 5)$, (ii) $P(X < 5)$, (iii) $P(X > 5)$.

4 O wybod bod $\lambda = 1.4$ darganfyddwch
$P(X = 1, 3 \text{ neu } 5)$.

5 O wybod bod $\lambda = 2.1$ a $P(X = r) = 0.1890$, darganfyddwch werth r.

6 Gellir modelu nifer y cyrens mewn teisen gyrens a ddewisir ar hap fel hapnewidyn gyda dosraniad Poisson, cymedr 5.6.
Darganfyddwch y tebygolrwydd y bydd gan deisen gyrens a ddewisir ar hap (i) lai na 4 o gyrens, (ii) mwy na 4 o gyrens.

7 Gellir modelu nifer y damweiniau mewn wythnos a ddewisir ar hap mewn ffatri, gan ddosraniad Poisson, cymedr 0.7.
Darganfyddwch y tebygolrwydd y bydd mwy na dwy ddamwain yn digwydd mewn wythnos a ddewisir ar hap.

8 Gellir defnyddio dosraniad Poisson, cymedr 3.4 i fodelu nifer y galwadau brys sy'n cael eu derbyn gan Fwrdd Nwy mewn diwrnod a ddewisir ar hap.
Darganfyddwch y tebygolrwydd y bydd nifer y galwadau brys sy'n cael eu derbyn yn 5 neu fwy mewn diwrnod a ddewisir ar hap.

9 Mae blodau ymenyn wedi eu dosrannu ar hap mewn cae ac mae'r tebygolrwydd y bydd metr sgwâr o'r cae a ddewisir ar hap yn cynnwys union r blodyn ymenyn yn:

$$\frac{2^r e^{-2}}{r!}, \qquad r = 0, 1, 2, \ldots$$

Cyfrifwch y tebygolrwydd y bydd un darn o'r cae ac iddo arwynebedd o 0.5 metr sgwâr a ddewisir ar hap yn cynnwys union un blodyn ymenyn.

8.3 Siâp dosraniad Poisson

Pan fo $\lambda < 1$ mae modd y dosraniad yn $x = 0$ ac mae ar gryn sgiw. Wrth i λ gynyddu mae'r dosraniad yn ymddangos yn fwy cymesur. Sylwer bod y diagramau mewn ffurfiau cryno – ym mhob achos mae'n *bosibl* i'r hapnewidyn Poisson gymryd gwerth mwy na'r rhai a ddangosir. Fodd bynnag, er bod amrediad y gwerthoedd posibl yn anfeidraidd, mae'r canlyniadau a roddir yn nes ymlaen yn Adran 10.12 (t. 283) yn awgrymu, yn ymarferol, y bydd 95% o werthoedd rhwng $\lambda - 2\sqrt{\lambda}$ a $\lambda + 2\sqrt{\lambda}$ (h.y. yn y cyfwng: cymedr ± 2 wyriad safonol).

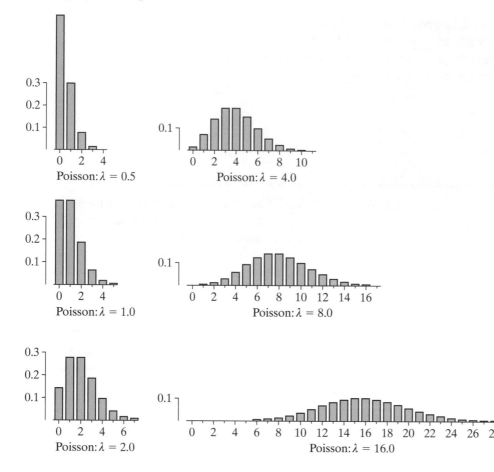

Gwaith ymarferol _____

> *Mae angen bwrdd gwyddbwyll a thiwb o Smarties™ (neu rywbeth tebyg) i wneud y prosiect hwn. Y syniad yw taflu'r Smarties fesul un ar y bwrdd gwyddbwyll a, phan fydd pob un ar y bwrdd (efallai y bydd angen nifer o gynigion), cyfrif faint o Smarties sydd ym mhob un o'r 64 sgwâr.*
>
> *Gan gymryd bod y bwrdd yn weddol fawr ac na wnaethoch dwyllo, dylai trefniant y Smarties fod yn weddol debyg i broses Poisson ofodol. Gwiriwch drwy lunio siart bar o'r 64 arsylwad a chyfrifo eu cymedr a'u hamrywiant, a ddylai fod yn eithaf tebyg.*

Prosiect _____

> *Os nad yw ffordd arbennig yn rhy brysur fel bo ciwiau o draffig yn ffurfio, gellir defnyddio proses Poisson i fodelu llif traffig. Er mwyn ymchwilio i hyn, dewiswch ffordd eithaf prysur a chyfrwch niferoedd y ceir (neu lorïau, beiciau neu beth bynnag) sy'n mynd heibio mewn cyfeiriad arbennig mewn cyfnod o un funud. Ailadroddwch hyn am hanner awr cyfan. Bydd yn haws gweithio mewn parau, gydag un person yn cyfrif a'r llall yn amseru ac yn cofnodi. Dewiswch ddiwrnod sych a chofiwch wisgo'n gynnes. Defnyddiwch siart bar i gynrychioli eich canlyniadau.*
>
> *Cyfrifwch gymedr ac amrywiant y sampl.*
>
> *Os yw'r llif o geir yn ffurfio proses Poisson yna dylai'r cymedr a'r amrywiant fod yn eithaf tebyg. Os yw'r amrywiant yn llawer mwy na'r cymedr yna bydd hyn yn awgrymu bod cryn glystyru yn digwydd gan fod ceir araf yn dal ceir cyflym yn ôl neu oherwydd presenoldeb cylchfan neu oleuadau traffig yn y cyffiniau.*

Prosiect cyfrifiadurol _____

Ysgrifennwch raglen gyfrifiadurol i gynhyrchu dilyniant o 10 000 haprif, a phob un ohonynt â gwerth rhwng 0 ac 1. Profwch bob rhif i weld a yw ei werth yn llai na 0.002 ('llwyddiant'). Os yw mfed rhif y dilyniant yn 'llwyddiant' cofnodwch werth m. Ar y diwedd dylai fod gennych tua 20 'llwyddiant'. (Pam?) Nawr tynnwch linell 10 modfedd ar ddarn o bapur, gydag un pen yn cyfateb i ddechrau eich efelychiad. Tybiwch fod eich 'llwyddiant' cyntaf wedi digwydd ar yr 876ain haprif. Dangoswch hyn drwy osod smotyn 0.876 modfedd (yn fras) o ben y llinell. Tybiwch nawr eich bod yn cael yr ail 'lwyddiant' ar yr 83fed haprif olynol. Bydd hyn yn cael ei ddangos gan ail ddot ar bwynt 0.959 modfedd (gan fod 876 + 83 = 959) o ben y llinell. Daliwch ati i ychwanegu 'llwyddiannau' olynol yn y ffordd hon.

Pan fydd yr holl 'lwyddiannau' wedi eu marcio bydd gennych ddarlun o broses Poisson linol sy'n eithaf tebyg i'r un a ddangoswyd yn gynharach. Efallai y bydd unigolion sydd â chyfrifiaduron a all lunio graffiau eisiau darlunio'r arddangosiad hon ar eu cyfrifiadur.

Ymarfer cyfrifiannell _____

Os oes gennych gyfrifiannell graffigol â chyfleusterau rhaglennu yna gellir gwneud y prosiect cyfrifiadurol blaenorol (yn arafach) ar gyfrifiannell. Gallech drefnu bod pob llinell ar y sgrin yn cyfateb i un 'dilyniant amser'. Pan fydd y rhaglen yn dod i ben, ni fydd yn bosibl gwahaniaethu rhwng eich arddangosiad o ddilyniannau amser amgen a gwireddiad o broses Poisson ofodol.

8.4 Tablau dosraniadau Poisson

Fel gyda thablau dosraniad binomial, mae'n bosibl cael amrywiaeth o dablau dosraniadau Poisson. Mae'r tablau a geir yn yr Atodiad (t. 438) yn dablau o $P(X \leq r)$, ar gyfer gwerthoedd amrywiol o λ. Mae ein tablau yn rhoi tebygolrwyddau yn gywir i bedwar lle degol. Mae tebygolrwyddau cronnus mwy na 0.999 95 yn cael eu hepgor o'r tabl. Isod ceir darn (wedi ei aildrefnu) o'r tabl:

λ				r					
	0	1	2	3	4	5	6	7	8
1.4	0.2466	0.5918	0.8335	0.9463	0.9857	0.9968	0.9994	0.9999	

Mae'r tabl hwn yn cyfeirio at yr achos $\lambda = 1.4$ ac yn dangos $P(X \leq r)$ pan yw r = 0, 1, ..., 7.

Felly mae $P(X \leq 4) = 0.9857$. Nid oes cofnod yn cyfateb i r = 8 gan fod y tebygolrwydd cronnus yn fwy na 0.999 95 ac felly mae'n 1.0000 i 4 ll.d.

Er mwyn defnyddio'r tablau i ddarganfod tebygolrwyddau gwerthoedd unigol o r, neu fathau eraill o anhafaledd, mae arnom angen y perthnasau canlynol:

$$P(X < r) = P(X \leq r - 1)$$

$$P_r = P(X = r) = P(X \leq r) - P(X \leq r - 1)$$

$$P(X > r) = 1 - P(X \leq r)$$

$$P(X \geq r) = 1 - P(X \leq r - 1)$$

Nodiadau

- Mae'n hawdd cymysgu rhwng $P(X < r)$ a $P(X \leq r)$, felly dylid darllen cwestiynau yn ofalus iawn bob amser.
- Yn anochel nid yw'r tablau yn darparu ar gyfer *pob* gwerth o λ. Os oes angen tebygolrwydd ar gyfer gwerth o λ nad yw wedi ei gynnwys yn y tablau yna, os yw'n bosibl, dylid ei gyfrifo o'r fformiwla yn hytrach na thrwy ryngosod yn y tablau.
- Mae'n bwysig ymgyfarwyddo â'r tablau sydd ar gael ar gyfer eich arholiadau. Cyfleustod yn unig yw'r tablau a geir yn y llyfr hwn.

Enghraifft 3

Mae penbyliaid wedi eu gwasgaru ar hap mewn pwll o ddŵr yn ôl 14 y litr. Mae hapsampl o 0.1 litr yn cael ei harchwilio.

Beth yw'r tebygolrwydd y bydd yn cynnwys mwy na 3 phenbwl?

Gan gymryd mai dosraniad Poisson sydd yma (gan fod y penbyliaid wedi eu dosrannu ar hap), gyda chymedr 1.4 i bob 0.1 litr, mae angen:

$$1 - (P_0 + P_1 + P_2 + P_3)$$

sy'n:

$$1 - P(X \leq 3) = 1 - 0.9463$$

ac felly mae'r tebygolrwydd y bydd y sampl yn cynnwys mwy na 3 phenbwl yn 0.054 (i 3 ll.d.)

Enghraifft 4

Mae gan yr hapnewidyn Y ddosraniad Poisson, cymedr 1.4. Cyfrifwch y tebygolrwydd bod Y yn cymryd gwerth mwy na 4, ond llai na 7.

Mae'r cwestiwn yn gofyn am $P_5 + P_6$.

Gan ddefnyddio'r tablau cronnus rydym yn cyfrifo hyn fel:

$$P(Y \leq 6) - P(Y \leq 4) = 0.9994 - 0.9857$$

ac felly mae'r tebygolrwydd y bydd Y yn cymryd gwerth mwy na 4, ond llai na 7, yn 0.014 (i 3 ll.d.).

Enghraifft 5

Defnyddiwch dablau tebygolrwyddau Poisson cronnus i gyfrifo $(3 < X \leq 7)$, lle mae gan X ddosraniad Poisson, cymedr 1.4.

Mae'r cwestiwn yn gofyn am $P_4 + P_5 + P_6 + P_7$, yr ydym yn ei gyfrifo fel:

$$P(X \leq 7) - P(X \leq 3) = 0.9999 - 0.9463.$$

Y tebygolrwydd sydd ei angen yw 0.054 (i 3 ll.d.)

Ymarferion 8b

Yng Nghwestiynau **1–5**, mae gan yr hapnewidyn *X* ddosraniad Poisson, cymedr λ. Defnyddiwch y tablau y byddwch yn eu defnyddio yn eich arholiad, neu'r tablau yn yr Atodiad yng nghefn y llyfr hwn, i ateb y cwestiynau canlynol:

1 O wybod bod λ = 3 darganfyddwch
(i) P($X \leqslant 5$), (ii) P($X < 7$).

2 O wybod bod λ = 0.9 darganfyddwch
(i) P($X \geqslant 3$), (ii) P($X > 4$).

3 O wybod bod λ = 1.2 darganfyddwch
(i) P($2 < X < 5$), (ii) P($2 \leqslant X \leqslant 5$).

4 Darganfyddwch λ o wybod bod
P($X \leqslant 5$) = 0.9896.

5 Darganfyddwch λ o wybod bod
P($X > 4$) = 0.0527.

6 Wrth gynhyrchu cebl o fath arbennig, mae gwendidau yn digwydd ar hap ar gyfradd gyfartalog o 1 i bob 100 metr.
Os yw *X* yn cynrychioli nifer y gwendidau mewn 100 metr o gebl, ysgrifennwch ddosraniad *X*.
Mae hydoedd o'r cebl hwn yn cael eu weindio o amgylch drymiau. Mae pob drwm yn cynnal 50 metr o gebl.
Darganfyddwch y tebygolrwydd y bydd gan ddrwm 3 neu fwy o wendidau.
Mae contractwr yn prynu pum drwm o'r fath.
Darganfyddwch y tebygolrwydd y bydd gan ddau un gwendid yn unig ac na fydd gan y tri arall wendid o gwbl.

[AEB(P)91]

Mathemategwr o Ffrainc oedd Siméon Denis Poisson (1781–1840) ac mae'n cael ei ddisgrifio fel rhywun bywiog a weithiai'n hynod o galed. Ymddiddorai yn bennaf mewn agweddau ar ffiseg mathemategol. Enw ei brif waith ar debygolrwydd oedd *Recherches sur la probabilité des jugements en matière criminelle et en matière civile* (*Ymchwiliadau i debygolrwydd rheithfarnau ar faterion troseddol a materion sifil*). Yn y llyfr trwchus hwn (mwy na 400 tudalen) dim ond un dudalen sy'n trafod deilliant y dosraniad sy'n dwyn ei enw. Deilliodd Poisson y dosraniad fel ffurf gyfyngol ar y binomial (gweler isod). Yn ôl y sôn dywedodd: 'Dim ond dau bwrpas sydd mewn bywyd: astudio mathemateg a'i dysgu'. Dim angen ymhelaethu!

8.5 Y Poisson fel brasamcan o'r binomial

Os oes gan *X* ddosraniad binomial â pharamedrau *n* a *p*, ac os yw *n* yn fawr a *p* yn agos at 0, yna mae dosraniad *X* yn cael ei frasamcanu yn agos gan ddosraniad Poisson, cymedr *np*.

Nodiadau
- Dim ond pan na ellir cyfrifo'r tebygolrwydd angenrheidiol yn union y dylid defnyddio'r brasamcan.
- Y canllawiau arferol ar gyfer defnyddio'r brasamcan yw y dylai *n* fod yn fwy na 50 ac y dylai *p* fod yn llai na 0.1. Nid yw'r rhain yn rheolau caeth. Y cwbl y gellir ei ddweud yn sicr yw:
  - gorau po leiaf yw *p*,
  - gorau po fwyaf yw *n*.

Enghraifft 6

Mae gan yr hapnewidyn arwahanol *X* ddosraniad binomial ag *n* = 60 a *p* = 0.02.
Darganfyddwch P($X = 1$) (i) yn union, (ii) gan ddefnyddio brasamcan Poisson.

(i) Rhoddir y tebygolrwydd binomial union gan:

$$P(X = 1) = \binom{60}{1} (0.02)^1 (0.98)^{59} = 0.364 \text{ (i 3 ll.d.)}$$

(ii) Gan fod *n* yn eithaf mawr a *p* yn fychan, gallwn ddisgwyl i'r brasamcan Poisson fod yn eithaf cywir. O drefnu bod $\lambda = np = 60 \times 0.02 = 1.2$, mae gennym:

$$P(X = 1) \approx \frac{1.2}{1!} e^{-1.2} = 0.361 \text{ (i 3 lle degol)}$$

Yn wir mae'r brasamcan yn un manwl gywir.

Enghraifft 7

Mae profiad yn awgrymu bod 0.4% o eirin gwlanog yn dangos arwyddion o lwydni pan fyddant yn cyrraedd y farchnad. Yn achlysurol, os bydd amodau storio yn ddiffygiol, gall cyfran yr eirin gwlanog sydd wedi llwydo fod yn llawer uwch na hyn. Gan gymryd bod cyflyrau ffrwythau unigol yn annibynnol ar ei gilydd, ac mai 0.4% yw'r gyfran arferol o eirin gwlanog sydd wedi llwydo, cyfrifwch y tebygolrwydd y bydd carton o 250 eirinen wlanog sydd wedi eu pacio yn unigol yn cynnwys mwy na thair sy'n dangos arwyddion o lwydni. Beth fyddai eich casgliadau pe byddai carton a ddewisir ar hap yn cynnwys 5 eirinen wlanog wedi llwydo?

Mae hon yn sefyllfa finomial. Y paramedrau yw $n = 250$ a $p = \frac{0.4}{100} = 0.004$. (nid 0.4 sy'n cyfateb i 40%, ac a fyddai'n golygu bod bron hanner y ffrwythau wedi llwydo). Mae'r cwestiwn yn gofyn am 'fwy na thair', sy'n golygu 4, 5, ..., 250. Mae'n llawer haws ystyried y digwyddiad cyflenwol bod 0, 1, 2, neu 3 eirinen wlanog wedi llwydo. Er ei bod yn ddichonadwy cyfrifo'r tebygolrwydd angenrheidiol yn uniongyrchol, gan ddefnyddio'r dosraniad binomial, mae'n llawer haws defnyddio'r brasamcan Poisson â $\lambda = np = 250 \times 0.004 = 1$. Mae'r tebygolrwyddau unigol wedi eu gosod mewn tabl isod:

Nifer yr eirin gwlanog	0	1	2	3	3 neu lai
Tebygolrwydd binomial uniongywir	0.3671	0.3686	0.1843	0.0612	0.9813
Brasamcan Poisson	0.3679	0.3679	0.1839	0.0613	0.9810

Mae siawns o tua 2% bod mwy na thair eirinen wlanog yn dangos arwyddion o lwydni.

Pe byddai carton mewn hapsampl yn cynnwys pum eirinen wlanog wedi llwydo yna byddai hyn yn awgrymu'n gryf bod yr amodau storio wedi bod yn ddiffygiol.

Gwaith ymarferol

Dyma dasg ymarferol arall sy'n ymwneud â thaflu disiau. Dylai pob aelod o'r dosbarth daflu dis ddwywaith (neu ddau ddis unwaith) a nodi 'llwyddiant' os ydynt yn cael dau chwech. Dylid cofnodi cyfanswm nifer llwyddiannau'r dosbarth a dylai'r broses gael ei hailadrodd ugain o weithiau er mwyn rhoi ugain arsylwad o ddosraniad binomial â pharamedrau n (maint y dosbarth) a $p = \frac{1}{36}$.
Cymharwch yr amlderau cymharol arsylwedig â'r union debygolrwyddau binomial.
Cyfrifwch y tebygolrwyddau Poisson brasamcanol a'u cymharu â'r union werthoedd.

Gwaith ymarferol —————————————————————

Mae angen paciau o gardiau chwarae cyffredin i wneud y gwaith ymarferol hwn. Y digwyddiad o ddiddordeb yw bod un cerdyn sy'n cael ei dynnu o bac yn Âs y Rhawiau. Dylai pob aelod o'r dosbarth gael 26 cynnig i geisio llwyddo, a dylai'r cerdyn a ddewisir gael ei roi yn ôl yn y pac, gan gymysgu'r pac rhwng pob ymgais. Gan fod n = 26 a p = $\frac{1}{52}$, mae gan y dosraniad Poisson brasamcanol λ = $\frac{1}{2}$. Ni ddylai tua 60% o'r dosbarth weld Âs y Rhawiau o gwbl, ond dylai tua 9% (o ble y daw'r canrannau hyn?) weld yr Âs fwy nag unwaith.

Ymarferion 8c —————————————————————

Yng Nghwestiynau **1–3** defnyddiwch frasamcan Poisson i ddarganfod y tebygolrwydd angenrheidiol sy'n ymwneud â'r hapnewidyn X sydd â dosraniad binomial â pharamedrau n a p.

1   O wybod bod $n = 40, p = 0.1$, darganfyddwch
   (i) $P(X \leq 3)$, (ii) $P(X \geq 3)$.

2   O wybod bod $n = 100, p = 0.02$, darganfyddwch
   (i) $P(X \geq 2)$, (ii) $P(X < 4)$.

3   O wybod bod $n = 55, p = \frac{1}{11}$, darganfyddwch
   $P(3 \leq X \leq 6)$.

4   Mae sgriwiau yn cael eu pacio mewn bocsys o 200. Y tebygolrwydd y bydd sgriw unigol yn ddiffygiol yw 0.4%. Gan ddefnyddio brasamcan addas, darganfyddwch y tebygolrwydd y bydd bocs yn cynnwys dwy sgriw ddiffygiol ar y mwyaf.

5   Pan fydd unigolyn yn dysgu'r grefft o fod yn ffotograffydd, mae'r tebygolrwydd y bydd ei ffotograff yn 'ddiwerth' yn 0.1 a'r tebygolrwydd y bydd yn 'ardderchog' yn 0.05. Mae'r unigolyn yn tynnu 72 ffotograff.
   Defnyddiwch frasamcan addas i ddarganfod y tebygolrwydd:
   (i) y bydd o leiaf 3 ffotograff yn ardderchog,
   (ii) y bydd 3 ffotograff ar y mwyaf yn ddiwerth.

6   Cyfran y sbortsceir coch yw 1 i bob 200 car yn y wlad yn gyffredinol. Mae 500 o geir mewn maes parcio.
   Gan dybio bod y rhain yn hapsampl o'r boblogaeth, defnyddiwch frasamcan Poisson i gyfrifo'r tebygolrwydd bod union 5 sbortscar coch yn y maes parcio.

7   Mae math prin o wall yn digwydd wrth argraffu stampiau. Canlyniad hyn yw y bydd gwall i'w weld ar 2 stamp ar gyfartaledd mewn hapsampl o 1000 o stampiau. Gan ddefnyddio brasamcan Poisson, cyfrifwch y tebygolrwydd y bydd y gwall i'w weld ar union un stamp mewn hapsampl o 100 stamp. Yn achos sampl o'r maint hwn, nodwch gymedr ac amrywiant nifer y stampiau sy'n arddangos y gwall.

8   Cymerir 30 digid ar hap o dabl o haprifau. Darganfyddwch yr union debygolrwyddau binomial o gael (i) un saith, (ii) dau saith, (iii) tri saith. Darganfyddwch yr un tebygolrwyddau gan ddefnyddio'r brasamcan Poisson a chymharu'r canlyniadau.

9   Mae elusen yn trefnu cystadleuaeth lle mae'n bosibl ennill gwobr bob wythnos, ac mae gan bob person sy'n prynu tocyn siawns o 1 mewn 1000 o ennill y wobr. Mae cyfrannwr yn prynu tocyn bob wythnos am 50 wythnos.
   Gan ddefnyddio brasamcan addas, darganfyddwch:
   (i) y tebygolrwydd y bydd hi'n ennill un wobr o leiaf
   (ii) y nifer lleiaf o wythnosau y mae'n rhaid iddi brynu tocynnau er mwyn i'r tebygolrwydd o ennill o leiaf un wobr fod yn fwy na 0.9.

10   Mae peiriant yn cynhyrchu gwrthyddion ac mae 99% o'r rhain yn cyrraedd y safon. Cânt eu pacio mewn bocsys ac mae pob un o'r rhain yn cynnwys 200 o wrthyddion. Gan ddefnyddio brasamcan addas, darganfyddwch y tebygolrwydd y bydd bocs a ddewisir ar hap yn cynnwys o leiaf 198 gwrthydd sy'n cyrraedd y safon.

11   Mae tîm hoci yn cynnwys 11 chwaraewr. Gellir tybio, ar bob achlysur, bod y tebygolrwydd na fydd un o aelodau arferol y tîm ar gael i'w ddewis yn 0.15, yn annibynnol ar yr holl aelodau eraill. Cyfrifwch, gan roi tri ffigur ystyrlon yn eich atebion, y tebygolrwydd, ar un adeg arbennig
   (i) y bydd union un aelod arferol ddim ar gael,
   (ii) y bydd mwy na dau aelod arferol ddim ar gael.
   Gan gymryd bod y tebygolrwydd y bydd mwy na 3 aelod arferol ddim ar gael yn 0.07, ysgrifennwch werth disgwyliedig nifer y gemau lle bydd mwy na 3 aelod arferol ddim ar gael mewn tymor lle chwaraeir 50 gêm.
   Defnyddiwch ddosraniad Poisson addas i ddarganfod brasamcan o'r tebygolrwydd y bydd mwy na 3 chwaraewr arferol ddim ar gael yn ystod tymor, a hynny ddwywaith ar y mwyaf.

[UCLES]

8.6 Symiau hapnewidynnau Poisson annibynnol

Os yw X ac Y yn hapnewidynnau Poisson annibynnol â pharamedrau λ a μ, yn ôl eu trefn, yna mae'r hapnewidyn Z, sy'n cael ei ddiffinio gan $Z = X + Y$, yn hapnewidyn Poisson annibynnol â pharamedrau $\lambda + \mu$.

Mae profi'r canlyniad hwn yn uniongyrchol yn waith diflas, ond mae'r canlyniad yn amlwg unwaith y byddwn yn ystyried y broses Poisson sy'n gefndir i'r dosraniad.

Mae cymysgu dau hapbatrwm yn cynhyrchu hapbatrwm arall.

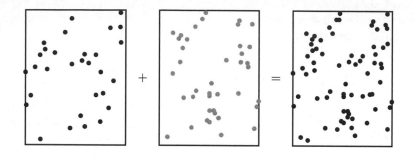

Mae dosraniad Poisson yn cyfeirio at gyfrifiadau 'digwyddiadau' wedi eu gwasgaru ar hap mewn amser neu ofod. Tybiwch fod gennym gasgliad o m gwrthrych coch ac n gwrthrych gwyrdd sydd i gyd yn unfath ac eithrio eu lliw. Rydym yn gwasgaru'r gwrthrychau hyn ar hap dros ardal sgwâr ag arwynebedd A. Drwy ganolbwyntio ar y gwrthrychau coch yn unig gwelwn broses Poisson ofodol â chyfradd o m i bob uned arwynebedd. Yn yr un modd, wrth ganolbwyntio ar y gwrthrychau gwyrdd, gwelwn hapdrefniant â chyfradd o n i bob uned (o arwynebedd). Byddai person lliwddall yn gweld set gyfunol o wrthrychau wedi eu dosbarthu ar hap ar gyfradd o $(m + n)$ gwrthrych i bob uned arwynebedd.

Enghraifft 8

Mae arsyllwr yn sefyll ger ffordd. Mae ceir a lorïau yn mynd heibio iddo ar bwyntiau ar hap mewn amser. Ar gyfartaledd mae 300 car yn mynd heibio bob awr, tra bo'r amser cymedrig rhwng lorïau yn bum munud. Cyfrifwch y tebygolrwydd y bydd union 6 cherbyd yn mynd heibio'r arsyllwr mewn cyfnod o un funud.

Gan fod y cwestiwn yn cyfeirio at 'bwyntiau ar hap mewn amser' mae dosraniad Poisson yn addas ar gyfer ceir a lorïau fel ei gilydd.

Mae'r gyfradd gymedrig ar gyfer lorïau yn 12 yr awr, felly mae'r gyfradd gyfunol yn 312 cerbyd yr awr, sy'n cyfateb i 5.2 cerbyd y funud.

Felly'r tebygolrwydd sydd ei angen yw:

$$\frac{(5.2)^6 e^{-5.2}}{6!} = 0.151 \text{ (i 3 ll.d.)}$$

Crynodeb o'r bennod

◆ Mae'r dosraniad Poisson yn cyfeirio at gyfrifiadau eitemau sy'n digwydd ar **bwyntiau ar hap mewn amser neu ofod** (proses Poisson).

◆ **Dosraniad**: $P_r = \dfrac{\lambda^r e^{-\lambda}}{r!}$ $r = 0, 1, 2, \dots$

◆ **Disgwyliad ac amrywiant**: $E(X) = \text{Var}(X) = \lambda$

◆ **Brasamcan o'r binomial**: Gellir brasamcanu dosraniad binomial â pharamedrau n (mawr) a p (bach) drwy ddefnyddio dosraniad Poisson â pharamedr np.

◆ **Adiolrwydd**: Os yw X ac Y yn hapnewidynnau Poisson annibynnol, â pharamedrau λ a μ yn ôl eu trefn, yna mae gan $X + Y$ ddosraniad Poisson â pharamedr $\lambda + \mu$.

Ymarferion 8ch (Amrywiol)

1 Mae nifer yr allyriannau y funud o ddau wrthrych ymbelydrol A a B yn hapnewidynnau Poisson annibynnol, cymedrau 0.65 a 0.45 yn ôl eu trefn.

Darganfyddwch y tebygolrwyddau canlynol:

(i) mewn cyfnod o dair munud ceir o leiaf 3 allyriad o A,

(ii) mewn cyfnod o ddwy funud mae cyfanswm o lai na 4 allyriad o A a B gyda'i gilydd.

2 Mae gan nifer y cwsmeriaid sy'n mynd i mewn i siop gemydd bob awr ddosraniad Poisson. Yn ystod yr awr gyntaf ar ôl agor mae'r cymedr yn 0.7 yr awr ac yn ystod y tair awr nesaf mae'r cymedr yn 1.3 yr awr.

Darganfyddwch y tebygolrwydd y bydd rhwng 4 a 6 o gwsmeriaid (yn gynhwysol) yn mynd i'r siop yn ystod y 4 awr gyntaf.

3 Mewn math arbennig o ganser mae corffilod gwaed diffygiol i'w cael ar gyfradd o 10 i bob 1000 corffilyn.

Defnyddiwch frasamcan addas i gyfrifo'r tebygolrwydd na fydd hapsampl o 200 o gorffilod a gymerir o ardal ganseraidd yn cynnwys yr un corffilyn diffygiol.

Pa mor fawr y dylai sampl fod er mwyn cael sicrwydd o 99% bod o leiaf un corffilyn diffygiol yn y sampl?

4 Mae gan nifer y galwadau ffôn sy'n cyrraedd cyfnewidfa ffôn fechan bob munud ddosraniad Poisson, cymedr 2.25. Darganfyddwch, yn gywir i dri lle degol, y tebygolrwydd:

(i) bod union 2 alwad yn cyrraedd mewn munud,

(ii) bod mwy na 4 galwad yn cyrraedd mewn cyfnod o 2 funud.   [CBAC]

5 Mae niferoedd yr allyriannau y funud o ddau sylwedd ymbelydrol, A a B, yn annibynnol ac mae ganddynt ddosraniadau Poisson, cymedrau 2.8 a 3.25, yn ôl eu trefn.

Mewn cyfnod o funud, darganfyddwch y tebygolrwyddau canlynol, yn gywir i dri lle degol:

(i) y bydd union dri allyriad o A,

(ii) y bydd un allyriad o un o'r ddau sylwedd a dau allyriad o'r sylwedd arall.   [CBAC]

6 Yn annibynnol yn achos pob tudalen o lyfr a argraffwyd mae gan nifer y gwallau sy'n bresennol ddosraniad Poisson, cymedr 0.2. Darganfyddwch, i 3 lle degol, y tebygolrwydd:

(i) na fydd y dudalen gyntaf yn cynnwys gwall,

(ii) na fydd pedair o'r pum tudalen gyntaf yn cynnwys gwall,

(iii) y bydd y gwall cyntaf ar y drydedd dudalen.   [CBAC]

7 (i) Mae gan yr hapnewidyn arwahanol X ffwythiant tebygolrwydd a roddir gan

$$P(x) = \begin{cases} \left(\frac{1}{2}\right)^x & x = 1, 2, 3, 4, 5, \\ C & x = 6 \\ 0 & \text{fel arall}, \end{cases}$$

lle mae C yn gysonyn.

Cyfrifwch werth C a thrwy hynny fodd a chymedr rhifyddol X.

(ii) Mae proses ar gyfer gwneud platwydr yn cynhyrchu swigod bychain (diffygion) sydd wedi eu gwasgaru ar hap yn y gwydr, ar gyfradd gyfartalog o bedair swigen fechan y $10 \, m^2$.

Gan ddefnyddio model Poisson ar gyfer niferoedd y swigod bychain cyfrifwch, i 3 lle degol, y tebygolrwydd y bydd darn o wydr sy'n mesur $2.2 \, m \times 3.0 \, m$ yn cynnwys

(*a*) union ddwy swigen fechan,

(*b*) o leiaf un swigen fechan,

(*c*) dwy swigen fechan ar y mwyaf.

Dangoswch fod y tebygolrwydd y bydd pum darn o wydr, pob un yn mesur $2.5 \, m \times 2.0 \, m$ heb gynnwys swigod o gwbl yn e^{-10}.

Darganfyddwch, i 3 lle degol, y tebygolrwydd y bydd pum darn o wydr, pob un ohonynt yn mesur $2.5 \, m \times 2.0 \, m$, yn cynnwys o leiaf 10 swigen fechan i gyd.   [ULSEB]

8 Mae oediadau difrifol ar reilffordd yn digwydd ar hap, ar gyfradd o un oediad yr wythnos ar gyfartaledd. Dangoswch mai'r tebygolrwydd y bydd o leiaf 4 oediad difrifol yn digwydd yn ystod cyfnod arbennig o bedair wythnos yw 0.567, yn gywir i 3 lle degol. Gan gymryd bod blwyddyn yn cynnwys 13 cyfnod o 4 wythnos, darganfyddwch y tebygolrwydd, mewn blwyddyn arbennig, y bydd o leiaf ddeg o'r cyfnodau 4 wythnos hyn lle bydd o leiaf 4 oediad difrifol yn digwydd.

O wybod bod y tebygolrwydd y bydd o leiaf un oediad difrifol yn digwydd mewn cyfnod o n wythnos yn fwy na 0.995, darganfyddwch werth cyfanrifol lleiaf posibl n.   [UCLES]

9 Mewn gwlad arbennig mae gan 35% o'r oedolion rywfaint o wybodaeth o iaith dramor. Os dewisir 10 oedolyn ar hap o'r boblogaeth hon, darganfyddwch y tebygolrwydd:

(i) y bydd gan o leiaf un o'r rhai a ddewisir rywfaint o wybodaeth o iaith dramor,

(ii) y bydd gan dri ar y mwyaf o'r rhai a ddewisir rywfaint o wybodaeth o iaith dramor.

Yn achos un iaith dramor arbennig, cyfran fechan yn unig, $r\%$ o boblogaeth yr oedolion sydd â rhywfaint o wybodaeth ohoni. Mae angen dethol n oedolyn ar hap, lle dewisir n fel bo'r tebygolrwydd o gael o leiaf un oedolyn a chanddo rywfaint o wybodaeth o'r iaith yn 0.99, mor agos ag sydd bosibl.

Defnyddiwch frasamcan Poisson addas i ddangos bod $n \approx \dfrac{460.5}{r}$.

Yn yr achos pan fo $r = \frac{1}{2}$ ac $n = 921$, darganfyddwch y tebygolrwydd y bydd gan union bedwar oedolyn yn y sampl rywfaint o wybodaeth o'r iaith.   [UCLES]

10 Mae dis ciwbigol yn dueddol yn y fath fodd fel bod y tebygolrwydd y bydd unrhyw wyneb yn glanio uchaf mewn cyfrannedd â'r rhif ar yr wyneb hwnnw. Felly, os yw X yn dynodi'r sgôr a geir wrth daflu'r dis hwn unwaith,

$$P(X = r) = rk, \qquad r = 1, 2, 3, 4, 5, 6,$$

lle mae k yn gysonyn.

(i) Darganfyddwch werth k.

(ii) Dangoswch fod $E(X) = 4\frac{1}{3}$, a darganfyddwch $Var(X)$.

Teflir y dis hwn 80 gwaith, a chofnodir y sgorau. Defnyddiwch ddosraniad Poisson addas i amcangyfrif y tebygolrwydd y bydd o leiaf pedwar 'un' yn cael eu sgorio.   [UCLES]

11 Mae gan nifer y galwadau ffôn X a wneir gan ferch M i'w mam bob wythnos, ddosraniad Poisson, cymedr 2, tra bo gan nifer y galwadau ffôn Y a wneir gan ei brawd B yn ystod pob wythnos ddosraniad Poisson, cymedr 1. Dangoswch fod

$$(n + 1)P(X = n + 1) = 2P(X = n)$$

ac

$$(n + 1)P(Y = n + 1) = P(Y = n)$$

$n = 0, 1, 2 \ldots$

Gan gymryd bod X ac Y yn annibynnol, darganfyddwch y tebygolrwydd, i 2 le degol, mewn wythnos benodol,

(a) na fydd B nac M yn gwneud galwadau,

(b) y bydd B ac M yn gwneud yr un nifer o alwadau heb fod yn fwy na 2 alwad yr un,

(c) y bydd B yn gwneud llai na 4 galwad, ond y bydd yn gwneud mwy o alwadau nag M.

[ULSEB]

12 (a) Mae gan yr hapnewidynnau Poisson annibynnol X ac Y gymedrau o 2.5 ac 1.5 yn ôl eu trefn. Darganfyddwch gymedr ac amrywiant yr hapnewidynnau
(i) $X - Y$, (ii) $2X + 5$.
Ar gyfer pob un o'r hapnewidynnau hyn rhowch reswm pam nad yw hwn yn ddosraniad Poisson.

(b) Mae gwerthwr ceir yn cael £60 o gomisiwn am bob car *newydd* y mae'n ei werthu a £40 am bob car *ail-law* y mae'n ei werthu. Mae gan y nifer wythnosol o geir *newydd* y mae'n eu gwerthu ddosraniad Poisson, cymedr 3 ac, yn annibynnol, mae gan y nifer wythnosol o geir *ail-law* y mae'n eu gwerthu ddosraniad Poisson, cymedr 2.
   (i) Cyfrifwch y tebygolrwydd y bydd yn gwerthu mwy na dau gar *newydd* mewn wythnos.
   (ii) Cyfrifwch y tebygolrwydd na fydd yn gwerthu mwy nag un car mewn wythnos.
   (iii) Cyfrifwch y tebygolrwydd y bydd ei gomiswn mewn wythnos yn union £100.
   (iv) Cyfrifwch gymedr a gwyriad safonol comisiwn wythnosol y gwerthwr ceir.
   [JMB]

13 Yn annibynnol yn achos pob tudalen, mae gan nifer y gwallau teipio ar bob tudalen mewn drafft cyntaf nofel ddosraniad Poisson, cymedr 0.4.

(a) Cyfrifwch y tebygolrwyddau canlynol, yn gywir i bum lle degol:
   (i) na fydd tudalen a ddewisir ar hap yn cynnwys gwall o gwbl,
   (ii) y bydd tudalen a ddewisir ar hap yn cynnwys 2 neu fwy o wallau,
   (iii) mai'r drydedd o dair tudalen a ddewisir ar hap fydd y gyntaf i gynnwys gwall.

(b) Ysgrifennwch fynegiad ar gyfer y tebygolrwydd na fydd unrhyw un o n tudalen a ddewisir ar hap yn cynnwys gwall. Drwy hynny darganfyddwch yr n mwyaf lle mae tebygolrwydd o 0.1 o leiaf na fydd yr un o'r n tudalen yn cynnwys gwall o gwbl.
Yn annibynnol yn achos pob un dudalen, mae gan nifer, Y, y gwallau teipio ar bob tudalen yn y drafft cyntaf o werslyfr Mathemateg hefyd ddosraniad Poisson.

(c) O wybod bod $P(Y = 2) = 2P(Y = 3)$
   (i) darganfyddwch E(Y),
   (ii) dangoswch fod $P(Y = 5) = 4P(Y = 6)$.

(ch) Dewisir un dudalen ar hap o ddrafft cyntaf nofel a dewisir un dudalen ar hap o ddrafft cyntaf y gwerslyfr Mathemateg. Cyfrifwch, yn gywir i dri lle degol, y tebygolrwydd y bydd union un o'r ddwy dudalen a ddewisir yn cynnwys dim un gwall. [CBAC]

14 Mewn cynllun samplu dwbl mae sampl gyntaf o 50 eitem yn cael ei chymryd o'r swp mawr sy'n cael ei archwilio, a chofnodir nifer, m, y diffygion. Os yw $m = 0$, derbynnir y swp cyfan heb wneud mwy o brofion. Os yw $m = 1$ neu 2, cymerir ail sampl, y tro hwn o 100 eitem, o'r swp a chofnodir nifer, n, y diffygion. Nawr os yw $m + n \leq 4$, derbynnir y swp cyfan. Ym mhob sefyllfa arall gwrthodir y swp. Yn achos swp lle mae nifer yr eitemau diffygiol yn 1%, defnyddiwch frasamcan Poisson addas i amcangyfrif
   (i) y tebygolrwydd y bydd y swp yn cael ei dderbyn,
   (ii) nifer disgwyliedig yr eitemau fydd yn cael eu samplu. [SMP]

15 Mewn ardal arbennig, mae'r tebygolrwydd y bydd buwch a ddewisir ar hap yn marw o glefyd 'y gwartheg gwallgof' yn 0.04.
   (i) Cyfrifwch y tebygolrwydd y bydd union 2 fuwch o hapsampl o 18 o wartheg yn marw o'r afiechyd.
   (ii) Darganfyddwch y tebygolrwydd y bydd mwy na 2 fuwch yn marw o'r afiechyd mewn hapsampl o 20 o wartheg.
   (iii) Darganfyddwch y tebygolrwydd y bydd rhwng 2 a 5 (yn gynhwysol) o wartheg yn marw o'r afiechyd mewn hapsampl o 50 o wartheg.
   (iv) Pan gymerir hapsampl o n o wartheg, mae'r tebygolrwydd y bydd o leiaf un fuwch yn marw o'r afiechyd yn fwy na 0.99. Darganfyddwch werth lleiaf n.
   (v) Defnyddiwch frasamcan dosraniadol i ddarganfod y tebygolrwydd y bydd llai na 7 o wartheg yn marw o'r afiechyd mewn hapsampl o 150 o wartheg. [CBAC]

16 Mae eitemau sy'n cael eu cynhyrchu yn cael eu pacio mewn bocsys. Mae pob un o'r bocsys hyn yn cynnwys 200 eitem, ac, ar gyfartaledd mae $1\frac{1}{2}$% o'r holl eitemau a gynhyrchir yn ddiffygiol. Mae bocs, sy'n cynnwys 4 neu fwy o eitemau diffygiol yn is-safonol.

(parhad)

Gan ddefnyddio brasamcan addas, dangoswch fod y tebygolrwydd y bydd bocs a ddewisir ar hap yn is-safonol yn 0.353, yn gywir i dri lle degol.

Mae llwyth lori yn cynnwys 16 bocs, wedi eu dewis ar hap. Darganfyddwch y tebygolrwydd y bydd y llwyth lori yn cynnwys 2 focs ar y mwyaf sydd yn is-safonol, gan roi eich ateb yn gywir i dri lle degol.

Mae warws yn dal 100 llwyth lori. Dangoswch mai'r tebygolrwydd y bydd union un llwyth lori yn y warws yn cynnwys 2 focs is-safonol ar y mwyaf yw 0.06. Rhowch eich ateb yn gywir i ddau le degol.   [UCLES]

17 Ar gyfartaledd mae meddyg a ddewisir ar hap mewn meddygfa yn gweld un achos o drwyn wedi'i dorri bob blwyddyn ac mae pob achos yn annibynnol ar achosion tebyg.

(i) Gan ystyried bod mis yn un ran o ddeuddeg o flwyddyn.

  (*a*) dangoswch mai'r tebygolrwydd na fydd tri meddyg rhyngddynt yn gweld unrhyw achos o drwyn wedi'i dorri mewn cyfnod o fis yw 0.779, yn gywir i dri ffigur ystyrlon,

  (*b*) darganfyddwch amrywiant nifer yr achosion a welir gan dri meddyg o'r fath mewn cyfnod o chwe mis.

(ii) Darganfyddwch y tebygolrwydd y bydd tri meddyg o'r fath, rhyngddynt, yn gweld o leiaf dri achos mewn blwyddyn.

(iii) Darganfyddwch y tebygolrwydd, yn achos tri meddyg o'r fath, y bydd un ohonynt yn gweld tri achos ac na fydd y ddau arall yn gweld yr un achos o gwbl mewn cyfnod o flwyddyn.   [UCLES]

9 Hapnewidynnau di-dor

Mae Penodau 5 i 8 wedi canolbwyntio ar hapnewidynnau arwahanol: meintiau na ellir rhagweld eu gwerthoedd ond y gellir gwneud rhestr o'u gwerthoedd posibl. Mae hapnewidynnau di-dor yn wahanol gan nad oes modd llunio rhestr o'r fath, er y gellir disgrifio amrediad y gwerthoedd. Dyma rai enghreifftiau:

Hapnewidyn di-dor	Amrediad posibl y gwerthoedd
Taldra myfyriwr 18 oed a ddewisir ar hap	1.3 m i 2.3 m
Gwir fàs bag '1 kg' o siwgr	990 g i 1010 g
Y cyfwng amser rhwng daeargrynfeydd olynol maint >7 ar raddfa Richter	Unrhyw amser (positif)

Mae'r mesuriadau i gyd yn cyfeirio at fesurau **ffisegol**. Mae nifer y gwerthoedd penodol yn cael ei chyfyngu yn unig gan aneffeithiolrwydd ein hoffer mesur. Gan fod nifer y gwerthoedd posibl y gallai hapnewidyn di-dor eu cymryd yn anrhifadwy, mae tebygolrwydd unrhyw werth arbennig yn sero. Yn hytrach, rydym yn neilltuo tebygolrwyddau i amrediadau (mympwyol fychan) o werthoedd.

Os yw hapnewidyn di-dor yn cael ei fesur yn weddol anghywir, yna byddwn yn ei drin fel petai'n hapnewidyn arwahanol.

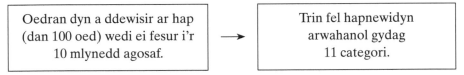

I'r gwrthwyneb, os oes gan hapnewidyn arwahanol lawer iawn o ganlyniadau posibl, yna gallem ei drin fel hapnewidyn di-dor.

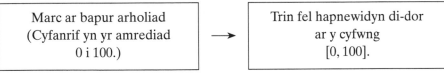

Oherwydd y symud rhwydd hwn rhwng y ddau fath o hapnewidyn, gellir trosglwyddo'r syniadau o ddisgwyliad a'r fformiwlâu sy'n cyd-berthnasu disgwyliadau a ddeilliwyd ym Mhenodau 5 a 6 i hapnewidynnau di-dor – rhagor am hyn yn fuan.

9.1 Histogramau a maint sampl

Ym Mhennod 1 cyflwynwyd yr histogram fel y dull addas o arddangos data ar hapnewidyn di-dor. Elfen hanfodol y cyfarwyddiadau ar gyfer llunio histogram oedd y dylai *arwynebedd fod mewn cyfranedd ag amledd*. Nawr datblygwn y syniad hwnnw drwy fynnu:

y dylai arwynebedd fod mewn cyfranedd ag amledd *cymharol*.

Fel enghraifft o hyn, ystyriwn ddata am y geiser a elwir yn 'Old Faithful' ym Mharc Cenedlaethol Yellowstone yn Wyoming, UDA. Mae'r geiser hwn yn atyniad pwysig i dwristiaid gan ei fod yn rhyddhau ager yn rheolaidd. Ym mis Awst 1985 cafodd y geiser ei wylio yn ddi-dor am bythefnos, a chofnodwyd yr amseroedd rhwng yr echdoriadau i'r funud agosaf. Dangosir y 50 amser cyntaf isod.

80	71	57	80	75	77	60	86	77	56
81	50	89	54	90	73	60	83	65	82
84	54	85	58	79	57	88	68	76	78
74	85	75	65	76	58	91	50	87	48
93	54	86	53	78	52	83	60	87	49

Gan ddefnyddio dosbarthiadau â lled o 10 munud (gyda ffiniau dosbarth yn 39.5, 49.5 ayb) gallwn ddefnyddio histogram i gynrychioli'r data hyn. Dim ond dau o'r 50 arsylwad sy'n perthyn i'r dosbarth 39.5–49.5, felly mae dwysedd amlder cymharol y dosbarth hwnnw yn $\frac{2}{50} = 0.04$. Gan fod lled y dosbarth yn 10 munud, mae'r dwysedd amlder cymharol yn $\frac{0.04}{10} = 0.004$ y funud. Mae'r histogram yn edrych fel hyn:

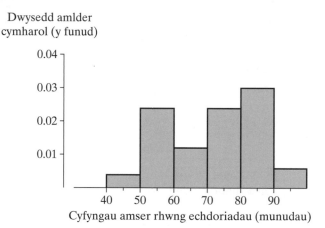

Mae'r histogram yn edrych braidd yn dalpiog. Nawr gallwn gynyddu maint y sampl i 100 arsylwad (ddwywaith y maint gwreiddiol) a dangos y set gyfunol o ddata gan ddefnyddio dosbarthau â lled o 5 munud (hanner y maint gwreiddiol). Gyda'r un raddfa fertigol, mae arwynebedd y rhanbarth dywyll yr un fath ag o'r blaen.

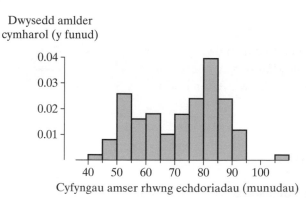

Yn olaf, rydym yn ychwanegu 150 arsylwad arall, gan godi'r cyfanswm i 250, a nawr rydym yn ei ddangos gan ddefnyddio dosbarthau sydd yn bumed ran y lled gwreiddiol, fel bod arwynebedd y rhanbarth dywyll yn aros yr un fath unwaith eto.

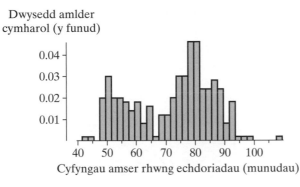

Wrth gymharu'r dilyniant o histogramau mae'n hawdd gweld, wrth inni gynyddu cyfanswm y data, ein bod hefyd yn cynyddu pa mor glir y gallwn weld amlinelliad yr histogram. Beth fyddai'n digwydd pe bai gennym 2500 neu 25 000 yn hytrach na 250 arsylwad? Ceid enghraifft o hapamrywiad annisgwyl ar adegau ond mae'n debygol mai'r effaith amlycaf fyddai histogram ag amlinelliad rhyfeddol o lyfn. Gyda sampl fawr iawn (gan gymryd fod 'Old Faithful' yn dal i weithio'n ffyddlon) efallai y byddem yn cael diagram wedi ei amlinellu â chromlin lefn, rywbeth tebyg i hyn:

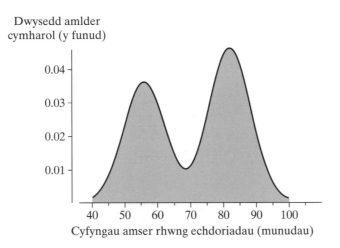

Mae'n amlwg bod 'Old Faithful' yn ymddwyn mewn ffordd braidd yn rhyfedd. Mae'r cyfnodau rhwng echdoriadau un ai'n fyr (tua 50–60 munud) neu'n hir (tua 75–90 munud), gyda chyfyngau o tua 66 munud yn eithaf anarferol.

9.2 Y ffwythiant dwysedd tebygolrwydd, f

Roedd data'r 'Old Faithful' yn awgrymu canlyniad cyffredinol: wrth inni ganiatáu i faint y sampl gynyddu (gyda chyfyngau dosbarth culach cyfatebol), bydd amlinelliad yr histogram fel arfer yn cydgyfeirio ar gromlin lefn. Mae arwynebeddau rhannau unigol histogram yn cynrychioli amlderau cymharol. Gwyddom, wrth i faint y sampl gynyddu fod amlderau cymharol sampl yn agosáu at y tebygolrwyddau poblogaeth cyfatebol. Mae arwynebedd unrhyw ran islaw'r gromlin felly yn cynrychioli tebygolrwydd.

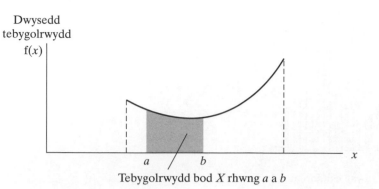

Tebygolrwydd bod X rhwng a a b

Pan fo'r gromlin yn agos at echelin x mae'r tebygolrwydd a gysylltir ag amrediad un uned o x yn fychan, ar y llaw arall pan fo'r gromlin yn bell o'r echelin, mae'r tebygolrwydd yn llawer mwy. Mae uchder y gromlin yn cynrychioli cyfradd cronni'r tebygolrwydd wrth inni symud ar hyd yr echelin x. Y gromlin yw graff y **ffwythiant dwysedd tebygolrwydd**, a ysgrifennir **pdf**, ac fel arfer defnyddir y llythyren f i ddynodi'r ffwythiant.

Nodweddion y pdf

Rydym eisoes yn gwybod beth yw'r rhain.

1 Gan na allwn gael tebygolrwyddau negatif, ni all graff f ostwng yn is nag echelin x:

$$f(x) \geqslant 0 \tag{9.1}$$

2 Rhoddir y tebygolrwydd bod X yn cymryd gwerth yn y cyfwng (a, b) gan yr arwynebedd cyfatebol. Gan fod yr arwynebedd rhwng unrhyw gromlin ac echelin x yn cael ei roi gan integryn y gromlin honno mewn perthynas ag x, mae gennym felly:

$$P(a < X < b) = \int_a^b f(x)\, dx \tag{9.2}$$

3 Mae cyfanswm set o amlderau cymharol, drwy ddiffiniad, yn hafal i 1. Mae hyn yn wir hefyd yn achos tebygolrwyddau. Mae cyfanswm yr arwynebedd rhwng graff $f(x)$ ac echelin x felly yn 1.

$$\int_c^d f(x)\, dx = 1 \tag{9.3}$$

lle mae terfynau'r integryn yn ddiweddbwyntiau'r cyfwng lle mae f yn ansero.

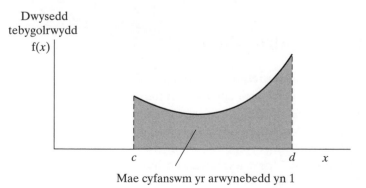

Mae cyfanswm yr arwynebedd yn 1

Nodiadau

- Tybiwch fod k rywle rhwng c a d, a gadewch i a fod ychydig yn llai na k a b ychydig yn fwy na k. Wrth i a a b agosáu at k, mae gwerth yr integryn yn Hafaliad (9.2) yn nesáu at sero, felly yn y terfyn, mae $P(X = k) = 0$. Mae hwn yn ganlyniad cwbl gyffredinol ac mae'n awgrymu:
  - gallwch ddewis ysgrifennu $P(X < k)$ neu $P(X \leqslant k)$, gan fod y ddau o'r un gwerth.
- Os oes gan f facsimwm unigryw pan yw $x = M$, yna gelwir M yn **fodd**.
  - Yn aml gellir lleoli'r modd drwy edrych ar fraslun o f(x).
- Mae'r ffwythiant f yn mesur *dwysedd* tebygolrwydd, nid tebygolrwydd. Er bod gan f(x) fel arfer werthoedd llai nag 1, nid oes rhaid i hyn fod yn wir. Er enghraifft, mae'r canlynol:

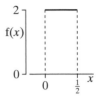

$$f(x) = \begin{cases} 2 & 0 < x < \tfrac{1}{2} \\ 0 & \text{fel arall} \end{cases}$$

  yn diffinio ffwythiant dwysedd tebygolrwydd dilys sy'n integru i 1.
- Yn aml mae problemau sy'n ymwneud â ffwythiannau dwysedd tebygolrwydd yn gofyn am gyfrifo arwynebeddau. Yn hytrach na defnyddio calcwlws, yn aml mae'n llawer cynt defnyddio canlyniadau geometrig safonol. Yn arbennig:

  Arwynebedd triongl, uchder h a sail b yw $\tfrac{1}{2}hb$

  Arwynebedd trapesiwm ag ochrau paralel, hydoedd k ac l gyda phellter o d rhyngddynt yw $\tfrac{1}{2}d(k + l)$.

Enghraifft 1

Rhoddir ffwythiant dwysedd tebygolrwydd hapnewidyn di-dor X gan:

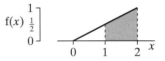

$$f(x) = \begin{cases} \tfrac{1}{2}x & 0 < x < 2 \\ 0 & \text{fel arall} \end{cases}$$

Cyfrifwch $P(X > 1)$.

Y cwbl y mae'r mynegiad f(x) = 0 'fel arall' yn ei wneud yw pwysleisio y gellid canolbwyntio yn unig ar y cyfwng $(0, 2)$.

O edrych ar y diagram gallwn weld fod yr arwynebedd sy'n cyfateb i $P(X > 1)$ yn fwy na hanner cyfanswm yr arwynebedd rhwng f(x) a'r echelin x, ac felly y bydd y tebygolrwydd sydd ei angen yn fwy na 0.5. Os yw ein cyfrifiadau yn rhoi gwerth sy'n llai na 0.5 yna mae'n rhaid ein bod wedi gwneud camgymeriad (o bosibl yn y diagram).

Dull 1: Calcwlws

Y tebygolrwydd sydd ei angen yw:

$$\int_1^2 \frac{x}{2}\, dx = \left[\frac{x^2}{4}\right]_1^2 = \frac{4 - 1}{4} = \frac{3}{4}$$

Felly $P(X > 1) = 0.75$, sydd, fel y rhagwelwyd, yn sylweddol fwy na 0.5.

Dull 2: Geometreg

Rhoddir y tebygolrwydd angenrheidiol gan arwynebedd trapesiwm ag ochrau paralel, hydoedd $\tfrac{1}{2}$ ac 1 gyda phellter o $2 - 1 = 1$ rhyngddynt. Felly mae'r arwynebedd sy'n cyfateb i $P(X > 1)$ yn hafal i:

$$\tfrac{1}{2} \times 1 \times \left(\tfrac{1}{2} + 1\right) = \tfrac{3}{4}$$

sy'n cadarnhau'r canlyniad a gafwyd drwy ddefnyddio calcwlws.

Enghraifft 2

Rhoddir ffwythiant dwysedd tebygolrwydd yr hapnewidyn di-dor
Y gan:

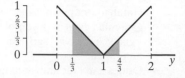

$$f(y) = \begin{cases} |y - 1| & 0 < y < 2 \\ 0 & \text{fel arall} \end{cases}$$

Cyfrifwch $P\left(\frac{1}{3} < Y < \frac{4}{3}\right)$.

——————

Y tro hwn mae'r diagram yn awgrymu y bydd yr ateb yn llai na 0.5.

Dull 1: Calcwlws

Dechreuwn drwy ailysgrifennu'r fformiwla ar gyfer y pdf fel na fydd angen
yr arwyddion |:

$$f(y) = \begin{cases} 1 - y & 0 < y \le 1 \\ y - 1 & 1 < y < 2 \\ 0 & \text{fel arall} \end{cases}$$

Nawr rydym yn defnyddio'r canlyniad bod:

$$P\left(\frac{1}{3} < Y < \frac{4}{3}\right) = P\left(\frac{1}{3} < Y \le 1\right) + P\left(1 < Y < \frac{4}{3}\right)$$

Felly mae arnom angen:

$$\int_{\frac{1}{3}}^{1} (1 - y)\, dy + \int_{1}^{\frac{4}{3}} (y - 1)\, dy = \left[y - \frac{y^2}{2}\right]_{\frac{1}{3}}^{1} + \left[\frac{y^2}{2} - y\right]_{1}^{\frac{4}{3}}$$

$$= \left\{\left(1 - \frac{1}{2}\right) - \left(\frac{1}{3} - \frac{1}{18}\right)\right\} + \left\{\left(\frac{16}{18} - \frac{4}{3}\right) - \left(\frac{1}{2} - 1\right)\right\}$$

$$= \left(\frac{1}{2} - \frac{5}{18}\right) + \left(\frac{-8}{18} - \frac{-1}{2}\right)$$

$$= \frac{4}{18} + \frac{1}{18} = \frac{5}{18}$$

Mae'r tebygolrwydd bod *Y* yn cymryd gwerth rhwng $\frac{1}{3}$ a $\frac{4}{3}$ yn $\frac{5}{18}$, neu 0.278
(i 3 ll.d.).

Dull 2: Geometreg

Yn yr achos hwn mae gennym ddau driongl. Yn $y = \frac{1}{3}$, $f(y) = \frac{2}{3}$, felly mae
uchder a sail y triongl ar y chwith yn hafal i $\frac{2}{3}$ ac felly mae ei arwynebedd
yn hafal i:

$$\tfrac{1}{2} \times \tfrac{2}{3} \times \tfrac{2}{3} = \tfrac{2}{9}$$

Yn $y = \frac{4}{3}$, $f(y) = \frac{1}{3}$, felly mae arwynebedd y triongl hwn yn hafal i :

$$\tfrac{1}{2} \times \tfrac{1}{3} \times \tfrac{1}{3} = \tfrac{1}{18}$$

Mae cyfanswm arwynebedd y ddau driongl felly yn $\frac{2}{9} + \frac{1}{18} = \frac{5}{18}$, sy'n cytuno
â'r ateb a gafwyd drwy ddefnyddio calcwlws.

Enghraifft 3

Rhoddir pdf yr hapnewidyn di-dor X gan:

$$f(x) = \begin{cases} kx^2 & 1 < x < 3 \\ 0 & \text{fel arall} \end{cases}$$

Cyfrifwch (i) werth y cysonyn k, (ii) $P(X < 2)$

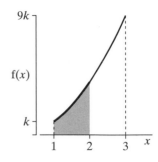

Ni fyddwn yn ceisio defnyddio datrysiad geometrig yn yr achos hwn gan mai cromlin sydd dan sylw.

(i) Er mwyn darganfod k rydym yn defnyddio'r ffaith bod f yn integru i 1:

$$\int_1^3 kx^2 \, dx = \left[\frac{kx^3}{3}\right]_1^3$$

$$= \frac{k}{3}(27 - 1)$$

$$= \frac{26k}{3}$$

Gan ein bod yn gwybod bod yr integryn yn hafal i 1, mae'n dilyn bod $k = \frac{3}{26}$.

(ii) $P(X < 2) = \displaystyle\int_1^2 kx^2 \, dx$

$$= \left[\frac{kx^3}{3}\right]_1^2$$

$$= \frac{k}{3}(8 - 1)$$

$$= \frac{7k}{3}$$

$$= \frac{7}{26}$$

Mae'r tebygolrwydd bod X yn cymryd gwerth llai na 2 yn $\frac{7}{26}$, neu 0.269 (i 3 ll.d.).

Ymarfer cyfrifiannell

> *Os oes gennych gyfrifiannell sy'n gallu enrhifo integriad rhifiadol yna dylech sicrhau eich bod yn gwybod beth yw'r cyfarwyddiadau priodol. Ymarferwch drwy wirio bod yr atebion i Enghreifftiau 1–3 yn gywir.*

Ymarferion 9a

Yng Nghwestiynau **1–6**, mae gan yr hapnewidyn di-dor X pdf o f ac mae k yn gysonyn.

1 O wybod bod:

$$f(x) = \begin{cases} kx^2 + \frac{1}{6} & 0 < x < 3 \\ 0 & \text{fel arall} \end{cases}$$

brasluniwch graff f a darganfyddwch
(i) werth k, (ii) $P(X < 1)$, (iii) $P(X > 2)$.

2 O wybod bod:

$$f(x) = \begin{cases} kx^2 & -2 < x < 2 \\ 0 & \text{fel arall} \end{cases}$$

brasluniwch graff f a darganfyddwch
(i) werth k, (ii) $P(X > 1)$, (iii) $P(|X| < 1)$,
(iv) $P(-1 < X < 0)$.

3 O wybod bod:

$$f(x) = \begin{cases} \frac{1}{2}x & 1 < x < k \\ 0 & \text{fel arall} \end{cases}$$

brasluniwch graff f a darganfyddwch
(i) werth k, (ii) $P(\frac{3}{2} < X < 2)$, (iii) $P(X > 3)$,
(iv) $P(2 < X < 3)$, (v) y modd.

4 O wybod bod:

$$f(x) = \begin{cases} 1 - kx & 0 < x < 2 \\ 0 & \text{fel arall} \end{cases}$$

brasluniwch graff f a darganfyddwch
(i) werth y cysonyn k, (ii) $P(X < 1)$.

5 O wybod bod:

$$f(x) = \begin{cases} 10k & -0.05 < x < 0.05 \\ 0 & \text{fel arall} \end{cases}$$

brasluniwch graff f a darganfyddwch
(i) werth k, (ii) $P(X > 0.1)$, (iii) $P(X < 0.025)$.

6 O wybod bod:

$$f(x) = \begin{cases} kx(6 - x) & 2 < x < 5 \\ 0 & \text{fel arall} \end{cases}$$

brasluniwch graff f a darganfyddwch
(i) werth k, (ii) y modd, m, (iii) $P(X < m)$.

7 Yn achos pob un o'r ffwythiannau canlynol,
nodwch, gan roi rheswm, a oes gan y cysonyn k
werth a fyddai'n caniatáu i'r ffwythiant fod yn
pdf. Gall graffiau bras fod yn ddefnyddiol.
Nid oes raid ichi ddarganfod gwerth k.

(i) $f(x) = \begin{cases} kx & -1 < x < k \\ 0 & \text{fel arall} \end{cases}$

(ii) $f(x) = \begin{cases} kx^2 & -1 < x < 2 \\ 0 & \text{fel arall} \end{cases}$

(iii) $f(x) = \begin{cases} 1 + kx & 0 < x < 3 \\ 0 & \text{fel arall} \end{cases}$

(iv) $f(x) = \begin{cases} 4 + x^2 & -k < x < k \\ 0 & \text{fel arall} \end{cases}$

8 Mae garej yn cael cyflenwad o betrol unwaith
yr wythnos. Mae cyfanswm y gwerthiant
wythnosol, X, mewn miloedd o alwyni, yn
cael ei ddosrannu â ffwythiant dwysedd
tebygolrwydd $f(x)$ a roddir gan:

$$f(x) = \begin{cases} kx(1 - x)^2 & 0 < x < 1 \\ 0 & \text{fel arall} \end{cases}$$

Darganfyddwch werth y cysonyn k.

Darganfyddwch fynegiad ar gyfer y
tebygolrwydd bod y gwerthiant yn llai nag c can
galwyn.

Darganfyddwch werth y tebygolrwydd hwn yn
achos pob un o $c = 7, 7.5$ ac 8.

Drwy hynny, neu fel arall, cyfrifwch
gynhwysedd priodol ar gyfer tanc y garej,
er mwyn sicrhau mai dim ond 0.05 fydd y
tebygolrwydd y caiff ei wacáu mewn wythnos
benodol.

9.3 Y ffwythiant dosraniad cronnus, F

Cyfeirir yn aml at y ffwythiant dosraniad cronnus fel y **ffwythiant dosraniad**,
neu, yn fwy syml, fel y **cdf**. Gellir ystyried graff cdf fel ffurf derfannol y
polygon amlder cronnus (Adran 1.14, t. 22). Mae'r ffwythiant yn cael ei
ddiffinio gan:

$$F(x) = P(X \leq x) = P(X < x) \tag{9.4}$$

ac mae'n gysylltiedig â'r ffwythiant f drwy:

$$F(b) = \int_{-\infty}^{b} f(x)\,dx \tag{9.5}$$

Rhoddir terfan isaf yr integryn fel $-\infty$, ond i bob pwrpas, gwerth lleiaf
posibl X ydyw. Ym mhob un o'r tri diagram canlynol, $P(X < a) = 0$ a
$P(X > b) = 0$. Mae'r arwynebedd dan graff pob ffwythiant dwysedd yn
hafal i 1.

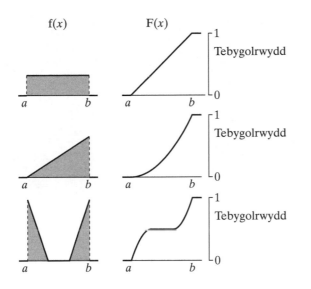

f(x)   F(x)

Nodiadau

♦ Gan ei bod bob amser yn amhosibl cael gwerth X sy'n llai na $-\infty$ neu fwy na ∞:

♦ $F(-\infty) = 0$

♦ $F(\infty) = 1$

(Yn fanwl gywir mae $F(-\infty)$ yn golygu 'gwerth cyfyngol $F(x)$ wrth i x agosáu at $-\infty$' ac mae $F(\infty)$ yn cael ei ddiffinio mewn modd tebyg.)

♦ Wrth i x gynyddu mae $F(x)$ un ai'n cynyddu neu'n aros yn gyson, ond nid yw byth yn lleihau. Mae'r trydydd diagram yn dangos bod hyn yn gymwys hefyd mewn achosion lle mae f yn doredig.

♦ Mae F yn ffwythiant di-dor, hyd yn oed os yw f yn doredig.

♦ Cysylltiadau defnyddiol yw:

$$P(c < X < d) = F(d) - F(c) \tag{9.6}$$

$$P(X > x) = 1 - F(x) \tag{9.7}$$

Enghraifft 4

Rhoddir pdf f(x) yr hapnewidyn di-dor X gan:

$$f(y) = \begin{cases} 1 & 2 < x < 3 \\ 0 & \text{fel arall} \end{cases}$$

Darganfyddwch ffurf F(x).

Pan fo $b \leq 2$, $F(b) = 0$, gan nad oes siawns y bydd X yn cymryd gwerth llai na neu hafal i 2. Yn yr un modd, pan fo $b \geq 3$, $F(b) = 1$, gan ei bod yn sicr bod X yn cymryd gwerth llai na 3.

Pan fo $2 \leq b \leq 3$, rydym yn defnyddio'r diffiniad:

$$F(b) = P(X \leq b) = \int_2^b 1\, dx$$

$$= [x]_2^b$$

$$= (b - 2)$$

Felly ffurf F(x) ydy:

$$F(x) = \begin{cases} 0 & x \leq 2 \\ x - 2 & 2 \leq x \leq 3 \\ 1 & x \geq 3 \end{cases}$$

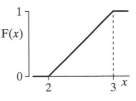

Enghraifft 5

Rhoddir pdf yr hapnewidyn di-dor X gan:

$$f(x) = \begin{cases} 2k(x-1) & 1 < x < 2 \\ k(4-x) & 2 < x < 4 \\ 0 & \text{fel arall} \end{cases}$$

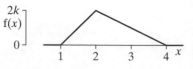

lle mae k yn gysonyn.

Darganfyddwch (i) werth k, (ii) ffurf F(x).

———————

Gellid defnyddio un ai geometreg neu galcwlws i ateb dwy ran y cwestiwn. Y ffordd symlaf yw defnyddio geometreg i ddarganfod yr ateb cyntaf a chalcwlws i ddarganfod yr ail.

(i) I ddarganfod gwerth k rydym yn defnyddio'r ffaith bod cyfanswm arwynebedd y rhanbarth rhwng graff y ffwythiant dwysedd tebygolrwydd a'r echelin x yn hafal i 1.

   Mae'r braslun yn datgelu mai triongl yw'r rhanbarth dan sylw. Gan fod f(x) = 2k yn $x = 2$, a chan fod sail y triongl yn hafal i $(4 - 1) = 3$, mae arwynebedd y triongl yn $\frac{1}{2} \times 2k \times 3 = 3k$. Gwyddom fod yr arwynebedd yn hafal i 1 ac felly $k = \frac{1}{3}$.

(ii) F(x) = 0 pan fo $x \leq 1$ ac F(x) = 1 pan fo $x \geq 4$, gan mai dim ond gwerthoedd yn y cyfwng 1 i 4 a gymerir gan X. Rydym yn ystyried y ddau gyfwng [1, 2] a [2, 4] ar wahân oherwydd mae gan f ffurf wahanol yn y ddau gyfwng.

   Pan fo $1 \leq b \leq 2$

$$F(b) = \int_1^b 2k(x-1)\,dx$$

$$= \left[2k\frac{(x-1)^2}{2} \right]_1^b$$

$$= k\,(b-1)^2$$

$$= \frac{(b-1)^2}{3}$$

Yn arbennig, P($X < 2$) = F(2) = $\frac{1}{3}$.

   Pan fo $2 \leq b \leq 4$, ysgrifennwn:

$$F(b) = P(X \leq b) = P(X \leq 2) + P(2 \leq X \leq b)$$
$$= \tfrac{1}{3} + P(2 \leq X \leq b)$$

Felly mae arnom angen P($2 \leq X \leq b$):

$$F(2 \leq X \leq b) = \int_2^b k(4-x)\,dx$$

$$= \left[-k\frac{(4-x)^2}{2} \right]_2^b$$

$$= -\frac{k}{2}\{(4-b)^2 - (4-2)^2\}$$

$$= \frac{1}{6}\{4 - (4-b)^2\}$$

Drwy hynny, pan fo $2 \leqslant b \leqslant 4$:

$$F(b) = \frac{1}{3} + \frac{4 - (4 - b)^2}{6}$$

$$= \frac{6 - (4 - b)^2}{6}$$

Er mwyn gwirio, sylwer bod $F(4)$ yn wir yn hafal i'r gwerth macsimwm, 1, a bod $F(2)$ yn hafal i $\frac{1}{3}$, y gwerth a gafwyd yn flaenorol. Y disgrifiad llawn o $F(x)$ felly yw:

$$F(x) = \begin{cases} 0 & x \leqslant 1 \\ \dfrac{(x - 1)^2}{3} & 1 \leqslant x \leqslant 2 \\ 1 - \dfrac{(4 - x)^2}{6} & 2 \leqslant x \leqslant 4 \\ 1 & x \geqslant 4 \end{cases}$$

Y canolrif, m

Y **canolrif**, m, yw'r gwerth sy'n haneru'r dosraniad yn y fath fodd fel bod X yr un mor debygol o fod yn llai neu'n fwy nag m. Drwy hynny:

$$\int_{-\infty}^{m} f(x)\,dx - \int_{m}^{\infty} f(x)\,dx - 0.5 \qquad (9.8)$$

Nodiadau
- Os yw graff f yn gymesur o amgylch y llinell $x = x_0$, yna $m = x_0$.
- Mae **canraddau** a **chwartelau** yn cael eu diffinio yn yr un modd. Er enghraifft, y 90fed canradd yw datrysiad $F(x) = 0.90$, tra bo'r chwartel uchaf yn ddatrysiad $F(x) = 0.75$.

Enghraifft 6

Rhoddir pdf yr hapnewidyn di-dor X gan:

$$f(x) = \begin{cases} k(3 - x) & 1 < x < 2 \\ k & 2 < x < 3 \\ k(x - 2) & 3 < x < 4 \\ 0 & \text{fel arall} \end{cases}$$

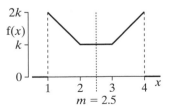

lle mae k yn gysonyn.
Darganfyddwch y canolrif.

Mae'r diagram yn dangos bod y pdf yn gymesur o amgylch y llinell $x = 2.5$, sy'n awgrymu bod y canolrif yn 2.5. Nid oes raid inni wybod gwerth k.

Enghraifft 7

Rhoddir pdf yr hapnewidyn di-dor X gan:

$$f(x) = \begin{cases} k - 5 + x & 5 < x < 6 \\ 0 & \text{fel arall} \end{cases}$$

lle mae k yn gysonyn.
Darganfyddwch y canolrif.

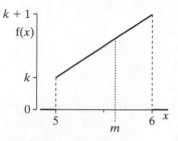

_____

Dull 1: Calcwlws

Y tro hwn nid yw'r pdf yn gymesur. Rhaid inni ddechrau drwy ddarganfod gwerth k, a gwnawn hyn drwy ddefnyddio'r ffaith bod cyfanswm yr arwynebedd yn 1. Rhoddir yr arwynebedd gan:

$$\int_5^6 (k - 5 + x)\, dx = \left[(k - 5)x + \frac{x^2}{2} \right]_5^6$$

$$= \left\{ 6(k - 5) + \frac{6^2}{2} \right\} - \left\{ 5(k - 5) + \frac{5^2}{2} \right\}$$

$$= (k - 5) + 18 - \frac{25}{2}$$

$$= k + \frac{1}{2}$$

Gan fod $(k + \frac{1}{2}) = 1$ mae'n dilyn bod $k = \frac{1}{2}$ ac felly:

$$f(x) = x - \frac{9}{2} \qquad \text{pan fo } 5 < x < 6$$

Er mwyn darganfod y canolrif, m, mae angen inni ddatrys $F(m) = \frac{1}{2}$.
Felly, m yw datrysiad:

$$\frac{1}{2} = \int_5^m \left(x - \frac{9}{2} \right) dx$$

$$= \left[\frac{x^2}{2} - \frac{9x}{2} \right]_5^m$$

$$= \left(\frac{m^2}{2} - \frac{9m}{2} \right) - \left(\frac{25}{2} - \frac{45}{2} \right)$$

$$= \frac{m^2 - 9m + 20}{2}$$

Drwy aildrefnu cawn:

$$m^2 - 9m + 19 = 0$$

sydd â'r datrysiad:

$$m = \frac{9 \pm \sqrt{81 - 76}}{2}$$

Mae angen i'r gwreiddyn fod rhwng 5 a 6 (gan mai dyma'r amrediad o werthoedd posibl ar gyfer X) ac felly'r gwreiddyn mwyaf, $\frac{1}{2}(9 + \sqrt{5})$, sy'n berthnasol. Mae'r canolrif yn 5.62 i dri ffigur ystyrlon.

_____

Dull 2: Geometreg

Mae'r rhanbarth dan sylw yn drapesiwm ag ochrau paralel, hydoedd k a $(k + 1)$.
Mae'r 'pellter rhyngddynt' yn $(6 - 5) = 1$, ac felly mae'r arwynebedd yn:

$$\frac{1}{2} \times 1 \times \{k + (k + 1)\} = k + \frac{1}{2}$$

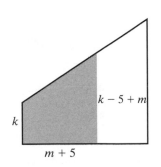

Gan fod yn rhaid bod yr arwynebedd hwn yn 1, unwaith eto rydym yn dod
i'r casgliad bod $k = \frac{1}{2}$.

I ddarganfod m, rydym yn parhau i weithio mewn ffordd debyg, drwy
ystyried bod gan y trapesiwm lleiaf ochrau paralel sy'n cyfateb i $x = 5$ ac
$x = m$. Mae hydoedd yr ochrau hyn yn k a $k - 5 + m$, felly mae
arwynebedd y trapesiwm hwn yn:

$$\frac{1}{2} \times (m - 5) \times \{k + (k - 5 + m)\} - \frac{1}{2}(m - 5)(2k - 5 + m) - \frac{1}{2}(m - 5)(m - 4)$$

Rydym yn dymuno dewis m fel bo'r arwynebedd hwn $= \frac{1}{2}$. Felly, m yw datrysiad:

$$(m - 5)(m - 4) = 1$$

sydd, ar ôl ei aildrefnu, yn rhoi:

$$m^2 - 9m + 19 = 0$$

fel o'r blaen.

Enghraifft 8

Rhoddir pdf yr hapnewidyn di-dor X gan:

$$f(x) = \begin{cases} ax & 1 < x \leq 3 \\ c(4 - x) & 3 \leq x < 4 \\ 0 & \text{fel arall} \end{cases}$$

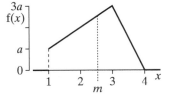

lle mae a ac c yn gysonion.
Darganfyddwch werthoedd a ac c, a hefyd y canolrif, m.

Dull 1: Calcwlws

Rydym yn dechrau drwy nodi'r diffiniad dyblyg yn $x = 3$. Mae hyn yn
awgrymu bod:

$$f(3) = 3a = c$$

Rydym yn rhoi $3a$ yn lle c yn y cyfrifiadau dilynol.

Fel sy'n arferol rydym yn dechrau drwy ddefnyddio'r ffaith bod yn rhaid
i gyfanswm yr arwynebedd fod yn hafal i 1.
Rhoddir cyfanswm yr arwynebedd hwn gan:

$$\int_1^3 ax \, dx + \int_3^4 3a(4 - x) \, dx = \left[a\frac{x^2}{2}\right]_1^3 + \left[-3a\frac{(4 - x)^2}{2}\right]_3^4$$
$$= a\left(\frac{9}{2} - \frac{1}{2}\right) + \left\{0 - \left(-3a \times \frac{1}{2}\right)\right\}$$
$$= 4a + \frac{3a}{2}$$
$$= \frac{11a}{2}$$

ac felly rydym yn dod i'r casgliad bod $a = \frac{2}{11}$ (ac felly bod $c = \frac{6}{11}$).

Mae cipolwg ar y diagram yn dangos bod y canolrif yn llai na 3. Felly
rydym yn datrys yr hafaliad:

$$\int_1^m ax \, dx = \frac{1}{2}$$

Nawr:

$$\int_1^m ax\,dx = \left[a\frac{x^2}{2}\right]_1^m = \frac{am^2}{2} - \frac{a}{2} = \frac{a(m^2-1)}{2} = \frac{m^2-1}{11}$$

Felly mae m yn ddatrysiad:

$$\frac{m^2-1}{11} = \frac{1}{2}$$

Wrth luosi popeth ag 11 ac aildrefnu cawn:

$$m^2 = 1 + \frac{11}{2} = 6.5$$

a chan fod m yn amlwg yn bositif:

$$m = \sqrt{6.5} = 2.55 \text{ (i 3 ffig. yst.)}$$

___

Dull 2: Geometreg

Mae'r arwynebedd cyfan yn cynnwys trapesiwm sy'n cyfateb i'r rhanbarth rhwng $x = 1$ ac $x = 3$ a'r gweddill yn driongl. Mae hydoedd ochrau paralel y trapesiwm yn a a $3a$, a'r 'pellter rhyngddynt' yn $(3 - 1) = 2$. Mae uchder y triongl yn $3a$ a'i sail yn $(4 - 3) = 1$, felly mae'r arwynebedd cyfunol yn:

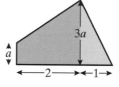

$$\tfrac{1}{2} \times (3-1) \times (a+3a) + \tfrac{1}{2} \times 3a \times (4-3) = 4a + \frac{3}{2}a = \frac{11}{2}a$$

sy'n rhoi $a = \frac{2}{11}$, fel o'r blaen.

   O weld bod y canolrif yn llai na 3, yr unig beth sydd raid inni ei ystyried yw'r trapesiwm â'i ffiniau yn $x = 1$ ac $x = m$, gydag ochrau a ac ma, yn ôl eu trefn. Mae arwynebedd y trapesiwm hwn felly yn:

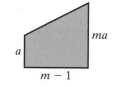

$$\tfrac{1}{2} \times (m-1) \times (a+ma) = \tfrac{1}{2}a(m-1)(1+m)$$

$$= \frac{1}{11}(m-1)(m+1) = \frac{1}{11}(m^2-1)$$

ac felly, fel o'r blaen, m yw datrysiad y canlynol:

$$\frac{m^2-1}{11} = \frac{1}{2}$$

___

Enghraifft 9

Rhoddir pdf yr hapnewidyn di-dor X gan:

$$f(x) = \begin{cases} k & 2 < x < 3 \\ k(x-2) & 3 < x < 4 \\ 0 & \text{fel aral} \end{cases}$$

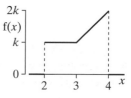

Darganfyddwch werth y canolrif, m.

___

Dull 1: Calcwlws

Rydym yn dechrau drwy ddarganfod gwerth k. Rhoddir cyfanswm yr arwynebedd, sy'n cyfateb i gyfanswm tebygolrwydd 1, gan:

$$\int_2^3 k \, dx + \int_3^4 k(x-2) \, dx = \left[kx\right]_2^3 + \left[\frac{k(x-2)^2}{2}\right]_3^4$$

$$= (3k - 2k) + \left(\frac{4k}{2} - \frac{k}{2}\right)$$

$$= k + \frac{3k}{2}$$

$$= \frac{5k}{2}$$

Gan fod $\frac{5}{2}k = 1$, gwelwn fod $k = \frac{2}{5}$.

Mae'r diagram yn dangos bod y canolrif yn fwy na 3. Gallwn gadarnhau hyn drwy nodi bod $P(X < 3)$ yn cael ei roi gan:

$$\int_2^3 k \, dx = \left[kx\right]_2^3 = (3k - 2k) = k = \frac{2}{5}$$

Felly mae gwerth m yn bodloni'r hafaliad:

$$\int_3^m k(x-2) \, dx = \frac{1}{2} - \frac{2}{5} = \frac{1}{10}$$

Mae'r integryn yn hafal i:

$$\left[\frac{k(x-2)^2}{2}\right]_3^m = \frac{k(m-2)^2}{2} - \frac{k}{2} = \frac{k\{m^2 - 4m + 4) - 1\}}{2}$$

$$= \frac{m^2 - 4m + 3}{5}$$

ac felly m yw datrysiad:

$$\frac{m^2 - 4m + 3}{5} = \frac{1}{10}$$

neu:

$$2(m^2 - 4m + 3) = 1$$

y gellir ei symleiddio i roi:

$$2m^2 - 8m + 5 = 0$$

ac sydd â datrysiad:

$$m = \frac{8 \pm \sqrt{8^2 - 4 \times 2 \times 5}}{2 \times 2} = 2 \pm \sqrt{1.5}$$

Gan fod $m > 3$, mae arnom angen y datrysiad mwyaf: mae'r canolrif yn 3.22 (i 2 ll.d.).

_____

Dull 2: Geometreg

Yn yr achos hwn mae'r rhanbarth dan sylw yn cynnwys petryal, ochrau k ac l ynghyd â thrapesiwm ag ochrau paralel, hydoedd k a $2k$, ac mae'r 'pellter rhyngddynt' yn 1. Mae cyfanswm yr arwynebedd felly yn:

$$(k \times 1) + \frac{1}{2} \times 1 \times (k + 2k) = k + \frac{3}{2}k = \frac{5}{2}k$$

ac o hyn rydym wedi darganfod (yn gyflym iawn), gan fod yn rhaid bod cyfanswm yr arwynebedd yn 1, bod yn rhaid mai $\frac{2}{5}$ yw gwerth k.

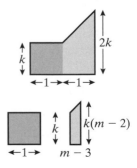

Drwy roi gwerth yn lle k, gwelwn fod arwynebedd y petryal yn $\frac{2}{5}$, sydd yn llai na $\frac{1}{2}$. Mae'n dilyn bod yn rhaid bod y canolrif, m, yn fwy na 3. Mae arnom angen ychwanegu trapesiwm at y petryal. Mae hwn yn drapesiwm (tenau) ag ochrau paralel, hydoedd k a $k(m-2)$, ac mae'r 'pellter rhyngddynt' yn $(m-3)$.

Mae arwynebedd y trapesiwm tenau yn $\frac{1}{2} \times (m-3) \times \{k + k(m-2)\}$. Mae arnom angen i hwn gael arwynebedd $\left(\frac{1}{2} - \frac{2}{5}\right) = \frac{1}{10}$, ac o ganlyniad m yw datrysiad:

$$\tfrac{1}{2} \times (m-3) \times \{k(m-1)\} = \tfrac{1}{5} \times (m-3) \times (m-1) = \tfrac{1}{10}$$

Drwy luosi popeth â 10 cawn:

$$2(m-3)(m-1) = 1$$

sydd yn y diwedd yn symleiddio i roi'r hafaliad a gafwyd yn flaenorol:

$$2m^2 - 8m + 5 = 0$$

ac oddi yma y gwnaethom ddarganfod bod y canolrif yn 3.22 (i 2 ll.d.).

Ymarferion 9b

Yng Nghwestiynau **1–10**, mae pdf a cdf yr hapnewidyn di-dor X yn f ac F yn ôl eu trefn, ac mae k yn gysonyn.

1 O wybod bod:

$$f(x) = \begin{cases} kx + \frac{1}{4} & 1 < x < 3 \\ 0 & \text{fel arall} \end{cases}$$

brasluniwch graff f.
Darganfyddwch: (i) werth k, (ii) F(x),
(iii) P$(X > 2)$, (iv) canolrif X.

2 O wybod bod:

$$f(x) = \begin{cases} -kx & -2 < x < 0 \\ kx & 0 < x < 2 \\ 0 & \text{fel arall} \end{cases}$$

brasluniwch graff f.
Darganfyddwch: (i) werth k, (ii) canolrif X,
(iii) F(x), (iv) P$(0 < X < 1)$.

3 O wybod bod:

$$f(x) = \begin{cases} \frac{1}{2} & 1 < x < 2 \\ k & 2 < x < 4 \\ 0 & \text{fel arall} \end{cases}$$

brasluniwch graff f.
Darganfyddwch:
(i)   werth k,
(ii) F(x),
(iii) ddegfed canradd X,
(iv) 80fed canradd X.

4 O wybod bod:

$$f(x) = \begin{cases} k(x+2) & -2 < x < 0 \\ \frac{1}{2}k(3-x) & 0 < x < 2 \\ 0 & \text{fel arall} \end{cases}$$

Darganfyddwch:
(i) werth k, (ii) F(x), (iii) P$(-1 < X < 1)$,
(iv) P$(1 < X < 3)$.

5 O wybod bod:

$$f(x) = \begin{cases} kx^2 & -2 < x < 1 \\ 0 & \text{fel arall} \end{cases}$$

brasluniwch graff f a darganfyddwch:
(i) werth k, (ii) F(x), (iii) y modd,
(iv) canolrif X.

6 O wybod bod:

$$f(x) = \begin{cases} kx(x+2)^2 & 0 < x < 1 \\ 0 & \text{fel arall} \end{cases}$$

brasluniwch graff f a darganfyddwch:
(i) werth k, (ii) F(x), (iii) canolrif X.

7 O wybod bod:

$$f(x) = \begin{cases} kx^2 - c & 1 < x < 2 \\ 0 & \text{fel arall} \end{cases}$$

brasluniwch graff f.
(i)   Darganfyddwch, yn nhermau k, werth uchaf posibl y cysonyn c.
(ii) Gyda'r gwerth c hwn, darganfyddwch werth cyfatebol k.
(iii) Gyda'r gwrthoedd hyn ar gyfer k ac c, darganfyddwch F(x).

8 O wybod bod:

$$f(x) = \begin{cases} 2x + k & 3 < x < 4 \\ 0 & \text{fel arall} \end{cases}$$

brasluniwch graff f a darganfyddwch:
(i) werth k, (ii) F(x),
(iii) chwartelau isaf ac uchaf X.

9 O wybod bod:

$$f(x) = \begin{cases} k & 0 < x < 1 \\ 4k & 1 < x < 3 \\ 0 & \text{fel arall} \end{cases}$$

brasluniwch graff f a darganfyddwch:
(i) werth k, (ii) $F(x)$,
(iii) y gwahaniaeth rhwng y canolrif a phumed canradd X.

10 O wybod bod:

$$f(x) = \begin{cases} 2(1 - x) & 0 < x < k \\ 0 & \text{fel arall} \end{cases}$$

brasluniwch graff f a darganfyddwch:
(i) werth k, (ii) $F(x)$, (iii) canolrif X.

11 Yn Nghwmglawog, rhoddir pdf f cyfran yr awyr sydd wedi ei gorchuddio â chymylau, S, gan:

$$f(s) = \begin{cases} k(3 + s) & 0 < s < 1 \\ 0 & \text{fel arall} \end{cases}$$

brasluniwch graff f a darganfyddwch:
(i) werth k, (ii) $F(s)$, (iii) $P(S > 0.5)$,
(iv) canolrif S.

12 Rhoddir pdf f yr amser, T awr, sydd ei angen i godi math o sied arddio bren, gan:

$$f(t) = \begin{cases} kt^2 & 5 < t < 8 \\ 0 & \text{fel arall} \end{cases}$$

brasluniwch graff f a darganfyddwch:
(i) werth k, (ii) $F(t)$,
(iii) y tebygolrwydd y bydd yn cymryd rhwng 6 awr a 7 awr 20 munud i godi sied.

13 Rhoddir pdf f yr hapnewidyn di-dor Z gan:

$$f(z) = \begin{cases} a + bz & 0 < z < 1 \\ 0 & \text{fel arall} \end{cases}$$

Dywedir bod $F(0.5) = 0.6$
(a) Cyfrifwch werthoedd a a b.
(b) Cyfrifwch ganolrif a modd Z.

9.4 Disgwyliad ac amrywiant

Gellir ysgrifennu fformiwla cymedr y sampl, $\bar{x}$, fel:

$$x = \sum x_j \left(\frac{f_j}{n}\right)$$

lle mae $\dfrac{f_j}{n}$ yn amlder cymharol gwerth x_j. Wrth i faint y sampl gynyddu, felly hefyd, yn achos hapnewidyn *arwahanol*, mae $\dfrac{f_j}{n}$ yn cydgyfeirio at y tebygolrwydd poblogaeth cyfatebol. Fodd bynnag, yn achos hapnewidyn *di-dor*, dim ond ag amrediad o werthoedd yn unig y gellir cysylltu tebygolrwydd, er enghraifft:

$$P\left[\left(x - \frac{\delta x}{2}\right) < X < \left(x + \frac{\delta x}{2}\right)\right] \approx f(x) \times \delta x$$

gan fod gan y petryal tenau sy'n brasamcanu'r tebygolrwydd hwn led o δx ac uchder f(x).

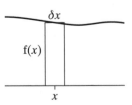

Mae analog $\sum x_j \left(\dfrac{f_j}{n}\right)$ felly yn $\sum x\, f(x)\, \delta x$, lle mae'r symiant olaf dros nifer enfawr o werthoedd x, a phob un ohonynt wedi ei wahanu gan faint δx bychan. Wrth inni leihau maint δx mae gwerth $\sum x\, f(x)\, \delta x$, yn cydgyfeirio at $\int x\, f(x)\, dx$. Drwy hynny, ar gyfer hapnewidyn di-dor X, cymedr y boblogaeth yw'r disgwyliad E(X) a roddir gan:

$$E(X) = \int_{-\infty}^{\infty} x\, f(x)\, dx \qquad\qquad (9.9)$$

Rhoddir terfannau'r integryn fel $-\infty$ a ∞, ond mewn gwirionedd gwerthoedd cyraeddadwy mwyaf a lleiaf X ydynt. Drwy ddadl debyg:

$$E[g(X)] = \int_{-\infty}^{\infty} g(x)\, f(x)\, dx \tag{9.10}$$

Yn arbennig:

$$E(X^2) = \int_{-\infty}^{\infty} x^2\, f(x)\, dx \tag{9.11}$$

a:

$$Var(X) = E[(X - \mu)^2] = \int_{-\infty}^{\infty} (x - \mu)^2\, f(x)\, dx \tag{9.12}$$

lle mae $\mu = E(X)$, er ei bod fel arfer yn haws cyfrifo $Var(X)$ gan ddefnyddio:

$$Var(X) = E(X^2) - \{E(X)\}^2$$

Mae holl ganlyniadau Pennod 6 yn dal yn ddilys:

$$E(X + a) = E(X) + a$$
$$E(aX) = aE(X)$$

$$Var(X + a) = Var(X)$$
$$Var(aX) = a^2 Var(X)$$

$$E(X + Y) = E(X) + E(Y)$$
$$E(aX + bY + c) = aE(X) + bE(Y) + c$$
$$E(R + S + T + U) = E(R) + E(S) + E(T) + E(U)$$

Ar gyfer hapnewidynnau annibynnol mae gennym hefyd:

$$Var(aX + bY + c) = a^2 Var(X) + b^2 Var(Y)$$
$$Var(R + S + T + U) = Var(R) + Var(S) + Var(T) + Var(U)$$

Nodyn
♦ Os yw f yn gymesur o amgylch y llinell $x = c$ ac os mai $E(X)$ yw disgwyliad X, yna $E(X) = c$. Mae'r canolrif hefyd yn c, wrth gwrs.

Enghraifft 10

Rhoddir pdf yr hapnewidyn di-dor X gan:

$$f(x) = \begin{cases} \dfrac{3(1 - x^2)}{4} & -1 < x < 1 \\[2mm] 0 & \text{fel arall} \end{cases}$$

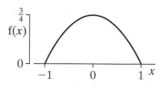

Darganfyddwch $E(X)$ a $Var(X)$.
Gan ddefnyddio μ a σ^2, yn ôl eu trefn, i ddynodi'r mesurau hyn, darganfyddwch y tebygolrwydd bod gan werth arsylwedig o X werth yn y cyfwng $(\mu - \sigma, \mu + \sigma)$.

Gwelwn o'r braslun fod f yn gymesur o amgylch y llinell $x = 0$, a thrwy hynny $\mu = E(X) = 0$.

Er mwyn cyfrifo $\text{Var}(X)$ mae arnom angen $E(X^2)$:

$$E(X^2) = \int_{-1}^{1} x^2 \times \frac{3(1 - x^2)}{4} \, dx$$

$$= \frac{3}{4} \int_{-1}^{1} (x^2 - x^4) \, dx$$

$$- \frac{3}{4} \left[\frac{x^3}{3} - \frac{x^5}{5} \right]_{-1}^{1}$$

$$= \frac{3}{4} \left[\left(\frac{1}{3} - \frac{1}{5} \right) - \left\{ \frac{(-1)}{3} - \frac{(-1)}{5} \right\} \right]$$

$$= \frac{3}{2} \left(\frac{1}{3} - \frac{1}{5} \right)$$

$$= \frac{3}{2} \times \frac{2}{15}$$

$$= \frac{1}{5}$$

Drwy hynny $\sigma^2 = \text{Var}(X) = E(X^2) - \{E(X)\}^2 = \frac{1}{5}$.

Nodwch, oherwydd cymesuredd, y gallem yn hytrach fod wedi cyfrifo:

$$E(X^2) = 2 \int_{0}^{1} \frac{3}{4} x^2 (1 - x^2) \, dx$$

$$= \frac{3}{2} \int_{0}^{1} (x^2 - x^4) \, dx$$

$$= \frac{3}{2} \left[\frac{x^3}{3} - \frac{x^5}{5} \right]_{0}^{1}$$

$$= \frac{3}{2} \left(\frac{1}{3} - \frac{1}{5} \right)$$

$$= \frac{3}{2} \times \frac{2}{15}$$

$$= \frac{1}{5}$$

sydd ychydig yn gynt.

Mae'r tebygolrwydd bod gan werth arsylwedig X werth yn y cyfwng $(\mu - \sigma, \mu + \sigma)$ felly yn:

$$P(\mu - \sigma < X < \mu + \sigma) = P\left(-\frac{1}{\sqrt{5}} < X < \frac{1}{\sqrt{5}}\right)$$

$$= \frac{3}{4} \int_{-\frac{1}{\sqrt{5}}}^{\frac{1}{\sqrt{5}}} (1 - x^2)\,dx$$

$$= \frac{3}{2} \int_{0}^{\frac{1}{\sqrt{5}}} (1 - x^2)\,dx \qquad \text{drwy gymesuredd}$$

$$= \frac{3}{2} \left[x - \frac{x^3}{3}\right]_{0}^{\frac{1}{\sqrt{5}}}$$

$$= \frac{3}{2} \left(\frac{1}{\sqrt{5}} - \frac{1}{3} \times \frac{1}{5\sqrt{5}}\right)$$

$$= \frac{3}{2} \times \frac{15 - 1}{15\sqrt{5}}$$

$$= \frac{3 \times 14}{2 \times 15\sqrt{5}}$$

$$= \frac{7}{5}\sqrt{\frac{1}{5}}$$

$$= 0.626 \text{ (i 3 ll.d.)}$$

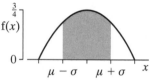

Mae'r tebygolrwydd sydd ei angen yn 0.626, sy'n cael ei ddangos yn y braslun.

Enghraifft 11

Rhoddir pdf yr hapnewidyn di-dor X gan:

$$f(x) = \begin{cases} \dfrac{2(x + 1)}{3} & 0 < x < 1 \\ 0 & \text{fel arall} \end{cases}$$

Darganfyddwch $E(X)$ a $Var(X)$.
Darganfyddwch hefyd y tebygolrwydd bod dau o werthoedd arsylwedig annibynnol X yn llai na'r cymedr.

Gan nad yw f(x) yn gymesur mae angen inni integru:

$$E(X) = \int_{0}^{1} x \times \frac{2(x + 1)}{3}\,dx$$

$$= \frac{2}{3} \int_{0}^{1} (x^2 + x)\,dx$$

$$= \frac{2}{3} \left[\frac{x^3}{3} + \frac{x^2}{2}\right]_{0}^{1}$$

$$= \frac{2}{3} \left(\frac{1}{3} + \frac{1}{2}\right)$$

$$= \frac{2}{3} \times \frac{5}{6}$$

$$= \frac{5}{9}$$

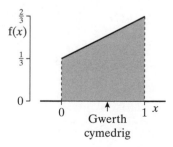

Mae cipolwg ar y braslun yn awgrymu y *byddai*'r arwynebedd tywyll yn cydbwyso ar ffwlcrwm wedi ei osod yn $x = \frac{5}{9}$.

Yn Adran 2.17 (t. 60) nodwyd, fel canllaw, bod amrediad hapnewidyn fel arfer yn cymryd gwerth rhwng 3σ a 6σ, lle mae σ yn wyriad safonol. Gan fod yr amrediad yma yn hafal i 1 mae'n dilyn ein bod yn disgwyl y bydd σ rhwng $\frac{1}{3}$ a $\frac{1}{6}$, a thrwy hynny y bydd $\text{Var}(X)$ $(= \sigma^2)$ rhwng $\frac{1}{9}$ ac $\frac{1}{36}$ (h.y. rhwng 0.111 a 0.028).

Er mwyn cyfrifo'r amrywiant mae arnom angen $E(X^2)$:

$$E(X^2) = \int_0^1 x^2 \times \frac{2(x+1)}{3} \, dx$$

$$= \frac{2}{3} \int_0^1 (x^3 + x^2) \, dx$$

$$= \frac{2}{3} \left[\frac{x^4}{4} + \frac{x^3}{3} \right]_0^1$$

$$= \frac{2}{3} \left(\frac{1}{4} + \frac{1}{3} \right)$$

$$= \frac{2}{3} \times \frac{7}{12} = \frac{7}{18}$$

Drwy hynny:

$$\text{Var}(X) = E(X^2) - \{E(X)\}^2 = \frac{7}{18} - \left(\frac{5}{9} \right)^2 = \frac{63}{162} - \frac{50}{162} = \frac{13}{162}$$

Gan fod $\frac{13}{162} = 0.080$ (i 3 ll.d.) sydd wedi ei leoli'n hwylus yn yr amrediad a ragwelwyd o $(0.028, 0.111)$, nid oes dim yn dangos ein bod wedi gwneud camgymeriad.

Rhoddir y tebygolrwydd bod gwerth arsylwedig o X yn llai na'r cymedr gan:

$$P\left(X < \frac{5}{9} \right) = \int_0^{\frac{5}{9}} \frac{2(x+1)}{3} \, dx$$

$$= \frac{2}{3} \left[\frac{x^2}{2} + x \right]_0^{\frac{5}{9}}$$

$$= \frac{2}{3} \left(\frac{25}{162} + \frac{5}{9} \right)$$

$$= \frac{2}{3} \times \frac{115}{162} = \frac{115}{243}$$

Mae'r tebygolrwydd bod dau werth arsylwedig annibynnol o X yn llai na'r cymedr (gan ddefnyddio'r rheol lluosi) felly yn $\left(\frac{115}{243} \right)^2 = 0.224$ (i 3 lle degol).

Enghraifft 12

Rhoddir pdf yr hapnewidyn di-dor X gan:

$$f(x) = \begin{cases} x & 0 < x < 1 \\ 2 - x & 1 < x < 2 \\ 0 & \text{fel arall} \end{cases}$$

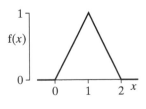

Darganfyddwch $E(X)$ a $\text{Var}(X)$.
Gan ddefnyddio μ a σ^2, yn ôl eu trefn, i ddynodi'r mesurau hyn, cyfrifwch y tebygolrwydd bod gwerth arsylwedig X yn y cyfwng $(\mu - \sigma, \mu + \sigma)$.

Gwelwn o'r braslun fod f(x) yn gymesur o amgylch y llinell $x = 1$, felly $\mu = \mathrm{E}(X) = 1$.

Nawr mae arnom angen $\mathrm{E}(X^2)$ a rhaid cymryd gofal, gan fod ffurf f(x) yn dibynnu ar werth x:

$$E(X^2) = \int_0^1 x^2\, x\, dx + \int_1^2 x^2\, (2 - x)\, dx$$

$$= \int_0^1 x^3\, dx + \int_1^2 (2x^2 - x^3)\, dx$$

$$= \left[\frac{x^4}{4}\right]_0^1 + \left[\left(2 \times \frac{x^3}{3}\right) - \frac{x^4}{4}\right]_1^2$$

$$= \frac{1}{4} + \left\{\left(2 \times \frac{2^3}{3}\right) - \frac{2^4}{4}\right\} - \left\{\left(2 \times \frac{1}{3}\right) - \frac{1}{4}\right\}$$

$$= \frac{1}{4} + \frac{16}{3} - \frac{16}{4} - \frac{2}{3} + \frac{1}{4}$$

$$= \frac{14}{3} - \frac{14}{4}$$

$$= \frac{7}{6}$$

Drwy hynny:

$$\sigma^2 = \mathrm{Var}(X) = \frac{7}{6} - 1^2 = \frac{1}{6}$$

Mae'r gwaith o gyfrifo'r tebygolrwydd bod gwerth arsylwedig o X yn y cyfwng $(\mu - \sigma, \mu + \sigma)$ yn cael ei hwyluso drwy ddefnyddio cymesuredd f(x) a chyfrifo'r swm cywerth $2\mathrm{P}(\mu - \sigma < X < \mu)$:

$$\mathrm{P}(\mu - \sigma < X < \mu) = \int_{\mu - \sigma}^{\mu} f(x)\, dx$$

$$= \int_{1 - \frac{1}{\sqrt{6}}}^{1} x\, dx$$

$$= \left[\frac{x^2}{2}\right]_{1 - \frac{1}{\sqrt{6}}}^{1}$$

$$= \frac{1}{2}\left[1 - \left(1 - \frac{1}{\sqrt{6}}\right)^2\right]$$

$$= \frac{1}{2}\left[1 - \left(1 - 2\frac{1}{\sqrt{6}} + \frac{1}{6}\right)\right]$$

$$= \frac{1}{2}\left(2\frac{1}{\sqrt{6}} - \frac{1}{6}\right)$$

$$= 0.3249 \text{ (i 4 ll.d.)}$$

Mae'r tebygolrwydd bod gwerth arsylwedig o X yn y cyfwng $(\mu - \sigma, \mu + \sigma)$ felly yn $2 \times 0.3249 = 0.650$ (i 3 ll.d.).

Ymarferion 9c

Yng Nghwestiynau **1–8** mae gan yr hapnewidyn di-dor X pdf f.

1 O wybod bod:

$$f(x) = \begin{cases} \frac{1}{2}x & 0 < x < 2 \\ 0 & \text{fel arall} \end{cases}$$

darganfyddwch (i) $E(X)$, (ii) $E(X^2)$, (iii) $Var(X)$. Darganfyddwch hefyd (iv) $P[X < E(X)]$.

2 O wybod bod:

$$f(x) = \begin{cases} \frac{1}{4}(3x^2 - 6x - 4) & 0 < x < 2 \\ 0 & \text{fel arall} \end{cases}$$

darganfyddwch (i) $E(X)$ a (ii) $Var(X)$.

3 O wybod bod:

$$f(x) = \begin{cases} \frac{1}{4} & 0 < x < 1 \\ \frac{1}{2} & 1 < x < 2 \\ \frac{1}{4} & 2 < x < 3 \\ 0 & \text{fel arall} \end{cases}$$

darganfyddwch (i) $E(X)$ a (ii) $Var(X)$.

4 O wybod bod:

$$f(x) = \begin{cases} \frac{2}{3}x & 0 < x < 1 \\ \frac{1}{3} & 2 < x < 4 \\ 0 & \text{fel arall} \end{cases}$$

darganfyddwch (i) $E(X)$ a (ii) $Var(X)$. Darganfyddwch hefyd (iii) ganolrif X, (iv) $P[X < E(X)]$, (v) $E(X^3)$.
Cymerir dau arsylwad annibynnol o X. Darganfyddwch (vi) y tebygolrwydd y bydd un o'r arsylwadau yn fwy na'r cymedr a'r llall yn llai na'r canolrif.

5 O wybod bod:

$$f(x) = \begin{cases} 4 & 0 < x < \frac{1}{4} \\ 0 & \text{fel arall} \end{cases}$$

brasluniwch graff f a darganfyddwch (i) $E(X)$, (ii) $E(2X + 4)$, (iii) $Var(X)$, (iv) $Var(2X + 4)$.

6 O wybod bod:

$$f(x) = \begin{cases} 2x & 0 < x < 1 \\ 0 & \text{fel arall} \end{cases}$$

brasluniwch graff f.
Diffinir yr hapnewidyn Y gan $Y = 4X + 2$. Darganfyddwch (i) ddisgwyliad Y, (ii) amrywiant Y.

7 O wybod bod:

$$f(x) = \begin{cases} kx^3 & 2 < x < 3 \\ 0 & \text{fel arall} \end{cases}$$

brasluniwch graff f a darganfyddwch
(i) werth k, (ii) $E(X)$, (iii) $Var(X)$.
Mae gan yr hapnewidynnau di-dor annibynnol X_1 ac X_2 yr un dosraniad ag X. Darganfyddwch (iv) $E(X_1 - X_2)$, (v) $Var(X_1 - X_2)$.

8 O wybod bod:

$$f(x) = \begin{cases} 1 & 0 < x < 1 \\ 0 & \text{fel arall} \end{cases}$$

darganfyddwch (i) gymedr X, (ii) amrywiant X.

Diffinnir yr hapnewidyn Y fel swm 12 hapnewidyn annibynnol y mae gan bob un ohonynt yr un dosraniad ag X. Darganfyddwch (iii) gymedr Y, (iv) amrywiant Y.

9 Rhoddir pdf cyfanswm cemegyn, W g, a gynhyrchir gan adwaith, gan:

$$f(w) = \begin{cases} k\{4 - (4 - w)^2\} & 3 < w < 6 \\ 0 & \text{fel arall} \end{cases}$$

Brasluniwch graff f a darganfyddwch
(i) werth k, (ii) $E(W)$, (iii) $P[W > E(W)]$.

10 Rhoddir ffwythiant dwyscdd tebygolrwydd hapnewidyn X gan:

$$f(x) = \begin{cases} x & 0 \leqslant x \leqslant 1 \\ k - x & 1 \leqslant x \leqslant 2 \\ 0 & \text{fel arall} \end{cases}$$

Darganfyddwch k.
Hefyd, darganfyddwch y cymedr, μ, a dangoswch fod yr amrywiant σ^2, yn hafal i $\frac{1}{6}$.
Cyfrifwch y tebygolrwydd y bydd arsylwad a wneir yn y dyfodol yn y cyfwng $(\mu - \sigma, \mu)$.

11 Mae faint o gymylau sydd yn gorchuddio'r awyr yn cael ei fesur ar raddfa o 0 i 1. Yn y wlad hon, rhoddir model rhesymol ar gyfer faint o gymylau sy'n gorchuddio'r awyr, X, am hanner dydd yn ystod y gwanwyn gan y ffwythiant dwysedd tebygolrwydd, f, a ddiffinnir isod.

$$f(x) = \begin{cases} 8(x - 0.5)^2 + c & 0 \leqslant x \leqslant 1 \\ 0 & \text{fel arall} \end{cases}$$

Cyfrifwch werth y cysonyn c.
Brasluniwch graff $f(x)$ ar gyfer $0 \leqslant x \leqslant 1$.
Nodwch faint cymedrig y cymylau sy'n gorchuddio'r awyr.
Darganfyddwch, yn gywir i 3 lle degol, werth x_0 fel bod $P(X > x_0) = 0.95$.

9.5 Cael f o F

Gan ei bod yn bosibl cael F drwy integru f, gellir cael f drwy ddifferu F.
Felly gwerth f(b) yw goledd F yn y pwynt lle mae $x = b$.

Enghraifft 13

Rhoddir cdf hapnewidyn X gan:

$$F(x) = \begin{cases} 0 & x \leqslant 1 \\ \dfrac{(x-1)^3}{8} & 1 \leqslant x \leqslant 3 \\ 1 & x \geqslant 3 \end{cases}$$

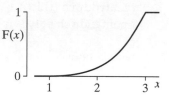

Darganfyddwch ffurf pdf X.

———

Mae'n amlwg bod f(x) yn hafal i 0 pan fo $x < 1$ a phan fo $x > 3$, gan nad yw
F(x) yn newid yn y rhanbarthau hyn. Drwy ysgrifennu F$'(x)$ ar gyfer $\dfrac{dF(x)}{dx}$,
yn y cyfwng $1 < x < 3$ rydym yn cyfrifo:

$$f(x) = F'(x)$$

$$= \frac{3}{8}(x-1)^2$$

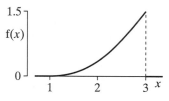

Drwy hynny:

$$f(x) = \begin{cases} \frac{3}{8}(x-1)^2 & 1 < x < 3 \\ 0 & \text{fel arall} \end{cases}$$

Enghraifft 14

Rhoddir cdf hapnewidyn di-dor X gan:

$$F(x) = \begin{cases} 0 & x \leqslant -1 \\ \alpha x + \alpha & -1 \leqslant x \leqslant 0 \\ 2\alpha x + \alpha & 0 \leqslant x \leqslant 1 \\ 3\alpha & x \geqslant 1 \end{cases}$$

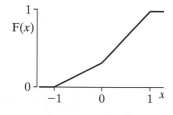

lle mae α yn gysonyn.
Darganfyddwch (i) werth α, (ii) pdf X.

———

Gwyddom fod F(∞) = 1. Felly $3\alpha = 1$, sy'n awgrymu bod $\alpha = \frac{1}{3}$.
Hefyd mae'n amlwg bod f(x) = 0 pan fo $x < -1$ a phan fo $x > 1$.
Gan ddifferu F(x) ar gyfer pob un o'r cyfyngau sy'n weddill, a rhoi
gwerthoedd yn lle α, cawn:

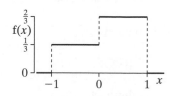

$$f(x) = \begin{cases} \frac{1}{3} & -1 < x < 0 \\ \frac{2}{3} & 0 < x < 1 \\ 0 & \text{fel arall} \end{cases}$$

Ymarferion 9ch

Yng Nghwestiynau **1–7** pdf a cdf yr hapnewidyn di-dor X yw f ac F, yn ôl eu trefn.

1 O wybod bod:

$$F(x) = \begin{cases} 0 & x \leqslant 1 \\ \dfrac{2(x-1)}{x} & 1 \leqslant x \leqslant 2 \\ 1 & x \geqslant 2 \end{cases}$$

darganfyddwch (i) f(x), (ii) E(X).

2 O wybod bod:

$$F(x) = \begin{cases} 0 & x \leqslant 1 \\ a + bx^2 & 1 \leqslant x \leqslant 3 \\ 1 & x \geqslant 3 \end{cases}$$

darganfyddwch werthoedd y cysonion (i) a a (ii) b.
Darganfyddwch (iii) E(X) a (iv) Var(X).

3 O wybod bod:

$$F(x) = \begin{cases} 0 & x \leqslant a \\ k(x-a)^2 & a \leqslant x \leqslant 2a \\ 1 & x \geqslant 2a \end{cases}$$

darganfyddwch k yn nhermau a.
O wybod hefyd bod P($X > 2$) = $\frac{3}{4}$.
(i) darganfyddwch werth a,
(ii) darganfyddwch f(x),
(iii) darganfyddwch ganolrif X.

4 O wybod bod:

$$F(x) = \begin{cases} 0 & x \leqslant 4 \\ \frac{1}{4}(x-4) & 4 \leqslant x \leqslant 8 \\ 1 & x \geqslant 8 \end{cases}$$

(i) darganfyddwch f(x) a braslunwch ei graff.
Hefyd darganfyddwch:
(ii) ganolrif X,
(iii) chwartelau isaf ac uchaf X,
(iv) E(X).

5 O wybod bod:

$$F(x) = \begin{cases} 0 & x \leqslant -4 \\ \frac{1}{8}(x+4) & -4 \leqslant x \leqslant 0 \\ \frac{1}{2} & 0 \leqslant x \leqslant 4 \\ \frac{1}{8}x & 4 \leqslant x \leqslant 8 \\ 1 & x \geqslant 8 \end{cases}$$

darganfyddwch (i) f(x) a braslunwch ei graff.
Hefyd darganfyddwch:
(ii) E(X),
(iii) P[$|X - E(X)| < 2$],
(iv) Var(X).

6 O wybod bod:

$$F(x) = \begin{cases} 0 & x \leqslant 0 \\ \frac{1}{4}x & 0 \leqslant x \leqslant 2 \\ a + bx & 2 \leqslant x \leqslant 3 \\ 1 & x \geqslant 3 \end{cases}$$

darganfyddwch:
(i) y cysonion a a b, (ii) f(x).

Braslunwch graff f.
(iii) Darganfyddwch chwartelau isaf ac uchaf X.

7 O wybod bod:

$$F(x) = \begin{cases} 0 & x \leqslant 0 \\ \frac{1}{2}x^2 & 0 \leqslant x \leqslant 1 \\ a + bx^3 & 1 \leqslant x \leqslant 2 \\ 1 & x \geqslant 2 \end{cases}$$

darganfyddwch:
(i) y cysonion a a b, (ii) f(x).

Braslunwch graff f.

Darganfyddwch:
(iii) y modd, (iv) y canolrif, (v) cymedr X.

9.6 Dosraniad ffwythiant hapnewidyn

Os gwyddom beth yw pdf hapnewidyn X, yna yn aml gallwn ddiddwytho pdf ffwythiant syml o X. Defnyddiwch Y i ddynodi ffwythiant X a gadewch i f_X ac f_Y fod yn pdfs y ddau newidyn, gyda'r ddau cdf cyfatebol F_X ac F_Y. Mae diddwytho f_Y o f_X yn digwydd mewn tri cham:

$$f_X \rightarrow F_X \rightarrow F_Y \rightarrow f_Y$$

Os yw Y yn ffwythiant cynyddol (neu ostyngol) o X, gellir gwneud hyn yn eithaf hawdd. Mae disgrifiad o'r dull cyffredinol yn dilyn dwy enghraifft syml.

Enghraifft 15

Rhoddir pdf $f_X(x)$ y newidyn di-dor X gan

$$f_X(x) = \begin{cases} 1 & 2 < x < 3 \\ 0 & \text{fel arall} \end{cases}$$

Rhoddir yr hapnewidyn Y gan $Y = 2X + 3$. Cyfrifwch pdf a cdf Y.

Mae unig werthoedd posibl X yn y cyfwng $2 < X < 3$. Pan fo $X = 2$, $Y = 2 \times 2 + 3 = 7$. Yn yr un modd, pan fo $X = 3$, $Y = 9$. Gan fod Y yn ffwythiant cynyddol o X, rydym wedi darganfod bod $7 < Y < 9$ a thrwy hynny, ar gyfer gwerthoedd y tu allan i'r cyfwng hwn $f_Y(y) = 0$.

Y cam nesaf yw darganfod cdf X. Daethom o hyd i hwn yn gynharach, yn Enghraifft 4:

$$F_X(x) = P(X \leq x) = \begin{cases} 0 & x \leq 2 \\ x - 2 & 2 \leq x \leq 3 \\ 1 & x \geq 3 \end{cases}$$

Nawr rydym yn diddwytho cdf Y, $F_Y(y)$. Ar gyfer gwerthoedd y yn $7 \leq y \leq 9$ rydym yn dadlau fel a ganlyn:

$$\begin{aligned} F_Y(y) = P(Y \leq y) &= P[(2X + 3) \leq y] = P[2X \leq (y - 3)] \\ &= P[X \leq \tfrac{1}{2}(y - 3)] = F_X[\tfrac{1}{2}(y - 3)] \\ &= \tfrac{1}{2}(y - 3) - 2 = \tfrac{1}{2}(y - 7) \end{aligned}$$

Ar gyfer gwerthoedd y yn y cyfwng $7 < y < 9$ mae'r pdf $f_Y(y)$ yn ddeilliad $F_Y(y)$ sydd yn $\tfrac{1}{2}$ yn unig. Mae pdf cyflawn Y felly yn:

$$f(x) = \begin{cases} \tfrac{1}{2} & 7 < y < 9 \\ 0 & \text{fel arall} \end{cases}$$

ac mae cdf cyflawn Y yn:

$$f_Y(y) = P(Y \leq y) = \begin{cases} 0 & y \leq 7 \\ \tfrac{1}{2}(y - 7) & 7 \leq y \leq 9 \\ 1 & y \geq 9 \end{cases}$$

Enghraifft 16

Tybiwch, gydag X fel yn yr enghraifft flaenorol, ein bod yn edrych ar W, a ddiffinnir gan $W = X^2$. Rydym eisiau pdf W, f_W.

Y tro hwn mae'r cyfwng $2 < X < 3$ yn cyfateb i $4 < W < 9$. Dechreuwn drwy gyfrifo $F(x)$ sydd (fel o'r blaen) yn

$$F_X(x) = P(X \leq x) = \begin{cases} 0 & x \leq 2 \\ x - 2 & 2 \leq x \leq 3 \\ 1 & x \geq 3 \end{cases}$$

Ar gyfer gwerthoedd w yn y cyfwng $4 \leq w \leq 9$:

$$\begin{aligned} F_W(w) = P(W \leq w) &= P(W \leq w) = P(X^2 \leq w) \\ &= P(X \leq \sqrt{w}) = F_X(\sqrt{w}) \\ &= \sqrt{w} - 2 \end{aligned}$$

a chan ddifferu mewn perthynas ag w, $F_W(w) = \dfrac{1}{2\sqrt{w}}$. Mae'r pdf llawn felly yn

$$f_w(w) = \begin{cases} \dfrac{1}{2\sqrt{w}} & 4 < w < 9 \\ 0 & \text{fel arall} \end{cases}$$

Mae'r dull cyffredinol fel a ganlyn. Tybiwch fod gan X pdf f_X a cdf F_X, a thybiwch fod y, sy'n hafal i $g(x)$, yn ffwythiant cynyddol o x. Mewn calcwlws, mae hyn yn gyfwerth â nodi bod $g'(x)$ (deilliad $g(x)$ mewn perthynas ag x) bob amser yn bositif. Golyga hyn fod gan g ffwythiant gwrthdro, y byddwn yn ci ddynodi ag h, sydd hefyd yn ffwythiant cynyddol. Mae hyn yn awgrymu bod

$$Y = g(X) \qquad \text{yn gyfwerth ag} \qquad X = h(Y)$$

a bod yr amod

$$Y \leqslant y \qquad \text{yn gyfwerth â} \qquad h(Y) \leqslant h(y)$$

Gan fod $X = h(Y)$, mae

$$Y \leqslant y \qquad \text{yn gyfwerth ag} \qquad X \leqslant h(y)$$

Gan weithio fel ag o'r blaen

$$F_Y(y) = P(Y \leqslant y) = P[X \leqslant h(y)] = F_X[h(y)]$$

Gan ddifferu mewn perthynas ag y drwy ddefnyddio'r rheol gadwyn, rydym yn cael y fformiwla gyffredinol

$$f_Y(y) = f_X[h(y)] \times h'(y)$$

gan fod $F'_Y(y) = f_Y(y)$ ac $F'_X(x) = f_X(x)$.

Yn Enghraifft 15 uchod, $f_X(x) = 1$ ar gyfer $2 < x < 3$, a $h(y) = \frac{1}{2}(y - 3)$. Felly $h'(y) = \frac{1}{2}$, sy'n rhoi $f_Y(y) = \frac{1}{2}$ ar gyfer $7 < y < 9$, fel o'r blaen.

Yn Enghraifft 16 uchod, $h(w) = \sqrt{w}$ a $h'(w) = \dfrac{1}{2\sqrt{w}}$, fel bod $f_W(w) = \dfrac{1}{2\sqrt{w}}$, ar gyfer $4 < w < 9$, fel o'r blaen.

Os yw g yn ffwythiant gostyngol a h yn wrthdro i g, yna mae $h'(y)$ yn negatif ac

$$F_Y(y) = P(Y \leqslant y) = P[X \geqslant h(y)] = 1 - F_X[h(y)]$$

a daw'r fformiwla derfynol yn

$$f_Y(y) = -f_X[h(y)] \times h'(y)$$

O gyfuno'r ddau ganlyniad, gwelwn, os yw Y un ai'n ffwythiant cynyddol o X, neu'n fwythiant gostyngol o X, yna

$$f_Y(y) = f_X[h(y)] \times |h'(y)|$$

lle mae $Y = g(X)$, $X = h(Y) = g^{-1}(Y)$.

Ymarferion 9d

1 Rhoddir pdf $f_X(x)$ yr hapnewidyn di-dor X gan:

$$f_X(x) = \begin{cases} \frac{1}{3} & 2 < x < 5 \\ 0 & \text{fel arall} \end{cases}$$

Rhoddir yr hapnewidyn Y gan $Y = 3X - 1$. Darganfyddwch pdf Y.

2 Rhoddir pdf $f_X(x)$ yr hapnewidyn di-dor X gan:

$$f_X(x) = \begin{cases} \frac{1}{3} & 2 < x < 5 \\ 0 & \text{fel arall} \end{cases}$$

Rhoddir yr hapnewidyn Y gan $Y = X^2 + 3$. Darganfyddwch pdf Y.

3 Rhoddir pdf $f_X(x)$ yr hapnewidyn di-dor X gan:

$$f_X(x) = \begin{cases} \frac{2}{3}(x + 1) & 0 < x < 1 \\ 0 & \text{fel arall} \end{cases}$$

Rhoddir yr hapnewidyn Y gan $Y = (1 - X^2)$. Darganfyddwch pdf Y.

4 Rhoddir pdf $f_X(x)$ yr hapnewidyn di-dor X gan:

$$f_X(x) = \begin{cases} \frac{1}{21}x^2 & 1 < x < 4 \\ 0 & \text{fel arall} \end{cases}$$

Rhoddir yr hapnewidyn Y gan $Y = \sqrt{X} - 1$. Darganfyddwch pdf Y.

9.7 Y dosraniad unffurf (petryal)

Gwelsom hapnewidyn â dosraniad unffurf yn Enghraifft 4 yn y bennod hon. Yr hyn sy'n ei nodweddu yw bod f yn gyson dros yr amrediad cyfan o werthoedd posibl X (o a i b, dyweder):

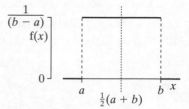

$$f(x) = \begin{cases} \dfrac{1}{b-a} & a < x < b \\ 0 & \text{fel arall} \end{cases} \tag{9.13}$$

Rhwng a a b mae'r dwysedd tebygolrwydd yn **unffurf** ac mae'r siâp sy'n dilyn yn **betryal**. Mae gan y petryal led $(b-a)$ ac uchder $\dfrac{1}{b-a}$, fel bo'i arwynebedd (sy'n hafal i *uchder × lled*) yn hafal i 1, fel sydd ei angen.

   Gan fod y dwysedd tebygolrwydd yn gymesur o boptu'r llinell $x = \frac{1}{2}(a+b)$, mae'r cymedr $E(X)$, a'r canolrif, m, yn hafal i $\frac{1}{2}(a+b)$. Rhoddir y ffwythiant dosraniad cronnus, F, gan:

$$F(c) = P(X \leq c) = \int_a^c \frac{1}{b-a}\, dx$$

$$= \left[\frac{x}{b-a}\right]_a^c$$

$$= \frac{c-a}{b-a}$$

Yn ffurfiol, felly, mae gennym:

$$F(x) = \begin{cases} 0 & x \leq a \\ \dfrac{x-a}{b-a} & a \leq x \leq b \\ 1 & x \geq b \end{cases} \tag{9.14}$$

Er mwyn darganfod amrywiant X, rydym yn defnyddio'r trawsffurfiad:

$$Y = \frac{X-a}{b-a}$$

sy'n gyfystyr â thrawsfudiad ac yna helaethiad. Mae'n dilyn bod dosraniad Y hefyd yn unffurf, ond gydag amrediad diwygiedig. Gan fod $X = a$ yn rhoi $Y = 0$ ac $X = b$ yn rhoi $Y = 1$, mae amrediad Y yn mynd o 0 i 1. Rhoddir ffwythiant dwysedd tebygolrwydd Y, g dyweder, gan:

$$g(y) = \begin{cases} 1 & 0 < y < 1 \\ 0 & \text{fel arall} \end{cases}$$

Gwelwn fod $E(Y) = \frac{1}{2}$, tra rhoddir $E(Y^2)$ gan:

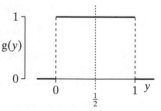

$$E(Y^2) = \int_0^1 y^2\, dy$$

$$= \left[\frac{y^3}{3}\right]_0^1$$

$$= \frac{1}{3}$$

Drwy hynny:

$$\text{Var}(Y) = \text{E}(Y^2) - \{\text{E}(Y)\}^2 = \frac{1}{3} - \left(\frac{1}{2}\right)^2 = \frac{1}{12}$$

Gan fod $X - a + (b - a)Y$,

$$\text{Var}(X) = (b - a)^2\text{Var}(Y)$$

a thrwy hynny, ar gyfer hapnewidyn unffurf cyffredinol, X:

$$\text{Var}(X) = \frac{(b - a)^2}{12}$$

Enghraifft 17

Mae'r pellter rhwng dau bwynt i gael ei fesur yn gywir i'r degfed rhan o gilometr.

Darganfyddwch gymedr a gwyriad safonol y cyfeiliornad talgrynedig cysylltiedig. Mae pedwar pwynt A, B, C a D, yn y drefn honno, yn ymddangos ar linell syth. Mae hyd pob un o'r pellterau AB, BC a CD i gael eu mesur yn gywir i'r degfed rhan o gilometr.

Darganfyddwch gymedr a gwyriad safonol y gwahaniaeth rhwng cyfanswm y tri hyd a fesurir a chyfanswm y gwir hyd.

Tybiwch fod hyd AB yn cael ei roi fel 45.2 km. Gallai gwir hyd AB fod yn unrhyw werth rhwng 45.15 km a 45.25 km. Gallai'r cyfeiliornad talgrynedig (mewn km), X, felly fod yn unrhyw werth rhwng -0.05 a 0.05. Felly mae gan yr hapnewidyn X ddosraniad unffurf, lle mae $b = 0.05$ ac $a = -0.05$,

felly $\dfrac{1}{(b - a)} = \dfrac{1}{0.1} = 10$ ac felly:

$$f(x) = \begin{cases} 10 & -0.05 < x < 0.05 \\ 0 & \text{fel arall} \end{cases}$$

Yn amlwg mae $\text{E}(X) = 0$. Mae arnom angen $\text{E}(X^2)$:

$$\text{E}(X^2) = \int_{-0.05}^{0.05} 10x^2 \, \mathrm{d}x$$

$$= 10 \left[\frac{x^3}{3}\right]_{-0.05}^{0.05}$$

$$= 10 \left(\frac{0.000\,125}{3} - \frac{-0.000\,125}{3}\right)$$

$$= 0.000\,833\,33$$

Drwy hynny mae $\text{Var}(X) = 0.000\,833\,33$ ac felly mae gwyriad safonol y cyfeiliornad talgrynedig yn $\sqrt{0.000\,833\,33} = 0.029$ (i 3 ll.d.).

   Defnyddiwch X, Y a Z i ddynodi'r tri chyfeiliornad talgrynedig. Mae gan yr hapnewidynnau hyn ddosraniadau unffurf annibynnol, cymedr 0 ac amrywiant 0.000 833 33. Mae cymedr eu swm felly yn 0 a'u hamrywiant yn $3 \times 0.000\,833\,33 = 0.0025$. Mae cymedr a gwyriad safonol y gwahaniaeth rhwng cyfanswm y tri hyd a nodwyd a'r gwir hyd cyffredinol felly yn 0 a $\sqrt{0.0025} = 0.05$.

Gwaith ymarferol

Mae unrhyw fath o gyfeiliornad talgrynedig yn debygol o fod â dosraniad unffurf. Gellir dangos enghraifft 'enydaidd' drwy edrych ar wats. Ar ôl cael arwydd arbennig, dylai holl aelodau'r dosbarth gofnodi sawl eiliad a ddangosir ar eu watsys. Mae'r rhifau a gofnodir yn debygol o fod yn arsylwadau o ddosraniad unffurf di-dor ag amrediad o 0 i 60, er, gan eu bod yn cael eu cofnodi fel cyfanrifau, mae'r dosraniad hwn yn cael ei frasamcanu gan ei wrthran arwahanol.

Crynhowch ddata'r dosbarth gan ddefnyddio diagram coesyn a deilen. A yw'r dosraniad unffurf i'w weld yn addas?

Gallwch gynhyrchu mwy o arsylwadau o'ch wats eich hun drwy gofnodi sawl eiliad a ddangosir arni ar wahanol adegau o'r dydd (h.y. bob hyn a hyn, pan fyddwch yn cofio).

Ymarferion 9dd

1　Mae gan yr hapnewidyn di-dor X ddosraniad unffurf dros y cyfwng $0 < x < 2$.
　Darganfyddwch (i) pdf X, (ii) cdf X.

　Diffinir yr hapnewidyn Y gan $Y = 2X$.
　Darganfyddwch (iii) $P(Y < y)$ a thrwy hynny (iv) $g(y)$, lle mae g yn pdf Y.

　Gwiriwch fod $E(Y) = 2E(X)$.

2　Mae'r hapnewidyn di-dor U wedi ei ddosrannu'n unffurf dros y cyfwng $a < u < b$.
　O wybod bod $E(U) = 4$ a $Var(U) = 3$, darganfyddwch (i) a a b, (ii) $P(U > 5)$.

3　Mae'r hapnewidyn di-dor T wedi ei ddosrannu'n unffurf dros y cyfwng $0 < t < 100$.
　(i)　Darganfyddwch $P(20 < T < 60)$.
　(ii)　Gan ddefnyddio μ a σ yn ôl eu trefn i ddynodi cymedr a gwyriad safonol T, darganfyddwch $P(|T - \mu| < \sigma)$.

4　Mae'r hapnewidyn di-dor S wedi ei ddosrannu'n unffurf dros y cyfwng $c < s < d$.
　O wybod bod $P(S < 3) = \frac{1}{4}$ a $P(S < 7) = \frac{3}{4}$, darganfyddwch c a d.

5　Mae'r hapnewidyn di-dor Y wedi ei ddosrannu'n unffurf dros y cyfwng $0 < y < 2$ ac mae $X = 3Y + 4$.
　Dangoswch fod X wedi ei ddosrannu'n unffurf dros y cyfwng $a < x < b$, gan roi gwerthoedd a a b.

6　(a)　Teflir saeth ar fwrdd a mesurir yr hapnewidyn di-dor A, sef yr ongl (ongl lem neu aflem, wedi ei mesur mewn graddau) rhwng cyfeiriad y saeth a'r gogledd, fel bo $0 < A < 180$.
　　　Darganfyddwch (i) $E(A)$, (ii) $Var(A)$.

　(b)　Teflir saeth ar fwrdd a'r hapnewidyn di-dor B yw cyfeiriant (mewn graddau) cyfeiriad y saeth, wedi ei fesur fel bo $0 < B < 360$.
　　　Darganfyddwch (i) $E(B)$, (ii) $Var(B)$.

7　Mae llawer o gyfrifianellau a chyfrifiaduron yn cynhyrchu haprifau sydd wedi eu dosrannu bron yn unffurf ar y cyfwng $0 < u < 1$.
　Gadewch i U fod yn hapnewidyn o'r fath.
　(a)　Bwriedir darganfod cysonion h a k fel bod $X = hU + k$ yn cael ei ddosrannu'n unffurf ar y cyfwng $a < x < b$.
　　　Darganfyddwch h a k yn nhermau a a b.
　(b)　Bwriedir darganfod cysonion r ac s fel bod $rU + s$ yn cael ei ddosrannu'n unffurf â chymedr μ a gwyriad safonol σ.
　　　Darganfyddwch r ac s yn nhermau μ a σ.

　(Yn fanwl, mae gan yr haprifau hyn ddosraniad unffurf arwahanol, gan eu bod yn cynnwys nifer penodol o leoedd degol, dyweder 9. Gan fod y gwahaniaeth rhwng rhifau cyfagos yn 10^{-9}, gellir ystyried bod y dosraniad yn ddi-dor.)

8　O bryd i'w gilydd mae Mrs Caredig yn caniatáu i'w merch fenthyca ei char. Pan fydd Mrs Caredig yn gadael y car gartref ar ôl bod yn ei yrru, mae'r petrol sydd yn y tanc wedi ei ddosrannu'n unffurf rhwng 10 litr a 50 litr. Pan yw ei merch yn gadael y car gartref ar ôl ei fenthyca, mae'r petrol sydd yn y tanc yn cael ei ddosrannu'n unffurf rhwng 0 litr ac 20 litr. (Nid yw Mrs Caredig yn rhy hapus ynglŷn â hyn!)

(parhad)

Mrs Caredig sy'n gyrru'r car am 80% o'r amser a'i merch sy'n gyrru am yr 20% sy'n weddill. Mae Mr Caredig yn archwilio'r car ar ôl cyrraedd adref, heb wybod pwy fu'n ei yrru ddiwethaf.

Darganfyddwch y tebygolrwydd bod llai na 15 litr o betrol yn y tanc.

9 Pan fydd Llew yn taflu dart at darged crwn, radiws a cm, mae'r dart yn sicr o daro'r targed ac mae'r holl bwyntiau yn y cylch yr un mor debygol o gael eu taro â'i gilydd.

(i) Darganfyddwch y tebygolrwydd y bydd dart yn glanio o fewn x cm i ganol y targed.

(ii) Mae ffwythiant dwysedd tebygolrwydd ar gyfer dosraniad pellter dart o'r canol ar y ffurf

$$\phi(x) = \begin{cases} * & (0 \leqslant x \leqslant a) \\ 0 & (\text{fel arall}) \end{cases}$$

Dangoswch mai $\dfrac{2x}{a^2}$ yw'r ffwythiant x a ddynodir gan y seren.

(iii) Darganfyddwch gymedr y dosraniad.

[SMP]

10 Mae X yn hapnewidyn â ffwythiant dwysedd tebygolrwydd, f, lle mae:

$$f(x) = \frac{1}{h}, \qquad 0 < x < h$$
$$f(x) = 0, \qquad \text{fel arall.}$$

O wybod bod $Y = X(h - X)$, darganfyddwch $E(Y)$.

Darganfyddwch hefyd y tebygolrwydd bod Y yn fwy na $\dfrac{3h^2}{16}$.

[ULSEB(P)]

Crynodeb o'r bennod

♦ **Ffwythiant dwysedd tebygolrwydd** (pdf): f(x)

$$f(x) \geqslant 0 \qquad \int_{-\infty}^{\infty} f(x)\,dx = 1$$

$$P(a < X < b) = \int_a^b f(x)\,dx$$

♦ **Ffwythiant dosraniad cronnus** (cdf): F(x)

$$F(b) = P(X \leqslant b) = \int_{-\infty}^{b} f(x)\,dx \qquad f(x) = F'(x)$$

$$F(-\infty) = 0 \qquad P(a < X < b) = F(b) - F(a) \qquad F(\infty) = 1$$

• Canolrif: gwerth x lle mae F(x) = 0.5

♦ **Disgwyliadau:**

$$E(X) = \int_{-\infty}^{\infty} x\,f(x)\,dx$$

$$E(X^2) = \int_{-\infty}^{\infty} x^2\,f(x)\,dx$$

$$\text{Var}(X) = E[(X - \mu)^2] = E(X^2) - E(X)^2$$

♦ **Dosraniad unffurf (petryal):**

• $f(x) = \begin{cases} \dfrac{1}{b-a} & a < x < b \\ 0 & \text{fel arall} \end{cases}$

• $E(X) = \dfrac{a+b}{2} \qquad \text{Var}(X) = \dfrac{(b-a)^2}{12}$

♦ **Dosraniad ffwythiant hapnewidyn:** Os yw $Y = g(X)$ yn ffwythiant cynyddol (neu ostyngol) o X, ac mae $X = h(Y)$ yna

$$f_Y(y) = f_X[h(y)] \times |h'(y)|$$

Ymarferion 9e (Amrywiol)

1 Rhoddir ffwythiant dwysedd tebygolrwydd f yr hapnewidyn di-dor X gan:

$$f(x) = \begin{cases} kx(2-x) & 0 \leqslant x \leqslant 1, \\ 0 & \text{fel arall.} \end{cases}$$

Dangoswch fod $k = \frac{3}{2}$ a chyfrifwch

(i)   gymedr ac amrywiant X,

(ii) $P(X < \frac{1}{2})$,

(iii) y tebygolrwydd y bydd pob un o dri gwerth annibynnol arsylwedig o X yn llai na $\frac{1}{2}$,

(iv) $P(X > \frac{1}{4} | X < \frac{1}{2})$ [CBAC]

2 Rhoddir ffwythiant dwysedd tebygolrwydd f yr hapnewidyn di-dor X gan

$$f(x) = \begin{cases} k(4 - x^2) & 0 \leqslant x \leqslant 2, \\ 0 & \text{fel arall,} \end{cases}$$

lle mae k yn gysonyn. Dangoswch fod $k = \frac{3}{16}$ a darganfyddwch werthoedd $E(X)$ a $Var(X)$.

Darganfyddwch ffwythiant dosraniad cronnus X, a gwiriwch drwy gyfrifo fod gwerth canolrifol X rhwng 0.69 a 0.70.

Darganfyddwch hefyd $P(0.69 < X < 0.70)$, gan roi eich ateb yn gywir i un ffigur ystyrlon.

[UCLES]

3 Rhoddir ffwythiant dwysedd tebygolrwydd yr hapnewidyn di-dor X gan

$$f(x) = \begin{cases} \dfrac{k}{x} & 1 \leqslant x \leqslant 9, \\ 0 & \text{fel arall} \end{cases}$$

lle mae k yn gysonyn. Gan roi eich atebion yn gywir i dri ffigur ystyrlon pan fo'n briodol,

(i)   darganfyddwch werth k, a hefyd darganfyddwch werth canolrifol X,

(ii) darganfyddwch gymedr ac amrywiant X,

(iii) darganfyddwch ffwythiant dosraniad cronnus, F, X a brasluniwch graff $y = F(x)$.

[UCLES]

4 Rhoddir ffwythiant dosraniad cronnus yr hapnewidyn di-dor X gan

$$F(x) = \begin{cases} 0 & x < 0, \\ 2x - x^2 & 0 \leqslant x \leqslant 1, \\ 1 & x > 1. \end{cases}$$

(i)   Darganfyddwch $P(X > \frac{1}{2})$.

(ii) Darganfyddwch werth q fel bo $P(X < q) = \frac{1}{4}$.

(iii) Darganfyddwch ffwythiant dwysedd tebygolrwydd X, a brasluniwch ei graff.

(iv) Darganfyddwch $E(X)$.   [UCLES(P)]

5 Mae gan hapnewidyn di-dor U ddosraniad unffurf ar $0 < u < 1$. Diffinir yr hapnewidyn X fel a ganlyn:

$X = 2U$ pan fo $U \leqslant \frac{3}{4}$,

$X = 4U$ pan fo $U > \frac{3}{4}$.

(i)   Rhowch reswm pam na all X gymryd gwerthoedd rhwng $\frac{3}{2}$ a 3, ac ysgrifennwch werthoedd $P(0 < X \leqslant \frac{3}{2})$ a $P(3 < X < 4)$.

(ii) Brasluniwch graff cyflawn ffwythiant dwysedd tebygolrwydd X.

(iii) Darganfyddwch chwartel isaf X, sef q, h.y. gwerth q fel bo $P(X < q) = \frac{1}{4}$.

(iv) Gwneir tri arsylwad annibynnol o X. Darganfyddwch y tebygolrwydd bod pob un ohonynt yn fwy na q.

(v) Dangoswch fod $E(X) = \frac{23}{16}$ a darganfyddwch $E(X^2)$.   [UCLES]

6 Mae cyfanswm y tanwydd a ddefnyddir gan gwmni cludo nwyddau yn hapnewidyn X (miloedd o alwyni) sydd â'r ffwythiant dwysedd tebygolrwydd canlynol:

$$f(x) = \begin{cases} cx & 0 < x < 1, \\ c(3 - x) & 1 \leqslant x < 3, \\ 0 & \text{fel arall.} \end{cases}$$

(a) Darganfyddwch werth c.

(b) Darganfyddwch y tebygolrwydd bod y cwmni yn defnyddio llai na 900 galwyn mewn mis.

(c) Darganfyddwch y tebygolrwydd bod y cwmni yn defnyddio rhwng 900 a 1600 galwyn y mis.

(ch) O wybod bod y cwmni wedi defnyddio mwy na 900 galwyn mewn mis arbennig, darganfyddwch y tebygolrwydd bod mwy na 2000 galwyn wedi eu defnyddio yn ystod y mis.

(d) Mae cyflenwr y tanwydd yn codi £1.20 y galwyn ar y cwmni am y 900 galwyn cyntaf sy'n cael ei gyflenwi bob mis, £1.10 y galwyn am y 700 galwyn nesaf a £1.00 y galwyn am y gweddill. Darganfyddwch y tebygolrwydd bod y gost fisol yn fwy na £2250.   [AEB 90}

7 Mae swm y llysiau sy'n cael eu bwyta gan deulu mewn wythnos yn hapnewidyn W kg. Rhoddir y ffwythiant dwysedd tebygolrwydd gan

$$f(w) = \begin{cases} \dfrac{20}{5^5} w^3 (5 - w) & 0 \leqslant w \leqslant 5, \\ 0 & \text{fel arall.} \end{cases}$$

(*a*) Darganfyddwch ffwythiant dosraniad cronnus W.   (*parhad*) (*b*) Darganfyddwch, i 3 lle degol, y tebygolrwydd bod y teulu yn bwyta rhwng 2 kg a 4 kg o lysiau mewn wythnos.

(*c*) O wybod bod cymedr y dosraniad yn $3\frac{1}{3}$, darganfyddwch amrywiant W, i 3 lle degol.

(*ch*) Darganfyddwch fodd y dosraniad.

(*d*) Gwiriwch fod cyfanswm, m, y llysiau sy'n peri bod y teulu yr un mor debygol o fwyta mwy neu lai nag m mewn unrhyw wythnos, tua 3.431 kg.

(*dd*) Defnyddiwch y wybodaeth uchod i wneud sylwadau ar sgiwedd y dosraniad.

[ULSEB]

8 Mae marc cyffredinol naid-sgïwr yn seiliedig ar y pellter, X metr, y mae'n neidio y tu hwnt i 80 metr ac ar farciau am arddull, Y.

Gan gymryd bod X yn hapnewidyn di-dor â ffwythiant dwysedd tebygolrwydd

$$f(x) = \begin{cases} ax & 0 \leqslant x \leqslant 10, \\ 0 & \text{mewn man arall,} \end{cases}$$

a bod Y yn hapnewidyn arwahanol â ffwythiant tebygolrwydd

$$g(y) = \begin{cases} by & y = 1, 2, 3, 4, 5, \\ 0 & \text{fel arall,} \end{cases}$$

darganfyddwch a a b.

Enrhifwch

(a) y pellter disgwyliedig sy'n cael ei neidio y tu hwnt i 80 metr,

(b) y marciau disgwyliedig am arddull a enillir gan y naid-sgïwr,

(c) marc cyffredinol disgwyliedig y naid-sgïwr os rhoddir y cyfanswm, T, gan $T = X^2 + \frac{1}{2}Y$.

Gan gymryd bod X ac Y yn annibynnol, cyfrifwch y tebygolrwydd y bydd y naid-sgïwr yn neidio ymhellach nag 85 metr ac yn ennill mwy na 3 marc arddull mewn un naid arbennig.   [AEB 91]

10 Y dosraniad normal

Y dosraniad normal yw'r pwysicaf o'r holl ddosraniadau gan ei fod yn disgrifio'r sefyllfa lle mae gwerthoedd mawr iawn yn eithaf prin, gwerthoedd bychan iawn yn eithaf prin, ond lle mae gwerthoedd canolig yn eithaf cyffredin. Gan fod hyn yn ddisgrifiad da o amryw o bethau mae'r dosraniad 'normal' yn wir yn normal.

Dyma rai enghreifftiau:

♦ Taldra a phwysau (bodau prin iawn yw pobl hynod o dal a rhai anarferol o drwm)
♦ Amseroedd y mae myfyrwyr yn cymryd i redeg 100 m.
♦ Union gyfaint lager mewn 'peint' o lager yn y dafarn leol.

Gellir cymhwyso'r dosraniad hefyd fel brasamcan yn achos rhai newidynnau arwahanol:

♦ Marciau myfyrwyr mewn papur Safon Uwch.
♦ Sgorau cyniferydd deallusrwydd (IQ) y boblogaeth.

Yn nes ymlaen byddwn yn gweld ei bod yn bosibl defnyddio'r dosraniad hefyd fel brasamcan o'r dosraniad binomial a'r dosraniad Poisson.

Yn ffurfiol, mae dosraniad normal yn ddosranid di-dor cymesur unfoddol a chanddo ddau baramedr, sef μ (y cymedr) a σ^2 (yr amrywiant). Oherwydd y cymesuredd, mae'r cymedr yn hafal i'r modd ac i'r canolrif fel ei gilydd. Y ffurf gryno a ddefnyddir yw dosraniad $N(\mu, \sigma^2)$ – sylwer mai $N(\mu, \sigma^2)$ sydd yma ac nid $N(\mu, \sigma)$.

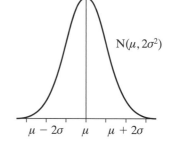

10.1 Y dosraniad normal safonol

Yn achos unrhyw ddosraniad, gan ei bod yn bosibl ystyried newidiadau yn μ a σ fel newidiadau mewn lleoliad a graddfa, gellir cysylltu pob dosraniad normal ag un dosraniad cyfeirebol, sef y dosraniad **normal safonol**, a chanddo gymedr 0 ac amrywiant 1. Yn draddodiadol dynodir yr hapnewidyn â'r dosraniad hwn gan Z. Drwy hynny:

$$Z \sim N(0, 1)$$

Fel arfer dynodir y pdf ar gyfer Z gan ϕ (llythyren fechan o'r wyddor Roegaidd, sy'n cael ei hynganu 'ffi'):

$$\phi(z) \propto e^{-\frac{1}{2}z^2} \qquad -\infty < z < \infty$$

Dynodir ffwythiant y dosraniad cyfatebol gan Φ (y briflythyren sy'n cyfateb i ϕ ac sydd hefyd yn cael ei hynganu 'ffi'):

$$\Phi(a) = P(Z \leqslant a) = P(Z < a) = \int_{-\infty}^{a} \phi(z) \, \mathrm{d}z$$

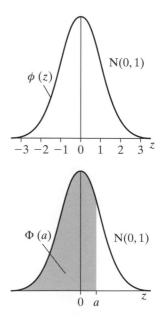

10.2 Tablau $\Phi(z)$

Er bod $\phi(z)$ yn edrych yn syml, ni ellir ei integreiddio'n echblygol ac felly mae angen tablau ar gyfer $\Phi(z)$. Mae'r mathau o dablau sydd ar gael yn amrywio'n sylweddol. Dylech ofalu eich bod yn gyfarwydd â'r tablau a ddarperir ar gyfer eich arholiad arbennig chi.

Mae'r mwyafrif o dablau yn rhoi gwerthoedd $\Phi(z)$ neu $1 - \Phi(z)$, ac yn gyffredinol gwnant hynny yn unig ar gyfer gwerthoedd annegatif o z. Gallai'r tablau gyfeirio at $\Phi(z)$ fel P(z) neu at $1 - \Phi(z)$ fel $Q(z)$, fel y dangosir yn y diagramau.

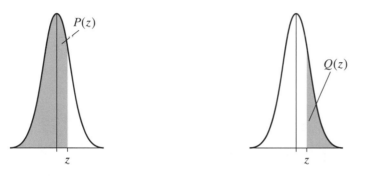

Mae'r tablau a roddir yng nghefn y llyfr hwn yn dablau $\Phi(z)$ ar gyfer $z \geqslant 0$. Gellir darganfod gwerthoedd ar gyfer gwerthoedd negatif z drwy ddefnyddio cymesuredd y dosraniad:

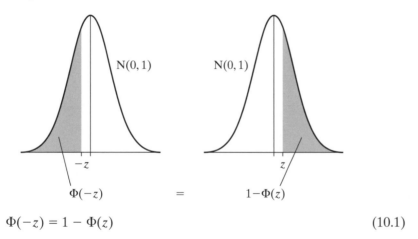

$$\Phi(-z) = 1 - \Phi(z) \tag{10.1}$$

Dyma ran o golofn gyntaf tabl gwerthoedd $\Phi(z)$ a roddir yn yr Atodiad (t. 439):

z	$\Phi(z)$	z	$\Phi(z)$	z	$\Phi(z)$
0.0	0.5000	1.0	0.8413	2.0	0.9772
0.2	0.5793	1.2	0.8849	2.2	0.9861
0.4	0.6554	1.4	0.9192	2.4	0.9918
0.6	0.7257	1.6	0.9452	2.6	0.9953
0.8	0.7881	1.8	0.9641	2.8	0.9974

Mae'r cofnod cyntaf yn y tabl, $\Phi(0) = 0.5000$ yn un yr oeddem yn ei wybod eisoes. Mae pob dosraniad normal yn gymesur o bobtu ei gymedr, ac mae gan y dosraniad normal safonol gymedr 0.

Dyma rai enghreifftiau o sut y defnyddir y tabl:

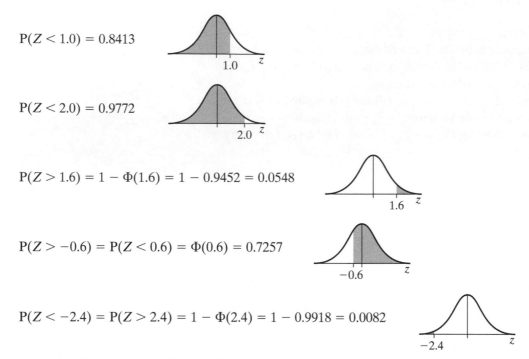

$P(Z < 1.0) = 0.8413$

$P(Z < 2.0) = 0.9772$

$P(Z > 1.6) = 1 - \Phi(1.6) = 1 - 0.9452 = 0.0548$

$P(Z > -0.6) = P(Z < 0.6) = \Phi(0.6) = 0.7257$

$P(Z < -2.4) = P(Z > 2.4) = 1 - \Phi(2.4) = 1 - 0.9918 = 0.0082$

Er mwyn darganfod y tebygolrwydd a gysylltir ag amrediad o werthoedd rydym yn defnyddio:

$$P(a < Z < b) = P(Z < b) - P(Z < a) = \Phi(b) - \Phi(a)$$

Yn nhermau $Q(z)$ daw hyn yn:

$$P(a < Z < b) = P(Z > a) - P(Z > b) = Q(a) - Q(b)$$

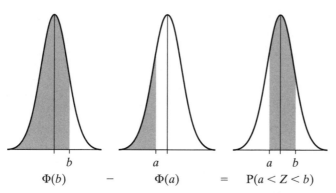

| b | | a | | a b |
| $\Phi(b)$ | $-$ | $\Phi(a)$ | $=$ | $P(a < Z < b)$ |

Nodiadau

- Gyda'r math hwn o gyfrifiad mae'n hawdd cymysgu rhwng yr arwyddion plws a minws. Yn aml ceir ateb terfynol sy'n negatif neu sy'n fwy nag 1 o ganlyniad i ddefnyddio arwydd anghywir.
- Mae $\Phi(z) > 0.5$ pan fo $z > 0$, tra bo $\Phi(z) < 0.5$ pan fo $z < 0$.
- Fel mewn pynciau eraill mewn Ystadegaeth, mae'n ddefnyddiol gwneud braslun. Os yw eich braslun yn dangos bod rhan fawr o'r arwynebedd o dan y gromlin wedi ei dywyllu, yna dylai'r tebygolrwydd fod yn fawr. Os yw eich ateb yn fychan yna roedd eich cyfrifiadau yn anghywir (neu roedd camgymeriad yn eich braslun).
- Yn y cyfrifiadau yma ac mewn rhannau eraill o'r llyfr byddwn yn defnyddio'r tebygolrwyddau o'r tablau, sy'n gywir i 4 lle degol yn unig. Gall fod cymaint â 0.000 05 o gyfeiliornad ym mhob un. Gall cyfrifiadau sy'n cynnwys symiau neu wahaniaethau o k o fesurau o'r fath gynnwys cyfeiliornad cymaint â $k \times 0.000\,05$. Mae ychydig o gyfeiliornad yn debygol felly yn y lle degol terfynol mewn llawer o'n hatebion.

Enghraifft 1

$$P(1.0 < Z < 2.0) = \Phi(2.0) - \Phi(1.0)$$
$$= 0.9772 - 0.8413$$
$$= 0.1359$$

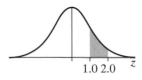

O ddefnyddio $Q(z)$, byddai gennym:

$$P(1.0 < Z < 2.0) = Q(1.0) - Q(2.0) = 0.1587 - 0.0228 = 0.1359$$

Enghraifft 2

$$P(-1.0 < Z < 2.0) = \Phi(2.0) - \Phi(-1.0)$$
$$= 0.9772 - \{1 - \Phi(1.0)\}$$
$$= 0.9772 - 1 + 0.8413$$
$$= 0.8185$$

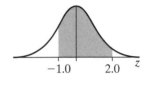

O ddefnyddio $Q(z)$, byddai gennym:

$$P(-1.0 < Z < 2.0) = \{1 - Q(1.0)\} - Q(2.0)$$
$$= (1 - 0.1587) - 0.0228 = 0.8185$$

Gellir datrys pob problem sy'n cynnwys dosraniadau normal un ai drwy ddefnyddio Φ neu Q. Dyma'r enghraifft olaf lle byddwn yn rhoi'r ddau ddatrysiad, gan nad oes gwahaniaeth hanfodol rhwng y naill ddatrysiad a'r llall.

Mae'r broblem hon hefyd yn dangos cyfyngiadau tablau 4 ffigur. Byddai'r rhifau 0.9772 a 0.8413, sy'n gywir i bedwar lle degol, yn 0.97725 a 0.84134 pe byddent wedi eu mynegi i bum lle degol. Gyda'r cywirdeb ychwanegol byddai'r canlyniad terfynol yn 0.81859 sy'n talgrynnu i 0.8186 ac nid i'r ateb a nodwyd gennym, sef 0.8185. Fodd bynnag, nid oes angen poeni gormod am hyn. Mae goddefiant rhesymol wedi ei gynnwys bob amser mewn cynlluniau marcio, ac mewn bywyd bob dydd dim ond un neu ddau o ffigurau ystyrlon a fyddai'n cael eu defnyddio − nid pedwar. Ni allwn ddweud y gwahaniaeth rhwng 82% ac 80%.

Enghraifft 3

$$P(|Z| > 1.2) = P(Z > 1.2) + P(Z < -1.2)$$
$$= \Phi(-1.2) + \{1 - \Phi(1.2)\}$$
$$= \{1 - \Phi(1.2)\} + \{1 - \Phi(1.2)\}$$
$$= 2\{1 - \Phi(1.2)\}$$
$$= 2(1 - 0.8849) = 2 \times 0.1151 = 0.2302$$

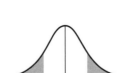

Enghraifft 4

Mae gan hapnewidyn Z ddosraniad normal safonol.
Darganfyddwch werth a, lle mae $P(Z < a) = 0.9953$.

———

O'r tabl gwelwn fod $\Phi(2.6) = 0.9953$: drwy hynny $a = 2.6$.

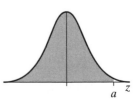

Enghraifft 5

Mae gan hapnewidyn Z ddosraniad normal safonol.
Darganfyddwch werth a, lle mae $P(Z > a) = 0.2743$.

Os yw $P(Z > a) = 0.2743$, yna $P(Z < a) = 1 - 0.2743 = 0.7257$. Drwy
sganio drwy'r tablau gwelwn fod $P(Z < 0.6) = 0.7257$. Drwy hynny $a = 0.6$.

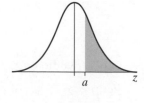

Enghraifft 6

Mae gan hapnewidyn Z ddosraniad normal safonol.
Darganfyddwch werth a, lle mae $P(|Z| < a) = 0.5762$.

Os yw $P(|Z| < a) = 0.5762$, yna $P(0 < Z < a) = \frac{1}{2}(0.5762) = 0.2881$ a thrwy
hynny $P(Z < a) = 0.5 + 0.2881 = 0.7881$. Mae'r tablau yn dangos bod
$\Phi(0.8) = 0.7881$. Drwy hynny $a = 0.8$.

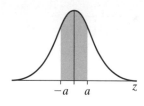

Enghraifft 7

Mae gan hapnewidyn Z ddosraniad normal safonol.
Darganfyddwch werth a, lle mae $P(a < Z < 1.6) = 0.7865$

O'r tablau gwyddom fod $P(Z < 1.6) = 0.9452$.
Gan fod:

$$P(a < Z < 1.6) = P(Z < 1.6) - P(Z < a)$$

mae'n dilyn bod:

$$P(Z < a) = P(Z < 1.6) - P(a < Z < 1.6)$$
$$= 0.9452 - 0.7865$$
$$= 0.1587$$

Mae hyn yn llai na 0.5 ac felly'n cyfateb i werth z negatif. Mae angen inni
ddefnyddio Hafaliad (10.1). Yn hytrach na darganfod gwerth z sy'n cyfateb
i 0.1587, rydym yn darganfod y gwerth sy'n cyfateb i $1 - 0.1587 = 0.8413$.
O'r tabl rydym yn darganfod mai 1 yw'r gwerth hwn.
Gan fod $\Phi(-z) = 1 - \Phi(z)$, rydym wedi diddwytho felly bod
$\Phi(-1) = 1 - 0.8413 = 0.1587$.
Y gwerth sydd ei angen ar gyfer a yw -1.

Ymarferion 10a

Yng Nghwestiynau **1-5**, mae gan yr hapnewidyn
Z ddosraniad normal safonol, cymedr sero ac
amrywiant 1.
Defnyddiwch y tabl a roddir yn Adran 10.2 (t. 243) i
ateb y cwestiynau canlynol.

1   Darganfyddwch:
(i) $P(Z < 1.2)$, (ii) $P(Z > 1.8)$,
(iii) $P(Z < -1.4)$, (iv) $P(Z < -0.8)$.

2   Darganfyddwch:
(i) $P(2.2 < Z < 2.8)$, (ii) $P(-1.2 < Z < 0.4)$,
(iii) $P(-1.8 < Z < -0.2)$.

3   Darganfyddwch:
(i) $P(|Z| < 0.8)$, (ii) $P(|Z| > 1.6)$,
(iii) $P(0.6 < |Z| < 2.2)$.

4   Darganfyddwch a fel bo:
(i) $P(Z < a) = 0.9192$, (ii) $P(Z < a) = 0.3446$,
(iii) $P(Z > a) = 0.8849$, (iv) $P(Z > a) = 0.0047$,
(v) $P(1 < Z < a) = 0.1039$,
(vi) $P(a < Z < -0.8) = 0.1760$.

5   Darganfyddwch a fel bo:
(i) $P(|Z| < a) = 0.4514$,
(ii) $P(|Z| > a) = 0.1096$.

10.3 Tebygolrwyddau ar gyfer dosraniadau normal eraill

Tybiwch fod $X \sim N(\mu, \sigma^2)$ a boed i Y gael ei ddiffinio gan $Y = aX + b$, lle mae a a b yn gysonion. Gellir dangos bod dosraniad Y hefyd yn normal, yn wir

$$Y \sim N(a\mu + b, a^2\sigma^2)$$

Os ydym yn cymryd $a = \dfrac{1}{\sigma}$ a $b = -\dfrac{\mu}{\sigma}$, ac yn rhoi $Z = Y$, fel bo

$$Z = \frac{X - \mu}{\sigma}$$

yna $Z \sim N(0, 1)$. Mae hyn yn cyfateb i'r newid lleoliad a graddfa y cyfeiriwyd atynt yn Adran 10.1. Felly:

$$P(X < x) = P(X - \mu < x - \mu) = P\left(\frac{X - \mu}{\sigma} < \frac{x - \mu}{\sigma}\right)$$

$$= P\left(Z < \frac{x - \mu}{\sigma}\right)$$

$$= \Phi\left(\frac{x - \mu}{\sigma}\right)$$

Yn syml y gwerth Z perthnasol yw gwerth $\dfrac{X - \mu}{\sigma}$ pan roddir y gwerth dan sylw yn lle X.

Fel enghraifft, os ydy $X \sim N(8, 4)$ ac rydym eisiau $P(X < 10)$, yna rhoddir hyn gan:

$$\Phi\left(\frac{10 - 8}{2}\right) = \Phi(1) = 0.8413$$

Mae'r cyswllt rhwng y dosraniad normal ar gyfer X a'r dosraniad normal safonol ar gyfer Z yn cael ei grynhoi'n gyfleus drwy ddangos dwy raddfa.

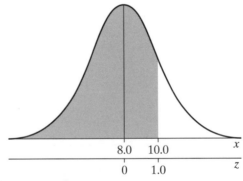

Mae gwerth sero ar gyfer z bob amser yn digwydd o dan y cymedr μ ar gyfer x. Byddai gwerth o k ar gyfer z yn digwydd o dan y gwerth $\mu + k\sigma$ ar gyfer x, lle σ^2 yw amrywiant dosraniad X.

Enghraifft 8

Os yw'r hapnewidyn $X \sim N(3.4, 0.09)$.
Darganfyddwch $P(X < 3.1)$.

Nawr mae $X < 3.1$ yn cyfateb i $Z < \dfrac{3.1 - 3.4}{\sqrt{0.09}} = -1$, fel bo:

$$P(X < 3.1) = P(Z < -1)$$

$$= 1 - P(Z < 1)$$

$$= 1 - 0.8413$$

$$= 0.1587$$

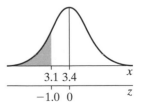

Enghraifft 9

Os yw'r hapnewidyn $X \sim N(21, 16)$,
darganfyddwch $P(17.8 < X < 29.0)$.

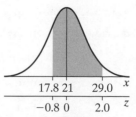

Nawr mae $X < 29.0$ yn cyfateb i $Z < \dfrac{29.0 - 21}{\sqrt{16}} = 2$

ac $X > 17.8$ yn cyfateb i $Z > \dfrac{17.8 - 21}{\sqrt{16}} = -0.8$, fel bo:

$$
\begin{aligned}
P(17.8 < X < 29.0) &= P(-0.8 < Z < 2) \\
&= \Phi(2) - \Phi(-0.8) \\
&= \Phi(2) - \{1 - \Phi(0.8)\} \\
&= 0.9772 - 1 + 0.7881 \\
&= 0.7653
\end{aligned}
$$

Enghraifft 10

Os yw'r hapnewidyn $X \sim N(50, 36)$,
gan ddefnyddio μ i ddynodi $E(X)$, cyfrifwch $P(|X - \mu| > 4.8)$.

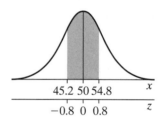

Gwyddom fod cymedr X yn 50. Drwy hynny $\mu = 50$.

$$
\begin{aligned}
P(|X - \mu| > 4.8) &= P\!\left(\frac{|X - \mu|}{\sqrt{36}} > \frac{4.8}{\sqrt{36}}\right) \\
&= P(|Z| > 0.8) \\
&= 1 - P(|Z| < 0.8) \\
&= 1 - \{P(Z < 0.8) - P(Z < -0.8)\} \\
&= 1 - \{0.7881 - (1 - 0.7881)\} \\
&= 0.4238
\end{aligned}
$$

Prosiect

*Mae angen clorian sensitif i wneud y gwaith ymarferol hwn. Y nod yw
astudio'r amrywioldeb ym masau nwyddau sydd wedi eu pacio. Dewis
da fyddai pacedi o greision − pa mor amrywiol yw eu masau? A yw'n
ymddangos bod dosraniad normal yn addas?*

*Gellir ymestyn y prosiect hwn i gymharu gwahanol frandiau a blasau. A
oes unrhyw dystiolaeth bod rhai brandiau yn fwy amrywiol nag eraill? A
oes gwahaniaeth rhwng creision plaen a chreision â blas? Ym mhob achos
defnyddiwch histogram i gynrychioli eich data. Er mwyn cymharu blasau
neu fathau, byddai diagramau bocs a wisgers yn ddefnyddiol.
Bydd dulliau o brofi gwahaniaethau yn ffurfiol yn cael eu trafod yn nes
ymlaen ym Mhenodau 12 ac 13.*

Ymarferion 10b

Defnyddiwch y tabl a roddir yn Adran 10.2 (t. 243) i
ateb y cwestiynau canlynol.

1 O wybod bod $X \sim N(12, 9)$, darganfyddwch:
  (i) $P(X > 1.5)$, (ii) $P(X < 16.8)$,
  (iii) $P(X < 8.4)$, (iv) $P(X > 9.6)$.

2 O wybod bod $X \sim N(50, 100)$, darganfyddwch:
  (i) $P(36 < X < 62)$, (ii) $P(40 < X < 50)$,
  (iii) $P(56 < X < 70)$, (iv) $P(38 < X < 42)$.

3   O wybod bod $X \sim N(1.6, 4)$, darganfyddwch:
(i) $P(X > 0)$, (ii) $P(X < -1.6)$,
(iii) $P(|X| < 2)$, (iv) $P(0 < X < 2)$.

4   O wybod bod $X \sim N(-4, 25)$, darganfyddwch:
(i) $P(X > 0)$, (ii) $P(-5 < X < -2)$,
(iii) $P(-2 < X < 1)$, (iv) $P(|X| > 1)$.

5   Mae sgorau cyniferydd deallusrwydd (IQ) wedi
eu dosrannu'n normal, gyda chymedr 100 a
gwyriad safonol 15.

Darganfyddwch gyfran y bobl sydd ag IQ:
(a) llai na 118,
(b) mwy na 112,
(c) llai na 94,
(ch) mwy na 73,
(d) rhwng 100 a 112,
(dd) rhwng 73 a 118,
(e) rhwng 73 a 94.

10.4 Mwy o fanylder yn nhablau $\Phi(z)$

Roedd tabl $\Phi(z)$ yn Adran 10.2 yn gryno iawn. Nawr rydym yn rhoi rhan
(fechan iawn) o'r tabl llawn a roddir yn yr Atodiad (t. 439):

z	0	1	2	3	4	5	6	7	8	9	1	2	3	4	5	6	7	8	9
															ADIO				
0.0	.5000	.5040	.5080	.5120	.5160	.5199	.5239	.5279	.5319	.5359	4	8	12	16	20	24	28	32	36
0.1	.5398	.5438	.5478	.5517	.5557	.5596	.5636	.5675	.5714	.5753	4	8	12	16	20	24	28	32	36
0.2	.5793	.5832	.5871	.5910	.5948	.5987	.6026	.6064	.6103	.6141	4	8	12	15	19	23	27	31	35
0.3	.6179	.6217	.6255	.6293	.6331	.6368	.6406	.6443	.6480	.6517	4	7	11	15	19	22	26	30	34

Fel enghraifft o'r ffordd y mae'r tabl hwn yn cael ei ddefnyddio, tybiwch
fod arnom angen $P(Z < 0.100)$. Yn gyntaf edrychwn ar y rhes sydd â 0.1 yn
y golofn gyntaf. Gan fod y gwerth yn ail le degol 0.100 yn '0', edrychwn ar
golofn '0' a darganfod y gwerth '.5398' sy'n awgrymu tebygolrwydd o 0.5398.

Os ydym angen $P(Z < 0.140)$ yn lle hynny, yna edrychwn ar y gwerth yn
y rhes sydd wedi ei labelu 0.1, a'r golofn dan '4', sy'n rhoi 0.5557. Dyma rai
enghreifftiau eraill:

$$P(Z < 0.070) = 0.5279$$
$$P(Z < 0.260) = 0.6026$$

Roedd yr holl enghreifftiau blaenorol yn cyfeirio at achosion lle'r oedd gan
y z '0' yn y trydydd lle degol. Mewn achosion eraill mae angen inni newid y
gwerth a gafwyd drwy ddefnyddio'r gwerthoedd a roddir yn y rhan ar ochr
dde'r tabl.

Er enghraifft, os ydym angen $P(Z < 0.175)$ yna mae'n rhaid inni yn gyntaf
ddarganfod $P(Z < 0.170)$. O edrych ar brif ran y tabl rydym yn darganfod
'.5675'. Er mwyn gwneud yr addasiad angenrheidiol i'r trydydd lle degol (sy'n
5) edrychwn ar golofn '5' ar y dde. Y gwerth yn y golofn hon ar gyfer y rhes
sydd wedi ei labelu 0.1 yw 20. Mae'r gwerth '20' hwn yn ffurf gryno ar gyfer
0.0020. Y cyfarwyddyd ar ben yr adran hon yw ADIO. Felly'r tebygolrwydd
sydd ei angen yw $0.5675 + 0.0020 = 0.5695$. Dyma fwy o enghreifftiau:

$$P(Z < 0.246) = 0.5948 + 0.0023 = 0.5971$$
$$P(Z < 0.302) = 0.6179 + 0.0007 = 0.6186$$

Gellir defnyddio'r tablau hefyd 'o chwith'. Er enghraifft, er mwyn darganfod
gwerth z pan yw $P(Z < z) = 0.6443$, edrychwn drwy'r tabl i ganfod y
tebygolrwydd 0.6443 a sylwn bod hwn yn cyfateb i $z = 0.37$. Byddai gwerth
negatif ar gyfer z yn cael ei arwyddo gan debygolrwydd llai na 0.5000. Er
enghraifft, os yw $P(Z < z) = 0.3783$, edrychwn yn hytrach am y tebygolrwydd
$1 - 0.3783 = 0.6217$, sy'n cyfateb i $z = 0.31$. Y gwerth sydd ei angen ar gyfer z
yw -0.31.

Rhoddir enghraifft o achos lle nad yw'r tebygolrwydd a roddir yn ymddangos yn y tabl yn rhan (v) Enghraifft 11.

Nodiadau

♦ Mae'r tablau yn cofnodi tebygolrwyddau fel, er enghraifft, '.5948'. Gwneir hyn i arbed lle yn y tabl: dylid cofnodi'r tebygolrwydd fel '0.5948'.

♦ Mae'n hawdd cymysgu gyda'r lleoedd degol. Un cyngor yw, ar ôl adio'r addasiad o ochr dde'r tabl, ni ddylai'r swm fod yn fwy na'r eitem nesaf yng nghorff y tabl. Er enghraifft, pe baem wedi cyfrifo $P(Z < 0.302)$ fel $0.6179 + 0.0070 = 0.6249$, yna byddem yn gwybod bod gwall gan fod y gwerth hwn yn fwy na $P(Z < 0.31) = 0.6217$.

♦ Pan fo'r tablau yn rhai $Q(z)$, rhaid *tynnu'r* ffactorau addasu a roddir ar yr ochr dde o'r gwerth a roddir yng nghorff y tabl.

♦ Nid yw rhai tablau yn cynnwys y manylion a roddir ar ochr dde ein tabl ni. Gyda'r tablau hyn mae'n rhaid i'r sawl sy'n eu defnyddio ryngosod 'â llaw'.

♦ Mae rhai tablau yn defnyddio math o ffurf gryno i ddelio â thebygolrwyddau sy'n agos iawn at 0 neu 1. Felly:

$$.0^43 \to 0.000\ 03$$

$$.9^37 \to 0.9997$$

Enghraifft 11

Mae gan yr hapnewidyn Z ddosraniad normal, cymedr 0 ac amrywiant 1. Darganfyddwch (i) $P(Z < 0.27)$, (ii) $P(Z < 0.345)$, (iii) $P(Z > 0.004)$, (iv) gwerth a lle mae $P(Z < a) = 0.6217$, (v) gwerth b lle mae $P(Z < b) = 0.6000$.

(i) O'r tabl, $\Phi(0.27) = 0.6064$.

(ii) O brif ran y tabl, $\Phi(0.34) = 0.6331$. O bumed golofn rhan ychwanegol y tabl mae angen inni adio '19' (h.y. 0.0019) ac felly y tebygolrwydd sydd ei angen yw $0.6331 + 0.0019 = 0.6350$.

(iii) O'r tabl $\Phi(0.004) = 0.5000$ gydag ychwanegiad o '16', fel bo $P(Z < 0.004) - 0.5016$.
Drwy hynny $P(Z > 0.004) = 1 - 0.5016 = 0.4984$.

(iv) O sganio drwy brif ran y tabl gwelwn fod $\Phi(0.31) = 0.6217$.
Felly $a = 0.31$.

(v) O sganio drwy'r tabl gwelwn fod $\Phi(0.25) = 0.5987$, tra bo $\Phi(0.26) = 0.6026$. Mae'n rhaid bod y gwerth sydd ei angen ar gyfer a rhwng 0.25 a 0.26. Os defnyddiwn ran ychwanegol y tabl gwelwn fod $\Phi(0.253) = 0.5999$ a $\Phi(0.254) = 0.6002$ felly rhaid bod gwerth a tua 0.2533.

Enghraifft 12

Mae gan yr hapnewidyn X ddosraniad normal, cymedr 12 ac amrywiant 5. Darganfyddwch $P(X < 13)$.

$$P(X < 13) = P\left(\frac{X - 12}{\sqrt{5}} < \frac{13 - 12}{\sqrt{5}}\right) = P\left(Z < \frac{1}{\sqrt{5}}\right) = \Phi(0.4472)$$

$$= 0.673 \text{ (i 3 ll.d.)}$$

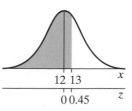

Enghraifft 13

Er mwyn cael perthyn i gymdeithas mae'n rhaid i'r sawl sy'n dymuno bod yn aelod gael sgôr uchel mewn prawf IQ arbennig. Mae gan sgorau a geir yn y prawf ddosraniad normal, cymedr 100.0 a gwyriad safonol 16. Mae pob un sy'n cael 124.0 neu fwy yn ymuno â'r gymdeithas yn awtomatig. Cyfrifwch sgôr ganolrifol aelodau'r gymdeithas.

Mae sgôr ganolrifol y rhai sy'n sefyll y prawf yn 100.0, gan fod dosraniad y sgorau yn normal. Fodd bynnag, canolrif y rhai sy'n cael eu derbyn sydd ei angen. Yn gyntaf mae'n rhaid inni ddarganfod pa gyfran o'r rhai sy'n sefyll y prawf sy'n ennill sgorau o 124.0 neu fwy ac yna rhannu'r gyfran hon yn ddwy. Fel sy'n arferol, mae diagram yn ddefnyddiol.

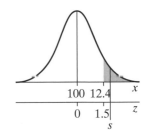

Cyfran y rhai sy'n sefyll prawf ac sy'n cael ymuno â'r gymdeithas yw

$1 - \Phi\left(\dfrac{124 - 100}{16}\right) = 1 - \Phi(1.5) = 0.0668$. Felly mae angen inni gael y sgôr

y mae $\frac{1}{2}(0.0668) = 0.0334$ o'r boblogaeth yn fwy na hi.

Gan ddefnyddio tablau $\Phi(z)$, mae angen inni ddarganfod y gwerth z sy'n cyfateb i $\Phi(z) = 1 - 0.0334 = 0.9666$. Y gwerth sydd ei angen yw 1.833 ac mae'r sgôr ganolrifol, s, felly yn ddatrysiad y canlynol:

$$\dfrac{s - 100}{16} = 1.833$$

Felly, sgôr ganolrifol aelodau'r gymdeithas yw:
$s = 100 + 16 \times 1.833 \approx 129.3$

Ymarferion 10c

Defnyddiwch y tablau yn yr Atodiad, neu'r tablau y byddwch yn eu defnyddio yn eich arholiad i ateb y cwestiynau canlynol.

1   O wybod bod $Z \sim N(0, 1)$, darganfyddwch:
(i) $P(Z < 0.932)$, (ii) $P(Z > 1.235)$,
(iii) $P(Z < -1.414)$, (iv) $P(Z > -0.519)$.

2   O wybod bod $X \sim N(0, 1)$, darganfyddwch:
(i) $P(X > 3.213)$, (ii) $P(X > 3.615)$,
(iii) $P(X < -2.841)$, (iv) $P(X > -2.818)$.

3   O wybod bod $Y \sim N(3.7, 2.4)$, darganfyddwch:
(i) $P(Y > 4)$, (ii) $P(Y < 4.5)$,
(iii) $P(3.1 < Y < 4.2)$, (iv) $P(2.8 < Y < 3.5)$.

4   O wybod bod $X \sim N(23, 12)$, darganfyddwch:
(i) $P(X < 25)$, (ii) $P(20 < X < 25)$,
(iii) $P(X > 27)$, (iv) $P(23 < X < 30)$.

5   O wybod bod $X \sim N(3, 4)$, darganfyddwch:
(i) $P(3X < 7)$, (ii) $P(\frac{1}{2}X < 2)$,
(iii) $P(2X + 1 > 10)$, (iv) $P(3 - X < 2)$.

6   Mae gan fàs torth fechan o fara ddosraniad normal, cymedr 500 g a gwyriad safonol 20 g. Darganfyddwch y tebygolrwyddau canlynol ar gyfer torth a ddewisir ar hap:

(i) nid yw ei màs yn fwy na 475 g,

(ii) nid yw ei màs yn llai na 495 g,

(iii) mae ei màs yn 510 g ar y mwyaf,

(iv) mae ei màs yn 515 g o leiaf.

7   Mae màs cymedrig wyau iâr yn 60 g, gwyriad safonol 15 g, a gellir cymryd bod dosraniad eu masau yn normal. Mae wyau sy'n pwyso llai na 45 g yn cael eu hystyried yn wyau 'bach'. Mae'r gweddill yn cael eu galw un ai'n 'safonol' neu 'fawr'. Y dymuniad yw y dylai'r ddau ddosbarth hyn ddigwydd yr un mor aml yn fras.
Awgrymwch y màs lle dylid rhannu rhwng 'safonol' a 'mawr'.

8   Mae gan awyren sy'n gollwng bom at drac rheilffordd syth gyfeiliorniad yn y pwynt ardrawiad sydd â dosraniad normal, gwyriad safonol 40 m. Gall yr awyren gario un ai 6 bom ysgafn neu 3 bom trwm. Mae'n rhaid i fom ysgafn syrthio o fewn 15 m i'r trac er mwyn achosi difrod. Mae'n rhaid i fom trwm syrthio o fewn 30 m i'r trac. Tybiwch fod yr awyren wedi ei lleoli yn fertigol uwchben y trac.

O wybod bod un bom yn ddigon i ddifrodi'r trac, dangoswch fod y tebygolrwydd y bydd y trac heb ei ddifrodi os yw'r awyren yn cario bomiau ysgafn tua 0.126.

Darganfyddwch y tebygolrwydd cyfatebol os yw'r awyren yn cario bomiau trwm.

Beth yw'r strategaeth orau: cario'r bomiau ysgafn ynteu cario'r bomiau trwm?

Darganfyddwch beth yw'r strategaeth orau os yw'r awyren wedi ei lleoli uwchben pwynt 20 m oddi wrth y trac a hynny mewn camgymeriad.

10.5 Tablau o bwyntiau canrannol

Yn ogystal â'r tabl helaeth o debygolrwyddau sy'n cyfateb i werthoedd z, mae'r rhan fwyaf o lyfrau tablau hefyd yn cyflwyno'r wybodaeth o chwith. Hynny yw, yn achos amrediad gwerthoedd $\Phi(z)$, mae'r ail dabl hwn yn rhoi gwerth cyfatebol z. Gellir disgrifio'r tabl hwn drwy ddweud ei fod yn rhoi 'cwantelau uchaf'.

Isod rhoddir fersiwn gryno o'r tabl yn yr Atodiad (t. 440):

$q(\%)$	z	$q(\%)$	z	$q(\%)$	z
50	0.000	5	1.645	0.5	2.576
40	0.253	4	1.751	0.1	3.090
30	0.524	3	1.881	0.01	3.719
25	0.674	2.5	1.960	0.0^21	4.265
20	0.842	2	2.054	0.0^31	4.753
10	1.282	1	2.326	0.0^41	5.199

Yma $q\%$ yw tebygolrwydd cynffon uchaf y tebygolrwydd sy'n cyfateb i'r gwerth z a roddir. Felly:

Gwerth a fel bo $P(Z > a) = 2\%$ yw 2.054.
Gwerth a fel bo $P(Z < a) = 70\%$ yw 0.524.
Gwerth a fel bo $P(Z > a) = 0.03$ yw 1.881.
Gwerth a fel bo $P(Z < a) = 0.95$ yw 1.645.
Gwerth a fel bo $P(Z < a) = 0.1$ yw -1.282.
Gwerth a fel bo $P(Z < a) = 0.999\,990$ yw 5.199.

Enghraifft 14

Mae hapnewidyn $Z \sim N(0, 1)$.
Darganfyddwch werth a fel bod $P(-a < Z < a) = 0.4$.

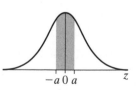

Mae dosraniad normal yn gymesur o bobtu ei gymedr. Os yw a yn peri bod $P(-a < Z < a) = 0.4$ yna mae $P(0 < Z < a) = 0.2$. Ond $P(Z > 0) = 0.5$ ac felly drwy gyfuno'r canlyniadau hyn cawn $P(Z > a) = 0.5 - 0.2 = 0.3 = 30\%$.

Felly y gwerth sydd ei angen ar gyfer a yw 0.524.

Enghraifft 15

Mae hapnewidyn $X \sim N(19, 49)$.

Darganfyddwch werth a fel bod $P(X < a) = 0.90$.

$$P(X < a) = P\left(\frac{X - \mu}{\sigma} < \frac{a - \mu}{\sigma}\right)$$

$$= \Phi\left(\frac{a - \mu}{\sigma}\right)$$

Rydym eisiau darganfod gwerth a fel bo $\Phi\left(\frac{a - 19}{7}\right) = 0.90$, sy'n golygu

bod 10% yn y gynffon uchaf. Ond gwyddom, o'r tabl, fod pwynt 10% uchaf
dosraniad normal safonol yn 1.282. Y casgliad anochel yw bod:

$$\frac{a - 19}{7} = 1.282$$

sy'n awgrymu bod $a = 19 + (7 \times 1.282) = 27.974$. Drwy hynny,
$a = 28.0$ (i 1 ll.d.).

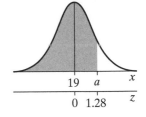

Enghraifft 16

Mae peiriant i fod i dorri boncyffion yn ddarnau 2 fetr o hyd. Fodd
bynnag, mae'r peiriant yn hen, ac er bod hyd *cyfartalog* y darnau mae'n eu
cynhyrchu yn 2 fetr, mae 10% o'r darnau yn llai nag 1.95 metr o hyd.
Gan gymryd bod dosraniad yr hydoedd a gynhyrchir yn normal, cyfrifwch
gyfran y darnau sy'n hirach na 2.10 metr.

Boed i'r hapnewidyn sy'n cyfateb i hyd boncyff fod yn X. Dyma'r
wybodaeth sydd gennym:

$$X \sim N(2.00, \sigma^2)$$
$$P(X < 1.95) = 0.10$$

Mae arnom angen darganfod $P(X > 2.10)$ ac mae'n rhaid inni, yn gyntaf,
benderfynu beth yw gwerth σ. Er mwyn gwneud hyn rydym yn cysylltu'r
tebygolrwydd hysbys â'r dosraniad normal safonol.

Nawr:

$$P(X < 1.95) = \Phi\left(\frac{1.95 - 2.00}{\sigma}\right)$$

a hefyd:

$$0.10 = \Phi(-1.282)$$

gan ddefnyddio'r wybodaeth yn y tabl o bwyntiau canrannol. Drwy hynny
mae'n rhaid bod:

$$\Phi(-1.282) = \Phi\left(\frac{1.95 - 2.00}{\sigma}\right)$$

sy'n ymhlygu bod:

$$-1.282 = \frac{1.95 - 2.00}{\sigma}$$

Drwy hynny:

$$\sigma = \frac{-0.05}{-1.282}$$

$$= 0.390$$

Nawr gwyddom fod $X \sim \text{N}(2.00, 0.0390^2)$. Er mwyn darganfod $\text{P}(X > 2.10)$ yn gyntaf rydym yn darganfod $\text{P}(X < 2.10)$ sy'n hafal i:

$$\Phi\left(\frac{2.10 - 2.00}{0.039}\right) = \Phi(2.564)$$

Gan ddefnyddio'r tablau yn yr Atodiad, darganfyddir bod y tebygolrwydd cyfatebol yn 0.9948. Mae'r tebygolrwydd sydd ei angen felly yn $1 - 0.9948 = 0.0052$; mewn geiriau eraill ychydig mwy na 0.5% o'r darnau o bren sydd yn hirach na 2.10 metr.

Enghraifft 17

Mae gan yr hapnewidyn Y ddosraniad normal, cymedr μ ac amrywiant σ^2. O wybod bod 10% o werthoedd Y yn fwy na 17.24 a bod 25% o werthoedd Y yn llai nag 14.37, darganfyddwch werthoedd μ a σ.

———

Gwyddom o'r tablau pwyntiau canrannol fod pwynt 10% uchaf y dosraniad normal safonol yn 1.282 a phwynt 25% isaf yn -0.674. Felly mae gwerthoedd μ a σ yn ddatrysiadau'r canlynol:

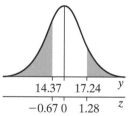

$$\frac{17.24 - \mu}{\sigma} = 1.282$$

$$\frac{14.37 - \mu}{\sigma} = -0.674$$

O luosi â σ a thynnu, cawn:

$$17.24 - \mu \quad = \quad 1.282\sigma$$
$$\underline{14.37 - \mu \quad = \quad -0.674\sigma}$$
$$2.87 \qquad = \qquad 1.956\sigma$$

Felly $\sigma = 1.47$ a thrwy hynny $\mu = 17.24 - 1.282\sigma = 15.4$.

Enghraifft 18

Mae gan yr hapnewidyn X ddosraniad normal. Gwyddom fod $\text{P}(X > 9) = 0.9192$ a bod $\text{P}(X < 11) = 0.7580$. Darganfyddwch $\text{P}(X > 10)$.

———

Ni ddywedir wrthym beth yw gwerthoedd μ a σ, felly mae'n rhaid inni ddechrau drwy ddarganfod y rhain, gan ddefnyddio'r ddau ddarn o wybodaeth sydd gennym. Mae braslun cyntaf yn dangos bod yn rhaid bod μ rhwng 9 ac 11, a chan fod 0.9192 yn fwy na 0.7580, mae'n rhaid bod y cymedr ychydig yn fwy na 10.

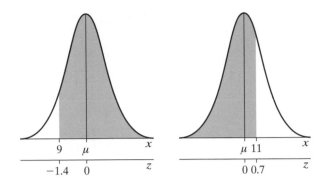

Nawr $1 - 0.9192 = 0.0808$, felly mae angen inni chwilio tablau $\Phi(z)$ i ddarganfod y gwerthoedd z sy'n cyfateb i $\Phi(z) = 0.0808$ a $\Phi(z) = 0.7580$. Mae'r gwerthoedd hyn yn -1.400 a 0.700, yn ôl eu trefn. Nawr rydym yn datrys yr hafaliadau cydamserol:

$$\frac{9 - \mu}{\sigma} = -1.400$$

$$\frac{11 - \mu}{\sigma} = 0.700$$

Drwy luosi â σ cawn:

$$9 - \mu = -1.400\sigma$$
$$11 - \mu = 0.700\sigma$$

Drwy dynnu un hafaliad o'r llall cawn $2 = 2.100\sigma$, fel bo $\sigma = \frac{20}{21}$ (yn fras).

Drwy roi'r gwerth hwn yn y naill hafaliad neu'r llall cawn $\mu = \frac{31}{3}$.

Rydym eisiau $P(X > 10)$, felly yn gyntaf rydym yn darganfod gwerth cyfatebol z:

$$z - \frac{10 - \frac{31}{3}}{\frac{20}{21}} = -\frac{7}{20}$$

Drwy hynny:

$$P(X > 10) = 1 - \Phi(-\tfrac{7}{20}) = 1 - \{1 - \Phi(0.35)\} = 0.6368$$

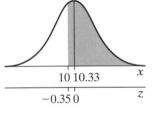

Mae'r tebygolrwydd bod X yn fwy na 10 yn 0.637 (i 3 ll.d.).

Ymarferion 10ch

Defnyddiwch y tablau pwyntiau canrannol yn Adran 10.5 (t. 252), neu'r tablau y byddwch yn eu defnyddio yn eich arholiad, i ateb y cwestiynau canlynol.

1 O wybod bod $Z \sim N(0, 1)$, darganfyddwch a fel bod:
(i) $P(Z < a) = 0.97$, (ii) $P(Z > a) = 0.05$,
(iii) $P(Z < a) = 0.001$, (iv) $P(Z > a) = 0.99$,
(v) $P(Z > a) = 0.0001$, (vi) $P(Z < a) = 0.999$.
Rhowch eich atebion yn gywir i 3 lle degol.

2 O wybod bod $X \sim N(20, 25)$, darganfyddwch a fel bod:
(i) $P(X < a) = 0.97$, (ii) $P(X > a) = 0.05$,
(iii) $P(X < a) = 0.001$, (iv) $P(X > a) = 0.99$,
(v) $P(X > a) = 0.0001$, (vi) $P(X < a) = 0.999$.
Rhowch eich atebion yn gywir i 3 lle degol.

3 O wybod bod $X \sim N(\mu, 2.5)$ a bod $P(X > 3.5) = 0.970$, darganfyddwch μ.

4 O wybod bod $X \sim N(\mu, 0.5)$ a bod $P(X < -1.2) = 0.050$, darganfyddwch μ.

5 O wybod bod $X \sim N(32.4, \sigma^2)$ a bod $P(X > 45.2) = 0.300$, darganfyddwch σ.

6 O wybod bod $X \sim N(-7.21, \sigma^2)$ a bod $P(X < 0) = 0.900$, darganfyddwch σ.

7 O wybod bod $X \sim N(\mu, \sigma^2)$ a bod $P(X > 0) = 0.800$ a $P(X < 5) = 0.700$, darganfyddwch μ a σ.

8 Mae màs, M, tun o ffa pob a ddewisir ar hap fel bod $M \sim N(420, 100)$.
Darganfyddwch, yn gywir i 1 lle degol:
(i) yr 20fed canradd,
(ii) y 90fed canradd.

9 Mae gan gyfaint llefrith mewn potel ddosraniad normal, cymedr 1000 ml. Darganfyddwch y gwyriad safonol o wybod bod y tebygolrwydd bod llai na 990 ml mewn potel a ddewisir ar hap yn 5%.
Beth allwch chi ei ddweud am y gwyriad safonol os yw'r tebygolrwydd i fod yn llai na 5%?

10 Mae math o hocysen y gerddi (*hollyhock*) yn tyfu yn uchel iawn. Gan dybio bod i'r uchder ddosraniad normal, darganfyddwch y cymedr a'r gwyriad safonol, o wybod bod y 30fed a'r 70fed canradd yn 1.83 m a 2.31 m yn ôl eu trefn.

11 O ganlyniad i amrywiadau cynhyrchu, mae'n bosibl defnyddio dosraniad normal i fodelu hyd llinyn mewn pellen a ddewisir ar hap. Darganfyddwch y cymedr a'r gwyriad safonol o wybod bod y llinyn mewn 95% o bellenni yn fwy na 495 m o hyd, a'r llinyn mewn 99% ohonynt yn fwy na 490 m, gan roi eich atebion yn gywir i ddau le degol.

12 Mae gan hyd, mewn cm, silindr pres, ddosraniad normal, cymedr μ ac amrywiant σ^2. Mae μ a σ^2 yn anhysbys. Tybiwch fod sampl mawr yn datgelu bod 10% o'r silindrau yn hirach na 3.68 cm a bod 3% yn fyrrach na 3.52 cm. Darganfyddwch werthoedd μ a σ^2.

13 Mae tensiynau torri cortynnau neilon a gynhyrchir gan gwmni arbennig wedi eu dosrannu'n normal â chymedr 74 N a gwyriad safonol 2.5 N. Darganfyddwch, yn gywir i ddau le degol:
(i) y tebygolrwydd y bydd tensiwn torri cortyn a ddewisir ar hap yn llai na 75 N.
(ii) gwerth c, o wybod bod tensiynau torri 75% o gortynnau o'r fath yn llai nag c N. [CBAC]

14 Mae gan yr hapnewidyn X ddosraniad normal, cymedr μ ac amrywiant σ^2. O wybod bod $P(X > 58.37) = 0.02$ a $P(X < 40.85) = 0.01$, darganfyddwch μ a σ. [ULEAC]

10.6 Defnyddio cyfrifianellau

Gall rhai cyfrifianellau enrhifo tebygolrwyddau ar gyfer hapnewidynnau normal. Gallant roi gwerthoedd ar gyfer tri mesur:

$$P(z) = \Phi(z) = P(Z < z)$$

$$Q(z) = P(0 < Z < z)$$

$$R(z) = P(Z > z)$$

Nodiadau
◆ Mae diffiniad Q yn wahanol i'r un a ddefnyddir mewn rhai tablau.
◆ Mae cyfrifianellau yn amrywio hefyd. Gwiriwch beth all eich cyfrifiannell chi ei wneud.

10.7 Defnyddio'r dosraniad normal

Heb unrhyw amheuaeth, dosraniadau normal yw'r dosraniadau pwysicaf mewn Ystadegaeth. Mae amryw o resymau am hyn:

◆ Pan fo n yn fawr, gall dosraniad binomial, paramedrau n a p gael ei frasamcanu yn dda gan ddosraniad normal.

◆ Pan fo λ yn fawr, gall dosraniad Poisson, paramedr λ, gael ei frasamcanu yn dda gan ddosraniad normal.

◆ Oherwydd **Theorem y Derfan Ganolog** (a drafodir yn nes ymlaen), yn aml mae dosraniad y cymedr a chyfanswm set o arsylwadau annibynnol ar hapnewidyn yn cael eu brasamcanu'n dda gan ddosraniad normal.

◆ Eto bydd gan unrhyw gyfuniad llinol o hapnewidynnau normal ddosraniad normal.

◆ Mae gan lawer o hapnewidynnau sy'n digwydd yn naturiol ddosraniadau sy'n debyg iawn i'r normal. Dyma enghreifftiau:

  ● masau bagiau blawd '1 kg',
  ● diamedrau pêl-ferynnau,
  ● cyfeiliornadau mewn mesuriadau.

Hefyd, mae'r dosraniad normal yn aml yn rhoi brasamcan da o hapnewidynnau arwahanol gyda llawer o gategorïau, megis marciau myfyrwyr mewn papur Ystadegaeth Safon Uwch.

Nodiadau

◆ Gelwir y dosraniad yn *normal* oherwydd ei fod yn digwydd mor aml. Ar un adeg, os nad oedd set o ddata i'w gweld yn cael ei brasamcanu'n dda gan ddosraniad normal credid bod yn rhaid bod cyfeiliornad yn y data.

Gwaith ymarferol _____

> Gan ddibynnu ar yr offer mesur sydd ar gael, mae pob un o'r canlynol yn debygol o roi set o arsylwadau â dosraniad normal bras: taldra, pwysau, rhychwant mwyaf llaw (bawd i'r bys bach wedi eu hymestyn), rhychwant (pellter mwyaf rhwng blaen bysedd y llaw chwith a blaen bysedd y llaw dde), hyd y droed dde, cylchedd yr arddwrn. Dylid cadw data benywod a gwrywod ar wahân, oherwydd, waeth beth yw eu hoedran, mae benywod yn llai ar gyfartaledd (h.y. ceir dwy boblogaeth amlwg).
> Defnyddiwch histogram i gynrychioli eich data. Ym mhle mae brig yr histogram? A yw'r histogram yn ymddangos yn gymesur?

Mathemategydd a seryddwr oedd Carl Friedrich Gauss (1777-1855) a ddisgrifiwyd (ynghyd ag Archimedes a Newton) fel un o'r tri mathemategydd mwyaf erioed. Teitl un o'i lyfrau, a gyhoeddwyd yn 1809 oedd (wedi ei gyfieithu) *Theori Mudiant Cyrff Wybrennol yn Symud o gwmpas yr Haul mewn Trychiadau Conig*. Fel yr awgryma'r teitl, roedd y llyfr yn ymwneud yn bennaf â mathemateg orbitau'r planedau. Fodd bynnag, tua diwedd y llyfr, mae un adran yn delio â'r broblem o gysoni cyfeiliornadau mesuriadau. Yma y cynigiodd Gauss gyfres o nodweddion a ddylai fod gan gyfeiliornadau o'r fath. O'r nodweddion hyn diddwythodd Gauss ffurf y dosraniad normal. Er bod y ddadl a ddefnyddiai Gauss ychydig yn ddiffygiol, roedd ei gasgliad yn gywir. Fel arfer bydd peirianwyr yn cyfeirio at y dosraniad normal fel **dosraniad Gauss**.

10.8 Nodweddion cyffredinol

Awgrymodd Gauss, pe byddai rhywun yn gwneud nifer o arsylwadau annibynnol ar werth mesur arbennig, yna:

1 Dylai cyfeiliornad positif o faint penodol fod yr un mor debygol â chyfeiliornad negatif o'r un maint.
2 Dylai cyfeiliornadau mawr fod yn llai tebygol na chyfeiliornadau bychain.
3 Dylai gwerth mwyaf tebygol yr hyn sy'n cael ei fesur fod yn gymedr yr arsylwadau.

Canlyniad (1) yw bod y dosraniad yn *gymesur* ac o'r herwydd mae'r cymedr yn hafal i'r canolrif. Canlyniad (2) yw bod y ddau yn hafal i'r modd. O ystyried y tri gosodiad gyda'i gilydd diddwythodd Gauss fod pdf yr hapgyfeiliornad, X, yn debygol o fod yn:

$$f(x) = \frac{1}{\sigma\sqrt{2\pi}}\, e^{-\frac{1}{2\sigma^2}(x-\mu)^2} \qquad -\infty < x < \infty$$

sydd, mewn gwirionedd, yn pdf hapnewidyn $N(\mu, \sigma^2)$.
Yma mae gan π ac e eu gwerthoedd arferol (3.14… a 2.78…) a'r ddau baramedr μ a σ^2 yw cymedr ac amrywiant y dosraniad.

Nodiadau

♦ Er bod amrediad nominal X yn anfeidraidd, mae'r rhan fwyaf (tua 99.7%) o werthoedd X yn y cyfwng:

$\mu - 3\sigma, \mu + 3\sigma$

tra bo 95% yn y cyfwng:

$\mu - 2\sigma, \mu + 2\sigma$

y cyfeirir ato weithiau fel y **rheol 2 sigma**.

♦ Yn achos dosraniad normal, gellir ystyried newidiadau yng ngwerthoedd μ a σ yn syml fel newidiadau o ran lleoliad a graddfa. Nid yw'r siâp sylfaenol yn newid, er y bydd ei ymddangosiad yn amrywio.

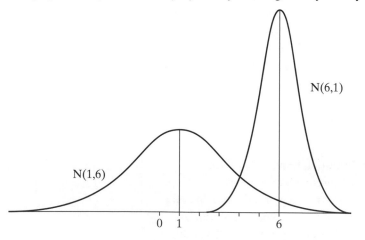

Ymarfer cyfrifiannell

> *Os gall eich cyfrifiannell enrhifo integrynnau yn rhifadol yna gallwch fodloni eich hun bod yr arwynebedd dan y gromlin normal yn wir yn hafal i 1. Dewiswch unrhyw werthoedd a ddymunwch ar gyfer μ a σ. Rhowch gynnig ar amrywiaeth o derfynnau uwch ac is ar gyfer yr integriad ac arsylwch sut y mae'r arwynebedd yn agosáu'n araf at 1 wrth i'r terfynnau ymbellhau oddi wrth ei gilydd.*

10.9 Cyfuniadau llinol hapnewidynnau normal annibynnol

Mae hapnewidynnau normal yn ymddwyn yn ufudd iawn.

Os yw X ac Y yn ddau hapnewidyn annibynnol â dosraniad normal, ac os yw a a b yn gysonion, yna mae gan $aX + bY$ ddosraniad normal.

Mae cymedr ac amrywiant y dosraniad normal deilliadol yn dilyn o ganlyniadau Adran 9.4 (t. 226):

$$E(aX + bY) = aE(X) + bE(Y)$$
$$\text{Var}(aX + bY) = a^2\text{Var}(X) + b^2\text{Var}(Y)$$

Enghraifft 19

Mae hapnewidynnau X ac Y yn annibynnol, gydag $X \sim N(2, 3)$ ac $Y \sim N(6, 4)$. Diffinnir yr hapnewidyn W gan $W = X + Y$. Darganfyddwch (i) $P(W > 8)$, (ii) $P(W > 10)$.

———

Rydym yn dechrau drwy ddarganfod cymedr ac amrywiant W:

$$E(W) = E(X + Y) = E(X) + E(Y) = 2 + 6 = 8$$
$$\text{Var}(W) = \text{Var}(X + Y) = \text{Var}(X) + \text{Var}(Y) = 3 + 4 = 7$$

felly $W \sim N(8, 7)$.

(i) Gan fod gan W ddosraniad normal, cymedr 8 gallwn ysgrifennu yn syth fod $P(W > 8) = \frac{1}{2}$.

(ii) Er mwyn darganfod $P(W > 10)$ mae arnom angen y gwerth z sy'n cyfateb i $w = 10$:

$$z = \frac{10 - 8}{\sqrt{7}} = 0.756$$

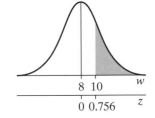

Drwy hynny:

$$P(W > 10) = 1 - \Phi(0.756) = 1 - 0.7752 = 0.225 \text{ (i 3 ll.d.)}.$$

Enghraifft 20

Mae'r hapnewidynnau X ac Y yn annibynnol gydag $X \sim N(3, 1)$ ac $Y \sim N(7, 5)$. Mae'r hapnewidyn W wedi ei ddiffinio gan $W = Y - 2X$. Darganfyddwch y tebygolrwydd bod W yn cymryd gwerth positif.

———

Rydym yn dechrau drwy ddarganfod cymedr ac amrywiant W:

$$E(W) = E(Y - 2X) = E(Y) - 2E(X) = 7 - (2 \times 3) = 1$$
$$\text{Var}(W) = \text{Var}(Y - 2X) = \text{Var}(Y) + (-2)^2\text{Var}(X)$$
$$= 5 + (4 \times 1) = 9$$

felly $W \sim N(1, 9)$.

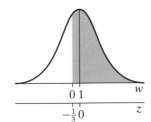

Er mwyn darganfod $P(W > 0)$ mae arnom angen y gwerth z sy'n cyfateb i $w = 0$:

$$z = \frac{0 - 1}{\sqrt{9}} = -\frac{1}{3}$$

Drwy hynny:

$$P(W > 0) = 1 - \Phi(-\tfrac{1}{3}) = \Phi(\tfrac{1}{3}) = 0.6304$$

Mae'r tebygolrwydd bod W yn cymryd gwerth positif yn 0.630 (i 3 ll.d.)

Enghraifft 21

Mae'r hapnewidynnau X ac Y yn annibynnol gydag $X \sim N(16, 4)$ ac $Y \sim N(8, 9)$.

Darganfyddwch (i) $P(X - 2Y > 0)$, (ii) $P(X + 2Y < 30)$.

(i) Defnyddiwch V i ddynodi $X - 2Y$. Yna mae gan V ddosraniad normal, cymedr:

$$E(X) - 2E(Y) = 16 - (2 \times 8) = 0$$

ac amrywiant:

$$Var(X) + \{(-2)^2 \times Var(Y)\} = 4 + (4 \times 9) = 40$$

Mae arnom angen $P(V > 0)$. Gan fod $E(V) = 0$, mae'r tebygolrwydd sydd ei angen yn $\frac{1}{2}$.

(ii) Defnyddiwch W i ddynodi $X + 2Y$. Yna mae gan W ddosraniad normal, cymedr:

$$E(X) + 2E(Y) = 16 + (2 \times 8) = 32$$

ac amrywiant:

$$Var(X) + \{2^2 \times Var(Y)\} = 4 + (4 \times 9) = 40$$

Mae arnom angen $P(W < 30)$. Mae gwerth cyfatebol z yn

$$\frac{30 - 32}{\sqrt{40}} = -0.316.$$ Felly mae'r tebygolrwydd sydd ei angen yn

$\Phi(-0.316) = 0.376$ (i 3 ll.d.).

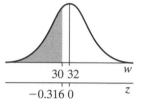

Enghraifft 22

Mae hapnewidyn $X \sim N(16, 4)$. Mae gan yr hapnewidynnau annibynnol X_1 ac X_2 yr un dosraniad ag X. Mae'r hapnewidyn $\overline{X}$ wedi ei ddiffinio gan $\overline{X} = \frac{1}{2}(X_1 + X_2)$.

Darganfyddwch $P(\overline{X} > 18)$.

Mae dosraniad $\overline{X}$ yn normal, cymedr $\frac{1}{2}(16 + 16) = 16$ ac amrywiant $(\frac{1}{4})(4 + 4) = 2$. Felly mae'r gwerth z sydd o ddiddordeb yn $\dfrac{18 - 16}{\sqrt{2}} = 1.414$ a thrwy hynny mae'r tebygolrwydd sydd ei angen yn

$1 - \Phi(1.414) = 1 - 0.9213 = 0.0787 = 0.079$ (i 3 ll.d.)

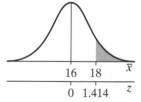

Enghraifft 23

Mae gan ddiamedr (mm) X, ceg gron potel ddosraniad normal, cymedr 20 a gwyriad safonol 0.1. Mae gan ddiamedr (mm) Y, trawstoriad crwn corcyn gwydr, ddosraniad normal, cymedr 19.7 a gwyriad safonol 0.1.

Darganfyddwch y tebygolrwydd y bydd corcyn a ddewisir ar hap yn ffitio i geg potel a ddewisir ar hap.

Mae angen $P(X > Y)$, sy'n edrych fel rhif sydd braidd yn anodd i'w gyfrifo. Fodd bynnag, mae $P(X > Y) = P(X - Y > 0)$ ac mae $X - Y$ yn gyfuniad llinol o hapnewidynnau normal annibynnol ac o'r herwydd mae ganddo ddosraniad normal. Gadewch i $B = X - Y$, lle mae B mm yn cynrychioli'r bwlch rhwng diamedrau'r corcyn a'r geg. Nawr

$E(B) = E(X) - E(Y) = 20 - 19.7 = 0.3$

a $Var(B) = Var(X) + Var(Y) = 0.1^2 + 0.1^2 = 0.02$, felly:

$$B \sim N(0.3, 0.02)$$

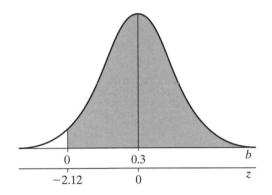

Mae'r gwerth z sydd o ddiddordeb yn $\dfrac{0 - 0.3}{\sqrt{0.02}} = -2.121$, felly:

$$P(B > 0) = 1 - P(B < 0) = 1 - \Phi(-2.121) = \Phi(2.121) = 0.9830$$

Mae'r tebygolrwydd y bydd corcyn a ddewisir ar hap yn ffitio i geg potel a ddewisir ar hap yn 0.983 (i 3 ll.d.).

Estyn i fwy na dau newidyn

Mae hyn yn dilyn yn uniongyrchol. Tybiwch fod W, X ac Y yn hapnewidynnau normal annibynnol a bod a, b ac c yn gysonion. Ystyriwch yr hapnewidyn U a ddiffinnir gan:

$$U = aW + bX + cY$$

a gadewch i $V = aW + bX$. O'r canlyniad blaenorol gwyddom fod gan V hefyd ddosraniad normal. Felly gallwn ysgrifennu:

$$U = V + cY$$

a, chan fod yr ochr dde unwaith eto yn gyfuniad llinol o hapnewidynnau normal annibynnol, mae'n dilyn bod gan U ddosraniad normal. Mae canlyniadau Adran 9.4 (t. 226) yn rhoi cymedr ac amrywiant U:

$$E(U) = aE(W) + bE(X) + cE(Y)$$
$$Var(U) = a^2Var(W) + b^2Var(X) + c^2Var(Y)$$

Gellir mynd â'r ddadl hon yn ei blaen yn ddiddiwedd.

Mae gan gyfuniad llinol o unrhyw nifer o hapnewidynnau normal annibynnol ddosraniad normal.

Enghraifft 24

Mae gan bob un o'r hapnewidynnau normal annibynnol W, X ac Y ddisgwyliad 0 ac amrywiant 1. Diffinnir yr hapnewidyn V gan $V = W + 2X + 3Y$.
Darganfyddwch y tebygolrwydd bod V yn llai na 4.

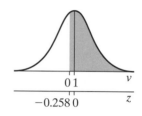

Mae disgwyliad yr hapnewidyn V yn 0 a'i amrywiant yn $1 + (2^2 \times 1) + (3^2 \times 1) = 14$. Mae'r gwerth z o ddiddordeb yn $\frac{4 - 0}{\sqrt{14}} = 1.069$.

Mae'r tebygolrwydd angenrheidiol yn $\Phi(1.069) = 0.857$ (i 3 ll.d.)

Enghraifft 25

Mae'r hapnewidynnau annibynnol W, X ac Y fel bod $W \sim N(3, 5)$, $X \sim N(5, 5)$ ac $Y \sim N(7, 5)$.
Darganfyddwch y tebygolrwydd bod swm W ac X yn fwy nag Y.

Gadewch i $V = W + X - Y$. Yna mae gan V ddosraniad normal gyda chymedr yn hafal i $3 + 5 - 7 = 1$ ac amrywiant yn hafal i $5 + 5 + \{(-1)^2 \times 5\} = 15$. Rydym eisiau $P(V > 0)$. Mae'r gwerth z o ddiddordeb felly yn $\frac{0 - 1}{\sqrt{15}} = -0.258$. Mae'r tebygolrwydd sydd ei angen yn $1 - \Phi(-0.258) = \Phi(0.258) = 0.602$ (i 3 ll.d.).

Enghraifft 26

Mae gan yr hapnewidyn normal X ddisgwyliad ac amrywiant sy'n hafal i 1.
Darganfyddwch y tebygolrwydd bod gan 16 o werthoedd X annibynnol gyfanswm sy'n fwy na 24.

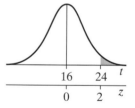

Defnyddiwch $X_1, X_2, ..., X_{16}$ i ddynodi'r hapnewidynnau sy'n cyfateb i'r 16 gwerth. Boed i $T = X_1 + ... + X_{16}$. Yna mae gan T ddosraniad normal â chymedr ac amrywiant a roddir gan:

$$E(T) = E(X_1) + ... + E(X_{16}) = 16$$
$$Var(T) = Var(X_1) + ... + Var(X_{16}) = 16$$

Drwy hynny $T \sim N(16, 16)$. Mae'r gwerthoedd z o ddiddordeb yn $\frac{24 - 16}{\sqrt{16}} = 2$. Mae'r tebygolrwydd sydd ei angen yn $1 - \Phi(2) = 0.0228 = 0.023$ (i 3 ll.d.).

Enghraifft 27

Mae cyfanswm màs (mewn g) paced o fisgedi yn cynnwys màs (mewn g) y pecyn, Y, a masau (mewn g) y 15 bisged $X_1, ..., X_{15}$. Mae gan fàs bisged ddosraniad normal, cymedr 30 a gwyriad safonol 1, tra bo gan fàs y pecyn ddosraniad normal, cymedr 5 a gwyriad safonol 0.2.
Darganfyddwch y tebygolrwydd bod cyfanswm màs paced o fisgedi rhwng 450 a 460 g.

Gadewch i W ddynodi cyfanswm y màs. Felly:

$$W = Y + X_1 + \ldots + X_{15}$$

a thrwy hynny:

$$E(W) = 5 + (15 \times 30) = 455$$

Gan gymryd bod masau'r 16 eitem yn annibynnol ar ei gilydd, mae gennym hefyd:

$$\text{Var}(W) = 0.2^2 + (15 \times 1^2) = 15.04$$

fel bod $W \sim N(455, 15.04)$.

Y gwerthoedd z sy'n cyfateb i'r gwerthoedd dan sylw, sef 460 a 450, yw

$\dfrac{460 - 455}{\sqrt{15.04}}$ a $\dfrac{450 - 455}{\sqrt{15.04}}$, yn ôl eu trefn. Gellir symleiddio'r mynegiadau hyn

i 1.289 a -1.289, yn ôl eu trefn.

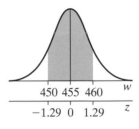

Drwy hynny:

$$
\begin{aligned}
P(450 < W < 460) &= P(W < 460) - P(W < 450) \\
&= \Phi(1.289) - \Phi(-1.289) \\
&= 2\Phi(1.289) - 1 \\
&= (2 \times 0.9013) - 1 \\
&= 0.8026
\end{aligned}
$$

Mae'r tebygolrwydd bod cyfanswm màs paced o fisgedi rhwng 450 a 460 g yn 0.803 (i 3 ll.d.).

Dosraniad cymedr hapnewidynnau normal

Mae un cyfuniad llinol penodol o hapnewidynnau normal o ddiddordeb arbennig. Boed i $X_1, \ldots, X_n$ fod yn n hapnewidyn normal annibynnol, a dosraniad pob un â chymedr μ ac amrywiant σ^2. Rhoddir yr hapnewidyn sy'n cynrychioli cymedr y sampl gan

$$\overline{X} = \frac{1}{n}(X_1 + \ldots + X_n)$$

O'r canlyniadau blaenorol gwelwn fod gan $\overline{X}$ ddosraniad normal, gyda chymedr ac amrywiant wedi eu rhoi gan

$$E(\overline{X}) = \frac{1}{n}(\mu + \ldots + \mu) = \frac{1}{n}n\mu = \mu$$

$$\text{Var}(X) = \left(\frac{1}{n}\right)^2(\sigma^2 + \ldots + \sigma^2) = \frac{1}{n^2}n\sigma^2 = \frac{\sigma^2}{n}$$

Enghraifft 28

Mae gan yr hapnewidyn X ddosrania normal, cymedr μ ac amrywiant σ^2. Mae gwerth u fel bod $P(X > u) = 0.25$. Mae'r hapnewidyn $\overline{X}$ yn dynodi cymedr 16 arsylwad annibynnol o X.

Darganfyddwch y tebygolrwydd bod $\overline{X}$ yn fwy nag u.

Mae hyn yn edrych yn gwestiwn amhosibl onibai ein bod yn gwybod gwerthoedd μ a σ^2. Gwyddom fod

$$0.25 = P(X > u) = P\left(\frac{X - \mu}{\sigma} > \frac{u - \mu}{\sigma}\right)$$

Mewn geiriau eraill

$$\Phi\left(\frac{u - \mu}{\sigma}\right) = 0.75$$

Fodd bynnag, o'r tablau rydym yn darganfod bod

$$\Phi(0.674) = 0.75$$

sy'n awgrymu bod

$$\frac{u - \mu}{\sigma} = 0.674$$

Gofynnir inni ddarganfod $P(\overline{X} > u)$. Gan ein bod yn gwybod bod gan $\overline{X}$ ddosraniad normal, cymedr μ ac amrywiant $\frac{1}{16}\sigma^2$, gallwn ysgrifennu

$$P(\overline{X} > u) = P\left(\frac{\overline{X} - \mu}{\frac{1}{4}\sigma} > \frac{u - \mu}{\frac{1}{4}\sigma}\right) = 1 - \Phi\left(\frac{u - \mu}{\frac{1}{4}\sigma}\right)$$

Ond

$$\frac{u - \mu}{\frac{1}{4}\sigma} = 4\left(\frac{u - \mu}{\sigma}\right)$$

$$= 4 \times 0.674 = 2.696$$

Mae'r tebygolrwydd sydd ei angen felly yn

$$1 - \Phi(2.696) = 0.0035$$

Ond mae μ a σ ill dau wedi diflannu. Mae'r canlyniad felly yn un cyffredinol ar gyfer samplau maint 16 o unrhyw ddosraniad normal. Mae'n dangos i ba raddau mae cymedr sampl yn llai amrywiol nag arsylwad unigol: dim ond mewn tua 1 achos mewn 3000 y bydd cymedr sampl o faint 16 yn fwy na gwerth y mae 25% o'r arsylwadau yn fwy nag ef.

Ymarferion 10d

1 O wybod bod $X \sim N(4, 9)$, $Y \sim N(7, 4)$, a bod X ac Y yn annibynnol, darganfyddwch:
(i) $P(X + Y < 15)$, (ii) $P(Y - X > 1)$,
(iii) $P(X > Y)$, (iv) $P(X > 10 - Y)$.

2 O wybod bod $X \sim N(-1, 5)$, $Y \sim N(2, 7)$ a bod X ac Y yn annibynnol, darganfyddwch:
(i) $P(3X + 2Y > 1)$, (ii) $P(Y < 2X + 6)$,
(iii) $P(X + 2Y + 1 < 0)$, (iv) $P(Y > X)$.

3 O wybod bod $X \sim N(-1, 4)$, $Y \sim N(1, 4)$ a bod X ac Y yn annibynnol, darganfyddwch:
(i) $P(2X > 3Y)$, (ii) $P(X + Y > 0)$,
(iii) $P(50X + 100Y > 300)$,
(iv) $P(100Y - 50X > 200)$.

4 Gwyddom fod $X \sim N(7, 5)$ a bod $X_1, X_2, ..., X_{10}$ yn ddeg arsylwad annibynnol o X. Boed i $S = X_1 + X_2 + ... + X_{10}$. Darganfyddwch:
(i) $P(10X_1 > 80)$, (ii) $P(S > 80)$,
(iii) $P(10X_{10} < 50)$, (iv) $P(S < 50)$.

5 Mae màs bisged yn hapnewidyn normal, cymedr 50 g a gwyriad safonol 4 g. Mae paced yn cynnwys 10 bisged a ddewiswyd ar hap. Mae màs y deunydd pacio yn hapnewidyn normal, cymedr 40 g a gwyriad safonol 3 g ac mae'n annibynnol ar fasau'r bisgedi. Darganfyddwch y tebygolrwydd bod cyfanswm màs paced yn llai na 566 g.

6 Mae cwmni gwneud teganau yn cynhyrchu nytiau plastig. Mae gan ddiamedrau mewnol y nytiau ddosraniad normal, cymedr 50 mm a gwyriad safonol 4 mm. Mae'r cwmni hefyd yn cynhyrchu bolltau plastig ac mae gan ddiamedrau allanol y rhain ddosraniad normal, cymedr 48 mm a gwyriad safonol 3 mm. Drwy ystyried y gwahaniaeth rhwng eu diamedrau, cyfrifwch y tebygolrwydd y bydd bollt a ddewisir ar hap yn ffitio nyten a ddewisir ar hap.

7 Mae gan fàs y jam sydd mewn potyn safonol ddosraniad normal, cymedr 340 g a gwyriad safonol 10 g. Mae gan fàs y potyn ddosraniad normal, cymedr 150 g a gwyriad safonol 8 g. Darganfyddwch y tebygolrwydd:
  (i) y bydd cyfanswm màs potyn o jam a ddewisir ar hap yn fwy na 500 g.
  (ii) y bydd gan baced o 20 potyn jam a ddewisir ar hap gyfanswm màs mwy na 10 000 g.

8 Mae tair menyw a phedwar dyn yn mynd i mewn i lifft. Tybiwch fod gan fasau'r menywod ddosraniad normal, cymedr 60 kg a gwyriad safonol 10 kg, a bod gan fasau'r dynion ddosraniad normal, cymedr 80 kg a gwyriad safonol 15 kg.
Darganfyddwch y tebygolrwydd bod cyfanswm màs y saith person sydd yn y lifft yn fwy na 550 kg.

9 Mae gan fasau tuniau o ffa pob ddosraniad normal, cymedr 416 g a gwyriad safonol 1.5 g. Dewisir hapsampl o 10 tun. Cyfrifwch y tebygolrwydd y bydd cymedr eu màs yn fwy na 415 g.

10 Mae gan fasau bisgedi ddosraniad normal. Mae gan fisgedi sinsir fàs cymedrig o 10.1 g a gwyriad safonol o 0.1 g, mae gan fisgedi digestif fàs cymedrig o 10 g a gwyriad safonol o 0.08 g. Ceir hapsamplau o 8 bisged sinsir a 12 bisged ddigestif. Darganfyddwch y tebygolrwydd bod màs cymedrig y bisgedi sinsir yn fwy na màs cymedrig y bisgedi digestif.

11 Mae gan yr hapnewidyn X ddosraniad normal, cymedr μ ac amrywiant σ^2. Mae'r gwerth l fel bod $P(X < l) = 0.4$. Mae'r hapnewidyn $\overline{X}$ yn dynodi cymedr 25 arsylwad o X.
Darganfyddwch y tebygolrwydd bod $\overline{X}$ yn fwy nag l.

12 Mae gan yr hapnewidyn di-dor X ddosraniad normal, cymedr 212.6 a gwyriad safonol 2. Cyfrifwch, yn gywir i dri lle degol, y tebygolrwydd:
  (i) y bydd gwerth X a arsylwir ar hap rhwng 212 a 213,
  (ii) y bydd cymedr pedwar arsylwad X a arsylwir ar hap yn fwy na 213.   [CBAC]

13 [Yn y cwestiwn hwn rhowch dri lle degol ym mhob ateb.] Mae gan fàs te mewn bagiau te 'Panedlyfli' ddosraniad normal, cymedr 4.1 g a gwyriad safonol 0.12 g. Mae gan fàs te bagiau te 'Paned-da' ddosraniad normal, cymedr 5.2 g a gwyriad safonol 0.15 g.
  (i) Darganfyddwch y tebygolrwydd bod bag te Panedlyfli a ddewisir ar hap yn cynnwys mwy na 4.0 g o de.
  (ii) Yn achos dau fag te Panedlyfli a ddewisir ar hap darganfyddwch y tebygolrwydd bod y naill yn cynnwys mwy na 4.0 g o de a'r llall yn cynnwys llai na 4.0 g o de.
  (iii) Darganfyddwch y tebygolrwydd bod pum bag te Panedlyfli a ddewisir ar hap yn cynnwys cyfanswm o fwy na 20.8 g o de.
  (iv) Darganfyddwch y tebygolrwydd bod cyfanswm màs y te mewn 5 bag te Panedlyfli a ddewisir ar hap yn fwy na chyfanswm màs y te mewn pedwar bag te Paned-da a ddewisir ar hap.   UCLES]

14 Mae sieri Monto yn cael ei werthu mewn poteli o ddau faint − safonol a mawr. Ar gyfer pob maint, mae gan gynnwys, mewn litrau, potel a ddewisir ar hap ddosraniad normal, a nodir y cymedr a'r gwyriad safonol yn y tabl.

	Cymedr	Gwyriad safonol
Potel safonol	0.760	0.008
Potel fawr	1.010	0.009

  (i) Dangoswch fod y tebygolrwydd bod potel safonol a ddewisir ar hap yn cynnwys llai na 0.750 litr yn 0.1056, yn gywir i 4 lle degol.
  (ii) Darganfyddwch y tebygolrwydd bod bocs o 10 potel safonol a ddewisir ar hap yn cynnwys o leiaf dair potel sy'n cynnwys llai na 0.750 litr yr un. Rhowch eich ateb yn gywir i dri ffigur ystyrlon.
  (iii) Darganfyddwch y tebygolrwydd bod mwy o sieri mewn pedair o boteli safonol a ddewisir ar hap nag mewn tair potel fawr a ddewisir ar hap.   [UCLES]

15 Gellir cymryd bod gan bwysau cynnwys paced grawnfwyd brecwast *A* a ddewiswyd ar hap ddosraniad normal, cymedr 625 gram a gwyriad safonol 15 gram. Gellir cymryd bod gan bwysau'r bocs ddosraniad normal annibynnol, cymedr 25 gram a gwyriad safonol 3 gram. Darganfyddwch, gan roi eich atebion yn gywir i 3 ffigur ystyrlon:

(i) y tebygolrwydd bod cyfanswm pwysau paced o *A* a ddewisir ar hap yn fwy na 630 gram,

(ii) y tebygolrwydd y bydd cyfanswm pwysau cynnwys pedwar paced o *A* a ddewisir ar hap yn fwy na 2450 gram.

Gellir cymryd bod gan bwysau cynnwys paced o rawnfwyd brecwast *B* a ddewisir ar hap ddosraniad normal, cymedr 465 gram a gwyriad safonol 10 gram.

Darganfyddwch y tebygolrwydd y bydd cynnwys pedwar paced o *B* a ddewisir ar hap yn pwyso mwy na chynnwys tri phaced o *A* a ddewisir ar hap.

16 Mae gwrtaith yn cael ei gynhyrchu mewn sypiau. Mae canran y ffosffad ym mhob swp yn hapnewidyn â dosraniad normal o bobtu cymedr o 35.0 gyda gwyriad safonol 2.4. Darganfyddwch y tebygolrwydd y bydd swp a ddewisir ar hap yn cynnwys mwy na 30% o ffosffad. Dewisir dau swp ar hap.

(i) Darganfyddwch y tebygolrwydd y bydd un o'r ddau swp hyn yn cynnwys mwy na 30% o ffosffad a'r llall yn cynnwys llai na 30% o ffosffad.

(ii) Mae'r sypiau hyn yn cael eu cymysgu'n drwyadl. Darganfyddwch y tebygolrwydd y bydd y gymysgedd yn cynnwys llai na 30% o ffosffad.

17 Mae gan yr hapnewidyn *X* ddosraniad $N(\mu_1, \sigma_1^2)$ ac mae gan yr hapnewidyn *Y* ddosraniad $N(\mu_2, \sigma_2^2)$. Mae *X* ac *Y* yn newidynnau annibynnol. Nodwch ffurf dosraniad $(X + Y)$ ac $(X - Y)$ a rhowch gymedr ac amrywiant pob dosraniad.

Mae ffatri yn gwneud rhodenni a thiwbiau copr. Mae gan ddiamedr mewnol, *X* cm, tiwb copr ddosraniad $N(2.2, 0.0009)$.

(*a*) Darganfyddwch, i 3 ffigur ystyrlon, gyfran y tiwbiau sydd â diamedr mewnol llai na 2.14 cm.

Dosraniad diamedr rhoden, *Y* cm, yw $N(2.15, 0.0004)$.

(*b*) Darganfyddwch, i 3 lle degol, gyfran y rhodenni sydd â diamedr mwy na 2.1 cm a llai na 2.2 cm.

(*c*) Dewisir rhoden a thiwb ar hap. Darganfyddwch, i 3 lle degol, y tebygolrwydd na fydd y rhoden yn mynd drwy'r tiwb.

(*ch*) Dewisir rhoden a thiwb ar hap. Dewisir ail roden ac ail diwb ar hap ac yna trydedd rhoden a thrydydd tiwb. Darganfyddwch, i 3 lle degol, y tebygolrwydd y bydd pob un o ddwy roden yn mynd drwy'r tiwb a ddewiswyd ar yr un pryd ac na fydd y llall yn mynd. [ULSEB]

18 Mae *X* ac *Y* yn hapnewidynnau di-dor â dosraniadau normal annibynnol. Mae cymedrau *X* ac *Y* yn 10 a 12 yn ôl eu trefn, ac mae eu gwyriad safonol yn 2 a 3 yn ôl eu trefn. Darganfyddwch:

(i) $P(Y < 10)$,

(ii) $P(Y < X)$,

(iii) $P(4X + 5Y > 90)$,

(iv) Gwerth *x* fel bo $P(X_1 + X_2 > x) = \frac{1}{4}$, lle mae X_1 ac X_2 yn arsylwadau annibynnol o *X*. [UCLES]

19 Mae màs, *X* g, afal gradd *A* sy'n cael ei werthu mewn archfarchnad yn hapnewidyn â dosraniad normal, cymedr 212 g a gwyriad safonol 12 g. Mae màs, *Y* g, afal gradd *B* sy'n cael ei werthu ar stondin mewn marchnad yn hapnewidyn â dosraniad normal, cymedr 150 g a gwyriad safonol 20 g. Darganfyddwch, i dri lle degol,

(i) $P(X < 230)$,

(ii) y tebygolrwydd bod cyfanswm màs hapsampl o 9 afal gradd *B* sy'n cael eu gwerthu ar y stondin yn fwy nag 1.5 kg,

(iii) $P(X - Y > 37)$. [NEAB]

20 Yn annibynnol ar gyfer pob wythnos, mae nifer y milltiroedd sy'n cael eu teithio gan fodurwr bob wythnos yn hapnewidyn â dosraniad normal, cymedr 235 a gwyriad safonol 20.

(i) Cyfrifwch y tebygolrwydd y bydd y modurwr yn teithio rhwng 200 a 240 milltir mewn wythnos.

(ii) Cyfrifwch y tebygolwydd y bydd y modurwr yn teithio llai na 1000 milltir mewn cyfnod o bedair wythnos olynol.

(iii) Darganfyddwch y tebygolrwydd y bydd y gwahaniaeth rhwng y pellteroedd sy'n cael eu teithio gan y modurwr mewn dwy wythnos olynol yn fwy na 30 milltir. [NEAB]

21 Mae hyd teilsen betryal, mewn cm, yn hapnewidyn normal, cymedr 19.8 a gwyriad safonol 0.1. Mae'r lled, mewn cm, yn hapnewidyn normal annibynnol, cymedr 9.8 a gwyriad safonol 0.1.

   (i) Darganfyddwch y tebygolrwydd bod cyfanswm hydoedd pum teilsen a ddewisir ar hap yn fwy na 99.4 cm.

   (ii) Darganfyddwch y tebygolrwydd bod lled teilsen a ddewisir ar hap yn llai na hanner yr hyd.

   (iii) Mae S yn dynodi cyfanswm hydoedd 50 teilsen a ddewisir ar hap ac mae T yn dynodi cyfanswm lled 90 teilsen a ddewisir ar hap. Darganfyddwch gymedr ac amrywiant $S - T$.   [UCLES]

22 Mae grŵp o fyfyrwyr yn pwyso pwysynnau plwm. Dywedir bod màs nominal y rhain yn 10 g. Maen nhw'n darganfod bod gan y pwysynnau sy'n cael eu cynhyrchu gan gwmni A fàs cymedrig o 9.82 gram a gwyriad safonol 0.1 gram.

   (a) Gan ddefnyddio'r dosraniad Normal a'r gwerthoedd hyn fel amcangyfrifon o baramedrau'r boblogaeth, cyfrifwch y tebygolrwydd y bydd gan bwysyn o gwmni A a ddewisir ar hap fàs o 10 gram neu fwy.

   (*b*) Dywedir bod gan bwysynnau tebyg gan gwmni B fàs â dosraniad normal, cymedr 10.05 gram a gwyriad safonol 0.05 gram. Cyfrifwch y tebygolrwydd bod gan un pwysyn o gwmni A a ddewisir ar hap fàs sy'n fwy na màs pwysyn o gwmni B a ddewisir ar hap. Disgwylir ichi ddangos yn glir pa rai o baramedrau'r dosraniad yr ydych yn eu defnyddio wrth ateb y rhan hon o'r cwestiwn.   [UODLE(P)]

23 Mae trawstiau pren laminedig sy'n cael eu masgynhyrchu yn cael eu llunio â phum haen o bren. Ar ôl archwilio pennau'r haenau unigol gwelir bod gan drwch pob un o'r ddwy haen allanol ddosraniad normal, cymedr 52 mm a gwyriad safonol 3 mm. Mae gan drwch pen pob un o'r tair haen ganol hefyd ddosraniad normal ond gyda chymedr 31 mm a gwyriad safonol 2 mm. Wrth osod y trawstiau at ei gilydd dewisir y ddwy haen allanol a'r tair haen ganol ar hap. Darganfyddwch drwch cymedrig pennau'r trawstiau. Dangoswch, yn gywir i ddau le degol, bod gwyriad safonol trwch pennau'r trawst yn 5.48 mm.

Darganfyddwch y tebygolrwydd bod trwch pen trawst yn fwy na 200 mm.

Mae pen pob trawst yn cael ei ffitio i slot ar blât dur. Mae gan led y slotiau ddosraniad normal, cymedr 206 mm a gwyriad safonol 2 mm, yn annibynnol ar drwch pennau'r trawstiau. Darganfyddwch y tebygolrwydd y bydd pen trawst yn ffitio i'w slot.

Drwy hynny, gan gymryd bod trwch dau ben y trawst yn annibynnol, darganfyddwch y tebygolrwydd y bydd dau ben trawst yn ffitio i mewn i'w slotiau.

Gellir addasu lled cymedrig y slotiau yn y platiau dur heb effeithio ar y gwyriad safonol. Darganfyddwch led cymedrig y slotiau a fydd yn sicrhau bod 95% o'r trawstiau yn ffitio i'w *dau* slot.   [JMB]

Roedd gan Poisson feddwl mawr o Pierre Simon Laplace (1749 − 1827) a chyfeiriodd ato fel 'Newton Ffrainc'. Cafodd Laplace ei wneud yn aelod o Academi Frenhinol y Gwyddorau yn Ffrainc pan oedd yn 24 oed, ac yn ystod ei fywyd hir daliodd nifer fawr o swyddi dylanwadol yn cynnwys athro yn yr *Ecole Militaire* yn y cyfnod pan oedd Napoleon yn fyfyriwr yno. Ei ddiddordeb pennaf oedd mecaneg y gofod, sydd, ymhlith pethau eraill yn ymwneud â phennu lleoliadau gwrthrychau gofodol. Cafodd y papur lle deilliai Laplace Theorem y Derfan Ganolog ei ddarllen gerbron yr Academi yn 1810, ac roedd yn ganlyniad uniongyrchol i'r gwaith a wnaed gan Gauss y flwyddyn flaenorol. Yn Ffrainc cyfeirir at y dosraniad normal yn aml fel **Dosraniad Laplace**.

10.10 Theorem y Derfan Ganolog

Dyma ddatganiad anffurfiol o'r theorem hynod bwysig hon:

Tybiwch fod $X_1, X_2 \dots, X_n$ yn n hapnewidyn annibynnol, a bod gan bob un *yr un* dosraniad.

Yna, wrth i n gynyddu, mae dosraniadau $X_1 + \dots + X_n$ ac $\dfrac{X_1 + \dots + X_n}{n}$ yn dod yn fwyfwy tebyg i ddosraniadau normal.

Mae pwysigrwydd **Theorem y Derfan Ganolog** yn deillio o'r canlynol:

♦ Nid yw dosraniad cyffredin y newidynnau X yn cael ei nodi − gall fod bron yn *unrhyw* ddosraniad.

♦ Yn y rhan fwyaf o achosion mae'r tebygrwydd i ddosraniad normal yn ddilys ar gyfer gwerthoedd hynod fychan o n.

♦ Mae cyfansymiau a chymedrau yn rhifau o ddiddordeb.

Fel enghraifft, ystyriwch y data canlynol sy'n perthyn i hapsampl o arsylwadau ar hapnewidyn â dosraniad unffurf di-dor yn y cyfwng (0,1).

Arsylwadau gwreiddiol	0.020		0.706		0.536		0.580
Cymedrau parau		0.363				0.558	
Cymedrau pedwarau				0.4605			
Arsylwadau gwreiddiol	0.290		0.302		0.776		0.014
Cymedrau parau		0.296				0.395	
Cymedrau pedwarau				0.3455			

Mae'r diagramau olynol isod yn dangos (i) y dosraniad gwreiddiol, (ii) histogram o'r 50 arsylwad unigol cyntaf a ddewiswyd o'r dosraniad hwnnw, (iii) histogram o'r 50 cyntaf o gymedrau o barau o arsylwadau o'r dosraniad, (iv) yr un peth ar gyfer grwpiau o bedwar arsylwad, ac yn olaf, (v) yr un peth ar gyfer grwpiau o wyth arsylwad. Wrth i faint y grŵp gynyddu daw'r cymedrau yn fwyfwy clystyrog mewn dull cymesur o boptu 0.5 (cymedr y boblogaeth wreiddiol).

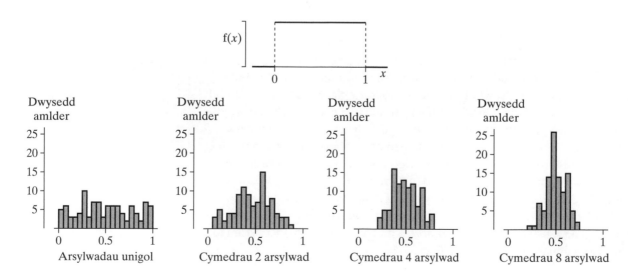

Fel ail enghraifft, ystyriwch gyfartaleddau olynol o arsylwadau o ddosraniad siâp V:

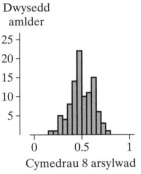

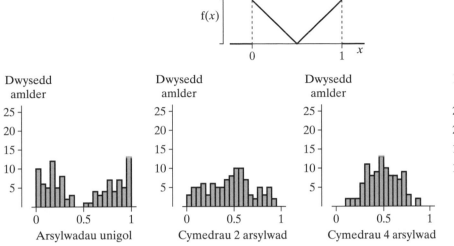

Yma mae gan y dosraniad gwreiddiol gafn yn y canol, tra bo gan y dosraniad normal frig, ond unwaith y byddwn yn dechrau edrych ar gyfartaleddau cyn lleied ag $n = 2$ arsylwad hyd yn oed, mae brig yn dechrau ymddangos.

Fel enghraifft olaf rydym yn edrych ar ddosraniad trionglog, sydd ar sgiw sylweddol. Yn yr achos hwn mae histogramau cymedrau'r ddau arsylwad a'r pedwar arsylwad yn dal yn ymddangos ar sgiw, ond mae'r sgiwedd hwn bron wedi diflannu erbyn inni ddechrau gweithio â chymedrau wyth arsylwad.

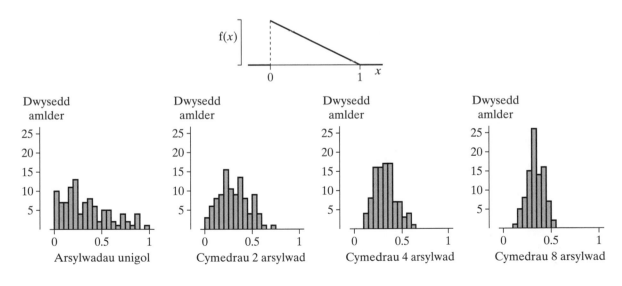

Nodyn

♦ Mae'n eglur bod canlyniadau ymarferol Theorem y Derfan Ganolog yn cael eu deall ymhell cyn cyfnod Laplace. Mae traethawd Almaenig sy'n dyddio o'r 16eg ganrif ac sy'n trafod tirfesur, yn cyfarwyddo'r syrfëwr i sefydlu hyd 'rhwd' (uned safonol i fesur hyd) yn y dull canlynol:

'Sefwch wrth ddrws eglwys ar ddydd Sul a gofynnwch i 16 dyn, rhai tal a rhai byrion, i aros wrth iddynt ddod allan ar ddiwedd y gwasanaeth; yna gofynnwch iddynt roi eu troed chwith un y tu ôl i'r llall, a bydd yr hyd a geir drwy wneud hyn yn 'rhwd' cywir a chyfreithlon y gellir ei ddefnyddio i fesur y tir, a bydd yr 16ed rhan ohono yn droedfedd gywir a chyfreithlon'.

Dosraniad cymedr y sampl, $\overline{X}$

Defnyddiwch x_i i ddynodi'r *i*fed arsylwad mewn sampl. Byddai samplau
gwahanol yn rhoi gwerthoedd x_i gwahanol (gweler Adran 6.5, t. 174). Felly
mae x_i yn arsylwad ar hapnewidyn y byddwn yn ei ddynodi ag X_i. Tybiwch fod
gan X_i ddisgwyliad μ ac amrywiant σ^2. Bydd yr un peth yn wir yn achos pob un
o $X_1, X_2, \ldots, X_n$, sydd felly'n hapnewidynnau â dosraniad unfath, a disgwyliad
μ ac amrywiant σ^2 gan bob un. Defnyddiwn y canlynol i ddiffinio $\overline{X}$:

$$\overline{X} = \frac{1}{n}(X_1 + X_2 + \ldots + X_n)$$

ac yn Adran 6.5 dangoswyd bod gan $\overline{X}$ ddisgwyliad μ ac amrywiant $\dfrac{\sigma^2}{n}$. Yn
ôl Theorem y Derfan Ganolog, mae gan $\overline{X}$ ddosraniad normal bras ar gyfer
gwerth mawr o n, ac felly:

$$\overline{X} \sim N\left(\mu, \frac{\sigma^2}{n}\right)$$

Drwy safoni, rydym yn cael y canlyniad cywerth sef:

$$\frac{\overline{X} - \mu}{\dfrac{\sigma}{\sqrt{n}}} \sim N(0, 1)$$

Nodiadau

- Os yw dosraniad yr X newidyn unigol yn normal, yna, gan fod $\overline{X}$ felly yn
  gyfuniad llinol o hapnewidynnau sydd â dosraniad normal, mae'r canlyniad yn
  wir hyd yn oed ar gyfer gwerthoedd bychain o n.
- Y canlyniad cywerth ar gyfer swm yw bod:
  $$\Sigma X_i \sim N(n\mu, n\sigma^2)$$

Gwaith ymarferol

> *Mae hwn yn waith ymarferol braidd yn flinedig! Taflwch ddis a
> chofnodwch y gwerth a geir.*
>
> *Taflwch y dis eto ... ac eto ... − dylai tua 200 gwaith fod yn ddigon.
> Cofnodwch bob canlyniad ac adiwch grwpiau o ddau a phedwar fel y
> dangosir isod:*

Senglau	2		4		4		2	2		1		6		2
Symiau o 2		6				6			3				8		
Symiau o 4				12							11				
Senglau	1		4		4		5	1		5		4		4
Symiau o 2		5				9			6				8		
Symiau o 4				14							14				

> *Lluniwch ddosraniad amlder ar gyfer y gwerthoedd gwreiddiol a hefyd ar
> gyfer y ddwy set o symiau. Dangoswch y tri dosraniad gan ddefnyddio siartiau
> bar. Ym mhob achos, nodwch y gwerthoedd lleiaf a mwyaf posibl a allai fod
> wedi digwydd. Cymharwch y gwerthoedd eithafol hyn â'r amrediadau o
> werthoedd a arsylwyd mewn gwirionedd a thrafodwch y canlyniadau.*

Prosiect cyfrifiadurol

> *Gellid ystyried yr haprifau a gynhyrchir gan gyfrifiadur (neu gyfrifiannell)
> fel arsylwadau annibynnol o ddosraniad unffurf ar y cyfwng (0, 1).
> Ysgrifennwch raglen i archwilio dosraniad cymedrau k arsylwad.
> Dyma ffordd gyfleus o gadw cyfrif o'r gwerthoedd a gynhyrchir.*

> 1 *Gadewch i XBAR fod yn arae maint 100, a gosodwch holl aelodau'r
>   arae ar 0. (Mae'r dewis o 100 yn fympwyol, ond mae angen i'r arae
>   fod yn eithaf mawr er mwyn ymdopi â'r achos lle mae k yn fawr.)*

Nawr, ar gyfer pob sampl, ailadroddwch gamau 2 i 5:

  2 *Cyfrifwch gymedr y sampl; bydd ei werth rhwng 0 ac 1.*
  3 *Lluoswch y cymedr â 100 (maint yr arae) i roi gwerth rhwng 0 a 100.*
  4 *Cyfrifwch ran gyfanrifol y rhif hwn. Galwch hwn yn M.*
  5 *Adiwch 1 at yr Mfed eitem yn yr arae XBAR.*

Dyma'r dull a ddefnyddiwyd i gynhyrchu'r enghraifft gyntaf o'r tair enghraifft flaenorol. Bydd y canlyniad yn set o gyfrifiadau ar gyfer pob un o'r 100 dosbarth, lled 0.01. Wrth i k gynyddu darganfyddir y bydd gan niferoedd cynyddol o'r dosbarthiadau hyn amlderau o sero.

Prosiect cyfrifiadurol ——————————————————————————————

Mae efelychu o bethau nad ydynt yn ddosraniadau unffurf yn gofyn am ychydig mwy o waith. Ystyriwch, er enghraifft, y drydedd enghraifft (y ffwythiant dwysedd trionglog) lle roddwyd y pdf gan:

$$f(x) = \begin{cases} 2(1-x) & 0 < x < 1 \\ 0 & \text{fel arall} \end{cases}$$

Mae hyn yn cyfateb i'r cdf:

$$F(x) = \begin{cases} 0 & x \leq 0 \\ x(2-x) & 0 \leq x \leq 1 \\ 1 & x \geq 1 \end{cases}$$

Tybiwch fod u yn rhif yn y cyfwng (0, 1). Os ydym yn datrys yr hafaliad:

$$u = x(2-x)$$

y gellir ei ysgrifennu fel:

$$x^2 - 2x + u = 0$$

wrth ddewis y gwreiddyn yn y cyfwng (0, 1) cawn:

$$x = 1 - \sqrt{(1-u)}$$

Nawr gwyddom, gyda'r dewis hwn o werth x, fod

$$P(X \leq x) = P(U \leq u)$$

lle mae U yn hapnewidyn â dosraniad unffurf, amrediad (0, 1).

  Felly, gellir defnyddio hapnewidynnau olynol unffurf $u_1, u_2, \dots$ i gynhyrchu 'haparsylwadau' olynol o'r dosraniad trionglog, os dewisir y rhain fel bo ganddynt werthoedd $1 - \sqrt{(1-u_1)}, 1 - \sqrt{(1-u_2)}$ ac yn y blaen.

  Addaswch y rhaglen y gwnaethoch ei dyfeisio ar gyfer y prosiect blaenorol a gwiriwch fod y ffordd hon yn gweithio.

Enghraifft 29

Mae gan yr hapnewidyn di-dor X gymedr 5 ac amrywiant 25. Cymerir hapsampl o 100 arsylwad ar X.

Cyfrifwch y tebygolrwydd bod cymedr y sampl yn fwy na 5.4.

————————

Mae gan yr hapnewidyn $\overline{X}$, sy'n cyfateb i gymedr y sampl, ddisgwyliad 5 ac amrywiant $\frac{25}{100} = \frac{1}{4}$. Yn ôl Theorem y Derfan Ganolog mae ganddo ddosraniad normal bras.

  Mae'r gwerth z o ddiddordeb felly yn $\dfrac{5.4 - 5}{\sqrt{\frac{1}{4}}} = 0.8$. Gan fod

$\Phi(0.8) = 0.788$ mae'r tebygolrwydd sydd ei angen yn 0.212.

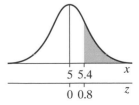

Enghraifft 30

Rhoddir dosraniad tebygolrwydd yr hapnewidyn arwahanol X gan
$P(X = 0) = \frac{1}{4}, P(X = 1) = \frac{1}{2}, P(X = 2) = P(X = 3) = \frac{1}{8}$.
Darganfyddwch frasamcan i'r tebygolrwydd y bydd cyfanswm hapsampl o
500 arsylwad ar X yn llai na 520, gan roi'r ateb i'r pwynt canrannol agosaf.

x	0	1	2	3
P_x	$\frac{1}{4}$	$\frac{1}{2}$	$\frac{1}{8}$	$\frac{1}{8}$

Yn gyntaf rydym yn cyfrifo disgwyliad ac amrywiant X:

$$E(X) = \left(0 \times \frac{1}{4}\right) + \left(1 \times \frac{1}{2}\right) + \left(2 \times \frac{1}{8}\right) + \left(3 \times \frac{1}{8}\right) = \frac{9}{8}$$

ac:

$$E(X^2) = \left(0^2 \times \frac{1}{4}\right) + \left(1^2 \times \frac{1}{2}\right) + \left(2^2 \times \frac{1}{8}\right) + \left(3^2 \times \frac{1}{8}\right) = \frac{17}{8}$$

fel bo Var $(X) = \frac{17}{8} - \frac{81}{64} = \frac{55}{64}$. Gan ddefnyddio T i ddynodi'r hapnewidyn
sy'n cyfateb i gyfanswm y 500 arsylwad, mae gennym
$E(T) = (500 \times \frac{9}{8}) = 562.5$ a $Var(T) = (500 \times \frac{55}{64}) = \frac{6875}{16}$.
    Yn ôl Theorem y Derfan Ganolog bydd dosraniad T yn normal yn fras.

Mae'r gwerth z o ddiddordeb yn $\dfrac{520 - 562.5}{\sqrt{\frac{6875}{16}}} = -2.050$.

Drwy hynny mae'r brasdebygolrwydd yn $1 - \Phi(2.050) = 0.0202$, sydd tua
2%.
(Byddai brasamcan gwell yn defnyddio cywiriad didoriant − gweler Adran
10.11, t. 277.)

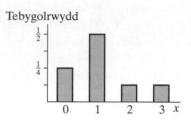

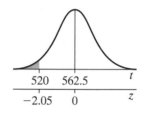

Enghraifft 31

Mae'r labeli ar fagiau o reis yn nodi eu bod yn cynnwys 1 kg o reis. Mewn
gwirionedd, màs cymedrig y reis yn y bagiau yw 1.05 kg. Mae màs y reis yn
amrywio o fag i fag, ac mae ganddo wyriad safonol o 20 g.

Gan wneud tybiaeth addas, amcangyfrifwch pa gyfran o fagiau sy'n
cynnwys llai nag 1 kg o reis.

Ni chyfeiriwyd o gwbl at ddosraniad tebygolrwydd ar gyfer màs y cynnwys.
Fodd bynnag, mae cyfanswm màs bag yn gyfanred masau miloedd o rawn
unigol o reis a gallwn dybio yn rhesymol bod gan fàs bag, X kg, ddosraniad
normal.
    Mae'r cwestiwn yn cyfeirio at kg a g fel unedau o bwysau: byddwn yn
gweithio mewn kg, gan nodi bod 20 g = 0.02 kg. Felly $X \sim N((1.05, 0.02^2)$.

Mae'r gwerth z sy'n cyfateb i $x = 1$ yn $\dfrac{1.00 - 1.05}{0.02}$, sy'n hafal i -2.5. Drwy
hynny:

$$P(X < 1.00) = \Phi(-2.5) = 0.006\,21$$

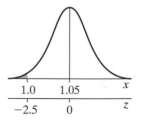

Cafwyd y gwerth hwn o'r tabl a roddir yn yr Atodiad. Mae'r tebygolrwydd
yn galonogol o isel − dim ond tua 1 allan o 160 bag mewn gwirionedd sydd
â masau llai na'r gwerth a nodwyd.

Enghraifft 32

Mae adeiladwr yn archebu 200 planc o bren collen Ffrengig a 50 planc o bren mahogani. Mae cymedr a gwyriad safonol masau (mewn kg) planciau pren collen Ffrengig yn 15 ac 1, yn ôl eu trefn. Mae ffigurau cyfatebol y planciau mahogani yn 20 ac 1.1, yn ôl eu trefn.

Gan gymryd bod y planciau a gyflenwir i'r adeiladwr yn hapsamplau o'r poblogaethau o blanciau, cyfrifwch y tebygolrwydd y bydd cyfanswm màs y pren:

(i) yn llai na 4000 kg,   (ii) rhwng 3980 kg a 4000 kg.

―――――――

Yn ôl Theorem y Derfan Ganolog, mae gan gyfanswm màs y planciau pren collen Ffrengig ddosraniad normal bras. Mae'r un peth yn wir am y planciau mahogani. Hefyd, oherwydd bod gan gyfuniadau llinol o hapnewidynnau normal annibynnol ddosraniad normal, mae gan y màs cyfunol, X, ddosraniad normal bras.

(i) Os ydym yn defnyddio $C_1, ..., C_{200}$ i ddynodi masau'r planciau pren collen Ffrengig ac $M_1 ..., M_{50}$ i ddynodi masau'r planciau mahogani, yna gallwn ysgrifennu:

$$X = C_1 + ... + C_{200} + M_1 + ... + M_{50}$$

Felly:

$$E(X) = E(C_1) + ... + E(C_{200}) + E(M_1) + ... + E(M_{50})$$
$$= (200 \times 15) + (50 \times 20)$$
$$= 3000 + 1000$$
$$= 4000$$

Mae'r tebygolrwydd y bydd cyfanswm màs y pren a fydd yn cael ei gyflenwi i'r adeiladwr yn llai na 4000 kg felly yn union $\frac{1}{2}$.

(ii) Mewn modd tebyg, gwelwn fod:

$$Var(X) = (200 \times 1^2) + (50 \times 1.1^2) = 200 + 60.5 = 260.5$$

Mae'r gwerth z sy'n cyfateb i $x = 3980$ felly yn $\dfrac{3980 - 4000}{\sqrt{260.5}} = -1.239$ (i 3 lle.d.). Felly:

$$P(3980 < X < 4000) = \Phi(0) - \Phi(-1.239)$$
$$= 0.5 - (1 - 0.8924) = 0.3924$$

Mae'r tebygolrwydd bod cyfanswm màs y pren sy'n cael ei gyflenwi i'r adeiladwr rhwng 3980 kg a 4000 kg yn 0.392 (i 3 ll.d.).

3980 4000 x

−1.24 0 z

―――――――――――――――――――

Ymarferion 10dd

1 Mae gan yr hapnewidyn X gymedr 15 ac amrywiant 25. Yr hapnewidyn $\overline{X}$ yw cymedr hapsampl o 70 arsylwad ar X. Nodwch ddosraniad bras $\overline{X}$ a thrwy hynny darganfyddwch, yn fras, $P(15 < \overline{X} < 16)$.

2 Mae gan yr hapnewidyn Y gymedr 50 a gwyriad safonol 20. Yr hapnewidyn $\overline{Y}$ yw cymedr hapsampl o n arsylwad ar Y.

Darganfyddwch, yn fras, $P(45 < \overline{Y} < 55)$ yn yr achosion (i) $n = 50$, (ii) $n = 100$.

3 Mae gan yr hapnewidyn W gymedr 20 ac amrywiant 72. Diffinnir yr hapnewidyn S fel swm 80 arsylwad annibynnol ar W. Darganfyddwch, yn fras, (i) $P(S > 1700)$, (ii) $P(1400 < S < 1700)$.

4 Mae dosraniad unffurf màs (mewn g) wyau Maint 1, rhwng 70 a 75. Mae dosraniad unffurf màs (mewn g) wyau Maint 2 rhwng 65 a 70. Mae dosraniad unffurf màs (mewn g) wyau Maint 3, rhwng 60 a 65. Mae amrywiant màs, mewn g, pob maint o wy yn $\frac{25}{12}$. Darganfyddwch y tebygolrwydd:

(i) bod màs cyfartalog, mewn g, 120 wy Maint 2 a ddewisir ar hap rhwng 67.2 a 67.8,

(ii) bod màs cyfartalog, mewn g, casgliad o 60 wy Maint 1 a ddewisir ar hap a 60 wy Maint 3 a ddewisir ar hap rhwng 67.2 a 67.8.

5 Mae gan yr hapnewidyn X ddosraniad di-dor gyda pdf fel a ddangosir yn y diagram.

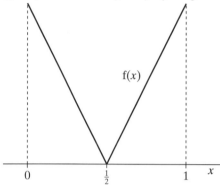

Gwyddom fod $E(X) = \frac{1}{2}$ a $Va(X) = \frac{1}{8}$.
Mae'r hapnewidyn $\overline{X}$ yn gymedr n arsylwad annibynnol o X. Gan ddefnyddio Theorem y Derfan Ganolog, darganfyddwch werth lleiaf n fel bo $P(|\overline{X} - \frac{1}{2}| < \frac{1}{20}) \geqslant 0.95$.

6 Mae gan yr hapnewidyn Y ddosraniad di-dor gyda pdf fel sy'n cael ei ddangos yn y diagram.

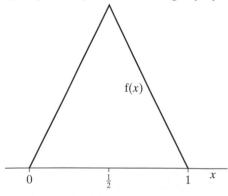

Dywedir bod $E(Y) = \frac{1}{2}$ a $Var(Y) = \frac{1}{24}$.
Mae'r hapnewidyn $\overline{Y}$ yn gymedr n arsylwad annibynnol o Y.
Gan ddefnyddio Theorem y Derfan Ganolog, darganfyddwch werth lleiaf n fel bo $P(|\overline{Y} - \frac{1}{2}| < \frac{1}{20}) \geqslant 0.95$.

7 Mae'r hapnewidynnau $X_1, X_2, ..., X_n$ yn dynodi n arsylwad annibynnol o'r hapnewidyn X, lle

mae $X \sim N(\mu, \sigma^2)$. Gan ysgrifennu $\overline{X} = \dfrac{X_1 + X_2 + ... + X_n}{n}$, darganfyddwch $P(|\overline{X} - \mu| < \sigma)$ yn yr achosion canlynol:
(i) $n = 2$, (ii) $n = 6$, (iii) $n = 10$.

8 Mae hapsampl o 16 arsylwad yn cael eu tynnu o ddosraniad normal, cymedr 11 a gwyriad safonol 3. Gadewch i $\overline{X}$ ddynodi cymedr y sampl. Darganfyddwch y canlynol, yn gywir i dri lle degol,
(i) y tebygolrwydd y bydd gan $\overline{X}$ werth rhwng 9.2 a 12.2,
(ii) gwerth c fel bo $P(\overline{X} < c) = 0.03$.   [CBAC]

9 Gellir cymryd bod gan fàs coffi mewn potyn a ddewisir ar hap sy'n cael ei werthu gan gwmni arbennig ddosraniad normal, cymedr 203 g a gwyriad safonol 2.5 g.
(i) Darganfyddwch y tebygolrwydd y bydd potyn a ddewisir ar hap yn cynnwys o leiaf 200 g o goffi.
(ii) Darganfyddwch y màs, m, fel mai dim ond 3% o botiau sy'n cynnwys mwy nag m gram o goffi.
(iii) Darganfyddwch y tebygolrwydd y bydd dau botyn a ddewisir ar hap, gyda'i gilydd, yn cynnwys rhwng 400 g a 405 g o goffi.
(iv) Mae'r hapnewidyn $\overline{C}$ yn dynodi màs cymedrig (mewn gramau) y coffi mewn potyn mewn hapsampl o 20 potyn. Darganfyddwch werth a fel bo:
$P(|\overline{C} - 203| < a) = 0.95$ [UCLES]

10 Mae gan yr hapnewidyn di-dor X ddosraniad unffurf rhwng 144 a 156. Darganfyddwch $P(149.8 < X < 150.4)$.
$\overline{X}$ yw cymedr 300 o werthoedd X sy'n cael eu harsylwi ar hap. Darganfyddwch werth bras ar gyfer $P(149.8 < \overline{X} < 150.4)$.   [JMB]

11 Mae gan yr hapnewidyn X ddosraniad normal, cymedr μ ac amrywiant σ^2.
(*a*) Ysgrifennwch ddosraniad cymedr y sampl $\overline{X}$ mewn hapsampl o faint n.
Mae arbenigwr effeithlonrwydd eisiau cyfrifo'r amser cymedrig a gymerir i ddrilio nifer benodol o dyllau mewn llen fetel.
(*b*) Cyfrifwch pa mor fawr sydd angen i hapsampl fod er mwyn i'r arbenigwr fod 95% yn sicr y bydd gwahaniaeth o lai na 15 eiliad rhwng amser cymedrig y sampl a'r gwir amser cymedrig. Tybiwch y gwyddom o astudiaethau blaenorol fod $\sigma = 40$ eiliad.
[ULEAC]

12 Eglurwch yn gryno sut y cawsoch dystiolaeth empirig ar gyfer Theorem y Derfan Ganolog. Mae gan bwysau brithyllod ar fferm frithyllod ddosraniad normal, cymedr 1 kg a gwyriad safonol 0.25 kg.

(*a*) Darganfyddwch, i 4 lle degol, y tebygolrwydd y bydd brithyll a ddewisir ar hap yn pwyso mwy nag 1.25 kg.

(*b*) Dewisir dau frithyll yn annibynnol ac ar hap. Os yw X kg yn dynodi cyfanswm eu pwysau darganfyddwch E(X) a Var(X).

(*c*) Os yw $\overline{Y}$ kg yn cynrychioli pwysau cymedrig sampl o 10 brithyll a ddewisir ar hap ar y fferm, nodwch ddosraniad $\overline{Y}$. Enrhifwch gymedr ac amrywiant y dosraniad hwn. Darganfyddwch, i 3 lle degol, y tebygolrwydd y bydd pwysau cymedrig sampl o 10 brithyll a ddewisir ar hap yn llai na 0.9 kg. [ULSEB(P)]

13 Mae gan gynnwys bagiau o geirch ddosraniad normal, cymedr 3.05 kg a gwyriad safonol 0.08 kg.

(a) Pa gyfran o'r bagiau sy'n cynnwys llai na 3.11 kg?

(b) Pa gyfran o'r bagiau sy'n cynnwys rhwng 3.00 a 3.15 kg?

(c) Beth yw'r pwysau y mae cynnwys 99.9% o'r bagiau yn fwy nag ef?

(ch) Os dewisir 6 bag ar hap, beth yw'r tebygolrwydd y bydd pwysau cymedrig y cynnwys rhwng 3.00 a 3.15 kg?

Pan fyddant yn wag mae gan bwysau'r bagiau ddosraniad normal, cymedr 0.12 kg a gwyriad safonol 0.02 kg. Mae bagiau llawn yn cael eu pacio mewn bocsys a phob un o'r rhain yn dal 6 bag.

(e) Beth yw dosraniad y pwysau mewn bocs, h.y. 6 bag ynghyd â'u cynnwys? Tybiwch fod pwysau'r holl fagiau a'r cynnwys yn annibynnol ar ei gilydd.

(dd) O fewn pa derfannau y bydd pwysau mewn bocs yn gorwedd gyda thebygolrwydd 0.9? [AEB 93]

14 Mae gan hydoedd petalau math arbennig o flodyn ddosraniad normal bras, cymedr 32 mm a gwyriad safonol 5 mm.

(i) Eglurwch yn fyr pam y gellid tybio bod dosraniad normal hydoedd y petalau yn rhesymol hyd yn oed os na all hyd o'r fath fod yn negatif.

(ii) Cyfrifwch gyfraneddau'r holl betalau sydd â hydoedd
(*a*) mwy na 34 mm,
(*b*) rhwng 29 mm a 38 mm.

(iii) Pe mesurid hydoedd y petalau yn gywir i'r milimetr agosaf, cyfrifwch pa gyfrannedd o'r petalau a fesurid a fyddai'n 35 mm neu lai.

(iv) Darganfyddwch yr hyd, yn gywir i'r mm agosaf, y mae 60% o'r holl betalau yn fwy nag ef.

(v) Cyfrifwch y tebygolrwydd y bydd cymedr hydoedd hapsampl o ddeg petal yn fwy na 33 mm.

(vi) Cyfrifwch sawl petal a ddylai gael ei samplu i sicrhau bod tebygolrwydd o 0.95 o leiaf y bydd hyd cymedr y sampl o fewn 1 mm i 32 mm, sef hyd cymedrig yr holl betalau. [CBAC]

15 (a) Mae gan ganran y metel sy'n cael ei echdynnu o swp o ddeunydd crai ddosraniad normal, cymedr 53.5% a gwyriad safonol 2.5%. Cyfrifwch y tebygolrwydd, ar gyfer unrhyw swp a ddewisir ar hap, fod canran y metel a echdynnir o'r swp hwnnw
(i) yn fwy na 58%,
(ii) rhwng 50% a 60%.
Dewisir dau swp ar hap. Darganfyddwch y tebygolrwydd y bydd rhwng 50% a 60% o fetel yn cael ei echdynnu o'r ddau swp.
Darganfyddwch y nifer minimwm o sypiau sydd angen eu hapsamplu i sicrhau bod tebygolrwydd cymedr sampl y sypiau o fewn 1.5% i 53.5% yn 0.9 o leiaf.

(b) Mewn proses lle cymysgir dau hylif, A a B, tywelltir y ddau i'r un cynhwysydd gwag a ddewisir ar hap. Mae gan gyfeintiau'r cynwysyddion ddosraniad normal, cymedr 9.2 cm^3 a gwyriad safonol 0.55 cm^3.
Mae gan gyfaint hylif A a dywelltir i'r cynhwysydd ddosraniad normal, cymedr 4 cm^3 a gwyriad safonol 0.32 cm^3. Mae hylif B yn cael ei ychwanegu yn annibynnol ac mae gan ei gyfaint ddosraniad normal, cymedr 5 cm^3 a gwyriad safonol 0.45 cm^3. Darganfyddwch y tebygolrwydd na fydd cynnwys y cynhwysydd yn gorlifo. [AEB 92]

Ffrancwr Protestannaidd oedd Abraham de Moivre (1667–1754) a ymfudodd i Lundain yn 1688. Erbyn cyrraedd 30 oed roedd wedi cael ei ethol yn Gymrawd y Gymdeithas Frenhinol o ganlyniad i'w waith mewn amryw o ganghennau o fathemateg. Mae ei lyfr cyntaf, *The Doctrine of Chances*, yn trafod gwahanol agweddau ar debygolrwydd, ac yn yr ail argraffiad (1738) gwnaeth y cyfrifiadau hanfodol sy'n arwain at frasamcanu dosraniad binomial gyda $p = \frac{1}{2}$ gan ddosraniad normal, cymedr $\frac{1}{2}n$. Yn ystod ei waeledd olaf, dywedir ei fod wedi sylweddoli bod arno angen chwarter awr yn fwy o gwsg nag ar y diwrnod blaenorol. Fel hyn llwyddodd i ragfynegi yn fanwl gywir ar ba ddiwrnod y byddai'n marw – pan fyddai arno angen 24 awr o gwsg.

10.11 Y brasamcan normal i ddosraniad binomial

Tybiwch fod $X \sim B(n, p)$. Yn Adran 7.6 (t. 190) gwelsom ein bod yn gallu ysgrifennu:

$$X = Y_1 + Y_2 + \ldots + Y_n$$

lle roedd gan y newidynnau Y ddosraniadau Bernoulli annibynnol, a phob un â pharamedr p. Yn ôl Theorem y Derfan Ganolog, mae gan gyfanswm hapnewidynnau annibynnol sydd wedi eu dosrannu'n unfath ddosraniad normal bras. Yn achos n fawr felly, mae'n rhaid bod y dosraniad binomial yn debyg i ddosraniad normal. Dangosir hyn yn y diagram, sy'n dangos tri dosraniad binomial â'r un gwerth $p(0.3)$ ond gwerthoedd n gwahanol.

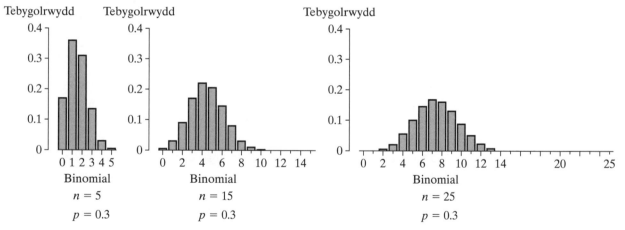

Mae'n rhaid bod gan y dosraniad normal terfannol yr un cymedr ac amrywiant â'i wrthran binomial a thrwy hynny, os ydym yn defnyddio W i ddynodi gwrthran normal X:

$$X \sim B(n, p) \rightarrow W \sim N(np, npq)$$

lle mae $q = 1 - p$.

Mae'r dosraniad normal yn ddi-dor, gyda thebygolrwyddau yn gysylltiedig â phob cyfwng bychan rhwng $-\infty$ a ∞. Mae'r binomial yn arwahanol, gyda 'thalpiau' o debygolrwydd, fel sleisiau o flocyn o fenyn, yn gysylltiedig â phob cyfanrif rhwng 0 ac n, yn gynwysedig. Petai'r barrau o debygolrwydd binomial wedi eu gwneud o fenyn mewn gwirionedd beth fyddai'n digwydd pe byddem yn sathru arnynt? Byddent yn lledaenu i'r ochr – yr un faint ar bob ochr. Dyma'n union sut yr ydym yn trin y symudiad o X i W – rydym yn dychmygu bod y tebygolrwydd a gysylltir yn wreiddiol â'r gwerth pwynt unigol x yn cael ei gysylltu â'r cyfwng $(x - \frac{1}{2}, x + \frac{1}{2})$.

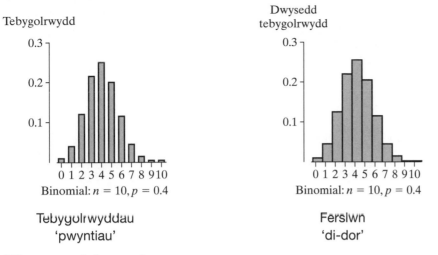

Tebygolrwydd

Dwysedd tebygolrwydd

Binomial: $n = 10, p = 0.4$

Binomial: $n = 10, p = 0.4$

Tebygolrwyddau
'pwyntiau'

Fersiwn
'di-dor'

Y brasamcaniad normal yw:

$$P(X = x) \approx P(x - \tfrac{1}{2} < W < x + \tfrac{1}{2}) \tag{10.2}$$

lle mae $W \sim N(np, npq)$. Cyfeirir at yr addasiad fesul $\tfrac{1}{2}$ i bob cyfeiriad fel defnyddio'r **cywiriant didoriant**.

Er mwyn cyfrifo'r bras debygolrwydd, mae'n rhaid inni drawsffurfio i'r dosraniad normal safonol drwy ysgrifennu:

$$Z = \frac{W - np}{\sqrt{npq}}$$

Drwy hynny:

$$P(X = x) \approx \Phi\left(\frac{\left(x + \tfrac{1}{2}\right) - np}{\sqrt{npq}}\right) - \Phi\left(\frac{\left(x - \tfrac{1}{2}\right) - np}{\sqrt{npq}}\right) \tag{10.3}$$

Enghraifft 33

Gan ddefnyddio'r brasamcan normal, cyfrifwch y tebygolrwydd y ceir union 30 pen pan deflir darn arian teg 64 o weithiau.

Yma mae $n = 64, p = q = 0.5$, felly:

$$
\begin{aligned}
P(X = 30) &\approx \Phi\left(\frac{30.5 - 32}{4}\right) - \Phi\left(\frac{29.5 - 32}{4}\right) \\
&= \Phi(-0.375) - \Phi(-0.625) \\
&= 0.3538 - 0.2660 \\
&= 0.0878
\end{aligned}
$$

(Mae'r gwerth hwn yn cytuno, i bedwar lle degol, â'r union werth a gyfrifwyd gan ddefnyddio'r dosraniad binomial).

Anhafaleddau

Er mwyn gweld sut y mae'r brasamcan yn gweithio yn achos anhafaleddau byddwn yn edrych ar $P(X \leq x)$:

$$
\begin{aligned}
P(X \leq x) &= P(X = 0) + \ldots + P(X = x) \\
&\approx P\left(-\tfrac{1}{2} < W < \tfrac{1}{2}\right) + \ldots + P\left(x - \tfrac{1}{2} < W < x + \tfrac{1}{2}\right) \\
&= P\left(-\tfrac{1}{2} < W < x + \tfrac{1}{2}\right) \\
&= \Phi\left(\frac{\left(x + \tfrac{1}{2}\right) - np}{\sqrt{npq}}\right) - \Phi\left(\frac{-\tfrac{1}{2} - np}{\sqrt{npq}}\right)
\end{aligned}
$$

Yn achos *n* a fydd yn ddigon mawr bydd yr ail derm yn agos at sero ac yna mae gennym:

$$P(X \leq x) \approx \Phi\left(\frac{\left(x + \frac{1}{2}\right) - np}{\sqrt{npq}}\right) \tag{10.4}$$

Yn yr un modd

$$P(X \geq x) \approx 1 - \Phi\left(\frac{\left(x - \frac{1}{2}\right) - np}{\sqrt{npq}}\right) \tag{10.5}$$

Mae angen addasu'r fformiwlâu hyn os yw'r anhafaleddau'n gaeth:

$$P(X < x) \approx \Phi\left(\frac{\left(x - \frac{1}{2}\right) - np}{\sqrt{npq}}\right) \tag{10.6}$$

$$P(X > x) \approx 1 - \Phi\left(\frac{\left(x + \frac{1}{2}\right) - np}{\sqrt{npq}}\right) \tag{10.7}$$

Mae'n amhosibl rhoi rheolau union ar gyfer pryd y dylid defnyddio'r brasamcan normal. Y cwbl y gellir ei ddweud yw bod y brasamcan yn well pan fo *p* yn agos at $\frac{1}{2}$ a'i fod yn gwella wrth i *n* gynyddu.

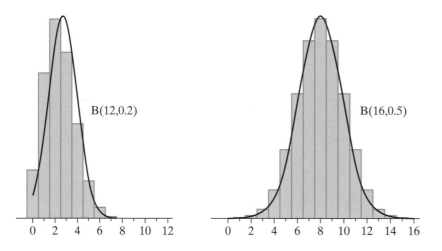

Fel y dengys y diagram, mae brasamcan y dosraniad B(12, 0.2) sgiw yn eithaf gwael, yn arbennig yn y gynffon isaf (lle mae'r brasamcan normal yn rhagweld cyfran sylweddol o ganlyniadau negatif). Mewn cyferbyniad, mae brasamcan y dosraniad B(16, 0.5) cymesur yn eithaf trawiadol.

Oherwydd bod gwaith cyfrifo cywir yn well na gwaith cyfrifo anghywir dylai tebygolrwyddau binomial gael eu cyfrifo yn union os yw hyn yn ymarferol yn yr amser sydd ar gael.

Nodiadau

- Mae'r brasamcan fwyaf cywir pan fo $p = \frac{1}{2}$ oherwydd dyma'r achos pan fo'r dosraniad binomial yn gymesur.
- Mae angen cywiriant didoriant bob tro y mae dosraniad arwahanol yn cael ei frasamcanu gan ddosraniad di-dor.
- Os yw X ~ B(*n*, *p*) a brasamcan normal yn ddilys yna bydd oddeutu 95% o'r arsylwadau ar *X* yn y cyfwng $(np - 2\sqrt{npq}, np + 2\sqrt{npq})$.

Enghraifft 34

Dywedir bod $X \sim B(25, 0.6)$. Gan ddefnyddio brasamcan normal, cyfrifwch $P(X \leq 16)$

Mae'n eithaf hawdd cyfrifo'r tebygolrwydd hwn gan ddefnyddio cyfrifiadur neu gyfrifiannell rhaglenadwy, ond byddai'n waith diflas iawn cyfrifo pe byddai'n rhaid i bob tebygolrwydd unigol gael ei gyfrifo ar wahân. Mae'r brasamcan normal yn hawdd i'w gyfrifo, gan ddefnyddio $np = 15$ ac $npq = 6$:

$$P(X \leq 16) \approx \Phi\left(\frac{16.5 - 15}{\sqrt{6}}\right)$$

$$= \Phi(0.612)$$

$$= 0.7298$$

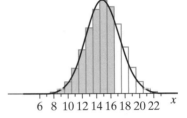

Mae'r tebygolrwydd bod $X \leq 16$ tua 0.730 (i 3 ll.d.).

Enghraifft 35

Mae darn arian teg yn cael ei daflu 1000 gwaith. Defnyddir X i ddynodi nifer y pennau a geir.
Gan ddefnyddio brasamcan normal, cyfrifwch werth mwyaf x lle mae $P(X \leq x) < 0.95$.

Gan fod n yn hynod o fawr, mae hwn yn galw am ddefnyddio'r brasamcan normal. Gan fod $X \sim B(1000, 0.5)$, mae gan y dosraniad normal cyfatebol gymedr 500 ac amrywiant 250. Drwy hynny:

$$P(X \leq x) \approx \Phi\left(\frac{\left(x + \frac{1}{2}\right) - 500}{\sqrt{250}}\right)$$

O'r tabl o bwyntiau canrannol, mae gennym $\Phi(1.645) = 0.95$. Felly y gwerth x sydd ei angen yw'r cyfanrif mwyaf lle mae:

$$\frac{\left(x + \frac{1}{2}\right) - 500}{\sqrt{250}} < 1.645$$

Drwy aildrefnu, x yw'r cyfanrif mwyaf sy'n llai na:

$$499.5 + (1.645 \times \sqrt{250}) = 525.51$$

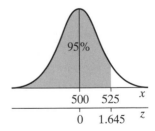

Y gwerth x mwyaf sy'n bodloni $P(X \leq x) < 0.95$ yw 525 (ac nid 526, sydd yn fwy na 525.51).

Roedd Francis Galton (1822-1911) yn gefnder i Charles Darwin, awdur *The Origin of Species*. Bu Galton yn astudio meddygaeth yng Nghaergrawnt, ond, pan adawyd ffortiwn iddo, rhoddodd y gorau i'r yrfa hon a threulio'r cyfnod rhwng 1850-52 yn crwydro yn Affrica, a derbyniodd fedal aur y Gymdeithas Ddaearyddol Frenhinol i gydnabod yr hyn a gyflawnodd yno. Yn yr 1860au trodd ei sylw at feteoroleg a dyfeisiodd ffurf gynnar y mapiau tywydd a ddefnyddir gan feteorolegwyr modern. Yna, ar ôl cael ei ysbrydoli gan waith Darwin, trodd ei fryd at etifeddiad a'r cysylltiadau rhwng nodweddion cenedlaethau olynol. Cyhoeddwyd ei waith mwyaf adnabyddus, *Natural Inheritance*, yn 1889. Gwnaeth ddefnydd helaeth o'r dosraniad normal a dangosodd hyn mewn darlith i'r Sefydliad Brenhinol yn 1874 gan ddefnyddio pumpwynt (gweler isod).

Prosiect _____

Prosiect adeiladu yw hwn. Y syniad yw adeiladu pumpwynt, sef trefniant syml o hoelion (neu binnau, neu begiau) ar fwrdd yn y dull a ddangosir yn y diagram. Dylai'r bylchau llorweddol rhwng yr hoelion mewn rhes fod union ddigon mawr i farblen (neu bêl-feryn, neu rywbeth tebyg) basio rhyngddynt. Dylai'r rhesi olynol fod yn baralel, gyda'r hoelion mewn un rhes yn cael eu gosod yn ganolog mewn perthynas â'r bylchau yn y rhes flaenorol. Dylai'r pellter fertigol rhwng y rhesi fod union ddigon mawr i ganiatáu i'r farblen basio.

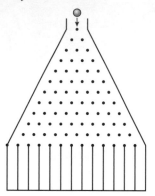

   Dylid gosod y bwrdd bron yn fertigol ar dir gwastad. Gosodir dilyniant o farblis yn y man cychwyn a'u gadael i syrthio. Wrth i farblen fynd i lawr bydd yn dod ar draws nifer o hoelion. Os nad yw'r bwrdd ar oledd ac os bydd wedi ei adeiladu'n gywir, yna pan fydd y farblen yn taro hoelen bydd yr un mor debygol o ddargyfeirio i'r dde neu i'r chwith.

   Mae pob cyfarfyddiad yn dreial Bernoulli, gyda p yn hafal i $\frac{1}{2}$. Mae cyfanswm effaith n rhes o hoelion felly yn ddosraniad B (n, $\frac{1}{2}$). Mae'r sianeli fertigol ar waelod y bwrdd yn caniatáu i rywun arsylwi nifer y gwahanol ganlyniadau pan yw nifer fawr o beli wedi cael eu gollwng ac yn rhoi siart bar gweledol o sampl o ddosraniad B(n, p). Drwy adael i'r peli ddechrau disgyn ar bwynt islaw top y bwrdd gellir gostwng gwerth n. Os oes pumpwynt mawr iawn (gyda nifer mawr cyfatebol o beli) ar gael yna bydd tebygrwydd dosraniad B(n, $\frac{1}{2}$) i ddosraniad normal yn amlwg.

   Gellir efelychu dosraniadau binomial eraill drwy ogwyddo'r pumpwynt o'r llorwedd, fel bo tueddiad i'r chwith (x isel) neu i'r dde (x uchel).

   Rydym wedi darganfod bod fersiwn lle defnyddir adeiladwaith o begiau pren a pheli ping pong yn lle marblis yn gweithio'n dda. Gellir adfer cost pumpwynt o'r maint hwn yn hawdd drwy ei ddefnyddio i gynhyrchu incwm yn ffair yr ysgol: gellid cynnig gwobrau 'addas' am beli sy'n glanio yn y sianeli ar y pen − lle golyga 'addas' eich bod yn gallu gwneud elw sylweddol!

Dewis rhwng y brasamcanion normal a Poisson i ddosraniad binomial

Nid yw'n bosibl rhoi unrhyw reolau caeth ac eithrio cynghori i gyfrifo tebygolrwydd yn union gywir os yw hyn yn ddichonadwy. Fodd bynnag, gallai'r canlynol helpu:

- Ni ddylid defnyddio'r Poisson ar gyfer gwerthoedd *p* sy'n agos at 0.5.
- Ni ddylid defnyddio'r normal pan yw *np* neu *n*(1 − *p*) yn llai na 5.

◆   Os yw p yn fychan (e.e. < 0.1) ac os yw'r cwestiynau yn gofyn, er enghraifft, am $P(X < x)$ neu $P(X > x)$, lle mae x yn fychan, yna mae'n debyg mai'r brasamcan Poisson yw'r gorau.

◆   Os yw n yn fawr (e.e. > 30) ac os yw'r cwestiwn yn gofyn, er enghraifft, am $P(X > x)$ neu $P(X < x)$, lle nad yw x yn agos at n neu 0, yna mae'n debyg mai'r brasamcan *normal* yw'r gorau.

Enghraifft 36

Dim ond ar 0.1% o stampiau dosbarth cyntaf y ceir nam arbennig. Gan ddefnyddio brasamcan normal, cyfrifwch y tebygolrwyddau canlynol:

(i)   mewn hapsampl o 1000 o stampiau, ceir y nam ar 4 neu lai o stampiau,

(ii) mewn hapsampl o 20 000 o stampiau, ceir y nam ar fwy na 10 o stampiau.

(i)   Boed i X fod yn nifer y stampiau lle ceir y nam. Nawr:

$$X \sim B(1000, 0.001)$$

Gan fod $np = 1$, sy'n llai na 5, ni ellir defnyddio'r brasamcan normal. Wrth lwc gellir prin lwyddo i wneud y cyfrifiad binomial union, ond mae'r brasamcan Poisson yn hawdd, a chan fod n mor fawr a p mor fychan, mae brasamcan Poisson yn sicr o fod yn gywir iawn.

$$P(X \leqslant 4) \approx \frac{1^0 e^{-1}}{0!} + \frac{1^1 e^{-1}}{1!} + \frac{1^2 e^{-1}}{2!} + \frac{1^3 e^{-1}}{3!} + \frac{1^4 e^{-1}}{4!}$$

$$= \left(1 + 1 + \frac{1}{2} + \frac{1}{6} + \frac{1}{24}\right) e^{-1}$$

$$= \frac{65}{24} e^{-1}$$

$$= 0.996\,34$$

Yr union ateb binomial yw 0.996 36. Yn ôl y disgwyl, mae'r gwahaniaeth yn ddibwys. I dri lle degol mae'r tebygolrwydd yn 0.996.

(ii) Boed i Y fod yn nifer y stampiau sydd â'r nam. Nawr:

$$Y \sim B(20\,000, 0.001)$$

Byddai'n ddiflas cyfrifo $P(Y > 10)$ yn union, felly byddem yn hoffi cael brasamcan syml. Gallem ddefnyddio'r Poisson, ond mae hyn bron yr un mor ddiflas. Fodd bynnag, mae'r dosraniad normal yn hawdd i'w ddefnyddio ac ni ddylai fod yn rhy anghywir gan fod lluoswm n a p yn eithaf mawr:

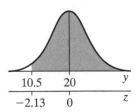

$$P(Y > 10) = 1 - P(Y \leqslant 10)$$

$$\approx 1 - \Phi\left(\frac{10.5 - 20}{\sqrt{19.98}}\right)$$

$$= 1 - \Phi(-2.125)$$

$$= \Phi(2.125)$$

$$= 0.9832$$

Yn wir mae'r union debygolrwydd yn 0.989 (i 3 ll.d.).

Ymarferion 10e

1 O wybod bod $X \sim B(40, 0.3)$, defnyddiwch frasamcan addas i ddarganfod $P(X > 15)$.

2 O wybod bod $Y \sim B(50, 0.7)$, defnyddiwch frasamcan addas i ddarganfod $P(30 < Y < 40)$.

3 O wybod bod $X \sim B(100, 0.5)$, defnyddiwch frasamcan addas i ddarganfod $P(|X - 50| > 10)$.

4 O wybod bod $W \sim B(81, 0.2)$, defnyddiwch frasamcan addas i ddarganfod $P(W > 12)$.

5 Mae darn arian teg yn cael ei daflu 300 gwaith. Gan ddefnyddio brasamcan addas, darganfyddwch y tebygolrwyddau bod nifer y pennau a geir (i) yn fwy na 160, (ii) ddim yn fwy na 135.

6 Mae llyn artiffisial yn cynnwys nifer fawr o bysgod. Mae $\frac{2}{5}$ ohonynt yn garpiaid a $\frac{3}{5}$ yn gochiaid. Mae pysgotwr yn dal hapsampl o bum pysgodyn. Cyfrifwch y tebygolrwydd y bydd y sampl hon yn cynnwys 2 gochiad neu fwy. Roedd y pysgotwr yn cymryd rhan mewn cystadleuaeth. Daliwyd hapsampl o 100 o bysgod i gyd. Cyfrifwch y tebygolrwydd bras bod mwy na 70 cochiad wedi eu dal.

7 Yng Nghantre'r Gwaelod mae 45% o'r boblogaeth yn Weriniaethwyr a'r gweddill yn Freniniaethwyr. Darganfyddwch y tebygolrwydd (bras) bod hapsampl o 50 o bobl Cantre'r Gwaelod yn cynnwys mwyafrif o Weriniaethwyr. Cyfrifwch hefyd y tebygolrwydd y bydd y sampl yn cynnwys yr un nifer o Weriniaethwyr ag o Freniniaethwyr.

8 Rhwng 0800 a 0900 o'r gloch, mae 40% o'r traffig ar ffordd brysur yn teithio o'r gorllewin i'r dwyrain, a'r gweddill yn teithio o'r dwyrain i'r gorllewin. Samplir hapsampl o 250 o'r ceir sy'n mynd heibio yn ystod yr amser a nodwyd. Gan ddefnyddio cywiriant didoriant i wella'r brasamcan normal, cyfrifwch y tebygolrwydd bras bod mwy nag 80 o'r ceir sy'n cael eu samplu yn teithio o'r gorllewin i'r dwyrain.

9 Mae ffermwr yn credu bod 60% o'r afalau sy'n cyrraedd ei sied raddio yn perthyn i ddosbarth A.
Gan gymryd ei fod yn gywir, defnyddiwch frasamcan addas i ddarganfod y tebygolrwydd y bydd cyfran yr afalau Dosbarth A mewn hapsampl o 100 o afalau, yn llai na 65%.

10 Mae gwleidydd yn credu bod 55% o'i etholwyr yn cytuno â'i syniadau ar faterion amgylcheddol.
Gan gymryd ei fod yn gywir, defnyddiwch frasamcan addas i ddarganfod y tebygolrwydd bod llai na 50% o etholwyr mewn hapsampl o 200, yn cytuno â'r syniadau hyn.

11 Bob tro mae gymnastwraig arbennig yn mynd trwy'i phethau, mae'r tebygolrwydd y bydd hi'n gwneud hynny heb unrhyw gamgymeriad yn 0.7. Cyfrifwch, yn gywir i 3 lle degol, y tebygolrwydd:
(i) y bydd hi'n perfformio heb gamgymeriad ar bedwar achlysur allan o chwech;
(ii) y bydd hi'n perfformio heb gamgymeriad ar o leiaf 14 achlysur allan o 20.
Defnyddiwch ddull bras addas i enrhifo, i dri lle degol, y tebygolrwydd y bydd hi'n perfformio'r rwtîn heb gamgymeriad ar fwy na 130 achlysur allan o 200.
Rhowch sylwadau cryno ar y dybiaeth a awgrymir ym mrawddeg gyntaf y cwestiwn hwn.
[JMB]

12 Nodwch yr amodau lle gellir defnyddio brasamcan normal fel brasamcan i'r dosraniad binomial $B(n, p)$, gan roi paramedrau'r brasamcan normal.
Rhowch enghraifft, o'ch prosiectau pan fo'n bosibl, o ddefnydd o'r brasamcan hwn. Wrth gynhyrchu cryno ddisgiau mewn ffatri arbennig, gwyddom fod cyfrannedd y disgiau diffygiol yn $\frac{1}{5}$. Cymerir hapsampl o 20 disg o'r cynnyrch. Gan ddefnyddio'r tablau a ddarparwyd, neu fel arall, darganfyddwch y tebygolrwydd y bydd y sampl yn cynnwys o leiaf 6 disg ddiffygiol. Darganfyddwch werth lleiaf n os oes tebygolrwydd o 0.85 o leiaf, y bydd hapsampl o n disg yn cynnwys o leiaf un disg diffygiol. Bob wythnos mae'r ffatri yn cynhyrchu 2000 disg. Amcangyfrifwch, i 2 ffigur ystyrlon, y tebygolrwydd y bydd 349 disg diffygiol ar y mwyaf yn cael eu cynhyrchu mewn un wythnos.
Mae cynhyrchu disg yn costio 60c. Mae disg diffygiol yn gorfod cael ei daflu, tra bo disg perffaith yn cael ei werthu am £9. Darganfyddwch yr elw disgwyliedig a wneir gan y ffatri bob wythnos. [ULSEB]

13 (a) Mae'r hapnewidyn X yn dilyn dosraniad binomial, paramedrau n a p.

(i) Profwch fod $E[X] = np$.

(ii) Dangoswch fod

$$P(X = r) = \frac{(n - r + 1)p}{(1 - p)r} \times P(X = r - 1).$$

Drwy hynny, o wybod bod X yn dilyn dosraniad binomial gydag $E[X] = 5$ a $P(X = 4) = 1.75\ P(X = 3)$, darganfyddwch n a p.

(b) Mae cwmni sy'n cynhyrchu gwydrau gwin yn eu gwerthu mewn blychau arddangos o ddeuddeg. Dengys cofnodion fod tri o bob cant o wydrau yn ddiffygiol. Darganfyddwch y tebygolrwydd y bydd blwch o wydrau a ddewisir ar hap:

(i) yn cynnwys dim un gwydryn diffygiol,

(ii) yn cynnwys o leiaf ddau wydryn diffygiol.

Darganfyddwch y tebygolrwydd y bydd llwyth o 10 000 o wydrau o'r fath yn cynnwys 250 o wydrau diffygiol ar y mwyaf.

[AEB 89]

14 Rhowch ddisgrifiad cryno o'r amodau lle gallai'r dosraniad binomial $B(n, p)$ gael ei frasamcanu gan

(*a*) ddosraniad normal,

(*b*) dosraniad Poisson,

gan roi paramedrau pob un o'r dosraniadau bras.

Ymysg celloedd gwaed rhywogaeth arbennig o anifail, mae cyfran y celloedd math A yn 0.37 a chyfran y celloedd math B yn 0.004. Darganfyddwch, i 3 lle degol, y tebygolrwydd y bydd o leiaf 2 gell mewn hapsampl o 8 cell waed yn perthyn i fath A.

Darganfyddwch, i 3 lle degol, werth bras ar gyfer y tebygolrwyddau canlynol:

(*c*) Mewn hapsampl o 200 o gelloedd gwaed mae cyfanswm nifer y celloedd math A a math B yn 81 neu fwy.

(*ch*) Bydd 4 neu fwy o gelloedd o fath B mewn hapsampl o 300 cell waed. [ULSEB]

10.12 Y brasamcan normal i ddosraniad Poisson

Gwelsom yn Adran 8.3 fod siâp dosraniad Poisson yn dibynnu ar werth ei baramedr λ. Er bod y dosraniad bob amser ar sgiw, wrth i λ gynyddu daw'r sgiwedd hwn yn llai gweladwy a bydd y dosraniad yn ymdebygu fwyfwy i'r normal o ran golwg.

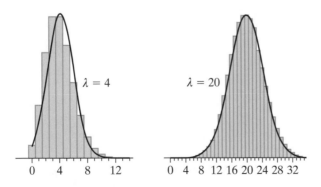

Mae gan hapnewidyn Poisson X, paramedr λ, ddisgwyliad ac amrywiant sy'n hafal i λ. Mae gan yr hapnewidyn normal brasamcanol Y felly ddosraniad $N(\lambda, \lambda)$. Fel yn achos y brasamcan i ddosraniad binomial, mae angen **cywiriant didoriant**:

$$P(X = x) \approx P(x - \tfrac{1}{2} < Y < x + \tfrac{1}{2})$$

Ar ôl safoni i ddosraniad $N(0, 1)$ cawn:

$$P(X = x) \approx \Phi\left(\frac{\left(x + \tfrac{1}{2}\right) - \lambda}{\sqrt{\lambda}}\right) - \Phi\left(\frac{\left(x - \tfrac{1}{2}\right) - \lambda}{\sqrt{\lambda}}\right)$$

Enghraifft o frasamcan ar gyfer anhafaledd yw:

$$P(X \leq x) \approx \Phi\left(\frac{\left(x + \frac{1}{2}\right) - \lambda}{\sqrt{\lambda}}\right)$$

Nodiadau

♦ Pan fo'n bosibl, dylid cyfrifo'r tebygolrwyddau Poisson yn uniongywir. Bydd y brasamcan fel arfer yn eithaf gwael pan yw $\lambda < 10$, ond dylai fod yn ddigonol ar gyfer $\lambda \geq 25$.

♦ Mae'r brasamcan waethaf ar gyfer gwerthoedd yng nghynffonnau'r dosraniad.

♦ Gan fod cyfanswm hapnewidynnau Poisson yn hapnewidyn Poisson arall, mae'n bosibl meddwl bod unrhyw ddosraniad Poisson yn deillio o symiant − sy'n arwain unwaith eto at Theorem y Derfan Ganolog yn eglurhad am lwyddiant y brasamcan normal.

♦ Os oes gan X ddosraniad Poisson gyda pharamedr λ ac os yw brasamcan normal yn ddilys yna bydd tua 95% o arsylwadau ar X yn y cyfwng $(\lambda - 2\sqrt{\lambda}, \lambda + 2\sqrt{\lambda})$

Enghraifft 37

Mae gan yr hapnewidyn X ddosraniad Poisson, cymedr 9. Cymharwch yr union werthoedd â'r rhai a roddir gan y brasamcan normal ar gyfer y tebygolrwyddau canlynol:

(i) $P(X = 9)$, (ii) $P(X \leq 2)$.

(i)   Nid yw'n anodd cyfrifo'r union debygolrwydd:

$$P(X = 9) = \frac{9^9 e^{-9}}{9!} = 0.1318$$

Nid yw'r brasamcan normal yn ddrwg o gwbl gan ein bod yn edrych ar ganolbwynt y dosraniad. Y gwerthoedd z perthnasol yw

$$\frac{(9.5 - 9)}{\sqrt{9}} = 0.167 \text{ ac } \frac{(8.5 - 9)}{\sqrt{9}} = -0.167, \text{ felly:}$$

$$\begin{aligned}
P(X = 9) &\approx \Phi(0.167) - \Phi(-0.167) \\
&= 2\Phi(0.167) - 1 \\
&= (2 \times 0.5664) - 1 \\
&= 0.1328
\end{aligned}$$

I dri lle degol, mae'r brasamcan normal yn rhoi 0.133 o gymharu â'r union werth 0.132.

(ii) Mae'r union debygolrwydd yn:

$$\frac{9^0 e^{-9}}{0!} + \frac{9^1 e^{-9}}{1!} + \frac{9^2 e^{-9}}{2!} = 0.0001 + 0.0011 + 0.0050 = 0.0062$$

Mae'r brasamcan normal yn:

$$\begin{aligned}
\Phi\left(\frac{2.5 - 9}{\sqrt{9}}\right) &= \Phi(-2.167) \\
&= 1 - \Phi(2.167) \\
&= 1 - 0.9849 \\
&= 0.0151
\end{aligned}$$

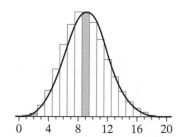

lle ceir cyfeiliornad sylweddol gan ein bod yn edrych ar gynffon y dosraniad.

Enghraifft 38

Darganfyddir bod gan nifer y damweiniau bob dydd ar ddarn penodol o ffordd ddosraniad Poisson, cymedr 1.4.

Cyfrifwch y tebygolrwydd bod mwy na 50 o ddamweiniau yn digwydd yn ystod cyfnod o 4 wythnos.

————

Mae gan nifer y damweiniau, X, sy'n digwydd yn ystod cyfnod o 4 wythnos ddosraniad Poisson, cymedr $(1.4 \times 28) = 39.2$. Mae arnom angen $P(X > 50)$. Heb gyfrifiadur neu gyfrifiannell rhaglenadwy nid yw'n ddichonadwy cyfrifo'r tebygolrwydd hwn yn union. Fodd bynnag, gan fod λ yn eithaf mawr dylai'r brasamcan normal fod yn ddigon cywir.

Gwerth perthnasol z yw $\dfrac{50.5 - 39.2}{\sqrt{39.2}} = 1.805$. Drwy hynny:

$$P(X > 50) = 1 - P(X \leq 50)$$
$$\approx 1 - \Phi(1.805)$$
$$= 1 - 0.9645$$
$$= 0.0355$$

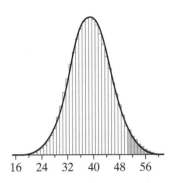

Ar tua 3.6% o gyfnodau 4 wythnos bydd mwy na 50 o ddamweiniau yn digwydd.

Ymarferion 10f

1 O wybod bod gan X ddosraniad Poisson, cymedr 50, defnyddiwch frasamcan addas i ddarganfod $P(X < 40)$.

2 O wybod bod gan Y ddosraniad Poisson, cymedr 30, defnyddiwch frasamcan addas i ddarganfod $P(Y > 20)$.

3 Mewn planciau ffawydd mae gan nifer y ceinciau ym mhob metr ddosraniad Poisson, cymedr 3.2. Defnyddiwch frasamcan addas i ddarganfod y tebygolrwydd y bydd dau hyd 5 m yn cynnwys o leiaf 40 cainc.

4 Mae gan nifer y bylbiau golau diffygiol sy'n cael eu dychwelyd i siop mewn wythnos ddosraniad Poisson, cymedr 0.7. Gan ddefnyddio brasamcan addas, darganfyddwch y tebygolrwydd na fydd mwy na 45 bylb diffygiol yn cael eu dychwelyd mewn cyfnod o 50 wythnos.

5 Gelwir clogfeini anferth sy'n cael eu gadael gan rewlifoedd yn feini crwydr. Ar gyfartaledd mae cilometr sgwâr o ddyffryn rhewlifol yn cynnwys 25 maen crwydr.
Gan ddefnyddio brasamcan normal o ddosraniad Poisson, darganfyddwch y tebygolrwydd bod cilometr sgwâr a ddewisir ar hap yn cynnwys rhwng 15 a 35 maen crwydr (yn gynwysedig).

6 Pan archwilir dŵr pwll dan y microsgop mae'n bosibl gweld pryfetach annymunol yr olwg. Mae crynodiad cyfartalog y pryfetach hyn yn dri i bob mililitr.
Cyfrifwch y tebygolrwydd y bydd hapsampl o 5 mililitr o ddŵr pwll yn cynnwys union 14 pryf:
(a) gan ddefnyddio'r dosraniad Poisson,
(b) gan ddefnyddio brasamcan normal i'r dosraniad Poisson.
Cyfrifwch hefyd y tebygolrwydd y bydd nifer y pryfed sydd i'w cael mewn hapsampl o 200 mililitr o ddŵr pwll rhwng 560 a 620 *yn gynwysedig.*

7 Gellir tybio bod gan nifer y ceir sy'n dod i orsaf betrol yn ystod cyfnod o t munud ddosraniad Poisson, cymedr $\frac{7}{20}t$.
(i) Darganfyddwch, i dri lle degol, y tebygolrwydd y bydd llai na 6 char yn cyrraedd mewn cyfnod o 10 munud.
(ii) Darganfyddwch, i dri lle degol, y tebygolrwydd y bydd union 3 char yn cyrraedd mewn cyfnod o 5 munud.
(iii) Darganfyddwch, i ddau le degol, werth bras y tebygolrwydd y bydd mwy na 24 car yn cyrraedd mewn awr.   [JMB]

8 Mae dadansoddiad o sgorau gemau pêl-droed cynghrair leol yn awgrymu y gellid defnyddio dosraniad Poisson, paramedr 2.7 i fodelu cyfanswm y goliau sy'n cael eu sgorio mewn gêm a ddewisir ar hap. Mae niferoedd y goliau sy'n cael eu sgorio mewn gwahanol gemau yn annibynnol ar ei gilydd.

(i) Darganfyddwch y tebygolrwydd y bydd gêm yn gorffen heb i unrhyw gôl gael ei sgorio.

(ii) Darganfyddwch y tebygolrwydd y bydd 4 neu fwy o goliau yn cael eu sgorio mewn gêm.

Un prynhawn Sadwrn chwaraeir 11 gêm yn y gynghrair.

(iii) Nodwch y nifer disgwyliedig o gêmau lle na fydd yr un gôl yn cael ei sgorio.

(iv) Darganfyddwch y tebygolrwydd y bydd goliau yn cael eu sgorio ym mhob un o'r 11 gêm.

(v) Nodwch y dosraniad ar gyfer cyfanswm nifer y goliau sy'n cael eu sgorio yn yr 11 gêm. Gan ddefnyddio dosraniad brasamcanol addas, neu fel arall, darganfyddwch y tebygolrwydd y bydd mwy na 30 o goliau yn cael eu sgorio i gyd. [MEI]

9 (i) Hapnewidynnau â dosraniadau Poisson yw X, Y a Z, gyda chymedrau a, b ac $a + b$ yn ôl eu trefn. Mae X ac Y yn annibynnol. Dangoswch fod

$$P(X + Y = 2) = P(Z = 2)$$

(ii) Mae gan nifer y gwallau argraffu ar unrhyw dudalen o lyfr arbennig ddosraniad Poisson, cymedr 0.4.

(1) Darganfyddwch y tebygolrwydd y bydd cyfanswm nifer y gwallau ar y 10 tudalen gyntaf yn union 3.

(2) Darganfyddwch y tebygolrwydd y bydd cyfanswm nifer y gwallau ar y 10 tudalen gyntaf yn fwy na 3.

(3) N yw'r cyfanrif lleiaf fel bo'r tebygolrwydd y bydd mwy na 2 wall ar yr N tudalen gyntaf yn fwy na 0.88. Gwiriwch fod $N = 13$.

(4) Mae gan y llyfr 250 tudalen. Os oes mwy na 110 gwall yna bydd y cyhoeddwyr yn cywiro ac yn ailargraffu'r llyfr. Defnyddiwch frasamcan addas i ddarganfod y tebygolrwydd y bydd hyn yn digwydd. [O&C]

10 Yn annibynnol ar gyfer pob blwyddyn, gellid ystyried bod gan nifer y damweiniau ffordd y flwyddyn mewn man peryglus

ddosraniad Poisson, cymedr 2.3. Cyfrifwch y tebygolrwyddau canlynol yn gywir i dri lle degol:

(i) bydd mwy na dwy ddamwain yn digwydd mewn blwyddyn arbennig,

(ii) bydd y ddamwain gyntaf ar ôl 31 Rhagfyr 2009 yn digwydd yn ystod 2012,

(iii) na fydd unrhyw ddamweiniau mewn union ddwy o'r 6 blynedd 2010 i 2015 yn gynwysedig.

O wybod bod cyfanswm newidynnau Poisson annibynnol hefyd yn newidyn Poisson, defnyddiwch frasamcan addas i gyfrifo'r tebygolrwydd y bydd o leiaf 30 damwain mewn cyfnod o ddeng mlynedd penodol. Rhowch yr ateb yn gywir i dri lle degol. [JMB]

11 Mae gan nifer y namau mewn defnydd, λ m o hyd, a gynhyrchwyd ar beiriant arbennig, ddosraniad Poisson, cymedr 0.04λ.

(i) Gan roi eich ateb yn gywir i dri lle degol, darganfyddwch y tebygolrwydd y bydd darn o ddefnydd 10 m o hyd yn cynnwys llai na 2 nam.

(ii) Gan roi eich ateb yn gywir i dri lle degol, darganfyddwch y tebygolrwydd y bydd darn o ddefnydd 100 m o hyd yn cynnwys mwy na 4 nam.

(iii) Gan roi eich ateb yn gywir i ddau le degol, darganfyddwch werth bras ar gyfer y tebygolrwydd y bydd darn 1000 m o ddefnydd yn cynnwys o leiaf 46 nam.

(iv) O wybod bod cost cywiro X nam mewn darn 1000 m o ddefnydd yn X^2 ceiniog, darganfyddwch werth disgwyliedig y gost hon. [JMB]

12 Mesurir ffeiliau data ar gyfrifiaduron mewn megabeitiau. Pan anfonir ffeiliau o un cyfrifiadur i'r llall drwy linc cyfathrebu, mae gan nifer y gwallau ddosraniad Poisson. Ar gyfartaledd, mae un gwall ym mhob 10 megabeit o ddata.

(i) Darganfyddwch y tebygolrwydd y bydd ffeil 3 megabeit yn cael ei throsglwyddo
(A) heb wall,
(B) gyda 2 wall neu fwy.

(ii) Dangoswch fod ffeil sydd â siawns 95% o gael ei throsglwyddo heb wall, fymryn yn fwy na hanner megabeit o ran maint.

Mae busnes yn trosglwyddo 1000 megabeit o ddata y dydd.

(iii) Nodwch sawl gwall y dydd fydd yn digwydd ar gyfartaledd.
Gan ddefnyddio dosraniad brasamcanol addas, dangoswch fod nifer y gwallau ar unrhyw ddiwrnod a ddewisir ar hap fwy neu lai yn sicr o fod rhwng 70 a 130. [MEI]

Crynodeb o'r bennod

◆ **Nodiant:** Mae $N(\mu, \sigma^2)$ yn dynodi hapnewidyn â dosraniad normal, cymedr μ ac amrywiant σ^2.
   - Mae gan yr hapnewidyn normal safonol, Z, ddosraniad $N(0, 1)$.
   - Dynodir $P(Z < z)$ gan $\Phi(z)$.
   - $\Phi(-z) = 1 - \Phi(z)$.
   - Os yw $X \sim N(\mu, \sigma^2)$ yna $P(X < x) = \Phi\left(\dfrac{x - \mu}{\sigma}\right)$.

◆ Mae gan gymedr set o n hapnewidyn sydd wedi eu dosrannu'n unfath ddosraniad sy'n ymdebygu fwyfwy i'r dosraniad normal wrth i n gynyddu (**Theorem y Derfan Ganolog**). Mae'r un peth yn wir ar gyfer y swm.

◆ Mae gan **gyfuniad llinol o hapnewidynnau normal annibynnol** ddosraniad normal.

◆ Os yw $X_1, ..., X_n$ yn annibynnol $N(\mu, \sigma^2)$, yna mae cymedr y sampl $\overline{X}$, a ddiffinnir gan $\overline{X} = \dfrac{1}{n}(X_1 + ... + X_n)$, yn $N\left(\mu, \dfrac{\sigma^2}{n}\right)$

◆ **Brasamcan i ddosraniad binomial**:
   Os yw $X \sim B(n, p)$ gyda $np > 5$ ac $n(1 - p) > 5$ yna:

   $$P(X = x) \approx P(x - \tfrac{1}{2} < W < x + \tfrac{1}{2})$$

   lle mae $W \sim N(np, npq)$ a $q = 1 - p$.

◆ **Brasamcan i ddosraniad Poisson**:
   Os oes gan X ddosraniad Poisson, paramedr λ, ac os yw $\lambda > 25$ yna:

   $$P(X = x) \approx P(x - \tfrac{1}{2} < W < x + \tfrac{1}{2})$$

   lle mae $W \sim N(\lambda, \lambda)$.

Ymarferion 10ff (Amrywiol)

1 Mae 'Disgiau a Mwy' yn prynu llwyth o 50 000 o ddisgiau cyfrifiadurol gradd A a 25 000 o ddisgiau gradd B. Mae'r tebygolrwydd bod disg gradd A yn cynnwys o leiaf un sector gwael yn 0.0001, tra yn achos disg gradd B mae'r tebygolrwydd hwn yn 0.0005. Darganfyddwch y tebygolrwydd bras bod y llwyth yn cynnwys rhwng 15 ac 20 (yn gynwysedig) o ddisgiau â sectorau gwael.

Daw disgiau gradd A mewn dau liw: coch a du. Gan gymryd bod lliwiau'r disgiau yn y llwyth yn annibynnol ar ei gilydd, ac o wybod bod cyfran y disgiau coch mewn poblogaeth yn 40%, cyfrifwch y tebygolrwydd bod llai nag 20 200 o'r disgiau gradd A yn goch.

2 Mewn llwyth mawr o eirin mae 10% yn ddrwg. Yn y rhan fwyaf o achosion mae'r eirin wedi mynd yn ddrwg gan eu bod wedi eu tolcio. Fodd bynnag, gellir honni mai trychfilyn o'r enw 'pryf yr eirin' sy'n gyfrifol am gyflwr 10% o'r eirin drwg.

(a) Cyfrifwch y tebygolrwydd y bydd hapsampl o ddeg eirien yn cynnwys union ddwy eirinen ddrwg.

(b) Gan ddefnyddio brasamcan Poisson, cyfrifwch y tebygolrwydd bras bod hapsampl o 100 eirinen yn cynnwys mwy nag wyth drwg.

(c) Gan ddefnyddio brasamcan Poisson, cyfrifwch y tebygolrwydd bras bod

(parhad)

hapsampl o 100 eirinen yn cynnwys dim mwy nag un sydd wedi mynd yn ddrwg o ganlyniad i bryf yr eirin.

(ch) Gan ddefnyddio brasamcan normal, cyfrifwch y tebygolrwydd bras y bydd hapsampl o 1000 o eirin yn cynnwys mwy nag wyth sydd wedi mynd yn ddrwg o ganlyniad i bryf yr eirin.

3 Mae gwerthwr papurau newydd yn gwerthu papurau ar hapadegau: mae nifer y papurau sy'n cael eu gwerthu mewn awr yn arsylwad o ddosraniad Poisson, cymedr 50.

(a) Cyfrifwch y tebygolrwydd y bydd yn gwerthu mwy na 180 mewn cyfnod o 3 awr.

(b) Os ydw i newydd brynu papur newydd ganddo, beth yw'r tebygolrwydd y bydd o leiaf 2 funud yn mynd heibio cyn iddo werthu papur newydd arall?

(c) O wybod bod 5 munud eisoes wedi mynd heibio ers iddo werthu'r papur newydd diwethaf, beth yw'r tebygolrwydd y bydd o leiaf 2 funud arall yn mynd heibio cyn iddo werthu ei bapur nesaf?

4 Mae gan yr hapnewidynnau X_1 ac X_2 ddosraniad normal fel bo $X_1 \sim N(\mu_1, \sigma_1^2)$ ac $X_2 \sim N(\mu_2, \sigma_2^2)$. O wybod bod $\mu_1 < \mu_2$ a $\sigma_1^2 < \sigma_2^2$, brasluniwch y ddau ddosraniad ar yr un diagram.

Nodwch y 'rheol 2σ' ar gyfer hapenwidyn normal. Eglurwch sut y gwnaethoch chi ddefnyddio, neu sut allech chi fod wedi defnyddio, dosraniad normal mewn prosiect.

Mae gan bwysau'r maros a gyflenwir i siop gan gyfanwerthwr ddosraniad normal, cymedr 1.5 kg a gwyriad safonol 0.6 kg. Mae'r cyfanwerthwr yn cyflenwi 3 maint o faros:

Maint 1, llai na 0.9 kg,
Maint 2, o 0.9 kg i 2.4 kg
Maint 3, mwy na 2.4 kg.

Darganfyddwch, i 3 lle degol, gyfrannau'r maros yn y tri maint.
Gan roi eich atebion mewn kg yn gywir i un lle degol, darganfyddwch pa bwysau ar gyfartaledd y bydd 5 maro yn fwy nag ef ym mhob 200 maro a gyflenwir.
Prisiau maros yw 16c am Faint 1, 40c am Faint 2 a 60c am Faint 3. Cyfrifwch ddisgwyliad cyfanswm cost 100 maro a ddewisir ar hap o'r rhai a gyflenwir.   [ULSEB]

5 Rhowch **ddau** reswm pam y mae'r dosraniad normal mor bwysig mewn ystadegaeth.
Mewn astudiaeth o ddimensiynau gronynnau gwydr ffibr a gynhyrchir drwy broses gynhyrchu A, canfuwyd bod gan ddiamedrau'r gronynnau, mewn micrometrau (μm), ddosraniad normal, cymedr 1.52 μm a gwyriad safonol 0.44 μm. Bydd hidlen, mandylledd 0.80 yn cael gwared o'r holl ronynnau sydd â diamedrau mwy na 0.80 μm. Cyfrifwch pa gyfran o ronynnau a dynnir gan hidlen o'r fath. Cyfrifwch fandylledd mwyaf hidlen a fydd yn tynnu o leiaf 99% o'r gronynnau.
Datgelodd dadansoddiad o ronynnau gwydr ffibr o broses B fod gan 28.1% ddiamedrau mwy na 2.60 μm a bod gan 10.2% ddiamedrau llai nag 1.30 μm. Gan gymryd bod gan y diamedrau hyn ddosraniad normal, cyfrifwch eu cymedr a'u gwyriad safonol.
Yn wir, mae'r ddwy broses gynhyrchu, A a B, yn digwydd yn yr un adeilad. Mae proses B yn cynhyrchu deirgwaith nifer y gronynnau gwydr ffibr a gynhyrchir gan broses A. Cyfrifwch pa gyfran o ronynnau yn yr adeilad nad ydynt yn cael eu tynnu gan hidlen, mandylledd 0.80.
[JMB]

6 Disgrifiwch brif nodweddion dosraniad normal. Rhowch enghraifft o arbrawf lle byddech yn disgwyl cynhyrchu hapnewidyn â dosraniad normal.
Mae gan gwmni bychan dri pheiriant sy'n cynhyrchu pêl-ferynnau. Mae gan ddiamedrau'r pêl-ferynnau a gynhyrchir gan bob peiriant ddosraniad normal. Mae'r cwmni yn gwrthod pob pêl-feryn sydd â diamedr llai na 9.490 mm am eu bod yn rhy fach, mae'n gwrthod pob pêl-feryn sydd â diamedr mwy na 9.520 mm am eu bod yn rhy fawr. Mae gan bêl-ferynnau a gynhyrchir gan Beiriant I ddiamedr, cymedr 9.506 mm a gwyriad safonol 0.006. Cyfrifwch

(i) pa ganran o'r pêl-ferynnau a gynhyrchir gan y peiriant hwn sy'n cael eu gwrthod gan eu bod yn rhy fach,

(ii) pa ganran o'r pêl-ferynnau a gynhyrchir gan y peiriant hwn sy'n cael eu hystyried yn dderbyniol.

Mae Peiriant II yn cynhyrchu pêl-ferynnau â diamedr cymedrig o 9.504 mm, ac y mae 2.28% o'r rhain yn cael eu gwrthod gan eu bod yn rhy fawr. Cyfrifwch wyriad safonol y pêl-ferynnau a gynhyrchir gan Beiriant II. O'r pelferynnau a

(parhad)

gynhyrchir gan Beiriant III, mae 0.5% yn cael eu gwrthod gan eu bod yn rhy fach a 4.35% yn cael eu gwrthod gan eu bod yn rhy fawr. Cyfrifwch gymedr a gwyriad safonol diamedrau pêl-ferynnau Peiriant III.   [JMB]

7 Mae gan hyd oes batrïau Surecell ddosraniad normal, cymedr 200 awr a gwyriad safonol 25 awr.
Cyfrifwch, i 3 lle degol, y tebygolrwyddau canlynol:
(*a*) y bydd batri a ddewisir ar hap yn para mwy na 230 awr,
(*b*) y bydd hyd oes batri a ddewisir ar hap rhwng 190 a 210 awr.
Mae cynhyrchwyr batrïau Surecell eisiau cynnig hyd oes gwarantedig, *T* awr, ar eu batrïau. Maen nhw'n cynnal arbrawf ar fatrïau y maen nhw'n eu defnyddio yn y ffatri. Darganfyddir bod hyd oes 9.85% o fatrïau yn llai na *T* awr.
(*c*) Cyfrifwch werth *T*, i 2 le degol.
Mae batrïau yn cael eu tynnu oddi ar y llinell gynhyrchu a'u gosod mewn grwpiau o 6.
(*ch*) Cyfrifwch, i 3 lle degol, y tebygolrwydd y bydd gan union 2 fatri, mewn grŵp o 6, hyd oes llai na *T* awr.
Mae batris yn cael eu pacio mewn bocsys o 6.
(*d*) Defnyddiwch eich ateb i (*ch*) i gyfrifo, i 3 lle degol, y tebygolrwydd y bydd union dri bocs allan o ddeg yn cynnwys 2 fatri â hyd oes o lai na *T*.   [ULSEB]

8 Mae gan bwysau darnau o gyffug cartref ddosraniad normal, cymedr 34 g a gwyriad safonol 5 g.
(a) Beth yw'r tebygolrwydd y bydd darn a ddewisir ar hap yn pwyso mwy na 40 g?
(b) At rai dibenion mae'n angenrheidiol trefnu'r darnau fesul maint: bach, canolig neu fawr. Penderfynir gosod yr holl ddarnau sy'n pwyso mwy na 40 g yn y dosbarth 'mawr' a gosod hanner trymaf y darnau sy'n weddill yn y dosbarth 'canolig'. Bydd y gweddill yn cael eu gosod yn y dosbarth 'bach'. Beth yw terfan uchaf y dosbarth 'bach'?
(c) Mae bag yn cynnwys 15 darn o gyffug a ddewiswyd ar hap. Beth yw dosraniad cyfanswm pwysau'r cyffug mewn bag?
Beth yw'r tebygolrwydd y bydd cyfanswm y pwysau rhwng 490 g a 540 g?
(ch) Beth yw'r tebygolrwydd y bydd cyfanswm pwysau cyffug mewn bag sy'n cynnwys 15 darn yn fwy na chyfanswm pwysau bag arall sy'n cynnwys 16 darn?   [AEB 91]

9 Mae rhan o broses gydosod yn cynnwys ffitio silindr drwy dwll crwn mewn plât metel. Gwyddom fod gan ddosraniad diamedrau'r silindrau, D_s gymedr 24.96 mm a gwyriad safonol 0.04 mm a bod gan ddosraniad diamedrau'r tyllau, D_t, gymedr 25.00 mm a gwyriad safonol 0.03 mm.
(a) Darganfyddwch gymedr a gwyriad safonol y gwahaniaeth $D_t - D_s$ rhwng diamedrau cydrannau a ddewisir ar hap.
(b) Gan gymryd bod y ddau ddosraniad yn normal a bod y cydrannau yn cael eu dewis ar hap, darganfyddwch ym mha ganran o achosion na fydd y silindr yn ffitio'r twll.
(c) Dewisir plât ar hap ac yna dewisir silindr ar hap. Gwneir hyn 4 gwaith *eto*. Darganfyddwch y tebygolrwydd na fydd y silindr yn ffitio ei blât mewn 3 o'r achosion.
(ch) Mae canran yr achosion lle na fydd y silindr yn ffitio ei blât yn cael ei bennu fel 5%. Os yw'r gwyriad safonol yn aros yr un fath, cyfrifwch y cynnydd yn niamedr cymedrig y twll sydd ei angen i fodloni'r angen hwn.
(d) Mae'r goddefiant mwyaf − sef faint yn fwy yw D_t na D_s − yn cael ei osod ar 0.16 mm. Gan ddefnyddio diamedr cymedrig y twll wedi'i gynyddu, darganfyddwch pa ganran o'r prosesau cydosod nad ydynt yn bodloni'r goddefiant hwn.   [AEB 90]

10 Mewn arolwg o arferion gweithio, cofnodwyd y pellter oedd yn cael ei gerdded bob dydd gan bostmon sy'n dosbarthu llythyrau mewn ardal breswyl. Ar bob diwrnod o'r wythnos (Dydd Llun – Dydd Gwener) roedd gan y dosraniad gymedr 12 km a gwyriad safonol 0.9 km. Ar ddydd Sadwrn roedd gan y dosraniad gymedr 10 km a gwyriad safonol 0.5 km. Nid oedd llythyrau'n cael eu dosbarthu ar y Sul. Gellir tybio bod y pellteroedd oedd yn cael eu cerdded ar wahanol ddyddiau yn annibynnol ar ei gilydd a bod eu dosraniad yn normal.
(i) Darganfyddwch y tebygolrwydd bod y postmon yn cerdded rhwng 8.5 km ac 11 km ar ddydd Sadwrn a ddewiswyd ar hap.
(ii) Dargafyddwch y tebygolrwydd bod y postmon yn cerdded ymhellach ar ddydd Sadwrn nag ar ddydd Gwener mewn wythnos a ddewiswyd ar hap.

(parhad)

(iii) Darganfyddwch y tebygolrwydd, mewn wythnos a ddewiswyd ar hap, bod y pellter dyddiol cymedrig y mae'r postmon yn ei gerdded yn ystod y cyfnod 6 diwrnod yn llai nag 11 km.   [UCLES]

11 Mae peiriant yn gwneud rhodenni metel. Mae rhoden yn rhy fawr os yw ei diamedr yn fwy nag 1.05 cm. Darganfuwyd o brofiad bod 1% o'r rhodenni a gynhyrchir gan y peiriant yn rhy fawr. Mae gan ddiamedrau'r rhodenni ddosraniad normal, cymedr 1.00 cm a gwyriad safonol σ cm. Darganfyddwch werth σ, gan roi eich ateb yn gywir i 3 lle degol.
Dewisir dau gant o rodenni ar hap. Gan ddefnyddio brasamcan addas, darganfyddwch y tebygolrwydd y bydd pedair neu fwy o'r rhodenni yn rhy fawr, gan roi eich ateb yn gywir i 3 lle degol.
Mae peiriant arall yn gwneud modrwyau metel. Mae gan ddiamedrau mewnol y modrwyau ddosraniad normal, cymedr $(1.00 + 2\sigma)$ a gwyriad safonol 2σ cm, lle mae gan σ y gwerth a ddarganfyddir yn y paragraff cyntaf. Darganfyddwch y tebygolrwydd y bydd yn bosibl rhoi modrwy a ddewisir ar hap o amgylch rhoden a ddewisir ar hap, gan roi eich ateb yn gywir i 3 lle degol.

12 Mae gan fàs y blawd mewn bagiau a gynhyrchir gan gyflenwr arbennig ddosraniad normal, cymedr μ gram a gwyriad safonol 7.5 gram, lle gellir gosod gwerth μ yn fanwl gywir gan y cyflenwr. Dywedir bod unrhyw fag sy'n cynnwys llai na 500 gram o flawd yn rhy ysgafn. Mae'r swyddog safonau masnachu yn cymryd sampl o n bag o flawd ar hap o'r bagiau sy'n cael eu pacio gan y cyflenwr.
Bydd y cyflenwr yn cael ei erlyn os bydd màs cymedrig y blawd mewn n bag yn llai na 500 gram.
(i)   O wybod bod $\mu = 505$ ac $n = 10$, darganfyddwch y tebygolrwydd y bydd y cyflenwr yn cael ei erlyn.
(ii) Mae'r cyflenwr yn dymuno sicrhau, pan yw $n = 10$, nad yw'r tebygolrwydd o gael ei erlyn yn fwy na 0.001. Cyfrifwch, i un lle degol, y gwerth lleiaf lle dylid gosod μ.
(iii) Mae'r swyddog yn dymuno sicrhau, os yw gosodiad cymedrig y cyflenwr yn cynhyrchu 80% o'r bagiau sy'n rhy ysgafn, fod y siawns y bydd yn osgoi cael ei erlyn yn llai nag un allan o fil. Cyfrifwch werth lleiaf n y gall

y swyddog ei ddefnyddio wrth gymryd ei sampl.   [JMB]

13 Mae cwmni pecynnu bwyd yn cynhyrchu tuniau o ffa pob. Mae gan bwysau'r tuniau gweigion ddosraniad normal, cymedr 40 gram a gwyriad safonol 3.5 gram. Mae pwysau'r cynnwys yn annibynnol ar bwysau'r tuniau ac mae ganddynt ddosraniad normal, cymedr 450 gram a gwyriad safonol 12 gram. Darganfyddwch, i ddau le degol, y tebygolrwydd bod cyfanswm pwysau tun o ffa a ddewisir ar hap yn fwy na 500 gram.
Dangoswch, yn achos tua 91% o'r tuniau, fod pwysau'r cynnwys yn fwy na 10 gwaith pwysau'r tun gwag.
Penderfynir newid y dull gweithredu ar gyfer pacio ffa mewn tuniau. Mae dosraniad pwysau'r tuniau gweigion yr un fath ag o'r blaen. Llenwir y tuniau â ffa, fel bo cyfanswm y pwysau yn annibynnol ar bwysau'r tun ac yn hapnewidyn normal, cymedr 490 gram a gwyriad safonol 12.5 gram. Cyfrifwch gymedr a gwyriad safonol pwysau cynnwys y tuniau (i ddau le degol), a rhowch eglurhad cryno o'r arwyddocâd i ddefnyddiwr o newid y system bacio.   [JMB]

14 Mae gan ddis octahedral wyth wyneb wedi eu rhifo o 1 i 8. Yr hapnewidyn X yw'r sgôr a geir pan deflir y dis. Mae'r dis yn dueddol, fel bo:

$$P(X = r) = c \text{ ar gyfer } r = 1, 2, 3, 4, 5$$
$$P(X = r) = d \text{ ar gyfer } r = 6, 7, 8$$
$$P(X < 6) = P(X \geqslant 6).$$

(i)   Darganfyddwch werthoedd c a d, dangoswch fod $E(X) = 5$ a darganfyddwch amrywiant X.
(ii) Teflir y dis ddwywaith. Cyfrifwch y tebygolrwydd bod cyfanswm y ddwy sgôr yn 10.
(iii) Yr hapnewidyn Y yw cyfanswm y sgorau pan deflir y dis hwn 48 gwaith. Darganfyddwch gymedr ac amrywiant Y. Gan gymryd bod gan Y ddosraniad normal gyda'r cymedr a'r amrywiant hyn, darganfyddwch y tebygolrwydd bod Y rhwng 220 a 260 yn gynwysedig.   [O&C]

15 Mae dosbarth o 35 o ddisgyblion Blwyddyn 9 yn cynnal arbrawf ffiseg lle mae pob un ohonynt yn mesur amser cwblhau un siglad cyflawn pendil. Mae'r arbrawf yn cael ei ailadrodd nes bydd gan bob disgybl chwe mesuriad. Yr amser cymedrig ar gyfer siglad cyflawn oedd

(parhad)

1.015 eiliad a gwyriad safonol yr amseroedd oedd 0.045 eiliad. Gan ddefnyddio'r dosraniad Normal a'r gwerthoedd hyn fel amcangyfrifon paramedrau'r boblogaeth, cyfrifwch y canlynol:

(*a*) y tebygolrwydd y bydd amser a gofnodir yn llai nag 1.1 eiliad;

(*b*) sawl gwaith y cofnodir amser sy'n llai nag 1.0 eiliad;

(*c*) nifer yr amseroedd a gofnodir sy'n fwy na dau wyriad safonol oddi wrth yr amser cymedrig. [UODLE(P)]

16 Nodwch yr amodau lle gellir defnyddio dosraniad normal fel brasamcan i (*a*) ddosraniad binomial, (*b*) dosraniad Poisson. Mae gwallau cysodi ar broflen gali yn digwydd ar hap ac ar gyfradd gyfartalog o 100 y broflen gali. Gan gymryd bod gan y gwallau hyn ddosraniad Poisson, cyfrifwch, i 3 lle degol, y tebygolrwydd y gall lai na 110 gwall, ond nid llai nag 80 gwall ddigwydd ar broflen gali benodol. Gwyddom, ar gyfartaledd nad yw 5% o'r gwallau yn cael eu cywiro wedyn. Yn achos hapsampl o 400 gwall cyfrifwch y tebygolrwydd na fydd mwy na 28 yn cael eu cywiro. Rhowch eich ateb yn gywir i 3 lle degol. [ULSEB]

17 Ar gyfartaledd mae gorsaf Gwyliwr y Glannau yn derbyn un galwad brys bob dau ddiwrnod. Wythnos 'ddrwg' yw wythnos lle derbynnir 5 neu fwy o alwadau brys. Dangoswch fod y tebygolrwydd bod wythnos yn un 'ddrwg' yn 0.275, yn gywir i dri ffigur ystyrlon. Mewn 8 wythnos a ddewisir ar hap, darganfyddwch y tebygolrwydd bod o leiaf 2 ohonynt yn rhai drwg. Darganfyddwch y tebygolrwydd bod o leiaf 30 wythnos yn rhai drwg mewn 80 wythnos a ddewisir ar hap. [UCLES]

18 Mae gan hyd oes bylbiau golau math A ddosraniad normal, cymedr 1512 awr.

(i) O wybod bod gan 20% o'r bylbiau hyn hyd oes mwy nag 1600 awr, cyfrifwch wyriad safonol yr hyd oes, gan roi eich ateb yn gywir i'r awr agosaf.

(ii) Yn achos hapsampl o 120 o'r bylbiau hyn defnyddiwch frasamcan dosrannol i gyfrifo'r tebygolrwydd y bydd gan o leiaf 30 ohonynt hyd oes mwy nag 1600 awr; rhowch eich ateb yn gywir i dri lle degol.

Mae hyd oes bylb golau math B yn X mil awr, lle mae X yn hapnewidyn di-dor â ffwythiant dwysedd tebygolrwydd, f, lle mae

$$f(x) = \begin{cases} 2(2 - x) & 1 \leqslant x \leqslant 2 \\ 0 & \text{fel arall.} \end{cases}$$

(iii) Cyfrifwch pa fath o fylbiau, A ynteu B:

(*a*) sydd â'r hyd oes cymedrig mwyaf,

(*b*) sydd â hyd oes â'r gwyriad safonol mwyaf. [CBAC]

19 [Yn y cwestiwn hwn rhowch dri lle degol ym mhob ateb.] Pan wneir galwad ffôn yng ngwlad Afallon, mae'r tebygolrwydd o gael y rhif cywir yn 0.95.

(i) Gwneir deg galwad annibynnol. Darganfyddwch y tebygolrwydd o gael wyth neu fwy o'r rhifau cywir. Darganfyddwch hefyd y tebygolrwydd amodol o gael pob un o'r deg rhif cywir o wybod y ceir o leiaf wyth ohonynt.

(ii) Gwneir tri chant o alwadau annibynnol. Darganfyddwch y tebygolrwydd o fethu cael y rhif cywir yn achos o leiaf ddeg ond nid mwy nag ugain o'r galwadau.

(iii) Gwneir pedwar cant o alwadau annibynnol. Yn achos pob galwad mae'r tebygolrwydd o gael 'rhif ddim ar gael' yn 0.004. Darganfyddwch y tebygolrwydd o gael 'rhif ddim ar gael' lai na theirgwaith. [UCLES]

20 (*a*) Dangosodd cofnodion o ddamweiniau mewn ffatri dros gyfnod o 100 diwrnod gwaith fod 53 diwrnod lle na chafwyd damwain o gwbl, 30 diwrnod lle cafwyd un ddamwain yn unig, 12 diwrnod lle cafwyd dwy ddamwain a 5 diwrnod lle cafwyd 3 neu 4 damwain.

Nifer cymedrig y damweiniau y dydd dros y cyfnod 100 diwrnod hwn oedd 0.7.

(i) Dangoswch fod nifer y dyddiau lle cafwyd 3 damwain yn 4.

(ii) Cyfrifwch wyriad safonol nifer y damweiniau y dydd yn ystod y cyfnod hwn.

(*b*) Mae gan nifer y damweiniau a fydd yn digwydd mewn diwrnod mewn ffatri arall ddosraniad Poisson, cymedr 0.7.

(i) Darganfyddwch y tebygolrwydd y bydd 2, 3 neu 4 damwain yn digwydd yn y ffatri ar ddiwrnod a ddewisir ar hap.

(ii) Darganfyddwch y tebygolrwydd na fydd damwain yn digwydd yn y ffatri ar ddiwrnod a ddewisir ar hap.

Defnyddiwch frasamcan dosraniadol i ddarganfod y tebygolrwydd y bydd

(*parhad*)

35 diwrnod lle na fydd damwain yn digwydd mewn cyfnod o 60 diwrnod.

[CBAC]

21 Nodwch yr amodau lle gellir brasamcanu'r dosraniad binomial $B(n, p)$ drwy ddefnyddio

(*a*) dosraniad Poisson

(*b*) dosraniad normal.

Nodwch baramedrau bob un o'r dosraniadau bras.

Dros gyfnod hir o amser darganfyddir bod 25% o ymgeiswyr yn methu mewn arholiadau cerddoriaeth, tra bo 9% o'r ymgeiswyr yn llwyddo gyda rhagoriaeth.

(*c*) Cyfrifwch, i 3 lle degol, y tebygolrwydd y bydd union 2 o grŵp o 8 ymgeisydd yn methu'r arholiad.

Amcangyfrifwch, gan roi eich ateb yn gywir i 3 lle degol, y tebygolrwyddau canlynol:

(*ch*) mewn grŵp o 100 ymgeisydd a ddewisir ar hap, bydd 20 ar y mwyaf yn methu'r arholiad,

(*d*) mewn grŵp o 40 ymgeisydd a ddewisir ar hap, bydd mwy na 2 yn llwyddo gyda rhagoriaeth.   [ULSEB]

22 Mae peiriant yn cynhyrchu llenni gwydr, trwch X mm, lle mae $X \sim N(\mu, \sigma^2)$. Dros gyfnod hir o amser darganfuwyd bod trwch 2% o'r llenni yn llai na 2 mm a thrwch 5% ohonynt yn fwy na 3 mm. Darganfyddwch, i 2 le degol, werthoedd μ a σ.

Wrth gynhyrchu math arbennig o sgrîn wynt dewisir dau len o'r gwydr hwn ar hap a'u gosod gyda'i gilydd i ffurfio llen trwch dwbl. Darganfyddwch, i 2 le degol, gymedr a gwyriad safonol y trwch, mewn mm.

Darganfyddwch, yn gywir i 2 le degol, y tebygolrwydd y bydd trwch llen trwch dwbl rhwng 4 mm a 6 mm.

O wybod bod trwch llen trwch dwbl rhwng 4 mm a 6 mm, darganfyddwch, i 2 le degol, y tebygolrwydd bod y ddau len sengl a ddefnyddir i'w wneud rhwng 2 mm a 3 mm o drwch.   [ULSEB]

23 Defnyddir cyfrifiadur i adio cyfres o rifau. Mae pob sym adio yn cyflwyno cyfeiliornad y gellir ei ystyried fel hapnewidyn, X, sydd â'r dosraniad petryal ar y cyfwng $[-a, a]$, lle mae a, wrth gwrs, yn fychan iawn.

Darganfyddwch, yn nhermau a,

(i)   f(x), sef ffwythiant dwysedd tebygolrwydd X,

(ii) E(X) a Var(X).

Nawr tybiwch fod cyfanswm nifer y symiau adio yn n, a bod cyfeiliornadau olynol yn annibynnol. Boed i gyfanswm y cyfeiliornad fod yn Y.

(iii) Ysgrifennwch werthoedd E(Y) a Var(Y) yn nhermau a. Nodwch y ffurf bras y bydd dosraniad Y yn ei gymryd.

(iv) Yn yr achos $a = 0.5 \times 10^{-10}$ ac $n = 1000$ nodwch werth mwyaf posibl cyfanswm y cyfeiliornad, Y. Darganfyddwch hefyd werth k fel bo P$(Y > k) = 0.01$. Rhowch sylwadau ar y ddau ganlyniad hyn.

[MEI(P)]

24 Mae peiriant A yn rhoi tywod mewn bagiau sy'n nodi bod pwysau cynnwys y bagiau hyn yn 25 kg. Gwyddom fod gan bwysau'r tywod a roddir gan y peiriant ddosraniad normal, cymedr 25.05 kg a gwyriad safonol o 0.25 kg. Cyfrifwch y tebygolrwydd bod pwysau'r tywod mewn bag yn fwy na 25 kg.

Cyfrifwch bwysau'r tywod y mae union 95% o'r bagiau yn drymach nag ef.

Mae adeiladwr yn prynu 40 bag o dywod. Cyfrifwch y tebygolrwydd y bydd pwysau *cymedrig* pob un o'r 40 bag yn fwy na 25 kg. Gellir ystyried pwysau'r tywod mewn bagiau sy'n cael eu llenwi gan beiriant B fel hapnewidyn â dosraniad normal, cymedr 25.05 kg a gwyriad safonol 0.15 kg. Y tro nesaf y mae'r adeiladwr yn prynu tywod mae'n prynu n bag sydd wedi eu llenwi gan beiriant A a'r gweddill wedi eu llenwi gan beiriant B. Nodwch ddosraniad *cyfanswm* pwysau'r tywod yn

(i)   yr n bag a lenwyd gan beiriant A,

(ii) y $(40 - n)$ bag a lenwyd gan beiriant B,

(iii) 40 bag yr adeiladwr.

Cyfrifwch werth mwyaf posibl n fel bo'r tebygolrwydd y bydd cyfanswm pwysau'r tywod yn y 40 bag yn fwy na 1000 kg yn 0.95 o leiaf.

[JMB]

25 Mae gan drwch platiau dur a wneir drwy broses arbennig ddosraniad normal, cymedr 30 cm a gwyriad safonol 0.8 cm.

(i)   Darganfyddwch y tebygolrwydd bod plât yn fwy trwchus na 29.5 cm.

(ii) Pa drwch y mae 85% o'r platiau yn fwy nag ef?

(iii) Un fanyleb ar gyfer y platiau yw y dylai eu trwch fod rhwng 28.6 cm a 30.8 cm. Darganfyddwch y tebygolrwydd y bydd plât yn bodloni'r fanyleb hon.

(*parhad*)

(iv) Ar gyfer diben arall, mae'n rhaid i'r platiau fodloni manyleb wahanol. Cyfrifir bod y tebygolrwydd y bydd plât yn bodloni'r fanyleb hon yn 0.9. Yn achos 10 plât a ddewisir ar hap darganfyddwch y tebygolrwydd y bydd y fanyleb hon yn cael ei bodloni gan

(1) 8 neu fwy o blatiau,

(2) union 7 plât.

(v) Nawr mae'n ofynnol i'r tebygolrwydd bod plât yn llai na 31 cm o drwch fod yn 0.95. Os na ellir newid trwch cymedrig y platiau, beth fydd gwerth y gwyriad safonol fydd ei angen?   [O&C]

26 Mae gan gydran hyd sydd â dosraniad normal, cymedr 15 cm a gwyriad safonol 0.05 cm. Mae cydran yn dderbyniol os yw ei hyd rhwng 14.92 cm a 15.08 cm yn gynwysedig. Cost cynhyrchu pob cydran yw 50c. Gellir gwerthu cydran dderbyniol am £1. Gellir gwerthu cydrannau rhy fach fel deunydd sgrap am 10c yr un, a gellir cywiro cydrannau rhy fawr am gost ychwanegol o 20c yr un ac yna eu gwerthu fel rhai derbyniol. Darganfyddwch yr elw disgwyliedig am bob 1000 cydran.

O'r cydrannau hyn sydd â hyd derbyniol, mae'r cwmni yn amcangyfrif bod 6 o bob 1000 yn ddiffygiol mewn rhyw ffordd arall.

(*a*) Os yw X yn cynrychioli nifer yr eitemau diffygiol mewn sampl, nodwch y dosraniad a gysylltir ag X.

Mae cwsmer yn ystyried prynu rhai o'r cydrannau hyn, ond ni fydd yn eu harchebu oni bai bod y risg bod sampl o 150 cydran yn cynnwys mwy na 3 diffygiol yn llai na 5%.

(*b*) Defnyddiwch y brasamcan Poisson i benderfynu a yw'r cwmser hwn yn debygol o osod archeb.

(*c*) Nodwch pam y mae brasamcan Poisson yn addas yn y sefyllfa hon.   [ULSEB]

11 Amcangyfrif pwynt a chyfwng

Roedd rhan gyntaf y llyfr hwn (Penodau 1–3) yn canolbwyntio ar gasglu, arddangos a chrynhoi data crai. Roedd yr ail ran (Penodau 4–10) yn cyflwyno mathemateg tebygolrwydd a dosraniadau tebygolrwydd. Mae'r bennod hon yn nodi cychwyn y rhan olaf lle rydym yn dechrau dod i gasgliadau ynglŷn â phoblogaeth o dystiolaeth data sampl. Yr enw ar y broses hon yw **casglu ystadegol**.

11.1 Amcangyfrifon pwynt

Gwerth rhifiadol yw **amcangyfrif pwynt** a gyfrifwyd o set o ddata, ac sy'n cael ei ddefnyddio fel amcangyfrif o baramedr anhysbys mewn poblogaeth. Yr enw ar yr hapnewidyn sy'n cyfateb i amcangyfrif yw'r **amcangyfrifyn**. Yr enghreifftiau mwyaf cyfarwydd o amcangyfrifon pwynt yw:

cymedr y sampl, $\bar{x}$ a ddefnyddir fel amcangyfrif o gymedr y boblogaeth, μ

cyfrannedd y sampl, $\dfrac{r}{n}$ a ddefnyddir fel amcangyfrif o gyfrannedd y boblogaeth, p

$s^2 = \dfrac{\Sigma(x_i - \bar{x})^2}{n - 1}$ a ddefnyddir fel amcangyfrif o amrywiant y boblogaeth, σ^2

Mae'r tri amcangyfrif hyn yn rhai naturiol iawn ac mae ganddynt hefyd nodwedd fanteisiol: mae gwerth disgwyliedig yr amcangyfrifyn yn union hafal i'r paramedr poblogaeth cyfatebol. Er enghraifft, $\mathrm{E}(\bar{X}) = \mu$. Dywedir bod amcangyfrifon lle mae hyn yn wir yn **ddiduedd**.

11.2 Cyfyngau hyder

Rydym yn gobeithio y bydd ein hamcangyfrif pwynt yn agos at wir werth y boblogaeth, ond ni allwn wybod i sicrwydd pa mor agos ydyw. Fodd bynnag, gallwn ddweud ei fod yn debygol o fod mewn cyfwng $(\bar{x} - \delta, \bar{x} + \delta)$, lle mae'r rhif δ yn cael ei ddewis mewn ffordd synhwyrol. Os ydym yn defnyddio gweithdrefn sydd, gyda thebygolrwydd penodol, yn creu cyfwng sy'n cynnwys gwir werth y boblogaeth, yna gelwir y cyfwng yn **gyfwng hyder**.

11.3 Cyfwng hyder ar gyfer cymedr poblogaeth

Mae pedwar achos sydd angen inni eu hystyried:

1 Cymryd sampl (mawr neu fach) o boblogaeth â dosraniad normal ag amrywiant hysbys.
2 Cymryd sampl fawr o boblogaeth ag amrywiant hysbys.
3 Cymryd sampl fawr o boblogaeth ag amrywiant anhysbys.
4 Cymryd sampl (mawr neu fach) o boblogaeth â dosraniad normal ag amrywiant anhysbys (yn Adran 11.6, t. 308).

Nodyn

◆ Mae'r gwahaniaeth rhwng meintiau sampl 'mawr' a 'bach' yn fympwyol, ond, yn nodweddiadol, yn y cyd-destun hwn cymerir bod 'mawr' yn golygu 30 neu fwy o arsylwadau.

Dosraniad normal ag amrywiant hysbys

Cymerir sampl o n arsylwad o ddosraniad $N(\mu, \sigma^2)$. Rydym yn defnyddio $\overline{X}$ i ddynodi'r hapnewidyn sy'n cyfateb i gymedr y sampl. Gan fod $\overline{X}$ yn gyfuniad llinol o hapnewidynnau normal annibynnol, mae ganddo yntau hefyd ddosraniad normal. O Adran 6.5 (t. 174) gwyddom fod gan $\overline{X}$ ddisgwyliad μ ac amrywiant $\dfrac{\sigma^2}{n}$. Felly:

$$\overline{X} \sim N\left(\mu, \frac{\sigma^2}{n}\right)$$

Gan dybio, am y tro, bod μ yn hysbys, gallem weithio â'r hapnewidyn Z, a roddir gan:

$$Z = \frac{\overline{X} - \mu}{\dfrac{\sigma}{\sqrt{n}}}$$

lle gelwir y rhif $\dfrac{\sigma^2}{\sqrt{n}}$ yn aml yn **gyfeiliornad safonol** y cymedr.

Gan ein bod yn gwybod bod dosraniad Z yn $N(0, 1)$ rydym yn darganfod, drwy edrych ar y tabl o bwyntiau canrannol ar gyfer dosraniad normal safonol, bod:

$$P(Z > 1.96) = 0.025$$

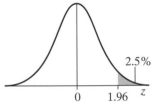

ac o hyn mae'n dilyn bod:

$$P(Z < -1.96) = 0.025$$

a thrwy hynny bod:

$$P(|Z| < 1.96) = 0.95$$

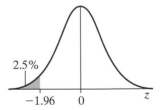

Drwy amnewid am Z, mae hyn yn ymhlygu bod:

$$P\left(\frac{|\overline{X} - \mu|}{\dfrac{\sigma}{\sqrt{n}}} < 1.96\right) = 0.95$$

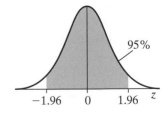

Wrth luosi'r anhafaledd â $\dfrac{\sigma}{\sqrt{n}}$, daw'r gosodiad hwn yn:

$$P\left(|\overline{X} - \mu| < 1.96 \frac{\sigma}{\sqrt{n}}\right) = 0.95$$

Mewn geiriau, mae hyn yn nodi bod y tebygolrwydd fod y pellter rhwng μ ac $\overline{X}$ yn llai nag $1.96 \dfrac{\sigma^2}{\sqrt{n}}$ yn 0.95. Gallwn ailysgrifennu hyn yn hwylus fel:

$$P\left(\overline{X} - 1.96 \frac{\sigma}{\sqrt{n}} < \mu < \overline{X} + 1.96 \frac{\sigma}{\sqrt{n}}\right) = 0.95$$

Noder, er gwaethaf ei ymddangosiad presennol, bod hwn yn dal i fod yn osodiad tebygolrwydd sy'n ymwneud â'r hapnewidyn $\overline{X}$. *Nid* yw'n osodiad tebygolrwydd yn ymwneud â μ, sy'n gysonyn (er ei fod yn gysonyn anhysbys).

Tybiwch ein bod nawr yn casglu ein n arsylwad o X ac yn cyfrifo cymedr y sampl, $\bar{x}$. Gelwir y cyfwng:

$$\left(\bar{x} - 1.96\,\frac{\sigma}{\sqrt{n}}, \quad \bar{x} + 1.96\,\frac{\sigma}{\sqrt{n}}\right) \tag{11.1}$$

yn **gyfwng hyder cymesur 95%** ar gyfer μ. Yn aml mae'r ansoddair cymesur yn cael ei hepgor ac rydym yn ysgrifennu **cyfwng hyder 95%** yn unig. Yr enw ar y ddau werth terfannol sy'n diffinio'r cyfwng yw **terfannau hyder 95%**.

Fel y dengys y diagram, bydd samplau gwahanol yn arwain at werthoedd $\bar{x}$ gwahanol, a thrwy hynny at gyfyngau hyder 95% gwahanol: ar gyfartaledd, bydd 95% yn cynnwys gwir werth y boblogaeth.

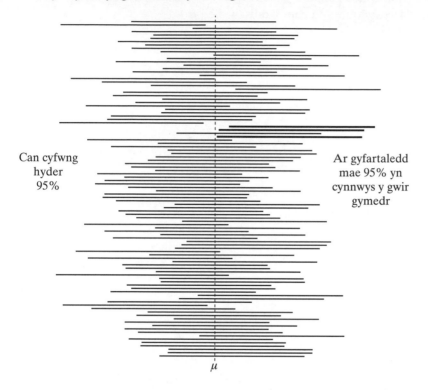

Can cyfwng hyder 95%

Ar gyfartaledd mae 95% yn cynnwys y gwir gymedr

μ

Os dymunwn fod yn fwy hyderus bod ein cyfwng yn cynnwys gwir werth μ, y cwbl sydd angen inni ei wneud yw amnewid 1.96 am werth mwy. Bydd hyn yn gwneud y cyfyngau yn lletach. Os dymunwn gael cyfwng llai, yna mae'n rhaid inni un ai gymryd sampl fwy neu fod yn llai hyderus bod y cyfwng yn cynnwys μ.

Yn y tabl isod rhoddir y pwyntiau canrannol mwyaf cyffredin a ddefnyddir wrth lunio cyfyngau hyder cymesur sy'n seiliedig ar y dosraniad normal.

Gradd hyder	90%	95%	98%	99%
Pwynt canrannol	1.645	1.960	2.326	2.576

Enghraifft 1

Mae peiriant yn torri tiwb metel yn ddarnau. Gwyddom fod gan hydoedd y darnau ddosraniad normal, gwyriad safonol 4 mm. Ar ôl i'r peiriant gael ei atgyweirio, canfyddir bod gan hapsampl o 25 darn hyd cymedrig o 146 cm. Gan dybio nad yw'r broses atgyweirio wedi effeithio ar amrywiant hydoedd y tiwbiau, cyfrifwch gyfwng hyder cymesur 99% ar gyfer hyd cymedrig y boblogaeth.

Gan weithio mewn centimetrau, mae'r cyfwng hyder yn:

$$\left(146 - 2.576 \times \frac{0.4}{\sqrt{25}}, 146 + 2.576 \times \frac{0.4}{\sqrt{25}}\right)$$

sy'n symleiddio i roi (145.79, 146.21). Mae'r cyfwng arbennig hwn un ai'n cynnwys hyd cymedrig y wir boblogaeth neu beidio – ni allwn ddweud pa un sy'n wir. Yr hyn y gallwn ei ddweud yw y bydd 99% o'r cyfyngau sy'n cael eu llunio yn y modd hwn yn cynnwys gwir hyd cymedrig y boblogaeth.

Dosraniad poblogaeth anhysbys, amrywiant poblogaeth hysbys, sampl fawr

Yn ôl Theorem y Derfan Ganolog (Adran 10.10, t. 270), bydd dosraniad $\overline{X}$ yn fras yn normal:

$$\overline{X} \sim N\left(\mu, \frac{\sigma^2}{n}\right)$$

Felly mae'r achos hwn yn gyfwerth â'r achos diwethaf ac nid oes angen ychwanegu dim byd arall.

Dosraniad poblogaeth anhysbys, amrywiant poblogaeth anhysbys, sampl fawr

Unwaith eto, yn ôl Theorem y Derfan Ganolog, gallwn gymryd bod dosraniad $\overline{X}$ yn fras yn normal. Yn lle'r amrywiant poblogaeth anhysbys, σ^2, rydym yn defnyddio s^2, sef amcangyfrif diduedd amrywiant y boblogaeth (fel brasamcan). Os yw maint y sampl yn weddol fawr (30 neu fwy dyweder) yna ni ddylai'r brasamcan fod yn rhy gyfeiliornus. Daw'r cyfwng hyder 95% ar gyfer μ yn:

$$\left(\overline{x} - 1.96 \frac{s}{\sqrt{n}}, \quad \overline{x} + 1.96 \frac{s}{\sqrt{n}}\right) \tag{11.2}$$

Nodyn

* Trafodir gweithdrefn fwy cywir sy'n defnyddio'r dosraniad-*t* yn Adran 11.6 (t. 308).

Enghraifft 2

Dewisir hapsampl o 64 o felysion. Darganfyddir bod màs cymedrig y melysion yn 0.932 g, a bod gwerth *s* yn 0.100 g.
Cyfrifwch gyfwng hyder 99% bras ar gyfer màs cymedrig y boblogaeth.

———

Bydd y cyfwng hyder yn fras, gan fod amrywiant y boblogaeth yn anhysbys a byddwn yn defnyddio $s(= 0.100)$ yn lle σ. Y pwynt canrannol ar gyfer cyfwng hyder cymesur 99% yw 2.576, ac felly daw'r cyfwng yn:

$$\left(0.932 - 2.576 \times \frac{0.100}{\sqrt{64}}, \ 0.932 + 2.576 \times \frac{0.100}{\sqrt{64}}\right)$$

sy'n symleiddio i roi:

(0.900, 0.964)

sy'n rhoi'r terfannau hyder 99% yn gywir i dri lle degol.

Enghraifft 3

Mae hapsampl o 100 o ddynion yn cael eu mesur a darganfyddir bod ganddynt daldra (x cm) wedi ei grynhoi gan $\Sigma x = 17\,280$ a $\Sigma x^2 = 2\,995\,400$. Darganfyddwch amcangyfrif diduedd o amrywiant y boblogaeth. Darganfyddwch hefyd gyfwng hyder cymesur 98% bras ar gyfer cymedr y boblogaeth. Rhowch eich atebion yn gywir i un lle degol.

Rhoddir amcangyfrif diduedd amrywiant y boblogaeth, sef s^2, gan

$$s^2 = \frac{1}{99}\left\{2\,995\,400 - \frac{17\,280^2}{100}\right\} = 95.11$$

sy'n 95.1 i un lle degol.
   Mae'r cyfwng hyder cymesur 98% bras cyfatebol yn:

$$\left(172.8 - 2.326\sqrt{\frac{95.11}{100}}, 172.8 + 2.326\sqrt{\frac{95.11}{100}}\right)$$

sy'n symleiddio i roi:

$$(170.5, 175.1)$$

Enghraifft 4

Mae Steffan yn cymryd hapsampl o 20 arsylwad o boblogaeth, cymedr anhysbys μ ac amrywiant anhysbys σ^2. Mae gan ei sampl gymedr o 16.2 ac amcangyfrif diduedd o amrywiant y boblogaeth hafal i 27.34. Yn annibynnol, mae Gwenno yn cymryd hapsampl o 16 arsylwad o'r un boblogaeth. Mae gan ei sampl hi gymedr o 18.0 ac amcangyfrif diduedd o amrywiant y boblogaeth hafal i 35.40.
Gan gyfuno eu canlyniadau i roi un sampl, darganfyddwch gyfwng hyder 95% bras ar gyfer cymedr y boblogaeth, gan roi'r terfannau hyder yn gywir i ddau le degol.

Er mwyn cael y cymedr cyfunol a'r amrywiant cyfunol mae angen inni ddarganfod cyfanswm cyffredinol y 36 arsylwad a hefyd gyfanswm cyffredinol y sgwariau.
   Mae darganfod y cyfanswm cyffredinol yn hawdd:

$$\Sigma x = (20 \times 16.2) + (16 \times 18.0) = 324.0 + 288.0 = 612.0$$

Mae'r cymedr cyfunol felly yn $\frac{1}{36} \times 612.0 = 17.0$
   Gan fod:

$$s^2 = \frac{1}{n-1}\left\{\Sigma x^2 - \frac{(\Sigma x)^2}{n}\right\}$$

mae triniaeth algebraidd syml yn rhoi:

$$\Sigma x^2 = (n-1)s^2 + \frac{(\Sigma x)^2}{n}$$

Mae cyfanswm cyfunol sgwariau ein data felly yn:

$$\Sigma x^2 = \left\{(19 \times 27.34) + \frac{324^2}{20}\right\} + \left\{(15 \times 35.40) + \frac{288^2}{16}\right\}$$

$$= 519.46 + 5248.8 + 531.00 + 5184.0$$

$$= 11\,483.26$$

Mae amcangyfrif diduedd o amrywiant y boblogaeth ar gyfer y sampl gyfunol o 36 arsylwad yn:

$$\frac{1}{35}\left(11\,483.26 - \frac{612^2}{36}\right) = \frac{1079.26}{35} = 30.836$$

Felly rhoddir cyfwng hyder 95% bras cymedr y boblogaeth gan:

$$\left(17.0 - 1.96\sqrt{\frac{30.836}{36}}, 17.0 + 1.96\sqrt{\frac{30.836}{36}}\right)$$

sy'n symleiddio i roi:

$$(15.19, 18.81)$$

Dosraniad Poisson, cymedr mawr

Pan fo cymedr dosraniad Poisson yn fawr, mae'r dosraniad normal yn rhoi brasamcan rhesymol (gweler Adran 10.12, t. 283). Gan fod amrywiant dosraniad Poisson yn hafal i'w gymedr, nid oes angen amcangyfrif ei werth o'r data. Yn syml, rydym yn defnyddio gwerth cymedr y sampl fel ei amcangyfrif. Yn yr achos hwn, felly, rhoddir y cyfwng hyder 95% ar gyfer cymedr y boblogaeth (yn fras) gan:

$$\left(\bar{x} - 1.96\sqrt{\frac{\bar{x}}{n}}, \bar{x} + 1.96\sqrt{\frac{\bar{x}}{n}}\right) \tag{11.3}$$

Enghraifft 5

Mae amgylcheddwraig yn cymryd hapsampl o ddŵr o afon. Mae hi'n darganfod bod ei sampl 100 ml yn cynnwys 64 o organebau o fath (annerbyniol!) arbennig. Rhowch gyfwng hyder 99% ar gyfer nifer cymedrig yr organebau hyn mewn litr o'r dŵr afon hwn.

———

Yn gyntaf mae'n rhaid inni ddarganfod cyfwng hyder ar gyfer sampl o ddŵr o'r maint a gafwyd. Yna gallwn newid y raddfa i'r maint angenrheidiol. Y cyfwng hyder 99% ar gyfer 100 ml yw:

$$(64 - 2.576\sqrt{64}, 64 + 2.576\sqrt{64})$$

oherwydd, yn yr achos hwn mae $n = 1$. Mae'r cyfwng hwn yn symleiddio i roi $(43.4, 84.6)$.

Felly mae'r cyfwng hyder angenrheidiol ar gyfer litr o ddŵr afon yn $(434, 846)$.

Ymarferion 11a

1 Mae gan yr hapnewidyn X ddosraniad normal, cymedr μ ac amrywiant 9. Mae cymedr hapsampl o 10 arsylwad o X yn 8.2. Darganfyddwch:

(i)   gyfwng hyder cymesur 95% ar gyfer μ,

(ii) cyfwng hyder cymesur 99% ar gyfer μ.

2 Mae gan yr hapnewidyn Y ddosraniad normal, cymedr μ ac amrywiant anhysbys. Mae hapsampl o 200 arsylwad o Y yn rhoi $\sum y_i = 541.2, \sum y_i^2 = 1831.42$. Darganfyddwch:

(i)   gyfwng hyder cymesur 90% ar gyfer μ,

(ii) cyfwng hyder cymesur 98% ar gyfer μ.

3 Mae gan yr hapnewidyn W ddosraniad, cymedr μ ac amrywiant anhysbys. Mae hapsampl o 150 arsylwad o W yn rhoi $\sum w_i = 1601, \sum w_i^2 = 18\,048$. Gan roi eich atebion yn gywir i ddau le degol, darganfyddwch:

(i)   gyfwng hyder cymesur 90% ar gyfer μ,

(ii) cyfwng hyder cymesur 95% ar gyfer μ.

4 Cafodd nifer y galwadau ffôn a dderbyniwyd gan ysgol eu monitro ar 10 diwrnod a ddewiswyd ar hap. Roedd cyfanswm nifer y galwadau yn 1053.

Gan dybio dosraniad Poisson, darganfyddwch gyfwng hyder cymesur 95% ar gyfer nifer cymedrig y galwadau y dydd.

5 Mae hadau glaswellt yn cael eu hau mewn cae, arwynebedd 7000 m². Dewisir ar hap 15 o sgwariau ag ochrau 0.1 m, ac sydd heb fod yn gorgyffwrdd, ac mae nifer yr hadau sy'n disgyn ar bob sgwâr yn cael eu cyfrif. Crynhoir y canlyniadau gan $\Sigma x = 2874$.

Gan dybio dosraniad Poisson, darganfyddwch gyfwng hyder cymesur 90% ar gyfer:

(i)   nifer cymedrig yr hadau y metr sgwâr,

(ii) nifer yr hadau yn y cae cyfan.

6 Gwyddom fod gan bwysau moch bach 4 mis oed ddosraniad normal, gwyriad safonol 4 kg. Mae deiet newydd yn cael ei awgrymu ac mae pwysau cyfartalog sampl o 25 o foch bach sy'n cael y deiet newydd hwn yn 30.42 kg. Darganfyddwch gyfwng hyder 99% ar gyfer pwysau cymedrig moch bach 4 mis oed sy'n cael y deiet hwn.

7 Gwyddom fod canlyniad X prawf straen yn hapnewidyn â dosraniad normal, cymedr μ a gwyriad safonol 1.3. Mae angen cael cyfwng hyder cymesur 95% ar gyfer μ gyda chyfanswm lled llai na 2.

Darganfyddwch y nifer lleiaf o brofion y dylid eu cynnal er mwyn cyflawni hyn.   [ULSEB(P)]

8 Mae'r tabl amlder isod yn crynhoi'r cyfnodau mewn munudau a gymerwyd i roi gwasanaeth i awyren rhwng ehediadau ar 24 achlysur a ddewiswyd ar hap.

Amser (canol cyfwng)	55	60	65	70	75
Amlder	2	5	8	6	3

(i)   Darganfyddwch gymedr a gwyriad safonol y data hyn.

(ii) Gan gymryd bod y sampl hon yn dod o boblogaeth â dosraniad normal, gyda'r un gwyriad safonol ag a ddarganfuwyd gennych yn rhan (i), darganfyddwch derfannau hyder cymesur 98% ar gyfer cymedr y boblogaeth.   [O&C]

9 Mae pacedi o bowdr sebon yn cael eu llenwi gan beiriant. Mae pwysau'r powdr (i'r gram agosaf) mewn 32 paced yn cael eu dewis ar hap ac yn cael eu crynhoi isod.

Pwysau	999	1000	1001	1002	1003	1004
Pacedi	1	7	12	8	3	1

Darganfyddwch:
(i)   faint yn fwy na 1000 g yw'r cymedr
(ii) y gwyriad safonol
(iii) cyfeiliornad safonol y cymedr.

Gan dybio bod y sampl hon yn dod o boblogaeth â dosraniad normal, darganfyddwch, yn gywir i'r 0.1 g agosaf, derfannau hyder cymesur 99.8% ar gyfer cymedr y boblogaeth.   [O&C]

10 Mae ffatri yn cynhyrchu llenni dur. Gwyddom fod gan bwysau'r rhain ddosraniad normal, gwyriad safonol 2.4 kg. Roedd gan hapsampl o 36 llen bwysau cymedrig o 31.4 kg. Darganfyddwch derfannau hyder 99% ar gyfer cymedr y boblogaeth.   [CBAC]

11 Mae gan hapsampl o 80 elfen drydanol a gynhyrchwyd gan gwmni wrthiannau $x_1, x_2, \ldots, x_{80}$ ohm, lle mae $\sum x_i = 790, \sum x_i^2 = 7821$.

(parhad)

(i)   Cyfrifwch amcangyfrifon diduedd ar gyfer y cymedr ac amrywiant gwrthiannau'r elfennau a gynhyrchir gan y cwmni.

(ii)   Defnyddiwch ddosraniad normal i gyfrifo terfannau hyder 98% bras ar gyfer gwrthiant cymedrig yr elfennau a gynhyrchwyd gan y cwmni.   [CBAC]

12   Bob wythnos mae bachgen yn prynu paced o'i hoff felysion. Ar bob paced ceir y geiriau: 'Cynnwys cyfartalog 150 o felysion'. Gan ei fod yn amau nad yw hyn yn gywir, mae'r bachgen yn penderfynu cyfrif nifer, x, y melysion sydd ym mhob un o'r 52 paced y mae'n eu prynu mewn blwyddyn arbennig, ac mae'n darganfod bod $\sum x = 7540$ a $\sum x^2 = 1\,104\,775$. Cyfrifwch:

(i)   amcangyfrif diduedd o nifer cymedrig μ y melysion mewn paced,

(ii)   amcangyfrif diduedd o amrywiant nifer y melysion mewn paced,

(iii)   cyfwng hyder cymesur 95% bras ar gyfer μ.

[JMB(P)]

13   Mae peiriant yn cael ei reoli i arllwys hylif i gartonau yn y fath fodd fel bo gan yr hylif a arllwysir bob tro ddosraniad normal, gwyriad safonol 20 ml.
Darganfyddwch derfannau hyder 99% ar gyfer mesur cymedrig yr hylif oedd yn cael ei arllwys os oedd gan hapsampl o 40 carton gynnwys cyfartalog o 266 ml.   [ULEAC]

14   Disgrifiwch y gwaith a wnaethoch i gael tystiolaeth empirig i ddangos Theorem y Derfan Ganolog. Nodwch baramedrau eich dosraniadau.

$\overline{X}$ yw cymedr hapsampl fawr o faint n_1 o boblogaeth gyda chymedr μ_1 ac amrywiant σ_1^2.

$\overline{Y}$ yw cymedr hapsampl fawr o faint n_2 o boblogaeth gyda chymedr μ_2 ac amrywiant σ_2^2. Nodwch ffurf dosraniad samplu $(\overline{Y} - \overline{X})$, gan roi ei gymedr a'i amrywiant.

Dau gwmni adeiladu yw Cadernid Cyf a Brics-a-Morter. Mae'r swm, X mil o bunnoedd, a dalwyd i Cadernid Cyf gan 100 o gwsmeriaid a ddewisir ar hap yn cael ei grynhoi fel a ganlyn:

$$\sum x = 160, \quad \sum x^2 = 265$$

Darganfyddwch derfannau hyder cymesur 95% bras ar gyfer y swm y cwsmer a dalwyd i Cadernid Cyf.

Roedd y swm a dalwyd i Brics-a-Morter gan bob cwsmer yn Y mil o bunnoedd. Yn seiliedig ar hapsampl o 200 cwsmer, roedd amcangyfrifon diduedd o gymedr ac amrywiant Y yn 1.8 a 0.3216 yn ôl eu trefn. Darganfyddwch, i'r bunt agosaf, derfannau hyder 90% bras ar gyfer y gwerth y mae'r swm cymedrig a dalwyd y cwsmer i Brics-a-Morter yn fwy na'r hyn a dalwyd i Cadernid Cyf.   [ULSEB]

11.4 Cyfwng hyder ar gyfer cyfrannedd poblogaeth

Tybiwch fod hapsampl o n arsylwad yn cael ei chymryd o boblogaeth lle mae cyfran y llwyddiannau yn p a chyfran y methiannau yn q ($= 1 - p$). Tybiwch fod nifer y llwyddiannau yn y sampl yn cael ei ddynodi ag r (arsylwad ar yr hapnewidyn R). Mae cyfran arsylwedig y llwyddiannau yn $\frac{r}{n}$, a ddynodir gan $\hat{p}$, fel bo $\hat{p} = \frac{r}{n}$ lle mae'r hapnewidyn cyfatebol, $\hat{P}$, yn cael ei roi gan $\hat{P} = \frac{R}{n}$.

Mae gan yr hapnewidyn R ddosraniad binomial, paramedrau n a p ac felly $E(R) = np$ a $Var(R) = npq$. Drwy hynny:

$$E(\hat{P}) = E\left(\frac{R}{n}\right) = \frac{1}{n}E(R) = \frac{1}{n}np = p$$

sy'n dangos bod $\hat{P}$ yn amcangyfrifyn diduedd o p. Rhoddir ei amrywiant gan:

$$Var(\hat{P}) = Var\left(\frac{R}{n}\right) = \left(\frac{1}{n}\right)^2 Var(R) = \left(\frac{1}{n}\right)^2 npq = \frac{pq}{n}$$

Rydym yn rhoi sylw yn unig i achosion lle mae n yn ddigon mawr fel y gellir defnyddio'r brasamcan normal i'r dosraniad binomial, felly:

$$\hat{P} \sim N\left(p, \frac{pq}{n}\right)$$

Bydd gan yr hapnewidyn safonedig, Z, a roddir gan:

$$Z = \frac{\hat{P} - p}{\sqrt{\dfrac{pq}{n}}}$$

ddosraniad $N(0, 1)$ bras.

Fel o'r blaen, nodwn fod:

$$P(|Z| < 1.96) = 0.95$$

Gan amnewid ar gyfer Z, mae hyn yn ymhlygu bod:

$$P\left(\frac{|\hat{P} - p|}{\sqrt{\dfrac{pq}{n}}} < 1.96\right) = 0.95$$

Wrth luosi'r anhafaledd ag $\sqrt{\dfrac{pq}{n}}$, ac aildrefnu, cawn:

$$P\left\{\left(\hat{P} - 1.96\sqrt{\frac{pq}{n}}\right) < p < \left(\hat{P} + 1.96\sqrt{\frac{pq}{n}}\right)\right\} = 0.95$$

Drwy roi gwerth arsylwedig $\hat{P}$, sef $\hat{p}$, yn ei le, a rhoi'r brasamcan $\hat{q}\hat{p}$ yn lle'r anhysbysyn pq, lle mae $\hat{q} = 1 - \hat{p}$, rhoddir cyfwng hyder cymesur 95% bras ar gyfer p gan:

$$\left(\hat{p} - 1.96\sqrt{\frac{\hat{p}\hat{q}}{n}}, \hat{p} + 1.96\sqrt{\frac{\hat{p}\hat{q}}{n}}\right) \tag{11.4}$$

Nodiadau

- Mae tri brasamcan yn gysylltiedig â chynhyrchu'r cyfwng hyder hwn:

  1 brasamcan normal i'r binomial,
  2 rhoi $\hat{p}\hat{q}$ yn lle pq,
  3 hepgor cywiriad didoriant ar gyfer y brasamcan normal.

  Gellir osgoi'r tri drwy weithio'n uniongyrchol â'r dosraniad binomial. Mae'r weithdrefn hon yn gofyn am gyfrifiadur, ond mae tablau o gyfyngau hyder union yn bodoli.

- Mae rhai llyfrau yn awgrymu gweithio gyda:

  $$\frac{(\hat{p} - p)^2}{\dfrac{p(1 - p)}{n}} < 1.96^2$$

  a datrys yr anhafaledd cwadratig canlyniadol ar gyfer p i gael brasamcanion mwy cywir i'r cyfyngau hyder. Yn ymarferol, ychydig iawn o welliant a geir fel arfer.

- Yn anaml y mae'r ansicrwydd ynghylch gwerth pq yn broblem, oherwydd ar gyfer p yn $(0.3, 0.7)$ dim ond rhwng 0.21 a 0.25 y mae gwerth pq yn amrywio.

Enghraifft 6

Mae mewnforiwr wedi archebu llwyth mawr o domatos. Pan fo'r llwyth yn cyrraedd mae'n archwilio hapsampl o 50 bocs ac yn darganfod bod 12 ohonynt yn cynnwys o leiaf un tomato sy'n ddrwg. Gan gymryd ei bod yn bosibl ystyried y bocsys hyn fel hapsampl o'r bocsys yn y swp, darganfyddwch gyfwng hyder 99% bras ar gyfer cyfrannedd y bocsys sy'n cynnwys o leiaf un tomato ddrwg, gan roi eich terfannau hyder yn gywir i dri lle degol.

_____

Mae $\hat{p} = 0.24$, $\hat{q} = 0.76$. Mae'r pwynt canrannol yn 2.576. Felly mae'r cyfwng hyder yn:

$$\left(0.24 - 2.576\sqrt{\frac{0.24 \times 0.76}{50}}, 0.24 + 2.576\sqrt{\frac{0.24 \times 0.76}{50}}\right)$$

sy'n symleiddio i roi:

$(0.084, 0.396)$

neu o tua 8% i 40%.

Enghraifft 7

Gwyddom fod p, cyfrannedd y pleidleiswyr sy'n cefnogi'r blaid Geidwadol, (adeg ysgrifennu'r llyfr hwn) tua 40%. Mae sefydliad ymchwil i'r farchnad yn bwriadu cyfweld hapsampl o n o bleidleiswyr, ac eisiau sicrhau bod y tebygolrwydd fod ei amcangyfrif o gyfrannedd y pleidleiswyr Ceidwadol o'r sampl o fewn dau bwynt canrannol i ganran y boblogaeth tua 0.90. Beth yw maint y sampl (i'r cant agosaf) y dylai'r sefydliad ei chymryd? Cymerwch yn ganiataol bod yr holl bleidleiswyr sy'n cael eu holi yn datgelu pa blaid y maen nhw'n ei chefnogi.

_____

Mae'r gofyniad yn awgrymu y dylai'r cyfwng hyder 90% ar gyfer p fod yn y ffurf:

$(\hat{p} - 0.02, \hat{p} + 0.02)$

Rydym felly yn dewis n fel bo:

$$1.645\sqrt{\frac{\hat{p}\hat{q}}{n}} \approx 0.02$$

Drwy aildrefnu, a chymryd bod $\hat{p}$ yn 0.4, cawn:

$$n \approx \frac{1.645^2 \times 0.4 \times 0.6}{0.02^2} = 1623.6$$

felly dylai maint sampl o tua 1600 o bobl fod yn foddhaol.

Gwaith ymarferol _____

Mae'r gwaith ymarferol hwn yn ateb cwestiwn a ofynnwyd gyntaf gan y Comte de Buffon yn 1777. Os yw nodwydd, hyd l, yn cael ei gollwng ar hap (h.y. heb edrych) ar grid o linellau paralel sydd yr un mor bell oddi wrth ei gilydd (gyda phellter d rhyngddynt) yna, holodd y Comte, beth yw'r tebygolrwydd fod y nodwydd yn croesi llinell?

Yn yr achos l < d dangosodd y Comte fod yr ateb yn $\frac{2l}{\pi d}$. Gan ddefnyddio matsien yn hytrach na nodwydd, a chan ddefnyddio grid lle dewisir bod d tua $\frac{4l}{3}$, gwnewch arbrawf Buffon 100 gwaith. Dangoswch, gyda'r nifer hwn o dafliadau a'r dewis hwn o d, fod canlyniad o r llwyddiant (llinell yn cael ei chroesi), yn cyfateb i amcangyfrif o π fel $\frac{150}{r}$.

Darganfyddwch gyfwng hyder cymesur 99% ar gyfer y gyfrannedd sy'n croesi llinell a diddwythwch gyfwng hyder 99% ar gyfer π.

Cymharwch eich canlyniadau â rhai gweddill y dosbarth. Darganfyddwch gyfwng hyder culach yn seiliedig ar y wybodaeth a gyd-gyfrannwyd gan yr holl ddosbarth.

Ymarferion 11b _____

1　Profwyd hapsampl o 75 o rocedi 2 oed a darganfuwyd bod 67 ohonynt yn tanio'n llwyddiannus.
Darganfyddwch gyfwng hyder 95% ar gyfer cyfran y rocedi dwy oed a fyddai'n tanio'n llwyddiannus.

2　Mae darn arian sydd o bosibl yn un tueddol yn cael ei daflu 400 gwaith. Mae nifer y pennau a geir yn 217.
Darganfyddwch gyfwng hyder 90% ar gyfer y tebygolrwydd o gael pen.

3　Mae hapsampl o 120 llyfr llyfrgell yn cael ei gymryd wrth iddynt gael eu benthyca. Cânt eu dosbarthu yn llyfrau ffuglen neu'n llyfrau ffeithiol, ac yn llyfrau clawr caled neu'n llyfrau clawr papur.
Darganfyddir bod 88 llyfr yn rhai ffuglen, ac o'r rhain bod 74 yn rhai clawr papur.
Darganfyddwch gyfwng hyder 90% ar gyfer y canlynol:
(i)　cyfran y llyfrau a fenthycir sy'n rhai ffuglen,
(ii)　cyfran y llyfrau ffuglen a fenthycir sy'n rhai clawr papur.

4　Mae arolwg peilot yn datgelu bod gan tua 1% o'r boblogaeth nodwedd ffisegol arbennig.
Tua pha mor fawr y byddai'n rhaid i'r prif arolwg fod er mwyn bod 99% yn hyderus o gael amcangyfrif o'r gyfrannedd hon sy'n gywir o fewn 0.1%?
Trafodwch eich ateb.

5　Mae hapsampl o 1000 o bleidleiswyr yn cael eu cyfweld, ac mae 349 o'r rhain yn nodi eu bod yn cefnogi'r blaid Geidwadol.
Cyfrifwch gyfwng hyder cymesur 98% ar gyfer cyfrannedd y cefnogwyr Ceidwadol yn y boblogaeth.

6　A minnau'n crynu o oerfel ar ynys draffig ym mis Rhagfyr, rwy'n astudio rhifau cofrestru'r ceir sy'n mynd heibio. O'r 250 car cyntaf sy'n mynd heibio, mae gan 36 rif cofrestru '05'.
Gan gymryd y gellir ystyried bod y ceir hyn yn ffurfio hapsampl o'r ceir yn y wlad, cyfrifwch gyfwng hyder cymesur 95% ar gyfer cyfran y ceir yn y wlad sydd â rhif cofrestru '05'.

7　Mae ymchwilydd i'r farchnad yn cynnal arolwg er mwyn darganfod pa mor boblogaidd yw powdr golchi SWIGOD yn ardal Bangor. Mae'n mynd i bob tŷ ar stad fawr o dai ym Mangor ac yn gofyn y cwestiwn: 'Ydych chi'n defnyddio powdr golchi SWIGOD?' O'r 235 o bobl a holwyd, atebodd 75 ohonynt 'Ydw'.
Gan drin y sampl fel hapsampl, cyfrifwch gyfwng hyder cymesur 95% ar gyfer cyfran y tai yn ardal Bangor sy'n defnyddio SWIGOD.
Trafodwch y dybiaeth haprwydd a hefyd y cwestiwn a ofynnwyd.　　　　[JMB]

Bu William Sealy Gossett (1876-1937) yn astudio cemeg ym Mhrifysgol Rhydychen ac, yn 1899 ymunodd â staff Arthur Guinness Son & Co Ltd fel 'bragwr'. Un o'i dasgau cynnar oedd ymchwilio i'r berthynas rhwng ansawdd y cynnyrch terfynol ac ansawdd y deunyddiau crai (megis barlys a hopys). Anhawster y dasg hon oedd y gost a'r amser a dreuliwyd yn gwneud arsylwad, felly nid oedd samplau mawr ar gael. Drwgdybiai Gosset y theori oedd yn bodoli ar y pryd, ac, mewn papur a gyhoeddoedd yn 1908, o'r enw *The Probable Error of a Mean*, cynigiodd ffurf y dosraniad-*t* (gweler isod) yn achos samplau bychain. Golygai polisi cwmni Guinness ar y pryd bod Gossett yn gorfod cyhoeddi dan ffugenw a chan ei fod yn ddyn diymhongar o ran natur, dewisodd y ffugenw 'Student'. A hyd heddiw, yn achlysurol gelwir y dosraniad hwn yn 'ddosraniad-*t* Student'.

11.5 Y dosraniad-*t*

Yr ystadegyn hanfodol wrth lunio cyfwng hyder ar gyfer cymedr dosraniad normal yw *Z*, a roddir gan:

$$Z = \frac{\overline{X} - \mu}{\frac{\sigma}{\sqrt{n}}}$$

Pan oedd σ yn anhysbys, ac *n* yn fawr, rhoddwyd *s* yn lle σ a daliwyd ati i ddefnyddio'r dosraniad normal. Fodd bynnag, dim ond brasamcan oedd hyn.

Mae'r hapnewidyn *T*, a ddiffinnir gan:

$$T = \frac{\overline{X} - \mu}{\frac{S}{\sqrt{n}}}$$

yn ymwneud â *dau* hapnewidyn: $\overline{X}$ yn y rhifiadur ac *S* (yr hapnewidyn sy'n cyfateb i *s*) yn yr enwadur. Mae gwerthoedd *T* yn amrywio o sampl i sampl, nid yn unig oherwydd amrywiadau yn $\overline{X}$ (fel yn achos *Z*) ond hefyd oherwydd amrywiadau yn *S*.

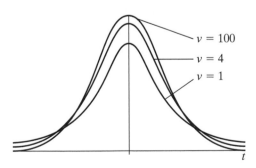

Mae dosraniad *T* yn perthyn i deulu o ddosraniadau a elwir yn ddosraniadau-*t*. Mae pob dosraniad-*t* yn gymesur o boptu sero ac mae ganddynt un paramedr, ν (sy'n cael ei ynganu 'niw'), sy'n gyfanrif positif. Yr enw ar y paramedr hwn yw nifer **graddau rhyddid** y dosraniad. Fel ffurf gryno rydym yn defnyddio 'dosraniad-t_ν' yn lle 'dosraniad-*t* gyda ν gradd o ryddid'. Gellir dangos bod gan *T* ddosraniad-t_{n-1}.

Wrth i ν gynyddu mae'r dosraniad-t_ν cyfatebol hefyd yn cynyddu ac yn ymdebygu i'r dosraniad normal safonol terfannol (sy'n cyfateb i $\nu = \infty$). Pan fo ν yn 30 neu fwy, mae'r gwahaniaethau rhwng y dosraniad-t_ν a'r dosraniad normal yn fychan iawn − sy'n egluro pam y gallai'r dosraniad normal barhau i gael ei ddefnyddio ar gyfer achosion lle roedd n yn fawr.

Nodiadau

♦ Er mwyn cael y canlyniad 'mae gan T ddosraniad-t_{n-1}' mae angen i $X_1, ..., X_n$ gael dosraniadau normal annibynnol ac unfath.

♦ Defnyddir yr ymadrodd 'graddau o ryddid' oherwydd cyswllt rhwng y dosraniad-t a'r dosraniad chi-sgwâr (sy'n cael ei gyflwyno ym Mhennod 13).

Tablau'r dosraniad-*t*

Gan fod y defnydd o ddosraniad-t wedi ei gyfyngu gan fwyaf i sefyllfaoedd sy'n ymwneud â thebygolrwyddau cynffon a ragnodwyd, mae'r tablau yn canolbwyntio ar roi'r pwyntiau canrannol (sy'n dibynnu ar ν, nifer y graddau o ryddid) ar gyfer nifer cyfyngol o achosion. Mae rhywfaint o amrywiaeth yn y ffordd y mae'r tablau yn cael eu gosod a dylech sicrhau eich bod yn gyfarwydd â'r tablau sydd ar gael ichi.

Dyma ddarn byr o'r tabl a roddir yn yr Atodiad (t. 441) sy'n rhoi gwerthoedd t fel bo $P(T < t) = p\%$, lle mae gan T ddosraniad-t_ν:

				$p(\%)$					
ν	75	90	95	97.5	99	99.5	99.75	99.9	99.95
1	1.000	3.078	6.314	12.71	31.82	63.66	127.3	318.3	636.6
2	0.816	1.886	2.920	4.303	6.965	9.925	14.09	22.33	31.60
3	0.765	1.638	2.353	3.182	4.541	5.841	7.453	10.21	12.92
.	.	.	.	.	.	.	.	.	.
.	.	.	.	.	.	.	.	.	.
.	.	.	.	.	.	.	.	.	.
∞	0.674	1.282	1.645	1.960	2.326	2.576	2.807	3.090	3.291

Nodyn

♦ Problem gyda thablau dosraniad-t yw dod o hyd i'r golofn gywir. Gallech ei gweld yn ddefnyddiol cychwyn drwy leoli'r pwynt canrannol normal cyfatebol, a roddir yn rhes olaf y tabl.

Enghraifft 8

Mae gan yr hapnewidyn T ddosraniad-t gyda 3 gradd o ryddid. Cyfrifwch werthoedd t lle mae:

(i) $P(T < t) = 0.999$,

(ii) $P(T < t) = 0.25$,

(iii) $P(|T| > t) = 0.05$,

(iv) $P(|T| < t) = 0.98$.

(i) O golofn '99.9' rydym yn darganfod bod $t = 10.21$.

(ii) O golofn '75' rydym yn darganfod bod $P(T < 0.765) = 0.75$, sy'n ymhlygu bod $P(T > 0.765) = 0.25$. Drwy gymesuredd (gweler y braslun), $P(T < -0.765) = 0.25$, a thrwy hynny mae'r gwerth t sydd ei angen yn -0.765.

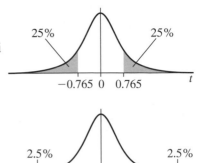

(iii) Mae tebygolrwydd cyfunol o 0.05 yn y ddwy gynffon yn ymhlygu 0.025 yn rhan uchaf y gynffon, ac felly $p = 0.975$. Mae'r gwerth t sydd ei angen yn 3.182.

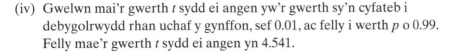

(iv) Gwelwn mai'r gwerth t sydd ei angen yw'r gwerth sy'n cyfateb i ddebygolrwydd rhan uchaf y gynffon, sef 0.01, ac felly i werth p o 0.99. Felly mae'r gwerth t sydd ei angen yn 4.541.

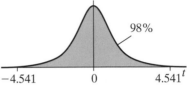

Enghraifft 9

Mae gan yr hapnewidyn T ddosraniad-t_2.
Cyfrifwch (i) $P(T > -2.920)$, (ii) $P(-4.303 < T < 14.09)$

(i) Drwy gymesuredd, $P(T > -2.920) = P(T < 2.920)$. Mae'r tebygolrwydd sydd ei angen felly yn 0.95.

(ii) Rydym yn dechrau drwy ailysgrifennu'r tebygolrwydd sydd ei angen yn nhermau tebygolrwyddau cynffon:

$$P(-4.303 < T < 14.09) = P(T < 14.09) - P(T < -4.303)$$

Nawr:

$$P(T < -4.303) = P(T > 4.303)$$

$$= 1 - P(T < 4.303)$$

ac felly:

$$P(-4.303 < T < 14.09) = P(T < 14.09) - 1 + P(T < 4.303)$$

$$= 0.9975 - 1 + 0.9750$$

$$= 0.9725$$

Ymarferion 11c _____

1 O wybod bod gan T ddosraniad-*t* gyda 10 gradd
o ryddid, darganfyddwch:
 (i) $P(T < -2.764)$,
 (ii) $P(T > 1.812)$,
 (iii) $P(-2.228 < T < 0.700)$.

2 O wybod bod gan *T* ddosraniad-t_5,
darganfyddwch:
 (i) $P(T < 2.571)$,
 (ii) $P(T > -4.032)$,
 (iii) $P(|T| < 2.015)$.

3 O wybod bod gan *T* ddosraniad-*t* gyda 25 gradd
o ryddid, darganfyddwch:
 (i) $P(|T| < 2.060)$,
 (ii) $P(|T| > 1.316)$,
 (iii) $P(1.316 < |T| < 2.060)$

4 Mae gan yr hapnewidyn *T* ddosraniad-*t* gyda ν
gradd o ryddid.
Darganfyddwch werth *t* ym mhob un o'r
achosion canlynol.
 (i) $\nu = 8, P(T < t) = 0.95$,
 (ii) $\nu = 15, P(T > t) = 0.01$,
 (iii) $\nu = 5, P(|T| < t) = 0.995$,
 (iv) $\nu = 12, P(T < t) = 0.01$,
 (v) $\nu = 4, P(T > t) = 0.975$,
 (v)i $\nu = 10, P(|T| > t) = 0.10$.

11.6 Cyfwng hyder ar gyfer cymedr poblogaeth gan ddefnyddio dosraniad-*t*

Cymerwyd sampl fechan o ddosraniad normal ag amrywiant anhysbys. Yn yr
achos hwn, mae gan yr hapnewidyn *T*, a roddir gan:

$$T = \frac{\overline{X} - \mu}{\frac{S}{\sqrt{n}}}$$

ddosraniad-t_{n-1}.

  Tybiwch fod pwynt canrannol perthnasol y dosraniad hwn yn *c*. Yna byddai
dadl sy'n union yr un fath â'r un a ddefnyddir ar gyfer achos dosraniad
normal gyda σ hysbys yn arwain at:

$$P\left(\overline{X} - c\frac{S}{\sqrt{n}} < \mu < \overline{X} + c\frac{S}{\sqrt{n}}\right) = 0.95$$

Daw'r cyfwng hyder cymesur ar gyfer μ felly yn:

$$\left(\overline{x} - c\frac{S}{\sqrt{n}}, \ \overline{x} + c\frac{S}{\sqrt{n}}\right) \tag{11.5}$$

▼_____▼

Enghraifft 10

Dewisir hapsampl o 16 o felysion o fag o felysion a chyfrifir màs, *x* g, pob
un ohonynt. Crynhoir y mesuriadau gan $\Sigma x = 13.3$ a $\Sigma x^2 = 15.13$.
Gan gymryd bod gan y masau ddosraniad normal, cyfrifwch gyfwng hyder
cymesur 99% ar gyfer cymedr y boblogaeth, gan roi'r terfannau hyder yn
gywir i dri lle degol.

_____

Gan fod maint y sampl yn llai na 30, a chan fod gan y boblogaeth
ddosraniad normal, mae'n addas seilio cyfwng hyder ar ddosraniad-*t* – yn
yr achos hwn y dosraniad-t_{15}. O'r tablau yn yr Atodiad y pwynt canrannol
ar gyfer $\nu = 15$ ac ar gyfer $p = 0.995$ yw 2.947.

Rhoddir amcangyfrif diduedd amrywiant y boblogaeth, s^2, gan:

$$s^2 = \frac{1}{15}\left\{15.13 - \frac{13.3^2}{16}\right\} = 0.271\,625$$

fel bod $s = 0.521\,18$ ac $\bar{x} = \frac{13.3}{16} = 0.831\,25$. Mae'r cyfwng hyder cymesur 99% felly yn:

$$\left(0.831\,25 - 2.947 \times \frac{0.521\,18}{\sqrt{16}}, 0.831\,25 + 2.947 \times \frac{0.521\,18}{\sqrt{16}}\right)$$

sy'n symleiddio i roi:

$$(0.447, 1.215)$$

Mae cyfwng hyder cymesur 99% ar gyfer cymedr y boblogaeth yn mynd o 0.447 g i 1.215 g.

Noder bod yr holl waith cyfrifo rhyngol wedi ei wneud gan ddefnyddio llawer mwy na dim ond y tri lle degol sydd ei angen ar gyfer yr ateb. Mae talgrynnu cyfrifiadau rhyngol yn rhy fuan yn debygol o effeithio er gwaeth ar y cywirdeb terfynol.

Enghraifft 11

Gwnaeth deg myfyriwr arbrawf annibynnol i amcangyfrif gwerth π. Dyma'r canlyniadau:

$$3.12, 3.16, 2.94, 3.33, 3.00, 3.11, 3.50, 2.81, 3.02, 3.10$$

(i)   Cyfrifwch gymedr y sampl a gwerth s^2.

(ii) Gan nodi unrhyw dybiaeth angenrheidiol a wnewch, cyfrifwch gyfwng hyder cymesur 95% ar gyfer π yn seiliedig ar y data hyn, gan roi'r terfannau hyder yn gywir i ddau le degol.

(iii) Amcangyfrifwch nifer lleiaf y canlyniadau fyddai'n angenrheidiol pe byddai'n ofynnol i led y cyfwng hyder cymesur 95% deilliadol fod yn 0.02 ar y mwyaf.

———

(i)   Crynhoir y data gan $\Sigma x = 31.09$ a $\Sigma x^2 = 97.0011$, sy'n rhoi $\bar{x} = 3.109$ ac $s^2 = 0.038\,032$.

(ii) Rhaid i ni dybio bod y dosraniad sylfaenol yn normal, cymedr π. Mae pwynt canrannol y dosraniad-t_9 yn 2.262, sy'n arwaint at y cyfwng hyder cymesur:

$$\left(3.109 - 2.262\,\frac{\sqrt{0.038\,032}}{10}, 3.109 + 2.262\,\frac{\sqrt{0.038\,032}}{10}\right)$$

sy'n symleiddio i roi cyfwng hyder cymesur 95% ar gyfer π fel $(2.97, 3.25)$.

(iii) Mae lled cyfwng hyder cymesur yn:

$$2c \frac{s}{\sqrt{n}}$$

lle mae c yn bwynt canrannol. Gyda 10 arsylwad roedd y lled yn 0.28, sy'n llawer mwy na'r 0.02 a ddymunwn. Bydd angen llawer mwy o arsylwadau i gyflawni'r manwlgywirdeb sydd ei angen. Gan y bydd n yn fawr, bydd gwerth c yn werth y dosraniad normal terfannol, mewn geiriau eraill 1.96.

Ni wyddom pa werth a geir ar gyfer s^2, felly ein dyfaliad gorau yw'r gwerth a roddir gan y sampl presennol, sef 0.038 032.

Er mwyn darganfod y gwerth sydd ei angen ar gyfer n mae'n rhaid inni ddatrys yr hafaliad:

$$2 \times 1.96 \times \sqrt{\frac{0.038\,032}{n}} = 0.02$$

Y datrysiad yw:

$$n = \frac{2^2 \times 1.96^2 \times 0.038\,032}{0.02^2} = 1461.04$$

ac thrwy hynny amcangyfrifir bod y nifer o arsylwadau sydd ei angen (gan dalgrynnu i fyny i'r cyfanrif nesaf) yn 1462.

Prosiect

Faint o eiriau sydd yn y llyfr hwn? Dewiswch nifer o dudalennau ar hap a chyfrif (neu amcangyfrif) nifer y geiriau ar bob tudalen a ddewisir. Cymerwch y gellid ystyried bod y rhifau hyn yn deillio o ddosraniad normal (arwahanedig).

Cyfrifwch eu hamrywiant a thrwy hynny darganfyddwch gyfwng hyder cymesur 95% ar gyfer nifer y geiriau yn y llyfr.

Ymarferion 11ch

1 Mae gan yr hapnewidyn X ddosraniad normal, cymedr μ. Cymerir hapsampl o 10 arsylwad o X sy'n rhoi $\sum x_i = 83.3$, $\sum x_i^2 = 721.41$
Darganfyddwch:
(i) gyfwng hyder 95% ar gyfer μ,
(ii) cyfwng hyder 99% ar gyfer μ.

2 Gellir cymryd bod gan gyfaint y llaeth mewn potel ddosraniad normal.
Cymerwyd hapsampl o 16 potel a mesurwyd y llaeth, gan roi'r canlyniadau hyn, mewn ml.

1005, 1003, 998, 1001, 1002, 999, 1000, 1001, 1007, 1003, 1010, 1001, 1003, 1002, 1005, 995

Darganfyddwch gyfwng hyder 99% ar gyfer cymedr cyfaint y llaeth mewn potel, gan roi eich atebion yn gywir i 2 le degol.

3 Cymerwyd hapsampl o 12 planhigyn hocys, a dyfwyd o hadau o baced penodol, a mesurwyd uchder pob planhigyn, mewn m. Crynhoir y canlyniadau gan $\sum x_i = 28.43$, $\sum x_i^2 = 88.4704$. Gan wneud tybiaeth addas ynghylch dosraniad y taldra, a ddylai gael ei nodi, darganfyddwch gyfwng hyder 90% ar gyfer taldra cymedrig y planhigion hocys sy'n cael eu tyfu o'r paced dan sylw.

4 Mae lori yn cludo nifer fawr o afalau cochion. Wrth iddi yrru dros ddarn garw o'r ffordd mae 10 afal yn syrthio oddi ar ei chefn ac yn cael eu casglu gan fachgen sy'n digwydd mynd heibio. Crynhoir masau (mewn g) yr afalau sydd wedi syrthio gan $\sum(x - 100) = 23.7$, $\sum(x - 100)^2 = 1374.86$.

Gan drin yr afalau sydd wedi syrthio fel hapsampl, cyfrifwch gyfwng hyder cymesur 99% ar gyfer màs cymedrig afal coch, gan nodi unrhyw dybiaethau a wnaethoch.   [UCLES(P)]

5 Mae cyfanswm costau (mewn £) y galwadau ffôn a wneir o swyddfa yn ystod chwe wythnos a ddewisir ar hap yn ystod y flwyddyn yn cael eu nodi isod.

113.20, 87.60, 109.40,
131.20, 201.10, 142.90

Gan ystyried y gwerthoedd hyn fel arsylwadau annibynnol o ddosraniad normal, darganfyddwch gyfwng hyder cymesur 99% ar gyfer cymedr cost wythnosol galwadau ffôn a wneir o'r swyddfa.   [UCLES(P)]

6 Mae buanedd pêl fas sy'n cael ei thaflu yn cael ei fesur (mewn km h^{-1}) ar yr ennyd y mae'n gadael llaw'r taflwr. Crynhoir y canlyniadau ar gyfer 10 tafliad a ddewisir ar hap ar ddiwrnod braf gan $\sum(x_i - 128) = 7.9$, $\sum(x_i - 128)^2 = 338.4$, lle mae x_i yn cynrychioli buanedd tafliad i.

Gan dybio bod y canlyniadau hyn yn arsylwadau o ddosraniad normal, darganfyddwch amcangyfrifon diduedd ar gyfer cymedr ac amrywiant y dosraniad hwn, a darganfyddwch gyfwng hyder cymesur 99% ar gyfer y cymedr.   [UCLES(P)]

7 Derbyniodd cwsmer gyflenwad 'ar dreial' o wifren gan gwmni. Mesurodd y cwsmer gryfder torri, y N, hapsampl o 12 hyd o wifren a chael y canlyniadau isod:

80.2   83.5   76.2   79.2   88.7   90.2
93.4   75.1   87.2   83.4   82.6   81.2
$(\sum y = 1000.9, \sum y^2 = 83\ 826.27)$

Defnyddiwch y data sampl i ddarganfod cyfwng hyder cymesur 99% ar gyfer cymedr cryfder torri hydoedd o wifren y cwmni. Nodwch unrhyw dybiaethau dosraniadol a wnaethoch wrth ddarganfod eich cyfwng hyder.

Eglurwch yn ofalus beth yw ystyr *hyder* 99% mewn perthynas â chyfwng yn y cyd-destun hwn.   [JMB(P)]

8 Mewn arbrawf mewn dosbarth i amcangyfrif taldra cymedrig, μ cm, bechgyn 17 oed, darganfyddwyd taldra, x cm, deg o'r disgyblion hyn. Crynhowyd y data gan $\sum x = 1727$, $\sum x^2 = 298\ 834$.

(i) Darganfyddwch gymedr ac amrywiant y data, a'u defnyddio i ddarganfod cyfwng hyder cymesur 95% ar gyfer μ. Nodwch yn eglur ond yn gryno pa ddwy dybiaeth bwysig sydd yn rhaid ichi eu gwneud.

Mae arbrawf mawr yn cael ei gynllunio sy'n defnyddio taldra 150 o fechgyn 17 oed.

(ii) Pa effaith fydd defnyddio sampl fwy yn ei gael ar led y cyfwng hyder ar gyfer μ? Nodwch ddau reswm mathemategol penodol am yr effaith hon.

(iii) I ba raddau y mae'r tybiaethau a wnaed yn (i) yn dal yn angenrheidiol gyda'r sampl mwy?   [MEI]

Crynodeb o'r bennod

◆ **Cyfyngau hyder ar gyfer cymedr poblogaeth**

Ar gyfer sampl maint n, defnyddiwch c_N i ddynodi'r pwynt canrannol priodol o ddosraniad normal ac c_t i ddynodi ei wrthran o ddosraniad-t gydag $n - 1$ gradd o ryddid.

Amod	Cyfwng hyder	Nodiadau
X normal, σ^2 hysbys	$\left(\bar{x} - c_N \dfrac{\sigma}{\sqrt{n}}, \bar{x} + c_N \dfrac{\sigma}{\sqrt{n}}\right)$	Union
σ^2 hysbys, n mawr	$\left(\bar{x} - c_N \dfrac{\sigma}{\sqrt{n}}, \bar{x} + c_N \dfrac{\sigma}{\sqrt{n}}\right)$	Bras
σ^2 anhysbys, n mawr	$\left(\bar{x} - c_N \dfrac{s}{\sqrt{n}}, \bar{x} + c_N \dfrac{s}{\sqrt{n}}\right)$	Bras
X normal, σ^2 anhysbys	$\left(\bar{x} - c_t \dfrac{s}{\sqrt{n}}, \bar{x} + c_t \dfrac{s}{\sqrt{n}}\right)$	Union

◆ **Cyfwng hyder ar gyfer cyfrannedd poblogaeth**

Ysgrifennwch $\hat{p} = \dfrac{r}{n}$ a $\hat{q} = \dfrac{n - r}{n}$, lle mae r yn cynrychioli nifer y llwyddiannau mewn sampl fawr, maint n. Rhoddir cyfwng hyder bras gan:

$$\left(\hat{p} - c_N \sqrt{\frac{\hat{p}\hat{q}}{n}}, \hat{p} + c_N \sqrt{\frac{\hat{p}\hat{q}}{n}}\right)$$

Ymarferion 11d (Amrywiol)

1 Mae gan fforestwyr ddiddordeb mewn amcangyfrif nifer y coed ffawydd sydd mewn coedwig fawr, arwynebedd 60 hectar. Dewisir deg lleoliad sgwâr sydd ymhell oddi wrth ei gilydd er mwyn eu harchwilio a darganfyddir eu bod yn cynnwys 16 o goed ffawydd i gyd. Mae cyfanswm arwynebedd y safleoedd yn 2 hectar.

(a) Rhowch amcangyfrif pwynt o gyfanswm y coed ffawydd sydd yn y goedwig.

(b) Gan gymryd bod y coed ffawydd yn tyfu ar hap yn y goedwig, defnyddiwch frasamcan normal i ddosraniad Poisson i ddarganfod cyfwng hyder cymesur 95% ar gyfer nifer cymedrig y coed ffawydd mewn ardal 2-hectar a ddewisir ar hap.

Drwy hynny darganfyddwch gyfwng hyder cymesur 95% ar gyfer nifer y coed sydd yn y goedwig.

2 Mae peiriant diodydd wedi ei reoli fel bo gan y ddiod a dywellt ir i bob cwpan ddosraniad normal, gwyriad safonol 1.2 ml. Dyma'r mesurau o ddiodydd, mewn ml, a dywalltwyd i 5 cwpan:

212.6, 210.4, 211.5, 209.8, 210.7

(i) Cyfrifwch amcangyfrif o'r mesur cymedrig a dywelltir i bob cwpan gan y peiriant.

(ii) Cyfrifwch derfannau hyder 90% ar gyfer y mesur cymedrig a dywelltir i bob cwpan gan y peiriant.　　　　[CBAC]

3 Mae gan yr hapnewidyn X ddosraniad normal, cymedr μ ac amrywiant σ^2.

Ysgrifennwch ddosraniad cymedr y sampl $\overline{X}$ ar gyfer hapsampl o faint n.

Archwiliwyd cofnodion deintyddfa ar gyfer 2001. Gellir cymryd bod gan nifer y munudau a dreuliwyd yn eistedd yng nghadair y deintydd yn ystod pob ymweliad ddosraniad normal, cymedr 14.5 munud a gwyriad safonol 2.9 munud.

(*a*) Cyfrifwch gyfwng y bydd 90% o'r amseroedd sy'n cael eu treulio yn eistedd yn y gadair o'i fewn.

Yn 2002 cymerwyd yn ganiataol nad oedd y gwyriad safonol wedi newid, a gellir cymryd bod y dosraniad yn normal. Rhoddodd hapsampl o 16 ymgynghoriad yr amseroedd canlynol, mewn munudau.

13.2	18.7	14.9	12.1
11.6	17.2	10.6	9.4
14.6	12.9	11.2	13.5
12.9	11.8	14.1	12.5

(*b*) Ar gyfer 2002, cyfrifwch gyfwng hyder 95% ar gyfer hyd cymedrig ymweliad â'r deintydd. [ULEAC(P)]

4 Gwyddom fod offer a ddefnyddir gan gemegydd i ddarganfod pwysau amhuredd mewn cemegyn yn rhoi darlleniadau â dosraniad normal bras, gwyriad safonol 3.2 mg y 100 g o gemegyn.

(*a*) Er mwyn amcangyfrif faint o amhuredd sydd mewn swp arbennig o'r cemegyn, mae'r cemegydd yn cymryd 12 sampl, 100 g yr un, o'r swp ac yn mesur faint o amhuredd sydd ym mhob sampl. Dyma'r canlyniadau a gafwyd mewn mg/100 g:

7.6	3.4	13.7	8.6	5.3	6.4
11.6	8.9	7.8	4.2	7.1	8.4

(i) Darganfyddwch derfannau hyder 95% canolog ar gyfer pwysau cymedrig yr amhuredd sy'n bresennol mewn uned 100 g o'r swp.

(ii) Cyfrifodd y cemegydd gyfwng hyder 95% ar gyfer pwysau cymedrig amhuredd unedau 100 g o'r swp. Roedd y cyfwng ar y ffurf $-\infty \leqslant$ cymedr $\leqslant \alpha$. Darganfyddwch werth α. Awgrymwch pam y byddai'n well gan gemegydd efallai ddefnyddio'r gwerth α yn hytrach na'r terfannau yn (i).

(iii) Cyfrifwch gyfwng y bydd tua 90% o'r pwysau mesuredig o amhureddau o unedau 100 g o'r swp yn gorwedd ynddo.

(*b*) Amcangyfrifwch sawl sampl 100 g y dylai'r gwyddonydd ei gymryd er mwyn bod â hyder o 95% bod brasamcan o bwysau cymedrig yr amhuredd y 100 g o fewn 1.5 mg i'r gwir werth.

(*c*) Dros gyfnod o fisoedd darganfu'r cemegydd bod gan 18 o 150 sampl o gemegion lefel amhuredd annerbyniol. Cyfrifwch gyfwng hyder 95% bras ar gyfer cyfran y samplau â lefel amhuredd annerbyniol. [AEB 91]

5 Mae cwmni mawr yn cynhyrchu siwgr ac yn ei roi mewn bagiau. Mewn hapsampl o 80 bag canfuwyd nad oedd yr ysgrifen yn glir ar 18 ohonynt. Cyfrifwch gyfwng hyder bras 95% ar gyfer cyfran y bagiau lle nad oedd yr ysgrifen yn glir.

Eglurwch beth a olyga 'cyfwng hyder 95%' i chi yn y cyd-destun hwn.

Mae'r siwgr a gynhyrchir un ai'n siwgr bras neu'n siwgr mân a gwyddom fod gan fasau bagiau'r ddau fath ddosraniad normal. Mae cymedr masau'r bagiau o siwgr bras yn 1022.51 g ac mae gwyriad safonol y ddau fath o siwgr yn 8.21 g.

Cyfrifwch gyfwng lle bydd 90% o fasau'r bagiau o siwgr bras wedi eu lleoli.

Roedd masau sampl o 10 bag o siwgr mân wedi eu mesur i'r gram agosaf, fel a ganlyn:

1062	1008	1027	1031	1011
1007	1072	1036	1029	1041

Darganfyddwch gyfwng hyder 99% ar gyfer màs cymedrig y bagiau o siwgr mân.

Mae cynhyrchu bag o siwgr mân, mas x g, mewn ceiniogau, yn costio:

$$(32 + 0.023x)$$

ac mae'n cael ei werthu am 65c.

Os yw'r cwmni yn cynhyrchu 10,000 bag o siwgr mân y dydd, deilliwch gyfwng hyder 99% ar gyfer yr elw dyddiol y mae'n ei gael o siwgr mân. [AEB 92]

6 (i) Eglurwch yn gryno, gan gyfeirio at eich prosiectau pan fo'n bosibl, beth mae 'cyfwng hyder 90%' yn ei olygu ichi.

Mae gan boblogaeth normal amrywiant 25. Darganfyddwch faint y sampl lleiaf y gellid ei gymryd o'r boblogaeth fel bo gan gyfwng hyder cymesur 90% ar gyfer y cymedr, led sy'n llai na 3 uned.

(ii) Mae cofnodion glawiad mewn tref arbennig yn dangos ei bod yn glawio ar 2 ddiwrnod o bob 5 ar gyfartaledd. Gan gymryd dydd Llun fel diwrnod cynta'r wythnos, darganfyddwch, i 3 ffigur ystyrlon, y tebygolrwyddau canlynol, yn ystod wythnos benodol,

(a) na fydd glaw ar y 3 diwrnod cyntaf ac y bydd glaw ar y diwrnodau eraill,

(b) bydd glaw ar union 4 diwrnod o'r wythnos,

(c) bydd hi'n glawio am y tro cyntaf ar y dydd Gwener.

Darganfyddwch, i 3 lle degol, y tebygolrwydd y bydd yn glawio yn y dref honno ar union 160 diwrnod mewn blwyddyn benodol o 365 diwrnod. [ULSEB]

7 Gofynnwyd i bobl oedd yn mynd i theatr arbennig yn ystod wythnos o berfformiadau lenwi holiadur. Gofynnai un o'r cwestiynau i'r person nodi ei grŵp oedran. Cynhyrchodd hapsampl o 400 o'r holiaduron a gafodd eu llenwi ddosraniad amlder grwpiedig oedrannau'r ymatebwyr.

Oedran	Dan 25	25–39	40–49
Nifer y bobl	28	75	80

Oedran	50–59	60 neu hŷn	Cyfanswm
Nifer y bobl	150	67	400

(a) Amcangyfrifwch pa gyfran o'r bobl a aeth i'r theatr oedd yn iau na 30 oed.

(b) Amcangyfrifwch ganolrif ac amrediad hanner-rhyngchwartel oedrannau'r bobl a aeth i'r theatr, gan roi pob ateb i'r mis agosaf.

(c) Nodwch pam nad yw'n bosibl darganfod amcangyfrif dibynadwy o'r oedran cymedrig o'r wybodaeth a geir yn y tabl.

(ch) Rhowch reswm pam y byddai'n well defnyddio'r canolrif yn hytrach na'r cymedr fel gwerth cynrychiadol ar gyfer oedran cymedrig y bobl a aeth i'r theatr.

(d) Cyfrifwch gyfyngau hyder 95% bras ar gyfer cyfran y bobl a aeth i'r theatr oedd yn 50 oed neu'n hŷn. [CBAC]

8 Cafodd hapsampl o ddeg wats cwarts o wneuthuriad arbennig eu profi am gywirdeb dros gyfnod o bedair wythnos. Dyma'r amseroedd yr oedd y 10 wats yn eu hennill, mewn eiliadau: $-3, +7, +2, +6, +8, +2, -3, +6, +11, +8$.

(i) Cyfrifwch amcangyfrifon diduedd o gymedr, μ, ac amrywiant, σ^2, yr amseroedd a enillir dros gyfnod o bedair wythnos.

(ii) Gan nodi unrhyw dybiaethau a wnewch, darganfyddwch gyfwng hyder 95% ar gyfer yr amser cymedrig y mae'r watsys hyn yn ei ennill dros gyfnod o bedair wythnos.

(iii) Cymerwyd hapsampl arall o ddeg o'r watsys ac roedd yr amseroedd, mewn eiliadau, yr oeddynt yn ei ennill dros gyfnod o bedair wythnos yn rhoi amcangyfrifon diduedd o μ a σ^2 yn hafal i 3.8 a 23.4, yn ôl eu trefn. Defnyddiwch y set gyfunol o 20 arsylwad i gyfrifo cyfwng hyder 95% ar gyfer yr amser cymedrig a enillodd y watsys hyn dros gyfnod o 4 wythnos. [CBAC(P)]

12 Profion rhagdybiaeth

Gan nad oes gennych ddim gwell i'w wneud, rydych yn penderfynu pwyso tuniau o ffa pob PETHAU SYML hynod o rad. Rydych chi'n synnu gweld bod màs cyfartalog 12 o'r tuniau 10 g yn llai na'r màs a nodir ar y tuniau. A ddylech chi hysbysu'r awdurdodau ynglŷn â hyn? Rydych yn dal i feddwl am hyn pan ydych yn galw yn y casino lleol i chwarae Roulette. Mae 37 o rifau ar yr olwyn ac rydych yn dal i fetio ar rif 1. A ddylech chi synnu eich bod yn colli 25 gwaith yn olynol? Efallai bod yr olwyn yn dueddol? Rydych yn mynd adref, wedi anobeithio'n llwyr, i fwyta ffa pob (ac i ddysgu am brofion rhagdybiaeth − a elwir hefyd yn **brofion arwyddocâd**.).

12.1 Y rhagdybiaeth nwl a'r rhagdybiaeth arall

Cam cyntaf unrhyw brawf rhagdybiaeth yw ysgrifennu'r ddwy ragdybiaeth. Fel arfer mae'r **rhagdybiaeth nwl** yn nodi *gwerth arbennig* ar gyfer rhyw baramedr poblogaeth tra bo'r **rhagdybiaeth arall** yn nodi *amrediad o werthoedd*. Dyma rai enghreifftiau:

Paramedr	Rhagdybiaeth nwl	Rhagdybiaeth arall
Cymedr, μ	$\mu = 435$	$\mu \neq 435$
Cyfrannedd, p	$p = \frac{1}{37}$	$p \neq \frac{1}{37}$
Cymedr, μ	$\mu = 435$	$\mu < 435$
Cyfrannedd, p	$p = \frac{1}{37}$	$p < \frac{1}{37}$

Er mwyn osgoi ysgrifennu 'rhagdybiaeth nwl' a 'rhagdybiaeth arall' lawer gwaith, rydym yn dynodi'r rhagdybiaethau gan ddefnyddio H_0 a H_1 yn ôl eu trefn. Felly byddai'r pâr cyntaf o ragdybiaethau yn y tabl uchod yn dod yn:

$$H_0: \mu = 435 \qquad H_1: \mu \neq 435$$

Mae rhan gyntaf y bennod hon yn canolbwyntio ar achosion lle mae maint y sampl, n, yn fawr. Dyma'r sefyllfaoedd sy'n cael eu hystyried:

Paramedr anhysbys	Ystadegyn sampl	Hapnewidyn	Amod	Dosraniad
μ	$\bar{x}$	$\bar{X}$	Dosraniad normal, σ^2 hysbys	$\dfrac{\bar{X} - \mu}{\frac{\sigma}{\sqrt{n}}} \sim N(0,1)$ (union)
μ	$\bar{x}$	$\bar{X}$	Unrhyw ddosraniad, σ^2 hysbys, n mawr	$\dfrac{\bar{X} - \mu}{\frac{\sigma}{\sqrt{n}}} \sim N(0,1)$
μ	$\bar{x}$	$\bar{X}$	Unrhyw ddosraniad, σ^2 anhysbys, n mawr	$\dfrac{\bar{X} - \mu}{\frac{s}{\sqrt{n}}} \sim N(0,1)$
λ	x	X	Dosraniad Poisson, λ mawr	$\dfrac{X - \lambda}{\sqrt{\lambda}} \sim N(0,1)$
p	$\hat{p}$	$\hat{P}$	n mawr	$\dfrac{\hat{P} - p}{\sqrt{\frac{p(1-p)}{n}}} \sim N(0,1)$

Ym mhob achos mae'r rhagdybiaeth nwl yn pennu gwerth i'r paramedr anhysbys. Gan ddefnyddio'r gwerth hwn gallwn gyfrifo tebygolrwyddau digwyddiadau o ddiddordeb (e.e. bod cymedr y sampl yn fwy na 450, neu fod cyfrannedd y sampl yn llai na 0.01). Mae hyn yn ein galluogi i ddatblygu rheolau ar gyfer penderfynu a ydym yn derbyn y rhagdybiaeth nwl ai peidio.

Enghraifft 1

Bwriedir cymryd deg arsylwad annibynnol o ddosraniad $N(\mu, 40)$. Y rhagdybiaethau yw H_0: $\mu = 20$, H_1: $\mu > 20$. Cynigiwyd y weithdrefn ganlynol:

'Gwrthod H_0 (a derbyn H_1) os yw $\overline{X} > 23.29$; derbyn H_0 fel arall'.

Gan dybio H_0, cyfrifwch y tebygolrwyddau o dderbyn a gwrthod H_0 wrth ddefnyddio'r weithdrefn hon.

<hr/>

Gan dybio bod $\mu = 20$ mae dosraniad $\overline{X}$ yn $N(20, \frac{40}{10})$ fel bo:

$$\frac{\overline{X} - 20}{2} \sim N(0, 1)$$

Felly:

$$P(\overline{X} > 23.29) = P\left(Z > \frac{23.29 - 20}{2}\right) = P(Z > 1.645)$$

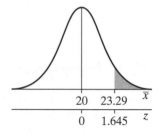

lle mae $Z \sim N(0, 1)$. Mae'r tebygolrwydd cynffon hwn yn 5%. Felly, gan dybio H_0, mae'r tebygolrwyddau o dderbyn a gwrthod H_0, wrth ddefnyddio'r weithdrefn, yn 95% a 5% yn ôl eu trefn.

Nodyn

♦ Yn ôl Cyfraith Loegr ystyrir bod carcharor yn y doc yn ddieuog nes iddo gael ei 'brofi' yn euog. Yn yr un modd, mae'r rhagdybiaeth nwl yn cael ei derbyn nes bydd y dystiolaeth yn awgrymu, o gymharu â'r rhagdybiaeth arall, ei bod yn annhebygol.

12.2 Rhanbarthau critigol a lefelau arwyddocâd

Gelwir y set o werthoedd sy'n arwain at wrthod H_0 o blaid H_1 yn **rhanbarth gwrthod** neu **ranbarth critigol.** Cyfeirir at y set o werthoedd sy'n arwain at dderbyn H_0 fel y **rhanbarth derbyn**.

Pan fo gwerth paramedr poblogaeth wedi ei bennu gan H_0, mae'r tebygolrwydd bod H_0 er hynny yn cael ei wrthod o blaid H_1 yn cael ei alw'n **lefel arwyddocâd**. Mae newid lefel arwyddocâd yn newid maint y rhanbarth critigol. Yn Enghraifft 1, roedd y lefel arwyddocâd yn 5% a'r rhanbarth critigol oedd gwerthoedd o $\overline{x}$ mwy na 23.29. Yn y cyd-destun hwn byddai 23.29 yn cael ei ddisgrifio fel y **gwerth critigol**.

Mae profion rhagdybiaeth lle mae H_1 yn cynnwys un ai arwydd '>' (fel yn Enghraifft 1) neu arwydd '<' yn cael eu galw'n **brofion un-gynffon**. Mae'r rhanbarthau critigol yn yr achosion hyn yn cynnwys gwerthoedd yng nghynffon gyfatebol y dosraniad a bennir gan H_0.

Gelwir profion rhagdybiaeth lle mae H_1 yn cynnwys arwydd '≠' yn **brofion dwy-gynffon**. Yn yr achosion hyn mae'r 'rhanbarth critigol' mewn gwirionedd yn cynnwys dau ranbarth − un ym mhob cynffon y dosraniad a bennir gan H_0.

Isod dangosir tair enghraifft o ranbarthau critigol (gyda thebygolrwyddau wedi eu tywyllu yma) yn achos un arsylwad ar hapnewidyn X â dosraniad normal, amrywiant 1. Fel sy'n arferol, mae'n gyfleus gweithio gyda Z, lle mae $Z = \frac{X - \mu}{\sigma}$, ac felly dangosir y graddfeydd x a z.

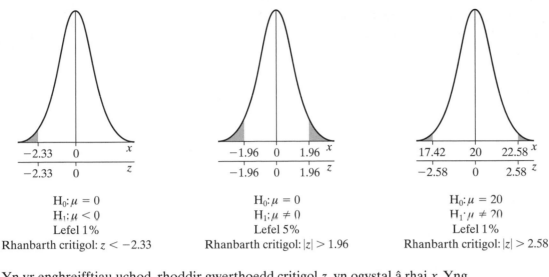

H_0: $\mu = 0$
H_1: $\mu < 0$
Lefel 1%
Rhanbarth critigol: $z < -2.33$

H_0: $\mu = 0$
H_1: $\mu \neq 0$
Lefel 5%
Rhanbarth critigol: $|z| > 1.96$

H_0: $\mu = 20$
H_1: $\mu \neq 20$
Lefel 1%
Rhanbarth critigol: $|z| > 2.58$

Yn yr enghreifftiau uchod, rhoddir gwerthoedd critigol z, yn ogystal â rhai x. Yng nghyd-destun profion rhagdybiaeth, cyfeirir yn aml at z fel yr **ystadegyn prawf**. Os yw gwerth z yn y rhanbarth (gwrthod) critigol yna dywedir bod y canlyniad yn '**arwyddocaol**'. Petai'r lefel arwyddocâd yn $\alpha\%$, yna byddai'r canlyniad yn cael ei ddisgrifio fel '**arwyddocaol ar y lefel $\alpha\%$**'.

Nodiadau

- Y lefelau arwyddocâd mwyaf cyffredin a ddewisir yw 5%, 1% a 0.1%. Sylwer, fodd bynnag, nad yw ystadegwyr proffesiynol yn ystyried 'arwyddocâd ar lefel 5%' yn ddim mwy nag arwydd y dylai mwy o samplu gael ei wneud.
- Mae canlyniad sy'n arwyddocaol ar y lefel $\alpha\%$ hefyd yn arwyddocaol ar y lefel $\beta\%$, ar gyfer pob $\beta > \alpha$.
- Mae lefelau arwyddocâd llai yn arwain at ranbarthau gwrthod llai.

12.3 Y weithdrefn brofi gyffredinol

Ar ôl cyfrifo'r dosraniad tebygolrwydd sylfaenol, mae'r weithdrefn brofi lawn fel a ganlyn:

1 Ysgrifennwch H_0 a H_1.
2 Penderfynwch ar yr ystadegyn prawf priodol a dosraniad yr hapnewidyn cyfatebol (gan ddefnyddio'r gwerth paramedr a bennwyd gan H_0).
3 Penderfynwch ar y lefel arwyddocâd.
4 Penderfynwch ar y rhanbarthau derbyn a gwrthod.

Nawr casglwch y data.

5 Cyfrifwch werth yr ystadegyn prawf.
6 Penderfynwch ar ganlyniad y prawf.

Mae'n bwysig penderfynu ar y rhanbarth (gwrthod) critigol cyn edrych ar yr union ddata er mwyn peidio â bod yn dueddol drwy ddamwain. Fel arall gallasem fod wedi dewis ein rhanbarth yn ofalus er mwyn cael canlyniad 'arwyddocaol'. Twyllo fyddai hynny.

12.4 Prawf ar gyfer y cymedr, amrywiant hysbys, dosraniad normal neu sampl fawr

Ceir tystiolaeth ynglŷn â gwerth cymedr y boblogaeth gan gymedr y sampl. Os gwyddom fod amrywiant y boblogaeth yn σ^2, a bod y rhagdybiaeth nwl yn nodi cymedr μ, yna, yn ôl Theorem y Derfan Ganolog (gweler Adran 10.10, t. 270), ar gyfer sampl fawr maint n, mae dosraniad $\overline{X}$ tua

$$N\left(\mu, \frac{\sigma^2}{n}\right)$$

Os yw'r arsylwadau unigol eu hunain wedi eu dosrannu yn normal, yna mae'r canlyniad hwn yn uniongywir ac nid oes rhaid i n fod yn fawr.

Enghraifft 2

Bwriedir cymryd hapsampl o 36 arsylwad o ddosraniad, amrywiant 100. Yn y gorffennol roedd gan y dosraniad gymedr 83.0, ond credir y gallai'r cymedr fod wedi newid yn ddiweddar.

(i) Gan ddefnyddio lefel arwyddocâd o 5%, darganfyddwch brawf priodol ar gyfer rhagdybiaeth nwl, H_0, bod y cymedr yn 83.0.

Pan gymerir y sampl mewn gwirionedd darganfyddir bod ganddo gymedr o 86.2. A yw hyn yn rhoi tystiolaeth arwyddocaol yn erbyn H_0?

(ii) Tybiwch ei fod yn hysbys, os yw cymedr y boblogaeth wedi newid, yna dim ond cynyddu oedd yn bosibl iddo.

Sut y byddai'r wybodaeth hon yn effeithio ar y casgliadau?

(i) Byddwn yn dilyn y weithdrefn brofi un cam ar y tro.

1 *Ysgrifennwch H_0 a H_1*

Nid oes awgrym yn y cwestiwn cyntaf y gall unrhyw newid fod i un cyfeiriad yn unig. Felly mae'r prawf yn un dwy-gynffon:

H_0: $\mu = 83$

H_1: $\mu \neq 83$

2 *Penderfynwch ar yr ystadegyn prawf priodol a dosraniad yr hapnewidyn cyfatebol (gan ddefnyddio'r gwerth paramedr a bennwyd gan H_0).*

Mae maint y sampl yn ddigon mawr inni gymryd yn ganiataol bod dosraniad $\overline{X}$ yn fras, yn normal. Gan fod $\sigma^2 = 100$ ac $n = 36$, yr ystadegyn prawf addas yw:

$$z = \frac{\overline{x} - 83.0}{\sqrt{\dfrac{100}{36}}}$$

Gan dybio H_0, mae z yn arsylwad o ddosraniad normal safonol.

3 *Penderfynwch ar y lefel arwyddocâd.*

Mae'r cwestiwn yn pennu 5%.

4 *Penderfynwch ar y rhanbarthau derbyn a gwrthod.*

Mae'r prawf yn un dwy-gynffon. Gan fod $P(Z > 1.96) = 0.025$, a $P(Z < -1.96) = 0.025$, gweithdrefn addas yw derbyn H_0 os yw z yn gorwedd yn y cyfwng $(-1.96, 1.96)$ a gwrthod H_0 o blaid H_1 fel arall.

5 *Cyfrifwch werth yr ystadegyn prawf.*

Gan fod $\overline{x} = 86.2$, $z = 1.92$.

6 *Penderfynwch ar ganlyniad y prawf.*

Gan fod z yn y cyfwng $(-1.96, 1.96)$, rydym yn derbyn H_0. Mewn geiriau eraill nid oes tystiolaeth arwyddocaol ar y lefel 5%, bod y cymedr wedi newid o'i werth blaenorol, sef 83.0. Sylwer *nad* yw hyn yn awgrymu nad yw'r cymedr wedi newid; ond, yn hytrach, nad oedd cymedr ein sampl arbennig yn digwydd perthyn i'r rhanbarth gwrthod.

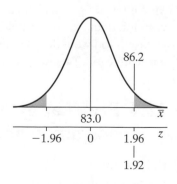

(ii) Os gwyddom na all cymedr y boblogaeth fod wedi lleihau yna dim ond os yw $\bar{x}$ yn anarferol o fawr y byddwn yn cael ein perswadio i wrthod H_0. Nawr mae'r prawf yn un un-gynffon gyda H_1: $\mu > 83.0$. Gan fod $P(Z > 1.645) = 0.05$, gweithdrefn addas nawr yw gwrthod H_0 o blaid H_1 os yw z yn fwy nag 1.645.

Gan fod 1.92 yn fwy nag 1.645, rydym yn gwrthod y rhagdybiaeth nwl ac yn derbyn y rhagdybiaeth arall. Mewn geiriau eraill, nawr mae gennym dystiolaeth arwyddocaol ar y lefel 5%, bod cymedr y boblogaeth wedi cynyddu o'i werth blaenorol.

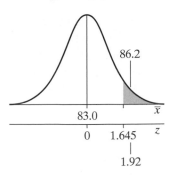

Ymarferion 12a

1 Mae potiau o fêl yn cael eu llenwi gan beiriant. Darganfuwyd bod gan y mêl mewn potyn gymedr o 460.3 g, gwyriad safonol 3.2 g. Credir bod rheolyddion y peiriant wedi cael eu newid yn y fath fodd ag i beri y gall y cyfaint cymedrig newid heb fod newid yn y gwyriad safonol. Cymerir hapsampl o 60 potyn a darganfyddir bod cymedr y mêl ym mhob potyn yn 461.2 g. Nodwch ragdybiaeth nwl a rhagdybiaeth arall addas, a gwnewch brawf gan ddefnyddio lefel arwyddocâd o 5%.

2 Mae arsylwadau o'r amser a gymerwyd i brofi bwrdd cylched drydan yn dangos bod ganddo gymedr o 5.82 munud gyda gwyriad safonol o 0.63 munud. O ganlyniad i gyflwyno cynllun cymhelliant, credir y gallai'r arolygwyr fod yn cynnal y prawf yn gyflymach. Darganfyddir, ar gyfer hapsampl o 150 prawf, bod yr amser cymedrig a gymerir yn 5.68 munud. Nodwch ragdybiaeth nwl a rhagdybiaeth arall addas. Gan dybio bod amrywiant y boblogaeth yn aros heb newid, gwnewch brawf â lefel arwyddocâd 5%.

3 Mae cwmni sy'n gwneud bylbiau golau wedi gweld bod gan oes bwlb gymedr 95.2 diwrnod a gwyriad safonol 10.4 diwrnod. Yn dilyn newid yn y broses gynhyrchu a fwriadwyd i gynyddu oes bwlb, mae gan hapsampl o 96 bwlb oes gymedrig o 96.6 diwrnod. Nodwch ragdybiaethau addas. Gan dybio bod gwyriad safonol y boblogaeth heb newid, profwch a oes tystiolaeth arwyddocaol, ar y lefel 1%, o gynnydd mewn hyd ocs.

4 Mae gan hyd llinyn yn y pellenni a wneir gan gwmni arbennig, gymedr μ m ac amrywiant 27.4 m². Mae'r cwmni yn honni bod $\mu = 300$.

Cymerir hapsampl o 100 pellen o linyn a darganfyddir bod cymedr y sampl yn 299.2 m. Profwch a yw hyn yn darparu tystiolaeth arwyddocaol, ar y lefel 3%, bod honiad y cwmni yn gorbwysleisio gwerth μ.   [UCLES(P)]

5 Gwyddom fod rhaff ddringo sy'n cael ei chynhyrchu gan gwmni yn peri bod gan hydoedd un metr gryfderau torri â dosraniad normal, cymedr 170.2 kg a gwyriad safonol 10.5 kg.

Mae deunydd cydrannol newydd yn cael ei ychwancgu at y rhaffau a gynhyrchir. Mae'r cwmni yn credu y bydd hyn yn cynyddu'r cryfder torri cymedrig heb newid y gwyriad safonol. Cymerwyd hapsampl o 50 hyd un-metr o'r rhaff newydd a darganfuwyd bod y cryfder torri cymedrig yn 172.4 kg. Gwnewch brawf arwyddocâd ar y lefel 5% i brofi a yw'r canlyniad hwn yn rhoi tystiolaeth ddigonol i gadarnhau bod y cryfder torri cymedrig yn cael ei gynyddu. Nodwch yn eglur y rhagdybiaeth nwl a'r rhagdybiaeth arall yr ydych yn eu defnyddio.   [ULSEB(P)]

6 Mae'r pellter y mae gyrrwr lori yn ei deithio mewn wythnos yn hapnewidyn â dosraniad normal, cymedr 1130 km a gwyriad safonol 106 km.

Mae rheolau gyrru newydd yn cael eu cyflwyno ac, yn ystod yr 20 wythnos gyntaf ar ôl eu cyflwyno, mae'r gyrrwr yn teithio cyfanswm o 21900 km. Gan dybio nad yw gwyriad safonol y pellterau wythnosol y mae'n deithio wedi newid, profwch, ar y lefel arwyddocâd 10%, a yw ei bellter gyrru wythnosol cymedrig wedi gostwng ai peidio. Nodwch yn eglur eich rhagdybiaeth nwl a'ch rhagdybiaeth arall.   [ULSEB(P)]

7 Mewn poblogaeth fawr o ieir, mae gan ddosraniad màs iâr gymedr μ kg a gwyriad safonol σ kg. Cymerir hapsampl o 100 o ieir o'r boblogaeth. Mae màs cymedrig y sampl yn $\overline{X}$ kg. Nodwch ddosraniad bras $\overline{X}$, gan roi'r cymedr a'r gwyriad safonol.

Crynhoir gwerthoedd y sampl gan $\Sigma x = 189.1$, lle mae x kg yn fàs iâr. O wybod, mewn gwirionedd, bod $\sigma = 0.7$l, profwch, ar y lefel arwyddocâd 1%, y rhagdybiaeth nwl $\mu = 1.75$ yn erbyn y rhagdybiaeth arall $\mu > 1.75$, gan nodi a ydych yn defnyddio prawf un-gynffon ynteu dwy-gynffon a chan nodi eich casgliad yn eglur. [UCLES(P)]

8 Mae gan ddosraniad normal gymedr anhysbys μ ac amrywiant hysbys σ^2. Mae gan hapsampl o n arsylwad o'r dosraniad gymedr sampl $\overline{x}$. Rydym am roi prawf ar y rhagdybiaeth nwl $\mu = \mu_0$. Darganfyddwch, yn nhermau μ_0, σ ac n, y set o werthoedd $\overline{x}$ lle mae $\mu = \mu_0$ yn cael ei wrthod o blaid $\mu \neq \mu_0$ ar y lefel arwyddocâd 1%. Darganfyddwch hefyd, yn nhermau $\overline{x}$, σ ac n, y set o werthoedd μ_0 lle mae'r rhagdybiaeth $\mu = \mu_0$ yn cael ei gwrthod o blaid $\mu < \mu_0$ ar y lefel arwyddocâd 5%. [UCLES(P)]

9 Mae perllannydd yn defnyddio peiriant i ddosbarthu afalau yn wahanol gategorïau. Mae gan afalau categori C bwysau â dosraniad unffurf yn y cyfwng 100 i 110 gram. Darganfyddwch amrywiant pwysau afal categori C.

Mae deg afal categori C a ddewisir ar hap yn cael eu pacio mewn bag. Gan ddefnyddio theorem y derfan ganolog, darganfyddwch werth bras ar gyfer y tebygolrwydd y bydd pwysau'r deg afal yn y bag yn fwy nag 1030 gram.

Mae'r perllannydd yn amau nad yw'r peiriant yn gweithio'n gywir ac y gallai pwysau cymedrig μ gram, afal categori C fod yn llai na 105 gram. Dyfeisiwch brawf, ar y lefel arwyddocâd 10%, yn seiliedig ar bwysau'r afalau mewn 5 bag a ddewisir ar hap, pob un yn cynnwys deg afal, o'r rhagdybiaeth nwl $\mu = 105$, gyda rhagdybiaeth arall $\mu < 105$. [UCLES]

10 Bob dydd mae'r Wombles yn casglu sbwriel ar Gomin Wimbledon. Maen nhw'n mynd ag ef adref, yn ei bwyso (mewn Womblegramau) ac yn cofnodi'r cyfanswm dyddiol. Y cyfansymiau dyddiol a gofnodwyd mewn wythnos a ddewiswyd ar hap y llynedd oedd:

173, 149, 181, 151, 178, 185, 194.

Gan dybio bod y ffigurau hyn yn arsylwadau annibynnol o ddosraniad poblogaeth y cyfansymiau dyddiol, cyfrifwch amcangyfrif diduedd o gymedr y boblogaeth a dangoswch fod amcangyfrif diduedd o amrywiant y boblogaeth yn 289.

Mae perthynas o'r Alban, MacWomble, yn honni y byddant yn darganfod mwy o sbwriel os byddant yn bwyta uwd i frecwast. Yn ystod yr wythnos gyntaf o gael uwd i frecwast, maen nhw'n casglu, ar gyfartaledd, 180.0 Womblegram o sbwriel bob dydd. Gan dybio bod y dosraniad yn normal, gydag amrywiant 289, profwch a yw cyfartaledd dyddiol yr wythnos hon yn arwyddocaol fwy, ar y lefel 5%, na'r wythnos y rhoddir y canlyniadau dyddiol yn y paragraff cyntaf. [UCLES]

11 Mae gan fisgedi 'Crynshio' bwysau sydd wedi eu dosrannu'n normal, gyda chymedr 10 g a gwyriad safonol 1.5 g. Os gwerthir y bisgedi mewn pacedi o 16, pa ddosraniad y bydd pwysau pacedi a ddewisir ar hap yn eu dilyn? Yn dilyn addasiadau cynnal a chadw i'r offer mowldio (ni chredir bod hyn yn effeithio ar wyriad safonol pwysau'r bisgedi) mae arolygwr yn darganfod bod pwysau cyfartalog hapsampl o 25 paced yn 156.9 g. Archwiliwch a oes tystiolaeth arwyddocaol bod yr addasiadau wedi effeithio ar bwysau cymedrig bisged. Petai'r arolygwr yn pwyso sampl o 100 paced, cyfrifwch dros ba amrediad o bwysau cyfartalog y dylai ddod i'r casgliad bod yr addasiadau wedi cael effaith arwyddocaol. [SMP]

12 Mae'r newidynnau $X_1, X_2, ..., X_{12}$ yn annibynnol gyda dwysedd tebygolrwydd cyffredin

$$f(x) = \begin{cases} 1 & \text{ar gyfer } 0 \leqslant x \leqslant 1, \\ 0 & \text{fel arall.} \end{cases}$$

Rhowch gymedr ac amrywiant X_1 a diddwythwch gymedr ac amrywiant yr hapnewidyn $Y = X_1 + X_2 + ... + X_{12}$. Beth yw dosraniad bras Y?

Fel ffordd o wirio generadur haprifau microgyfrifadur cafwyd y sampl ganlynol o 10 o werthoedd Y:

4.85, 5.11, 8.06, 4.20, 6.04,
4.82, 6.28, 5.68, 5.49, 5.58.

Defnyddiwch brawf yn seiliedig ar y dosraniad normal i benderfynu a oes gwahaniaeth o bwys rhwng cymedr y gwerthoedd hyn a'r gwerth disgwyliedig. [SMP]

13 Gwyddom fod gan hydoedd o wifren ddur o led arbennig gryfderau torri â dosraniad normal, gwyriad safonol 8.5 newton (N). Roedd cwsmer yn amau bod cryfder torri cymedrig hydoedd o'r fath yn llai na'r cymedr 80 N a bennwyd gan y cwmni. O ganlyniad, profodd y cwsmer gryfder torri, x N, pob hyd mewn hapsampl o 8 hyd o'r wifren a chael y canlyniadau hyn:

80.7, 80.2, 68.2, 73.1, 70.4, 87.1, 62.2, 73.3.

Gwnewch brawf addas i benderfynu, ar y lefel arwyddocâd 5%, a oes gan y cwsmer dystiolaeth ddigonol i gyfiawnhau'r amheuaeth nad oedd y wifren yn cwrdd â ffigurau'r cwmni.

12.5 Adnabod y ddwy ragdybiaeth

Yn aml mae'n hawdd adnabod cwestiwn ar brofion rhagdybiaeth, oherwydd mae'r gair 'prawf' yn ymddangos yn y cwestiwn. Mae'r lefel arwyddocâd hefyd yn cael ei nodi fel arfer. Fodd bynnag, weithiau gall fod yn anodd adnabod y ddwy ragdybiaeth.

Y rhagdybiaeth nwl

Mae hon yn nodi bod gan baramedr werth manwl gywir:

1 Y gwerth a ddigwyddodd yn y gorffennol.
2 Y gwerth a honnir gan berson.
3 Y gwerth (targed) a ddylai ddigwydd.

Weithiau efallai nad yw'r rhagdybiaeth nwl yn ymddangos fel petai yn cyfeirio at werth manwl gywir:

> Nid yw cryfderau torri cymedrig mathau o raffau dringo erioed wedi bod yn fwy na 200 kg, ac weithiau maent wedi bod yn llai o lawer. Honnir bod gan raff newydd ar y farchnad gryfder torri sy'n fwy na'r ffigur hwn. Mae hapsampl o 12 darn o'r rhaff newydd yn cael eu profi …

Yma, ymddengys mai'r rhagdybiaethau yw:

$$H_0: \mu \leqslant 200 \,\text{kg}$$
$$H_1: \mu > 200 \,\text{kg}$$

Er mwyn gweld sut i fynd ymlaen, ystyriwch ddwy ragdybiaeth nwl benodol megis $H_0': \mu = 200 \,\text{kg}$ a $H_0'': \mu = 190 \,\text{kg}$. Tybiwch ein bod yn defnyddio H_0' a thybiwch mai canlyniad y prawf yw bod H_0' yn cael ei wrthod o blaid H_1. Allwn ni ddweud beth fyddai wedi digwydd petaem wedi defnyddio H_0''? Yr ateb yw y byddai hyn wedi cael ei wrthod hefyd – os yw cymedr y gwerthoedd sampl mor fawr fel nad yw $\mu = 200 \,\text{kg}$ yn cael ei dderbyn, yna rhaid bod $(\bar{x} - 200)$ yn annerbyniol o fawr. Gan fod $(\bar{x} - 190) > (\bar{x} - 200)$ rhaid bod hwn hefyd yn annerbyniol o fawr. Byddai'r un ddadl yn gymwys ar gyfer unrhyw werth μ llai na 200 kg. Drwy hynny gallwn gwmpasu'r holl achosion lle mae μ yn llai na 200 kg drwy ddefnyddio:

$$H_0: \mu = 200 \,\text{kg}$$
$$H_1: \mu > 200 \,\text{kg}$$

Y rhagdybiaeth arall

Mae'r rhagdybiaeth arall yn golygu defnyddio un o'r arwyddion $>$, $<$ neu $\neq$. Rhaid gwneud penderfyniad ynglŷn â pha un sy'n addas. Yn gyffredinol, mae cwestiynau arholiad yn awgrymu pa arwydd y dylid ei ddefnyddio drwy gyfrwng ymadroddion addas:

$\neq$	'newid', 'gwahanol', 'wedi'i effeithio'
$>$ neu $<$	'llai na', 'gwell', 'mwy', 'dros bwysau'

Mewn bywyd bob dydd nid yw'r dewis mor amlwg. Tybiwch, er enghraifft, fod gennym sefyllfa fel hon:

> Mae cryfder torri cymedrig math o raff ddringo yn 200 kg. Mae gwyddonwyr yn addasu'r dull o gynhyrchu a fydd, yn ôl eu honiad, yn cynyddu'r cryfder torri. Mae hapsampl o 12 darn o'r rhaff newydd yn cael eu profi …

Mae hyn yn ymddangos yn syml iawn. Byddem yn defnyddio'r rhagdybiaethau:

H_0: $\mu = 200$ kg
H_1: $\mu > 200$ kg

Tybiwch nawr fod gan y 12 darn o'r rhaff newydd y cryfderau torri canlynol:

$$187, 196, 193, 187, 194, 193, 197, 194, 191, 195, 194, 199$$

Yn amlwg nid ydym yn gwrthod H_0 o blaid H_1 – ond a fyddem mewn gwirionedd eisiau derbyn H_0? Ymddengys bod gan y rhaff newydd gryfder torri cymedrig o tua 193 neu 194, ac nid 200. Mae rhai ystadegwyr yn dadlau, oherwydd y math hwn o sefyllfa, na ddylid fyth defnyddio profion un-gynffon. Fodd bynnag, yng nghyd-destun cwestiynau arholiad yn sicr *gellir* eu defnyddio.

12.6 Prawf ar gyfer y cymedr, sampl fawr, amrywiant anhysbys

Rhoddir amcangyfrif diduedd amrywiant y boblogaeth gan:

$$s^2 = \frac{1}{n-1}\left\{\Sigma x^2 - \frac{(\Sigma x)^2}{n}\right\}$$

Os yw maint y sampl yn fawr yna dylai hyn fod yn amcangyfrif rhesymol gywir ar gyfer σ^2. Yn achos samplau mawr o'r fath bydd Theorem y Derfan Ganolog hefyd yn gymwys a thrwy hynny, gan dybio bod cymedr y boblogaeth yn μ fel sy'n cael ei nodi gan H_0, mae dosraniad $\overline{X}$ yn fras yn:

$$N\left(\mu, \frac{s^2}{n}\right)$$

Mae'r brasamcan yn gwella wrth i n gynyddu, ond ni ddylid ei ddefnyddio mewn achosion lle mae $n < 30$.

▼ ———————————————————————————————— ▼

Enghraifft 3

Mewn arbrawf sy'n ymwneud â chanfyddiad pobl, rhoddwyd darn o bapur i ddosbarth o 100 o fyfyrwyr. Yr unig beth oedd ar y papur oedd llinell 120 mm o hyd. Gofynnwyd i'r myfyrwyr benderfynu drwy edrych ar y llinell, ymhle yr oedd ei chanolbwynt, a'i farcio. Yna mesurodd y myfyrwyr y pellter, x, rhwng pen chwith y llinell a'u marc. Gan weithio gydag $y = x - 60$, crynhoir y canlyniadau gan $\Sigma y = -143.5$, $\Sigma y^2 = 1204.00$. Darganfyddwch a oes tystiolaeth arwyddocaol, ar y lefel 1%, o unrhyw duedd gyffredinol yng nghanfyddiad y myfyrwyr o ganol y llinellau.

————————

Y ffordd symlaf yw gweithio gydag $Y = X - 60$.

1 *Ysgrifennwch H_0 a H_1.*

Mae'r prawf yn un dwy-gynffon gan nad oes awgrym yn y cwestiwn y bydd unrhyw duedd o anghenraid i'r chwith. Gyda chymedr Y wedi ei ddynodi gan μ, y rhagdybiaethau felly yw:

H_0: $\mu = 0$
H_1: $\mu \neq 0$

2 *Penderfynwch ar yr ystadegyn prawf priodol a dosraniad yr hapnewidyn cyfatebol (gan ddefnyddio'r gwerth paramedr a bennwyd gan H_0).*

Gan fod σ^2 yn anhysbys, ond n yn fawr, (100), rydym yn defnyddio:

$$s^2 = \frac{1204.00 - \dfrac{(-143.5)^2}{100}}{99} = 10.0816$$

Felly'r ystadegyn prawf yw:

$$z = \frac{\bar{y} - 0}{\sqrt{\dfrac{10.0816}{100}}}$$

a fydd, gan dybio H_0, yn arsylwad o ddosraniad normal safonol bras.

3 *Penderfynwch ar y lefel arwyddocâd.*
   Mae'r cwestiwn yn nodi 1%.

4 *Penderfynwch ar y rhanbarthau derbyn a gwrthod.*
   Mae'r prawf yn un dwy-gynffon. Gan fod $P(Z > 2.576) = 0.005$, a $P(Z < -2.576) = 0.005$, gweithdrefn addas yw derbyn H_0 os yw z yn y cyfwng $(-2.576, 2.576)$ ac fel arall gwrthod H_0 o blaid H_1.

5 *Cyfrifwch werth yr ystadegyn prawf.*
   Gan fod $\bar{y} = -1.435$, $z = -4.52$.

6 *Penderfynwch ar ganlyniad y prawf.*
   Gan fod $z < -2.576$, rydym yn gwrthod H_0 ac yn derbyn H_1. Ceir tystiolaeth arwyddocaol, ar y lefel 1%, bod canlyniadau'r myfyrwyr yn dueddol. Yn wir, byddai'r canlyniad hefyd yn cael ei ystyried yn arwyddocaol ar y lefel 0.001%.

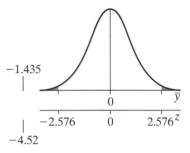

Gwaith ymarferol

Beth am roi cynnig ar yr arbrawf sydd yn Enghraifft 3 yn y dosbarth? Er mwyn cael sampl digon mawr efallai y byddai angen i bawb rannu dwy linell. Syniad da fyddai gwneud y llinell yn 5 modfedd o hyd ac yna ei mesur i'r pwynt 'canol' a farciwyd mewn milimetrau. Mae newid yr uned fesur yn helpu i osgoi twyllo 'damweiniol' lle mae'r ateb a gofnodir yn wyrthiol o gywir.

Os yw amser yn caniatáu mae digon o le i arbrofi. Er enghraifft, a yw hyd y llinell yn effeithio ar gywirdeb?

A yw ongl oledd y llinell yn gwneud gwahaniaeth?

Ymarferion 12b

1 Mae sgôr IQ yn cael ei haddasu i fod yn 100 ar gyfer pob grŵp oedran o'r boblogaeth. Rhoddir fitaminau atodol i hapsampl o blant 3 oed am bum mlynedd. Ar ddiwedd y cyfnod hwn mae gan y 180 o blant sgôr IQ gymedrig o 102.4. Mae gwerth s^2 yn 219.4.
   Profwch a oes tystiolaeth arwyddocaol ar y lefel 1% i gefnogi'r ddamcaniaeth bod fitaminau atodol yn cynyddu sgorau IQ.

2 Mae arolygwr yn dymuno darganfod a oes gan wyau sy'n cael eu gwerthu fel rhai Maint 1 bwysau cymedrig o 70.0 g.
   Mae'n pwyso sampl o 200 wy ac mae ei chanlyniadau yn cael eu crynhoi gan $\Sigma x = 13\,824$, $\Sigma x^2 = 957\,320$, lle mae x yn cynrychioli pwysau wy mewn gramau.
   Profwch a oes tystiolaeth arwyddocaol, ar y lefel 1%, nad yw'r pwysau cymedrig yn 70.0 g.

3 Yn ôl y sôn mae hyd cyfartalog prif erthygl yn y 'Deallusyn Dyddiol' yn 960 gair. Fel rhan o brosiect, mae myfyriwr yn cyfri'r geiriau mewn 55 o brif erthyglau'r papur a ddewisir ar hap. Mae ei ganlyniadau yn rhoi $\Sigma x = 51\,452$, $\Sigma x^2 = 49\,146\,729$. Profwch, ar y lefel arwyddocâd 10%, pa mor wir yw'r honiad.

4 Mae athrawes yn cofnodi faint o amser mae'n gymryd iddi yrru i'r ysgol. Mae'n darganfod, dros gyfnod hir, bod yr amser cymedrig yn 24.5 munud. Ar ôl i ffordd osgoi newydd agor, mae'n cofnodi hyd 72 taith i'r ysgol a ddewisir ar hap. Crynhoir ei chanlyniadau gan $\Sigma(x - 20) = 215$, $\Sigma(x - 20)^2 = 3234$, lle mae x munud yn cynrychioli hyd y daith.
Gan ddefnyddio lefel arwyddocâd o 5%, profwch a yw'r daith yn cymryd llai o amser erbyn hyn.

5 Ymchwiliodd rheolwr archfarchnad i faint o amser yr oedd cwsmeriaid yn ei dreulio yn siopa yno. Cafodd yr amser, x munud, a dreuliwyd gan bob un o hapsampl o 150 cwsmer ei fesur a darganfuwyd bod $\Sigma x = 2871$, $\Sigma x^2 = 60\,029$. Profwch, ar y lefel arwyddocâd 5%, y rhagdybiaeth bod yr amser cymedrig y mae cwsmeriaid yn ei dreulio yn siopa yn 20 munud, yn erbyn y dewis arall ei fod yn llai na hyn. [UCLES(P)]

6 Mewn hysbyseb honnir bod dyfais electronig yn gallu cadw gwybodaeth sy'n cael ei storio ynddi am '70 i 90 awr' ar ôl i'r pŵer gael ei ddiffodd. Mewn arbrofion a gynhelir i brofi'r honiad hwn, cafodd yr amser cadw mewn oriau, X, ei fesur ar 250 achlysur, a chrynhoir y data a gafwyd gan $\Sigma(x - 76) = 683$, $\Sigma(x - 76)^2 = 26\,132$. Dynodir cymedr y boblogaeth a'r amrywiant gan μ a σ^2 yn ôl eu trefn.
(i) Dangoswch, yn gywir i un lle degol, fod amcangyfrif diduedd o σ^2 yn 97.5.
(ii) Profwch y rhagdybiaeth fod $\mu = 80$ yn erbyn y rhagdybiaeth arall fod $\mu < 80$, gan ddefnyddio lefel arwyddocâd 5%. [UCLES(P)]

12.7 Prawf ar gyfer cymedr Poisson mawr

Os oes gan X ddosraniad Poisson â chymedr mawr, λ, yna mae dosraniad X yn cael ei frasamcanu'n dda gan:

$N(\lambda, \lambda)$

os defnyddir cywiriad didoriant (gweler Adran 10.12, t. 283).

Nid oes angen ystyried maint y sampl. Os oes n arsylwad o ddosraniad Poisson gyda chymedr damcaniaethol, λ, yna gellid ystyried eu cyfanswm fel arsylwad unigol o ddosraniad Poisson gyda chymedr $n\lambda$. Y rheswm am hyn yw bod swm hapnewidynnau Poisson annibynnol yn hapnewidyn Poisson (gweler Adran 8.6, t. 204).

Enghraifft 4

Mewn afon arbennig mae micro-organeb benodol i'w chael ar gyfradd gyfartalog o 10 y mililitr. Cymerir hapsampl o 0.5 litr o ddŵr o nant gerllaw a darganfyddir ei bod yn cynnwys 3478 micro-organeb. A yw hyn yn rhoi tystiolaeth arwyddocaol, ar y lefel 5%, o wahaniaeth yn nifer y micro-organebau yn y nant a'r afon?

1 *Ysgrifennwch H_0 a H_1.*
Petai'r nifer yn y nant yr un fath ag yn yr afon, yna byddai 0.5 litr (h.y. 500 mililitr) o ddŵr y nant yn cynnwys $10 \times 500 = 5000$ micro-organeb ar gyfartaledd. Mae'r cwestiwn yn cyfeirio at 'wahaniaeth' ac felly nid oes unrhyw awgrym bod nifer isel yn cael ei ragweld

wrth samplu'r nant; gallwn gymryd bod y rhagdybiaeth arall yn un ddwyochrog.

$H_0: \lambda = 5000$

$H_1: \lambda \neq 5000$

2 *Penderfynwch ar yr ystadegyn prawf priodol a dosraniad yr hapnewidyn cyfatebol (gan ddefnyddio'r gwerth paramedr a bennwyd gan H_0).*

Rydym yn tybio bod y micro-organebau wedi eu dosrannu ar hap yn nŵr y nant, fel bo dosraniad Poisson yn addas. Felly mae'r cyfrif unigol, x, yn arsylwad o ddosraniad Poisson gyda chymedr 5000. Felly'r ystadegyn prawf yw:

$$z = \frac{x - 5000}{\sqrt{5000}}$$

Pan fo cymedr y boblogaeth yn wir yn 5000, bydd z yn arsylwad o ddosraniad normal safonol bras.

Mae'r brasamcan yn cael ei wella drwy gyflwyno cywiriad didoriant a fyddai'n lleihau maint y rhifiadur yn y mynegiad ar gyfer z yn ôl 0.5.

3 *Penderfynwch ar y lefel arwyddocâd.*

Mae'r cwestiwn yn rhagnodi lefel arwyddocâd o 5%.

4 *Penderfynwch ar y rhanbarthau derbyn a gwrthod.*

Mae'r prawf yn un dwy-gynffon. Gan fod $P(Z > 1.645) = 0.025$ a $P(Z < -1.645) = 0.025$, gweithdrefn addas fyddai derbyn H_0 os yw z yn y cyfwng $(-1.645, 1.645)$ ac fel arall gwrthod H_0 o blaid H_1.

5 *Cyfrifwch werth yr ystadegyn prawf.*

Gan ddefnyddio $x = 3478$ a chyflwyno'r cywiriad didoriant rydym yn cyfrifo z:

$$z = \frac{(3478 + 0.5) - 5000}{\sqrt{5000}} = -21.52$$

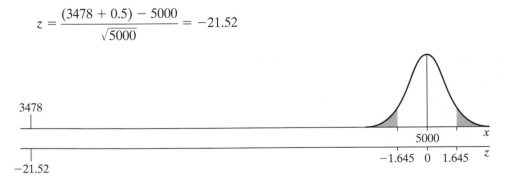

6 *Penderfynwch ar ganlyniad y prawf*

Gan fod -21.5 yn llawer iawn llai na -1.645, nid ydym yn oedi cyn gwrthod H_0 ar y lefel arwyddocâd 5%. Does dim amheuaeth mewn gwirionedd bod gwahaniaeth yn nifer yr micro-organebau yn y nant a'r afon.

Ymarferion 12c

1 Cadarnhawyd bod cyfradd gyfartalog mân namau ar roliau o gynfas blastig a wneir gan gwmni arbennig yn 0.32 y metr. Ceir rholyn 100 metr gan gwmni arall a darganfyddir bod nifer y mân namau yn 27.

A oes tystiolaeth arwyddocaol, ar y lefel 10%, bod gan gynfas plastig yr ail gwmni lai o namau y metr na'r cyntaf?

2 Mae arolwg traffig yn dangos bod ceir yn mynd heibio pwynt gwylio arbennig rhwng 9 am a 10 am yn ôl cyfradd gyfartalog o 4.5 y funud. Ar ôl i archfarchnad agor yn yr ardal, darganfyddir bod nifer y ceir sy'n mynd heibio'r pwynt gwylio, rhwng 9 am a 10 am yn ystod 5 niwrnod, yn 1258. Profwch, ar y lefel arwyddocâd 1%, a oes tystiolaeth o newid yng nghyfradd y ceir sy'n mynd heibio'r pwynt gwylio.

3 Mae cwmni rheilffordd yn honni bod 4.3% o'i drenau yn hwyr. Mae Cymdeithas Deithwyr yn credu bod hyn yn amcangyfrif rhy isel, ac mae'n mynd ati i wirio hapsampl o 500 o drenau, ac yn darganfod bod 30 trên yn hwyr.

Profwch honiad y Gymdeithas, gan ddefnyddio lefel arwyddocâd o 5%.

4 Mewn cyfnewidfa deleffon fechan, mae gan nifer y galwadau sy'n cyrraedd yn ystod cyfnod o t munud ddosraniad Poisson, cymedr λt, lle mae λ yn gysonyn anhysbys. Defnyddiwch lefel arwyddocâd o 5 y cant i brofi'r rhagdybiaeth nwl $H_0: \lambda = 1$ yn erbyn y rhagdybiaeth arall $H_1: \lambda > 1$, pan fo 74 o alwadau yn cyrraedd mewn 1 awr.   [JMB(P)]

12.8 Prawf ar gyfer cyfrannedd, sampl fawr

Gyda sampl maint n sy'n cynnwys r 'llwyddiant', mae tystiolaeth sy'n ymwneud â thebygolrwydd llwyddiant y boblogaeth, p, yn cael ei darparu gan gyfrannedd y sampl, $\hat{p}$, sy'n cael ei ddiffinio gan $\hat{p} = \dfrac{r}{n}$, â'r hapnewidyn cyfatebol yn cael ei ddynodi gan $\hat{P}$. Pan fo n yn fawr, mae'r brasamcan normal i'r dosraniad binomial yn ddilys. Gan ysgrifennu $q = 1 - p$, mae dosraniad $\hat{P}$ yn fras yn:

$$N\left(p, \frac{pq}{n}\right)$$

(gweler Adran 11.4, t. 301). Mae'r brasamcan yn cael ei wella drwy ddefnyddio cywiriad didoriant.

▼

Enghraifft 5

Mae golffiwr proffesiynol yn gwerthu tïau pren. Mae'r math y mae'n ei werthu fel arfer yn fregus iawn, ac mae 25% ohonynt yn torri y tro cyntaf y cânt eu defnyddio. Nid yw'r golffwyr yn fodlon o gwbl ar hyn, felly mae'r golffiwr proffesiynol yn prynu swp o dïau 'Hiroes' (yr honnir eu bod yn para yn hwy). Mae'r golffiwr proffesiynol yn dewis hapsampl o 100 o'r tïau hyn ac yn eu profi. Dim ond 18 sy'n torri pan ddefnyddir hwy y tro cyntaf.

A yw hyn yn rhoi tystiolaeth arwyddocaol, ar y lefel 1%, bod cyfrannedd y tïau 'Hiroes' sy'n torri pan ddefnyddir hwy am y tro cyntaf yn llai na 25%?

Yn yr achos hwn mae 'llwyddiant' yn golygu ti yn torri!

1 *Ysgrifennwch H_0 a H_1.*

  $H_0: p = 0.25$
  $H_1: p < 0.25$

2 *Penderfynwch ar yr ystadegyn prawf priodol a dosraniad yr hapnewidyn cyfatebol (gan ddefnyddio'r gwerth paramedr a bennwyd gan H_0).*

Gan fod $n = 100$ a H_0 yn dynodi bod $p = 0.25$ a $q = 0.75$, yr ystadegyn prawf yw:

$$z = \frac{\hat{p} - 0.25}{\sqrt{\dfrac{0.25 \times 0.75}{100}}}$$

sy'n arsylwad o ddosraniad normal safonol bras.

Mae'r brasamcan yn cael ei wella drwy leihau maint absoliwt y rhifiadur z yn ôl $\dfrac{1}{2n}$ (sef y cywiriad didoriant).

3   *Penderfynwch ar y lefel arwyddocâd.*
Mae'r cwestiwn yn rhagnodi lefel arwyddocâd o 1%.

4   *Penderfynwch ar y rhanbarthau derbyn a gwrthod.*
Mae'r prawf yn un un-gynffon. Gan fod $P(Z > 2.326) = 0.01$ a $P(Z < -2.326) = 0.01$, gweithdrefn addas fyddai derbyn H_0 os yw $z > -2.326$ ac fel arall gwrthod H_0 o blaid H_1.

5   *Cyfrifwch werth yr ystadegyn prawf.*
Gan fod $\hat{p} = \frac{18}{100}$, gwerth $\hat{p} - p$ yw $0.18 - 0.25 = -0.07$. Mae'r cywiriad didoriant, $\dfrac{1}{2n}$, yn hafal i 0.005, a thrwy hynny rhoddir z gan:

$$z = \frac{-0.065}{\sqrt{\dfrac{0.25 \times 0.75}{100}}} = -1.50$$

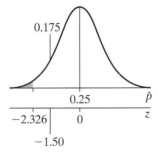

6   *Penderfynwch ar ganlyniad y prawf*
Gan fod -1.50 yn fwy na -2.326 mae'n gorwedd o fewn y rhanbarth derbyn. Felly, ar y lefel 1% (bras), nid yw canlyniad y sampl yn rhoi tystiolaeth arwyddocaol bod cyfrannedd y tïau 'Hiroes' sy'n torri pan gânt eu defnyddio am y tro cyntaf yn llai na 25%.

Ymarferion 12ch

1   Teflir darn o arian 500 gwaith a cheir 267 pen. Profwch a yw'r darn arian yn ddiduedd, gan ddefnyddio lefel arwyddocâd o 10%.

2   Mae cwmni hadau yn gwerthu hadau fioledau mewn pacedi cymysg ac yn honni y bydd o leiaf 20% yn flodau coch. Mae garddwr yn hau paced o hadau ac yn darganfod mai dim ond 11 o 82 planhigyn sydd â blodau coch. Profwch honiad y cwmni hadau, gan ddefnyddio lefel arwyddocâd 2.5%.

3   Mae'r 'Deallusyn Dyddiol' yn honni bod 60% o'i ddarllenwyr yn berchnogion ceir. Mewn hapsampl o 312 o ddarllenwyr mae 208 ohonynt yn berchnogion ceir.
Profwch a oes tystiolaeth arwyddocaol, ar y lefel 2%, i gefnogi'r honiad.

4   Mae arolwg mewn llyfrgell prifysgol yn datgelu bod 12% o lyfrau sy'n cael eu dychwelyd yn hwyr. Ar ôl cynnydd mawr mewn dirwyon, mae hapsampl o 80 llyfr sy'n cael eu dychwelyd yn datgelu mai dim ond 6 sy'n hwyr.
Profwch, ar y lefel arwyddocâd 10%, a yw cyfrannedd y llyfrau sy'n hwyr wedi lleihau.

5   Pan yw pin bawd 'Pigog' yn cael ei ollwng ar lawr, mae'r tebygolrwydd y bydd yn glanio â'i bigyn i fyny yn p. Mae athrawes yn gollwng pin bawd 'Pigog' 900 gwaith ac yn arsylwi ei fod yn glanio â'i bigyn i fyny 315 gwaith. Rhowch brawf, ar y lefel 1%, ar y ddamcaniaeth $p = 0.4$ yn erbyn y ddamcaniaeth arall $p < 0.4$.

[UCLES(P)]

6   Mewn arolwg barn cyhoeddus, gofynnwyd i 1000 etholwr a ddewiswyd ar hap a fyddent yn pleidleisio i'r Blaid Borffor yn yr etholiad nesaf ac atebodd 357 ohonynt 'Byddaf'. Mae arweinydd y Blaid Borffor yn credu mai'r gwir gyfranedd yw 0.4. Profwch, ar y lefel 8%, a yw'n goramcangyfrif ei gefnogaeth.

   [UCLES(P)]

7   Mae perchennog perllan afalau fawr yn nodi bod adar wedi ymosod ar 10% o'i afalau. Cesglir hapsampl o 2500 afal a darganfyddir bod adar wedi ymosod ar 274 ohonynt. Profwch, ar y lefel arwyddocâd 8%, a oes tystiolaeth arwyddocaol bod y perchennog wedi rhoi amcangyfrif rhy isel ar gyfer cyfranedd yr afalau a ddifrodwyd gan adar.
   Nodwch eich rhagdybiaethau yn eglur.

   [UCLES(P)]

8   Profodd cwmni cyffuriau gyffur lleddfu poen newydd ar hapsampl o 100 o gleifion oedd yn dioddef o gur pen. Dywedodd 75% o'r rhain bod y cyffur wedi lleddfu eu cur pen. Yn achos y cyffur sy'n cael ei farchnata ar hyn o bryd, dywed 65% o ddefnyddwyr ei fod yn lleddfu eu cur pen. Profwch, ar y lefel 4%, a fydd gan y cyffur newydd gyfranedd fwy o ddefnyddwyr bodlon.   [UCLES(P)]

9   Anfonwyd holiadur at nifer fawr o bobl, yn gofyn eu barn ynglŷn â chynnig i newid maes llafur arholiad. O'r 180 o atebion a dderbyniwyd, roedd 134 o blaid y cynnig. Gan dybio bod y bobl oedd yn ymateb yn hapsampl o'r boblogaeth, profwch, ar y lefel 5%, y rhagdybiaeth bod cyfranedd y boblogaeth o blaid y cynigion yn 0.7 yn erbyn y dewis arall, sef ei fod yn fwy na 0.7.   [UCLES(P)]

10 Mae athro ysgol eisiau amcangyfrif faint o'r 36 disgybl yn ei ddosbarth sy'n ysmygu o leiaf un sigarét y dydd. Gan na fyddant efallai yn dweud y gwir wrth ateb petai'r athro'n gofyn y cwestiwn hwn yn uniongyrchol, gofynnir i bob disgybl ddilyn y drefn ganlynol:
   Taflwch ddarn arian, gan guddio'r canlyniad rhag pawb arall. Os ydych yn cael pen atebwch 'ydw'. Os ydych yn cael cynffon atebwch 'ydw' dim ond os ydych yn ysmygu o leiaf un sigarét y dydd, fel arall atebwch 'nac ydw'.
   Gan ddefnyddio'r weithdrefn hon, gellid cymryd yn ganiataol bod y disgyblion yn dweud y gwir wrth ateb, ac mae'r nifer sy'n ateb 'ydw' yn 24.
   (i) O wybod bod y tebygolrwydd o gael pen yn $\frac{1}{2}$, amcangyfrifwch pa gyfranedd o'r disgyblion yn y dosbarth sy'n ysmygu o leiaf un sigarét y dydd.
   (ii) Gan ddefnyddio dosraniad normal, rhowch brawf, ar y lefel arwyddocâd 4%, ar y rhagdybiaeth nwl nad oes yr un o ddisgyblion y dosbarth yn ysmygu o leiaf un sigarét y dydd, gan nodi eich rhagdybiaeth arall yn eglur.   [UCLES(P)]

12.9   Prawf ar gyfer y cymedr, sampl fechan, amrywiant anhysbys

Pan fo'r sampl yn fychan, mae'n rhaid inni ddefnyddio'r dosraniad-t yn hytrach na'r dosraniad normal (gweler Adrannau 11.5 ac 11.6, tt. 305–8). Mae'r ystadegyn prawf, t, wedi ei ddiffinio gan:

$$t = \frac{\bar{x} - \mu}{\frac{s}{\sqrt{n}}}$$

lle mae μ yn cynrychioli cymedr y boblogaeth a bennir gan y rhagdybiaeth nwl. Dosraniad yr hapnewidyn cyfatebol, T, yw t_{n-1}.

Nodiadau

♦   Dim ond pan yw'r boblogaeth yn normal y mae dosraniad T yn union ddosraniad-t.

♦   Yn fanwl gywir, dylid defnyddio'r dosraniad-t yn hytrach na'r normal bob tro y defnyddir s yn lle σ, ac nid dim ond pan yw n yn fychan.

Enghraifft 6

Dylai poteli gwin gynnwys 75 cl o win. Mae arolygwr yn cymryd hapsampl o chwe photel o win ac yn darganfod cyfeintiau eu cynnwys, yn gywir i'r hanner mililitr agosaf. Dyma'r canlyniadau a gafodd:

747.0, 751.5, 752.0, 747.5, 748.0, 748.0

Darganfyddwch a yw'r canlyniadau hyn yn rhoi tystiolaeth arwyddocaol, ar lefel 5%, bod cymedr y boblogaeth yn llai na 75 cl.

Y ffordd symlaf yw cyfrifo mewn mililitrau. Mae'r mesur targed, 75 cl, yn $\frac{75}{100}$ o litr, sydd yr un fath â 750 mililitr.

1 *Ysgrifennwch H_0 a H_1.*
Mae'r prawf yn un un-gynffon. Y rhagdybiaethau yw:

H_0: $\mu = 750$

H_1: $\mu < 750$

2 *Penderfynwch ar yr ystadegyn prawf priodol a dosraniad yr hapnewidyn cyfatebol (gan ddefnyddio'r gwerth paramedr a bennwyd gan H_0).*
Gan fod σ^2 yn anhysbys, mae'n rhaid inni gyfrifo s^2. Mae'r rhifau yn symlach os ydym yn cyfrifo gydag y, a roddir gan $y = x - 750$. Nid yw'r trawsffurfiad hwn yn newid amrywiant yr arsylwadau, a ddaw yn:

$-3.0, 1.5, 2.0, -2.5, -2.0, -2.0$

Mae'r rhain yn cael eu crynhoi gan $\Sigma y = -6.0$ a $\Sigma y^2 = 29.50$, fel bo:

$$s^2 = \frac{1}{5}\left\{29.50 - \frac{(-6.0)^2}{6}\right\} = 4.70$$

Felly'r ystadegyn prawf yw:

$$t = \frac{\bar{x} - 750}{\sqrt{\dfrac{4.70}{6}}}$$

sydd, gan dybio H_0, yn arsylwad o ddosraniad-t_5.

3 *Penderfynwch ar y lefel arwyddocâd.*
Mae'r cwestiwn yn pennu 5%.

4 *Penderfynwch ar y rhanbarthau derbyn a gwrthod.*
Mae'r prawf yn un un-gynffon. Mae pwynt 5% uchaf dosraniad-t_5 yn 2.015, ac felly, drwy gymesuredd, mae'r pwynt 5% isaf yn -2.015. Dull gweithredu addas felly yw derbyn H_0 os yw t yn fwy na -2.015 ac fel arall gwrthod H_0 o blaid H_1.

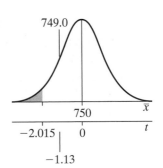

5 *Cyfrifwch werth yr ystadegyn prawf.*
Gan fod $\bar{x} = 749.0$, $t = -1.13$.

6 *Penderfynwch ar ganlyniad y prawf.*
Gan fod $t > -2.015$, rydym yn derbyn H_0: nid oes tystiolaeth arwyddocaol, ar y lefel 5%, fod cymedr y boblogaeth yn llai na 75 cl.

Ymarferion 12a

1 Mae cynhyrchwr yn honni bod hyd oes cymedrig y bylbiau golau y mae'n eu cynhyrchu yn 1200 awr o leiaf. Cymerir hapsampl o 10 bwlb a mesurir hyd oes pob un. Crynhoir y canlyniadau gan $\Sigma(x - 1000) = 1890.0$ a $\Sigma(x - 1000)^2 = 362\,050.2$, lle mae x yn cael ei fesur mewn oriau. Gan dybio bod gan hydoedd oes y bylbiau ddosraniad normal, a chan ddefnyddio lefel arwyddocâd o 5%, profwch a oes sail i amau'r honiad hwn. [UCLES(P)]

2 Mae cwmni cenedlaethol yn berchen ar gadwyn o labordai lle cynhelir profion cemegol rwtîn. Er mwyn sicrhau manwl gywirdeb y dadansoddiadau mae sampl â chynnwys hysbys (ond cyfrinachol) o sylffwr, sef 10.57 gram/litr yn cael ei anfon i bob labordy er mwyn ei brofi gan yr uwch ddadansoddwr. Isod dangosir canlyniadau 10 o'r labordai hyn.

Lab	1	2	3	4
Canlyniad (x)	10.37	10.49	10.51	10.39

Lab	5	6	7	8
Canlyniad (x)	10.56	10.56	10.70	10.46

Lab	9	10
Canlyniad (x)	10.44	10.59

Crynhoir y canlyniadau hyn gan
$\Sigma(x - 10.5) = 0.07$,
$\Sigma(x - 10.5)^2 = 0.0897$
Gan dybio bod dosraniad y gwallau dadansoddi yn normal, profwch, ar y lefel arwyddocâd 5%, a oes unrhyw arwydd o duedd cyffredinol yn y canlyniadau hyn. [UCLES(P)]

3 Mae sampl o wyth cynhwysydd yn cael ei ddethol ar hap o swp mawr. Mae'r cynwysyddion yn cynnwys powdr gyda masau x g, 1998.5, 2000.4, 1999.9, 2005.8, 2011.5, 2007.6, 2001.3, 2002.4, sy'n cael eu crynhoi gan
$\Sigma(x - 2000) = 27.4$ a
$\Sigma(x - 2000)^2 = 233.52$.
Gan dybio bod gan fasau'r cynnwys ddosraniad normal, dangoswch fod tystiolaeth arwyddocaol, ar y lefel 5% bod màs cymedrig cynnwys y cynwysyddion yn y swp hwn yn fwy na 2000 g. [UCLES(P)]

4 Ar ôl damwain niwclear, mesurodd gwyddonwyr y llywodraeth lefelau ymbelydredd mewn 20 safle a ddewiswyd ar hap mewn ardal fechan. Mae'r teclyn mesur a ddefnyddir wedi ei raddnodi i fesur cymhareb yr ymbelydredd presennol yn erbyn yr ymbelydredd cyfartalog hysbys blaenorol yn yr ardal fechan honno. Mae'r mesuriadau yn cael eu crynhoi gan $\Sigma x_i = 22.8$, $\Sigma x_i^2 = 27.55$. Gan wneud tybiaethau addas, profwch, ar y lefel 5%, y rhagdybiaeth na chafwyd cynnydd yn lefel yr ymbelydredd. [UCLES(P)]

5 Cymerir hapsampl, maint n, o ddosraniad normal, cymedr μ ac amrywiant σ^2. Mae'r ystadegyn z yn cael ei ddiffinio gan $z = \dfrac{\bar{x} - \mu}{\frac{\sigma}{\sqrt{n}}}$, lle mae $\bar{x}$ yn cynrychioli cymedr y sampl. Nid yw ystadegydd, sydd eisiau defnyddio'r ystadegyn z i roi prawf ar ragdybiaeth ynglŷn â μ, yn gwybod amrywiant y boblogaeth σ^2 ac felly mae'n rhoi amcangyfrif o σ yn lle σ yn yr ystadegyn z.

(i) Nodwch pa amcangyfrif o σ y dylai'r ystadegydd ei ddefnyddio.

(ii) Enwch ddosraniad z a dosraniad yr ystadegyn sy'n deillio o z pan roddir amcangyfrif o σ yn lle σ.

(iii) Brasluniwch y ddau ddosraniad hyn ar yr un diagram. [UCLES(P)]

6 Mae cynhyrchwr marmalêd yn cynhyrchu miloedd o botiau o farmalêd bob wythnos. Mae màs y marmalêd mewn potyn yn arsylwad o ddosraniad normal, cymedr 455 g a gwyriad safonol 0.8 g. Cyfrifwch y tebygolrwydd y bydd potyn a ddewisir ar hap yn cynnwys llai na 454 g.

Ar ôl addasu ychydig ar y peiriant llenwi, darganfyddir bod hapsampl o 10 potyn yn cynnwys y masau canlynol (mewn g) o farmalêd:
454.8, 453.8, 455.0, 454.4, 455.4, 454.4, 454.4, 455.0, 455.0, 453.6.

(i) Gan dybio nad yw'r addasiad wedi newid amrywiant y dosraniad, profwch, ar y lefel arwyddocâd 5%, y rhagdybiaeth na chafwyd unrhyw newid yng nghymedr y dosraniad.

(ii) Gan dybio y gallai amrywiant y dosraniad fod wedi newid, darganfyddwch amcangyfrif diduedd o'r amrywiant newydd a chan ddefnyddio'r amcangyfrif hwn, profwch, ar y lefel arwyddocâd 5%, y rhagdybiaeth na fu unrhyw newid yng nghymedr y dosraniad. [UCLES(P)]

7   Mae tyfwr planhigion, A, yn honni bod math newydd o lwyn ffrwythau y mae wedi ei gynhyrchu yn rhoi mwy o gnwd na'r math gwreiddiol. Tyfir hapsampl o ddeg llwyn o'r math newydd a chofnodir cnydau'r llwyni. Roedd cnwd cyfartalog yr hen fath yn 5.2 kg y llwyn. Mae cnydau'r sampl o lwyni newydd yn cael eu crynhoi gan $\Sigma x_i = 61.0$, $\Sigma x_i^2 = 383.96$. Gellid tybio bod pob eitem o ddata yn arsylwad annibynnol o ddosraniad normal. Rhowch brawf ar honiad A, ar y lefel 5%.

[UCLES(P)]

8   Rydych yn cael hapsampl o n arsylwad o ddosraniad normal ac mae angen ichi brofi'r rhagdybiaeth nwl bod cymedr y dosraniad normal yn μ_0. Sut y byddech chi'n penderfynu a ddylid defnyddio dosraniad normal ynteu dosraniad-t wrth gynnal y prawf?

Mae perchennog distyllfa fechan yn defnyddio hen beiriant i arllwys wisgi i boteli. Mae'n bosibl newid cyfaint cymedrig y wisgi a arllwysir i botel drwy ddefnyddio deial gosod ar y peiriant, ond yn achos unrhyw osodiad mae cyfaint y wisgi sy'n cael ei arllwys i botel yn hapnewidyn normal, gwyriad safonol 0.85 cl. Mae gan boteli o wisgi gynnwys nominal o 75 cl. Pan fo'r peiriant wedi ei osod i arllwys cyfaint cymedrig o 76.5 cl, cyfrifwch ganran y poteli sydd â chynnwys llai na'r cyfaint nominal o 75 cl.

Mae rheolau yn nodi bod yn rhaid i 99% o boteli gynnwys o leiaf y cyfaint nominal o wisgi. Petai perchennog y ddistyllfa yn addasu'r deial gosod i gydymffurfio â'r rheolau, cyfrifwch y cyfaint cymedrig lleiaf y gellid ei osod.

Yn hytrach nag addasu'r deial gosod ar ei hen beiriant mae'r perchennog yn penderfynu buddsoddi mewn peiriant newydd. Er mwyn gwirio graddnodiad y deial gosod ar y peiriant newydd mae'n gosod y deial i arllwys cyfaint cymedrig o 76 cl. Yna mae'n mesur y cyfaint, x cl o wisgi ym mhob un o hapsampl o 18 potel, ac yn cael y gwerthoedd x canlynol.

76.1	75.7	76.8	76.2	75.8	77.1
76.2	75.4	76.9	75.7	76.1	76.7
76.5	75.8	76.3	76.1	75.8	76.4

($\Sigma x = 1371.6$ $\Sigma x^2 = 104\,519.62$)

Gan dybio, ar gyfer unrhyw osodiad penodol, bod gan y cyfeintiau a arllwysir gan y peiriant hwn ddosraniad normal, profwch, ar y lefel arwyddocâd 5%, y rhagdybiaeth bod y graddnodiad ar y deial yn gywir pan fo'n cael ei osod i arllwys cyfaint cymedrig o 76 cl.   [JMB]

12.10   Y dull gwerth-p

Dyma gamau 3–6 ein gweithdrefn brofi:

3   Penderfynwch ar y lefel arwyddocâd.
4   Penderfynwch ar y rhanbarthau derbyn a gwrthod.
5   Cyfrifwch werth yr ystadegyn prawf.
6   Penderfynwch ar ganlyniad y prawf.

Dull arall yw:

3   Cyfrifwch werth yr ystadegyn prawf.
4   Penderfynwch ar y tebygolrwydd cynffon cyfatebol (y gwerth-p), gan ddefnyddio un neu ddwy gynffon yn dibynnu ar ffurf H_1.
5   Cymharwch â lefelau arwyddocâd posibl.
6   Penderfynwch ar ganlyniad y prawf.

Mantais y dull hwn yw y gallwn amlygu gwerth eithafol z drwy nodi bod canlyniad yn arwyddocaol (dyweder) ar y lefel 0.001%. Mae rhai canlyniadau yn fwy arwyddocaol na'i gilydd ac mae'r dull hwn yn amlygu hyn.

Y brif anfantais yw'r posibilrwydd o duedd drwy ddewis lefel arwyddocâd er mwyn gwneud y canlyniad a fesurir yn 'arwyddocaol'.

Mae anfantais arall yn codi mewn cysylltiad â'r achosion 'sampl bychan' sy'n cael sylw yn nes ymlaen yn Adrannau 12.13 a 12.14 (tt. 341–5). Gan fod Athrawon Ystadegaeth yn anghytuno ynglŷn â sut i gofnodi tebygolrwyddau cynffon o'r fath, byddwn yn glynu at ein dull gweithredu gwreiddiol.

12.11 Profion rhagdybiaeth a chyfyngau hyder

Mae rheol syml sydd fel arfer yn gweithio yn achos rhagdybiaeth arall ddwyochrog:

> Os yw'r cyfwng hyder cymesur $c\%$ yn cau allan y gwerth poblogaeth o ddiddordeb, yna bydd y rhagdybiaeth nwl bod paramedr y boblogaeth yn cymryd y gwerth hwn yn cael ei gwrthod ar y lefel $100(1 - c)\%$.

Er enghraifft, os yw cyfwng hyder cymesur 95% ar gyfer cymedr poblogaeth, μ, yn $(83.0, 85.1)$ yna bydd y rhagdybiaeth nwl y bydd $\mu = 85.2$ yn cael ei gwrthod ar y lefel 5% gan nad yw'r cyfwng yn cynnwys 85.2. Yn wir bydd *unrhyw* werth a ragdybiwyd ar gyfer μ sy'n fwy nag 85.1, neu sy'n llai nag 83.0 yn cael ei wrthod ar y lefel 5%. I'r gwrthwyneb, bydd y rhagdybiaeth bod μ yn cymryd *unrhyw* werth penodol yn yr amrediad $(83.0, 85.1)$ yn cael ei dderbyn ar y lefel 5%.

Enghraifft 7

Mae peiriant yn torri pren i ffurfio polion, a ddylai fod yn 2 fetr o hyd. Cymerir hapsampl o 40 polyn. Mesurir y polion yn fanwl gywir a chrynhoir eu hydoedd (x cm) (gan ddefnyddio dull codio â gwerth cyfeirio 200 cm) drwy:

$$\Sigma(x - 200) = 41.56, \qquad \Sigma(x - 200)^2 = 107.4673$$

Cyfrifwch gyfwng hyder 95% ar gyfer hyd cymedrig polyn. Rhowch brawf, ar y lefel arwyddocâd 5%, ar y rhagdybiaeth nwl bod cymedr y boblogaeth yn 2 fetr yn erbyn y rhagdybiaeth arall nad yw hyn yn wir.

Rhoddir amcangyfrif diduedd amrywiant y boblogaeth gan:

$$s^2 = \frac{1}{39}\left(107.4673 - \frac{(41.56)^2}{40}\right) = 1.6484$$

Mae maint y sampl yn ddigon mawr fel y gellid cymryd bod dosraniad cymedr y sampl yn normal (yn ôl Theorem y Derfan Ganolog). Ychydig o gywirdeb fydd yn cael ei golli wrth drin $\frac{\overline{X} - \mu}{\frac{s}{\sqrt{n}}}$ fel bod ganddo ddosraniad $N(0, 1)$. Felly'r cyfwng hyder 95% yw:

$$200 + \frac{41.56}{40} \pm 1.96\sqrt{\frac{1.6484}{40}} = (200.64, 201.44)$$

Gan nad yw'r cyfwng yn cynnwys 200.0, mae'r rhagdybiaeth bod y cymedr yn 2 fetr yn cael ei gwrthod, ar y lefel arwyddocâd 5%, o blaid y rhagdybiaeth arall nad yw hyn yn wir.

Nodiadau

- Nid yw'r rheol yn gweithio'n berffaith yn achos cyfrannedd binomial oherwydd bydd yr amrywiant a ddefnyddir yng nghyfrifiad y cyfwng hyder $\left(\frac{\hat{p}\hat{q}}{n}\right)$ fel arfer fymryn yn wahanol i'r un a ddefnyddir yng nghyd-destun prawf rhagdybiaeth $\left(\frac{pq}{n}\right)$.

Ymarferion 12dd

1 Mae potiau o fêl yn cael eu llenwi gan beiriant. Darganfuwyd bod gan y mêl mewn potyn gymedr o 460.3 g a gwyriad safonol 3.2 g. Credir bod rheolyddion y peiriant wedi cael eu newid yn y fath fodd fel y gallai'r swm cymedrig fod wedi newid, er bod y gwyriad safonol heb newid. Cymerir hapsampl o 60 potyn a darganfyddir bod cymedr y mêl mewn potyn yn 461.2 g. Nodwch ragdybiaethau nwl ac arall addas, a chynnal prawf gan ddefnyddio lefel arwyddocâd o 5%.
   (a) drwy ddefnyddio'r dull gwerth-p,
   (b) drwy ddarganfod cyfwng hyder addas.

2 Mae arolygwr eisiau darganfod a oes gan wyau sy'n cael eu gwerthu fel rhai Maint 1 bwysau cymedrig o 70.0 g. Mae hi'n pwyso sampl o 200 wy ac mae ei chanlyniadau yn cael eu crynhoi gan $\Sigma x = 13\,824$, $\Sigma x^2 = 957\,320$, lle mae x yn cynrychioli pwysau wy mewn gramau. Profwch a oes tystiolaeth arwyddocaol, ar y lefel 1%, nad yw'r pwysau cymedrig yn 70.0 g.
   (a) drwy ddefnyddio'r dull gwerth-p,
   (b) drwy ddarganfod cyfwng hyder addas.

3 Yn ôl y sôn mae hyd cyfartalog prif erthygl yn y 'Deallusyn Dyddiol' yn 960 gair. Fel rhan o brosiect, mae myfyriwr yn cyfrif y geiriau mewn 55 o brif erthyglau'r papur a ddewisir ar hap. Mae ei ganlyniadau yn rhoi $\Sigma x = 51\,452$, $\Sigma x^2 = 49\,146\,729$. Profwch, ar y lefel arwyddocâd 10%, pa mor wir yw'r honiad.
   (a) drwy ddefnyddio'r dull gwerth-p,
   (b) drwy ddarganfod cyfwng hyder addas.

4 Eglurwch yr hyn y mae'r term 'Theorem y Derfan Ganolog' yn ei olygu i chi drwy gyfeirio yn eich ateb at unrhyw arbrawf y gallech chi fod wedi ei wneud.
   Yn 2008 cofnododd meteorolegydd nifer yr oriau y tywynnai'r haul ar ei gweithle am y 31 o ddyddiau ym mis Rhagfyr. Yna cyfrifodd y ffigur cymedrig dyddiol ar gyfer y mis hwnnw. Gellir crynhoi ei data fel a ganlyn:
   $\Sigma x_i = 44.48$, $\Sigma x_i^2 = 83.5008$,
   lle mae $i = 1$ hyd at 31 ac x_i yn cynrychioli nifer dyddiol yr oriau heulog.
   (*a*) Ysgrifennwch amcangyfrif pwynt ar gyfer yr oriau cymedrig dyddiol o haul. Cyfrifwch amcangyfrif diduedd ar gyfer amrywiant yr haul dyddiol. Drwy wneud hyn darganfyddwch 'gyfeiliornad safonol' y cymedr.
   (*b*) Cyfrifwch gyfwng hyder 95% y nifer disgwyliedig o oriau o haul ar gyfer diwrnod ym mis Rhagfyr. Ym mis Rhagfyr 2009, tywynnodd yr haul am 62.62 awr i gyd. A yw hyn yn dystiolaeth ddigonol i awgrymu bod newid yn y cyfnodau heulog dyddiol cymedrig? Cyfiawnhewch eich ateb.
   [UODLE]

5 Wrth sgwrsio â newyddiadurwr mae gwleidydd yn honni bod gan blant sy'n gadael yr ysgol yn ei etholaeth 6 TGAU ar gyfartaledd. Mae'r newyddiadurwr yn gwirio'r honiad drwy gyfweld hapsampl o 100 o blant sydd wedi gadael yr ysgol. Crynhoir y data mae'n ei gael isod; mae x yn dynodi nifer y cymwysterau TGAU y person.

   $$n = 100 \quad \Sigma x = 431 \quad \Sigma x^2 = 2578$$

   (i) Darganfyddwch gymedr a gwyriad safonol y data.
   (ii) Lluniwch gyfwng hyder 95% ar gyfer nifer cymedrig y cymwysterau TGAU y person.
   (iii) Eglurwch, heb wneud unrhyw gyfrifiadau pellach, a yw honiad y gwleidydd yn gyson â chanfyddiadau'r newyddiadurwr ai peidio.
   (iv) Drwy ystyried unwaith eto gymedr a gwyriad safonol y data fel y cânt eu cyfrifo yn (i), eglurwch pam y mae'n annebygol bod dosraniad nifer y cymwysterau TGAU y person yn normal. Drwy ddefnyddio braslun dangoswch siâp posibl ar gyfer y dosraniad.
   (v) Eglurwch a yw diffyg normalrwydd yn annilysu'r cyfwng hyder a gafwyd yn (ii) ai peidio. [MEI]

6 Mae gan gwmni cardiau credyd ddiddordeb mewn amcangyfrif pa gyfran o ddeiliaid cardiau sydd, ar ryw adeg, wedi bod â balans ansero ar ddiwedd mis ac felly wedi gorfod talu costau llog. Mae hapsampl o 400 deiliad cardiau credyd yn dangos bod 160 ohonynt, ar ryw adeg, wedi gorfod talu costau llog. Cyfrifwch gyfwng hyder 99% bras ar gyfer cyfran yr holl ddeiliaid cardiau sydd, ar ryw adeg neu gilydd, wedi talu costau llog.
   Drwy hynny trafodwch yr honiad bod y gyfran hon yn 0.5. [AEB(P) 90]

7   Mae pwysau nominal pacedi o bowdwr codi yn 200 g. Mae dosraniad y pwysau yn normal a'r gwyriad safonol yn 7 g.

Yn ôl deddfwriaeth mesuriadau cyfartalog, os yw'r pwysau nominal yn 200 g

(i)   mae'n rhaid i'r pwysau cyfartalog fod o leiaf 200 g,

(ii) ni all mwy na 2.5% o bacedi bwyso llai na 191 g,

(iii) ni all mwy nag 1 o bob 1000 paced bwyso llai na 182 g

Dyma bwysau hapsampl o 30 o bacedi:

$$
\begin{array}{cccccc}
218, & 207, & 214, & 189, & 211, & 206, \\
203, & 217, & 183, & 186, & 219, & 213, \\
207, & 214, & 203, & 204, & 195, & 197, \\
213, & 212, & 188, & 221, & 217, & 184, \\
186, & 216, & 198, & 211, & 216, & 200
\end{array}
$$

(a)   Cyfrifwch gyfwng hyder 95% ar gyfer y pwysau cymedrig.

(b)   Darganfyddwch pa gyfran o'r pacedi yn y sampl sy'n pwyso llai na 191 g a defnyddiwch eich canlyniad i gyfrifo cyfwng hyder 95% bras ar gyfer cyfran yr holl bacedi sy'n pwyso llai na 191 g.

(c)   Gan dybio bod y cymedr yn nherfan isaf y cyfwng a gyfrifwyd yn (a), pa gyfran o bacedi a fyddai'n pwyso llai na 182 g?

(ch) Trafodwch pa mor addas yw'r pacedi o safbwynt system y mesur cyfartalog. Bydd addasiad syml yn newid pwysau cymedrig pacedi yn y dyfodol. Mae newid y gwyriad safonol yn bosibl, ond mae'n ddrud iawn. Heb wneud unrhyw gyfrifiadau pellach, trafodwch unrhyw addasiadau y gallech chi eu hawgrymu.   [AEB 90]

8   Mae prosesydd bwyd yn cynhyrchu niferoedd mawr o botiau o jam. Ym mhob swp gwyddom fod gan bwysau crynswth potyn ddosraniad normal â gwyriad safonol 7.5 g. (Y pwysau crynswth yw pwysau'r potyn a phwysau'r jam.) Pwysau crynswth, mewn gramau, hapsampl o swp arbennig oedd:

$$
\begin{array}{ccccc}
514, & 485, & 501, & 486, & 502, \\
496, & 509, & 491, & 497, & 501, \\
506, & 486, & 498, & 490, & 484, \\
494, & 501, & 506, & 490, & 487, \\
507, & 496, & 505, & 498, & 499.
\end{array}
$$

(a)   Amcangyfrifwch gyfran y swp hwn sydd â phwysau crynswth mwy na 500 g. Cyfrifwch gyfwng hyder 95% ar gyfer y gyfran hon.

(b)   Cyfrifwch gyfwng hyder 90% ar gyfer pwysau crynswth cymedrig y swp hwn.

Gwyddom fod gan bwysau potyn gwag ddosraniad normal, cymedr 40 g a gwyriad safonol 4.5 g. Mae'n annibynnol ar bwysau'r jam.

(c)   (i) Beth yw gwyriad safonol pwysau'r jam mewn swp o botiau?

(ii) Gan dybio bod y pwysau crynswth cymedrig yn nherfan uchaf y cyfwng hyder a gyfrifwyd yn rhan (b), cyfrifwch derfannau lle ceid 99% o bwysau'r cynnwys.

(ch) Honnir bod y potiau yn cynnwys 454 g o jam. Trafodwch yr honiad hwn mewn perthynas â'r swp hwn o botiau.   [AEB 94]

12.12 Gwallau Math I a Math II

Nid yw bywyd ystadegydd yn un hapus iawn. Wrth gynnal profion rhagdybiaeth mae dau fath o wallau a allai ddigwydd a chânt eu crynhoi yn y tabl isod.

		Ein penderfyniad	
		Derbyn H_0	Gwrthod H_0
	H_0 yn gywir	Cywir!	GWALL MATH I
Realiti			
	H_0 yn anghywir	GWALL MATH II	Cywir!

Fel y dengys y tabl, ceir **gwall Math I** os yw rhagdybiaeth nwl gywir yn cael ei gwrthod. Gallwn reoli tebygolrwydd y math hwn o wall oherwydd:

$$P(\text{gwall Math I}) = \text{lefel arwyddocâd} \qquad (12.1)$$

Nid yw cyfrifo tebygolrwydd **gwall Math II** mor syml, gan fod y tebygolrwydd yn dibynnu i ba raddau y mae H_0 yn anghywir. Os yw H_0 ychydig yn anghywir yn unig yna efallai na fyddwn yn sylwi ei fod yn anghywir a bydd y tebygolrwydd o wall Math II yn fawr. Ar y llaw arall, os nad yw H_0 yn gywir o gwbl yna bydd y tebygolrwydd o wall Math II yn isel.

Gan feddwl yn fwy positif, yn hytrach na gofyn beth yw'r tebygolrwydd o wall, gallwn ofyn pa mor dda yw prawf am ddarganfod rhagdybiaeth nwl anghywir. Yr enw ar hyn yw **pŵer** prawf. Yn ffurfiol:

$$\text{pŵer} = 1 - P(\text{gwall Math II}) \tag{12.2}$$

Y dull gweithredu cyffredinol

Mae hyn yn debyg iawn i'r drefn o lunio profion rhagdybiaeth:

1 Ysgrifennwch y ddwy ragdybiaeth, er enghraifft, H_0: $\mu = \mu_0$ ac H_1: $\mu > \mu_0$
2 Penderfynwch ar yr ystadegyn prawf priodol a dosraniad yr hapnewidyn cyfatebol (gan ddefnyddio'r gwerth paramedr a bennir gan H_0).
3 Penderfynwch ar y lefel arwyddocâd. Mae hyn yn P(gwall Math I).
4 Penderfynwch ar y rhanbarthau derbyn a gwrthod.

Nawr ystyriwch yr achos pan nad gwerth y paramedr yw'r un a bennir gan H_0.

5 Darganfyddwch ddosraniad yr hapnewidyn sy'n cyfateb i'r ystadegyn prawf os yw $\mu = \mu_1$, dyweder.
6 Cyfrifwch y tebygolrwydd bod canlyniad yn gorwedd yn y rhanbarth derbyn (o wybod $\mu = \mu_1$). Mae hwn yn P(gwall Math II) ar gyfer yr achos lle mae $\mu = \mu_1$.

Nodiadau
- Fel arfer, mae'n synhwyrol osgoi talgrynnu yn rhy gynnar yn ystod cyfrifiadau rhyngol.
- Wrth gyfrifo tebygolrwydd gwall Math II yn achos prawf sy'n ymwneud â chyfrannedd, cofiwch y bydd newid yng ngwerth p yn newid gwerth y mesur pq sy'n digwydd yn amrywiant yr ystadegyn prawf.

Enghraifft 8

Mae peiriant i fod i lenwi bagiau â 38 kg o dywod. Gwyddom fod mesurau'r tywod yn y bagiau yn amrywio a bod y gwyriad safonol yn 0.5 kg. Pan fydd gweithiwr newydd yn dechrau defnyddio'r peiriant yr arfer yw darganfod masau hapsampl o 20 bag a gymerwyd o'r swp cyntaf a gynhyrchwyd ganddo er mwyn gwirio bod cymedr y peiriant wedi ei osod yn gywir. Darganfyddwch ddull gweithredu addas ar gyfer y prawf hwn, o wybod mai'r dymuniad yw y dylai tebygolrwydd gwall Math I fod yn 4%.

Tybiwch fod gweithiwr wedi gosod y peiriant fel ei fod yn llenwi bagiau â mesur cyfartalog o μ kg.
Darganfyddwch y tebygolrwydd o wall Math II yn yr achosion $\mu = 38.1$ a $\mu = 38.4$.

---

1 *Ysgrifennwch H_0 a H_1*
Mae'r prawf yn un dwy-gynffon â'r rhagdybiaethau yn:

H_0: $\mu = 38.0$
H_1: $\mu \neq 38.0$

2 *Penderfynwch ar yr ystadegyn prawf priodol a dosraniad yr hapnewidyn cyfatebol (gan ddefnyddio'r gwerth paramedr a bennwyd gan H_0).*

Y prawf addas yw un sy'n defnyddio cymedr y sampl, $\bar{x}$. Gan dybio H_0, yn ôl Theorem y Derfan Ganolog, mae dosraniad $\bar{X}$ tua:

$$N\left(38.0, \frac{(0.5)^2}{20}\right)$$

sy'n golygu mai'r ystadegyn prawf addas yw:

$$z = \frac{\bar{x} - 38.0}{\sqrt{\frac{0.250}{20}}}$$

3 *Penderfynwch ar y lefel arwyddocâd. Mae hwn yn P(gwall Math I).*

Rhoddir hwn fel 4% (sy'n newid o'r 5% mwy arferol).

4 *Penderfynwch ar y rhanbarthau derbyn a gwrthod.*

Mae'r tablau yn dangos bod pwynt 2% uchaf hapnewidyn normal safonol yn 2.054. Mae'r rhanbarth derbyn (yn nhermau z) felly yn $(-2.054, 2.054)$. Er mwyn cyfrifo'r tebygolrwydd o wall Math II bydd angen hwn arnom fel cyfwng ar gyfer $\bar{x}$:

$$\left(38.0 - 2.054\sqrt{\frac{0.250}{20}}, 38.0 + 2.054\sqrt{\frac{0.250}{20}}\right)$$

sy'n symleiddio i roi $(37.7704, 38.2296)$. Dyma'r rhanbarth derbyn ar gyfer $\bar{x}$. Mae gwerthoedd $\bar{x}$ y tu allan i'r cyfwng hwn yn y rhanbarth gwrthod.

Nawr ystyriwch yr achos $\mu = 38.1$

5 *Penderfynwch ar ddosraniad yr hapnewidyn sy'n cyfateb i'r ystadegyn prawf.*

Mae dosraniad $\bar{X}$ yn:

$$N\left(38.1, \frac{0.250}{20}\right)$$

6 *Cyfrifwch y tebygolrwydd bod canlyniad yn gorwedd yn y rhanbarth derbyn. Mae hwn yn P(gwall Math II).*

Mae arnom angen $P(37.7704 < \bar{X} < 38.2296)$, o wybod bod $\bar{X} \sim N\left(38.1, \frac{0.250}{20}\right)$.

Nawr:

$$P(\bar{X} < 38.2296) = P\left(Z < \frac{38.2296 - 38.1}{\sqrt{\frac{0.250}{20}}}\right) = P(Z < 1.159)$$

lle mae $Z \sim N(0, 1)$. Yn yr un modd:

$$P(\bar{X} < 37.7704) = P\left(Z < \frac{37.7704 - 38.1}{\sqrt{\frac{0.250}{20}}}\right) = P(Z < -2.948)$$

Felly:

$$P(37.7704 < \bar{X} < 38.2296) = \Phi(1.159) - \Phi(-2.948)$$
$$= 0.8767 - (1 - 0.9984)$$
$$= 0.8751$$

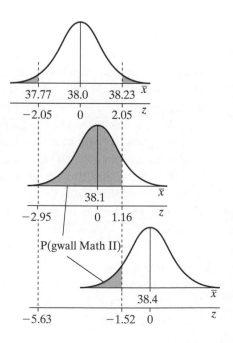

Pan yw'r cymedr fymryn yn rhy fawr yn unig (38.1, yn hytrach na 38.0) mae'r tebygolrwydd o wall Math II yn uchel, sef 0.875 (i dri lle degol).

Nawr ystyriwch yr achos $\mu = 38.4$. Mae angen inni gyfrifo:

$$\frac{38.2296 - 38.4}{\sqrt{\frac{0.250}{20}}} = -1.524$$

a:

$$\frac{37.7704 - 38.4}{\sqrt{\frac{0.250}{20}}} = -5.631$$

felly nawr:

$$P(37.7704 < \overline{X} < 38.2296) = \Phi(-1.524) - \Phi(-5.631)$$
$$= (1 - 0.9362) - 0$$
$$= 0.0638$$

Pan ystyrir syfliad mwy sylweddol yn y cymedr, mae'r tebygolrwydd o wall Math II yn llawer is. Pan fo $\mu = 38.4$ mae'r gwerth yn 0.064 (i dri lle degol).

Enghraifft 9

Mae darn arian, y credir ei fod yn un teg, yn cael ei daflu 100 gwaith. Bydd y rhagdybiaeth bod y darn arian yn deg yn cael ei derbyn os yw nifer y pennau a geir rhwng 40 a 60, yn gynwysedig.
Darganfyddwch y tebygolrwydd o wall Math I.
Darganfyddwch hefyd y tebygolrwydd o wall Math II lle mae'r tebygolrwydd o gael pen yn 0.6.
Nodwch bŵer y prawf yn yr achos hwn.

_____

Yn y cwestiwn hwn rhoddir y rhanbarth derbyn, ond mae'n dal yn ddefnyddiol dilyn y dull gweithredu cyffredinol. Boed i X fod yn nifer y pennau a geir ac i p fod y tebygolrwydd o gael pen.

1   *Ysgrifennwch H_0 a H_1.*
   Y rhagdybiaethau yw:
   $H_0: p = 0.5$
   $H_1: p \neq 0.5$

2   *Penderfynwch ar yr ystadegyn prawf priodol a dosraniad yr hapnewidyn cyfatebol (gan ddefnyddio'r gwerth paramedr a bennwyd gan H_0).*
   Yr ystadegyn prawf yw nifer y pennau a geir.

3, 4 *Penderfynwch ar y rhanbarthau derbyn a gwrthod a'r lefel arwyddocâd.*
   Dywedir wrthym bod y rhanbarth derbyn yn $40 \leq X \leq 60$. Mae arnom angen P(gwall Math I) sydd felly yn hafal i $1 - P(40 \leq X \leq 60)$.
   Gan dybio H_0, $X \sim B(100, 0.5)$. Gan fod nifer y treialon yn fawr gallwn ddefnyddio'r brasamcan normal, ynghyd â chywiriadau didoriant, i

ddarganfod y tebygolrwydd angenrheidiol. Mae dosraniad X yn cael ei frasamcanu gan:

$$N(50, 100 \times 0.5 \times 0.5) = N(50, 25)$$

Drwy hynny, gan ddefnyddio cywiriadau didoriant:

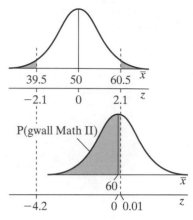

$$P(\text{gwall Math I}) \approx 1 - \left\{ \Phi\left(\frac{60.5 - 50}{5}\right) - \Phi\left(\frac{39.5 - 50}{5}\right) \right\}$$

$$= 1 - \{\Phi(2.1) - \Phi(-2.1)\}$$

$$= 1 - \{0.9821 - (1 - 0.9821)\}$$

$$= 0.0358$$

Mae'r tebygolrwydd o wall Math I (y lefel arwyddocâd) tua 3.6%.

Nawr ystyriwch yr achos $p = 0.6$.

5   *Penderfynwch ar ddosraniad yr hapnewidyn sy'n cyfateb i'r ystadegyn prawf.*

Daw'r brasamcan normal yn:

$$N(60, 100 \times 0.6 \times 0.4) = N(60, 24)$$

Sylwer bod yr amrywiant wedi newid ychydig o ganlyniad i'r newid yng ngwerth p.

6   *Cyfrifwch y tebygolrwydd bod canlyniad yn gorwedd yn y rhanbarth derbyn. Mae hwn yn P(gwall Math II).*

Rhoddir tebygolrwydd gwall Math II gan:

$$P(40 \leqslant X \leqslant 60) \approx \Phi\left(\frac{60.5 - 60}{\sqrt{24}}\right) - \Phi\left(\frac{39.5 - 60}{\sqrt{24}}\right)$$

$$= \Phi(0.102) - \Phi(-4.185)$$

$$= 0.5406 - 0$$

$$= 0.5406$$

Mae'r tebygolrwydd o wall Math II tua 54.1%.

Mae pŵer y prawf yn $1 - P(\text{gwall Math II}) = 1 - 0.5406 = 0.460$ (i 3 lle degol).

Enghraifft 10

Mae gan yr hapnewidyn X ddosraniad binomial â p anhysbys.
Dyfeisiwch brawf H_0: $p = 0.4$ yn erbyn H_1: $p < 0.4$.

   Dylai'r prawf fod yn seiliedig ar 240 arsylwad, a dylai gael lefel arwyddocâd o tua 1%.

Darganfyddwch y tebygolrwydd bras o wall Math II ar gyfer eich prawf pan fo $p = 0.3$.

1 *Ysgrifennwch H_0 a H_1.*

$H_0: p = 0.4$

$H_1: p < 0.4$

2 *Penderfynwch ar yr ystadegyn prawf priodol a dosraniad yr hapnewidyn cyfatebol (gan ddefnyddio'r gwerth paramedr a bennwyd gan H_0).*
Gan dybio H_0, mae dosraniad X yn cael ei frasamcanu gan:

$$N(240 \times 0.4, 240 \times 0.4 \times 0.6) = N(96, 57.6)$$

3 *Penderfynwch ar y lefel arwyddocâd. Mae hwn yn P(gwall Math 1).*
Bydd y lefel arwyddocâd tua 1%. Efallai na fydd yn union 1% oherwydd bod y dosraniad binomial yn ddosraniad arwahanol gyda thebygolrwydd sy'n dod mewn 'talpiau'.

4 *Penderfynwch ar y rhanbarthau derbyn a gwrthod.*
Yn achos hapnewidyn normal safonol Z, $P(Z < -2.326) = 0.01$. Felly'r gwerth critigol addas ar gyfer X yw:

$$96 - (2.326\sqrt{57.6}) = 78.35$$

Fodd bynnag, cyfanrifau yw'r unig werthoedd X posibl. Y dull gweithredu deilliadol yw:

Derbyn H_0 oni bai bod gwerth arsylwedig X yn 78 neu lai, ac yn yr achos hwn dylid gwrthod H_0 o blaid H_1.

Tybiwch nawr fod $p = 0.3$.

5 *Darganfyddwch ddosraniad yr hapnewidyn sy'n cyfateb i'r ystadegyn prawf.*
Gan ddefnyddio'r brasamcan normal mae dosraniad X tua:

$$N(240 \times 0.3, 240 \times 0.3 \times 0.7) = N(72, 50.4)$$

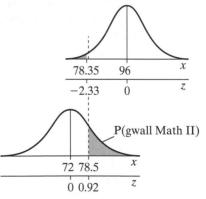

6 *Cyfrifwch y tebygolrwydd bod canlyniad yn gorwedd yn y rhanbarth derbyn. P(gwall Math II) yw hwn.*
Tebygolrwydd gwall Math II yw'r tebygolrwydd o arsylwi gwerth mwy na 78. Gan ddefnyddio cywiriad didoriant, rydym yn gweithio fel a ganlyn:

$$P(X > 78) \approx 1 - \Phi\left(\frac{78.5 - 72}{\sqrt{50.4}}\right)$$

$$= 1 - \Phi(0.916)$$

$$= 1 - 0.8201$$

$$= 0.1799$$

Mae'r tebygolrwydd o wall Math II, pan fo gwerth p yn 0.3, yn 0.180 (i 3 lle degol).

Ymarferion 12e

1 Gwyddom fod $X \sim N(\mu, 16)$. Y bwriad yw profi'r rhagdybiaeth nwl $\mu = 12$ yn erbyn y rhagdybiaeth arall $\mu > 12$, gyda'r tebygolrwydd o wall Math I yn 1%. Cymerir hapsampl o 15 arsylwad o X a chymerir cymedr y sampl, $\bar{X}$, fel ystadegyn prawf.

   (i) Darganfyddwch y rhanbarthau derbyn a gwrthod.

   (ii) Yn achos $\mu = 15$, darganfyddwch y tebygolrwydd o wall Math II a phŵer y prawf.

2 Gwyddom fod $Y \sim N(\mu, 25)$. Y bwriad yw profi'r rhagdybiaeth nwl $\mu = 20$ yn erbyn y rhagdybiaeth arall $\mu < 20$, gyda'r tebygolrwydd o wall Math I yn 5%. Cymerir hapsampl o 100 arsylwad o Y a chymerir cymedr y sampl, $\bar{Y}$, fel ystadegyn prawf.

   (i) Darganfyddwch y rhanbarthau derbyn a gwrthod.

   (ii) Yn achos $\mu = 19$, darganfyddwch y tebygolrwydd o wall Math II a phŵer y prawf.

3 Mae tymheredd eitem a dynnir o rewgell yn $X°C$. Gellir cymryd bod X yn hapnewidyn normal gyda chymedr μ a gwyriad safonol 1.8. Cymerir hapsampl o 11 eitem o'r rhewgell, a bydd cymedr $\bar{X}$ eu tymereddau yn cael ei ddefnyddio fel ystadegyn prawf. Y bwriad yw profi'r rhagdybiaeth nwl $\mu = -5.5$ yn erbyn y rhagdybiaeth arall $\mu \neq -5.5$, gyda'r tebygolrwydd y bydd gwall Math I yn hafal i 0.10.

   (i) Darganfyddwch y rhanbarth derbyn.

   (ii) Yn achos $\mu = -7.0$, darganfyddwch y tebygolrwydd o wall Math II a phŵer y prawf.

4 Mae'r hapnewidyn X wedi ei ddosrannu'n normal, cymedr μ a gwyriad safonol 11. Y bwriad yw profi'r rhagdybiaeth nwl $\mu = 52$ yn erbyn y rhagdybiaeth arall $\mu > 52$ gan ddefnyddio lefel arwyddocâd 5 y cant. Mae cymedr $\bar{X}$ hapsampl o 150 arsylwad o X yn cael ei ddefnyddio fel yr ystadegyn prawf.

   (i) Darganfyddwch amrediad gwerthoedd yr ystadegyn prawf sydd yn y rhanbarth critigol.

   (ii) Pan fo $\mu = 54$ cyfrifwch, i ddau le degol, debygolrwydd gwall Math 2 a phŵer y prawf.   [JMB]

5 *[Defnyddiwch ddosraniad-t yn y cwestiwn hwn.]*
Mae lefel yr haemoglobin (mewn g/100 l) mewn hapsampl o ddynion oedrannus sy'n dioddef o ganser fel a ganlyn:

     13.6, 11.9, 13.4, 12.4, 12.4,
     13.2, 12.7, 15.7, 14.8, 12.0

Mae tystiolaeth helaeth yn awgrymu, yn achos dynion oedrannus iach, bod lefel yr hemoglobin yn 13.0. Y rhagdybiaeth nwl, H_0, felly yw bod lefel gymedrig yr haemoglobin mewn poblogaeth o ddynion oedrannus sy'n dioddef o ganser yn 13.0.

  (a) Nodwch beth a olygir gan *wall Math I*. Tybiwch mai'r rhagdybiaeth arall, H_1, yw nad yw lefel gymedrig yr haemoglobin yn 13.0. Defnyddiwch lefel arwyddocâd 5% i brofi'r rhagdybiaeth nwl.

  (b) Nodwch beth a olygir gan *wall Math II*. Dangoswch, os yw lefel gymedrig yr haemoglobin mewn gwirionedd yn 15.0, yna mae pŵer y prawf a ddefnyddir yn rhan (a) oddeutu 0.99.

  (c) Eglurwch sut y byddai'r prawf a ddefnyddir yn rhan (a) yn cael ei newid petai'r rhagdybiaeth arall wedi nodi bod lefel gymedrig yr haemoglobin yn llai na 13.0. Beth fyddai canlyniad y prawf addasedig?

  (ch) Eglurwch yn ofalus beth a olygir gan yr ymadrodd *cyfwng hyder*. Darganfyddwch gyfwng hyder cymesur 99% ar gyfer lefel gymedrig yr haemoglobin mewn cleifion sy'n cael eu samplu.

6 Mae bag yn cynnwys llawer iawn o farblis, a phob un yn union yr un fath ar wahân i'w lliw. Mae cyfran anhysbys, p, o'r rhain yn goch. Mae angen profi'r rhagdybiaeth nwl

     $H_0: p = 0.3$

yn erbyn y rhagdybiaeth arall

     $H_1: p < 0.3$

Er mwyn cynnal y prawf, cymerir hapsampl o 100 marblen a nodir nifer y marblis coch, X. Bydd dosraniad X yn cael ei frasamcanu gan ddosraniad normal.

   (i) Os yw'r lefel arwyddocâd yn 10%, darganfyddwch a ddylai'r rhagdybiaeth nwl gael ei derbyn yn yr achos lle mae $X = 25$.

   (ii) Os yw lefel arwyddocâd y prawf mor agos ag sydd bosibl at 5%, darganfyddwch y rhanbarth critigol ar y ffurf $0 \leqslant X \leqslant a$, lle mae a yn gyfanrif.

   (iii) Cyfrifwch bŵer y prawf yn yr achos lle mae'r rhanbarth critigol yn $0 \leqslant X \leqslant 24$ a $p = 0.2$.   [JMB]

12.13 Profion rhagdybiaeth ar gyfer cyfran sy'n seiliedig ar sampl fechan

Gellir dangos yr anawsterau a gysylltir â'r math hwn o brawf rhagdybiaeth gydag enghraifft. Ystyriwch y broblem ganlynol.

> Mae'r driniaeth safonol ar gyfer afiechyd arbennig yn llwyddiannus ar 40% o adegau yn unig. Mae triniaeth newydd yn cael ei chyflwyno ac ystyrir bod hon yn fwy llwyddiannus. I ddechrau rhoddir y driniaeth i ddeg claf yn unig: mae'r driniaeth yn llwyddiannus wyth gwaith.
> A yw hyn yn rhoi tystiolaeth arwyddocaol, ar y lefel 5%, bod y driniaeth newydd yn llawer gwell na'r driniaeth safonol?

Mae'n amlwg bod hyn yn galw am brawf rhagdybiaeth, felly gadewch inni ddilyn ein dull gweithredu safonol.

1 *Ysgrifennwch H_0 a H_1.*
Byddwn yn anwybyddu'r ffaith y gallai canlyniadau'r driniaeth newydd fod wedi ymddangos yn waeth na'r driniaeth safonol, oherwydd ymddengys bod disgwyliad cryf bod y driniaeth newydd o leiaf gystal â'r hen un. Felly mae'r prawf yn brawf un-gynffon a'r rhagdybiaethau yw:

$$H_0: p = 0.4$$
$$H_1: p > 0.4$$

2 *Penderfynwch ar yr ystadegyn prawf priodol a dosraniad yr hapnewidyn cyfatebol (gan ddefnyddio'r gwerth paramedr a bennwyd gan H_0).*
Yn achos prawf rhagdybiaeth ynghylch p mae'n naturiol defnyddio $\hat{p}$. Fodd bynnag, ni allwn ddefnyddio brasamcan normal gan fod n yn fach, felly mae'n symlach gweithio'n uniongyrchol â nifer y 'llwyddiannau', x. Gan dybio H_0, mae dosraniad yr hapnewidyn cyfatebol, X, yn:

$$B(10, 0.4)$$

3 *Penderfynwch ar y lefel arwyddocâd.*
Mae'r cwestiwn yn pennu 5%.

4 *Penderfynwch ar y rhanbarthau derbyn a gwrthod.*
Mae'r prawf yn un un-gynffon: dim ond os gwelwn werth x mawr yr ydym yn mynd i wrthod H_0 o blaid H_1. Felly mae angen inni edrych ar y tebygolrwyddau o werthoedd x mawr yn digwydd dan yr amodau a bennir gan H_0. O dablau dosraniad $B(10, 0.4)$ (Atodiad, t. 437) mae gennym y canlynol:

r	$P(X = r)$	$P(X \geq r)$
10	0.0001	0.0001
9	0.0016	0.0017
8	0.0106	0.0123
7	0.0425	0.0548
6	0.1115	0.1662

Mae problem yma – daw'r tebygolrwydd mewn talpiau. Tybiwch ein bod yn penderfynu ar y strategaeth ganlynol.

> Gwrthod H_0 o blaid H_1 os $X \geq 7$, derbyn H_0 fel arall.

Diffiniwyd y lefel arwyddocâd fel y tebygolrwydd bod arsylwad yn syrthio i'r rhanbarth gwrthod ar ddamwain dan yr amodau a bennir gan H_0. Y rhanbarth gwrthod yw'r set o werthoedd 7, 8, 9 a 10 ac mae'r lefel arwyddocâd felly yn 5.48% ac nid 5%. Nid yw'n bosibl cael lefel arwyddocâd o union 5%. Yn yr achos hwn rydym yn cyfeirio at '5%' fel y **lefel arwyddocâd nominal**, gyda '5.48%' yn **lefel arwyddocâd gwirioneddol** sy'n cyfateb i'r rhanbarth gwrthod a ddewiswyd.

Dull ceidwadol fyddai diffinio'r rhanbarth critigol fel nad yw'r lefel arwyddocâd gwirioneddol yn fwy na'r lefel arwyddocâd nominal. Yn yr enghraifft hon byddai hyn yn awgrymu defnyddio'r strategaeth ganlynol.

Gwrthod H_0 o blaid H_1 os $X \geqslant 8$, derbyn H_0 fel arall.

Mae gan y strategaeth hon lefel arwyddocâd gwirioneddol o 1.23%.

Mae'r dull hwn yn cael ei fabwysiadu gan rai gwerslyfrau (ac, yn ymhlyg, mewn rhai meysydd lafur), ond mae'n well gennym ni ddefnyddio dull 'cyfartalog'. Mae hyn yn diffinio'r rhanbarth gwrthod er mwyn cael lefel arwyddocâd gwirioneddol mor agos ag sydd bosibl at y lefel nominal, heb y cyfyngiad na fydd efallai yn mynd y tu hwnt iddo. Dylai defnyddio'r strategaeth hon mewn llawer o achosion arwain at lefel arwyddocâd cyfartalog sy'n agos at y gwerth nominal. Yn yr achos hwn mae'r dull yma'n golygu gweithio gyda lefel arwyddocâd gwirioneddol o 5.48%.

Waeth pa ddull sy'n cael ei fabwysiadu, mae'n arfer da nodi'r lefel arwyddocâd gwirioneddol, yn hytrach na'r lefel arwyddocâd nominal, wrth nodi'r penderfyniad terfynol.

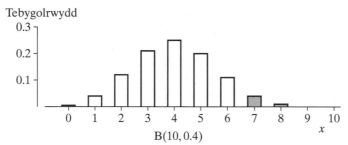

B(10, 0.4)

5 *Cyfrifwch werth yr ystadegyn prawf.*
Roedd gwerth arsylwedig X yn 8.

6 *Penderfynwch ar ganlyniad y prawf.*
Gan fod 8 wedi ei leoli yn y rhanbarth gwrthod {7, 8, 9, 10} gallwn ddweud bod tystiolaeth arwyddocaol, ar lefel wirioneddol o 5.48%, bod y driniaeth newydd yn llwyddiannus mewn mwy na 40% o achosion.

Nodiadau

- Mewn rhai llyfrau (ac ambell faes llafur) tueddir i anwybyddu'r gwahaniaeth rhwng y lefelau arwyddocâd nominal a gwirioneddol. Rydym yn argymell y dylid nodi'r lefel arwyddocâd gwirioneddol bob tro y mae hynny'n bosibl.
- Weithiau mae'r lefelau arwyddocâd posibl yn eithaf pell o'r lefel nominal. Yn achos prawf nominal 5%, gallai'r lefelau arwyddocâd cyraeddadwy fod yn 3% a 7%. Os nad yw'r lefel a ddewisir yn effeithio ar ganlyniad y prawf, nid yw hyn yn bwysig. Os yw'r canlyniad yn arwyddocaol ar y lefel 7%, ond nid ar y lefel 3%, yna dylid nodi'r ddau ganlyniad − byddai'n deg disgrifio'r canlyniadau fel rhai 'amhendant', os y lefel 5% sydd ei angen mewn gwirionedd.
- Mae'r broblem a achosir gan arwahanrwydd hefyd yn effeithio ar brofion dwy-gynffon. Yn achos prawf rhagdybiaeth 5% dwy-gynffon ar gyfer dosraniad di-dor, mae'n ddigon hawdd neilltuo 2.5% i bob cynffon. Fodd bynnag, mae hyn yn annhebygol o fod yn wir yn achos dosraniad arwahanol, ac rydym yn argymell cymhwyso'r dull 'cyfartalog' i bob cynffon ar wahân.

Enghraifft 11

Yn ôl damcaniaeth enetig, dylai fod gan $\frac{1}{4}$ grŵp arbennig o blanhigion flodau coch. Mae hapsampl o 12 planhigyn yn cael eu harchwilio. Mae gan chwech ohonynt flodau coch.

A yw hyn yn rhoi tystiolaeth arwyddocaol, ar lefel 5% nominal, y dylid gwrthod y rhagdybiaeth?

————

1 *Ysgrifennwch H_0 a H_1.*
   Mae'r prawf yn un dwy-gynffon. Dyma'r rhagdybiaethau:

   H_0: $p = 0.25$
   H_1: $p \neq 0.25$

2 *Penderfynwch ar yr ystadegyn prawf priodol a dosraniad yr hapnewidyn cyfatebol (gan ddefnyddio'r gwerth paramedr a bennwyd gan H_0).*
   Rydym yn defnyddio X, nifer y planhigion â blodau cochion fel ein hystadegyn prawf.
   Gan dybio H_0, mae dosraniad X yn:

   $B(12, 0.25)$

3 *Penderfynwch ar y lefel arwyddocâd.*
   Mae'r cwestiwn yn pennu 5%.

4 *Penderfynwch ar y rhanbarthau derbyn a gwrthod.*
   Mae'r prawf yn un dwy-gynffon, felly mae angen inni ystyried y tebygolrwyddau cronnus sy'n gysylltiedig â'r naill a'r llall o gynffonnau y dosraniad $B(12, 0.25)$:

	Cynffon uchaf			Cynffon isaf	
r	$P(X = r)$	$P(X \geq r)$	r	$P(X = r)$	$P(X \leq r)$
12	0.0000	0.0000	0	0.0317	0.0317
11	0.0000	0.0000	1	0.1267	0.1584
10	0.0000	0.0000			
9	0.0004	0.0004			
8	0.0024	0.0028			
7	0.0115	0.0143			
6	0.0401	0.0544			

Yn y gynffon uchaf y rhif agosaf at 2.5% y gallwn ei gyrraedd yw 1.43%. Yn y gynffon isaf, y rhif agosaf y gallwn ei gyrraedd yw 3.17%. Felly rydym yn cynnig y rheol penderfyniad:

   Gwrthod H_0 o blaid H_1 os yw gwerth arsylwedig X un ai'n 0 neu o leiaf yn 7. Fel arall derbyn H_0.

Mae'r lefel arwyddocâd gwirioneddol yn 1.43% + 3.17% = 4.60%.

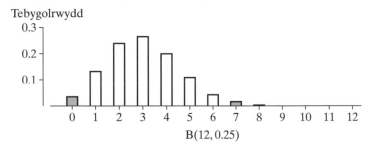

Tebygolrwydd

$B(12, 0.25)$

5 *Cyfrifwch werth yr ystadegyn prawf.*
Roedd gwerth arsylwedig X yn 6.

6 *Penderfynwch ar ganlyniad y prawf.*
Gan fod 6 o fewn y rhanbarth derbyn {1, 2, 3, 4, 5, 6} rydym yn derbyn
y rhagdybiaeth H_0: $p = 0.25$, gan ddefnyddio lefel arwyddocâd
gwirioneddol o 4.60%.

12.14 Profion rhagdybiaeth ar gyfer cymedr Poisson yn seiliedig ar sampl fechan

Mae'r problemau y tro hwn yn eu hanfod yr un fath â'r rhai yn yr adran
flaenorol. Fodd bynnag, oherwydd bod gan ddosraniadau Poisson amrediad
anfeidraidd, mae bob amser yn synhwyrol gweithio tuag i fyny o'r canlyniad
sero. Mae'r enghraifft ganlynol yn dangos y dull gweithredu.

Enghraifft 12

Mae cwmni yn defnyddio nifer fawr o gryno ddisgiau. Ar hapgyfnodau
mae namau yn datblygu ar ddisgiau: ar gyfartaledd mae 0.4% o ddisgiau
duon yn methu bob mis. Mae gan y cwmni ddisgiau glas hefyd. Yn ystod
cyfnod o naw mis a ddewisir ar hap mae hapsampl o 100 disg glas yn
datblygu 7 nam i gyd. A oes tystiolaeth arwyddocaol, ar y lefel 5%, nad yw
cyfradd methiant y disgiau glas yn 0.4% y mis?

1 *Ysgrifennwch H_0 a H_1.*
Mae'r prawf yn un dwy-gynffon. Er hwylustod byddwn yn gweithio
gydag X, sef cyfanswm nifer y namau mewn 100 disg yn ystod cyfnod o
naw mis. Mae gan hyn ddosraniad Poisson gan fod namau yn digwydd
ar hapgyfnodau.
Felly y rhagdybiaethau yw:

   H_0: Cyfradd = 0.4%
   H_1: Cyfradd ≠ 0.4%

2 *Penderfynwch ar yr ystadegyn prawf priodol a dosraniad yr hapnewidyn
cyfatebol (gan ddefnyddio'r gwerth paramedr a bennwyd gan H_0).*
Gan dybio H_0, mae gan X ddosraniad Poisson, cymedr
$0.004 \times 100 \times 9 = 3.6$

3 *Penderfynwch ar y lefel arwyddocâd.*
Mae'r cwestiwn yn pennu 5%.

4 *Penderfynwch ar y rhanbarthau derbyn a gwrthod.*
Mae'r prawf yn un dwy-gynffon, felly mae angen
inni ystyried y tebygolrwyddau cronnus sy'n
gysylltiedig â'r naill a'r llall o gynffonnau y
dosraniad, gan ddefnyddio un ai tablau neu
gyfrifiadau uniongyrchol:

r	$P(X = r)$	$P(X \leqslant r)$	$P(X \geqslant r)$
0	0.0273	0.0273	1.0000
1	0.0984	0.1257	0.9727
2	0.1771		0.8743
3	0.2125		0.6973
4	0.1912		0.4848
5	0.1377		0.2936
6	0.0826		0.1559
7	0.0425		0.0733
8	0.0191		0.0308
9	0.0076		0.0117

Yn y gynffon isaf y rhif agosaf at 2.5% y gallwn ei gyrraedd yw 2.73%. Yn y gynffon uchaf, y rhif agosaf y gallwn ei gyrraedd yw 3.08%. Felly rydym yn cynnig y rheol penderfynu:

Gwrthod H_0 o blaid H_1 os yw gwerth arsylwedig X un ai'n 0 neu o leiaf yn 8. Fel arall derbyn H_0.

Mae'r lefel arwyddocâd gwirioneddol yn 2.73% + 3.08% = 5.81%.

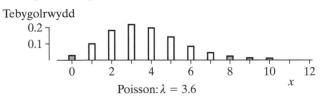

Poisson: $\lambda = 3.6$

5 *Cyfrifwch werth yr ystadegyn prawf.*
Roedd gwerth arsylwedig X yn 7.

6 *Penderfynwch ar ganlyniad y prawf.*
Gan fod 7 yn y rhanbarth derbyn $\{1, 2, 3, 4, 5, 6, 7\}$ rydym yn derbyn y rhagdybiaeth nwl (fod y gyfradd yn 0.4%) gan ddefnyddio lefel arwyddocâd o 5.81%. Nid yw'r canfyddiadau yn rhoi tystiolaeth arwyddocaol bod gan y disgiau gleision gyfradd methiant wahanol i'r disgiau duon.

Ymarferion 12f

1 Rydym yn amau bod dis yn dueddol o blaid sgôr 6. Mae'n cael ei daflu 10 gwaith a nodir y nifer, n, o weithiau y ceir y rhif 6.
Nodwch ragdybiaethau nwl ac arall addas a phenderfynwch ar y rhanbarthau derbyn a gwrthod ar gyfer prawf ar lefel arwyddocâd nominal o 10%.

Nodwch lefel arwyddocâd gwirioneddol y prawf.

Beth yw'r casgliadau yn yr achosion
(i) $n = 3$, (ii) $n = 5$?

2 Mae cyfran y darnau £1 sy'n dwyn y geiriau *Nemo me impune lacessit* yn cael ei nodi gan p. Cymerir hapsampl o 9 darn ac mae'r nifer n sy'n dwyn y geiriau hyn yn cael ei nodi. Y bwriad yw profi'r rhagdybiaeth nwl $p = 0.40$ yn erbyn y rhagdybiaeth arall $p \neq 0.40$ ar lefel arwyddocâd nominal o 10%.
Penderfynwch ar y rhanbarth derbyn addas a'r lefel arwyddocâd gwirioneddol cyfatebol.

3 Cynigir dau ddull i brofi a yw darn arian yn dueddol.

(a) Yn y dull cyntaf, bydd y darn arian yn cael ei daflu 10 gwaith a bydd yn cael ei ystyried yn dueddol os teflir o leiaf 8 pen neu o leiaf 8 cynffon.

(i) Dangoswch fod y tebygolrwydd o wall math-I oddeutu 0.11.
(ii) Cyfrifwch, i ddau le degol, y tebygolrwydd o wall math-2 pan yw'r tebygolrwydd o gael pen gyda phob tafliad mewn gwirionedd yn 0.6.

(b) Yn yr ail ddull, bydd y darn arian yn cael ei daflu 100 gwaith a bydd yn cael ei ystyried yn dueddol os ceir o leiaf 60 pen neu o leiaf 60 cynffon. Cyfrifwch, i ddau le degol, werth bras lefel arwyddocâd y prawf. [JMB]

4 Eglurwch y termau *rhanbarth critigol*, *lefel arwyddocâd* a *phŵer* yng nghyd-destun profi rhagdybiaeth.

Rhoddwyd sylw cenedlaethol i honiad a wnaed gan ficrobiolegydd bod 30% o ddarnau o gywion ieir a goginiwyd yn barod sy'n cael eu gwerthu mewn archfarchnadoedd yn cynnwys listeria. Trefnodd archfarchnad gadwyn fawr ei bod yn cynnal profion yn ei labordy gan ddefnyddio hapsampl o 20 darn cyw iâr gan ei chyflenwr. Er bod y cwmni yn credu bod y microbiolegydd yn gorbwysleisio'r broblem, penderfynodd herio ei honiad dim ond pe byddai llai na 3 o'r darnau a brofid yn cynnwys listeria.

(parhad)

Gan ystyried hyn fel problem i brofi rhagdybiaeth, nodwch ragdybiaethau nwl ac arall addas.

Nodwch y rhanbarth critigol a chyfrifwch lefel arwyddocâd y prawf.

Cyfrifwch bŵer y prawf os yw 15% o ddarnau cyw iâr yr archfarchnad yn cynnwys listeria.

Ar ôl hyn comisiynodd y gadwyn labordy annibynnol i gynnal profion ar hapsampl o 120 o ddarnau cyw iâr, a phrofwyd bod 22 o'r rhain yn cynnwys listeria.

Gan ddefnyddio lefel arwyddocâd 1%, gwnewch brawf i benderfynu a oes gan y gadwyn dystiolaeth ddigonol i ddod i'r casgliad bod llai na 30% o'r darnau cyw iâr wedi eu halogi gan listeria. [JMB]

5 Dywedir bod proses gynhyrchu arbennig allan o reolaeth pan yw cyfran, p, ei allbwn diffygiol yn fwy na 5%. Mae angen prawf i benderfynu rhwng y rhagdybiaethau: $H_0:p = 0.05$ a $H_1:p > 0.05$. Mae'r prawf sy'n cael ei awgrymu yn golygu cymryd hapsampl o 20 eitem a gwrthod H_0 os oes mwy na 2 eitem yn ddiffygiol. Cyfrifwch:

(i) lefel arwyddocâd y prawf hwn,

(ii) pŵer y prawf pan fo 10% o'r allbwn yn ddiffygiol.

Heb wneud unrhyw gyfrifiadau pellach, nodwch yn gryno pam y dylai'r atebion i rannau (i) a (ii) achosi rhywfaint o bryder.

Awgrymwch sut y gellid addasu'r prawf er mwyn gwella'r lefel arwyddocâd a'r pŵer. [JMB]

6 Mae Dr Zed yn credu bod ganddo bwerau seicig. Yn ôl ei honiad, pan fydd rhywun yn dangos cefn cerdyn chwarae normal iddo, mae ganddo siawns well na 25% o ragfynegi siwt y cerdyn. Gofynnir i ystadegydd ymchwilio i'r honiad hwn. Mae'n gofyn i Dr Zed wneud rhagfynegiadau annibynnol ynghylch siwtiau 20 o gardiau. Mae'r nifer o weithiau y mae Dr Zed yn rhagfynegi yn gywir yn cael ei ddynodi gan X a p yw'r tebygolrwydd bod unrhyw ragfynegiadau a wneir yn gywir. Er mwyn penderfynu rhwng y rhagdybiaethau:

$$H_0{:}p = 0.25 \quad \text{a} \quad H_1{:}p > 0.25$$

mae'r ystadegydd yn penderfynu derbyn H_0 os yw $X \leqslant r$, lle mae r yn cynrychioli'r cyfanrif lleiaf lle mae'r tebygolrwydd o wall math I yn llai na 5%.

Gan ddefnyddio tablau addas, neu fel arall, darganfyddwch werth r.

Mae Dr Zed yn honni bod gwerth gwirioneddol p yn 0.6. Dangoswch, os yw'r honiad hwn yn gywir, fod y tebygolrwydd y bydd gwall math II yn cael ei wneud wrth ddefnyddio'r prawf uchod tua 6%. [JMB]

7 Disgrifiwch rolau'r rhagdybiaethau nwl ac arall mewn prawf arwyddocâd. Eglurwch sut y mae penderfynu ai prawf un-gynffon neu ddwy-gynffon sy'n addas.

Dros gyfnod hir darganfuwyd bod y gymhareb menywod i ddynion sy'n mynd i berfformiadau bale clasurol yn 13 menyw i 7 dyn.

(a) Ar brynhawn gêm gwpan pêl-droed, canfyddir bod hapsampl o 20 o bobl sy'n mynd i berfformiad bale clasurol yn cynnwys 4 dyn. Gwnewch brawf arwyddocâd i benderfynu a yw cyfran y dynion sy'n mynychu yn is nag arfer. Nodwch eich rhagdybiaethau nwl ac arall yn eglur, a defnyddiwch lefel arwyddocâd 10%.

(b) Mewn perfformiad bale cyfoes, canfyddir bod hapsampl o 100 o bobl yn cynnwys 44 dyn. Lluniwch ragdybiaethau nwl ac arall a gwnewch brawf i weld a yw nifer cymedrig y dynion sy'n mynd i berfformiadau bale cyfoes yn wahanol i'r nifer a gysylltir â pherfformiadau bale clasurol. Defnyddiwch frasamcan normal a lefel arwyddocâd o 5%. [ULSEB]

8 Eglurwch beth a olygir gan y *rhagdybiaeth nwl* a'r *rhagdybiaeth arall* mewn prawf arwyddocâd.

Eglurwch y gwahaniaeth rhwng prawf *un-ochrog* a phrawf *dwy-ochrog*, gan roi disgrifiad cryno o sut y byddech yn penderfynu pa un i'w ddefnyddio.

Gellid modelu nifer blynyddol y damweiniau sy'n digwydd ar gyffordd arbennig drwy ddefnyddio dosraniad Poisson, cymedr 8.5. Cyflwynir marciau ffordd newydd ar y gyffordd a allai leihau'r gyfradd ddamweiniau, ac na ddisgwylir iddynt gynyddu'r gyfradd. Er mwyn rhoi prawf ar ba mor effeithiol ydynt y bwriad yw defnyddio nifer y damweiniau ar y gyffordd y flwyddyn ganlynol. Gallwch dybio, ar ôl newid y marciau ar y ffordd, bod model Poisson yn dal yn addas. (*parhad*)

Nodwch ragdybiaethau nwl ac arall addas ar gyfer y prawf.

Os yw'r marciau ffordd newydd yn mynd i gael eu hystyried yn effeithiol pan fo llai na 5 damwain yn digwydd yn ystod y flwyddyn, cyfrifwch lefel arwyddocâd y prawf.

Darganfyddwch bŵer y prawf os yw'r marciau ffordd newydd yn lleihau nifer cymedrig y damweiniau blynyddol ar y gyffordd i 3.

Tybiwch fod prawf yn cael ei gynllunio fel y byddai ei bŵer tua 0.6 pan oedd y marciau newydd yn lleihau nifer cymedrig y damweiniau blynyddol i 5. Darganfyddwch lefel arwyddocâd y prawf, gan roi cyfiawnhad eglur ar gyfer eich ateb.   [JMB]

9 Mae'r driniaeth arferol ar gyfer afiechyd penodol yn gwella 75% o gleifion. Gyda'r bwriad o gynyddu'r gyfradd hon cafodd triniaeth newydd ei defnyddio ar 20 o gleifion gan wella 18 ohonynt. Er mwyn profi bod y driniaeth newydd yn cynyddu'r gyfradd wella pan fydd yn cael ei defnyddio ar nifer fawr o gleifion lluniodd ystadegydd ragdybiaethau nwl ac arall addas. Wrth gynnal y prawf ystadegol priodol cyfrifodd yr ystadegydd fod y gwerth-p yn 0.091. Ysgrifennwch y rhagdybiaethau nwl ac arall a gwiriwch fod y gwerth-p a gafwyd gan yr ystadegydd yn gywir.

Nodwch, gan roi rheswm dros eich dewis, pa un o'r argymhellion canlynol fyddech chi'n eu gwneud yn dilyn y canlyniadau a gafwyd gan ddefnyddio'r driniaeth newydd:

(*a*) mabwysiadu'r driniaeth newydd,

(*b*) gwrthod y driniaeth newydd gan nad yw'n ddim gwell na'r driniaeth arferol,

(*c*) cynnal mwy o dreialon gan ddefnyddio'r driniaeth newydd cyn gwneud penderfyniad a ddylid mabwysiadu'r driniaeth newydd ai peidio.   [CBAC]

10 Mae cofnodion yn y gorffennol wedi nodi bod gan nifer y damweiniau ar ddarn arbennig o ffordd ddosraniad Poisson, a bod nifer cymedrig y damweiniau y mis yn 10. Yn ystod mis pan osodwyd arwyddion rhybuddio ychwanegol ar hyd y ffordd roedd nifer y damweiniau yn 5. Penderfynodd y Swyddog Diogelwch Ffordd, oedd wedi cael rhywfaint o hyfforddiant ystadegol, gynnal prawf i ddarganfod a oedd nifer cymedrig y damweiniau y mis wedi gostwng.
Ar ôl llunio rhagdybiaethau nwl ac arall priodol, cyfrifodd y Swyddog fod gwerth-p y rhagdybiaeth yn 0.07 yn fras. Dangoswch sut y cyfrifwyd y gwerth-p hwn a nodwch pa fath o gasgliad y gall y Swyddog ei wneud o'r gwerth-p a gyfrifwyd.   [CBAC]

12.15 Cymharu dau gymedr

Tybiwch ein bod yn dymuno profi'r rhagdybiaeth bod gan ddwy boblogaeth yr un cymedr. Mae angen inni ddilyn yr un chwe cham ag yn achos sampl unigol:

1 Ysgrifennwch H_0 a H_1.
2 Penderfynwch ar yr ystadegyn prawf priodol a, gan dderbyn H_0, dosraniad yr hapnewidyn cyfatebol .
3 Penderfynwch ar y lefel arwyddocâd.
4 Penderfynwch ar y rhanbarthau derbyn a gwrthod.

   Nawr casglwch y data

5 Cyfrifwch werth yr ystadegyn prawf.
6 Penderfynwch ar ganlyniad y prawf.

Mae ffurf y prawf rhagdybiaeth i gymharu cymedrau dwy boblogaeth yn dibynnu a yw amrywiannau'r poblogaethau yn hysbys. Ceir dau achos gweddol syml:

◆ Mae amrywiannau'r poblogaethau yn hysbys.
◆ Er bod amrywiannau'r poblogaethau yn anhysbys, gellir cymryd bod ganddynt yr un gwerthoedd a'i gilydd.

12.16   Cymharu dau gymedr — amrywiannau poblogaethau hysbys

Mae gan yr hapnewidyn X gymedr anhysbys μ_x, ac amrywiant hysbys σ_x^2. Mae gan hapnewidyn annibynnol Y gymedr anhysbys μ_y, ac amrywiant hysbys σ_y^2. Mae'r rhagdybiaeth nwl yn:

H_0: $\mu_x = \mu_y$, neu, yn gyfwerth, $\mu_x - \mu_y = 0$

Gallai'r rhagdybiaeth arall fod yn ddwyochrog:

H_1: $\mu_x \neq \mu_y$

neu yn un-ochrog, e.e.

H_1: $\mu_x > \mu_y$

Gan fod y rhagdybiaethau yn ymwneud â chymedrau'r poblogaethau, bydd yr ystadegyn prawf yn ymwneud â chymedrau'r samplau $\bar{x}$ ac $\bar{y}$. Tybiwch fod gan y samplau feintiau n_x ac n_y. Yna, os oes gan X ac Y ddosraniadau normal, bydd yr un peth yn wir am $\bar{X}$ ac $\bar{Y}$:

$$\bar{X} \sim N\left(\mu_x, \frac{\sigma_x^2}{n_x}\right)$$

$$\bar{Y} \sim N\left(\mu_y, \frac{\sigma_y^2}{n_y}\right)$$

Mae'r canlyniadau hyn hefyd yn wir, yn fras, ar gyfer samplau mawr o ddosraniadau eraill, o ganlyniad i Theorem y Derfan Ganolog. Yn y ddau achos mae gan $\bar{X} - \bar{Y}$ ddosraniad normal gyda chymedr $\mu_x - \mu_y$ ac amrywiant $\frac{\sigma_x^2}{n_x} + \frac{\sigma_y^2}{n_y}$. Drwy hynny:

$$\frac{(\bar{X} - \bar{Y}) - (\mu_x - \mu_y)}{\sqrt{\frac{\sigma_x^2}{n_x} + \frac{\sigma_y^2}{n_y}}} \sim N(0, 1)$$

O dybio H_0, fel bo $\mu_x - \mu_y = 0$, gallwn gyfrifo:

$$z = \frac{\bar{x} - \bar{y}}{\sqrt{\frac{\sigma_x^2}{n_x} + \frac{\sigma_y^2}{n_y}}}$$

ac yna dilyn y dull cyfrifo arferol.

Cyfwng hyder ar gyfer y cymedr cyffredin

Yn ôl H_0, $\mu_x = \mu_y$. Rydym yn defnyddio μ i ddynodi eu gwerth cyffredin. Mae pob un o'r n_x arsylwad ar X (h.y. $x_1, x_2, \ldots, x_{n_x}$) a'r n_y arsylwad ar Y (h.y. $y_1, y_2, \ldots, y_{n_y}$) felly yn dod o boblogaethau sydd â'r un cymedr. Felly rhoddir **amcangyfrif cyfunol o gymedr y boblogaeth**, $\hat{\mu}$, gan:

$$\hat{\mu} = \frac{\sum_{i=1}^{n_x} x_i + \sum_{j=1}^{n_y} y_j}{n_x + n_y} = \frac{n_x\bar{x} + n_y\bar{y}}{n_x + n_y} \tag{12.3}$$

Dosraniad yr hapnewidyn cyfatebol yw:

$$N\left(\mu, \frac{n_x\sigma_x^2 + n_y\sigma_y^2}{(n_x + n_y)^2}\right)$$

(gweler y nodyn isod).

Gan ddilyn y dadleuon arferol, y cyfwng hyder 95% cyfatebol ar gyfer μ yw:

$$\left(\hat{\mu} - 1.96\,\frac{\sqrt{n_x\sigma_x^2 + n_y\sigma_y^2}}{(n_x + n_y)}, \hat{\mu} + 1.96\,\frac{\sqrt{n_x\sigma_x^2 + n_y\sigma_y^2}}{(n_x + n_y)}\right)$$

Os yw $\sigma_x^2 = \sigma_y^2\ (= \sigma^2$, dyweder$)$ yna, gan ysgrifennu $n_x + n_y$ fel n, mae'r cyfwng hyder yn symleiddio i roi:

$$\left(\hat{\mu} - 1.96\,\frac{\sigma}{\sqrt{n}}, \quad \hat{\mu} + 1.96\,\frac{\sigma}{\sqrt{n}}\right)$$

Nodyn

- Oherwydd bod gan $\overline{X}$ amrywiant $\dfrac{\sigma_x^2}{n_x}$, amrywiant $\dfrac{n_x\overline{X}}{n_x + n_y}$ yw:

$$\left\{\frac{n_x}{(n_x + n_y)}\right\}^2 \times \frac{\sigma_x^2}{n_x} = \frac{n_x\sigma_x^2}{(n_x + n_y)^2}$$

Drwy gyfuno'r mynegiant hwn â'r mynegiant cyfatebol ar gyfer amrywiant $\dfrac{n_y\overline{Y}}{(n_x + n_y)}$, ceir y mynegiant ar gyfer yr amrywiant a roddir uchod.

Enghraifft 13

Tybiwch fod hapsamplau o ddwy boblogaeth annibynnol normal yn rhoi'r canlyniadau hyn:

Sampl 1: $n_x = 100, \overline{x} = 46.0$
Sampl 2: $n_y = 120, \overline{y} = 47.0$

Tybiwch fod y lefel arwyddocâd a bennir yn 5%, bod amrywiannau'r poblogaeth yn $\sigma_x^2 = 16.0$ a $\sigma_y^2 = 24.0$, ac mai'r rhagdybiaethau sy'n cael eu cymharu yw:

$H_0: \mu_x = \mu_y$
$H_1: \mu_x \neq \mu_y$

Dangoswch y gellir derbyn H_0, a darganfyddwch gyfwng hyder cymesur 99% ar gyfer cymedr cyffredin y boblogaeth.

Gan dybio H_0, mae'r ystadegyn prawf z, a roddir gan:

$$z = \frac{\overline{x} - \overline{y}}{\sqrt{\dfrac{\sigma_x^2}{n_x} + \dfrac{\sigma_y^2}{n_y}}}$$

yn arsylwad o ddosraniad $N(0, 1)$. Gan fod y rhagdybiaeth arall yn un ddwy-ochrog, a'r lefel arwyddocâd yn 5%, byddwn yn derbyn H_0 dim ond os yw $-1.96 < z < 1.96$.

Mae gwerth arsylwedig z yn:

$$\frac{46.0 - 47.0}{\sqrt{\dfrac{16.0}{100} + \dfrac{24.0}{120}}} = \frac{-1.0}{\sqrt{0.16 + 0.20}} = -1.67$$

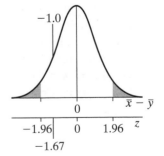

Felly rydym yn derbyn, ar y lefel arwyddocâd 5%, y rhagdybiaeth nad oes gwahaniaeth rhwng cymedrau'r ddwy boblogaeth.

Mae amcangyfrif cyfunol cymedr cyffredin y boblogaeth yn:

$$\frac{n_x\overline{x} + n_y\overline{y}}{n_x + n_y} = \frac{(100 \times 46.0) + (120 \times 47.0)}{220} = 46.545$$

Amrywiant yr hapnewidyn cyfatebol yw:

$$\frac{n_x\sigma_x^2 + n_y\sigma_y^2}{(n_x + n_y)^2} = \frac{(100 \times 16.0) + (120 \times 24.0)}{220^2} = 0.092\,56$$

ac felly rhoddir y cyfwng hyder 99% ar gyfer μ gan:

$$(46.545 - 2.576 \times \sqrt{0.092\,56}, \quad 46.545 + 2.576 \times \sqrt{0.092\,56})$$

sy'n symleiddio i roi $(45.76, 47.33)$

Enghraifft 14

Gwyddom fod gwyriad safonol y sgorau a geir mewn prawf arbennig o allu mathemategol yn 15. Mae ysgol yn arbrofi gyda dull newydd o ddysgu sydd i fod i gynyddu ymwybyddiaeth feintiol gyffredinol. Mae grŵp o 99 myfyriwr yn cael eu gosod ar hap mewn un o ddau ddosbarth. Mae'r 50 myfyriwr yn y dosbarth cyntaf yn cael eu dysgu yn y dull newydd, tra bo'r 49 myfyriwr yn yr ail ddosbarth yn cael eu dysgu yn y ffordd arferol.

Ar ddiwedd y flwyddyn, rhoddir yr un prawf deallusrwydd mathemategol i'r ddau ddosbarth. Mae cymedr y dosbarth cyntaf yn 116.0, tra bo cymedr yr ail ddosbarth yn 113.1.

A yw hyn yn rhoi tystiolaeth arwyddocaol, ar y lefel 5%, bod y dull newydd yn arwain at gymedr uwch o ran perfformiad? Nodwch yn ofalus unrhyw dybiaethau a wnaed.

Rydym yn dechrau yn y diwedd. Dyma'r tybiaethau sydd angen inni eu gwneud:

1 Yn wreiddiol roedd gan y myfyrwyr a osodwyd yn y ddau ddosbarth yr un gallu ar gyfartaledd (fel arall gallai unrhyw wahaniaethau amlwg fod oherwydd bod gwell myfyrwyr mewn un dosbarth nag oedd yn y llall).

2 Rhoddwyd yr un faint o ymdrech i mewn i'r ddau fath o ddysgu. (Yn ymarferol, *nid* dyma sy'n digwydd fel arfer. Fel arfer bydd dull newydd o ddysgu yn gofyn am fwy o ymdrech gan bawb sy'n cymryd rhan ac efallai mai'r ymdrech hon yn hytrach na'r dull ei hun sy'n effeithio ar y canlyniadau.)

3 Tybir bod y ddau ddosbarth mewn gwirionedd yn hapsamplau o'r boblogaeth cenedlaethol o fyfyrwyr. Pe na byddai hyn yn wir, yna ni ellid cyffredinoli canlyniadau'r arbrawf i'r boblogaeth ehangach.

Gallai tybiaethau fel y rhain ymddangos yn bedantig ac yn aml ni roddir llawer o sylw iddynt. Fodd bynnag, os *nad* yw pob un ohonynt yn wir yna mae arbrawf yr ysgol yn ddiwerth gyda golwg ar ragweld canlyniadau.

O wybod *bod* y tybiaethau yn ddilys, gallwn fynd ymlaen drwy ddilyn y camau arferol. Rydym yn defnyddio μ_x i ddynodi cymedr y boblogaeth (ddamcaniaethol) o fyfyrwyr sy'n cael eu dysgu yn ôl y dull newydd, a μ_y i ddynodi cymedr y myfyrwyr sy'n cael eu dysgu yn ôl y dull arferol. Felly, y rhagdybiaethau yw:

$$H_0\colon \mu_x = \mu_y$$
$$H_1\colon \mu_x > \mu_y$$

Mae meintiau'r samplau yn ddigon mawr fel y gallwn dybio bod cymedrau'r samplau yn arsylwadau o ddosraniadau normal. Gan dybio H_0, mae'r ystadegyn prawf z, a roddir gan:

$$z = \frac{\bar{x} - \bar{y}}{\sqrt{\dfrac{\sigma_x^2}{n_x} + \dfrac{\sigma_y^2}{n_y}}}$$

felly yn arsylwad o ddosraniad $N(0, 1)$. Gan fod y rhagdybiaeth arall yn un-ochrog, a'r lefel arwyddocâd yn 5%, byddwn yn derbyn H_0 dim ond os yw $z > 1.645$.

Gwerth arsylwedig z yw:

$$\frac{116.0 - 113.1}{\sqrt{\frac{15^2}{49} + \frac{15^2}{50}}} = \frac{2.9}{\sqrt{9.092}} = 0.962$$

Mae'r gwerth hwn yn llawer llai nag 1.645 ac felly gallwn dderbyn yn hyderus H_0: nid oes tystiolaeth arwyddocaol bod y sgôr cymedrig, o ddefnyddio'r dull dysgu newydd, yn fwy nag wrth ddefnyddio'r dull traddodiadol. Yn amodol ar y tybiaethau a wnaed yn flaenorol, nid oes angen i'r ysgol ddechrau defnyddio'r dull newydd.

Ymarferion 12ff

1 Mae cymedr hapsampl o 10 arsylwad o boblogaeth â dosraniad $N(\mu_1, 25)$ yn 97.3. Mae cymedr hapsampl o 15 arsylwad a gymerir o boblogaeth â dosraniad $N(\mu_2, 36)$ yn 101.2. Profwch, ar y lefel 5%, (i) a yw $\mu_1 < \mu_2$, (ii) a yw $\mu_1 \neq \mu_2$.

2 Cymerir hapsampl o 85 arsylwad o boblogaeth â gwyriad safonol 10.2 ac mae cymedr y sampl yn 31.2. Cymerir hapsampl o 72 arsylwad o boblogaeth arall â gwyriad safonol 15.8 a lle mae cymedr y sampl yn 35.5.
Profwch, ar y lefel 1%, a yw cymedr yr ail boblogaeth yn fwy na chymedr y boblogaeth gyntaf.

3 Mae gan ddau gwmni cynhyrchu gwin, A a B, yr un peiriannau yn union i lenwi poteli gwin. Yn achos A mae'r mesur o win a roddir mewn potel yn $(k_A + X)$ cl, lle mae k_A yn gysonyn ac X yn hapnewidyn normal, cymedr 0 a gwyriad safonol 0.180. Yn achos B mae mesur y gwin a roddir mewn potel yn $(k_B + Y)$ cl, lle mae k_B yn gysonyn ac mae gan Y yr un dosraniad ag X.

Mae cwmni adwerthu yn prynu 8 potel gan A ac yn mesur y cynnwys mewn cl. Mae'n darganfod bod cymedr y sampl yn 75.22 cl. Mae hefyd yn prynu 10 potel gan B ac yn darganfod bod y cynnwys cymedrig yn 74.91 cl. A oes tystiolaeth arwyddocaol, ar y lefel 5%, bod poteli gan A, ar gyfartaledd, yn cynnwys mwy na photeli gan B?

4 Mae peiriant yn asesu oes ysgrifennu beiro, drwy fesur hyd llinell ddi-dor a wneir gan y beiro. Mae gan hapsampl o 80 beiro brand A gyfanswm hyd ysgrifennu o 96.84 km. Mae cyfanswm hyd ysgrifennu hapsampl o 75 beiro brand B yn 93.75 km.
Gan dybio bod gwyriad safonol hyd ysgrifennu un beiro yn 0.15 km yn achos y ddau frand, profwch a oes gwahaniaeth sylweddol, ar y lefel 5%, yn hyd ysgrifennu'r ddau frand.

Gwyddel oedd Francis Ysidro Edgeworth (1845-1926) a enillodd raddau yn y clasuron yng Ngholeg y Drindod, Dulyn a Phrifysgol Rhydychen. Ar ôl gadael Rhydychen bu'n astudio cyfraith masnach a daeth yn fargyfreithiwr yn 1877.

Pan oedd yn astudio'r gyfraith, bu Edgeworth hefyd yn dysgu mathemateg ar ei ben ei hun ac yn 1880 daeth yn ddarlithydd mewn rhesymeg yng Ngholeg y Brenin, Llundain. Yna trodd ei sylw at Ddebygolrwydd ac Ystadegaeth, ac yn 1885 cyflwynodd bapur o'r enw 'Methods of Statistics' i'r Gymdeithas Ystadegaeth Frenhinol.

Roedd gwaith cynnar Edgeworth yn ymwneud â ffurfio profion dwy-sampl o gymedrau (ond nid gyda'r strwythur a ddangosir yn y bennod hon). Roedd ei brif gyfraniadau i Ystadegaeth ym maes cydberthyniad ac atchweliad, y byddwn yn dod ar eu traws ym Mhennod 14.

12.17 Cymharu dau gymedr − amrywiant poblogaeth anhysbys cyffredin

Yn ymarferol, prin yw'r sefyllfaoedd lle mae'r amrywiant yn hysbys, ond lle nad oes sicrwydd beth yw'r cymedr. Fel arfer, os nad yw'r cymedr yn hysbys nid yw'r amrywiant yn hysbys chwaith. Yn anffodus mae'r sefyllfa gwbl gyffredinol lle mae cymedrau ac amrywiannau'r ddwy boblogaeth i gyd yn rhydd i gymryd unrhyw werth yn arwain at anawsterau mathemategol, felly nawr rydym yn ystyried yr achos cyfyngedig lle *gellir tybio bod amrywiannau anhysbys y ddwy boblogaeth yn hafal.*

Ystyriwch y rhagdybiaethau:

$H_0: \mu_x = \mu_y$

$H_1: \mu_x > \mu_y$

Rydym yn tybio bod $\sigma_x^2 = \sigma_y^2$ ($= \sigma^2$, dyweder). Mae gan y samplau n_x ac n_y arsylwad, gyda chymedr sampl $\bar{x}$ ac $\bar{y}$, yn ôl eu trefn. Os oes gan y ddwy boblogaeth yr un cymedr, yna rhoddir yr amcangyfrif cyfunol $\hat{\mu}$ gan:

$$\hat{\mu} = \frac{\sum_{i=1}^{n_x} x_i + \sum_{j=1}^{n_y} y_j}{n_x + n_y} = \frac{n_x \bar{x} + n_y \bar{y}}{n_x + n_y}$$

O dderbyn H_0, mae cymedr $\bar{X} - \bar{Y}$ yn 0. Nawr $\text{Var}(\bar{X} - \bar{Y}) = \dfrac{\sigma^2}{n_x} + \dfrac{\sigma^2}{n_y}$, ond mae σ^2 yn anhysbys, felly bydd angen amcangyfrif cyn y gellir symud ymlaen.

Rhoddir gwybodaeth am amrywioldeb gan wyriadau sgwaredig yr arsylwadau o'u cymedr. Rhoddir amcangyfrif diduedd σ^2 sy'n seiliedig ar y sampl o werthoedd x gan s_x^2, lle mae:

$$s_x^2 = \frac{1}{n_x - 1} \sum (x_i - \bar{x})^2$$

Mae'n dilyn bod:

$$\sum (x_i - \bar{x})^2 \text{ yn amcangyfrif diduedd o } (n_x - 1)\sigma^2$$

Yn yr un modd, gan ddefnyddio:

$$s_y^2 = \frac{1}{n_y - 1} \sum (y_j - \bar{y})^2$$

gallwn nodi bod:

$$\sum (y_j - \bar{y})^2 \text{ yn amcangyfrif diduedd o } (n_y - 1)\sigma^2$$

Wrth adio'r mesurau hyn at ei gilydd rydym yn darganfod bod:

$$\sum (x_i - \bar{x})^2 + \sum (y_j - \bar{y})^2 \text{ yn amcangyfrif diduedd o } (n_x + n_y - 2)\sigma^2$$

Mae'r hyn a elwir yn **amcangyfrif cyfunol yr amrywiant cyffredin** yn s_p^2, sy'n cael ei ddiffinio gan:

$$s_p^2 = \frac{\Sigma(x_i - \bar{x})^2 + \Sigma(y_j - \bar{y})^2}{n_x + n_y - 2} \tag{12.4}$$

ac mae'n amcangyfrif diduedd o σ^2. Mae'r amcangyfrif s_p^2 yn cael ei gyfrifo orau fel:

$$s_p^2 = \frac{\left\{\sum x_i^2 - \frac{1}{n_x}\left(\sum x_i\right)^2\right\} + \left\{\sum y_j^2 - \frac{1}{n_y}\left(\sum y_j\right)^2\right\}}{n_x + n_y - 2} \tag{12.5}$$

Mynegiadau cywerth sy'n defnyddio'r rhifau a gyfrifir gan gyfrifianellau ystadegol yw:

$$s_p^2 = \frac{(n_x - 1)s_x^2 + (n_y - 1)s_y^2}{n_x + n_y - 2} \tag{12.6}$$

ac:

$$s_p^2 = \frac{n_x \sigma_{n_x}^2 + n_y \sigma_{n_y}^2}{n_x + n_y - 2} \tag{12.7}$$

lle $\sigma_{n_x}^2$ a $\sigma_{n_y}^2$ yw'r ddau amrywiant sampl.

Mae'r hyn sy'n digwydd nesaf yn dibynnu ar feintiau'r samplau.

Meintiau samplau mawr

Os yw meintiau'r samplau yn fawr, yna, yn ôl Theorem y Derfan Ganolog, bydd dosraniadau $\overline{X}$ ac $\overline{Y}$ yn fras yn normal, felly, o dybio H_0:

$$\frac{\overline{X} - \overline{Y}}{\sqrt{\sigma^2 \left(\dfrac{1}{n_x} + \dfrac{1}{n_y} \right)}} \sim N(0, 1)$$

Os yw meintiau'r samplau yn fawr iawn yna bydd s_p^2, sef amcangyfrif cyfunol yr amrywiant cyffredin, yn frasamcan rhagorol i'r σ^2 anhysbys. Felly ystadegyn prawf naturiol yw z, a roddir gan:

$$z = \frac{\overline{x} - \overline{y}}{\sqrt{s_p^2 \left(\dfrac{1}{n_x} + \dfrac{1}{n_y} \right)}} \tag{12.8}$$

Gan dderbyn H_0, gellid ystyried z fel arsylwad o ddosraniad $N(0, 1)$ a gellir llunio gweithdrefn brofi yn y ffordd arferol.

Nodyn

- Os yw meintiau samplau yn fawr iawn, ond na ellir cymryd bod $\sigma_x^2 = \sigma_y^2$, yna, gan dybio H_0, mae'n rhesymol seilio gweithdrefn brofi ar yr ystadegyn prawf:

$$z = \frac{\overline{x} - \overline{y}}{\sqrt{\dfrac{s_x^2}{n_x} + \dfrac{s_y^2}{n_y}}}$$

fel yn Adran 12.16 (t. 348).

Gan fod meintiau'r samplau yn fawr a chan mai brasamcan yn unig yw hyn, gellir defnyddio un ai s_x^2 ac s_y^2 neu $\sigma_{n_x}^2$ ac $\sigma_{n_y}^2$ yn y fformiwla hon.

Enghraifft 15

Mae gan y marciau a enillir mewn papur ystadegaeth gan hapsampl o 200 o fyfyrwyr gwrywaidd $\overline{x} = 54.6$ ac $s^2 = 101.3$. Ar yr un papur, mae gan hapsampl annibynnol o 150 o fyfyrwyr benywaidd farc cymedrig o 57.1, gydag $s^2 = 92.4$. Gan dybio bod amrywiant y poblogaethau yn gyffredin, canfyddwch amcangyfrif cyfunol yr amrywiant hwn, a gwnewch brawf, ar y lefel arwyddocâd 1%, i ddarganfod a oes tystiolaeth arwyddocaol o wahaniaeth yng nghymedr y ddau boblogaeth.

Gan ddefnyddio X i nodi marc bachgen a ddewisir ar hap, ac Y i nodi marc merch a ddewisir ar hap, y ddwy ragdybiaeth yw:

H_0: $\mu_x = \mu_y$
H_1: $\mu_x \neq \mu_y$

Yr ystadegyn prawf yw:

$$z = \frac{\bar{x} - \bar{y}}{\sqrt{s_p^2\left(\frac{1}{n_x} + \frac{1}{n_y}\right)}}$$

lle rhoddir amcangyfrif cyfunol yr amrywiant cyffredin, s_p^2, gan:

$$s_p^2 = \frac{(n_x - 1)\,s_x^2 + (n_y - 1)\,s_y^2}{n_x + n_y - 2}$$

$$= \frac{(199 \times 101.3) + (149 \times 92.4)}{348}$$

$$= 97.49$$

Drwy hynny,

$$z = \frac{54.6 - 57.1}{\sqrt{97.49 \times \left(\frac{1}{200} + \frac{1}{150}\right)}}$$

$$= \frac{-2.5}{\sqrt{1.1374}}$$

$$= -2.344$$

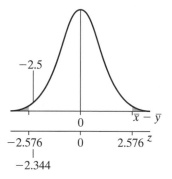

Yn yr achos hwn mae meintiau'r samplau mor fawr fel y gellir defnyddio brasamcan normal. Mae pwynt 1% dwy-gynffon y dosraniad normal safonol yn 2.576. Y weithdrefn brofi felly yw derbyn H_0, ar y lefel arwyddocâd 1%, os yw gwerth z wedi ei leoli yn y cyfwng $(-2.576, 2.576)$.

Gan fod y gwerth arsylwedig, -2.344, wedi ei leoli yn yr amrediad hwn, gellir derbyn y rhagdybiaeth bod gan fechgyn a merched yr un sgôr gymedrig.

Enghraifft 16

Mae arolygydd marchnad yn cymryd hapsampl o'r cynnyrch sydd ar ddwy stondin. Cymedr y sampl ar gyfer masau (mewn g) hapsampl o 80 afal ar stondin Ffrwythau Ffred oedd 74.2 ac amrywiant y sampl oedd 24.21. Cymedr y sampl ar gyfer masau hapsampl annibynnol o 100 afal ar stondin Gardd Modryb Elin oedd 68.8 ac amrywiant y sampl oedd 43.23.

Gan dybio amrywiant poblogaeth cyffredin, darganfyddwch amcangyfrif cyfunol yr amrywiant hwn a gwnewch brawf i ddarganfod, ar y lefel arwyddocâd 0.1%, a oes tystiolaeth arwyddocaol bod gan boblogaeth yr afalau a werthir ar stondin Gardd Modryb Elin fâs cymedrig is na phoblogaeth yr afalau a werthir ar stondin Ffrwythau Ffred.

Gan ddefnyddio X i ddynodi màs (mewn g) afal o stondin Ffrwythau Ffred ac Y i ddynodi màs afal a werthir ar stondin Gardd Modryb Elin, dyma'r ddwy ragdybiaeth:

H_0: $\mu_x = \mu_y$
H_1: $\mu_x > \mu_y$

Yr ystadegyn prawf yw:

$$z = \frac{\bar{x} - \bar{y}}{\sqrt{s_p^2\left(\frac{1}{n_x} + \frac{1}{n_y}\right)}}$$

lle rhoddir, amcangyfrif cyfunol yr amrywiant cyffredin $s_p{}^2$, gan:

$$s_p^2 = \frac{n_x \sigma_{n_x}^2 + n_y \sigma_{n_y}^2}{n_x + n_y - 2}$$

$$= \frac{(80 \times 24.21) + (100 \times 43.23)}{178}$$

$$= 35.167$$

Drwy hynny:

$$z = \frac{74.2 - 68.8}{\sqrt{35.167 \times \left(\frac{1}{80} + \frac{1}{100}\right)}}$$

$$= \frac{5.4}{0.8895}$$

$$= 6.07$$

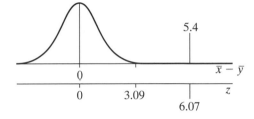

Yn yr achos hwn mae meintiau'r samplau mor fawr fel y gellir defnyddio brasamcan normal. Mae pwynt 0.1% un-gynffon y dosraniad normal safonol yn 3.090. Felly'r weithdrefn brofi yw derbyn H_0 ar y lefel arwyddocâd 0.1%, os yw gwerth z yn llai na 3.090.

Gan fod y gwerth arsylwedig, 6.07, yn llawer mwy na 3.09, gallwn wrthod y rhagdybiaeth nwl yn hyderus o blaid y rhagdybiaeth arall bod màs cymedrig y boblogaeth ar gyfer afalau Ffrwythau Ffred yn fwy na màs cymedrig poblogaeth yr afalau a werthir ar stondin Gardd Modryb Elin.

Prosiect

A yw'r ceir ym maes parcio'r orsaf reilffordd leol yn fwy newydd na'r ceir ym maes parcio'r archfarchnad? Gallai hyn fod yn wir os yw'r 'enillydd cyflog' yn defnyddio'r car mwyaf newydd i yrru i'r orsaf (ac yna i'r gwaith), tra bo'r partner yn gyrru i'r archfarchnad i siopa mewn car hŷn.

Tybiwch fod yr holl geir â rhif cofrestru'r flwyddyn bresennol yn 0 oed, bod yr holl geir â rhif cofrestru y llynedd yn 1 oed, ac yn y blaen. Dewiswch hapsamplau o 50 car yn y ddwy sefyllfa, cofnodwch oedrannau'r ceir a gwnewch brawf dwy-sampl priodol i ddarganfod a oes tystiolaeth arwyddocaol dros wrthod y rhagdybiaeth bod gan y poblogaethau gymedr cyffredin.

Ymarferion 12g

1 Mae archfarchnad yn amau bod pwysau cymedrig melonau Gradd A gan gyflenwr X yn llai na phwysau cymedrig melonau Gradd A gan gyflenwr Y. Cymerir dwy hapsampl a'u pwyso. Yn achos 82 melon gan X, crynhoir y canlyniadau, mewn kg, gan $\sum x = 58.65$, $\sum x^2 = 51.6460$. Yn achos 78 melon gan Y, crynhoir y canlyniadau gan $\sum y = 61.23$, $\sum y^2 = 55.3425$. A oes tystiolaeth ar y lefel 5% i gefnogi amheuaeth yr archfarchnad:

   (i) gan dybio bod amrywiannau'r poblogaethau yn hafal,

  (ii) heb dybio hyn?

2 Mewn cyfrifiad traffig gofynnir i yrwyr beth yw pellter eu taith mewn milltiroedd. Crynhoir y ffigurau ar gyfer hapsampl o 120 gyrrwr, rhwng 8 a 9 am, gan $\sum x = 1873$, $\sum x^2 = 56\,285$. Crynhoir y ffigurau ar gyfer hapsampl o 94 gyrrwr, rhwng 1 a 2 pm gan $\sum y = 1711$, $\sum y^2 = 89\,894$.

Heb dybio amrywiant cyffredin, gwnewch brawf i ddarganfod, ar y lefel 10%, a yw'r pellter cymedrig a nodir gan y gyrwyr 8 i 9 am yn llai na'r pellter cymedrig a nodir gan y gyrwyr 1 i 2 pm.

3 Mae mes yn cael eu hau mewn compost hadau A ac, ar ôl tair blynedd, mae uchder cymedrig y 105 coeden dderwen fechan yn 0.641 m, gyda gwerth cyfatebol s^2 yn 0.0453 m². Mae mes yn cael eu hau hefyd yng nghompost hadau B a'u tyfu dan amodau tebyg. Ar ôl tair blynedd uchder cymedrig y 97 coeden yw 0.578 m a gwerth cyfatebol s^2 yw 0.0712 m².

Profwch i ganfod a oes tystiolaeth arwyddocaol, ar y lefel 5%, bod compost hadau A yn cynhyrchu coed talach:

(i)   heb dybio bod amrywiannau'r poblogaethau yn hafal,

(ii)   gan dybio bod amrywiannau'r poblogaethau yn hafal.

4 Mae cymdeithas defnyddwyr yn profi teiars ceir drwy eu rhedeg ar beiriant nes bod dyfnder eu rhigolau yn cyrraedd lefel minimwm benodedig. Profwyd 150 teiar brand A a mesurwyd y pellter cyfatebol (mewn miloedd o gilometrau) gyda chanlyniadau cryno, $\sum(x - 30) = 974$, $\sum(x - 30)^2 = 10\,051$. Canlyniadau cyfatebol 120 teiar brand B oedd $\sum(y - 30) = 587$, $\sum(y - 30)^2 = 10\,473$.

Gan dybio amrywiant cyffredin, profwch a oes tystiolaeth arwyddocaol, ar y lefel 5%, o wahaniaeth yn y ddau bellter cymedrig.

Meintiau samplau bychain

Os nad yw meintiau'r samplau yn fawr, yna nid yw'r dosraniad normal mwyach yn frasamcan rhesymol o ddosraniad yr ystadegyn prawf. Er mwyn symud ymlaen rhaid inni nid yn unig gymryd amrywiant cyffredin, ond hefyd:

tybio bod gan X ac Y ddosraniadau normal.

Gyda'r rhagdybiaeth hon gellir dangos bod gan yr ystadegyn prawf, t, a roddir gan:

$$t = \frac{\bar{x} - \bar{y}}{\sqrt{s_p^2 \left(\frac{1}{n_x} + \frac{1}{n_y}\right)}} \tag{12.9}$$

ddosraniad-t, gydag $n_x + n_y - 2$ gradd o ryddid. Hwn yw'r ystadegyn a labelwyd yn z yn achos samplau mawr. Ac eithrio'r newid deilliadol yn y pwyntiau canrannol (a geir yn y tablau-t), nid yw'r weithdrefn brofi wedi newid.

▼   ▼

Enghraifft 17

Mae gen i ddwy ffordd bosibl o fynd i'r gwaith. Mae'r amserau a gymerir ar Ffordd 1 ar yr 8 adeg a ddewiswyd ar hap yn cael eu crynhoi gan $\sum x = 182$ a $\sum x^2 = 4202$, tra bo'r amserau ar y 12 adeg a ddewiswyd ar hap i deithio ar Ffordd 2 yn cael eu crynhoi gan $\sum y = 238$ a $\sum y^2 = 5108$, gyda'r amser wedi'i fesur mewn munudau.

Gan dybio bod gan yr amserau a gymerir ar y naill ffordd a'r llall ddosraniadau normal, gydag amrywiant cyffredin, cyfrifwch a oes tystiolaeth arwyddocaol, ar y lefel 5%, o wahaniaeth yn yr amserau cymedrig a gymerir ar y ddwy ffordd.

———————

Rhoddir amcangyfrif cyfunol yr amrywiant cyffredin s_p^2 gan:

$$s_p^2 = \frac{\left\{\sum x^2 - \frac{1}{n_x}\left(\sum x\right)^2\right\} + \left\{\sum y^2 - \frac{1}{n_y}\left(\sum y\right)^2\right\}}{n_x + n_y - 2}$$

$$= \frac{\left(4202 - \frac{1}{8} \times 182^2\right) + \left(5108 - \frac{1}{12} \times 238^2\right)}{18}$$

$$= 24.95$$

Dyma'r ddwy ragdybiaeth:

$H_0: \mu_x = \mu_y$

$H_1: \mu_x \neq \mu_y$

Yr ystadegyn prawf yw:

$$t = \frac{\bar{x} - \bar{y}}{\sqrt{s_p^2 \left(\frac{1}{n_x} + \frac{1}{n_y} \right)}}$$

$$= \frac{\frac{182}{8} - \frac{238}{12}}{\sqrt{24.95 \times \left(\frac{1}{8} + \frac{1}{12} \right)}}$$

$$= \frac{2.917}{\sqrt{5.20}}$$

$$= 1.279$$

Gan dybio H_0, mae t yn arsylwad o ddosraniad-t gyda 18 gradd o ryddid. Mae pwynt 5% dwy-gynffon dosraniad-t_{18} yn 2.101, felly derbynnir H_0 os yw t wedi ei leoli yn y cyfwng $(-2.101, 2.101)$.

Mae gwir werth t yn 1.279. Nid oes rheswm dros wrthod y rhagdybiaeth nwl bod yr amserau cymedrig a gymerir wrth ddefnyddio'r ddwy ffordd yn gyfartal.

Ymarferion 12ng

1 Mae mesurau o gwrw mewn hapsampl o 7 'peint', a brynwyd yn 'Yr Ystadegydd Ynfyd', yn cael eu mesur mewn litrau, a chrynhoir y canlyniadau gan $\sum x = 4.15$, $\sum x^2 = 2.4638$. Crynhoir y canlyniadau ar gyfer hapsampl o 5 'peint' o'r 'Mathemategydd Meddw' gan $\sum y = 2.79$, $\sum y^2 = 1.5585$.

Gan dybio bod amrywiannau'r poblogaethau yn hafal, darganfyddwch amcangyfrif cyfunol o'r amrywiant cyffredin. Profwch, ar y lefel 5%, i ddarganfod a oes mwy o gwrw mewn 'peint' a brynir yn y dafarn gyntaf na'r ail.

2 Mae hapsampl o 10 grawnffrwyth melyn yn cael ei bwyso a darganfyddir bod y pwysau cymedrig yn 201.4 g. Mae gwerth amcangyfrifiad diduedd ar gyfer amrywiant y boblogaeth yn 234.1 g^2. Y ffigurau cyfatebol ar gyfer hapsampl o 8 grawnffrwyth pinc yw 221.8 g a 281.9 g^2. Darganfyddwch, gan ddefnyddio lefel arwyddocâd 1%, a oes gwahaniaeth ym mhwysau cymedrig y ddau fath o rawnffrwyth.

3 Eglurwch y gwahanol amgylchiadau lle dylid defnyddio prawf arwyddocâd un-gynffon neu ddwy-gynffon o gymedr sampl.

Mae cyflenwyr brand arbennig o jam yn honni bod màs cymedrig eu potiau maint safonol yn fwy na 346 g. Rhoddodd hapsampl o 8 potyn o swp arbennig y masau canlynol, mewn gramau.

342, 354, 348, 344, 349, 350, 347, 345

Gan nodi unrhyw ragdybiaethau angenrheidiol, gwnewch brawf, ar y lefel arwyddocâd 10%, i ddarganfod a yw'r data hyn yn cefnogi honiad y gwneuthurwr.

O'r swp nesaf o jam, rhoddodd hapsampl o 10 potyn y masau canlynol, mewn gramau.

340, 341, 350, 348, 342, 350, 346, 344, 347, 342

Gwnewch brawf i ddarganfod a oes tystiolaeth, ar y lefel arwyddocâd 10%, bod y màs cymedrig wedi newid o gymharu â'r swp blaenorol. Nodwch unrhyw ragdybiaethau pellach sydd eu hangen. [UCLES]

4 Nodwch dan ba amodau y gellid, yn ddilys, defnyddio prawf-t dwy-sampl.

Weithiau defnyddir y cyffur sodiwm awrothiomalad fel triniaeth ar gyfer crydcymalau gwynegol. Defnyddiwyd y cyffur i drin 20 o gleifion, ac o'r rhain dioddefodd 12 adwaith anffafriol ond ni ddigwyddodd hyn yn achos yr 8 claf arall. Dyma oedrannau'r ddau grŵp, mewn blynyddoedd:

Adwaith anffafriol	53	29	53	67	54	57
	51	68	38	44	63	53
Dim adwaith anffafriol	44	51	64	33		
	39	37	41	72		

(parhad)

(i) Gan gymryd bod yr amodau dilysrwydd yn cael eu bodloni, cynhaliwch brawf-t dwy-sampl, ar y lefel arwyddocâd 5%, i brofi a yw'r data yn rhoi tystiolaeth bod gwahaniaeth rhwng oedrannau cyfartalog cleifion sy'n cael adwaith anffafriol a'r rhai nad ydynt yn cael adwaith anffafriol. Gan roi rheswm cryno, nodwch a ydych yn ystyried bod y rhagdybiaeth bod yr amodau yn cael eu bodloni yn rhesymol yn yr achos hwn.

(ii) Cyfrifwch gyfwng hyder 95% bras ar gyfer cyfran y cleifion, a dderbyniodd driniaeth gyda'r cyffur, sy'n cael adwaith anffafriol.

[UCLES]

5   Mae lori yn cludo nifer fawr o afalau cochion. Wrth iddi yrru dros dwll yn y ffordd mae 10 afal yn syrthio oddi ar ei chefn ac yn cael eu casglu gan fachgen sy'n digwydd mynd heibio. Crynhoir masau (mewn g) yr afalau sydd wedi syrthio gan $\sum(x - 100) = 23.7$, $\sum(x - 100)^2 = 1374.86$. Wrth ddychwelyd ar hyd y ffordd mae'r lori yn cludo nifer fawr o afalau gwyrdd. Wrth iddi yrru dros y twll mae 15 afal gwyrdd yn syrthio oddi ar ei chefn ac yn cael eu casglu gan y bachgen. Crynhoir masau (mewn g) yr afalau hyn gan
$$\sum(y - 110) = -73.2, \sum(y - 110)^2 = 2114.33.$$

Gan drin yr afalau sy'n syrthio fel hapsamplau o'r rhai sydd ar y lori, a chan dybio bod amrywiant dosraniad masau'r afalau gwyrdd yr un fath ag yn achos afalau cochion, canfyddwch amcangyfrif cyfunol ar gyfer yr amrywiant cyffredin.

Profwch, ar y lefel arwyddocâd 10%, y rhagdybiaeth bod gan y ddau ddosraniad yr un cymedr.

[UCLES(P)]

6   Cymerir hapsampl maint n o boblogaeth normal, cymedr μ ac amrywiant σ^2. Nodwch, mor llawn ag y gallwch, ddosraniad cymedr y sampl.

Mewn archfarchnad mae gan nifer y pacedi o rawnfwyd 'Crensh' sy'n cael eu gwerthu bob dydd gymedr 124.5 ac amrywiant 129.96. Yn dilyn hysbyseb ar y teledu cynyddodd y gwerthiant cymedrig dyddiol dros gyfnod o 12 diwrnod i 132.5. Gan nodi unrhyw dybiaethau angenrheidiol, profwch, ar y lefel arwyddocâd 1%, a yw nifer cymedrig y pacedi a werthir bob dydd wedi cynyddu.

Yn ddiweddarach daeth yn hysbys bod y cymedr, 124.5, ac amcangyfrif diduedd yr amrywiant, 129.96, yn seiliedig ar sampl o 12 diwrnod. Roedd amrywiant cyfatebol y sampl â chymedr 132.5 yn 112.36. Penderfynwch a oes unrhyw newid yn eich casgliad blaenorol.

[UCLES]

Crynodeb o'r bennod

♦ Dwy ragdybiaeth:
  - **Rhagdybiaeth nwl**, H_0: Mae gan y paramedr y gwerth neu werth targed arferol.
  - **Rhagdybiaeth arall**, H_1: Mae'r paramedr wedi newid, neu wedi cynyddu, neu wedi lleihau.

♦ **Rhanbarth critigol neu ranbarth gwrthod**: amrediad gwerthoedd yr ystadegyn prawf lle mae H_0 yn cael ei wrthod o blaid H_1. Y gweddill yw'r rhanbarth derbyn.

♦ **Lefel arwyddocâd**: P(ystadegyn prawf wedi ei leoli yn y rhanbarth gwrthod o wybod y sefyllfa a ddisgrifir gan H_0).

♦ **Y weithdrefn brofi**:
  1 Ysgrifennwch H_0 a H_1.
  2 Penderfynwch ar yr ystadegyn prawf priodol a dosraniad yr hapnewidyn cyfatebol (gan ddefnyddio'r gwerth paramedr a bennwyd gan H_0).

(parhad)

3 Penderfynwch ar y lefel arwyddocâd.
4 Penderfynwch ar y rhanbarthau derbyn a gwrthod.

   Nawr casglwch y data

5 Cyfrifwch werth yr ystadegyn prawf.
6 Penderfynwch ar ganlyniad y prawf.

◆ **Ystadegyn prawf**:
   ● **Ar gyfer cymedr**, gan dybio dosraniad normal neu n fawr:

   $$\frac{\overline{X} - \mu}{\frac{\sigma}{\sqrt{n}}} \sim N(0, 1)$$

   Rhowch s yn lle σ os yw σ yn anhysbys ac n yn fawr.
   ● **Ar gyfer cymedr**, gan dybio dosraniad normal, lle mae σ yn anhysbys ac n heb fod yn fawr:

   $$\frac{\overline{X} - \mu}{\frac{\sigma}{\sqrt{n}}} \sim t_{n-1}$$

   ● **Ar gyfer cyfrannedd:**

   $$\frac{\hat{p} - p}{\sqrt{\frac{p(1 - p)}{n}}} \sim N(0, 1)$$

   Mae hyn yn galw am n fawr. Mae'r manwlgywirdeb yn cael ei wella drwy leihau gwerth absoliwt y rhifiadur yn ôl y cywiriad didoriant $\frac{1}{2n}$.
   ● **Ar gyfer cymedr Poisson mawr**, λ, ac un arsylwad:

   $$\frac{X - \lambda}{\sqrt{\lambda}} \sim N(0, 1)$$

◆ **Gwall Math I**:
   Yma gwrthodir H_0 a derbynnir H_1 pan yw H_0 yn wir.
   Tebygolrwydd gwall Math I yw'r lefel arwyddocâd.

◆ **Gwall Math II**:
   Yma derbynnir H_0 yn hytrach nag H_1 pan yw H_0 yn anghywir.
   Mae'r tebygolrwydd o wall Math II yn ffwythiant o werth y paramedr.

◆ **Pŵer:**
   Rhoddir hyn gan:

   pŵer = $1 - P$(gwall Math II).

◆ **Lefelau nominal a gwir arwyddocâd:**
   Gyda dosraniad arwahanol, ni ellir cyrraedd lefel safonol benodol (megis 5%) yn union. Felly cyfeirir at lefel o'r fath fel lefel 'nominal' a'r lefel a gyrhaeddir yn 'wir' lefel.

◆ **Cymharu dau gymedr:**
   $H_0: \mu_x = \mu_y$, $H_1: \mu_x \neq \mu_y$ neu $H_1: \mu_x > \mu_y$, neu $H_1: \mu_x < \mu_y$

(parhad)

- **Amrywiannau hysbys**

$$z = \frac{\bar{x} - \bar{y}}{\sqrt{\dfrac{\sigma_x^2}{n_x} + \dfrac{\sigma_y^2}{n_y}}}$$

Os yw'r dosraniadau yn normal, neu os yw n_x ac n_y yn fawr, yna, gan dybio H_0, mae z yn arsylwad o ddosraniad $N(0,1)$.

- **Amrywiant anhysbys cyffredin**

$$z = \frac{\bar{x} - \bar{y}}{\sqrt{s_p^2\left(\dfrac{1}{n_x} + \dfrac{1}{n_y}\right)}}$$

lle mae amcangyfrif cyfunol yr amrywiant cyffredin yn:

$$s_p^2 = \frac{\left\{\sum x_i^2 - \dfrac{1}{n_x}\left(\sum x_i\right)^2\right\} + \left\{\sum y_j^2 - \dfrac{1}{n_y}\left(\sum y_j\right)^2\right\}}{n_x + n_y - 2}$$

$$= \frac{(n_x - 1)s_x^2 + (n_y - 1)s_y^2}{n_x + n_y - 2}$$

$$= \frac{n_x\sigma_{n_x}^2 + n_y\sigma_{n_y}^2}{n_x + n_y - 2}$$

$$= \frac{\Sigma(x_i - \bar{x})^2 + \Sigma(y_j - \bar{y})^2}{n_x + n_y - 2}$$

Os daw'r arsylwadau o ddosraniadau normal, yna, gan dybio H_0, mae z yn arsylwad o ddosraniad-$t_{n_x+n_y-2}$. Os yw $(n_x + n_y)$ yn fawr (30 neu fwy dyweder), yna mae z yn arsylwad o ddosraniad $N(0,1)$ bras.

13 Cywirdeb ffit

Cymerwyd yn ganiataol mewn penodau blaenorol bod math arbennig o ddosraniad yn addas ar gyfer y data a roddir a chanolbwyntiwyd ar amcangyfrif a rhoi prawf ar ragdybiaethau ynglŷn â pharamedr(au) y dosraniad hwn. Yn y bennod hon mae'r sylw yn cael ei roi yn hytrach ar y dosraniad ei hun, a gofynnir y cwestiwn 'A yw'r data yn cefnogi'r rhagdybiaeth bod math penodol o ddosraniad yn briodol?'

Cymerwch, er enghraifft, ein bod yn taflu dis normal yr olwg (6-ochr) 60 gwaith ac yn cael yr amlderau arsylwedig canlynol:

Canlyniad	1	2	3	4	5	6
Amlder arsylwedig	4	7	16	8	8	17

Yn y sampl hon (o ganlyniadau posibl taflu'r dis) ymddengys bod nifer eithaf mawr o rifau 3 a 6. A yw'r dis hwn yn un teg, ynteu a yw'n dueddol? Gyda dis teg mae tebygolrwydd pob canlyniad yn $\frac{1}{6}$. Gyda 60 tafliad byddai amlderau disgwyliedig pob un yn $60 \times \frac{1}{6} = 10$:

Canlyniad	1	2	3	4	5	6
Amlder disgwyliedig	10	10	10	10	10	10

Y cwestiwn o ddiddordeb yw a yw'r amlderau arsylwedig (O) a'r amlderau disgwyliedig (E) yn rhesymol o agos ynteu'n afresymol o wahanol. Ychwanegwn y gwahaniaethau ($O - E$) at y tabl:

Amlder arsylwedig, O	4	7	16	8	8	17
Amlder disgwyliedig, E	10	10	10	10	10	10
Gwahaniaeth, $O - E$	−6	−3	6	−2	−2	7

Po fwyaf yw maint y gwahaniaethau (h.y. gan anwybyddu'r arwydd), y mwyaf y mae'r data arsylwedig yn wahanol i'r data a ddisgwylir yn ôl ein model (bod y dis yn un teg).

Tybiwch nawr ein bod yn taflu dis arall 660 gwaith ac yn cael y canlyniadau isod:

Amlder arsylwedig, O	104	107	116	108	108	117
Amlder disgwyliedig, E	110	110	110	110	110	110
Gwahaniaeth, $O - E$	−6	−3	6	−2	−2	7

Y tro hwn mae'r amlderau arsylwedig a disgwyliedig yn ymddangos yn hynod o agos, ac eto mae'r gwerthoedd $O - E$ yr un fath ag o'r blaen: nid maint $O - E$ yn unig sy'n cyfrif, ond yn hytrach ei faint mewn perthynas â'r amlder disgwyliedig, $\frac{O - E}{E}$.

Gallai cyfuno'r syniadau bod 'gwahaniaeth' yn ogystal â 'maint cymharol' yn bwysig awgrymu y dylid defnyddio'r lluoswm $(O - E) \times \frac{O - E}{E}$, fel bo cywirdeb y ffit yn achos canlyniad i yn cael ei fesur drwy ddefnyddio $\frac{(O_i - E_i)^2}{E_i}$. Po leiaf yw'r rhif hwn, y gorau fydd y ffit. Drwy hynny darperir mesur cyfanredol **cywirdeb ffit** y model gan X^2, a ddiffinnir gan:

$$X^2 = \sum_{i=1}^{m} \frac{(O_i - E_i)^2}{E_i} \tag{13.1}$$

lle m yw nifer y canlyniadau gwahanol (6, yn achos dis). Mae gwerthoedd mawr iawn o X^2 yn awgrymu diffyg ffit.

Bydd samplau gwahanol (e.e. setiau gwahanol o 60 tafliad o'r dis) yn rhoi setiau gwahanol o amlderau arsylwedig a thrwy hynny werthoedd gwahanol ar gyfer X^2. Felly mae gan X^2 ddosraniad tebygolrwydd. Dangosodd Karl Pearson (gweler isod), pan fo tebygolrwyddau'r gwahanol ganlyniadau yn cael eu pennu'n gywir gan y rhagdybiaeth nwl, fod X^2 (yn fras) yn arsylwad o'r hyn a elwir yn ddosraniad chi-sgwâr.

Cynigiwyd prawf cywirdeb ffit X^2 am y tro cyntaf yn 1900 gan Karl Pearson (1857-1936), o Swydd Efrog. Graddiodd Pearson mewn Mathemateg yng Nghaergrawnt a threulio'r rhan fwyaf o'i oes waith yng Ngholeg Prifysgol, Llundain. Cafodd ei benodi yn wreiddiol yn Athro Mathemateg Gymhwysol a Mecaneg yn 1884, ac yn 1890 rhoddwyd iddo'r teitl Darlithydd Geometreg Gresham. Ni ddechreuodd Pearson gyhoeddi erthyglau ar Ystadegaeth tan 1893. Erbyn hynny roedd eisoes yn awdur 100 o gyhoeddiadau (yn cynnwys nifer ar hanes a llên gwerin yr Almaen). Roedd ei waith ystadegol cyntaf yn cynnwys dwy gyfrol o'r enw *The Chances of Death and other Studies in Evolution*, ac roedd llawer o'r gwaith a wnaeth wedyn ar ddamcaniaeth ystadegol yn canolbwyntio ar yr un maes. Yn 1911 penodwyd ef yn Athro Ewgeneg (astudiaeth esblygiad dynol), a bu yn y swydd hon tan 1933.

13.1 Y dosraniad chi-sgwâr

'Chi' yw'r llythyren Roegaidd χ sy'n cael ei hynganu 'cai'. Mae'r dosraniad chi-sgwâr yn ddi-dor a chanddo baramedr cyfanrifol positif ν, (sy'n cael ei hynganu 'niw') sy'n pennu ei siâp.

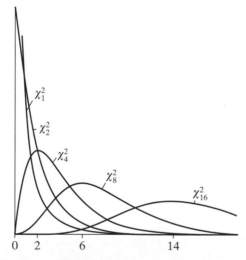

Fel yr awgryma'r enw, ni all χ^2 gymryd gwerth negatif. Yr enw ar y paramedr ν yw **graddau rhyddid** y dosraniad ac rydym yn cyfeirio at 'ddosraniad chi-sgwâr gyda ν gradd o ryddid'. Er mwyn cadw pethau'n syml, rydym yn ysgrifennu hyn fel:

$$\chi^2_\nu$$

Nodweddion y dosraniad chi-sgwâr

Mae'r nodweddion canlynol yn cael eu cynnwys yma ar gyfer cyflawnrwydd yn unig. Maen nhw'n bwysig mewn gwaith diweddarach ond nid oes ganddynt berthynas uniongyrchol â phrofion cywirdeb ffit.

- Mae gan ddosraniad χ^2_ν gymedr ν ac amrywiant 2ν.
- Mae gan ddosraniad χ^2_ν fodd yn $\nu - 2$ pan fo $\nu \geqslant 2$. Mae hyn yn ddefnyddiol wrth wneud braslun.

- Os oes gan Z ddosraniad $N(0, 1)$, yna mae gan Z^2 ddosraniad χ_1^2.
- Os yw U a V yn hapnewidynnau annibynnol â dosraniadau χ_u^2 a χ_v^2, yn ôl eu trefn, yna mae gan eu swm $U + V$ ddosraniad χ_{u+v}^2.
- Mae'r dosraniad χ_2^2 yn ddosraniad esbonyddol, cymedr 2.

Tablau y dosraniad chi-sgwâr

Mae'r trefniad arferol yn cynnwys detholiad o rai pwyntiau canrannol sy'n rhoi colofnau'r tabl, gyda rhesi yn cyfeirio at wahanol werthoedd v. Dyma ddarn o'r tabl a roddir yn yr Atodiad (t. 442) ar ddiwedd y llyfr hwn.

v	$p(\%)$					
	90	95	97.5	99.0	99.5	99.9
1	2.706	3.841	5.024	6.635	7.879	10.83
2	4.605	5.991	7.378	9.210	10.60	13.82
3	6.251	7.815	9.348	11.34	12.84	16.27
4	7.779	9.488	11.14	13.28	14.86	18.47
5	9.236	11.07	12.83	15.09	16.75	20.52

Os oes gan X ddosraniad χ_v^2, yna mae gwerth x yn y tabl fel bod $P(X < x) = p\%$.

Felly $P(\chi_1^2 < 2.706) = 0.900$, $P(\chi_5^2 > 20.52) = 0.001$ ac mae pwynt canrannol 1% uchaf dosraniad χ_3^2 yn 11.34.

Ymarferion 13a

1 Darganfyddwch: (i) $P(\chi_4^2 > 11.14)$,
   (ii) $P(\chi_5^2 < 11.07)$,   (iii) $P(\chi_3^2 > 12.84)$,
   (iv) $P(\chi_1^2 < 6.635)$,   (v) $P(\chi_1^2 > 1.96^2)$.

2 Darganfyddwch:
   (i) $P(7.779 < \chi_4^2 < 13.28)$,
   (ii) $P(11.07 < \chi_5^2 < 16.75)$,
   (iii) $P(7.378 < \chi_2^2 < 9.210)$.

3 Darganfyddwch c fel bo:
   (i) $P(\chi_4^2 > c) = 0.005$,   (ii) $P(\chi_5^2 > c) = 0.025$,
   (iii) $P(\chi_1^2 > c) = 0.100$,   (iv) $P(\chi_1^2 < c) = 0.995$,
   (v) $P(\chi_3^2 < c) = 0.975$.

4 Gwiriwch fod pwyntiau canrannol uchaf χ_1^2 a roddir yn y tabl uchod, (heblaw am gyfeiliornadau talgrynnu) yn sgwariau pwyntiau canrannol dwy-gynffon cyfatebol $N(0, 1)$.

5 Drwy ddarganfod ffwythiant dosraniad cronnus dosraniad esbonyddol, cymedr 2, gwiriwch y rhifau yn y tabl uchod ar gyfer $v = 2$.

13.2 Cywirdeb ffit i debygolrwyddau rhagnodedig

Roedd yr ystadegyn cywirdeb ffit blaenorol yn X^2, lle mae:

$$X^2 = \sum_{i=1}^{m} \frac{(O_i - E_i)^2}{E_i}$$

Yma mae O_i ac E_i yn amlderau arsylwedig a disgwyliedig, yn ôl eu trefn, ac m yw nifer y categorïau sy'n cael eu cymharu. Mae H_0 yn pennu tebygolrwyddau'r amrywiol gategorïau, a'r amlderau disgwyliedig yw lluoswm maint y sampl a'r tebygolrwyddau hyn. Y rhagdybiaeth arall yw bod H_0 yn anghywir. Gan dybio H_0, mae X^2 *yn fras* yn arsylwad o ddosraniad chi-sgwâr gydag $m - 1$ gradd o ryddid (χ_{m-1}^2).

Nawr rydym yn parhau â chyfrifiadau X^2 ar gyfer taflu'r dis 60 gwaith fel ar ddechrau'r bennod, gan ddefnyddio'r rhagdybiaeth nwl bod y dis yn deg, a lefel arwyddocâd o 2.5%.

O_i	E_i	$O_i - E_i$	$\dfrac{(O_i - E_i)^2}{E_i}$
4	10	−6	3.6
7	10	−3	0.9
16	10	6	3.6
8	10	−2	0.4
8	10	−2	0.4
17	10	7	4.9
Cyfanswm 60	60	0	13.8

Yn yr achos hwn mae $m = 6$ ac felly mae gan y dosraniad χ^2 perthnasol 5 gradd o ryddid. Mae pwynt 2.5% uchaf dosraniad χ^2_5 yn 12.83, sy'n llai na gwerth X^2 (13.8): felly mae tystiolaeth arwyddocaol, ar y lefel 2.5% bod y dis yn un tueddol.

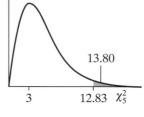

Nodiadau

◆ Mae'r O_i yn amlderau arsylwedig ac maen nhw bob amser yn rhifau cyfan (nid canrannau),

◆ Ni fydd yr E_i fel arfer yn rhifau cyfan.

◆ Dylai cyfanswm y golofn $O_i - E_i$ fod bob amser yn sero (heblaw am gyfeiliornadau talgrynnu posibl).

◆ Gall cyfeiliornadau talgrynnu gronni, felly mae'n fuddiol defnyddio mwy o leoedd degol nag arfer mewn cyfrifiadau X^2.

◆ Ym mhob prawf cywirdeb ffit X^2 y rhagdybiaeth nwl, H₀, yw bod y canlyniadau yn hapsampl o'r dosraniad tybiedig; mae'r rhagdybiaeth arall, H₁, yn dweud yn syml bod H₀ yn anghywir.

◆ Yn aml gelwir y prawf yn **brawf chi-sgwâr** (neu'n brawf χ^2). Yn yr un modd gelwir X^2 yn aml yn χ^2.

Enghraifft 1

Yn ôl damcaniaeth enetig, pan fo pys pêr â blodau coch yn cael eu croesi â phys pêr â blodau glas, bydd gan y genhedlaeth nesaf o bys pêr flodau coch, glas a phorffor yn ôl y cymarebau: $\frac{1}{4}, \frac{1}{4}$ a $\frac{1}{2}$ yn ôl eu trefn. Dyma'r canlyniadau mewn arbrawf go iawn: 84 â blodau coch, 92 â blodau glas a 157 â blodau porffor.

Gan ddefnyddio lefel arwyddocâd 5%, penderfynwch a yw'r canlyniadau hyn yn cefnogi'r ddamcaniaeth.

Y rhagdybiaeth nwl yw bod y tair cyfran yn $\frac{1}{4}, \frac{1}{4}$ a $\frac{1}{2}$, a'r rhagdybiaeth arall yn syml yw bod y rhagdybiaeth nwl yn anghywir. Rydym yn gosod ein cyfrifiadau fel ag o'r blaen:

Math	O_i	E_i	$O_i - E_i$	$\dfrac{(O_i - E_i)^2}{E_i}$
coch	84	83.25	0.75	0.007
glas	92	83.25	8.75	0.920
porffor	157	166.50	−9.50	0.542
Cyfanswm	333	333	0	1.469

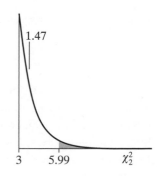

Gyda 3 chategori, $m = 3$, mae 2 radd o ryddid a'r gwerth critigol yw pwynt 5% uchaf dosraniad χ^2_2 (5.991). Gan fod X^2 (1.469) yn llai na'r gwerth hwn, mae'r canlyniadau yn gyson â'r ddamcaniaeth.

Enghraifft 2

Mae pedwar darn arian yn cael eu taflu 100 gwaith. Cafodd niferoedd y pennau a gafwyd bob tro eu cofnodi a chânt eu crynhoi isod.

Nifer y 'pennau'	0	1	2	3	4
Amlder	5	23	39	19	14

Gan ddefnyddio lefel arwyddocâd 2.5%, profwch y rhagdybiaeth bod y pedwar darn arian yn ddiduedd.

———————

Y rhagdybiaeth nwl yw bod y tebygolrwydd o gael pen yn $\frac{1}{2}$ ar gyfer pob un o'r pedwar darn arian. Fel arfer gyda'r profion hyn, mae'r rhagdybiaeth arall yn nodi'n syml bod y rhagdybiaeth nwl yn anghywir.

Os yw'r rhagdybiaeth nwl yn gywir, yna mae nifer y pennau a geir wrth daflu'r pedwar darn arian yn arsylwad o ddosraniad binomial, gydag $n = 4$ a $p = 0.5$. Rhoddir y tebygolrwydd o gael r pen, P_r gan:

$$P_r = \binom{4}{r} \left(\frac{1}{2}\right)^r \left(\frac{1}{2}\right)^{4-r} = \frac{1}{16}\binom{4}{r}$$

gyda'r amlder disgwyliedig cyfatebol yn hafal i $100P_r$. Felly, yn achos $r = 0$ cawn $P_0 = 0.0625$ ac mae'r amlder disgwyliedig cyfatebol yn $100 \times 0.0625 = 6.25$. Mae tebygolrwyddau'r gwahanol ganlyniadau, ynghyd â'r amlderau disgwyliedig a chamau cyfrifiad y prawf X^2 yn cael eu crynhoi yn y tabl isod:

Nifer y pennau	O_i	Tebygolrwydd	E_i	$O_i - E_i$	$\dfrac{(O_i - E_i)^2}{E_i}$
0	5	0.0625	6.25	−1.25	0.25
1	23	0.2500	25.00	−2.00	0.16
2	39	0.3750	37.50	1.50	0.06
3	19	0.2500	25.00	−6.00	1.44
4	14	0.0625	6.25	7.75	9.61
Cyfanswm	100	1.0000	100.00	0	11.52

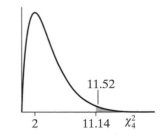

Ceir 5 categori ac, o ganlyniad, 4 gradd o ryddid. Mae pwynt 2.5% uchaf dosraniad χ_4^2 yn 11.14. Gan fod 11.52 yn fwy na'r gwerth critigol hwn, ceir tystiolaeth arwyddocaol nad yw'r pedwar darn arian yn ddiduedd. Mae archwilio'r tabl yn dangos bod y prif gyfraniad i X^2 yn codi o res olaf y tabl: roedd gormod o adegau pan oedd y pedwar darn arian yn arddangos pen.

Enghraifft 3

Mae prifysgol wedi ei rhannu yn gyfadrannau: Celfyddydau, Peirianneg, Dyniaethau, Y Gyfraith a Gwyddoniaeth. Niferoedd y myfyrwyr yn y cyfadrannau hyn yw 1300, 800, 1100, 500 a 1400, yn ôl eu trefn.

Cafodd holiadur oedd yn ymwneud â defnyddio'r llyfrgell ei anfon at yr holl fyfyrwyr. Roedd y 300 ateb cyntaf a agorwyd yn cynnwys 101 gan fyfyrwyr y Celfyddydau, 30 gan fyfyrwyr Peirianneg a 69, 17 ac 83 gan fyfyrwyr y tair cyfadran arall yn ôl eu trefn.

Gan ddefnyddio lefel arwyddocâd 0.1%, gwnewch brawf i ddarganfod a yw'r atebion i'w gweld yn rhoi cynrychiolaeth ddiduedd o'r myfyrwyr yn y brifysgol.

———————

Y rhagdybiaeth nwl yw bod pob myfyriwr yr un mor debygol o ymateb. Y rhagdybiaeth arall yw bod y sampl o atebion rywsut yn dueddol.

Mae'r brifysgol yn cynnwys cyfanswm o 5100 myfyriwr. Mae'r tebygolrwydd bod myfyriwr a ddewisir ar hap yn perthyn i Gyfadran y Celfyddydau felly yn $\frac{1300}{5100}$. Byddai nifer disgwyliedig myfyrwyr y Celfyddydau dan y rhagdybiaeth bod y sampl o atebion yn ddiduedd felly yn $\frac{13}{51} \times 300 = 76.47$. Gellir cyfrifo'r amlderau disgwyliedig eraill yn yr un modd. Isod ceir crynodeb o'r canlyniadau:

Cyfadran	O_i	Tebygolrwydd	E_i	$O_i - E_i$	$\dfrac{(O_i - E_i)^2}{E_i}$
Celfyddydau	101	$\frac{13}{51}$	76.471	24.529	7.868
Peirianneg	30	$\frac{8}{51}$	47.059	-17.059	6.184
Dyniaethau	69	$\frac{11}{51}$	64.706	4.294	0.285
Y Gyfraith	17	$\frac{5}{51}$	29.412	-12.412	5.238
Gwyddoniaeth	83	$\frac{14}{51}$	82.353	0.647	0.005
Cyfanswm	300	1.000	300.00	0	19.580

Gan fod 5 cyfadran mae gan y dosraniad χ^2 perthnasol 4 gradd o ryddid. Mae pwynt 0.1% uchaf dosraniad χ^2_4 yn 18.47, sy'n llai na'r 19.58 arsylwedig. Felly ceir tystiolaeth arwyddocaol, ar y lefel 0.1%, nad yw'r sampl yn groestoriad teg o'r brifysgol. O astudio'r tabl mae'n amlwg bod y sampl yn cynnwys cyfran uwch na'r disgwyl o fyfyrwyr y Celfyddydau, tra bo cyfraneddau'r myfyrwyr Peirianneg a myfyrwyr y Gyfraith yn rhy isel.

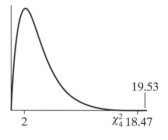

19.53

2   χ^2_4 18.47

Enghraifft 4

Boed i S ddynodi cyfanswm 12 haprif unffurf yn $(0, 1)$. Gwyddom, os yw'r generadur haprifau yn gweithio'n gywir, y bydd dosraniad S, yn fras yn normal, cymedr 6 ac amrywiant 1.

Mae dosraniad 500 gwerth o S wedi ei grynhoi yn y tabl isod:

$s < 4$	$4 \leqslant s < 5$	$5 \leqslant s < 6$	$6 \leqslant s < 7$	$7 \leqslant s < 8$	$8 \leqslant s$
10	75	163	174	66	12

A oes tystiolaeth, ar y lefel arwyddocâd 5%, bod y generadur haprifau yn gweithio yn anghywir?

Y rhagdybiaeth nwl yw bod $S \sim \mathrm{N}(6, 1)$, a'r dewis arall yw nad dyma'r achos.

Os $S \sim \mathrm{N}(6,1)$ yna $\mathrm{P}(S < 4) = \mathrm{P}\left(Z < \dfrac{4 - 6}{\sqrt{1}}\right) = \Phi(-2) = 0.0228$.

Yn achos $\mathrm{P}(4 \leqslant S < 5)$ mae angen inni gyfrifo $\mathrm{P}(S < 5) - \mathrm{P}(S < 4)$. Mae hyn yn $\Phi(-1) - \Phi(-2) = 0.1587 - 0.0228 = 0.1359$. Rydym yn darganfod tebygolrwyddau ar gyfer y categorïau sy'n weddill yn yr un ffordd. Mae'r cyfrifiadau wedi eu crynhoi fel a ganlyn:

Cyfwng	O_i	Tebygolrwydd	E_i	$O_i - E_i$	$\dfrac{(O_i - E_i)^2}{E_i}$
$s < 4$	10	0.0228	11.40	−1.40	0.172
$4 \leqslant s < 5$	75	0.1359	67.95	7.05	0.731
$5 \leqslant s < 6$	163	0.3413	170.65	−7.65	0.343
$6 \leqslant s < 7$	174	0.3413	170.65	3.35	0.066
$7 \leqslant s < 8$	66	0.1359	67.95	−1.95	0.056
$s \geqslant 8$	12	0.0228	11.40	0.60	0.032
Cyfanswm	500	1.0000	500.00	0	1.400

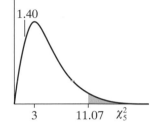

Ar yr achlysur hwn ceir 6 chategori ac felly 5 gradd o ryddid. Mae gwerth X^2 (1.400) yn llawer llai na phwynt 5% uchaf y dosraniad χ^2_5 (11.07) ac o'r herwydd nid oes tystiolaeth arwyddocaol (ar y lefel 5%) bod y generadur haprifau yn gweithio'n anghywir.

Prosiect cyfrifiadurol

Mae natur ailadroddus y cyfrifiadau hyn yn awgrymu'r defnydd o daenlen lle mae colofnau olynol yn dal yr amlderau arsylwedig, eu gwahaniaethau a'r cyfraniadau tuag at X^2. Defnyddiwch daenlen i atgynhyrchu gwaith cyfrifo'r enghraifft flaenorol.

Gwaith ymarferol

Taflwch ddis 30 gwaith, gan gofnodi'r canlyniadau. Nawr gwnewch brawf cywirdeb ffit i weld a oes tystiolaeth arwyddocaol, ar y lefel 10%, o unrhyw duedd.
Gan gymryd bod eich dis yn un teg, pa gyfran o'r amser y byddai sampl o 30 tafliad yn arwain at ganlyniad 'arwyddocaol ar y lefel 10%'?
Pa gyfran o unigolion yn eich dosbarth a gafodd ganlyniadau 'arwyddocaol'?

Prosiect

Mewn Ystadegaeth rydym yn aml yn defnyddio ymadroddion fel 'hapddewiswyd' neu 'ar hap'. Nod y prosiect hwn yw penderfynu a yw pobl yn gallu dewis pethau 'ar hap' mewn gwirionedd. Os na allant, yna mae angen tablau o haprifau.
Ysgrifennwch y llythrennau A B C D E mewn rhes lorweddol ar ddarn o bapur. Yna gofynnwch i bobl 'ddewis llythyren ar hap'. Cofnodwch eu dewis. Ar ôl ichi gofnodi dewisiadau o leiaf 25 o bobl, rhowch brawf ar y rhagdybiaeth bod gan bob llythyren yr un tebygolrwydd o gael ei dewis.
Cyfunwch eich canlyniadau â chanlyniadau aelodau eraill y dosbarth. Mae'r rhan fwyaf o ymchwil yn awgrymu bod pobl yn dueddol o ddewis llythrennau tuag at ddiwedd rhestrau, ac yn benodol tuag at y chwith ar restr lorweddol. Efallai yr hoffech ailadrodd yr arbrawf gan ddefnyddio rhestr fertigol.

Ymarferion 13b

1 Isod ceir crynodeb o hapsampl o 80 arsylwad ar X:

x	0	1	2	$\geqslant 3$
Amlder	14	30	17	19

Profwch, ar y lefel arwyddocâd 5%, y rhagdybiaeth bod gan X ddosraniad Poisson gyda chymedr sy'n hafal i 1.6.

2 Y rhagdybiaeth nwl yw bod gan yr hapnewidyn arwahanol X ddosraniad tebygolrwydd a roddir gan:

$$P(X = x) = \begin{cases} \dfrac{x}{10} & (x = 1, 2, 3, 4) \\ 0 & \text{fel arall} \end{cases}$$

Ceir crynodeb o hapsampl o 70 arsylwad o X yn y tabl isod.

Gwerth X	1	2	3	4
Amlder	4	20	18	28

Defnyddiwch brawf chi-sgwâr i benderfynu a oes tystiolaeth, ar y lefel arwyddocâd 1%, dros wrthod y rhagdybiaeth nwl.

3 Mae poblogaeth gwlad yn cynnwys tri grŵp ethnig, A, B ac C, sy'n ffurfio 30%, 60% a 10% o'r boblogaeth yn ôl eu trefn. Mae sampl o 80 o bobl yn cynnwys 21 o grŵp A, 57 o grŵp B a 2 o grŵp C.
A oes tystiolaeth arwyddocaol, ar y lefel 5%, bod y sampl yn un dueddol?

4 Os yw peiriant ceiniogau yn gweithio'n gywir yna dylai'r symbol yn ei ffenestr chwith fod yr un mor debygol o fod yn lemon, banana, ceiriosen neu far. Mewn 100 treial mae'r peiriant yn dangos 23 lemon, 16 banana, 34 ceiriosen a 27 bar.
A yw hyn yn rhoi tystiolaeth arwyddocaol, ar y lefel 5%, nad yw'r peiriant yn gweithio'n gywir?

5 Os yw arbrawf croesbeilliad wedi cael ei wneud yn gywir yna dylai fod gan $\frac{1}{8}$ o'r planhigion newydd flodau coch, dylai fod gan $\frac{3}{8}$ flodau pinc a dylai fod gan y gweddill flodau gwyn. Darganfyddir, mewn hapsampl o 80 planhigyn, bod gan 4 flodau coch, 40 flodau pinc a 36 flodau gwyn.
A yw hyn yn dystiolaeth arwyddocaol, ar y lefel 0.1%, bod yr arbrawf wedi cael ei gynnal yn anghywir?

6 Mae poblogaeth fawr iawn yn cynnwys niferoedd cyfartal o wrywod a benywod. Mae gan 40% o bob rhyw wallt du. Mae sampl o 100 aelod o'r boblogaeth hon yn cynnwys 23 o fenywod gwallt du, 18 o wrywod gwallt du, 36 o fenywod eraill a 23 o wrywod eraill. Penderfynwch a oes tystiolaeth arwyddocaol, ar y lefel 5%, nad yw'r sampl wedi ei dewis ar hap gyda golwg ar liw gwallt.

7 Mae'r hapnewidyn X yn cymryd yr holl werthoedd real rhwng 0 a 4 ac mae ganddo ffwythiant dwysedd tebygolrwydd $\dfrac{5}{4(1 + x)^2}$.
Dangoswch fod $P(X < 1)$ yn 0.625 a darganfyddwch $P(X > 2)$. Mewn cyfrifiadur, roedd yr oediad rhwng gofyn am ganlyniad penodol a'i ymddangosiad ar y sgrin yn cael ei fesur ar 40 adeg a ddewiswyd ar hap. Mae'r canlyniadau wedi eu crynhoi isod.

Oediad (munudau)	< 1	$1 - 2$	> 2
Amlder	26	4	10

Defnyddiwch χ^2 gyda thri dosbarth a lefel arwyddocâd 5% i brofi'r rhagdybiaeth bod gan yr oediad hwn yr un dosraniad tebygolrwydd ag X. **[O&C(P)]**

8 Mae gan yr hapnewidyn didor X ddosraniad normal, cymedr 254.0 a gwyriad safonol 2.4. Mae'r rhifau x_1, x_2, x_3 ac x_4, lle mae $x_1 < x_2 < x_3 < x_4$, yn rhannu amrediad $X(+\infty$ hyd at $+\infty)$ yn bum cyfwng fel bo'r tebygolrwydd o X wedi ei leoli yn unrhyw un o'r cyfyngau yn $\frac{1}{5}$. Dangoswch fod $x_1 = 251.98$, yn gywir i 2 le degol, a darganfyddwch werthoedd x_2, x_3 ac x_4. Cymerir hapsampl o 40 arsylwad o X. Ysgrifennwch yr amlderau disgwyliedig ar gyfer pob un o'r pum cyfwng a ddarganfyddir uchod. Ar boteli o frand arbennig o siampŵ nodir bod y cynnwys yn 250 ml. Profwyd hapsampl o 40 potel a mesurwyd eu cyfeintiau mewn ml. Dyma'r canlyniadau mewn trefn rifiadol:

248.1 249.0 249.1 250.3 250.8 251.4 252.2
252.2 252.4 252.4 252.5 252.5 252.7 252.9
253.1 253.4 253.5 253.5 253.6 253.8 253.9
253.9 254.1 254.3 254.3 254.4 254.5 254.5
254.6 254.8 254.9 255.0 255.3 255.4 255.8
256.2 257.0 257.2 258.3 259.4

(parhad)

(i) Ewch ati i gynnal prawf addas, ar y lefel arwyddocâd 5%, i benderfynu a yw'r sampl yn cefnogi honiad y gwneuthurwr bod y poteli yn cynnwys cyfeintiau â dosraniad normal, cymedr 254.0 ml a gwyriad safonol 2.4 ml. Nodwch eich casgliadau yn glir.

(ii) Mae cymedr y sampl yn 253.68 ml. Gan dybio bod cymedr y boblogaeth a'r gwyriad safonol yr un fath â'r honiad yn (i), cyfrifwch y tebygolrwydd y bydd hapsampl o faint 40 yn rhoi cymedr sampl o 253.68 ml o leiaf. [UCLES]

13.3 Amlderau disgwyliedig bychain

Mae dosraniad X^2 yn arwahanol – mae'r dosraniad χ^2 yn ddi-dor ac yn syml yn frasamcan cyfleus sy'n dod yn llai cywir wrth i'r amlderau disgwyliedig ddod yn llai. Y rheol a nodir yn aml er mwyn penderfynu a ellir defnyddio'r brasamcan ai peidio yw:

'Rhaid i'r holl amlderau disgwyliedig fod yn hafal i o leiaf 5'.

Os yw'r categorïau gwreiddiol a ddewisir yn arwain at amlderau disgwyliedig llai na 5, yna bydd yn angenrheidiol cyfuno'r categorïau. Gellir gwneud y cyfuniad hwn ar unrhyw sail synhwyrol, ond dylid gwneud hyn heb gyfcirio at yr amlderau arsylwedig er mwyn osgoi canlyniadau tueddol. Gyda data rhifiadol mae'n naturiol cyfuno categorïau cyfagos: er enghraifft, gallem roi'r un categori '7–9' yn lle'r tri chategori '7', '8' a '9'.

Nodyn
♦ Mae'r rheol a roddir ('o leiaf 5') yn tueddu at fod yn orofalus. Mae llawer o ymchwilwyr yn ddigon bodlon caniatáu bod cyfran bychan o amlderau disgwyliedig yn llai na 5.

Enghraifft 5

Gellir profi generadur haprifau drwy astudio hydoedd 'rhediadau' o ddigidau. Mae tebygolrwydd rhediad, hyd k (h.y. bod digid a ddewisir ar hap yn cael ei ddilyn gan union $k - 1$ o ddigidau tebyg) yn $0.9 \times 0.1^{k-1}$. Mae hwn yn ddosraniad geometrig (gweler Adran 5.4, t. 118).

Cynhyrchir dilyniant o haprifau honedig, a cheir y canlyniadau hyn:

Hyd rhediad	1	2	3	4	5	6 neu fwy
Amlder	8083	825	75	9	1	0

Defnyddiwch lefel arwyddocâd 10% i benderfynu a yw'r canlyniadau hyn yn awgrymu bod yna rhywbeth o'i le ar y generadur haprifau.

Mae'r rhagdybiaeth nwl yn pennu bod gan rediad, hyd k, debygolrwydd $0.9 \times 0.1^{k-1}$, a'r rhagdybiaeth arall yn nodi bod y rhagdybiaeth nwl yn anghywir.

Hyd rhediad	O_i	Tebygolrwydd	E_i	$O_i - E_i$	$\dfrac{(O_i - E_i)^2}{E_i}$
1	8083	0.900	8093.700	−10.700	0.014
2	825	0.090	809.370	15.630	0.302
3	75	0.009	80.937	−5.937	0.435
4 5 6+ } 4+	9 1 0 } 10	} 0.001	8.094 0.809 0.090 } 8.993	1.007	0.113
Cyfanswm	8993	1.000	8993.000	0	0.864

Dangosir yr amlderau disgwyliedig yn y tabl. Ceir yr amlder ar gyfer hyd rhediad sy'n 6 neu fwy drwy dynnu. Yna rydym yn darganfod bod y ddau amlder olaf a ddisgwylir yn fychan iawn ac rydym yn cyfuno'r rhain â'r categori blaenorol i ffurfio categori '4+'.

Ar ôl cyfuno'r categorïau hyn daw m yn 4 ac rydym yn defnyddio'r dosraniad χ_3^2. Mae pwynt 10% uchaf y dosraniad hwn yn 6.251 sy'n llawer iawn mwy na'r gwerth arsylwedig (0.864). Nid oes tystiolaeth arwyddocaol dros wrthod y rhagdybiaeth nwl bod y generadur haprifau yn gweithio yn gywir.

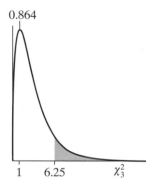

Ymarferion 13c

1 Mae hapsampl o 50 arsylwad ar yr hapnewidyn arwahanol X yn cael eu crynhoi isod:

x	0	1	2	3
Amlder	12	16	20	2

Profwch, ar y lefel arwyddocâd 1%, y rhagdybiaeth bod $X \sim B(3, 0.45)$.

2 Mae hapsampl o 100 arsylwad ar yr hapnewidyn arwahanol X yn cael eu crynhoi isod:

x	0	1	2	3	4
Amlder	18	36	36	8	2

Profwch, ar y lefel arwyddocâd 1%, y rhagdybiaeth bod $X \sim B(4, 0.3)$.

3 Mae hapsampl o 80 arsylwad ar yr hapnewidyn arwahanol X yn cael eu crynhoi isod:

x	0	1	2	3	≥ 4
Amlder	24	30	17	5	4

Profwch, ar y lefel arwyddocâd 5%, y rhagdybiaeth bod gan X ddosraniad Poisson, a chymedr yn hafal i 1.2.

4 Mae hapsampl o 150 arsylwad ar yr hapnewidyn didor X yn cael eu crynhoi isod:

x	< 5	5–	10–	15–
Amlder	2	6	24	51

x	20–	25–	30–	≥ 35
Amlder	35	28	3	1

Profwch, ar y lefel arwyddocâd 1%, y rhagdybiaeth bod $X \sim N(20, 36)$.

5 Y rhagdybiaeth nwl yw bod gan yr hapnewidyn X ddosraniad binomial gydag $n = 6$ a $p = \frac{1}{3}$. Rhoddodd hapsampl o 60 arsylwad y canlyniadau isod:

x	0	1	2	3	4	5	6
Amlder	8	16	18	15	3	0	0

Profwch y rhagdybiaeth nwl gan ddefnyddio lefel arwyddocâd 5%.

6 Mae Tudur yn credu bod ei geiniog lwcus yn un deg. Er mwyn profi hyn mae'n taflu'r geiniog ac yn cyfrif sawl cynffon a geir rhwng pennau olynol. Os yw'r geiniog yn deg yna $P(r \text{ cynffon}) = \left(\frac{1}{2}\right)^{r+1}$ pan fo $r = 0, 1, 2, \ldots$
Dyma ganlyniadau Tudur:

r	0	1	2	3	4	$\geqslant 5$
Amlder	25	18	9	6	2	0

Darganfyddwch a oes tystiolaeth arwyddocaol, ar y lefel 5%, bod y geiniog yn dueddol.

7 Mae gan boblogaeth planhigyn arbennig flodau o wahanol liwiau a rhoddir eu cyfrannau yn y tabl isod. Mae gan arddwr 80 o'r planhigion, fel sy'n cael ei nodi yn y tabl:

Lliw	coch	gwyn	pinc	oren	melyn
Poblogaeth	0.4	0.3	0.2	0.05	0.05
Planhigion	24	28	24	3	1

Profwch, ar y lefel 5%, y rhagdybiaeth y gellid ystyried planhigion y garddwr fel hapsampl o'r boblogaeth.

8 Mae botanegydd yn dyfalu bod sbesimenau o blanhigyn arbennig yn tyfu mewn lleoliadau ar hap mewn cors, gyda chyfradd gymedrig o 4 planhigyn y metr sgwâr. Er mwyn profi'r dyfaliad mae'n dewis ardal o'r gors ar hap ac yn ei rhannu yn rhannau llai ag arwynebedd 0.5 m² nad ydynt yn gorgyffwrdd ac yn cyfrif niferoedd y planhigion sydd ym mhob rhan. Dyma'r canlyniadau a gafodd:

Nifer y planhigion	0	1	2	3	4	$\geqslant 5$
Nifer y rhannau	4	14	9	7	6	0

Profwch y dyfaliad gan ddefnyddio lefel arwyddocâd 5%.

9 Honnir bod rhaglen haprifau yn cynhyrchu hapgyfanrifau yn y cyfwng

00000 hyd at 99999

yn gynwysedig. Un ffordd o brofi'r haprwydd tybiedig hwn yw gadael i X fod yn gyfanswm nifer y rhifau 3 *a* 7 mewn rhif pum digid a gynhyrchir. Er enghraifft, yn achos 02037 mae gwerth X yn 2, ac yn achos 30703 mae'n 3. Os yw'r rhaglen yn gweithio'n gywir, beth fyddech chi'n rhagweld fyddai dosraniad tebygolrwydd X?

Mae treial yn cynhyrchu'r canlyniadau isod:

Gwerth X	0	1	2	3	4	5
Amlder	1001	1302	624	175	23	0

Profwch gysondeb y sampl hon gyda dosraniad disgwyliedig X, gan nodi sail eich cyfrifiadau.

[SMP]

10 Mae gan hapnewidyn X ddosraniad normal, cymedr 35 ac amrywiant 100. Mae'r tabl cyntaf isod yn dangos y tebygolrwydd bod gwerth un darlleniad, x, wedi ei leoli mewn cyfwng penodol. Copïwch a chwblhewch y tabl hwn.

x	llai na 10	10–	20–	30–
Tebygolrwydd	0.0062			0.3830

x	40–	50–	60 a mwy
Tebygolrwydd			

Mae'r ail dabl yn dangos dosraniad amlder yr amseroedd, mewn eiliadau, a gymer 200 o blant 10 oed i glymu careiau eu dwy esgid.

Amser	llai na 10	10–	20–	30–
Amlder	8	11	40	59

Amser	40–	50–	60 a mwy
Amlder	66	10	6

Cynhaliwch brawf cywirdeb ffit χ^2 i ddangos bod tystiolaeth i awgrymu nad yw'r amseroedd a gymer plant 10 oed i glymu careiau eu dwy esgid yn dilyn dosraniad normal, cymedr 35 eiliad a gwyriad safonol 10 eiliad.

[JMB(P)]

11 Mae taldra (x) cant o blismyn a gafodd eu recriwtio gan yr heddlu yn ystod blwyddyn benodol yn cael eu crynhoi yn y tabl isod.

Taldra (cm)	Amlder
$x < 175$	2
$175 \leq x < 177$	15
$177 \leq x < 179$	29
$179 \leq x < 181$	25
$181 \leq x < 183$	12
$183 \leq x < 185$	10
$185 \leq x$	7

Mae gan boblogaeth y plismyn daldra cymedrig o 180 cm gyda gwyriad safonol o 3 cm. Profwch y rhagdybiaeth bod dosraniad y taldra yn normal.

12 Mae rhifau ffug-hap yn cael eu cynhyrchu, fel arfer gan gyfrifiadur, gan ddefnyddio algorithmau mathemategol. Mae'r rhifau sy'n cael eu cynhyrchu i fod i ddynwared nodweddion haprifau dilys (anrhagweladwy), ond fe'u gelwir yn ffug-hap oherwydd fel arfer bydd y cyfrifiadur yn cynhyrchu'r un dilyniant bob tro y bydd y cyfrifiadur yn cael ei roi ymlaen.

Mae gwahanol brofion haprwydd yn cael eu defnyddio ar set o rifau ffug-hap, er enghraifft:

(i) Dylai set o ddigidau, yn fras, gynnwys pob un o 0, 1, ..., 9 gydag amler hafal.

(ii) Dylai nifer, K, y digidau ansero sy'n digwydd rhwng ymddangosiadau olynol o luosrifau 3 fod yn arsylwad o ddosraniad geometrig:

$$P(K = k) = \frac{2^k}{3^{k+1}}, \text{ ar gyfer } k = 0, 1, \ldots$$

Gan ddefnyddio'r prawf cywirdeb ffit X^2, cynhaliwch y ddau brawf haprwydd hyn ar y set ganlynol o 80 digid (gan weithio ar hyd y rhesi).

6	5	1	9	1	2	1	4	8	6
8	9	7	2	9	8	7	9	8	9
0	7	3	7	4	9	0	3	4	5
4	5	1	0	7	2	9	5	0	5
7	0	3	9	5	3	1	9	9	7
1	2	3	2	0	9	9	5	6	1
9	3	4	5	5	3	4	9	5	6
4	4	6	7	1	2	7	0	2	6

13.4 Cywirdeb ffit i ddosraniad penodedig

Nawr rydym yn rhoi sylw i achosion lle mae'r rhagdybiaeth nwl yn nodi bod gan y data 'ddosraniad o fath arbennig', ond *nid* yw'n nodi holl baramedrau'r dosraniad. Enghraifft nodweddiadol fyddai'r rhagdybiaeth:

H_0: mae gan fasau brand arbennig o fisged digestif ddosraniad normal.

Nid yw'r rhagdybiaeth yn nodi *pa* ddosraniad normal, felly rydym yn dewis yr un mwyaf credadwy – dyma'r un sydd â'r un cymedr ac amrywiant â'r data arsylwedig. Oherwydd y cydosod bwriadol hwn rydym yn cyfyngu'r amlderau disgwyliedig. Bydd gwerth X^2 fymryn yn llai gan fod y ffit yn well ac mae hyn yn newid gwerth ν, sef graddau rhyddid y dosraniad χ^2 brasamcanol. Y rheol gyffredinol yw:

$$\nu = m - 1 - k \tag{13.2}$$

lle mae m yn nifer y canlyniadau gwahanol (ar ôl cyfuniadau i ddileu mân amlderau disgwyliedig) a k yn nifer y paramedrau a amcangyfrifwyd o'r data. Yn yr achosion sydd newydd eu hystyried yn Adrannau 13.2 ac 13.3, roedd k yn hafal i 0.

Enghraifft 6

Mae wyau yn cael eu pacio mewn cartonau o chwech. Wrth gyrraedd
yr archfarchnad edrychir ar bob carton i sicrhau nad oes yr un wy wedi
torri. Mae Ffred, y dyn-archwilio-wyau, yn ceisio gwneud ei waith yn fwy
diddorol drwy gofnodi nifer yr wyau sydd wedi torri ym mhob carton. Ar
ôl archwilio 5000 carton dyma ei ganlyniadau:

Nifer yr wyau toredig	0	1	2	3	4	5	6
Nifer y cartonau	4704	273	22	0	0	1	0

Profwch, ar y lefel 0.1%, i weld a yw'r canlyniadau hyn yn gyson â'r
rhagdybiaeth nwl bod yr wyau sydd wedi torri yn annibynnol ar ei gilydd, a
bod pob un o'r chwe wy mewn carton yr un mor debygol o dorri.

———

Yn ôl y rhagdybiaeth nwl, mae pob un o'r chwe wy yr un mor debygol
o dorri ac mae'r wyau sy'n torri yn annibynnol ar ei gilydd. Os felly, yna
mae nifer yr wyau sydd wedi torri mewn carton yn arsylwad o ddosraniad
binomial, gydag $n = 6$. Archwiliodd Ffred gyfanswm o 30 000 wy, a
darganfu fod 322 ohonynt wedi torri. Felly amcangyfrif sampl p yw $\frac{322}{30\,000}$.
Nawr mae'r cyfrifiadau X^2 yn mynd rhagddynt fel arfer, ac, yn yr achos
hwn, mae'r pum categori olaf yn cael eu cyfuno.

Wedi torri	O_i	Tebygolrwydd	E_i	$O_i - E_i$	$\frac{(O_i - E_i)^2}{E_i}$
0	4704	0.937 30	4686.518	17.482	0.065
1	273	0.061 02	305.086	−32.086	3.374
2 3 4 5 6 } 2+	22 0 0 1 0 } 23	0.001 68	8.396	14.604	25.402
Cyfanswm	5000	1.000 00	5000.000	0	28.841

Ar ôl cyfuno'r categorïau, mae $m = 3$. Amcangyfrifwyd un paramedr (p)
o'r data ac o ganlyniad $\nu = 3 - 1 - 1 = 1$. Mae gwerth arsylwedig X^2 yn
llawer iawn mwy na phwynt 0.1% uchaf dosraniad χ^2 (10.83) felly gallwn
wrthod y rhagdybiaeth nwl yn hyderus.

   Wrth archwilio'r data gwelwn fod gormod o gartonau yn cynnwys dau
(neu fwy) o wyau wedi torri. Mae'n ymddangos yn debygol nad yw wyau'n
torri yn ddigwyddiadau annibynnol, ond eu bod yn cael eu hachosi gan
gartonau yn cael eu gollwng a thrwy ddamweiniau eraill.

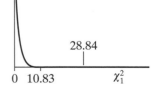

Enghraifft 7

Mae teipydd yn cynhyrchu teipysgrif 50 tudalen ac yn ei rhoi i'r awdur
i'w phrawfddarllen. Mae'n nodi sawl gwall sydd ar bob tudalen. Dyma
grynodeb o'r canlyniadau:

Nifer y gwallau	0	1	2	3	4	5	6	7	8	9	10+
Nifer y tudalennau	2	5	16	11	6	3	1	2	3	1	0

Profwch, ar y lefel arwyddocâd 5%, y rhagdybiaeth nwl bod y gwallau wedi
eu dosrannu ar hap drwy'r deipysgrif.

———

Mae'r rhagdybiaeth nwl yn nodi bod y gwallau wedi eu dosrannu ar hap. Os yw hyn yn wir yna dylai'r niferoedd fod yn arsylwadau o ddosraniad Poisson.

Er mwyn profi'r rhagdybiaeth mae angen inni yn gyntaf amcangyfrif cymedr y dosraniad Poisson. Mae $(0 \times 2) + (1 \times 5) + \ldots = 162$ gwall i gyd ac o ganlyniad mae'r nifer cymedrig ar bob tudalen yn 3.24. Mae'r tebygolrwydd y bydd tudalen yn cynnwys r gwall felly yn cael ei amcangyfrif fel P_r, lle mae:

$$P_r = \frac{(3.24)^r e^{-3.24}}{r!}$$

ac mae'r amlder disgwyliedig cyfatebol yn $50P_r$. Mae'r cyfrifiadau wedi eu trefnu isod:

Nifer y gwallau	O_i		Tebygolrwydd		E_i		$O_i - E_i$	$\dfrac{(O_i - E_i)^2}{E_i}$
0 ⎫	2 ⎫		0.0392 ⎫		1.9582 ⎫		−1.3027	0.204
1 ⎭	5 ⎭ 7		0.1269 ⎭ 0.1661		6.3446 ⎭ 8.3027			
2	16		0.2056		10.2782		5.7218	3.185
3	11		0.2220		11.1004		−0.1004	0.001
4	6		0.1798		8.9913		−2.9913	0.995
5	3		0.1165		5.8264		−2.8264	1.371
6 ⎫	1 ⎫							
7	2							
8 ⎬ 6+	3 ⎬ 7		0.1100		5.5009		1.4991	0.409
9	1							
10+ ⎭	0 ⎭							
Cyfanswm	50		1.0000		50.0000		0	6.165

Sylwer, yn yr achos hwn, ei bod yn angenrheidiol cyfuno categorïau yn nwy gynffon y dosraniad. Ar ôl y cyfuniadau hyn mae $m = 6$ ac, o ganlyniad, mae $v = 6 - 1 - 1 = 4$, gan fod un paramedr wedi ei amcangyfrif o'r data. Nid yw gwerth arsylwedig X^2 (6.165) yn fwy na phwynt 5% uchaf dosraniad χ_4^2 (9.488), a gallwn felly dderbyn y rhagdybiaeth bod gwallau'r teipydd wedi digwydd ar hap.

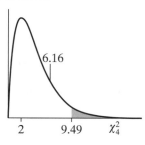

Enghraifft 8

Mae'r tabl canlynol yn rhoi dosraniad pwysedd gwaed systolig (mewn mm o fercwri) ar gyfer hapsampl o 250 o ddynion rhwng 30 a 39 oed.

Pwysedd gwaed (g)	$80 < g \leqslant 100$	$100 < g \leqslant 110$	$110 < g \leqslant 120$	$120 < g \leqslant 130$
Nifer y dynion	3	12	52	74

Pwysedd gwaed (g)	$130 < g \leqslant 140$	$140 < g \leqslant 150$	$150 < g \leqslant 160$	$160 < g \leqslant 180$
Nifer y dynion	67	26	12	4

Darganfyddwch a oes tystiolaeth arwyddocaol, ar y lefel 5%, dros wrthod y rhagdybiaeth nwl bod gan bwysedd gwaed ddosraniad normal.

Er mwyn profi'r rhagdybiaeth nwl mae'n rhaid inni gael amcangyfrifon o gymedr ac amrywiant y boblogaeth. Gan drin g fel hapnewidyn di-dor a chan ddefnyddio x i ddynodi canolbwynt dosbarth, dangosir y cyfrifiadau sylfaenol yn y tabl isod.

Pwysedd gwaed, g	Canolbwynt, x	Amlder, f	fx	fx^2
$80 < g \leqslant 100$	90	3	270	24300
$100 < g \leqslant 110$	105	12	1260	132300
$110 < g \leqslant 120$	115	52	5980	687700
$120 < g \leqslant 130$	125	74	9250	1156250
$130 < g \leqslant 140$	135	67	9045	1221075
$140 < g \leqslant 150$	145	26	3770	546650
$150 < g \leqslant 160$	155	12	1860	288300
$160 < g \leqslant 180$	170	4	680	115600
Cyfanswm		250	32115	4172175

Rhoddir cymedr y sampl a gwerth s^2 ar gyfer y data wedi eu grwpio gan:

$$\bar{x} = \frac{32115}{250} = 128.46$$

$$s^2 = \frac{1}{249}\left\{4172175 - \frac{(32115)^2}{250}\right\} = 187.4783$$

Nawr rydym yn cyfrifo'r amlderau disgwyliedig o ddosraniad normal sydd â'r union werthoedd hyn ar gyfer y cymedr a'r amrywiant. Er enghraifft, ar gyfer y dosbarth $110 < g \leqslant 120$, mae'r tebygolrwydd damcaniaethol yn:

$$\Phi\left(\frac{120 - 128.46}{\sqrt{187.4783}}\right) - \Phi\left(\frac{110 - 128.46}{\sqrt{187.4783}}\right) = \Phi(-0.618) - \Phi(-1.348)$$

$$= 0.2683 - 0.0888 = 0.1795$$

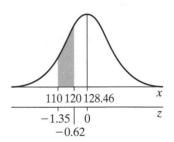

Felly'r amlder disgwyliedig cyfatebol yw $250 \times 0.1795 = 44.875$. Mae'r cyfrifiadau sy'n weddill wedi eu crynhoi yn y tabl isod, lle mae u yn dynodi ffiniau ucha'r dosbarthiadau.

u	$z = \dfrac{u - \bar{x}}{s_x}$	$\Phi(z)$	Tebygolrwydd dosbarth	E_i
80	-3.539	0.0002	0.0002	0.050
100	-2.079	0.0188	0.0186	4.650
110	-1.348	0.0888	0.0700	17.500
120	-0.618	0.2683	0.1795	44.875
130	0.112	0.5446	0.2763	69.075
140	0.843	0.8003	0.2557	63.925
150	1.573	0.9422	0.1419	35.475
160	2.303	0.9894	0.0472	11.800
180	3.764	0.9999	0.0105	2.625
∞	∞	1.0000	0.0001	0.025

Mae angen inni gyfuno categorïau ar ddau ben y dosraniad. Gan ddefnyddio'r rheol na ddylai'r un amlder disgwyliedig fod yn llai na 5, mae nifer y categorïau yn cael ei leihau i 6. Gallwn nawr wneud y cyfrifiadau X^2:

Categori	O_i	E_i	$O_i - E_i$	$\dfrac{(O_i - E_i)^2}{E_i}$
$g \leqslant 110$	15	22.200	-7.200	2.335
$110 < g \leqslant 120$	52	44.875	7.125	1.131
$120 < g \leqslant 130$	74	69.075	4.925	0.351
$130 < g \leqslant 140$	67	63.925	3.075	0.148
$140 < g \leqslant 150$	26	35.475	-9.475	2.531
$150 < g$	16	14.450	1.550	0.166
Cyfanswm	250	250	0	6.662

Ceir $6 - 1 - 2 = 3$ gradd o ryddid, gan fod y cymedr a'r amrywiant wedi cael eu hamcangyfrif o'r data. Nid yw gwerth X^2 (6.662) yn fwy na phwynt 5% uchaf dosraniad χ_3^2 (7.815) ac felly rydym yn derbyn y rhagdybiaeth nwl bod gan arsylwadau pwysedd gwaed systolig ddosraniad normal.

Ymarferion 13ch

1 Rhagdybir bod gan yr hapnewidyn X ddosraniad binomial, lle mae $n = 4$. Mae'r tabl isod yn crynhoi 200 arsywlad ar X.

x	0	1	2	3	4
Amlder	46	77	69	7	1

Profwch y rhagdybiaeth ar y lefel 1%.

2 Rhagdybir bod gan yr hapnewidyn X ddosraniad binomial, lle mae $n = 4$. Mae'r tabl isod yn crynhoi 100 arsylwad ar X.

x	0	1	2	3	4
Amlder	53	37	7	3	0

Profwch y rhagdybiaeth ar y lefel 5%.

3 Rhagdybir bod gan yr hapnewidyn X ddosraniad Poisson. Mae'r tabl isod yn crynhoi 80 arsylwad ar X.

x	0	1	2	3	4	$\geqslant 5$
Amlder	23	41	10	5	1	0

Profwch y rhagdybiaeth ar y lefel 5%.

4 Rhagdybir bod gan yr hapnewidyn X ddosraniad Poisson. Mae'r tabl isod yn crynhoi 200 arsylwad ar X.

x	0	1	2	3	$\geqslant 4$
Amlder	125	57	11	7	0

Profwch y rhagdybiaeth ar y lefel 5%.

5 Mae Sam yn ystyried bod diwrnod yn un 'da' os nad yw'r ffôn yn canu o gwbl y diwrnod hwnnw. Yn ystod 50 wythnos mewn blwyddyn (heb gyfrif cyfnod y Nadolig) roedd niferoedd y diwrnodau 'da' fel a ganlyn:

Nifer y diwrnodau	0	1	2	3	$\geqslant 4$
Nifer yr wythnosau	25	16	8	1	0

Rhowch brawf, ar y lefel 5%, ar y rhagdybiaeth bod gan nifer y diwrnodau da mewn wythnos ddosraniad binomial.

6 Mae'r data canlynol yn cynrychioli hyd (mewn mm i'r 0.1 mm agosaf) wyau cogau a ddarganfuwyd mewn nythod corhedyddion y waun:

19.5	21.6	23.0	18.9	20.0
22.6	19.1	22.4	18.9	23.2
19.7	21.0	19.4	21.5	23.8
19.6	19.9	21.4	20.7	19.7
21.0	20.3	21.7	19.2	19.5
22.1	20.8	20.1	19.2	24.7
22.3	20.2	20.5	19.9	19.4
21.0	25.6	21.3	18.8	22.1

Swm a swm sgwariau'r 40 arsylwad yw 835.6 ac 17 561.16, yn ôl eu trefn.

(a) Dangoswch y data hyn ar histogram gan ddefnyddio'r cyfyngau grŵp:

18.0–18.9, 19.0–19.9, 20.0–20.9,
21.0–21.9, 22.0–22.9, 23.0–25.9

(b) Gan ddefnyddio cymedr y sampl a gwerth s^2 fel amcangyfrifon ar gyfer cymedr ac amrywiant y boblogaeth, a heb gyfuno unrhyw gategorïau, cynhaliwch brawf cywirdeb ffit ar gyfer y rhagdybiaeth nwl bod gan y data ddosraniad normal.

7 Mae garddwr yn hau 4 hedyn mewn 100 potyn. Rhoddir nifer y potiau lle mae r o'r 4 hedyn yn egino yn y tabl isod.

Nifer yr hadau sy'n egino	0	1	2	3	4
Nifer y potiau	21	27	27	21	4

Amcangyfrifwch y tebygolrwydd p y bydd hedyn unigol yn egino. Ffitiwch ddosraniad binomial a phrofwch ar gyfer cywirdeb ffit ar y lefel 1%. [UCLES(P)]

8 Mewn astudiaeth ymchwil i gymhlethdodau sy'n deillio o lawdriniaethau pen-glin, casglwyd data ar 15 llawdriniaeth gan bob un o 40 llawfeddyg. Nid oedd cleifion â phroblemau iechyd difrifol eraill yn cael eu cynnwys yn yr astudiaeth. Mae'r tabl canlynol yn crynhoi nifer cleifion pob llawfeddyg a ddioddefodd gymhlethdodau, ynghyd â'r nifer disgwyliedig pan fo dosraniad binomial yn cael ei ffitio i'r data:

Nifer y cleifion (allan o 15) â chymhlethdodau	0	1	2	3
Nifer arsylwedig y llawfeddygon, O	2	9	8	7
Nifer disgwyliedig y llawfeddygon, E	1.41	5.28	9.24	10.01

Nifer y cleifion (allan o 15) â chymhlethdodau	4	5	6	7 neu fwy
Nifer arsylwedig y llawfeddygon, O	3	6	3	2
Nifer disgwyliedig y llawfeddygon, E	7.50	4.12	1.72	0.72

Profwch, ar y lefel arwyddocâd 5%, a yw'r dosraniad binomial yn fodel addas ar gyfer y data.

Nodwch, gan roi rheswm, a yw eich casgliad yn cefnogi'r ddamcaniaeth bod y tebygolrwydd bod llawdriniaeth pen-glin yn arwain at gymhlethdodau yn annibynnol ar ba lawfeddyg sy'n gwneud y llawdriniaeth.

[AEB(P) 91]

9 Mae botanegydd sy'n archwilio dosraniad blodau llygad y dydd mewn cae yn cyfrif sawl llygad y dydd sydd mewn 200 llain fechan un metr sgwâr nad ydynt yn gorgyffwrdd, a ddewiswyd ar hap. Rhoddir y canlyniadau yn y tabl isod.

Nifer y llygaid y dydd y metr sgwâr (x)	0	1	2	3	4
Nifer y sgwariau ag x llygad y dydd y metr sgwâr	37	49	49	32	15

Nifer y llygaid y dydd y metr sgwâr (x)	5	6	7	8 neu fwy
Nifer y sgwariau ag x llygad y dydd y metr sgwâr	12	5	1	0

(i) Darganfyddwch $\bar{x}$, sef cymedr y dosraniad amlder hwn.

(ii) Profwch, ar y lefel 5%, y rhagdybiaeth bod dosraniad y blodau llygad y dydd yn un Poisson â chymedr $\bar{x}$. [UCLES(P)]

10 Eglurwch sut i gyfrifo nifer y graddau o ryddid a gysylltir â phrawf χ^2 cywirdeb ffit.

Gwnaed astudiaeth o gennau a geir ar waliau cerrig yn Sir Benfro. Fel rhan o'r astudiaeth, archwiliwyd 100 rhan o wal a ddewiswyd ar hap, a phob un ohonynt o'r un lled a'r un uchder. Cofnodwyd nifer, X, y cennau ym mhob rhan a gwelir y canlyniadau yn y tabl.

Nifer y cennau (x)	0	1	2	3	4	5	6	7
Nifer y rhannau	8	21	32	15	12	6	4	2

(i) Cyfrifwch gymedr ac amrywiant y sampl hon, a nodwch pam y gallai'r canlyniadau awgrymu bod gan X ddosraniad Poisson.

(ii) Gwnewch brawf, ar y lefel arwyddocâd 5%, i benderfynu a allai'r data fod yn sampl o ddosraniad Poisson.   [UCLES]

11 Mae siop sy'n trwsio setiau teledu yn cadw cofnod o'r nifer o setiau sy'n dod i mewn i gael eu trwsio bob dydd. Roedd y niferoedd a ddaeth i mewn yn ystod hapsampl o 40 diwrnod fel a ganlyn.

```
4 0 0 0 2 1 1 0 0 0
0 1 1 0 3 0 0 0 1 0
4 0 0 0 0 0 2 0 1 0
0 0 0 1 1 1 0 2 0 0
```

Profwch, ar y lefel arwyddocâd 5%, y rhagdybiaeth bod y niferoedd hyn yn arsylwadau o ddosraniad Poisson.   [UCLES(P)]

12 Rhowch ddisgrifiad byr o sut y cyfrifir nifer y graddau o ryddid mewn prawf cywirdeb ffit χ^2.

Mae gan y set ganlynol o ddata grwpiedig o 100 arsylwad gymedr 1.03. Credir bod y data yn dod o ddosraniad normal, ag amrywiant 1 ond cymedr anhysbys. Gan ddefnyddio dosraniad χ^2 addas, profwch y rhagdybiaeth hon ar y lefel arwyddocâd 1%.

Gwerth isaf cyfwng grwpio	$-\infty$	-2.0	-1.5	-1.0	-0.5
Nifer yr arsylwadau	0	1	0	6	10

Gwerth isaf cyfwng grwpio	0.0	0.5	1.0	1.5	2.0
Nifer yr arsylwadau	12	15	23	16	13

Gwerth isaf cyfwng grwpio	2.5	3.0	3.5
Nifer yr arsylwadau	3	1	0

[UCLES]

13 Mae melin wehyddu yn gwerthu brethyn â hyd nominal 70 m. Mesurodd gwsmer 100 hyd a chafodd y dosraniad amlder canlynol:

Hyd (m)	Amlder
61–67	1
67–69	16
69–71	26
71–73	19
73–75	20
75–81	18

(a) Defnyddiwch brawf χ^2 ar y lefel arwyddocâd 5% i ddangos nad yw'r model normal yn fodel digonol ar gyfer y data.

(b) Yn ôl y contract mae'r felin yn gorfod talu iawndal i'r cwsmer am unrhyw hydoedd sy'n llai na 67 m. Trafodwch ddosraniad yr hydoedd o frethyn yng ngoleuni'r wybodaeth bellach hon.

[AEB 89]

13.5 Tablau newidynnau

Yn aml cesglir data ar nifer o newidynnau ar y tro. Er enghraifft, bydd holiadur fel arfer yn cynnwys mwy nag un cwestiwn. Mae tabl sy'n rhoi'r amlderau ar gyfer dau neu fwy o newidynnau ar yr un pryd yn cael ei alw'n **dabl newidynnau**. Dyma enghraifft sy'n dangos gwybodaeth ar bleidleisio:

	Ceidwadwyr	Dem. Rhyddfrydol	Llafur	
Dynion	313	124	391	828
Menywod	344	158	388	890
	657	282	779	1718

Mae data sampl o'r math hwn yn cael eu casglu er mwyn ateb cwestiynau diddorol ynghylch ymddygiad y boblogaeth, er enghraifft 'A oes gwahaniaethau yn y ffordd y mae dynion a menywod yn pleidleisio?' Os oes gwahaniaethau yna dywedir bod y newidynnau pleidleisio a rhyw yn **gysylltiol**, ond os nad oes gwahaniaethau yna dywedir bod y newidynnau yn **annibynnol**.

Y rhagdybiaeth nwl yw bod y newidynnau yn annibynnol. Os yw hyn yn wir yna, yn y boblogaeth, bydd cyfran y dynion sy'n cefnogi'r Ceidwadwyr yn hafal i gyfran y dynion sy'n cefnogi'r Democratiaid Rhyddfrydol ac i gyfran y dynion sy'n cefnogi'r blaid Lafur.
Hefyd, bydd cyfran y dynion sy'n cefnogi'r blaid Geidwadol yn hafal i gyfran y menywod sy'n cefnogi'r blaid Geidwadol, ac yn y blaen.

Os yw rhagdybiaeth nwl annibyniaeth yn gywir yna'r amcangyfrif gorau ar gyfer cyfran y boblogaeth sy'n pleidleisio i'r Ceidwadwyr yw $\frac{657}{1718}$ (= 0.3824). Byddai'r nifer disgwyliedig o ddynion sy'n pleidleisio i'r Ceidwadwyr felly yn:

$$828 \times \tfrac{657}{1718} = 316.64$$

a byddai nifer y menywod yn:

$$890 \times \tfrac{657}{1718} = 340.36$$

Gellir cyfrifo'r gwerthoedd disgwyliedig hyn yn rhwydd drwy ddefnyddio'r fformiwla:

$$\frac{\text{cyfanswm y rhes} \times \text{cyfanswm y golofn}}{\text{prif gyfanswm}} \qquad (13.3)$$

Mae gwerth X^2 yn cael ei gyfrifo fel o'r blaen:

	Amlderau a arsylwir		
	Ceidwadwyr	Dem. Rhyddfrydol	Llafur
Dynion	313	124	391
Menywod	344	158	388

	Amlderau a ddisgwylir		
	Ceidwadwyr	Dem. Rhyddfrydol	Llafur
Dynion	316.64	135.91	375.44
Menywod	340.36	146.09	403.56

$$X^2 = \frac{(313 - 316.64)^2}{316.64} + \ldots + \frac{(388 - 403.56)^2}{403.56} = 3.34$$

I gwblhau'r prawf rydym yn cymharu gwerth X^2 â chynffon uchaf y dosraniad χ^2 perthnasol. Yma mae rheol syml:

Ar gyfer tabl newidynnau gydag r rhes ac c colofn,

$$\nu = (r - 1)(c - 1) \qquad (13.4)$$

Er mwyn gweld y rheswm am hyn edrychwch eto ar yr amlderau disgwyliedig:

316.64	135.91	?	828
?	?	?	890
657	282	779	1718

Ar ôl cyfrifo'r $(r - 1)(c - 1)$ $(= 2)$ amlder disgwyliedig a ddangosir, nid yw'r gweddill yn 'rhydd' – mae eu gwerthoedd yn cael eu pennu gan y ffaith fod angen iddynt adio i roi cyfansymiau hysbys y rhesi a'r colofnau.

Os ydym yn penderfynu defnyddio lefel arwyddocâd 5%, yna ar gyfer y data pleidleisio rydym yn dod i'r casgliad nad yw patrymau pleidleisio dynion a menywod yn gwahaniaethu yn sylweddol, gan nad yw'r gwerth arsylwedig (3.34) yn fwy na phwynt 5% uchaf dosraniad χ_2^2 (5.991).

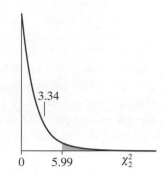

▼ ▼

Enghraifft 9

Mae'r data canlynol yn cyfeirio at ymweliadau â chleifion mewn ysbyty meddwl.

	Hyd arhosiad yn yr ysbyty			
	2–10 mlynedd	10–20 mlynedd	Dros 20 mlynedd	
Ymweliadau cyson	43	16	3	62
Ymweliadau achlysurol	6	11	10	27
Dim ymweliadau	9	18	16	43
	58	45	29	132

Gwiriwch fod y cysylltiad rhwng hyd arhosiad ac amlder ymweliadau â chlaf yn arwyddocaol ar y lefel 0.1%.

Mae'r rhagdybiaeth nwl yn nodi bod hyd arhosiad ac amlder ymweliadau yn annibynnol ar ei gilydd, â'r rhagdybiaeth arall yn nodi bod y ddau yn gysylltiedig â'i gilydd.

Gan fod 3 rhes a 3 colofn, mae gan y dosraniad χ^2 perthnasol $(3 - 1) \times (3 - 1) = 4$ gradd o ryddid. Petai'r newidynnau yn annibynnol, yna byddai'r amlderau disgwyliedig yn cael eu rhoi gan y fformiwla $\dfrac{\text{cyfanswm y rhesi} \times \text{cyfanswm y colofnau}}{\text{prif gyfanswm}}$. Felly'r amlder disgwyliedig ar gyfer ymweliadau rheolaidd â chleifion newydd yw $\dfrac{62 \times 58}{132} = 27.24$.

Yn y tabl isod dangosir set gyfan yr amlderau disgwyliedig, ynghyd â chyfrifiadau X^2.

O_i	E_i	$O_i - E_i$	$\dfrac{(O_i - E_i)^2}{E_i}$
43	27.24	15.76	9.11
16	21.14	−5.14	1.25
3	13.62	−10.62	8.28
6	11.86	−5.86	2.90
11	9.20	1.80	0.35
10	5.93	4.07	2.79
9	18.89	−9.89	5.18
18	14.66	3.34	0.76
16	9.45	6.55	4.55
132	132	0	35.17

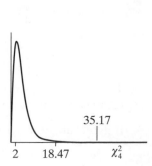

Gan fod gwerth X^2 yn llawer mwy na phwynt 0.1% uchaf dosraniad χ^2_4 (18.47), mae'n amlwg bod cysylltiad cryf rhwng y newidynnau dosbarthol.

Yn aml mae'n ddefnyddiol gosod cyfraniadau'r celloedd unigol i X^2 mewn tabl tebyg i dabl y data, gan fod hyn yn helpu i amlygu unrhyw batrymau yn y diffyg ffit.

Cyfraniadau i X^2		
9.11	1.25	8.28
2.90	0.35	2.79
5.18	0.76	4.55

Ar gyfer y set ddata hon, gan ganolbwyntio ar y celloedd ag amlderau arsylwedig mawr, mae'r diffyg ffit mawr yn deillio o'r celloedd cornel – er enghraifft, mae gan gorneli'r Gogledd Orllewin a'r De Ddwyrain amlderau llawer mwy na'r disgwyl pe na byddai cysylltiad. Mae'r celloedd hyn yn cyfateb i ymweliadau rheolaidd â chleifion a ddaeth i'r ysbyty yn ddiweddar ac i ymweliadau anaml â chleifion sydd wedi bod yn yr ysbyty am gyfnodau hir iawn.

Prosiect

A yw dosraniad oedrannau ceir sy'n teithio ar ffordd yn amrywio yn ôl yr amser o'r dydd?

Defnyddiwch y rhif cofrestru i ddynodi oedran. Dewiswch ffordd weddol brysur a lluniwch siart marciau rhifo o rifau cofrestru'r 100 car cyntaf sy'n mynd heibio. Gwnewch hyn eto ar wahanol adegau o'r dydd.

Cyfunwch y rhifau cofrestru mwyaf prin (hynaf), a rhowch yr holl ganlyniadau gyda'i gilydd mewn tabl cymharu sy'n edrych rywbeth fel hyn:

	54 neu gynt	05/55	06/56	07/57	08/58	09/59 neu 10/60
Bore	13	15	18	17	21	16
Canol dydd	19	21	22	18	12	8

Rhowch brawf ar y rhagdybiaeth bod y dosraniad oedran yn annibynnol ar ba amser o'r dydd yw hi, gan ddefnyddio'r prawf cywirdeb ffit X^2.

Mab i werthwr hadau o Fanceinion oedd Frank Yates (1902-94). Addysgwyd ef yng Ngholeg clifton, Bryste a Phrifysgol Caergrawnt, lle enillodd radd dosbarth cyntaf mewn Mathemateg. Ar ôl cyfnodau byr fel athro ac ymgynghorydd mathemateg, ymunodd â staff adran ystadegaeth Rothamsted (y sefydliad ymchwil amaethyddol yn Swydd Hertford). Gwnaed ef yn Gymrawd y Gymdeithas Frenhinol yn 1948. Er iddo ymddeol yn 1967, parhaodd i fod yn gysylltiedig â Rothamsted a chyhoeddodd ei bapur olaf yn 1990 ac yntau'n 88 oed. Mae fwyaf adnabyddus am y cywiriad a gyflwynir isod.

Cywiriad Yates

Yn achos arbennig tabl 2×2, lle mae gan y dosraniad brasamcanol χ^2 un gradd o ryddid yn unig, mae'r brasamcan yn cael ei wella drwy wneud yr addasiad bychan a awgrymwyd gan Frank Yates yn 1926. Gan ddefnyddio'r ôl-ddodiaid 1, 2, 3 a 4 i ddynodi 4 cell y tabl, yn lle X^2 rydym yn defnyddio X_c^2 a ddiffinnir gan:

$$X_c^2 = \sum_{i=1}^{4} \frac{(|O_i - E_i| - 0.5)^2}{E_i}$$

Mae nifer o ffyrdd o symleiddio'r mynegiad hwn. Yn achos pob un o'r 4 cell mae maint y gwahaniaeth rhwng yr amlderau disgwyliedig ac arsylwedig yr un fath. Felly gallwn ysgrifennu:

$$X_c^2 = (|O_1 - E_1| - 0.5)^2 \left(\frac{1}{E_1} + \dots + \frac{1}{E_4} \right)$$

Fel arall, os defnyddiwn a, b, c a d i ddynodi'r pedair cell, gyda chyfansymiau ffiniol m, n, r ac s a chyda phrif gyfanswm $N(= m + n = r + s)$, fel y dangosir isod:

a	b	m
c	d	n
r	s	N

yna yr ystadegyn cywirdeb ffit a gywirwyd gan Yates yw:

$$X_c^2 = \frac{N(|ad - bc| - \frac{1}{2}N)^2}{mnrs}$$

Nodiadau

♦ Mae'r cywiriad a awgrymodd Yates yn ffurf gudd ar y cywiriad didoriant a ddefnyddir wrth ddefnyddio dosraniad normal i frasamcanu dosraniad binomial. Bron i naw deg mlynedd ar ôl ei gyflwyno mae'n parhau i fod yn destun dadlau. Rydym yn awgrymu ei fod yn cael ei ddefnyddio.

Enghraifft 10

Daw'r data canlynol o astudiaeth sy'n ymwneud â meddyginiaeth bosibl rhag annwyd. Rhannwyd hapsampl o 279 o sgïwyr Ffrengig yn ddau grŵp. Cymerodd aelodau'r ddau grŵp bilsen bob dydd. Roedd y pils a gymerai un grŵp yn cynnwys y feddyginiaeth, tra bo'r pils a gymerai'r grŵp arall, a oedd yn edrych yn union yr un fath, yn cynnwys siwgr yn unig.

O'r 139 sgïwr oedd yn cymryd y feddyginiaeth, cafodd 17 annwyd. O'r 140 sgïwr oedd yn cymryd y bilsen siwgr, cafodd 31 annwyd. A yw hyn yn rhoi tystiolaeth arwyddocaol, ar y lefel 5%, bod y feddyginiaeth wedi gweithio?

Y rhagdybiaeth nwl yw bod y canlyniad (annwyd neu ddim annwyd) yn annibynnol ar y driniaeth (siwgr neu feddyginiaeth), a'r rhagdybiaeth arall yw bod cysylltiad.

Fel y soniwyd yn y nodiadau blaenorol, gellid trin y cwestiwn fel cymhariaeth o gyfrannau. Ceir crynodeb o'r amlderau arsylwedig a disgwyliedig isod:

	Arsylwedig				Disgwyliedg		
	Annwyd	Dim annwyd			Annwyd	Dim annwyd	
Siwgr	31	109	140	Siwgr	24.09	115.91	140
Meddyginiaeth	17	122	139	Meddyginiaeth	23.91	115.09	139
	48	231	279		48	231	279

Gan mai 2 rhes a 2 golofn yn unig sydd, mae angen cywiriad Yates. Gallem gyfrifo X_c^2 drwy ddefnyddio:

$$X_c^2 = \frac{(|31 - 24.09| - 0.5)^2}{24.09} + \ldots + \frac{(|122 - 115.09| - 0.5)^2}{115.09} = 4.14$$

neu drwy ddefnyddio:

$$X_c^2 = \frac{279(|(31 \times 122) - (109 \times 17)| - \frac{1}{2} \times 279)^2}{48 \times 231 \times 140 \times 139} = 4.14$$

Gan fod 4.14 ychydig yn fwy na phwynt 5% uchaf (3.84) dosraniad χ_1^2, mae'n ymddangos bod tystiolaeth arwyddocaol bod y feddyginiaeth wedi gweithio.

(Ond cofiwch fod y canlyniadau sy'n 'arwyddocaol' ar y lefel 5% yn digwydd mewn 5% o samplau hyd yn oed pan geir annibyniaeth.)

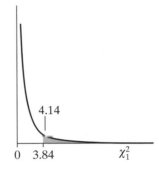

Ymarferion 13d

1 Mewn arolwg o effeithiolrwydd tri ysbyty wrth drin salwch arbennig cafwyd y canlyniadau isod:

	Adferiad llwyr	Adferiad rhannol	Marw
A	37	23	7
Ysbyty B	52	44	12
C	22	30	13

A yw'r data yn datgelu tystiolaeth arwyddocaol, ar y lefel 5%, o wahaniaethau yn effeithiolrwydd yr ysbytai?

2 Mewn arolwg, cafwyd y wybodaeth isod sy'n dangos pa blaid y mae pleidleisiwr yn ei chefnogi a chyrhaeddiad academaidd mwyaf y pleidleisiwr.

	Ceid.	Llaf.	Rhydd.
TGAU	62	111	38
Lefel A	57	53	25
Gradd	24	15	20

A oes tystiolaeth arwyddocaol, ar y lefel 1%, o gysylltiad rhwng y cyrhaeddiad academaidd mwyaf a'r blaid a gefnogir?

3 Mae arolwg o'r traffig sy'n teithio ar ffordd arbennig yn canolbwyntio ar oedran y car a rhyw y gyrrwr. Dyma'r canlyniadau:

	Car newydd	Hen gar
Gwryw	117	63
Benyw	52	48

Gan ddefnyddio lefel arwyddocâd 5%, profwch i weld a oes cysylltiad rhwng rhyw y gyrrwr ac oedran y car.

4 Mae hapsampl o unigolion yn cael ei dadansoddi yn ôl oedran a rhyw:

Oedran	Gwryw	Benyw
16–17	3	2
18–24	15	14
25–60	147	177
61–75	24	30
76–	4	12

Profwch a oes gwahaniaethau arwyddocaol, ar y lefel 5%, rhwng dosraniadau oedran y gwrywod a'r benywod.

5 Yn Denmarc gwnaed arolwg i ymchwilio i agweddau tuag at ymddeoliad cynnar. O 317 o bobl wael eu hiechyd, roedd 276 o blaid ymddeol yn gynnar. O 258 o bobl oedd yn gymharol iach, roedd 232 o blaid. O 86 o bobl oedd yn gwbl iach, roedd 73 o blaid. Roedd yr holl rai nad oeddynt o blaid y syniad yn ei erbyn.

(i) Profwch y rhagdybiaeth bod agweddau tuag at ymddeol yn gynnar yn annibynnol ar iechyd.

(ii) Gwnewch y prawf unwaith eto gan anwybyddu data'r bobl oedd yn gymharol iach. Nodwch eich casgliadau.

6 Mae'r tabl newidynnau isod yn dangos canlyniadau hapsamplau o ddisgyblion mewn tair ysgol *A*, *B* ac *C* ar ôl sefyll arholiad arbennig. Defnyddiwch brawf χ^2 i benderfynu, ar y lefel arwyddocâd 5%, a oes unrhyw dystiolaeth o gysylltiad rhwng yr ysgol a'r gyfradd lwyddo yn yr arholiad. Nodwch y rhagdybiaeth nwl. Rhowch eich casgliad, gan esbonio'n glir beth yw ystyr hyn.

	A	*B*	*C*
Llwyddo	25	20	15
Methu	10	15	15

[O&C]

7 Holodd sefydliad ymchwil i'r farchnad hapsampl o 120 o ddefnyddwyr londretiau yn Abertawe a chanfod bod yn well gan 37 ohonynt bowdr golchi brand *X*, bod yn well gan 66 ohonynt frand *Y*, a bod yn well gan y gweddill frand *Z*. Gwnaed arolwg tebyg yn ninas Bangor. Yn yr arolwg hwn, o'r 80 o ddefnyddwyr a holwyd, roedd yn well gan 19 frand *X*, roedd yn well gan 40 frand *Y* ac roedd yn well gan y gweddill frand *Z*. Profwch i weld a yw'r canlyniadau hyn yn rhoi tystiolaeth arwyddocaol, ar y lefel 5%, bod pobl yn y ddwy ddinas yn hoffi mathau gwahanol o bowdr. [UCLES(P)]

8 Cofnododd adran prifysgol y radd Safon Uwch mewn pwnc arbennig a dosbarth y radd mewn blwyddyn benodol ar gyfer 120 myfyriwr. Mae'r data wedi eu crynhoi yn y tabl canlynol.

		Dosbarth y radd		
		I	II	III
Gradd Safon Uwch	*A*	10	9	11
	B	4	24	8
	C	4	22	10
	D neu *E*	2	5	11

Profwch, ar y lefel 1%, y rhagdybiaeth bod dosbarth y radd yn annibynnol ar radd lefel A. [UCLES(P)]

9 Yn 1988 roedd nifer yr achosion newydd o glefyd sigwr inswlin-ddibynnol mewn plant dan 15 oed yn 1495. Mae'r tabl isod yn dadansoddi'r ffigur yn ôl oedran a rhyw.

Oed (blynyddoedd)	0–4	5–9	10–14	Cyfanswm
Bechgyn	205	248	328	781
Merched	182	251	281	714
Cyfanswm	387	499	609	1495

Gwnewch brawf addas, ar y lefel arwyddocâd 5%, i benderfynu a yw oedran a rhyw yn ffactorau annibynnol. [UCLES(P)]

10 Mae tueddiad gwleidyddol hapsampl o fyfyrwyr o ddwy gyfadran yn cael ei nodi yn y tabl isod, sy'n dangos nifer y myfyrwyr o bob cyfadran sy'n cefnogi pob plaid wleidyddol.

	Llafur	Cynghrair	Ceidwadwyr
Celfyddydau	27	18	20
Gwyddoniaeth	23	25	12

Profwch, ar y lefel 2.5%, y rhagdybiaeth bod tueddiad gwleidyddol yn annibynnol ar gyfadran. [UCLES(P)]

11 Mae ysbyty yn cyflogi nifer o lawfeddygon ymweliadol i wneud gwahanol lawdriniaethau. Os ceir cymhlethdodau yn ystod neu ar ôl y llawdriniaeth mae'n rhaid trosglwyddo'r claf i ysbyty fwy gerllaw lle ceir y cyfleusterau wrthgefn angenrheidiol.

Mae un o weinyddwyr yr ystyby yn poeni ynghylch effeithiau hyn ar gostau ac yn archwilio cofnodion tri llawfeddyg. Cafodd 6 o 47 claf diwethaf llawfeddyg A eu trosglwyddo, cafodd 4 o 72 claf diwethaf llawfeddyg B eu trosglwyddo a chafodd 14 o 41 claf diwethaf llawfeddyg C eu trosglwyddo.

Defnyddiwch y data i lunio tabl newidynnau 2×3 a phrofwch, ar y lefel arwyddocâd 5%, a yw'r cyfran sy'n cael ei throsglwyddo yn annibynnol ar y llawfeddyg.

Mae'r gweinyddwr yn penderfynu cynnig cymaint o lawdriniaethau ag sydd bosibl i lawfeddyg B. Eglurwch pam ac awgrymwch pa wybodaeth arall y byddai angen arnoch cyn penderfynu a oedd penderfyniad y gweinyddwr yn seiliedig ar dystiolaeth ddilys. [AEB(P) 91]

12   Yn y tabl gwelir canlyniadau ymchwilydd oedd yn astudio oedrannau oedolion a faint o gardiau credyd oedd ganddynt.

Nifer y cardiau	$\leqslant 3$	>3
Oedran < 30	74	20
Oedran $\geqslant 30$	50	35

Defnyddiwch yr ystadegyn χ^2 a phrawf arwyddocâd ar y lefel 5% i benderfynu a oes cysylltiad ai peidio rhwng oedran pobl a nifer y cardiau credyd sydd ganddynt.   [ULSEB(P)]

Crynodeb o'r bennod

◆   **Y prawf cywirdeb ffit X^2:**

$$X^2 = \sum_{i=1}^{m} \frac{(O_i - E_i)^2}{E_i}$$

- Mae'r gwerthoedd O_i yn gyfanrifau an-negatif.
- $\Sigma(O_i - E_i) = 0$.
- Os yw'r holl werthoedd E_i yn gymharol fawr (dyweder, $\geqslant 5$), mae gan X^2 ddosraniad χ^2 bras.
- Dylid dileu amlderau disgwyliedig bychan drwy gyfuno categorïau.
- Mae gan y dosraniad χ_ν^2 ν gradd o ryddid. Pan geir m categori (ar ôl cyfuno), rhoddir ν gan:

  1 $\nu = m - 1$, *ar gyfer tebygolrwyddau a ragnodwyd gan H_0,*
  2 $\nu = m - 1 - k$, *pan fo paramedrau k wedi eu hamcangyfrif o'r data.*

Y rhagdybiaeth nwl a'r rhagdybiaeth arall yw:

  H_0: mae'r canlyniadau yn hapsampl o'r dosraniad tybiedig
  H_1: mae H_0 yn anghywir

◆   **Annibyniaeth mewn tabl newidynnau $r \times c$:**
  Ar gyfer tabl sydd ag r rhes ac c colofn (ar ôl cyfuno):
- Mae gan X^2 ddosraniad χ^2 bras gydag $(r - 1)(c - 1)$ gradd o ryddid.
- Ar gyfer tablau 2×2, mae angen cywiriad Yates:

$$X_c^2 = \sum_{i=1}^{m} \frac{(|O_i - E_i| - 0.5)^2}{E_i}$$

Y rhagdybiaeth nwl a'r rhagdybiaeth arall yw:

  H_0: mae'r newidynnau yn annibynnol
  H_1: mae'r newidynnau yn gysylltiol

Ymarferion 13dd (Amrywiol)

1 Mae ffatri yn gwneud melysion arbennig mewn wyth lliw gwahanol, a chynhyrchir niferoedd cyfartal o bob lliw.

(a) Mae tiwb o'r melysion hyn, sy'n cael ei brynu ar hap, yn cynnwys y niferoedd canlynol o'r wyth lliw:

$$7, 4, 5, 3, 6, 1, 3, 11$$

Profwch y rhagdybiaeth bod y melysion yn y tiwb yn hapsampl o gynnyrch y ffatri.

(b) Mae gan y staff rheoli ansawdd ddiddordeb yn y ffordd y mae'r hopran storio a ddefnyddir i lenwi'r tiwbiau yn gweithio. Mae'r hopran yn cael ei chylchdroi yn barhaus mewn ymgais i gael cymysgedd cyfartal o liwiau. Er mwyn profi'r broses gymysgu, cymerir hapsamplau o bump o felysion bob pum munud. Mae'r niferoedd a geir yn cael eu crynhoi isod.

Nifer y melysion glas	0	1	2	3	4	5
Nifer y grwpiau	22	12	5	1	0	0

Cyfrifwch a oes tystiolaeth arwyddocaol dros wrthod y rhagdybiaeth nwl bod y melysion glas wedi eu dosrannu ar hap, gyda'r tebygolrwydd y bydd un o'r melysion a ddewisir ar hap yn las yn $\frac{1}{8}$.

2 Mae meteorolegydd yn tybio y gellid ystyried y glawiad (x mm) mewn lleoliad arbennig ar Fehefin 30^{ain} fel arsylwad o'r dosraniad esbonyddol lle rhoddir y ffwythiant dwysedd tebygolrwydd gan

$$f(x) = e^{-\lambda x}, 0 \leq x < \infty.$$

Dangoswch fod $E(X) = 1/\lambda$.

Yn ystod y cyfnod 25 mlynedd rhwng 1956 ac 1980 gwyddom fod cyfanswm y glawiad yn 260 mm ar Fehefin 30^{ain}. Defnyddiwch y wybodaeth hon i roi amcangyfrif ar gyfer λ. Drwy hynny dangoswch fod y tebygolrwydd y bydd mwy na 20 mm o law yn disgyn yn y lle hwn ar Fehefin 30^{ain}, 2009, yn 0.146, yn gywir i dri ffigur ystyrlon.

Mae'r mesuriadau glawiad unigol ar Fehefin 30^{ain} ar gyfer y cyfnod 1981 hyd 2005 wedi eu crynhoi yn y tabl isod.

Glawiad (x mm)	Nifer y dyddiau
$x \leq 4$	10
$4 < x \leq 9$	5
$9 < x \leq 16$	6
$x > 16$	4

Gan ddefnyddio eich amcangyfrif o λ a gafwyd uchod, profwch ddyfaliad y meteorolegydd, gan ddefnyddio lefel arwyddocâd o 5% a chan ddangos eich gwaith cyfrifo yn eglur.

[UCLES]

3 Ar ben tabl o Rifau Hapsamplu nodir bod pob digid yn y tabl yn sampl annibynnol o boblogaeth lle mae pob un o'r digidau 0 i 9 yr un mor debygol â'i gilydd. Cynhyrchodd cyfrif o 40 digid o'r fath yr amlderau canlynol.

Digid	0	1	2	3	4	5	6	7	8	9
Amlder	4	4	3	3	2	4	3	5	10	2

Rhowch reswm pam na fyddai'n ddilys defnyddio prawf χ^2 gan ddefnyddio'r amlderau unigol a roddir uchod.

Cynhyrchodd sampl fwy o 80 digid yr amlderau canlynol.

Digid	0	1	2	3	4	5	6	7	8	9
Amlder	5	9	5	6	6	8	9	10	16	6

Gan ddefnyddio'r sampl fwy hon gwnewch brawf χ^2, ar y lefel arwyddocâd 10%, ar y rhagdybiaeth bod pob digid yr un mor debygol â'i gilydd.

Darllenwyd y tabl cyfan mewn 1000 pâr olynol a chanfuwyd bod nifer y dyblau (h.y. 00, 11, 22, ..., 99) yn 77. Gan ddefnyddio lefel arwyddocâd o 2.5%, darganfyddwch a yw nifer y dyblau yn sylweddol is na'r disgwyl. [UCLES]

4 Mae gêm yn cynnwys 20 darn, ac ar gyfer pob un o'r rhain mae'r tebygolrwydd y bydd yn ddiffygiol yn 0.08.

(*a*) Awgrymwch ddosraniad addas i fodelu nifer y darnau diffygiol mewn gêm.

Boed i X gynrychioli nifer y darnau diffygiol mewn gêm.

(parhad)

(b) Copïwch a chwblhewch y dosraniad tebygolrwydd canlynol.

x	0	1	2	3
P($X = x$)	0.1887			0.1414

x	4	5	6 neu fwy
P($X = x$)	0.0523	0.0145	

(c) Gan roi eich ateb yn gywir i 3 lle degol, amcangyfrifwch y tebygolrwydd bod llwyth o 10 000 *darn* fel hyn yn cynnwys

   (i) 750 darn diffygiol ar y mwyaf,

   (ii) rhwng 750 ac 850 darn diffygiol (yn gynwysedig).

Cafodd hapsampl o 1000 *gêm* eu harchwilio am ddarnau diffygiol a lluniwyd y tabl canlynol i grynhoi nifer y darnau diffygiol ym mhob gêm.

Nifer y darnau diffygiol	0	1	2	3
Nifer y gemau	194	344	266	137

Nifer y darnau diffygiol	4	5	6 neu fwy
Nifer y gemau	46	10	3

(ch) Defnyddiwch brawf χ^2 i brofi, ar y lefel 5%, a yw'r canlyniadau arsylwedig yn gyson ai peidio â'r rhai disgwyliedig dan y model a bennir yn rhan (a). [ULSEB]

5 (i) Rhoddir dosraniad geometrig yr hapnewidyn arwahanol X gan:

$$P(X = r) = p(1 - p)^{r-1}, \quad r = 1, 2, 3, \ldots$$

   Darganfyddwch E(X).

   (ii) Crynhoir sampl o 200 gwerth yr hapnewidyn arwahanol Y gan:

Y	1	2	3	4
Amlder	140	35	17	3

Y	5	6	7 neu fwy
Amlder	3	2	0

   Darganfyddwch gymedr y sampl, $\bar{y}$, ar gyfer y 200 gwerth hyn.
   Credir bod gan Y ddosraniad geometrig, paramedr p. Gan ddefnyddio $1/\bar{y}$ fel

amcangyfrif ar gyfer p cwblhewch y tabl amlderau disgwyliedig a roddir isod.

Y	1	2	3	4
Amlder				

Y	5	6	7 neu fwy
Amlder	1.6	0.5	0.3

Profwch, ar y lefel arwyddocâd 10%, a yw'r sampl yn cefnogi'r syniad hwn. [UCLES]

6 Credir bod cysylltiad rhwng lliw llygad person a'r ffordd y mae croen y person hwnnw yn adweithio i oleuni uwchfioled. Er mwyn archwilio hyn defnyddiwyd hapsampl o 120 o bobl a rhoddwyd dos safonol o oleuni uwchfioled i bob un ohonynt. Cofnodwyd eu hadweithiau. Roedd "−" yn dynodi dim adwaith, "+" adwaith bychan a "++" adwaith cryf. Dangosir y canlyniadau yn y tabl isod.

		Lliw llygaid		
		Glas	Llwyd neu Wyrdd	Brown
Adwaith	−	7	8	18
	+	29	10	16
	++	21	9	2

   (i) Defnyddiwch brawf addas ar y lefel arwyddocâd 5%, gan nodi eich rhagdybiaeth nwl a'ch rhagdybiaeth arall. Darganfyddwch werth lleiaf k a roddir yn y tablau mathemategol lle gellir gwrthod y rhagdybiaeth nwl ar y lefel arwyddocâd k%.

   (ii) Amcangyfrifwch pa ganran o'r bobl yn y boblogaeth lle cymerwyd y sampl na fyddent yn adweithio i oleuni uwchfioled, a chyfrifwch gyfwng hyder cymesur 95% bras ar gyfer y canran hwn. [UCLES]

7 (a) Mae pob eitem mewn bocs casglu mawr yn perthyn i un o k dosbarth. Y rhagdybiaeth nwl yw bod eitem a ddewisir ar hap yr un mor debygol o fod yn perthyn i unrhyw un o'r dosbarthiadau. Cymerir hapsampl o

(parhad)

N eitem. Dynodir yr amlder arsylwedig yn nosbarth i ($i = 1, 2, ..., k$) gan f_i a dynodir yr amlder disgwyliedig cyfatebol gan e_i. Rhoddir gwerth yr ystadegyn cywirdeb ffit X^2 gan

$$X^2 = \sum_{i=1}^{k} \frac{(f_i - e_i)^2}{e_i}$$

Dangoswch ei bod yn bosibl ysgrifennu X^2 fel

$$X^2 = \left(\frac{k}{N} \sum_{i=1}^{k} f_i^2\right) - N$$

Mae math arbennig o fotwm i'w gael mewn naw lliw gwahanol. Mae set o 137 botwm a gasglwyd ar hap yn cynnwys y niferoedd canlynol o'r lliwiau gwahanol:

$7, 10, 13, 14, 15, 17, 17, 19, 25.$

Rhowch brawf ar y rhagdybiaeth, ar y lefel arwyddocâd 5%, bod botwm a ddewisir ar hap yr un mor debygol o fod yn unrhyw un o'r lliwiau.

(b) Mae nifer y botymau y mae 100 bachgen ysgol yn eu colli oddi ar eu dillad yn 2009 yn cael eu crynhoi yn y tabl isod.

		Blwyddyn		
		12	11	10
Lliw	Gwyn	24	9	27
	Llwyd	26	13	31
	Du	2	5	8
	Lliwiau eraill	4	3	8

Rhowch brawf ar y rhagdybiaeth, ar y lefel arwyddocâd 5%, bod lliw botwm sy'n cael ei golli yn annibynnol ar flwyddyn y bachgen.   [UCLES]

8 (a) Os oes gan Y ddosraniad χ^2 gyda ν gradd o ryddid, gellir dangos, ar gyfer ν mawr,

   (i) bod dosraniad Y, yn fras, yn normal gyda chymedr ν ac amrywiant 2ν,

   (ii) bod dosraniad $\sqrt{2Y} - \sqrt{2\nu - 1}$, yn fras, yn ddosraniad normal safonol.

   Ar gyfer $\nu = 55$ defnyddiwch bob un o'r brasamcanion uchod i ddarganfod amcangyfrifon ar gyfer $P(Y > 75)$.

(b) Yn y tabl canlynol rhoddir cyfraddau damweiniau, a gymerwyd dros gyfnod o 12 mis, ar gyfer gweithwyr mewn cwmni arbennig, yn ôl oedran.

Oedran (blynyddoedd)	18–25	26–40	41–50
O leiaf 1 ddamwain	112	156	75
Dim damweiniau	175	267	179
Cyfansymiau	287	423	254

Oedran (blynyddoedd)	dros 50	Cyfanswm
O leiaf 1 ddamwain	77	420
Dim damweiniau	228	849
Cyfansymiau	305	1269

Dangoswch fod y data yn rhoi tystiolaeth ar y lefel arwyddocâd 0.1% nad yw oedran a chyfradd damweiniau yn annibynnol.

Trafodwch y berthynas rhwng oedran a chyfradd damweiniau.   [UCLES]

14 Atchweliad a chydberthyniad

Mae'r penodau blaenorol wedi canolbwyntio yn bennaf ar ddatblygu dulliau a modelau ar gyfer *un* hapnewidyn, ond mae llawer o setiau o ddata yn rhoi gwybodaeth am *nifer* o newidynnau, ac yma'r cwestiwn o ddiddordeb yw a oes cysylltiadau rhwng y newidynnau hyn ai peidio. Yn y bennod hon rydym yn canolbwyntio ar ddulliau addas i'w defnyddio gyda dau newidyn meintiol, a ddynodir fel arfer gan x ac y, lle mae'r gwerthoedd x ac y yn cael eu harsylwi mewn parau.

Yn aml cesglir yr holl ddata fwy neu lai ar yr un pryd, er enghraifft:

x	y
Buanedd esgyn neidiwr sgïo	Pellter sy'n cael ei neidio
Nifer y celloedd gwaed coch mewn sampl o waed	Nifer y celloedd gwaed gwyn yn y sampl
Rhychwant llaw	Hyd troed
Maint tŷ	Gwerth tŷ
Dyfnder sampl o bridd o waelod llyn	Cyfaint y dŵr yn y sampl

Fodd bynnag, weithiau cesglir data yn ddiweddarach ar un newidyn nag ar y newidyn arall, er bod y cyswllt (yr un unigolyn, yr un llain o dir, yr un teulu, ayb) yn eglur:

x	y
Marc mewn arholiad ffug	Marc yn y gwir arholiad (dri mis wedyn)
Cyfanswm y gwrtaith	Cyfanswm y twf
Taldra tad	Taldra mab yn 18 oed

Mewn rhai o'r achosion uchod, tra gall y newidyn ar y chwith, x, effeithio ar y newidyn ar y dde, y, ni all y gwrthwyneb fod yn wir – mae'r rhain yn achosion lle mae dulliau atchwel yn hynod o addas. Mewn achosion eraill (megis cyfrifiadau o gelloedd gwaed) mae rhyw newidyn nas mesurwyd (e.e. cyflwr y claf) yn dylanwadu ar y ddau newidyn, a'r ffordd orau o ddisgrifio eu cydberthynas yw defnyddio'r hyn a elwir yn gyfeirnod cydberthyniad. Trafodir cydberthyniad yn nes ymlaen yn y bennod hon.

Fel enghraifft o achos lle mae dulliau atchwel yn addas, ystyriwch y canlynol. Mae traul petrol car yn dibynnu ar ba fuanedd y mae'n cael ei yrru. Mae ceir yn cael eu gyrru o amgylch cylchffordd brofi ar amrywiaeth o fuaneddau cyson (yn fras) ac mae'r traul tanwydd yn cael ei fonitro. Mae'r canlyniadau yn cael eu crynhoi yn y tabl isod:

mya	35	35	35	35	40	40	40	40
myg	48.4	47.6	47.8	46.2	45.8	45.6	45.0	44.9

mya	45	45	45	45	50	50	50	50
myg	43.0	42.8	42.7	42.2	39.9	40.3	38.9	39.6

Awgrymwch draul tanwydd cyfartalog tebygol car sy'n teithio ar fuanedd cyson o 42 mya.

Cam cyntaf synhwyrol, bob tro y bo'n bosibl, yw plotio'r data ar **ddiagram gwasgariad**, sef plot o'r holl barau o werthoedd x ac y. O ran diddordeb, byddwn hefyd yn plotio cymedrau pob un o'r pedwar grŵp (gan ddefnyddio barrau llorweddol).

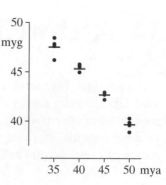

Mae cymedrau'r grwpiau wedi eu lleoli yn fras ar linell syth. Pe byddem yn gwybod hafaliad y llinell hon byddai'n hawdd darganfod myg cyfartalog car sy'n teithio ar fuanedd cyson o 42 mya.

Yn y bennod hon byddwn yn canolbwyntio ar berthnasoedd *llinol* ac felly, cyn mynd ymlaen, rydym yn adolygu disgrifiad mathemategol llinell syth.

Nodyn

♦ Mae plotio cymedrau'r grwpiau yn rhoi crynodeb darluniadol defnyddiol, ond y gwerthoedd unigol a ddefnyddir mewn cyfrifiadau dilynol.

14.1 Hafaliad llinell syth

Gan ddefnyddio x ac y i ddynodi'r rhifau mesuredig, mewn Mathemateg Bur yn aml mae hafaliad llinell syth gyffredinol yn cael ei ysgrifennu fel:

$$y = mx + c$$

Yn anffodus, mae'r nodiant safonol mewn Ystadegaeth yn wahanol (er bod y llinell wrth gwrs yr un mor syth ag o'r blaen). Mewn Ystadegaeth rydym yn defnyddio:

$$y = a + bx$$

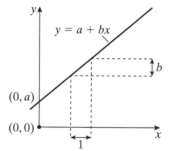

lle mae a yn gysonyn hysbys a elwir yn **rhyngdoriad** a b yn gysonyn a elwir y **goledd** neu'r **graddiant**.

Os ydym yn cynyddu x i $(x + 1)$, mae gwerth y yn newid o $a + bx$ i $a + b(x + 1)$, sy'n golygu newid o faint b; felly mae b yn mesur maint y newid yn y o ganlyniad i newid unedol yn x. Mae'r rhif a yn cynrychioli gwerth y pan yw x yn hafal i sero, ac felly yn rhagnodi'r pwynt lle mae'r llinell yn croesi'r echelin y.

Darganfod beth yw'r hafaliad

Tybiwch ein bod wedi tynnu llinell ar ddiagram gwasgariad. Sut ydyn ni'n darganfod hafaliad y llinell honno? Mae'r ateb yn eithaf syml. Yn gyntaf rydyn ni'n darganfod cyfesurynnau dau bwynt ar y llinell. Gall y rhain fod yn unrhyw bwyntiau, er ei bod yn syniad da dewis pwyntiau ar ymylon y diagram. Defnyddiwch (x_1, y_1) ac (x_2, y_2) i ddynodi'r pwyntiau. Yna:

$$y_1 = a + bx_1$$
$$y_2 = a + bx_2$$

Drwy dynnu'r ddwy ochr chwith a'r ddwy ochr dde, cawn:

$$y_1 - y_2 = b(x_1 - x_2)$$

a thrwy hynny:

$$b = \frac{y_1 - y_2}{x_1 - x_2} \tag{14.1}$$

Er mwyn darganfod gwerth a y ffordd hawsaf yw rhoi ein gwerth b i mewn yn un o'r hafaliadau gwreiddiol:

$$a = (y_1 - bx_1) = (y_2 - bx_2)$$

Sylwer bod hafaliad y llinell yn ffwythiant o'r gwerthoedd *x* ac *y* yn hytrach na lleoliad ar y papur graff. Mae'r dewis o raddfa yn effeithio ar y rhain. Fel arfer dewis da yw un sy'n gwneud i'r graff 'lenwi'r' gofod sydd ar gael.

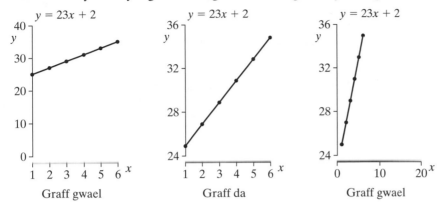

Graff gwael   Graff da   Graff gwael

Enghraifft 1

Mae llinell yn mynd drwy bwyntiau $(1, 15)$ a $(10, 33)$. Mae'r pwynt $(5, y)$ hefyd ar y llinell.

Darganfyddwch werth *y*.

Gwyddom fod:

$$15 = a + b$$
$$33 = a + 10b$$

Felly $b = \dfrac{33 - 15}{10 - 1}$ ac o ganlyniad $a = 15 - 2 = 13$. Felly, y llinell yw:

$$y = 13 + 2x$$

a'r gwerth *y* sy'n cyfateb i $x = 5$ yw $13 + (2 \times 5) = 23$.

Ymarfer cyfrifiannell —————————————————————————

Os oes gennych gyfrifiannell graffigol yna gallwch addasu'r graddfeydd ar yr echelin x a'r echelin y.

Arbrofwch i weld sut y mae newidiadau yn y raddfa yn arwain at ddiagramau sy'n edrych yn wahanol.

14.2 Y llinell atchwel amcangyfrifedig

Tybiwch fod gennym *n* pwynt ar ddiagram gwasgariad: $(x_1, y_1), (x_2, y_2), \ldots, (x_n, y_n)$, ac mai hafaliad y llinell sy'n crynhoi'r berthynas rhwng *x* ac *y* yw $y = a + bx$.

Gan ddefnyddio $\bar{x}$ ac $\bar{y}$ yn eu trefn i ddynodi cymedrau sampl gyfan y gwerthoedd *x* a'r gwerthoedd *y*, gellid defnyddio'r pwynt $(\bar{x}, \bar{y})$ i gynrychioli 'canol' y diagram gwasgariad. Ymddengys felly mai doeth yw cael y llinell i fynd drwy'r pwynt hwn. Yr amod sy'n caniatáu i hyn ddigwydd yw bod *a* a *b* yn bodloni:

$$\bar{y} = a + b\bar{x}$$

fel bod:

$$a = \bar{y} - b\bar{x} = \frac{1}{n}\left(\Sigma y_i - \Sigma b x_i\right) \tag{14.2}$$

Mae'r ail ffurf yn aml yn fwy cyfleus. Er mwyn pennu'r llinell mae arnom angen gwerth ar gyfer b. Yn ddiweddarach byddwn yn dangos mai dewis da yw amcangyfrif swm lleiaf sgwariau:

$$b = \frac{S_{xy}}{S_{xx}} \tag{14.3}$$

lle rhoddir y symiau S_{xy} ac S_{xx} (ac, er mwyn bod yn gyflawn, y swm S_{yy}) gan:

$$S_{xy} = \Sigma x_i y_i - \frac{\Sigma x_i \Sigma y_i}{n} \tag{14.4}$$

$$S_{xx} = \Sigma x_i^2 - \frac{(\Sigma x_i)^2}{n} \tag{14.5}$$

$$S_{yy} = \Sigma y_i^2 - \frac{(\Sigma y_i)^2}{n} \tag{14.6}$$

Gan ddefnyddio'r gwerthoedd uchod ar gyfer yr amcangyfrifon swm lleiaf sgwariau a a b, mae'r llinell ddeilliadol yn cael ei disgrifio fel amcangyfrif o **linell atchwel y ar x** a gelwir b yn **gyfernod atchwel** amcangyfrifedig.

Yn achos data'r car (lle mae y yn dynodi myg ac x yn dynodi mya) mae gennym $n = 16$, $\Sigma x_i = 680$, $\Sigma x_i^2 = 29\,400$, $\Sigma y_i = 700.7$, $\Sigma y_i^2 = 30\,828.05$, $\Sigma x_i y_i = 29\,518.5$. Cyfeirir yn aml at y symiau hyn a symiau sgwariau fel yr **ystadegau cryno**. Nawr rydym yn cyfrifo S_{xy} ac S_{xx}:

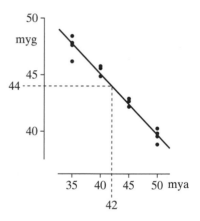

$$S_{xy} = 29\,518.5 - \left(\frac{680 \times 700.7}{16}\right) = -261.25$$

$$S_{xx} = 29\,400 - \frac{680^2}{16} = 500.00$$

Drwy hynny, rhoddir amcangyfrifon swm lleiaf sgwariau b ac a gan:

$$b = \frac{S_{xy}}{S_{xx}} = \frac{-261.25}{500.00} = -0.5225$$

$$a = \bar{y} - b\bar{x} = \tfrac{1}{16}\{700.7 - (-0.5225 \times 680)\} = 66.0$$

Mae'r llinell atchwel amcangyfrifedig felly yn $y = 66.0 - 0.5225x$ sy'n cael ei dangos ar y diagram gwasgariad.

Felly'r myg cyfartalog disgwyliedig ar gyfer car sy'n teithio ar fuanedd cyson o 42 mya yw $66.0 - 0.5225 \times 42 = 44.055$: tua 44 myg

Nodiadau

- Gan fod $y = a + bx$ ac $\bar{y} = a + b\bar{x}$, gellir ysgrifennu'r llinell atchwel fel:
  $$(y - \bar{y}) = b(x - \bar{x})$$

- Mae'r fformiwlâu ar gyfer a a b ar gyfer llinell atchwel amcangyfrifedig y ar x. Yn gyffredinol, ni fydd y llinell atchwel hon yr un fath â llinell atchwel x ar y. Rydym yn trafod hyn ymhellach yn Adran 14.10 (t. 409). Fodd bynnag, mae'r ddwy linell atchwel amcangyfrifedig *yn mynd drwy'r pwynt* $(\bar{x}, \bar{y})$.

- $\frac{S_{yy}}{n}$ yw amrywiant y sampl ar gyfer gwerthoedd y ac $\frac{S_{xx}}{n}$ yw amrywiant y sampl ar gyfer gwerthoedd x. Gelwir y swm $\frac{S_{xy}}{n}$ yn **gydamrywiant sampl**.

- Gellir ysgrifennu'r symiau S_{xx}, S_{xy} ac S_{yy} mewn nifer o ffyrdd gwahanol. Y ffurfiau a roddir yn hafaliadau (14.4) i (14.6) yw'r rhai gorau ar gyfer cyfrifo, ond bydd ffurfiau eraill yn ddefnyddiol i archwilio'r ddamcaniaeth yn nes ymlaen yn y bennod. Nawr byddwn yn defnyddio'r canlyniad, sef:

$$\Sigma(x_i - \bar{x}) = \Sigma x_i - n\bar{x} = \Sigma x_i - n\frac{\Sigma x_i}{n} = 0 \qquad (14.7)$$

i ddangos bod:

$$\Sigma\{(x_i - \bar{x})(y_i - \bar{y})\} = S_{xy}$$

Rydym yn dechrau drwy ehangu'r lluoswm sydd y tu mewn i'r ehangiad:

$$\begin{aligned}
\Sigma\{(x_i - \bar{x})(y_i - \bar{y})\} &= \Sigma\{(x_i - \bar{x})y_i - (x_i - \bar{x})\bar{y}\} \\
&= \Sigma\{(x_i - \bar{x})y_i\} - \bar{y}\Sigma(x_i - \bar{x}) \\
&= \Sigma\{(x_i - \bar{x})y_i\}
\end{aligned}$$

Mae hyn yn dilyn gan fod yr ail derm yn sero, fel sy'n cael ei nodi uchod. Wrth barhau i ehangu rydym yn cael:

$$\begin{aligned}
\Sigma\{(x_i - \bar{x})y_i\} &= \Sigma x_i y_i - \bar{x}\Sigma y_i \\
&= \Sigma x_i y_i - \frac{(\Sigma x_i)(\Sigma y_i)}{n} \\
&= S_{xy}
\end{aligned}$$

Drwy hynny:

$$S_{xy} = \Sigma\{(x_i - \bar{x})y_i\} = \Sigma\{(x_i - \bar{x})(y_i - \bar{y})\}$$

Yn yr un modd:

$$\left.\begin{aligned}
S_{xx} &= \Sigma\{(x_i - \bar{x})x_i\} = \Sigma\{(x_i - \bar{x})^2 \\
S_{yy} &= \Sigma\{(y_i - \bar{y})y_i\} = \Sigma\{(y_i - \bar{y})^2
\end{aligned}\right\} \qquad (14.8)$$

◆ Weithiau cyflwynir y data fel dosraniad amlder (o barau o werthoedd x ac y). Rydym yn defnyddio f_{jk} i ddynodi amlder y parau o werthoedd (x_j, y_k), ac yn defnyddio ôl-ddodiad plws i ddynodi cyfansymiau:

$$\sum_j f_{jk} = f_{+k}, \quad \sum_k f_{jk} = f_{j+}, \quad \sum_j\sum_k f_{jk} = \sum_k f_{+k} = \sum_j f_{j+} = f_{++} \ (= n, \text{dyweder})$$

Daw hafaliadau (14.4) i (14.6) ar gyfer S_{xy}, S_{xx} ac S_{yy} yn

$$\left.\begin{aligned}
S_{xy} &= \sum_j\sum_k x_j y_k f_{jk} - \frac{1}{n}\left(\sum_j x_j f_{j+}\right)\left(\sum_k y_k f_{+k}\right) \\
S_{xx} &= \sum_j x_j^2 f_{j+} - \frac{1}{n}\left(\sum_j x_j f_{j+}\right)^2 \\
S_{yy} &= \sum_k y_k^2 f_{+k} - \frac{1}{n}\left(\sum_k y_k f_{+k}\right)^2
\end{aligned}\right\} \qquad 14.9$$

Enghraifft 2

Mae ffatri yn defnyddio ager i gadw ei rheiddiaduron yn boeth. Cedwir cofnodion o y, y defnydd misol o ager ar gyfer dibenion cynhesu (wedi eu mesur mewn pwysi) ac o x, y tymheredd misol cyfartalog (mewn graddau C). Dyma'r canlyniadau:

x	1.8	−1.3	−0.9	14.9	16.3	21.8	23.6	24.8
y	11.0	11.1	12.5	8.4	9.3	8.7	6.4	8.5

x	21.5	14.2	8.0	−1.7	−2.2	3.9	8.2	9.2
y	7.8	9.1	8.2	12.2	11.9	9.6	10.9	9.6

Amcangyfrifwch linell atchwel y ar x ar gyfer y gwerthoedd hyn.

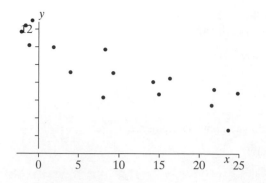

Yn gyntaf rydym yn plotio'r data. O edrych ar y diagram gwasgariad ymddengys bod perthynas linol fras rhwng y newidynnau, gyda'r gwerthoedd y yn lleihau wrth i'r gwerthoedd x gynyddu.

Yr ystadegau cryno ar gyfer y data yw $n = 16$, $\Sigma x_i = 162.1$, $\Sigma x_i^2 = 3043.39$, $\Sigma y_i = 155.2$, $\Sigma y_i^2 = 1550.88$ a $\Sigma x_i y_i = 1353.11$, ac o hyn cawn:

$$S_{xx} = 3043.39 - \frac{162.1^2}{16} = 1401.114$$

tra bo $S_{yy} = 45.440$ ac $S_{xy} = -219.260$. Drwy hynny:

$$b = \frac{-219.26}{1401.114} = -0.156\,49$$

$$a = \tfrac{1}{16}\{155.2 - (-0.156\,49 \times 162.1)\} = 11.2854$$

Felly mae llinell atchwel amcangyfrifedig y ar x, yn fras, yn:

$$y = 11.3 - 0.156x$$

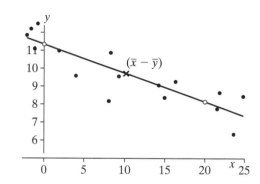

Er mwyn sicrhau nad ydym wedi gwneud unrhyw gamgymeriadau rhifyddol o bwys rydym nawr yn plotio'r llinell ffit ar y diagram gwasgariad. Gan ei bod yn bosibl pennu llinell drwy ddefnyddio dau bwynt sydd arni, rydym yn dewis dau werth x ac yn cyfrifo'r gwerthoedd y cyfatebol. Pan fo $x = 0$, cawn $y = 11.3$, a phan fo $x = 20$ cawn $y = 11.2854 - (0.156\,49 \times 20) = 8.2$. Wrth dynnu'r llinell drwy'r pwyntiau hyn, $(0, 11.3)$ ac $(20, 8.2)$, ymddengys bod y llinell yn disgrifio'r data yn fras.

Nodyn

- Pan fyddwch yn dewis gwerthoedd x er mwyn plotio dau bwynt ar y llinell atchwel amcangyfrifedig, dewiswch werthoedd sy'n agos at werthoedd minimwm a macsimwm x. Dylai'r gwerthoedd hefyd fod yn hawdd i'w defnyddio – felly mae'r gwerth 0, fel sy'n cael ei ddefnyddio yn yr enghraifft uchod, yn ddelfrydol. Hefyd dylai eich llinell fynd trwy $(\bar{x}, \bar{y})$, sef $(10.1, 9.7)$ yn yr enghraifft uchod.

Ymarfer cyfrifiannell _____

Os oes gennych gyfrifiannell graffigol yna gallwch blotio'r data fel diagram gwasgariad ac arosod eich llinell atchwel amcangyfrifedig. Os byddwch wedi cyfrifo yn gywir yna bydd y llinell yn mynd drwy 'ganol' y data – yn benodol bydd yn mynd drwy $(\bar{x}, \bar{y})$ Os nad yw hyn yn digwydd nid yw'n golygu bod y dull wedi 'methu' – ond yn hytrach eich bod chi wedi gwneud camgymeriad!

Ymarfer cyfrifiadurol _____

Mae natur ailadroddus y cyfrifiadau atchwel yn hynod o ddiflas. Dyma'n union y math o waith oedd mewn golwg pan gynlluniwyd taenlenni cyfrifiadurol. Lluniwch daenlen lle mae colofnau olynol yn rhoi gwerthoedd x, y, xy ac x^2. Efallai y byddai cynllunwyr taenlenni mwy cymhleth yn mynd gam ymhellach ac yn cyfrifo a a b ac yna'n cael dwy golofn arall yn dangos $a + bx$ (y gwerthoedd amcangyfrifedig) ac $y - a - bx$ (y gweddillebau, a drafodir yn nes ymlaen). Bydd taenlenni hefyd yn darparu diagramau cyfleus.

Ymarferion 14a _____

1 Isod rhoddir wyth pâr o arsylwadau ar y newidynnau x, y.

x	1.2	0.5	0.8	0.1	2.3	1.1	1.8	2.2
y	8.1	4.3	7.1	3.5	12.8	8.4	9.9	11.4

(i) Plotiwch ddiagram gwasgariad.
(ii) Cyfrifwch Σx, Σx^2, Σy, Σy^2, Σxy.
(iii) Darganfyddwch $\bar{x}, \bar{y}, S_{xx}, S_{yy}, S_{xy}$.
(iv) Darganfyddwch werthoedd a a b ar gyfer y llinell atchwel $y = a + bx$.
(v) Marciwch y pwynt $(\bar{x}, \bar{y})$ ar eich diagram.
(vi) Defnyddiwch yr ateb i ran (iv) i amcangyfrif gwerth y pan fo $x = 0.2$, a marciwch y pwynt cyfatebol ar eich diagram.
(vii) Tynnwch y llinell atchwel ar eich diagram.

2 Isod rhoddir chwe phâr o arsylwadau ar y newidynnau g, h.

g	55.7	10.4	67.1	91.2	30.8	72.1
h	21.2	45.9	88.3	11.4	75.4	21.4

(i) Plotiwch ddiagram gwasgariad, gyda gwerthoedd g ar yr echelin lorweddol.
(ii) Cyfrifwch Σg, Σg^2, Σh, Σh^2, Σgh.
(iii) Darganfyddwch $\bar{g}, \bar{h}$.
(iv) Darganfyddwch hafaliad llinell atchwel h ar g.
(v) Marciwch y pwynt $(\bar{g}, \bar{h})$ ar eich diagram.
(vi) Tynnwch y llinell atchwel ar eich diagram.

3 Isod rhoddir pum pâr o arsylwadau ar y newidynnau w, z.

w	357.2	284.3	435.8
z	0.0149	0.0375	-0.0172

w	571.9	101.2
z	-0.0345	0.0651

(i) Plotiwch ddiagram gwasgariad, gyda gwerthoedd z ar yr echelin lorweddol.
(ii) Cyfrifwch Σw, Σw^2, Σz, Σz^2, Σwz.
(iii) Darganfyddwch $\bar{w}, \bar{z}$.
(iv) Darganfyddwch hafaliad llinell atchwel w ar z.
(v) Marciwch y pwynt $(\bar{w}, \bar{z})$ ar eich diagram.
(vi) Tynnwch y llinell atchwel ar eich diagram.
(vii) Amcangyfrifwch werth w pan fo $z = 0.0572$.

4 Am 12 mis yn olynol cofnododd rheolwr ffatri nifer yr eitemau roedd y ffatri'n eu cynhyrchu a chyfanswm y gost o'u cynhyrchu. Mae'r tabl canlynol yn crynhoi data'r rheolwr.

Nifer yr eitemau (x) mil	18	36	45	22	69	72
Cost cynhyrchu (y) £1000	37	54	63	42	84	91

Nifer yr eitemau (x) mil	13	33	59	79	10	53
Cost cynhyrchu (y) £1000	33	49	79	98	32	71

(parhad)

(*a*)   Lluniwch ddiagram gwasgariad ar gyfer y data.

(*b*)   Rhowch reswm i gefnogi'r defnydd o'r llinell atchwel $(y - \bar{y}) = b(x - \bar{x})$ fel model addas ar gyfer y data.

(*c*)   Gan roi gwerthoedd $\bar{x}, \bar{y}$ a b i 3 lle degol, darganfyddwch yr hafaliad atchwel ar gyfer y ar x yn y ffurf uchod.
(Gallwch ddefnyddio $\Sigma x^2 = 27\,963$, $\Sigma xy = 37\,249$).

(*ch*)   Ailysgrifennwch yr hafaliad yn y ffurf $y = a + bx$ gan roi a i dri ffigur ystyrlon.

(*d*)   Rhowch ddehongliad ymarferol ar gyfer gwerthoedd a a b.

(*dd*)   Mae pris gwerthu pob eitem a gynhyrchir yn £1.60. Darganfyddwch lefel y cynhyrchu lle mae cyfanswm yr incwm a chyfanswm y costau amcangyfrifedig yn hafal. Rhowch ddehongliad byr o'r gwerth hwn. [ULSEB]

5   Ar gyfer yr hafaliad atchwel $y = a + bx$, yr hafaliadau normal sy'n rhoi amcangyfrifon a a b yw

$$\Sigma y = na + b\Sigma x$$
$$\Sigma xy = a\Sigma x + b\Sigma x^2.$$

Dangoswch ei bod yn bosibl mynegi'r hafaliad atchwel yn y ffurf

$$(y - \bar{y}) = b(x - \bar{x}).$$

Mynegwch beth yw goblygiadau'r ffurf hon o safbwynt plotio'r llinell atchwel.

Am gyfnod o dair blynedd mae cwmni'n monitro nifer yr unedau o gynnyrch a gynhyrchir bob chwarter a chyfanswm cost cynhyrchu'r unedau. Mae'r tabl isod yn dangos eu canlyniadau.

Unedau Cynnyrch (*x*) (1000oedd)	14	29	55	74	11	23
Cyfanswm Cost (*y*) (£1000)	35	50	73	93	31	42

Unedau Cynnyrch (*x*) (1000oedd)	47	69	18	36	61	79
Cyfanswm Cost (*y*) (£1000)	65	86	38	54	81	96

(Defnyddiwch $\Sigma x^2 = 28740$, $\Sigma xy = 38286$)

(*a*)   Defnyddiwch y data hyn i lunio diagram gwasgariad.

(*b*)   Cyfrifwch hafaliad llinell atchwel y ar x a thynnwch y llinell hon ar eich diagram gwasgariad.

Mae pris gwerthu pob uned o gynnyrch yn £1.60.

(*c*)   Defnyddiwch eich graff i amcangyfrif lefel y cynnyrch lle mae cyfanswm yr incwm a chyfanswm y costau yn hafal.

(*ch*)   Rhowch ddehongliad cryno o'r gwerth hwn.   [AEB 91]

14.3   Y dull sgwariau lleiaf

Rydym eisiau tynnu llinell syth ar ddiagram gwasgariad fel ei bod yn ymddangos fel petai'n ffitio'r data yn y modd gorau posibl. Mae'r diagramau yn dangos dau ddewis gwael o linell.

Mewn un achos mae goledd y llinell yn gywir, ond mae'r rhyngdoriad yn anghywir ac felly'n 'methu' y data'n gyfangwbl. Yn yr achos arall mae'r llinell yn mynd drwy'r data – ond ar ongl ryfedd iawn.

Mae'r dull sgwariau lleiaf, ar y llaw arall, yn cynhyrchu llinell sy'n sicr o ymddangos yn foddhaol gan ei bod yn mynd drwy ganol y data ac yn gwneud hynny ar ongl synhwyrol. Sylwer, er bod y llinell yn mynd drwy'r data, ychydig iawn o'r pwyntiau (os o gwbl) sy'n gorwedd ar y llinell, sydd yn ffordd gyfleus o grynhoi unrhyw gysylltiad amlwg rhwng y newidynnau.

Tybiwch fod arsylwad yn cael ei wneud ar (x_i, y_i). Yr enw a roddir ar yr anghysondeb rhwng y_i a'r gwerth a roddir gan y llinell atchwel amcangyfrifedig yw'r **gweddilleb** a chaiff ei ddynodi gan r_i. Felly:

$$r_i = y_i - (a + bx_i) \tag{14.10}$$

Os yw gwerthoedd a a b wedi eu dewis yn dda, yna bydd yr holl weddillebau $r_1, r_2, \ldots, r_n$ yn fychan o ran maint. Yma n yw nifer y parau o werthoedd (x, y). Bydd rhai o'r gweddillebau yn negatif (gan gyfateb i bwyntiau o dan y llinell), felly mae'n gyfleus, yn fathemategol, gweithio â'u sgwariau. Bydd llinell sy'n ffitio'r data yn dda yn rhoi gwerth cymharol fychan i Σr_i^2. **Llinell atchwel y sgwariau lleiaf** yw'r llinell sydd mewn gwirionedd yn minimeiddio'r rhif hwn ac fe'i gelwir weithiau yn **llinell ffit gorau**.

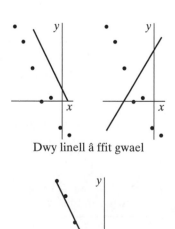

Dwy linell â ffit gwael

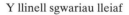

Y llinell sgwariau lleiaf

Y gwerthoedd a a b sy'n minimeiddio Σr_i^2 yw'r rhai a roddir gan Hafaliadau (14.2) a (14.3). Rhoddir swm y gweddillebau gan:

$$\Sigma r_i = \Sigma y_i - \Sigma(a + bx_i)$$
$$= \Sigma y_i - na - b\Sigma x_i$$

Mae'r amcangyfrif swm lleiaf sgwariau, a, a roddir gan Hafaliad (14.2), yn hafal i $\bar{y} - b\bar{x}$. Gan roi gwerth yn lle a rydym felly yn cael:

$$\Sigma r_i = \Sigma y_i - n(\bar{y} - b\bar{x}) - b\Sigma x_i$$
$$= (\Sigma y_i - n\bar{y}) - b(\Sigma x_i - n\bar{x})$$

Gan fod y ddau derm sydd mewn cromfachau yn hafal i sero – fel yn Hafaliad (14.7) – mae gennym:

$$\Sigma r_i = 0 \tag{14.11}$$

Mae hyn yn dangos, ar gyfer llinell y sgwariau lleiaf, bod yr anghysondebau gweddillol yn canslo ei gilydd – sy'n ymddangos yn synhwyrol.

Gellir dangos bod gwerth minimwm Σr_i^2 yn hafal i D, gyda

$$D = S_{yy} - \frac{S_{xy}^2}{S_{xx}}$$

Yr enw modern ar D yw'r **gwyriad**, ond hefyd bydd yn cael ei alw'n **swm gweddillol sgwariau**.

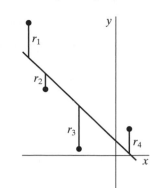

Ymarfer cyfrifiannell _____

Gall llawer o gyfrifianellau gyfrifo llinellau atchwel sgwariau lleiaf. Yn aml mae gwerthoedd y symiau gwahanol (e.e. Σx_i, $\Sigma x_i y_i$, Σx_i^2) yn cael eu storio mewn cofau y gall y defnyddiwr eu cyrchu. Fel arfer mae cyfrifianellau o'r fath yn rhoi gwerth a a b yn ogystal â gwerthoedd eraill a drafodir yn nes ymlaen yn y bennod. Os oes gennych chi'r math hwn o gyfrifiannell, ceisiwch ymarfer drwy ei ddefnyddio i wneud cyfrifiadau atchwel.

Ymarferion 14b _____

1 Isod rhoddir deg pâr o arsylwadau ar y newidynnau x, y.

y	2.2	3.2	6.8	7.3	-1.3
x	1.2	0.5	0.0	-0.8	2.8

y	-0.8	1.7	9.5	12.3	1.7
x	3.4	1.7	-1.7	-4.2	1.1

(i) Plotiwch ddiagram gwasgariad.
(ii) Cyfrifwch Σx, Σx^2, Σy, Σy^2, Σxy.
(iii) Darganfyddwch $\bar{x}$, $\bar{y}$, S_{xx}, S_{yy}, S_{xy}.
(iv) Darganfyddwch werthoedd a a b ar gyfer y llinell atchwel $y = a + bx$.
(v) Tynnwch y llinell atchwel ar eich diagram a marciwch y pwynt $(\bar{x}, \bar{y})$.

2 Isod rhoddir saith pâr o arsylwadau ar y newidynnau u, v.

u	1.0	2.2	2.8	3.1	3.8	4.5	5.1
v	3.1	12.5	12.4	7.6	9.3	14.7	13.4

(i) Plotiwch ddiagram gwasgariad, gyda gwerthoedd u ar yr echelin lorweddol.
(ii) Cyfrifwch Σu, Σu^2, Σv, Σv^2, Σuv.
(iii) Darganfyddwch $\bar{u}$, $\bar{v}$, S_{uu}, S_{vv}, S_{uv}.
(iv) Darganfyddwch hafaliad llinell atchwel v ar u.
(v) Ar eich diagram marciwch y pwynt $(\bar{u}, \bar{v})$.
(vi) Amcangyfrifwch werth v pan fo $u = 4.8$, a marciwch y pwynt cyfatebol ar eich diagram.
(vii) Tynnwch y llinell atchwel ar eich diagram.

3 Lluniwch ddiagram yn dangos rhai pwyntiau nad ydynt yn unllin a'u llinell atchwel y ar x. Ar eich diagram marciwch y pellterau, y mae cyfanswm eu sgwariau yn cael ei minimeiddio gan y llinell atchwel.

Mae pum siel yn cael eu tanio o wn sy'n sefyll ar dir gwastad. Ar ôl i bob siel gael ei thanio, mae ongl godi'r gwn yn cael ei chynyddu yn ôl 1 radd. Mae'r r^{fed} siel yn taro'r ddaear y_r km o'r gwn. O wybod *(parhad)*

$\Sigma y_r = 9.6, \Sigma r y_r = 29$

darganfyddwch hafaliad llinell atchwel y ar r yn y ffurf $y = \alpha + \beta r$.

Mae siel yn cael ei thanio ar ongl godi o 2.4 gradd uwchben y codiad gwreiddiol. Amcangyfrifwch pa mor bell oddi wrth y gwn y mae'r siel hon yn taro'r ddaear.   [O&C]

4 Gwnewch fraslun i ddangos y pellterau, sydd â swm y sgwariau yn cael ei finimeiddio wrth

ffitio llinell atchwel y ar x i'r data a roddir. Mae pwysau, y, sylwedd arbennig sy'n hydoddi mewn litr o ddŵr mewn pum arbrawf ar wahanol dymereddau yn cael eu crynhoi gan $\Sigma x = 200, \Sigma y = 182, \Sigma x^2 = 9850, \Sigma xy = 8390$. Darganfyddwch linell atchwel y ar x yn y ffurf $y = \alpha + \beta x$.

Amcangyfrifwch y pwysau a fydd yn hydoddi mewn litr o ddŵr ar dymheredd $x = 90$.

[O&C]

14.4 Hapnewidyn dibynnol Y

Yn yr adran flaenorol ni chyfeiriwyd o gwbl at debygolrwydd, dosraniadau tebygolrwydd na hapnewidynnau. Gweithdrefn, yn syml, oedd y dull sgwariau lleiaf o ddarganfod gwerthoedd synhwyrol ar gyfer a a b, sef paramedrau llinell oedd, yn rhannol, yn crynhoi'r berthynas rhwng y ac x. Nawr rydym yn cyflwyno haprwydd.

Tybiwch fod y gwerthoedd x yn sefydlog, ond bod amrywiad samplu yn effeithio ar y gwerthoedd y. Dyma rai enghreifftiau:

x	y
Nifer y brics mewn pentwr	Pwysau pentwr o frics
Pris nwydd	Y nifer a werthwyd
Cynhwysedd peiriant car	Yr myg cyfartalog

Mae'r enghraifft gyntaf yn un hynod amlwg. Mae'n bosibl inni gael nifer o bentyrrau, a phob un yn cynnwys union 10 o frics. Ond byddai pwysau bob pentwr yn wahanol oherwydd yr amrywiadau ym mhwysau brics unigol. Felly, tra bo x yn fesur sefydlog, mae y yn arsylwad ar hapnewidyn Y.

Yn yr enghreifftiau hyn, mae Y yn **newidyn dibynnol** a chanddo werth anrhagweladwy, tra bo x yr hyn a elwir yn **newidyn annibynnol** a chanddo werth sefydlog. Term arall ar gyfer Y yw'r **newidyn ymateb** tra gelwir x weithiau yn **newidyn rheoledig** neu'r **newidyn eglurhaol**. Os oes yna berthynas linol sylfaenol, yna mae'r berthynas hon yn cysylltu x nid â gwerth y unigol, ond â chymedr y gwerthoedd y ar gyfer *y gwerth x arbennig hwnnw*. Dynodir cymedr Y, o wybod y gwerth x arbennig, gan $\mathrm{E}(Y|x)$ a elwir yn fwy ffurfiol yn **ddisgwyliad amodol** Y. Y **model atchwel llinol** yw: $\mathrm{E}(Y|x) = \alpha + \beta x$

Yma α a β yw'r gwerthoedd poblogaeth (anhysbys). (Fel sy'n arferol, rydym yn defnyddio llythrennau Groegaidd i gynrychioli paramedrau poblogaeth). Amcangyfrifon swm lleiaf sgwariau α a β yw a a b yn ôl eu trefn, lle, fel o'r blaen:

$$b = \frac{S_{xy}}{S_{xx}} \qquad a = \bar{y} - b\bar{x}$$

Amcangyfrif gwerth y yn y dyfodol

Tybiwch fod arsylwadau yn y dyfodol yn cael eu cymryd gydag $x = x_0$. Gan fod Y yn hapnewidyn, ni fydd y gwerthoedd y yn gwbl ragweladwy, ond gallwn amcangyfrif eu gwerth cyfartalog drwy ddefnyddio'r llinell atchwel gyda'r amcangyfrifon swm lleiaf sgwariau ar gyfer a a b. Mae gwerth amcangyfrifedig $\mathrm{E}(Y|x_0)$ yn:

$$a + bx_0 = (\bar{y} - b\bar{x}) + bx_0 = \bar{y} + \frac{S_{xy}}{S_{xx}}(x_0 - \bar{x})$$

Enghraifft 3

Mae'r data isod yn cyfeirio at gadwyn o siopau. Y ffigurau a ddangosir yw niferoedd y staff gwerthu (x) a'r derbyniadau dyddiol cymedrig mewn miloedd o bunnoedd (y) ar gyfer hapsampl o siopau. Defnyddiwch y llinell sgwariau lleiaf i amcangyfrif derbyniadau dyddiol cymedrig siop â 21 aelod o staff.

x	17	39	32	17	25	43	25	32	48	10	48	42	36	30	19
y	7	17	10	5	7	15	11	13	19	3	17	15	14	12	8

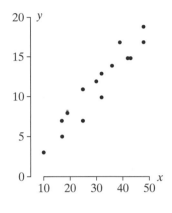

Yr ystadegau cryno yw $n = 15$, $\Sigma x_i = 463$, $\Sigma x_i^2 = 16\,275$, $\Sigma y_i = 173$, $\Sigma y_i^2 = 2315$, $\Sigma x_i y_i = 6102$. Drwy hynny mae $S_{xy} = 762.066\,67$ ac $S_{xx} = 1983.733\,33$, fel bod yr amcangyfrifon swm lleiaf sgwariau yn $b = 0.384\,16$ ac $a = \frac{1}{15}\{173 - (0.384\,16 \times 463)\} = -0.324\,34$. Gan ddefnyddio'r amcangyfrifon hyn ar gyfer a a b, mae gwerth cymedrig amcangyfrifedig y pan fo $x = 21$ yn $-0.324\,34 + (21 \times 0.384\,16) = 7.743$. Amcangyfrifir bod y derbyniadau dyddiol cymedrig ychydig o dan £7750.

Gwiath ymarferol

Defnyddiwch dâp mesur i fesur (mewn mm) cylchedd eich arddwrn dde a hyd eich troed dde. Cyfunwch y canlyniadau hyn gyda rhai eraill er mwyn cael oddeutu 20 arsylwad. Plotiwch y rhain ar ddiagram gwasgariad. Er budd mesurwyr traed y dyfodol, darganfyddwch y llinell atchwel ar gyfer hyd troed ar gylchedd arddwrn.

Ymarferion 14c

1 Yn y chwe phâr o arsylwadau isod, mae gwerthoedd x yn union, ond mae gwerthoedd y yn agored i gyfeiliornad.

x	1	2	3	4	5	6
y	4.61	18.13	32.35	45.29	48.61	72.13

(i)   Plotiwch ddiagram gwasgariad.
(ii) Cyfrifwch hafaliad llinell atchwel amcangyfrifedig y ar x.
(iii) Amcangyfrifwch werth cymedrig y sy'n cyfateb i $x = 3.5$.

2 Yn y deuddeg pâr o arsylwadau isod, mae gwerthoedd u yn union, ond mae gwerthoedd v yn agored i gyfeiliornad.

u	5	5	5	6	6	6
v	0.71	0.63	0.46	0.56	0.82	0.71

u	7	7	7	8	8	8
v	1.03	0.99	0.98	1.05	1.42	1.07

(i)   Plotiwch ddiagram gwasgariad.
(ii) Cyfrifwch hafaliad llinell atchwel amcangyfrifedig v ar u.
(iii) Amcangyfrifwch werth cymedrig v pan fo $u = 9$.

3 Pan fydd car yn cael ei yrru dan amodau penodol o ran llwyth, gwasgedd y teiars a thymheredd amgylchol, mae'r tymheredd, $T°C$, a gynhyrchir yn ysgwydd y teiar yn amrywio gyda'r buanedd, V km h^{-1}, yn ôl y model llinol $T = a + bV$, lle mae a a b yn gysonion. Mesurwyd T ar wyth gwerth gwahanol o V gan roi'r canlyniadau isod.

v	20	30	40	50	60	70	80	90
t	45	52	64	66	91	86	98	104

($\Sigma v = 440$, $\Sigma v^2 = 28\,400$, $\Sigma t = 606$, $\Sigma t^2 = 49\,278$, $\Sigma vt = 37\,000$.)

(i)   Dangoswch y data hyn ar ddiagram gwasgariad.
(ii) Cyfrifwch hafaliad llinell atchwel amcangyfrifedig T ar V.
(iii) Amcangyfrifwch werth disgwyliedig T pan fo $V = 60$.
(iv) Gwyddom fod gwerth mesuredig T, ar gyfer pob gwerth V, yn cynnwys hapgyfeiliornad wedi ei ddosrannu'n normal, cymedr sero ac amrywiant 16. Cyfrifwch y tebygolrwydd, pan fo $V = 60$, bod gwerth mesuredig T yn fwy na 91. Rhowch sylw ar y canlyniad.

[UCLES(P)]

4 Cafodd chwe phlât metel eu trochi mewn hydoddiant gwanedig o asid am wahanol gyfnodau o amser. Yna mesurwyd canrannau'r pwysau a gollwyd. Dangosir y canlyniadau yn y tabl isod.

Amser yn yr hydoddiant (x awr)	150	200	200
Pwysau a gollwyd ($y\%$)	0.8	1.4	1.2

Amser yn yr hydoddiant (x awr)	300	450	500
Pwysau a gollwyd ($y\%$)	1.7	2.6	2.5

(i) Dangoswch y data hyn drwy lunio graff.

(ii) Darganfyddwch linell atchwel y ar x yn y ffurf $y = \alpha + \beta x$.

(iii) Tynnwch y llinell y gwnaethoch ei chyfrifo ar eich graff.

(iv) Amcangyfrifwch ganran y pwysau a gollwyd gan blât a drochwyd am 30 diwrnod.

(v) Ar eich graff marciwch y pellterau, y mae cyfanswm eu sgwariau yn cael ei finimeiddio gan y llinell atchwel. [O&C(P)]

5 Defnyddir anemomedr i amcangyfrif buanedd y gwynt drwy arsylwi buanedd cylchdroi ei lafnau. Mae'r buanedd hwn yn cael ei drosi yn fuanedd gwynt drwy ddefnyddio hafaliad a geir drwy raddnodi'r ddyfais mewn twnnel gwynt. Yn y broses raddnodi hon mae buanedd y gwynt yn cael ei bennu yn union gywir a nodir buanedd canlyniadol yr anemomedr. Yn achos anemomedr arbennig roedd y broses hon yn cynhyrchu'r set ddata ganlynol.

Gwir fuanedd gwynt (m s^{-1}) s	1.0	1.1	1.2	1.3	1.4
Anemomedr (rev min^{-1}) r	30	38	48	58	68

Gwir fuanedd gwynt (m s^{-1}) s	1.5	1.6	1.7	1.8	1.9
Anemomedr (rev min^{-1}) r	80	92	106	120	134

$[\Sigma s = 14.5, \Sigma s^2 = 21.85, \Sigma r = 774,$
$\Sigma r^2 = 71\,092, \Sigma rs = 1218.0.]$

(i) Deilliwch hafaliad llinell atchwel sgwariau lleiaf addas i grynhoi'r canlyniadau hyn.

(ii) Os yw buanedd y gwynt mewn gwirionedd yn 1.65 m s^{-1}, defnyddiwch hafaliad y llinell atchwel i amcangyfrif buanedd cylchdroi'r anemomedr.

(iii) Dangoswch, gan ddefnyddio'r llinell atchwel uchod fel enghraifft, nad yw'n ddoeth allosod y tu hwnt i amrediad y data. [UCLES(P)]

14.5 Trawsffurfiadau, allosodiad ac allanolion

Nid yw pob perthynas yn un llinol. Fodd bynnag, mae cryn nifer o berthnasau aflinol y gellir eu trawsffurfio yn rhai llinol. Dyma rai enghreifftiau:

$y = ax^b$	Cymerwch logarithmau	$\log(y) = \log(a) + b\log(x)$
$y = ae^{bx}$	Cymerwch logarithmau naturiol	$\ln(y) = \ln(a) + bx$
$y = (a + bx)^k$	Cymerwch $k$fed isradd	$\sqrt[k]{y} = a + bx$

Ym mhob achos gallwn ddod o hyd i ffordd o drawsffurfio'r berthynas yn un llinol fel y gellir defnyddio'r fformiwlâu a ddeilliwyd yn flaenorol.

Yn achos sawl perthynas nid oes angen trawsffurfio oherwydd, dros amrediad cyfyngedig y data, mae'r berthynas yn ymddangos yn llinol. Fel enghraifft, ystyriwch y data dychmygol canlynol:

x Cyfanswm gwrtaith y m^2	y Pwysau'r tomatos ar bob planhigyn
10 g	1.4 kg
20 g	1.6 kg
30 g	1.8 kg

Yn y set ddata fechan hon ceir perthynas linol union rhwng y cynnyrch a faint o wrtaith a ddefnyddir, sef $y = 0.02x + 1.2$. Bydd sut y byddwn yn defnyddio'r berthynas honno yn amrywio yn ôl y sefyllfa. Dyma rai enghreifftiau:

1 Gallwn ddyfalu'n rhesymol, er enghraifft, pe byddem wedi defnyddio 25 g o wrtaith y byddem wedi cael 1.7 kg o gynnyrch. Mae hwn yn ddyfaliad synhwyrol, oherwydd bod 25 g yn werth tebyg i'r rhai yn y data gwreiddiol.

2 Gallwn ddisgwyl y byddai 35 g o wrtaith yn rhoi tua 1.9 kg o gynnyrch. Mae hyn yn rhesymol oherwydd roedd y data gwreiddiol yn cynnwys amrediad o 10 g i 30 g o wrtaith ac mae 35 g yn gynnydd cymharol fychan yn unig y tu hwnt i'r amrediad hwnnw.

3 Gallwn ddisgwyl y gallai 60 g o wrtaith arwain at gynnyrch mwy na 2 kg, fel y rhagwelwyd gan y fformiwla. Fodd bynnag, nid yw hyn fawr mwy na dyfaliad, gan fod amrediad gwreiddiol yr ymchwiliad (10 g i 30 g) yn wahanol iawn i'r 60 g yr ydym yn ei ystyried nawr.

4 Os ydym yn defnyddio 600 g o wrtaith yna mae'r fformiwla yn rhagweld mwy nag 13 kg o domatos. Mae hyn yn amlwg yn wirion. Yn ymarferol byddai'r cynnyrch mae'n debyg yn sero gan y byddai'r planhigion druan wedi eu llethu gan y gwrtaith.

    Nid yw'n bosibl o gwbl i'n perthynas linol fod yn ddilys yn achos holl werthoedd y newidynnau, waeth pa mor dda yr ymddengys ei fod yn disgrifio'r berthynas yn y data a roddir.

Mae'r uchod yn dangos na ddylai'r llinell atchwel sgwariau lleiaf gymryd lle synnwyr cyffredin. Mae angen bod yn ofalus, oherwydd gall allosodiad difeddwl arwain at fynegiadau twp. Petai cricedwr yn cael sgorau olynol o 1, 10 a 100, byddai'n annoeth rhagfynegi sgôr o 1000 ar gyfer ei ymgais nesaf.

Y trydydd pwnc yn yr adran hon yw 'allanolion'. Arsylwad yw **allanolyn** sy'n wahanol iawn i weddill y data. Dylai gwerth o'r fath gael ei drin fel un amheus. Mae'r cyfrifiadau ar gyfer atchweliad (ac, yn nes ymlaen, ar gyfer cydberthyniad) yn cynnwys mesurau fel $(x_i - \bar{x})$ ac $(y_i - \bar{y})$. Os yw un (neu'r ddau) o'r rhain yn fawr – gan fod arsylwad i yn allanolyn – yna mae arsylwad i yn debygol o bennu gwerthoedd amcangyfrifon y paramedrau. Mae'r diagram canlynol yn dangos achos lle mae union leoliad un allanolyn, yn ei hanfod, yn pennu hafaliad y llinell atchwel.

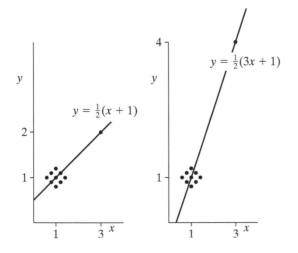

Mae gan naw o'r pwyntiau yr un gwerthoedd yn y ddau achos. Nid yw'r gwerthoedd hyn yn dangos unrhyw berthynas arbennig rhwng Y ac x. Mae goledd y llinell atchwel yn cael ei bennu gan leoliad y pwynt pellaf.

Enghraifft 4

Cafodd yr arsylwadau canlynol ar x ac Y eu cofnodi.

x	132	246	188	343	512	442	377	413	421	334
y	116	188	136	215	300	266	239	253	180	218

Plotiwch y data gan ddefnyddio diagram gwasgariad a gwiriwch fod yma allanolyn. O gymryd bod hyn o ganlyniad i wall teipio, awgrymwch sut y gellid ei gywiro.

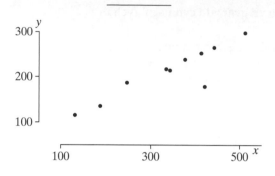

Mae'r diagram yn dangos bod yr holl arsylwadau ac eithrio un yn agos at linell syth. Yr eithriad yw'r pwynt a gofnodir fel $(421, 180)$. Y gwall teipio mwyaf cyffredin yw cydgyfnewid digidau cyfagos. Mae'n bosibl y dylai'r pwynt fod wedi cael ei gofnodi fel $(241, 180)$.

14.6 Cyfyngau hyder a phrofion arwyddocâd ar gyfer cyfernod atchwel y boblogaeth β

Rydym yn tybio bod x yn newidyn annibynnol a bod pob un o'r n arsylwad ar Y, beth bynnag fo gwerth x, yn dod o ddosraniadau normal annibynnol ag amrywiant σ^2. Os yw σ^2 yn anhysbys yna mae'n rhaid defnyddio'r amcangyfrif diduedd a roddir gan $\dfrac{D}{n-2}$ yn ei le.

Ceir gwerth amcangyfrifedig b cyfernod atchwel y boblogaeth β o werthoedd sampledig o Y. Byddai samplau gwahanol yn rhoi gwerthoedd amcangyfrifedig gwahanol. Gallwn felly feddwl am ein gwerth, b, fel arsylwad ar hapnewidyn B gyda rhyw ddosraniad i'w bennu.

Gallwn ysgrifennu S_{xy}, a roddir gan Hafaliad (14.4), yn y ffurf:

$$S_{xy} = \Sigma x_i y_i - \bar{x}\Sigma y_i = \Sigma\{(x_i - \bar{x})y_i\}$$

Drwy hynny gallwn ysgrifennu'r amcangyfrif b, a roddir gan Hafaliad (14.3), yn y ffurf:

$$b = \frac{x_1 - \bar{x}}{S_{xx}}y_1 + \frac{x_2 - \bar{x}}{S_{xx}}y_2 + \dots + \frac{x_n - \bar{x}}{S_{xx}}y_n$$

sy'n dangos bod yr amcangyfrif yn gyfuniad llinol o'r gwerthoedd y. Yn yr un modd gellir ysgrifennu amcangyfrifyn B fel hyn:

$$B = \frac{x_1 - \bar{x}}{S_{xx}}Y_1 + \frac{x_2 - \bar{x}}{S_{xx}}Y_2 + \dots + \frac{x_n - \bar{x}}{S_{xx}}Y_n$$

lle mae Y_i yn cynrychioli'r 'hapnewidyn Y o wybod bod $x = x_i$'. Dengys hyn fod B yn gyfuniad llinol o $Y_1, Y_2, \dots, Y_n$.

Gan dybio bod gan yr hapnewidynnau annibynnol $Y_1, Y_2, ..., Y_n$ ddosraniad normal, mae'n dilyn bod gan yr amcangyfrifyn B hefyd ddosraniad normal (gweler Adran 10.9). A chan dybio ymhellach bod gan ddosraniadau'r hapnewidynnau amrywiant cyffredin σ^2, byddwn nawr yn dangos bod b yn arsylwad ar hapnewidyn â dosraniad $N\left(\beta, \dfrac{\sigma^2}{S_{xx}}\right)$.

Os gwyddom beth yw gwerth σ^2 yna rhoddir cyfwng hyder cymesur ar gyfer β gan

$$\left(b - c_N \sqrt{\frac{\sigma^2}{S_{xx}}}, b + c_N \sqrt{\frac{\sigma^2}{S_{xx}}}\right)$$

lle c_N yw'r pwynt canrannol priodol ar gyfer dosraniad normal safonol.

Os yw gwerth σ^2 yn anhysbys, rydym yn defnyddio'r amcangyfrif $\dfrac{D}{n-2}$ gyda phwynt arwyddocâd priodol, c_t, y dosraniad-t_{n-2}. Daw'r cyfwng hyder yn

$$\left(b - c_t \sqrt{\frac{D}{(n-2)S_{xx}}}, b + c_t \sqrt{\frac{D}{(n-2)S_{xx}}}\right)$$

Nodiadau

- Enwadur yr amcangyfrif $\dfrac{D}{n-2}$ yw $n-2$ oherwydd mae angen amcangyfrif dau baramedr α a β cyn y gellir cyfrifo gweddillebau. Nid yw'r amrywiant sampl arferol, $\dfrac{S_{yy}}{n}$, yn briodol oherwydd, gyda $\beta \neq 0$, mae rhywfaint o'r amrywiant yn y gwerthoedd y yn cael ei egluro gan y gwerthoedd x amrywiol.

- Yn draddodiadol tueddir i anwybyddu'r gwahaniaeth rhwng cyfernod atchwel y boblogaeth β a chyfernod atchwel sampl b, sy'n amcangyfrif diduedd o β. Mewn rhai llyfrau ac mewn ambell faes llafur byddwch yn gweld cyfeiriadau at 'gyfwng hyder ar gyfer b'.

Cymedr ac amrywiant amcangyfrifyn β

Yn ôl y model atchwel llinol (Adran 14.4), $E(Y_i) = \alpha + \beta x_i$. Gwerth disgwyliedig yr amcangyfrifyn B yw

$$E\left(\frac{1}{S_{xx}} \Sigma\{(x_i - \bar{x})Y_i\}\right) = \frac{1}{S_{xx}} \Sigma\{(x_i - \bar{x})Y_y)\}$$

$$= \frac{1}{S_{xx}} \Sigma\{(x_i - \bar{x})(\alpha + \beta x_i)\}$$

$$= \frac{\beta}{S_{xx}} \Sigma\{(x_i - \bar{x})x_i\} \quad \text{gan fod } \Sigma\{(x_i - \bar{x}) = 0$$

$$= \frac{\beta S_{xx}}{S_{xx}} = \beta \qquad \text{gan ddefnyddio Hafaliad (14.8)}$$

Felly mae b yn amcangyfrif diduedd o β.

Rhoddir amrywiant yr amcangyfrifyn gan

$$\text{Var}(B) = \left(\frac{x_1 - \bar{x}}{S_{xx}}\right)^2 \sigma^2 + \left(\frac{x_2 - \bar{x}}{S_{xx}}\right)^2 \sigma^2 + ... + \left(\frac{x_n - \bar{x}}{S_{xx}}\right)^2 \sigma^2$$

$$= \frac{(x_1 - \bar{x})^2 + (x_2 - \bar{x})^2 + ... + (x_n - \bar{x})^2}{(S_{xx})^2} \sigma^2$$

$$= \frac{S_{xx}}{(S_{xx})^2} \sigma^2 = \frac{\sigma^2}{S_{xx}}$$

Prawf arwyddocâd ar gyfer y cyfernod atchwel

Gellir cynnal hwn yn y ffordd arferol. Fel arall, gellir diddwytho canlyniad prawf o'r fath drwy astudio'r cyfwng hyder cyfatebol. Er enghraifft, os yw gwerth y boblogaeth a bennir gan y rhagdybiaeth nwl wedi ei leoli o fewn y cyfwng hyder, yna bydd y rhagdybiaeth yn cael ei derbyn ar y lefel gyfatebol.

Enghraifft 5

Mae gan gwmni fflyd o geir tebyg o wahanol oedrannau. Mae archwiliad o gofnodion y cwmni yn datgelu bod cost darnau newydd ar gyfer y ceir hŷn yn fwy yn gyffredinol na'r gost ar gyfer y ceir mwy newydd. Isod ceir hapsampl o'r cofnodion.

Oedran (blynyddoedd), x	1	1	2	2	2	3	3	3	4	4	4	5
Cost (£), y	163	382	478	466	549	495	723	681	619	1049	1033	890

Cyfrifwch amcangyfrifon sgwariau lleiaf paramedrau'r llinell atchwel, $y = \alpha + \beta x$. Gan dybio bod pob gwerth y yn arsylwad o ddosraniad normal, amrywiant σ^2, darganfyddwch amcangyfrif o σ^2 a darganfyddwch gyfwng hyder cymesur 95% ar gyfer β.

Darganfyddwch ganlyniadau profi'r rhagdybiaeth nwl $\beta = \beta_0$ yn erbyn y rhagdybiaeth arall $\beta \neq \beta_0$, gan ddefnyddio prawf 5% ar gyfer (i) $\beta_0 = 0$ a (ii) $\beta_0 = 200$.

Yr ystadegau cryno yw $n = 12$, $\Sigma x_i = 34$, $\Sigma x_i^2 = 114$, $\Sigma y_i = 7528$, $\Sigma y_i^2 = 5\,493\,800$, $\Sigma x_i y_i = 24\,482$, sy'n arwain at $S_{xx} = 17.6667$, $S_{yy} = 771\,234.6667$ ac $S_{xy} = 3152.6667$. Sylwer bod y cyfrifiadau yn cadw llawer o ffigurau ystyrlon er mwyn osgoi gwallau o ganlyniad i dalgrynnu yn rhy fuan.

Yr amcangyfrifon sgwariau lleiaf yw:

$$b = \frac{3152.6667}{17.6667} = 178.4528$$

$$a = \tfrac{1}{12}\{7528 - (178.4528 \times 34)\} = 121.7170$$

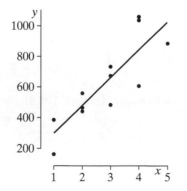

Y llinell sgwariau lleiaf, yn fras, yw:

$$y = 122 + 178x$$

Rhoddir y gwyriad, D, gan:

$$D = S_{yy} - \frac{S_{xy}^2}{S_{xx}} = 771\,234.6667 - \frac{(3152.6667)^2}{17.6667} = 208\,632.4$$

fel bo σ^2 yn cael ei amcangyfrif fel $\dfrac{208\,632.4}{12-2} \approx 20\,863$. Mae pwynt 2.5% uchaf dosraniad-t_{10} yn 2.228 ac felly y cyfwng hyder 95% ar gyfer β yw:

$$178.4528 \pm \left(2.228 \times \sqrt{\dfrac{20\,863.24}{17.6667}}\right) = 178.4528 \pm 76.5647$$

Y cyfwng hyder 95% ar gyfer β yw $(102, 255)$.

Gan nad yw'r cyfwng yn cynnwys 0, mae'r rhagdybiaeth bod y goledd yn 0 yn cael ei wrthod, ar y lefel 5%. Ar y llaw arall, gan fod 200 o fewn y cyfwng, mae'r rhagdybiaeth bod y goledd yn 200 yn cael ei dderbyn ar y lefel 5%.

Pe na byddai'r cwestiwn yn gofyn am y cyfwng hyder yna dull arall fyddai cyfrifo gwerth

$$t = \dfrac{b - \beta_0}{\sqrt{\dfrac{D/(n-2)}{S_{xx}}}}$$

lle mae β_0 yn cynrychioli'r gwerth a bennir gan y rhagdybiaeth nwl. Yn achos (i) $\beta_0 = 0$ mae gennym

$$t = \dfrac{178.4528 - 0}{\sqrt{\dfrac{20\,863.24}{17.6667}}} = \dfrac{178.4528}{34.3648} = 5.19$$

Mae'r gwerth hwn yn llawer mwy na phwynt 2.5% uchaf y dosraniad-t_{10} (2.228) a gellir gwrthod y rhagdybiaeth (fel o'r blaen) o blaid y rhagdybiaeth arall bod $\beta \neq 0$.

Yn achos (ii) $\beta_0 = 200$ mae gennym

$$t = \dfrac{178.4528 - 200}{34.3648} = -0.627$$

Nid yw'r gwerth hwn yn llai na phwynt 2.5% isaf y dosraniad-t_{10} (-2.228), a derbynnir y rhagdybiaeth nwl bod $\beta = 200$ (fel o'r blaen).

Ymarferion 14ch

1 Cafodd cae mawr o india corn ei rannu yn 6 llain o arwynebedd cyfartal a chafodd pob llain ei thrin â chrynodiad gwahanol o wrtaith. Yn y tabl dangosir faint o india corn a gynhyrchwyd ym mhob plot.

Crynodiad (owns m^{-2})	0	1	2	3	4	5
Cynnyrch (tunelli metrig)	15	22	31	40	48	54

Lluniwch ddiagram gwasgariad ar gyfer y data hyn. Darganfyddwch hafaliad y llinell atchwel cynnyrch ar grynodiad, gan roi gwerthoedd y cyfernodau yn gywir i 2 le degol.
Defnyddiwch hafaliad y llinell atchwel i ddarganfod maint y cynnyrch pan yw'r crynodiad a ddefnyddir yn 3 owns m^{-2}. Nodwch yn union beth sy'n cael ei amcangyfrif gan y gwerth hwn. Nodwch unrhyw amheuaeth a allai fod gennych ynglŷn â llunio amcangyfrif o hafaliad atchwel y cynnyrch disgwyliedig am bob llain os defnyddir 7 owns m^{-2} o wrtaith.

[ULSEB(P)]

2 Mae hafaliad llinell atchwel syth yn cael ei ffitio gan y dull sgwariau lleiaf i'r n pwynt (x_r, y_r), $r = 1, 2, ..., n$. Ar gyfer yr hafaliad atchwel

(parhad)

$y = ax + b$, gwnewch fraslun i ddangos y pellterau y mae cyfanswm eu sgwariau yn cael ei finimeiddio, a nodwch yn eglur pa echelin sy'n cofnodi'r newidyn dibynnol a pha echelin sy'n cofnodi'r newidyn annibynnol (rheoledig). Mewn adwaith cemegol gwyddom fod y mesur, A gram, o gyfansoddyn penodol a gynhyrchir yn ffwythiant llinol o'r tymheredd $T°C$. Cynhelir wyth treial o'r adwaith hwn, dau ar bob un o bedwar tymheredd gwahanol. Mae gwerthoedd arsylwedig A yn agored i gyfeiliornad. Dangosir y canlyniadau yn y tabl.

T	10	15	20	25
A	10	15	18	16
	12	12	16	20

Lluniwch ddiagram gwasgariad ar gyfer y data hyn. Cyfrifwch $\overline{A}$ a $\overline{T}$.
Darganfyddwch hafaliad llinell atchwel A ar T gan roi'r cyfernodau i 2 le degol.
Tynnwch y llinell hon ar eich diagram gwasgariad.
Defnyddiwch yr hafaliad atchwel i ddarganfod amcangyfrif gwerth cymedrig A pan fo $T = 20$, ac eglurwch pam y mae'r amcangyfrif hwn yn well na chyfartalu dau werth arsylwedig A pan fo $T = 20$.
Amcangyfrifwch y cynnydd cymedrig yn A ar gyfer cynnydd o un radd yn y tymheredd.
Nodwch unrhyw amheuon a allai fod gennych ynglŷn ag amcangyfrif gwerth cymedrig A pan fo $T = 0$.   [ULSEB]

3 Mae siop yn gwerthu cyfrifiaduron. Rhoddir niferoedd y cyfrifiaduron a werthir yn ystod pum mlynedd olynol yn y tabl isod.

Blwyddyn (x)	1	2	3	4	5
Gwerthiant (y)	10	30	70	140	210
ln$y$	2.303	3.401	4.248	4.942	5.347

$\Sigma \ln y = 20.241$, $\Sigma(\ln y)^2 = 87.931$, $\Sigma x \ln y = 68.353$

(i) Gan dybio bod gwerthiant, y, a'r flwyddyn, x, yn cael eu cysylltu â'r hafaliad $y = ab^x$, darganfyddwch linell atchwel sgwariau lleiaf ln$y$ ar x, a thrwy hynny amcangyfrifwch y cysonion a a b.
(ii) Mae'r rheolwr siop yn defnyddio'r berthynas hon i ragfynegi'r gwerthiant yn y flwyddyn ganlynol (h.y. y chweched). Darganfyddwch y gwerthiant a ragfynegir a thrafodwch y rhagfynegiad hwn.
(iii) Rhowch gyfwng hyder cymesur 95% dwyochrog ar gyfer goledd eich llinell atchwel.   [UCLES]

4 Credir bod y tebygolrwydd y bydd menyw feichiog a ddewisir ar hap yn rhoi genedigaeth i blentyn sy'n dioddef o syndrom Down yn perthyn i oedran y fenyw, x, mewn blynyddoedd, drwy'r berthynas $p = ab^x$, $25 \leq x \leq 45$, lle mae a a b yn gysonion. Mae'r tabl yn rhoi gwerthoedd arsylwedig o p ar gyfer 5 gwerth x gwahanol.

x	25	30	35	40	45
p	0.000 67	0.001 25	0.003 33	0.010 00	0.033 30

(i) Drwy blotio ln$p$ yn erbyn x dangoswch fod y berthynas yn rhoi model rhesymol.
(ii) Os ln$p = \alpha + \beta x$ yw hafaliad atchwel ln$p$ ar x, darganfyddwch amcangyfrifon sgwariau lleiaf α a β. Plotiwch y llinell atchwel amcangyfrifedig ar y graff a blotiwyd yn (i).
(iii) Amcangyfrifwch y nifer disgwyliedig o blant sy'n dioddef o syndrom Down a fydd yn cael eu geni i 5000 o fenywod beichiog 32 oed a ddewisir ar hap.   [UCLES]

5 Yn y tabl isod dangosir dwysedd cymedrig y mwyalchod (mewn parau y mil hectar) dros ardaloedd eang iawn o ffermdiroedd a choetiroedd, ar gyfer y blynyddoedd 1976 i 1982.

Blwyddyn	1976	1977	1978	1979
Dwysedd ffermdir (f)	83	94	91	86
Dwysedd coetir (w)	313	342	366	350

Blwyddyn	1980	1981	1982
Dwysedd ffermdir (f)	102	113	98
Dwysedd coetir (w)	376	438	400

$\Sigma f = 667$, $\Sigma f^2 = 64\,179$, $\Sigma w = 2585$, $\Sigma w^2 = 964\,609$, $\Sigma fw = 248\,579$.

Mae'n haws cyfrif mwyalchod mewn coetir nag ar ffermdir. Y bwriad yn y dyfodol yw darganfod dwysedd yr adar mewn coetir yn unig a thrwy hynny amcangyfrif eu dwysedd ar ffermdir.

(i) Gan gymryd bod y blynyddoedd yn rhoi parau o arsywladau annibynnol, defnyddiwch y data a roddir i amcangyfrif yr hafaliad atchwel llinol priodol sy'n cysylltu dwyseddau'r ffermdir a'r coetir.
(ii) O wybod bod dwysedd y coetir yn 1983 yn 410, amcangyfrifwch ddwysedd y ffermdir cyfartalog ar gyfer y flwyddyn honno.
(iii) Rhowch gyfwng hyder cymesur 90% dwy-ochr ar gyfer goledd eich llinell atchwel.   [UCLES]

14.7 Cyfyngau hyder a phrofion arwyddocâd ar gyfer y rhyngdoriad α ac ar gyfer gwerth disgwyliedig Y, gyda σ^2 hysbys

Amcangyfrif sampl y rhyngdoriad α yw a, a roddir gan

$$a = \bar{y} - b\bar{x}$$

a'r amcangyfrifyn cyfatebol yw A a roddir gan

$$A = \bar{Y} - B\bar{x}$$

Gan fod A yn gyfuniad llinol o hapnewidynnau â dosraniad normal ($\bar{Y}$ a B) mae ganddo hefyd ddosraniad normal. Rhoddir gwerth disgwyliedig $\bar{Y}$ gan

$$E(\bar{Y}) = E\left(\frac{1}{n}\Sigma Y_i\right)$$

$$= \frac{1}{n}\Sigma E(Y_i)$$

$$= \frac{1}{n}\Sigma(\alpha + \beta x_i)$$

$$= \frac{1}{n}(n\alpha + \beta\Sigma x_i) = \alpha + \beta\bar{x}$$

Felly

$$E(A) = E(\bar{Y}) - E(B)\bar{x} = \alpha + \beta\bar{x} - \beta\bar{x} = \alpha$$

a gwelwn fod A yn amcangyfrifyn diduedd o α (a bod a yn amcangyfrif diduedd o α).

Gellir dangos bod $\bar{Y}$ a B yn annibynnol ac felly

$$\text{Var}(A) = \text{Var}(\bar{Y}) + \bar{x}^2\text{Var}(B)$$

ac oddi yma cawn

$$\text{Var}(A) = \left(\frac{1}{n} + \frac{\bar{x}^2}{S_{xx}}\right)\sigma^2$$

Pan fo σ^2 yn hysbys cyfwng hyder α yw

$$\left(a - c_N\sigma\sqrt{\left(\frac{1}{n} + \frac{\bar{x}^2}{S_{xx}}\right)}, a + c_N\sigma\sqrt{\left(\frac{1}{n} + \frac{\bar{x}^2}{S_{xx}}\right)}\right)$$

lle mae c_N yn cynrychioli pwynt arwyddocâd priodol dosraniad normal safonol. Os yw'r cyfwng hwn yn cau allan α_0 yna byddai'r rhagdybiaeth $H_0: \alpha = \alpha_0$ yn cael ei gwrthod o blaid $H_1: \alpha \neq \alpha_0$.

Amcangyfrifir gwerth disgwyliedig Y gan $a + bx$. Unwaith eto mae'r amcangyfrifyn cyfatebol yn ddiduedd gyda dosraniad normal. Gan ddilyn yr un weithdrefn ag yn achos α a β, rhoddir y cyfwng hyder ar gyfer gwerth disgwyliedig Y pan fo $x = x_0$ gan

$$\left((a + bx_0) - c_N\sigma\sqrt{\left(\frac{1}{n} + \frac{(x_0 - \bar{x})^2}{S_{xx}}\right)}, (a + bx_0) - c_N\sigma\sqrt{\left(\frac{1}{n} + \frac{(x_0 - \bar{x})^2}{S_{xx}}\right)}\right)$$

Os yw'r cyfwng hwn yn cau allan y_0 yna byddai'r rhagdybiaeth $H_0: y = y_0$ pan fo $x = x_0$ yn cael ei gwrthod o blaid $H_1: y \neq y_0$.

Nodyn

♦ Os yw σ^2 yn anhysbys, yna defnyddir ei amcangyfrif $\dfrac{D}{n-2}$ yn ei le.

   Yna rhoddir c_t, y gwerth cyfatebol o ddosraniad-t_{n-2} yn lle'r gwerth c_N.

Ymarferion 14d

1 Credir bod perthynas linol rhwng dau newidyn x ac y a fynegir gan yr hafaliad $y = \alpha + \beta x$. Yn y tabl isod rhoddir y gwerthoedd y sy'n cyfateb i saith gwerth manwl gywir x.

x	8	10	12	14	16	18	20
y	26.80	31.19	37.52	44.73	50.13	57.71	61.30

Crynhoir y canlyniadau gan $\Sigma x = 98$, $\Sigma x^2 = 1484$, $\Sigma y = 309.38$, $\Sigma xy = 4669.62$. Darganfyddwch amcangyfrif sgwariau lleiaf y berthynas linol rhwng x ac y.

Ar gyfer pob gwerth x, gwyddom fod mesur y yn cyflwyno cyfeiliornad â dosraniad normal, cymedr 0 ac amrywiant 2.00. Mae cyfeiliornadau pob mesur yn annibynnol.

(a) Darganfyddwch gyfwng hyder 98% y cynnydd yng ngwir fesur y pan fo gwerth x yn cael ei gynyddu 1.

(b) Defnyddiwch lefel arwyddocâd 5% i brofi'r rhagdybiaeth bod y cyfernod atchwel yn 2.80.

(c) Darganfyddwch gyfwng hyder 98% ar gyfer gwir werth y pan fo $x = 15$.

(ch) Defnyddiwch lefel arwyddocâd 10% i brofi'r rhagdybiaeth bod gwir werth y yn 33.5 pan fo $x = 11$.

(d) Darganfyddwch gyfyngau hyder 90% ar gyfer α.

(dd) Defnyddiwch lefel arwyddocâd 1% i brofi'r rhagdybiaeth bod $\alpha = 2.00$.

2 Mewn arbrawf rheolir gwerth y newidyn x a'r newidyn y yw'r newidyn ymatebol. Cymerir bod $y = \alpha + \beta x$ yn dangos y berthynas rhwng y newidynnau. Mae'r cyfeiliornadau yng ngwerth y yn annibynnol a chyda dosraniad normal, cymedr sero a gwyriad safonol 5. Gwneir wyth arsylwad o barau o werthoedd (x_i, y_i). Crynhoir y canlyniadau gan $\Sigma x_i = 360$, $\Sigma x_i^2 = 20\,400$, $\Sigma y_i = 2740.403$, $\Sigma x_i y_i = 157\,074.257$.

(a) Darganfyddwch amcangyfrifon sgwariau lleiaf α a β.

(b) Darganfyddwch gyfyngau hyder 96% ar gyfer α a β.

(c) Rhowch brawf, ar y lefel arwyddocâd 5%, ar y rhagdybiaeth bod $\alpha = -20$.

(ch) Rhowch brawf, ar y lefel arwyddocâd 10%, ar y rhagdybiaeth bod $\beta = 8.4$.

(d) Darganfyddwch gyfyngau hyder 90% ar gyfer gwir werth y pan fo $x = 48$.

(dd) Rhowch brawf, ar y lefel arwyddocâd 10%, ar y rhagdybiaeth bod gwir werth y yn 450 pan fo $x = 60$.

14.8 Gwahaniaethu rhwng x ac Y

Dyma ddau bâr o enghreifftiau o newidynnau x ac Y. Ym mhob achos mae gan y newidyn x werth penodol (heb fod ar hap) sy'n cael ei bennu gan y person sy'n cynnal yr ymchwiliad, tra bo gan y newidyn Y hapwerth anrhagweladwy.

x	Y
Hyd adwaith cemegol (mun)	Swm y cyfansoddyn a gynhyrchir (g)
Swm y cyfansoddyn cemegol (g)	Amser a gymerir i gynhyrchu'r swm yma (mun)
Cyfnod o amser (h)	Nifer y ceir sy'n mynd heibio yn ystod y cyfnod hwn
Nifer y ceir sy'n mynd heibio cyffordd	Amser a gymerir i'r ceir hyn fynd heibio (h)

Er mwyn penderfynu pa newidyn yw x a pha un yw Y, mae'n amlwg bod angen rhywfaint o wybodaeth ynglŷn â sut a pham y casglwyd y data. Mewn gwirionedd mae hyn yn wir yn gyffredinol – dylem wybod bob amser pam yr ydym yn gwneud yr hyn a wnawn!

14.9 Diddwytho x o werth Y

Tybiwch fod gan x werth nad yw'n hapwerth, fel yn yr enghraifft flaenorol, *ond na wyddom beth yw'r gwerth hwnnw*. Os oes gennym y gwerth Y canlyniadol a llinell atchwel amcangyfrifiedig Y ar x, yna nid yw hyn yn broblem. Rydym yn defnyddio'r llinell 'tuag yn ôl':

$$x = \frac{y - a}{b}$$

Enghraifft 6

Gwneir arbrawf i ganfod effeithiau symiau amrywiol o wrtaith (x, a fesurir mewn gramau y metr sgwâr) ar gnwd cyffredinol o datws (y, a fesurir mewn kg y planhigyn). Dyma'r canlyniadau:

x	3.2	1.5	0.8	0.0	2.5	8.0	4.0	*
y	2.4	2.2	2.3	2.0	2.3	3.6	3.0	2.8

Collwyd un gwerth x, a nodir gan *.
Amcangyfrifwch y gwerth sydd ar goll, gan ddefnyddio dull sgwariau lleiaf.

Ymddengys bod symiau penodol o wrtaith wedi cael eu defnyddio. Y gwerthoedd y yw'r hap-gyfartaleddau a ddeilliodd o'r detholiad o blanhigon a ddigwyddodd gael eu trin. Yn yr achos hwn mae'r llinell atchwel naturiol yn llinell y ar x.

Yr ystadegau cryno yw $\Sigma x = 20$, $\Sigma y = 17.8$ (gan hepgor yr 8^{fed} gwerth), $\Sigma x^2 = 99.38$, $\Sigma y^2 = 47.14$ a $\Sigma xy = 59.37$, sy'n arwain at $S_{xx} = 42.2371$, $S_{yy} = 1.8771$ ac $S_{xy} = 8.5129$. Y llinell amcangyfrifedig yw:

$$y = 1.967 + (0.201\,55)x$$

Rhoddir gwerth amcangyfrifedig x sy'n cyfateb i $y = 2.8$ gan:

$$y = \frac{2.8 - 1.967}{0.201\,55} = 4.133$$

I 1 lle degol, mae'r gwerth amcangyfrifedig yn 4.1 gram y metr sgwâr.

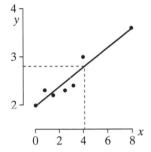

14.10 Dwy linell atchwel

Weithiau mae X ac Y yn hapnewidynnau. Er enghraifft, os ydym yn mesur diamedrau a masau hapsampl o afalau a gymerir o'r stoc mewn archfarchnad, yna ni wyddom y diamedrau na'r masau ymlaen llaw ac ni ellir ystyried bod y naill fesur yn 'achosi' y llall. Mewn achosion fel hyn mae dau fodel atchwel i'w hystyried:

$$E(Y|x) = \alpha + \beta x \quad \text{ac} \quad E(X|y) = \gamma + \delta y$$

Cyfeirir at y modelau hyn fel y model 'Y ar X' a'r model 'X ar Y'.

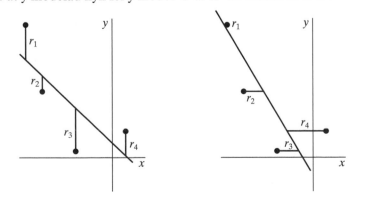

Y llinellau atchwel amcangyfrifedig cyfatebol yw:

$$y = a + bx \quad \text{ac} \quad x = c + dy$$

Dynodir amcangyfrifon sgwariau lleiaf γ a δ gan c a d, yn ôl eu trefn. Mae'r dull sgwariau lleiaf yn minimeiddio'r gwyriad yn y cyfeiriad y mewn un achos a'r gwyriad yn y cyfeiriad x yn yr achos arall, fel y dangosir yn y ffigur.

Er mwyn gweld nad yw'r ddau fodel atchwel fel arfer yn cynhyrchu'r un llinell, ystyriwch y data canlynol ar daldra (mewn modfeddi, x) a phwysau (pwysi, y) hapsampl o 49 o fenywod. Casglwyd y sampl yn yr 1950au.

Taldra	65	62	62	60	65	63	67	62	64	58
Pwysau	188	178	168	164	164	158	157	154	153	147

Taldra	63	64	67	61	63	65	65	58	63	63
Pwysau	144	148	145	139	141	142	138	134	135	134

Taldra	64	64	66	58	59	62	65	64	66	59
Pwysau	133	135	136	130	127	129	126	129	123	123

Taldra	62	65	64	66	59	60	62	62	63	66
Pwysau	122	123	121	123	115	115	116	114	117	118

Taldra	61	63	62	65	66	60	62	58	62
Pwysau	111	110	108	112	111	105	103	96	98

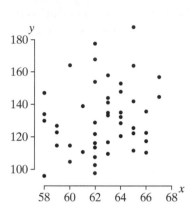

Yr ystadegau cryno yw $n = 49$, $\Sigma x_i = 3075$, $\Sigma x_i^2 = 193\,273$, $\Sigma y_i = 6460$, $\Sigma y_i^2 = 872\,160$ a $\Sigma x_i y_i = 405\,889$, sy'n rhoi $S_{xx} = 301.0612$, $S_{yy} = 20\,494.6939$ ac $S_{xy} = 491.0408$. Rhoddir amcangyfrifon paramedrau llinell atchwel Y ar X gan:

$$b = \frac{S_{xy}}{S_{xx}} = \frac{491.0408}{301.0612} = 1.631$$

$$a = \bar{y} - b\bar{x} = \frac{6460 - (1.631 \times 3075)}{49} = 29.48$$

Er mwyn amcangyfrif llinell atchwel X ar Y rydym yn cydgyfnewid y llythrennau x a'r llythrennau y yn y fformiwlâu arferol, ac yn cael:

$$d = \frac{S_{xy}}{S_{yy}} \tag{14.12}$$

$$c = \bar{x} - d\bar{y} \tag{14.13}$$

Felly:

$$d = \frac{491.0408}{20\,494.6939} = 0.023\,96$$

$$c = \frac{3075 - (0.023\,96 \times 6460)}{49} = 59.60$$

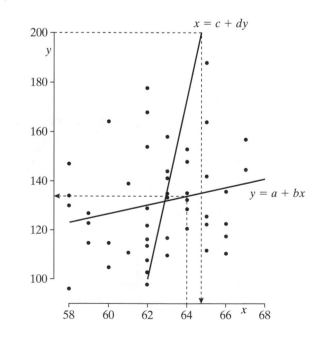

Defnyddir y llinell gyntaf i amcangyfrif gwerth disgwyliedig Y ar gyfer gwerth x a roddir. Felly rydym yn amcangyfrif y bydd gan fenywod â thaldra o 64 modfedd bwysau cymedrig o:

$$29.48 + (1.631 \times 64) \approx 134 \text{ pwys}$$

Defnyddir yr ail linell i amcangyfrif taldra cymedrig menywod o bwysau hysbys. Er enghraifft, byddai taldra cymedrig menywod sy'n pwyso 200 pwys yn cael ei ragfynegi fel:

$$59.60 + (0.023\ 96 \times 200) \approx 64.4 \text{ modfedd}$$

Gallwn ddefnyddio'r un gwerthoedd a ragfynegwyd ar gyfer unigolion, ond ni ddylem ddisgwyl i'r unigolion hyn gael yr union werthoedd a ragfyngwyd, oherwydd gwyddom fod unigolion yn amrywio o ran siap o styllod i gasgenni.

Nodiadau

♦ Mae'r ddwy linell atchwel yn mynd drwy'r pwynt $(\bar{x}, \bar{y})$ sydd, felly, yn groestorfan.

♦ I ragfynegi gwerth x pan fo'r gwerthoedd x, ar gyfer data a roddir, yn sefydlog (yn hytrach na'u bod yn arsylwadau ar hapnewidyn) yna mae'n briodol defnyddio llinell atchwel y ar x 'tuag yn ôl' fel yn Adran 14.9, yn hytrach na defnyddio llinell atchwel x ar y. Os oes ansicrwydd dylech nodi pam yr ydych yn defnyddio'r dull yr ydych yn ei ddewis.

♦ Pan fesurir dau hapnewidyn X, Y gyda'i gilydd mewn parau (x, y) dywedir bod ganddynt **ddosraniad deunewidyn**. Un enghraifft yw'r **dosraniad deunewidyn normal**, sy'n gyffredinoliad o'r dosraniad normal. Yr hyn sy'n nodweddu'r dosraniad hwn yw, yn achos unrhyw werthoedd o'r cysonion a a b, bod dosraniad $aX + bY$ yn normal.

Os yw'r hapsampl o werthoedd (x_i, y_i) yn cael ei dynnu o ddosraniad deunewidyn normal, ac os yw'r pwyntiau cyfatebol yn cael eu plotio ar ddiagram gwasgariad, yna bydd amliniau dwysedd y pwyntiau sydd wedi eu plotio, yn fras, yn eliptig. Os yw X ac Y yn annibynnol yna bydd echelinau'r elips, yn fras, yn baralel i'r echelinau cyfesurynnol.

Gwaith ymarferol

Dyma waith ymarferol 'anatomegol' amlwg. Casglwch ddata taldra a phwysau tua 30 o bobl. Plotiwch y data ar ddiagram gwasgariad. Os yw'r data yn cyfeirio at ddynion a menywod, yna defnyddiwch wahanol symbolau i gynrychioli'r ddau ryw a nodwch a oes gwahaniaeth i'w weld rhwng y ddau.

Ar gyfer y data sy'n cyfeirio at eich rhyw chi, darganfyddwch linellau atchwel taldra ar bwysau a phwysau ar daldra.

Defnyddiwch y llinellau hyn i amcangyfrif taldra cyfartalog rhywun o'r un pwysau â chi a phwysau cyfartalog rhywun o'r un taldra â chi.

Prosiect

Sut y mae pobl yn 'gweld' diagramau gwasgariad? Petai'r diagram gwasgariad blaenorol, neu un sy'n dangos perthynas fwy amlwg, yn cael ei gyflwyno i blant 13 oed gyda'r cyfarwyddyd 'Gan ddefnyddio pren mesur, tynnwch linell drwy'r pwyntiau hyn i ddangos y berthynas rhwng x ac y mor eglur ag sydd bosibl', pa linell fydden nhw'n ei thynnu? Fyddai hi'n brasamcanu linell atchwel Y ar x, ynteu linell atchwel X ar y, neu a fyddai'r llinell hanner ffordd rhwng y rhain?

A fyddai person 18 oed yn dewis yn wahanol?

A yw pobl sydd wedi dysgu am atchweliad yn fwy tebygol o frasamcanu llinell atchwel Y ar x yn hytrach na llinell atchwel X ar y?

Ymarferion 14dd

1 Eglurwch beth yw ystyr y term 'sgwariau lleiaf' yng nghyd-destun llinellau atchwel. Dangoswch, gyda chymorth diagramau, y symiau sy'n cael eu minimeiddio yn yr achosion canlynol: (*a*) llinell achwel Y ar X, (*b*) llinell atchwel X ar Y. Gofynnwyd i gynrychiolwyr a deithiodd mewn car i gynhadledd ystadegaeth nodi d, y pellter a deithiwyd (mewn milltiroedd) a t, yr amser a gymerodd (mewn munudau). Rhoddir hapsampl o'r gwerthoedd a nodwyd yn y tabl isod.

Pellter (milltiroedd) d	113	14	98	130	75
Amser (munudau) t	130	25	180	148	100

Pellter (milltiroedd) d	120	143	55	127
Amser (munudau) t	120	196	48	165

[$\Sigma d = 875$, $\Sigma t = 1112$, $\Sigma d^2 = 99\,097$, $\Sigma t^2 = 164\,174$, $\Sigma dt = 125\,443$.]

(i) Ffitiwch linell atchwel T ar D, gan roi eich canlyniad yn y ffurf $t = a + bd$.

(ii) Dehonglwch y cyfernod b yng nghyd-destun y cwestiwn hwn.

(iii) Amcangyfrifwch yr amser cyfartalog a gymerodd cynrychiolwyr a deithiodd 100 milltir mewn car.   [UCLES(P)]

2 Eglurwch, gyda chymorth diagram, pam y mae'r ddwy linell atchwel sgwariau lleiaf cysylltiedig â sampl deunewidyn, fel arfer, yn wahanol. Nodwch yr amodau lle mae'r ddwy linell atchwel yn cyd-daro.
Mae blodau o rywogaeth arbennig yn cael eu dyrannu. Mae nifer y carpelau, X, a nifer y brigerau, Y, ym mhob blodyn yn cael eu cyfrif. Ar gyfer hapsampl o 15 blodyn dangosir y niferoedd a ganfyddir yn y tabl.

Nifer y carpelau (x)	19	21	24	25	26	29	30	31
Nifer y brigerau (y)	41	70	32	34	35	72	57	64

Nifer y carpelau (x)	31	33	34	36	36	37	38
Nifer y brigerau (y)	67	74	69	76	74	75	70

Crynhoir y data hyn gan
$\Sigma x = 450$, $\Sigma x^2 = 13\,992$, $\Sigma y = 910$, $\Sigma y^2 = 59\,018$, $\Sigma xy = 28\,259$

(i) Cyfrifwch hafaliadau llinellau atchwel amcangyfrifedig Y ar X ac X ar Y.

(ii) Amcangyfrifwch nifer y carpelau mewn blodyn â 50 briger.

[UCLES(P)]

3 Eglurwch, gyda chymorth diagram, y gwahaniaeth yn niffiniadau llinell atchwel sgwariau lleiaf Y ar X a llinell atchwel sgwariau lleiaf X ar Y.
Mae'r tabl canlynol yn dangos marciau (x) arholiad cyn y Nadolig a marciau (y) arholiad yr haf canlynol ar gyfer grŵp o naw o fyfyrwyr.

Myfyriwr	A	B	C	D	E
Nadolig (x)	57	35	56	57	66
Haf (y)	66	51	63	34	47

Myfyriwr	F	G	H	I
Nadolig (x)	79	81	84	52
Haf (y)	70	84	84	53

Gwyddom fod $\Sigma x = 567$, $\Sigma y = 552$, $\Sigma xy = 36\,261$, $\Sigma x^2 = 37\,777$, $\Sigma y^2 = 36\,112$.

(i) Darganfyddwch hafaliad llinell atchwel sgwariau lleiaf amcangyfrifedig Y ar X.

(ii) Cafodd degfed myfyriwr farc o 70 yn arholiad y Nadolig ond roedd yn absennol yn ystod arholiad yr haf. Amcangyfrifwch pa farc y byddai'r myfyriwr hwn wedi ei gael yn arholiad yr haf.

(iii) Safodd 11^{eg} myfyriwr arholiad yr Haf yn unig a chafodd farc o 55. Amcangyfrifwch pa farc y byddai'r myfyriwr hwn wedi ei gael yn arholiad y Nadolig.   [UCLES]

4 Mae'r data yn y tabl canlynol yn dangos hyd a lled (mewn mm) grŵp o benglogau a ddarganfuwyd mewn cloddfa.

Hyd (x)	165	170	172	176	178
Lled (y)	139	141	147	147	149

Hyd (x)	179	182	184	186	190
Lled (y)	149	159	145	155	152

(Gallwch dybio bod $\Sigma x^2 = 318\,086$, $\Sigma y^2 = 220\,257$, $\Sigma xy = 264\,582$)

(a) Cyfrifwch y llinellau atchwel hyd ar led a lled ar hyd.

(b) Plotiwch y data hyn ar ddiagram gwasgariad a thynnwch eich dwy linell atchwel ar eich diagram.

(c) Nodwch, drwy ddefnyddio symbolau, groestorfan eich dwy linell.

(parhad)

(ch) Gan ddefnyddio'r llinell atchwel briodol ym mhob achos, rhagfynegwch led penglog, hyd 185 mm a hyd penglog, lled 155 mm.

(d) Ym mha amgylchiadau y byddai eich dwy linell yn cyd-daro? [AEB 90]

5 (a) O wybod bod gan linell atchwel amcangyfrifedig Y ar X yr hafaliad $y = \bar{y} + b(x - \bar{x})$ lle mae $b = S_{xy}/S_{xx}$, ysgrifennwch y fformiwlâu cyfatebol ar gyfer llinell atchwel amcangyfrifedig X ar Y ac ar gyfer ei chyfernod atchwel $b*$.

(b) Ar ôl i sylwedd ymbelydrol ollwng o orsaf bŵer cyfrifwyd indecs cysylltiad ag ymbelydredd ar gyfer pob un o 7 ardal ddaearyddol ger yr orsaf bŵer. Yn y 5 mlynedd dilynol cofnodwyd y marwolaethau o ganlyniad i ganser (mesurwyd mewn marwolaethau y 100,000 blwyddyn-person). Roedd y data fel a ganlyn:

Ardal	1	2	3	4
Indecs (x)	7.6	23.2	3.2	16.6
Marwolaethau (y)	62	75	51	72

Ardal	5	6	7
Indecs (x)	5.2	6.8	5.0
Marwolaethau (y)	39	43	55

$[\Sigma x = 67.6, \Sigma x^2 = 980.08, \Sigma y = 397,$
$\Sigma y^2 = 23\,649, \Sigma xy = 4339.8.]$

(i) Darganfyddwch llinell atchwel amcangyfrifedig Y ar X.

(ii) Mewn ardal ddaearyddol arall ger yr orsaf bŵer roedd yr indecs cysylltiad yn 6.0. Defnyddiwch y llinell atchwel amcangyfrifedig i ragfynegi nifer y marwolaethau, yn yr ardal hon, o ganlyniad i ganser (mewn marwolaethau y 100 000 blwyddyn-person).

(iii) Amcangyfrifwch nifer y marwolaethau o ganlyniad i ganser (mewn marwolaethau y 100 000 blwyddyn-person) a fyddai wedi bod pe na byddai sylwedd ymbelydrol wedi gollwng o'r orsaf bŵer (h.y. pe byddai indecs y cytsylltiad i ymbelydredd yn sero). [UCLES(P)]

6 Gyda chymorth diagramau addas, disgrifiwch y gwahaniaeth rhwng llinell atchwel amcangyfrifedig Y ar X ac X ar Y.
Gellir penderfynu beth yw oedran sawl math o goeden drwy gyfrif y cylchoedd twf yng nghroestoriad y boncyff unwaith y bydd wedi cael ei dorri. Cymerwyd hapsampl o 100 derwen mewn iard goed a chanfuwyd oedran a chwmpas cyfartalog pob boncyff. Dyma'r data:

Oedran (x oed)	20	23	30	38	39
Cwmpas (y uned)	26	30	45	48	46

Oedran (x oed)	45	45	48	55	71
Cwmpas (y uned)	60	64	68	70	92

$[\Sigma(x - 40) = 14, \Sigma(x - 40)^2 = 2094,$
$\Sigma(x - 40)(y - 60) = 2604, \Sigma(y - 60) = -51,$
$\Sigma(y - 60)^2 = 3825.]$

(i) Darganfyddwch hafaliad llinell atchwel amcangyfrifedig cwmpas ar oedran.

(ii) Amcangyfrifwch gwmpas cyfartalog boncyff coeden dderwen 35 oed. [UCLES(P)]

14.11 Cydberthyniad

Datgelodd y diagram gwasgariad taldra a phwysau gryn dipyn o wasgariad. Yn yr enghreifftiau blaenorol roedd y berthynas rhwng y ac x yn ymddangos fel petai yn eithaf pendant tra roedd y berthynas taldra/pwysau yn bur aneglur. Un o effeithiau'r aneglurder hwn oedd bod llinell atchwel taldra ar bwysau a llinell atchwel pwysau ar daldra yn wahanol iawn i'w gilydd. Nawr rydym yn cyflwyno mesur o aneglurder a alwai Galton yn indecs cydberthyniad. Erbyn hyn gelwir hwn yn **gyfernod cydberthyniad**. Mae fwyaf addas pan fo X ac Y fel ei gilydd yn hapnewidynnau.

Byddwn yn gweld bod y cyfernod yn gallu cymryd unrhyw werth o -1 i 1. Mewn achosion lle mae gwerthoedd cynyddol o un newidyn, x, yn cael eu cysylltu â gwerthoedd y newidyn arall, y, sydd, yn gyffredinol, yn cynyddu, dywedir bod y newidynnau yn arddangos **cydberthyniad positif**.

Cydberthyniad positif

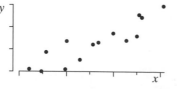

Yn yr achos hwn mae gan linell atchwel amcangyfrifedig Y ar X, a llinell X ar Y, raddiannau positif.

Y sefyllfa wrthgyferbyniol (**cydberthyniad negatif**) yw lle mae gwerthoedd cynyddol o un newidyn yn gysylltiedig â gwerthoedd o'r newidyn arall sy'n gyffredinol yn gostwng. Yn yr achos hwn mae gan y ddwy linell atchwel amcangyfrifedig raddiannau negatif.

Cydberthyniad negatif

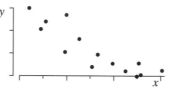

Mae'r achos rhyngol lle mae'r cyfernod cydberthyniad yn sero yn cyfateb i achosion lle mae'r ddwy linell atchwel amcangyfrifedig yn baralel i'r echelinau. Dangosir rhai enghreifftiau o ddata â chydberthyniad sero yn y diagram.

Enghreifftiau o gydberthyniad sero

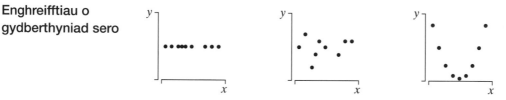

Pwrpas yr olaf o'r diagramau hyn yw pwysleisio bod y cyfernod cydberthyniad yn ystadegyn sy'n benodol gysylltiedig â pherthnasoedd *llinol*: nid yw cydberthyniad sero o anghenrhaid yn awgrymu nad oes perthynas rhwng X ac Y.

Cydberthyniad diystyr

Mae'n bwysig sylweddoli y gall X ac Y fod yn **gydberthynol** (hynny yw eu bod yn arddangos cydberthyniad an-sero amlwg) heb fod hyn yn awgrymu unrhyw ffurf o *achosiaeth* rhwng y naill newidyn a'r llall.

Os yw X ac Y yn ymddangos yn gydberthynol pan fo synnwyr cyffredin yn nodi na all perthynas uniongyrchol fod rhyngddynt, yna gelwir y cydberthyniad yn **gydberthyniad diystyr**.

Fel arfer ceir cydberthyniad diystyr pan fo cydberthyniad llinol rhwng X ac Y â rhyw newidyn arall, Z. Er enghraifft, tybiwch mai X yw nifer y genedigaethau byw yng Nghymru ac mai Y yw nifer y coed gwsberis. Mae ymchwilydd yn casglu data ar gyfer pob degawd yn ystod y 19eg a'r 20fed ganrif ac yn canfod cydberthyniad o 0.81. A yw hyn yn awgrymu bod plannu mwy o goed gwsberis yn arwain at fwy o fabanod? Nac ydi mae'n amwg (ac nid yw ychwaith yn golygu bod genedigaeth babi yn cael ei ddathlu drwy blannu coeden gwsberis.) Mae'r cydberthyniad yn ymddangos gan fod niferoedd y babanod a niferoedd y coed gwsberis wedi cynyddu dros y 200 o flynyddoedd a rychwentir gan y data, wrth i'r boblogaeth gynyddu.

Nodyn

♦ Gelwir cydberthyniad o'r math hwn hefyd yn **gydberthyniad ffug**.

14.12 Cyfernod cydberthyniad lluoswm–moment

Gallem ddisgwyl mai'r myfyrwyr sy'n cael marciau uchel mewn Ffiseg fyddai'r rhai sy'n tueddu i gael marciau uchel mewn Mathemateg, ac i'r gwrthwyneb. Mae hyn yn ymddangos yn ddigon eglur – ond beth yw marc uchel? Os yw'r rhan fwyaf o fyfyrwyr yn cael 3 allan o 20 mewn prawf, ond bod un myfyriwr yn cael 9 allan o 20, yna mae hwn yn farc (cymharol) uchel. Felly'r hyn rydym yn ei olygu mewn gwirionedd yw 'mwy na gwerth cyfartalog y sampl'. Os dynodir marciau unigol hapsampl o fyfyrwyr mewn Mathemateg ag $x_1, x_2, ..., x_n$, gyda chymedr $\bar{x}$, yna rydym yn ymwneud â gwerthoedd o $x_1 - \bar{x}, x_2 - \bar{x}$, ayyb.

Tybiwch ein bod yn dynodi'r marciau Ffiseg cyfatebol ag $y_1, y_2, ..., y_n$, gyda chymedr $\bar{y}$. Yr awgrym yw, os yw $x_i - \bar{x}$ yn bositif (cyfateb i farc 'uchel' mewn Mathemateg gan yr $i$fed myfyriwr) yna mae $y_i - \bar{y}$ hefyd yn debygol o fod yn bositif.

Wrth gwrs, os yw marciau uchel yn mynd gyda'i gilydd, yna mae'r un peth yn wir am farciau isel, felly rydym yn rhagweld y bydd gwerth negatif ar gyfer $x_i - \bar{x}$ fel arfer yn cyfateb i werth negatif ar gyfer $y_i - \bar{y}$.

I weld sut y mae hyn yn gweithio gyda rhifau gwirioneddol, dyma rai enghreifftiau:

Myfyriwr	Math	Ffiseg			
i	x_i	y_i	$x_i - \bar{x}$	$y_i - \bar{y}$	$(x_i - \bar{x})(y_i - \bar{y})$
1	65	60	9	−5	−45
2	45	60	−11	−5	55
3	40	55	−16	−10	160
4	55	70	−1	5	−5
5	60	80	4	15	60
6	50	40	−6	−25	150
7	80	85	24	20	480
8	30	50	−26	−15	390
9	70	70	14	5	70
10	65	80	9	15	135

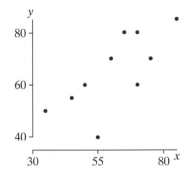

Y marc Mathemateg cymedrig yw 56. O'r pum myfyriwr sy'n cael llai na hyn, mae pedwar hefyd yn cael llai na'r marc cymedrig (65) mewn Ffiseg. Ceir canlyniad cyfatebol ar gyfer y pum myfyriwr sy'n weddill. Y canlyniad yw bod y rhan fwyaf o'r lluosymiau $(x_i - \bar{x})(y_i - y)$ yn bositif, ac felly hefyd eu swm S_{xy}. Mae newidiadau yn y raddfa yn effeithio ar y swm S_{xy}. Er enghraifft, petawn yn marcio allan o 1000 yn hytrach nag allan o 100, yna byddai pob un o'r gwerthoedd x a'r gwerthoedd y yn cael eu lluosi â 100. Am y rheswm hwn awgrymodd Galton y dylid cyfrifo mesur r, *na fyddai newidiadau yn y raddfa yn effeithio arno*. Gelwir y mesur hwn nawr yn **gyfernod cydberthyniad lluoswm–moment** (y sampl) ac mae'n cael ei gyfrifo drwy ddefnyddio:

$$r = \frac{S_{xy}}{\sqrt{S_{xx}S_{yy}}} \tag{14.14}$$

Gwelwn fod gwerth S_{xy} yn pennu a yw'r cyfernod cydberthyniad yn negatif, sero ynteu'n bositif. Mewn nodyn isod rydym yn dangos bod y gwerthoedd −1 ac 1 yn cyfateb i achosion lle mae'r pwyntiau yn unllin gyda goleddau negatif a phositif yn ôl eu trefn. Mae gwerthoedd rhwng −1 a 0 yn cyfateb i achosion lle mae gan y ddwy linell atchwel oledd negatif, ond lle nad yw'r pwyntiau yn unllin, tra bo gwerthoedd r rhwng 0 ac 1 yn cyfateb i achosion lle mae gan y ddwy linell atchwel oledd positif.

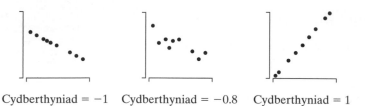

Cydberthyniad $= -1$ Cydberthyniad $= -0.8$ Cydberthyniad $= 1$

Nid yw gweithio gyda gwerthoedd â chodau llinol yn effeithio ar werth r, er enghraifft lle rhoddir x' yn lle pob gwerth x, lle mae $x' = hx + k$ ac mae h a k yn gysonion. Gall addasiadau o'r fath symleiddio'r cyfrifiadau yn fawr.

Nodiadau

- Weithiau gelwir r yn syml yn 'gydberthyniad'.
- Gelwir r hefyd yn gyfernod cydberthyniad Pearson (ar ôl Karl Pearson – gweler Pennod 13).
- **Cyfernod mesuriad** yw'r enw ar r^2.
- Gan ystyried diffiniadau S_{xx}, S_{xy} ac S_{yy} gallwn ysgrifennu:

$$\text{cydberthyniad} = \frac{\text{cydamrywiant y sampl}}{\sqrt{(\text{amrywiant sampl } x) \times (\text{amrywiant sampl } y)}}$$

- Os yw'r pwyntiau yn gwbl unllin yna $y_i = a + bx_i$ ar gyfer pob i. Golyga hyn:

$$S_{xy} = \Sigma\{(x_i - \bar{x})y_i\} = \Sigma(x_i - \bar{x})a + \Sigma\{(x_i - \bar{x})bx_i\} = bS_{xx}$$

gan ddefnyddio $\Sigma(x_i - \bar{x}) = 0$ a Hafaliad (14.8). Yn yr un modd:

$$S_{yy} = \Sigma\{(y_i - \bar{y})y_i\} = \Sigma(y_i - \bar{y})a + \Sigma\{(y_i - \bar{y})bx_i\} = bS_{xy}$$
$$= b^2 S_{xx}$$

gan ddefnyddio'r canlyniad blaenorol. O roi gwerthoedd i mewn yn y ffracsiwn $\dfrac{S_{xy}}{\sqrt{S_{xx}S_{yy}}}$ gwelwn fod $r = \dfrac{b}{\sqrt{b^2}}$, sy'n hafal i 1 neu -1 yn dibynnu a yw b yn bositif neu'n negatif.

Drwy hyn mae *pwyntiau unllin yn awgrymu* bod $r = \pm 1$. Mae'r gwrthwyneb hefyd yn wir.

- Nid yw newidiadau yn yr unedau mesur yn effeithio ar werth r nac ychwaith unrhyw drawsffurfiad llinol yn achos un o'r ddau newidyn.

Enghraifft 7

Darganfyddwch gyfernod cydberthyniad lluoswm–moment y marciau arholiad a roddwyd yn gynharach (i) gan ddefnyddio'r data crai, a (ii) gan ddefnyddio'r gwerthoedd cod x'_i ac y'_i a roddir gan $x'_i = \dfrac{x_i - 50}{5}$, $y'_i = \dfrac{y_i - 50}{5}$.

(i)   Rydym yn gosod y cyfrifiadau mewn tabl, fel a ganlyn:

Myfyriwr i	Math x_i	Ffiseg y_i	$x_i y_i$	x_i^2	y_i^2
1	65	60	3900	4225	3600
2	45	60	2700	2025	3600
3	40	55	2200	1600	3025
4	55	70	3850	3025	4900
5	60	80	4800	3600	6400
6	50	40	2000	2500	1600
7	80	85	6800	6400	7225
8	30	50	1500	900	2500
9	70	70	4900	4900	4900
10	65	80	5200	4225	6400
Cyfanswm	560	650	37 850	33 400	44 150

Nawr rydym yn cyfrifo S_{xy}, S_{xx} ac S_{yy}:

$$S_{xy} = \Sigma x_i y_i - \frac{\Sigma x_i \Sigma y_i}{n} = 37\,850 - \frac{560 \times 650}{10} = 1450$$

$$S_{xx} = \Sigma x_i^2 - \frac{(\Sigma x_i)^2}{n} = 33\,400 - \frac{560^2}{10} = 2040$$

$$S_{yy} = \Sigma y_i^2 - \frac{(\Sigma y_i)^2}{n} = 44\,150 - \frac{650^2}{10} = 1900$$

Drwy hynny:

$$r = \frac{1450}{\sqrt{2040 \times 1900}} = 0.7365$$

Mae'r ddwy set o farciau yn arddangos cydberthyniad positif cryf.

(ii) Rydym nawr yn ailadrodd y cyfrifiadau gan ddefnyddio'r gwerthoedd cod. Gwelir bod y rhifau yn dod yn llawer symlach, tra bydd gwerth r yn dal heb newid.

Myfyriwr i	Math x_i	Ffiseg y_i	x_i'	y_i'	$x_i' y_i'$	$x_i'^2$	$y_i'^2$
1	65	60	3	2	6	9	4
2	45	60	−1	2	−2	1	4
3	40	55	−2	1	−2	4	1
4	55	70	1	4	4	1	16
5	60	80	2	6	12	4	36
6	50	40	0	−2	0	0	4
7	80	85	6	7	42	36	49
8	30	50	−4	0	0	16	0
9	70	70	4	4	16	16	16
10	65	80	3	6	18	9	36
Cyfanswm	560	650	12	30	94	96	166

Nawr rydym yn cyfrifo $S_{x'y'}$, $S_{x'x'}$ ac $S_{y'y'}$:

$$S_{x'y'} = \Sigma x_i' y_i' - \frac{\Sigma x_i' \Sigma y_i'}{n} = 94 - \frac{12 \times 30}{10} = 58$$

$$S_{x'x'} = \Sigma x_i'^2 - \frac{(\Sigma x_i')^2}{n} = 96 - \frac{12^2}{10} = 81.6$$

$$S_{y'y'} = \Sigma y_i'^2 - \frac{(\Sigma y_i')^2}{n} = 166 - \frac{30^2}{10} = 76$$

Drwy hynny:

$$r = \frac{58}{\sqrt{81.6 \times 76}} = 0.7365$$

Fel o'r blaen.

Enghraifft 8

Mae arolwg cymdeithasol yn casglu gwybodaeth am nifer o nodweddion mewn cartrefi yn cynnwys nifer yr ystafelloedd gwely (X) a nifer y ceir (Y) sydd ganddynt. Dyma'r canlyniadau ar gyfer un dref.

Nifer y llofftydd		1	2	3	4
Nifer	0	72	50	34	0
y	1	92	147	187	22
ceir	2	0	33	76	15

Cyfrifwch gyfernod cydberthyniad lluoswm–moment y berthynas rhwng nifer y ceir a nifer y llofftydd.

Fel y byddem yn disgwyl, mae gan y cartrefi sydd â mwy o geir fwy o lofftydd hefyd, felly dylai'r cyfernod cydberthyniad lluoswm–moment fod yn bositif.

Amlderau yw'r hyn a nodir yn y tabl. Rydym yn defnyddio f_{jk} i ddynodi'r amlder yn rhes j a cholofn k, gyda j yn cymryd y gwerthoedd 0, 1 a 2, a k yn cymryd y gwerthoedd 1, 2, 3 a 4. Y cam cyntaf yw cyfrifo cyfansymiau'r colofnau $f_{+k} (= \Sigma_j f_{jk})$:

164   230   297   37

a chyfansymiau'r rhesi, $f_{j+} (= \Sigma_k f_{jk})$:

156   448   124

Cyn mynd gam ymhellach, gwiriwch fod swm cyfansymiau'r rhesi yn hafal i swm cyfansymiau'r colofnau:

$$164 + 230 + 297 + 37 = 728 = 156 + 448 + 124$$

Y cyfanswm, 728, yw n, sef nifer yr arsylwadau.

Byddwn yn defnyddio hafaliadau (14.9) i gyfrifo S_{xy}, S_{xx} ac S_{yy} ac felly mae arnom angen

$$\sum_{k=1}^{4} kf_{+k} = (1 \times 164) + \ldots + (4 \times 37) = 164 + \ldots + 148 = 1663$$

$$\sum_{j=0}^{2} jf_{j+} = (0 \times 156) + \ldots + (2 \times 124) = 0 + \ldots + 248 = 696$$

$$\sum_{k=1}^{4} k^2 f_{+k} = (1^2 \times 164) + \ldots + (4^2 \times 37) = 164 + \ldots + 592 = 4349$$

$$\sum_{j=0}^{2} j^2 f_{j+} = (0^2 \times 156) + \ldots + (2^2 \times 124) = 0 + \ldots + 496 = 944$$

$$\sum_{j=0}^{2} \sum_{k=1}^{4} jk f_{jk} = (1 \times 0 \times 72) + \ldots + (4 \times 2 \times 15) = 0 + \ldots + 120 = 1743$$

Wrth ddefnyddio'r cyfansymiau hyn cawn:

$$S_{xy} = 1743 - \frac{1663 \times 696}{728} = 153.099$$

$$S_{xx} = 4349 - \frac{1663^2}{728} = 550.141$$

$$S_{yy} = 944 - \frac{696^2}{728} = 278.593$$

Drwy hynny:

$$r = \frac{153.099}{\sqrt{550.141 \times 278.593}} = 0.391$$

Yn ôl y disgwyl mae'r cyfernod cydberthyniad yn bositif.

Ymarfer cyfrifiannell _____

Gall nifer o gyfrifianellau gyfrifo r yn syth. Os oes gennych chi'r math hwn o gyfrifiannell gofalwch eich bod yn gwybod sut i ddarganfod gwerth r. Gallech ddechrau gyda data marciau'r arholiad.

Prosiect cyfrifiadurol _____

A yw eich taenlen atchweliad yn dal i fod wrth law? Beth am ei hymestyn ymhellach i'w gwneud yn bosibl amcangyfrif y ddwy linell atchwel a chyfrifo r?

Prosiect _____

Chwiliwch mewn ffynhonnell o wybodaeth hanesyddol addas am gyfresi amser diddorol a lluniwch eich enghraifft eich hun o gydberthyniad diystyr. Enghraifft addas fyddai'r cydberthyniad rhwng niferoedd y poptai microdon a niferoedd y marwolaethau o ganlyniad i fath arbennig o ganser.

Ymarferion 14e

1 Credir bod cynnyrch cnwd (yr hectar), c, yn dibynnu ar y glawiad ym mis Mai, m. Cedwir cofnodion o werthoedd cyfartalog c ac m ar gyfer naw ardal, a chofnodir y rhain isod.

c	8.3	10.1	15.2	6.4	11.8
m	14.7	10.4	18.8	13.1	14.9

c	12.2	13.4	11.9	9.9
m	13.8	16.8	11.8	12.2

[$\Sigma c = 99.2$, $\Sigma m = 126.5$, $\Sigma c^2 = 1150.16$, $\Sigma m^2 = 1832.07$, $\Sigma mc = 1427.15$.]

(i)   Darganfyddwch hafaliad y llinell atchwel addas.

(ii) Darganfyddwch r, y cyfernod cydberthyniad (lluoswm–moment) llinol rhwng c ac m.

(iii) Mewn degfed ardal roedd y glawiad cyfartalog ym mis Mai yn 14.6. Amcangyfrifwch gynnyrch cyfartalog y cnwd yn yr ardal honno, gan roi eich ateb yn gywir i un lle degol.   [UCLES(P)]

2 O wybod bod graddiant llinell atchwel sgwariau lleiaf Y ar X yn b_1, a graddiant llinell atchwel sgwariau lleiaf X ar Y yn $1/b_2$, profwch fod $b_1 b_2 = r^2$, lle r yw'r cyfernod cydberthyniad (lluoswm–moment). Drwy hynny dangoswch fod y ddwy linell atchwel hyn yn unfath os yw $r^2 = 1$.

Credir bod cynnyrch cnwd arbennig ar fferm yn dibynnu yn bennaf ar faint o lawiad sydd yn ystod y tymor tyfu. Yn y tabl isod rhoddir gwerthoedd y cynnyrch Y, mewn tunelli yr acer, a'r glawiad X, mewn centimetrau, ar gyfer 7 blwyddyn olynol.

x	12.3	13.7	14.5	11.2	13.2	14.1	12.0
m	6.25	8.02	8.42	5.27	7.21	8.71	5.68

[$\Sigma xy = 654.006$, $\Sigma x = 91$, $\Sigma x^2 = 1191.72$, $\Sigma y = 49.56$, $\Sigma y^2 = 362.1628$.]

(i)   Darganfyddwch y cyfernod cydberthyniad (lluoswm moment) llinol rhwng X ac Y.

(ii) Darganfyddwch hafaliad llinell atchwel sgwariau lleiaf Y ar X a hefyd X ar Y.

(iii) O wybod bod y glawiad tymor tyfu yn ystod blwyddyn olynol yn 14.0 cm, amcangyfrifwch gynnyrch y flwyddyn honno.

(iv) O wybod bod cynnyrch blwyddyn olynol yn 8.08 tunnell yr acer, amcangyfrifwch y glawiad yn ystod tymor tyfu y flwyddyn honno.   [UCLES]

3 Mae'r data canlynol yn dangos IQ sampl o 10 disgybl a gymerwyd o ddosbarth gallu cymysg ynghyd â'u sgôr mewn prawf Saesneg. Marciwyd y prawf Saesneg allan o 50 ac roedd amrediad gwerthoedd IQ y dosbarth yn 80 i 140.

Disgybl	A	B	C	D	E
IQ (x)	110	107	127	100	132
Sgôr Saesneg (y)	26	31	37	20	35

Disgybl	F	G	H	I	J
IQ (x)	130	98	109	114	124
Sgôr Saesneg (y)	34	23	38	31	36

(a) Amcangyfrifwch gyfernod cydberthyniad lluoswm–moment y dosbarth.

(b) Beth mae'r cyfernod hwn yn ei fesur?
                                        [AEB(P) 90]

4 Eglurwch yn fyr beth a olygir gan y term 'cydberthyniad'.

Disgrifiwch sut y gwnaethoch ddefnyddio, neu sut y gallech fod wedi defnyddio, cydberthyniad mewn prosiect neu mewn gwaith yn y dosbarth. Safodd 12 myfyriwr ddau brawf Bioleg, y naill yn brawf theori a'r llall yn brawf ymarferol. Dangosir eu marciau yn y tabl.

(parhad)

Marciau prawf theori (T)	5	9	7	11	20	4
Marciau prawf ymarferol (Y)	6	8	9	13	20	9

Marciau prawf theori (T)	6	17	12	10	15	16
Marciau prawf ymarferol (Y)	8	17	14	8	17	18

(*a*)   Lluniwch ddiagram gwasgariad i gynrychioli'r data hyn.

(*b*)   Darganfyddwch y canlynol, yn gywir i 3 lle degol:

    (i)   gwerth swm y lluosymiau, S_{TY},

    (ii)   y cyfernod cydberthyniad lluoswm-moment

(*c*)   Gan ddefnyddio tystiolaeth o (*a*) a (*b*) eglurwch pam y mae model llinell atchwel syth yn addas ar gyfer y data hyn.

Roedd myfyriwr arall yn absennol yn ystod y prawf ymarferol ond sgoriodd 14 marc yn y prawf theori.

(*ch*)   Darganfyddwch hafaliad y llinell atchwel briodol a'i ddefnyddio i amcangyfrif marc y myfyriwr hwn yn y prawf ymarferol

[ULSEB]

5   Lluniwch ddiagram i ddangos yr hydoedd y mae swm eu sgwariau yn cael ei finimeiddio yn y dull sgwariau lleiaf i ddarganfod llinell atchwel y ar x. Nodwch pa un yw'r newidyn annibynnol a pha un yw'r newidyn dibynnol.

Nodwch, gan roi rheswm, a ellir defnyddio hafaliad y llinell hon i amcangyfrif gwerth x ar gyfer gwerth y penodol.

Mae hyd (L mm) a lled (W mm) 20 ffosil unigol sy'n perthyn i un rhywogaeth yn cael eu mesur. Dyma grynodeb o'r canlyniadau:

$$\Sigma L = 400.20, \Sigma W = 176.00, \Sigma LW = 3700.20,$$
$$\Sigma L^2 = 8151.32, \Sigma W^2 = 1780.52.$$

(*a*)   Cyfrifwch y cyfernod cydberthyniad lluoswm-moment rhwng hyd a lled y ffosiliau hyn. Heb gynnal prawf arwyddocâd ewch ati i ddehongli eich canlyniad.

(*b*)   Darganfyddwch hafaliad y llinell atchwel y gellir ei defnyddio i amcangyfrif hyd ffosil o'r un rhywogaeth sydd â lled hysbys, gan roi gwerthoedd y cyfernodau i 2 le degol.

(*c*)   Defnyddiwch eich hafaliad i ddarganfod y cynnydd neu'r lleihad cyfartalog yn yr hyd o ganlyniad i bob 1 mm o gynnydd yn lled y ffosiliau hyn.

[ULSEB]

Cyfernod cydberthyniad lluoswm–moment y boblogaeth, ρ

Fel arfer dynodir cyfernod cydberthyniad lluoswm–moment poblogaeth gan y llythyren Roegaidd ρ (sy'n cael ei hynganu 'rho')

Os yw $\rho = 0$, yna dywedir bod X ac Y yn **anghydberthynol**. Dyma fydd yr achos bob tro pan fydd X ac Y yn annibynnol.

Rhoi prawf ar arwyddocâd r

Os yw $\rho \neq 0$, yna bydd perthynas rhwng X ac Y a bydd hyn yn debygol o fod yn ddiddorol. Rydym yn canolbwyntio felly ar y rhagdybiaethau $H_0: \rho = 0$ a $H_1: \rho \neq 0$. Rydym yn gwrthod H_0 o blaid H_1, os yw $|r|$ yn anarferol o bell oddi wrth sero.

Mae gwerthoedd critigol r yn dibynnu ar ddosraniadau X ac Y. Dim ond achos o hapsamplau o ddosraniadau normal yr ydym yn ei ystyried. Isod ceir copi o ddarn o'r tabl o werthoedd critigol ar gyfer $|r|$ a roddir yn yr Atodiad (t. 443).

n	5%	1%	n	5%	1%	n	5%	1%	n	5%	1%
4	.950	.990	7	.754	.874	10	.632	.765	13	.553	.684
5	.878	.959	8	.707	.834	11	.602	.735	14	.532	.661
6	.811	.917	9	.666	.798	12	.576	.708	15	.514	.641

Mae'r tabl yn un hawdd i'w ddefnyddio. Er enghraifft, tybiwch fod $n = 10$ a bod $r = 0.7365$ (y gwerthoedd a geir yn Enghraifft 7). Mae'r gwerth critigol 5% yn 0.632, tra bo'r gwerth critigol 1% yn 0.765. Felly mae'r gwerth arsylwedig yn arwyddocaol ar y lefel 5% ond nid ar y lefel 1%: mae rhywfaint o dystiolaeth dros wrthod y rhagdybiaeth bod X ac Y yn anghydberthynol.

Nodiadau
- ◆ Gellir defnyddio'r tabl ar gyfer prawf un gynffon ar y lefel 2.5% neu'r lefel 0.5%.
- ◆ Ar gyfer gwerthoedd mwy o *n* na'r rhai a roddir yn y tabl yn yr Atodiad, defnyddiwch y canlyniad, gan dybio H_0, bod $r\sqrt{\dfrac{n-2}{1-r^2}}$ yn arsylwad o ddosraniad-t_{n-2}.

Enghraifft 9

Mae'r data canlynol yn cyfeirio at dymheredd cyfartalog (mewn graddau Fahrenheit) a'r cynnwys braster menyn cyfartalog ar gyfer grŵp o wartheg (a fynegir fel canran o'r llaeth).

Tymheredd	64	65	65	64	61	55	39	41	46	59
Braster menyn	4.65	4.58	4.67	4.60	4.83	4.55	5.14	4.71	4.69	4.65

Tymheredd	56	56	62	37	37	45	57	58	60	55
Braster menyn	4.36	4.82	4.65	4.66	4.95	4.60	4.68	4.65	4.60	4.46

Gan dybio dosraniadau normal, penderfynwch a oes tystiolaeth arwyddocaol, ar y lefel 1%, bod unrhyw gydberthyniad rhwng y ddau newidyn.

Y rhagdybiaeth nwl yw bod y ddau newidyn yn anghydberthynol a'r rhagdybiaeth arall yw bod cydberthyniad yn bodoli. Mae'r diagram yn awgrymu bod cydberthyniad negatif gwan rhwng y newidynnau. Gan na fydd codio llinol yn effeithio ar y cydberthyniad, rydym yn dechrau drwy wneud y rhifau yn haws i'w trin drwy dynnu 50 o bob un o'r tymereddau (gan ddefnyddio *x* i nodi'r canlyniad). Rydym hefyd yn tynnu 4.5 o'r canrannau braster menyn ac yn lluosi'r canlyniad â 100 i roi gwerthoedd *y* syml. Y gwerthoedd sy'n deillio yw:

x	14	15	15	14	11	5	−11	−9	−4	9
y	15	8	17	10	33	5	64	21	19	15

x	6	6	12	−13	−13	−5	7	8	10	4
y	−14	32	15	16	45	10	18	15	10	−4

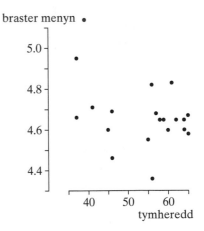

Yr ystadegau cryno sy'n deillio yw $n = 20$, $\Sigma x_i = 82$, $\Sigma x_i^2 = 2104$, $\Sigma y_i = 350$, $\Sigma y_i^2 = 11\,406$, $\Sigma x_i y_i = 50$. Drwy hynny $S_{xx} = 1767.8$, $S_{yy} = 5281$ ac $S_{xy} = -1385$, ac felly $r = \dfrac{-1385}{\sqrt{1767.8 \times 5281}} = -0.453$.

Mae maint y sampl, 20, yn fwy na'r rhai sydd yn y tabl, felly rydym yn cyfrifo

$$r\sqrt{\frac{n-2}{1-r^2}} = -0.453 \times \sqrt{\frac{18}{1-(-0.453)^2}} = -2.158$$

Mae pwynt 1% isaf dosraniad-t_{18} yn −2.55, sy'n llai na'r −2.158 arsylwedig, ac felly rydym yn dod i'r casgliad nad oes unrhyw dystiolaeth arwyddocaol, ar y lefel 1% o unrhyw gydberthyniad rhwng y newidynnau.

Ymarferion 14f

1 Mae cynnwys lleithder, M, samplau craidd o laid sy'n dod o lyn yn cael ei fesur fel canran. Credir bod cydberthyniad rhwng M a'r dyfnder d metr lle casglwyd y craidd. Er mwyn rhoi prawf ar y dyfaliad hwn, cymerwyd samplau o wahanol ddyfnderau, gan roi'r canlyniadau a ddangosir yn y tabl isod.

d_i	0	5	10	15
m_i	90	82	56	42

d_i	20	25	30	35
m_i	30	21	21	18

Dyma rai ystadegau cryno:

$$\sum m_i = 360, \quad \sum m_i^2 = 21\,830,$$

$$\sum d_i = 140, \quad \sum d_i^2 = 3500,$$

$$\sum d_i m_i = 3985$$

Cyfrifwch r, sef cyfernod cydberthyniad lluoswm–moment y data hyn.
Nodwch, yn gryno, arwyddocâd y gwerth a gewch.

2 Mae technegydd sy'n monitro purdeb dŵr yn credu bod perthynas rhwng caledwch y dŵr a'i alcalinedd. Dros gyfnod o 10 diwrnod, cofnododd y data (mewn mg/l) yn y tabl:

Alcalinedd (mg/l)	33.8	29.1	22.8	26.2
Caledwch (mg/l)	51.0	45.0	41.3	46.0

Alcalinedd (mg/l)	31.8	31.9	29.4	26.1
Caledwch (mg/l)	48.0	50.0	46.3	45.0

Alcalinedd (mg/l)	28.0	27.2
Caledwch (mg/l)	45.3	43.0

(*a*) Plotiwch y data ar bapur graff gydag 'Alcalinedd' ar yr echelin lorweddol. Marciwch y pwynt cymedrig.

(*b*) O wybod bod cyfernod cydberthyniad lluoswm–moment y data hyn yn 0.913, i ba gasgliad y mae'n rhesymol dod iddo? Disgwylir ichi gyfeirio at dablau addas i gefnogi eich ateb.

(*c*) Mae'r technegydd yn penderfynu cyfrifo hafaliad llinell atchwel sgwariau lleiaf **caledwch ar alcalinedd**. Dangoswch fod graddiant y llinell hon yn 0.821 a darganfyddwch ei hafaliad.

(*ch*) Amcangyfrifwch galedwch dŵr ag alcalinedd mesuredig o 30 mg/l. Rhowch eglurhad **byr** pam y byddai angen i'r technegydd wneud mwy o waith ystadegol er mwyn gallu rhagfynegi alcalinedd dŵr â chaledwch mesuredig o, dyweder, 50 mg/l. (**Nid oes disgwyl ichi wneud y gwaith cyfrifo.**)   [UODLE]

3 Roedd gan feddyg ddiddordeb yng nghanran cyffur arbennig oedd yn cael ei amsugno gan gleifion. Cafodd afael ar y data canlynol ar gyfer 10 claf a oedd yn cymryd y cyffur ar ddau ddiwrnod gwahanol.

	Canran y cyffur a amsugnwyd				
Claf	1	2	3	4	5
Diwrnod 1, x	35.5	16.6	13.6	42.5	28.5
Diwrnod 2, y	27.6	15.1	12.9	34.1	35.5
Claf	6	7	8	9	10
Diwrnod 1, x	30.3	8.7	21.5	16.4	32.3
Diwrnod 2, y	32.5	84.3	21.5	11.1	36.4

$\sum x = 245.9, \sum y = 311, \sum x^2 = 7107.55,$
$\sum y^2 = 13652.4, \sum xy = 7405.07.$

(a) Lluniwch ddiagram gwasgariad o'r data.

(b) Cyfrifwch r, sef y cyfernod cydberthyniad lluoswm-moment. Gan dybio bod y data yn dod o ddosraniad deunewidyn normal, profwch, ar y lefel arwyddocâd 5%, a oes ganddo gyfernod cydberthyniad $\rho = 0$.

(c) Ar ôl archwilio'r diagram gwasgariad darganfu'r meddyg fod un o'r pwyntiau yn annisgwyl. Ar ôl ymchwilio pellach datgelwyd bod y pwynt hwn yn ganlyniad i amgylchiadau annormal. Gwerth r ar gyfer y 9 pwynt sy'n weddill yw 0.863. Nodwch pa bwynt a gafodd ei hepgor.

(ch) Dywedwyd mai unig ddefnydd dilys y cyfernod cydberthyniad lluoswm–moment yw i fesur cryfder y berthynas rhwng dau newidyn y gwyddom eisoes bod cydberthyniad llinol bras rhyngddynt. Rhowch enghraifft, yn cynnwys braslun o ddiagram gwasgariad, lle byddai anwybyddu'r cyngor hwn yn arwain at gasgliad camarweiniol difrifol.

[AEB(P) 89]

Charles Spearman (1863-1945) oedd yn gyfrifol am gyflwyno dulliau ystadegol i faes Seicoleg a thrwy hynny newid arferion yn y maes hwnnw unwaith ac am byth. Ganed Spearman yn Llundain a'r yrfa gyntaf a ddewisodd oedd y fyddin. Enillodd glod mawr yn ystod Rhyfel Burma ac ni adawodd y fyddin tan 1897 pan aeth i Leipzig i astudio Seicoleg. Yn dilyn swyddi mewn gwahanol brifysgolion yn yr Almaen dychwelodd i Lundain yn 1907 a bu'n gweithio fel Athro yng Ngholeg y Brifysgol nes iddo ymddeol yn 1931. Ymddangosodd ei bapur cyntaf ar gydberthyniad yn 1904. Dysgai ei fyfyrwyr i ystyried Ystadegaeth fel gwas da ond meistr gwael, ac roedd yn eu cynghori i beidio â chasglu data yn y gobaith annelwig y byddai rhywbeth yn siwr o ddod i'r golwg!

14.13 Cyfernod cydberthyniad rhestrol Spearman, r_s

Tybiwch fod cystadleuwyr mewn cystadleuaeth sglefrio yn cael eu graddio yn annibynnol gan ddau feirniad. Pan fydd y beirniaid yn rhai profiadol rydym yn rhagweld y bydd cystadleuwyr a osodir mewn safle uchel ar y rhestr gan un beirniad hefyd yn cael eu gosod mewn safle uchel gan y beirniad arall. Felly rydym yn rhagweld *cydberthyniad positif* rhwng y ddwy restr. Petai un beirniad (neu'r ddau) yn dyfarnu safleoedd ar hap, neu petai pob un o'r cystadleuwyr gystal â'i gilydd, yna byddem yn rhagweld rhestrau a fyddai bron yn anghydberthynol.

Os yw dau feirniad yn cytuno'n hollol â'i gilydd, yna byddant yn dyfarnu'r un safleoedd i bob cystadleuydd. Gan ddefnyddio d_i i ddynodi'r gwahaniaeth rhwng y safleoedd a roddir i gystadleuydd i, golyga hyn y byddai Σd_i^2 yn sero. Os yw'r beirniaid yn anghytuno, yna bydd Σd_i^2 yn fwy na sero, a bydd yn cynyddu wrth i faint yr anghytundeb gynyddu. Cynigai Spearman ffwythiant llinol o Σd_i^2 a chanddo ddwy o nodweddion y cyfernod cydberthyniad r (Adran 14.12), sef bod cytundeb perffaith yn cael ei gynrychioli gan y gwerth 1 ac anghytundeb perffaith (dewis cyntaf beirniad 1 yn ddewis olaf beirniad 2, ac yn y blaen) yn cael ei gynrychioli gan y gwerth -1. Fel arfer dynodir cyfernod cydberthyniad rhestrol Spearman gan r_s ac mae'n cael ei ddiffinio fel:

$$r_s = 1 - \frac{6\Sigma d_i^2}{n(n^2 - 1)} \qquad (14.15)$$

Nodiadau

- Gellir gwirio'r cyfrifiadau drwy nodi bod yn rhaid i gyfanswm y gwahaniaethau arwyddedig ($+$ a $-$) mewn trefnrestrau fod yn sero.
- Rydym wedi cyflwyno r_s yng nghyd-destun dau feirniad. Fodd bynnag, byddai'r un dadleuon yn gymwys wrth gymharu'r safleoedd a roddir gan un beirniad â safleoedd gwir pan fydd y rhain yn hysbys.
- Os rhoddir yr un safle i ddwy neu fwy o eitemau yna mae'n arferol dyfarnu cyfartaledd y safleoedd cyfatebol a allai fod wedi cael eu dyfarnu (sef y **safle cyfartal**).

Enghraifft 10

Mae wyth o bobl yn cystadlu mewn cystadleuaeth 'pengliniau pert'. Mae dau feirniad yn dyfarnu'r safleoedd a ddangosir isod.
Cyfrifwch werth cyfernod cydberthyniad rhestrol Spearman ar gyfer y canlyniadau hyn.

Beirniad	Cystadleuydd							
	A	B	C	D	E	F	G	H
X	3	4	8	1	7	5	2	6
Y	2	1	8	3	7	5	4	6

Y gwahaniaeth, d_1, rhwng dau safle cystadleuydd A, yw $(3 - 2) = 1$.
Y gwahaniaethau sy'n weddill yw $3, 0, -2, 0, 0, -2$ a 0 (sy'n adio i 0, yn ôl yr angen). Gan fod $\Sigma d_i^2 = 18$, cawn:

$$r_s = 1 - \frac{6 \times 18}{8 \times 63} = 0.786$$

Mae'n ymddangos bod y beirniaid yn cytuno'n agos â'i gilydd.

Enghraifft 11

Gofynnir i ddyn drefnu, yn nhrefn màs, bum bocs tebyg y mae eu cynnwys yn amrywio. Y drefn gywir yw $1, 2, 3, 4, 5$, ond y drefn a ddewisir gan y dyn yw $2, 1, 3, 5, 4$.
Cyfrifwch werth r_s ar gyfer y cydberthyniad rhwng y ddwy drefn.

Y gwahaniaethau yn y safleoedd yw $-1, 1, 0, -1$ ac 1, sy'n rhoi $\Sigma d_i = 0$ fel sydd ei angen a $\Sigma d_i^2 = 4$. Gwerth r_s yw $1 - \frac{6 \times 4}{5 \times 24} = 0.8$.
Ymddengys bod y dyn yn un da am bennu màs.

Enghraifft 12

Gofynnir i arbenigwr gwin wisgo mwgwd dros ei lygaid a blasu naw math gwahanol o win a'u trefnu yn ôl eu pris. Y drefn gywir oedd A, B, C, ..., I, a'r drefn a ddewiswyd gan yr arbenigwr oedd A, (B, D), C, G, (E, F, H, I). Mae'r cromfachau yn nodi gwinoedd y rhoddodd yr arbenigwr yr un pris iddynt.
Gan ddefnyddio safleoedd cyfartal, cyfrifwch werth r_s fel mesur o'r cydberthyniad rhwng barn yr arbenigwr a'r drefn gywir.

Ni allai'r arbenigwr wahaniaethu rhwng ei 2^{il} a'i 3^{ydd} dewis, felly rhoddir yr un safle o 2.5 i'r ddau. Rhoddir y safle $\frac{1}{4}(6 + 7 + 8 + 9) = 7.5$ i'r pedwar gwin olaf. Rhoddir crynodeb o'r cyfrifiadau yn y tabl isod.

Gwin	A	B	C	D	E	F	G	H	I	Cyfanswm
Safle cywir	1	2	3	4	5	6	7	8	9	
Safle yn ôl beirniad	1	2.5	4	2.5	7.5	7.5	5	7.5	7.5	
d	0	−0.5	−1	1.5	−2.5	−1.5	2	0.5	1.5	0
d^2	0	0.25	1	2.25	6.25	2.25	4	0.25	2.25	18.5

Gwerth r_s yw $1 - \frac{6 \times 18.5}{9 \times 80} = 0.846$. Mae'n ymddangos bod yr arbenigwr gwin yn arbenigwr go iawn!

Ymarfer cyfrifiannell _____

> Os oes gennych gyfrifiannell â ffwythiannau ystadegol yna efallai y bydd yn storio 'Σx' a 'Σx^2' mewn cofau hygyrch. Drwy fwydo gwerthoedd d_i, bydd gennych ffordd hwylus o wirio bod $\Sigma d_i = 0$ a ffordd gyflym o gael Σd_i^2.

Rhoi prawf ar arwyddocâd r_s

Yn ôl H_0 mae'r ddwy set o restrau yn annibynnol ar ei gilydd. Er mwyn deall y problemau sy'n gysylltiedig â phrofi arwyddocâd r_s mewn samplau bychain, ystyriwch yr achos $n = 4$. Labelwch y gwrthrychau $(1, 2, 3, 4)$ gan ddefnyddio rhestr safleoedd un beirniad. Os yw'r beirniad arall yn rhestru'r gwrthrychau ar hap, yna (gan gymryd nad oes unrhyw safleoedd cyfartal) mae 24 canlyniad posibl, sydd yr un mor debygol â'i gilydd. Dangosir y rhain yn y tabl isod, ynghyd â gwerthoedd Σd_i^2 sy'n deillio ohonynt.

(1,2,3,4)	0	(1,2,4,3)	2	(1,3,2,4)	2	(1,3,4,2)	6	(1,4,2,3)	6	(1,4,3,2)	8
(2,1,3,4)	2	(2,1,4,3)	4	(2,3,1,4)	6	(2,3,4,1)	12	(2,4,1,3)	10	(2,4,3,1)	14
(3,2,1,4)	8	(3,2,4,1)	14	(3,1,2,4)	6	(3,1,4,2)	10	(3,4,2,1)	18	(3,4,1,2)	16
(4,2,3,1)	18	(4,2,1,3)	14	(4,3,2,1)	20	(4,3,1,2)	18	(4,1,2,3)	12	(4,1,3,2)	14

Mae dosraniad tebygolrwydd r_s felly yn:

Σd_i^2	0	2	4	6	8	10	12	14	16	18	20
r_s	1.0	0.8	0.6	0.4	0.2	0	-0.2	-0.4	-0.6	-0.8	-1.0
Teb	$\frac{1}{24}$	$\frac{3}{24}$	$\frac{1}{24}$	$\frac{4}{24}$	$\frac{2}{24}$	$\frac{2}{24}$	$\frac{2}{24}$	$\frac{4}{24}$	$\frac{1}{24}$	$\frac{3}{24}$	$\frac{1}{24}$

Mae dosraniad r_s yn amlwg yn arwahanol. Mae hyn yn achosi problemau wrth drafod lefelau arwyddocâd. Fel enghraifft, tybiwch (gydag $n = 4$) y byddem yn hoffi cynnal prawf un-gynffon ar y lefel 5%. Gan edrych ar y dosraniad tebygolrwydd gallwn weld y byddai'r canlyniad $r_s = 1.0$ yn cael ei ystyried yn un arwyddocaol, oherwydd bod y tebygolrwydd o gael y gwerth hwn neu werth mwy drwy ddamwain yn $\frac{1}{24}$, sy'n llai na 5%. Fodd bynnag, ni fyddai'r canlyniad $r_s = 0.8$ yn cael ei ystyried yn arwyddocaol, oherwydd bod y tebygolrwydd o gael y gwerth hwn ar ddamwain yn $(\frac{3}{24} + \frac{1}{24}) = \frac{1}{6}$, sy'n fwy na 5%.

Mae'r 'lefel 5%' felly mewn enw (enwol) yn unig – nid yw'r gwir debygolrwydd yn '5%' mewn gwirionedd, ond yn $\frac{1}{24}$, sydd fymryn yn llai. Cafodd y broblem o wahaniaethau rhwng tebygolrwyddau cynffon gwirioneddol a rhai enwol ei thrafod yn gynharach (Adran 12.13, t. 341).

Wrth weithio ar y lefel 1% enwol, pan fo $n = 4$, ni fyddai unrhyw ganlyniad yn cael ei ystyried yn arwyddocaol gan nad oes tebygolrwydd cynffon digon bychan yn bodoli. Gan fod $\frac{2}{24} > 5\%$, gyda maint sampl bychan fel hyn ni allwn gael canlyniad arwyddocaol hyd yn oed ar y lefel 5% wrth ddefnyddio prawf dwy gynffon.

Isod ceir rhan o'r tabl, a roddir yn yr Atodiad (t. 444), o werthoedd (un gynffon) ar gyfer r_s.

n	5%	1%	n	5%	1%	n	5%	1%	n	5%	1%
4	1.000	*	7	.714	.893	10	.564	.745	13	.484	.648
5	.900	1.000	8	.643	.833	11	.536	.709	14	.464	.626
6	.829	.943	9	.600	.783	12	.503	.678	15	.446	.604

Y rhifau yn y tabl yw gwerthoedd lleiaf r_s (i 3 lle degol) sy'n cyfateb i debygolrwyddau cynffon llai na neu hafal i 5% (neu 1%). Mae'r gwerth arsylwedig yn arwyddocaol *os yw'n hafal i, neu'n fwy na'r* gwerth yn y tabl. Nid yw'r gwir lefel arwyddocâd byth yn fwy na'r gwerth enwol a ddangosir yn y tabl.

Nodiadau

- Seren sy'n nodi'r lefel 1% enwol pan yw $n = 4$ oherwydd ni ellir cael tebygolrwydd cynffon mor fychan mewn achos o'r fath.
- Mewn achosion lle ceir safleoedd cyfartal, mae'r gwerthoedd critigol a roddir yn amcangyfrifon ceidwadol. Gall y gwir debygolrwyddau cynffon fod gryn dipyn yn llai na'r gwerthoedd enwol.
- Yn achos gwerthoedd n mwy na'r rhai a roddir yn y tabl yn yr Atodiad, defnyddiwch y canlyniad, ar gyfer dwy restr safleoedd annibynnol,

  bod $r_s\sqrt{\dfrac{n-2}{1-r_s^2}}$ yn frasamcan o arsylwad o ddosraniad-t_{n-2}.

Enghraifft 13

Darganfyddwch a yw gwerthoedd r_s a gafwyd yn y tair enghraifft flaenorol yn dangos tystiolaeth arwyddocaol (ar y lefel 5% neu 1%) dros wrthod y ddamcaniaeth bod y penderfyniadau wedi eu gwneud ar hap. Defnyddiwch brofion un gynffon oherwydd, ym mhob achos, rydym yn chwilio am gytundeb yn hytrach nag anghytundeb.

Yn achos yr 8 cystadleuydd 'pengliniau pert' yn Enghraifft 10, mae'r gwerth 0.786 yn fwy na'r pwynt 5% (0.643), ond nid y pwynt 1% (0.833). Mae'r ddamcaniaeth bod y penderfyniadau wedi eu gwneud ar hap yn cael ei gwrthod ar y lefel 5%: roedd y beirniaid yn amlwg yn chwilio am nodweddion tebyg mewn pengliniau.

Ar gyfer y 5 màs yn Enghraifft 11, roedd y ddau gamgymeriad a wnaed yn un camgymeriad yn ormod. Nid yw'r rhagdybiaeth bod y penderfyniadau wedi eu gwneud ar hap yn cael ei gwrthod ar y lefel 5%.

Yn wir bu'r arbenigwr gwin yn Enghraifft 12 yn hynod o lwyddiannus. Er gwaetha'r safleoedd cyfartal, mae'r gwerth 0.846 yn llawer mwy na'r gwerth critigol o 1% (0.783). Mae'r rhagdybiaeth bod y penderfyniadau wedi eu gwneud ar hap yn cael ei gwrthod ar y lefel 1%.

Gwaith ymarferol

Pa mor dda ydych chi am asesu gwahanol fasau? Arbrofwch gydag 8 tiwb o Smarties^{TM}. Llenwch y tiwbiau â niferoedd gwahanol o Smarties ac yna, ar ôl eu cymysgu, darganfyddwch a allwch aildrefnu'r tiwbiau yn y drefn gywir (h.y. yn nhrefn y nifer o Smarties). Mae hyn yn haws pan fo'r niferoedd yn gwahaniaethu'n sylweddol. Gallwch arbrofi i weld pa mor gywir ydych am asesu màs. Mae Smartie fel arfer yn pwyso ychydig llai na gram.

Fformatau tablau amgen

Mae tablau gwahanol yn cyflwyno gwybodaeth wahanol am bwyntiau canrannol neu werthoedd critigol r_s. Dyma rai enghreifftiau:

- *Cambridge Elementary Mathematical Tables*, 2il argraffiad, Miller a Powell (CUP)

Dyma ddarn engheiffiol ohono:

n	$\rho_{[.95]}$	$\rho_{[.99]}$
4	.800	
5	.800	.900
6	.771	.886

Yn yr achos hwn mae'r gwerth arsylwedig yn arwyddocaol *os yw'n fwy na'r* gwerth yn y tabl (o'i gyferbynnu â 'yn hafal i, neu'n fwy na'). Fel yn yr achos blaenorol, nid yw'r union lefel arwyddocâd byth yn fwy na'r gwerth enwol.

◆ *Elementary Statistical Tables,* Dunstan, Nix, Reynolds a Rowlands (RND Publications)

Dyma ddarn enghreifftiol ohono:

Un gynffon	10%	5%	2.5%	1%	0.5%
Dwy gynffon	20%	10%	5%	2%	1%
4	1.0000	1.0000	1.0000	1.0000	1.0000
5	0.7000	0.9000	0.9000	1.0000	1.0000
6	0.6571	0.7714	0.8286	0.9429	0.9429

Yn yr achos hwn 'y gwerthoedd critigol a roddir yw'r rhai y mae eu lefelau arwyddocâd agosaf at y gwerthoedd a nodwyd'. Mewn rhai achosion golyga hyn y bydd y tebygolrwydd cynffon sy'n cyfateb i'r gwerth yn y tabl yn llawer mwy na'r tebygolrwydd cynffon enwol.

◆ *Statistical Tables*, Murdoch a Barnes (Macmillan)

Mae fformat y tablau hyn yr un fath â'n tablau ni, ond mae rhai gwerthoedd (er enghraifft y gwerth critigol 5% ar gyfer $n = 12$) fymryn yn gyfeiliornus.

◆ *New Cambridge Elementary Statistical Tables*, Lindley a Scott (CUP)

Mae fformat y tablau hyn yn wahanol iawn, ac yn defnyddio gwerthoedd critigol Σd_i^2 yn hytrach nag r_s. Dyma ddarn enghreifftiol:

P	5	2.5	1	0.5	0.1	$\frac{1}{6}(n^3 - n)$
$n = 4$	0	–	–	–	–	10
5	2	0	0	–	–	20
6	6	4	2	0	–	35

Mae gwerth Σd_i^2 yn arwyddocaol ar y lefel a nodir os yw'r gwerth arsylwedig yn hafal i, neu'n llai na'r gwerth a nodir yn y tabl.

◆ *Cyflwyno Ystadegaeth*, Upton a Cook (CAA)

Yn yr Atodiad (t. 444) rydym yn rhoi tablau ar wahân o'r gwerthoedd critigol un gynffon a dwy gynffon. Dyma ddarn enghreifftiol o'r tablau o werthoedd critigol ar gyfer y prawf dwy gynffon:

n	5%	1%	n	5%	1%	n	5%	1%	n	5%	1%
4	*	*	7	.786	.929	10	.648	.794	13	.560	.703
5	1.000	*	8	.738	.881	11	.618	.755	14	.538	.679
6	.886	1.000	9	.700	.833	12	.587	.727	15	.521	.654

Fel o'r blaen, mae gwerth arsylwedig yn arwyddocaol ar y lefel enwol a nodwyd os yw'n hafal i, neu'n fwy na'r gwerth yn y tabl (sy'n gywir i 3 lle degol). Mae'r sêr yn nodi nad yw arwyddocâd ar y lefelau hyn yn bosibl yn achos y meintiau sampl hyn.

14.14 Defnyddio r_s ar gyfer perthnasoedd aflinol

Mae'r cyfernod cydberthyniad lluoswm–moment yn ymwneud ag i ba raddau mae perthynas *linol* rhwng X ac Y. Tybiwch, fodd bynnag, fod gennym y data canlynol:

x	1	2	3	4	5	6
y	1	8	27	64	125	216

Mae'r gwerthoedd yn bodloni'r berthynas syml $y = x^3$ *yn union*, ond nid yw r, sef y cyfernod cydberthyniad lluoswm–moment, yn hafal i 1 oherwydd nid yw'r berthynas yn llinol (yn wir, $r = 0.938$). Mewn cyferbyniad, $r_s = 1$. Yn wir mae $r_s = 1$ ym mhob achos lle mae y yn cynyddu wrth i x gynyddu, ac mae $r_s = -1$ ym mhob achos lle mae y yn lleihau wrth i x gynyddu.

Enghraifft 14

Credir bod perthynas rhwng maint planhigyn (y cm^2) a'r pellter rhwng y planhigyn hwnnw a'i gymydog agosaf (x cm). Dewisir hapsampl o 12 planhigyn a nodir eu harwynebedd a'r pellterau o'r cymydog agosaf yn y tabl isod.

x	35	41	86	15	23	66	27	39	91	44	52	18
y	54	58	100	50	48	75	51	60	115	62	64	30

Plotiwch y data hyn ar ddiagram gwasgariad. A oes perthynas i'w gweld rhwng x ac y?

Cyfrifwch werth cyfernod cydberthyniad rhestrol Spearman ar gyfer y data hyn a darganfyddwch a yw'r gwerth hwnnw yn gwahaniaethu o 0 ar y lefel arwyddocâd 1% gan ddefnyddio prawf dwy-gynffon.

Mae'r diagramau gwasgariad yn dangos perthynas glir – wrth i x gynyddu, felly (ar y cyfan) mae y yn cynyddu. Gallai'r berthynas fod yn un gwadratig yn hytrach nag un llinol (yn arbennig gan fod y yn fesur o arwynebedd yn hytrach na phellter).

Dyma'r ddwy set o restrau safle a'u gwahaniaethau:

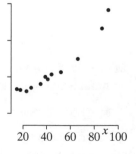

Safle x	5	7	11	1	3	10	4	6	12	8	9	2
Safle y	5	6	11	3	2	10	4	7	12	8	9	1
Gwahaniaeth	0	1	0	−2	1	0	0	−1	0	0	0	1

Fel sydd ei angen mae'r gwahaniaethau yn y rhestrau yn adio i sero, tra bo $\Sigma d_i^2 = 8$. Felly:

$$r_s = 1 - \frac{6 \times 8}{12 \times 143} = 0.972$$

Mae'r gwerth critigol 1% ar gyfer prawf dwy gynffon gydag $n = 12$ yn 0.727: felly ceir tystiolaeth arwyddocaol o berthynas rhwng y ddau newidyn.

Ymarferion 14ff

1 Gofynnir i arbenigwr blasu gwin raddio 8 clared yn ôl ansawdd eu blas heb wybod y pris. Dyma oedd y canlyniadau, lle mae 1 yn cyfateb i'r clared a hoffai leiaf.

Pris	£2.90	£3.50	£3.80	£4.20
Blaswr	3	2	1	8

Pris	£4.10	£5.80	£6.20	£7.10
Blaswr	7	6	4	5

Cyfrifwch gyfernod cydberthyniad rhestrol Spearman rhwng trefn yr arbenigwr a'r pris. Rhowch brawf ar y cyfernod am arwyddocâd ar y lefel 5%, gan nodi eich casgliadau yn eglur.
[UCLES(P)]

2 Credir bod cynnyrch cnwd (yr hectar), c, yn dibynnu ar y glawiad ym mis Mai, m. Cedwir cofnodion o werthoedd cyfartalog c ac m ar gyfer naw ardal, a chofnodir y rhain isod.

c	8.3	10.1	15.2	6.4	11.8
m	14.7	10.4	18.8	13.1	14.9

c	12.2	13.4	11.9	9.9
m	13.8	16.8	11.8	12.2

Cyfrifwch werth ρ, cyfernod cydberthyniad rhestrol Spearman, ar gyfer y data uchod a phenderfynwch a yw'n sylweddol fwy na sero ar y lefel 5%.
[UCLES(P)]

3 Mewn cystadleuaeth naid-sgïo mae pob cystadleuydd yn neidio ddwywaith. Mae safleoedd teilyngdod y 10 cystadleuydd a gwblhaodd y ddwy naid yn cael eu dangos yn y tabl isod.

Sgïwr	A	B	C	D	E
Naid gyntaf	2	9	7	4	10
Ail naid	4	10	5	1	8

Sgïwr	F	G	H	I	J
Naid gyntaf	8	6	5	1	3
Ail naid	9	2	7	3	6

(a) Cyfrifwch, i 2 le degol, gyfernod cydberthyniad rhestrol ar gyfer perfformiadau'r cystadleuwyr yn y ddwy naid.

(b) Gan ddefnyddio lefel arwyddocâd o 5% a chan ddyfynnu o'r tablau o werthoedd critigol a ddarperir, dehonglwch eich canlyniad. Nodwch yn eglur eich rhagdybiaeth nwl a'ch rhagdybiaeth arall.
[ULSEB(P)]

4 Gofynnir i arbenigwr porslen osod 7 bowlen tsieni yn ôl dyddiad eu cynhyrchu gan roi'r rhif 1 i'r bowlen hynaf. Dangosir y gwir ddyddiadau cynhyrchu a'r drefn a ddyfarnwyd gan yr arbenigwr yn y tabl isod.

Bowlen	A	B	C	D
Dyddiad	1920	1857	1710	1896
Trefn yr arbenigwr	7	3	4	6

Bowlen	E	F	G
Dyddiad	1810	1690	1780
Trefn yr arbenigwr	2	1	5

Darganfyddwch, i 3 lle degol, gyfernod cydberthyniad rhestrol Spearman rhwng trefn y cynhyrchu a threfn yr arbenigwr. Cyfeiriwch at un o'r tablau o werthoedd critigol a ddarperir i roi sylwadau ar arwyddocâd eich canlyniad. Nodwch yn eglur y rhagdybiaeth nwl sy'n cael ei phrofi.
[ULSEB(P)]

5 Cymerir hapsampl o 12 unigolyn o set o ddynion sydd ag o leiaf un mab sydd wedi tyfu'n oedolyn. Isod rhoddir taldra'r tadau a'u meibion hynaf i'r centimetr agosaf.

Tad	190	184	183	182	179	178
Mab	189	186	180	179	187	184

Tad	175	174	170	168	165	164
Mab	183	171	170	178	174	165

Cyfrifwch gyfernod cydberthyniad rhestrol Spearman rhwng taldra'r tadau a'r meibion.

Yna datgelir, wrth gopïo'r data uchod, bod taldra dau fab, sy'n gyfagos yn y rhestr uchod, wedi eu cyfnewid ar ddamwain. Darganfyddwch, ar gyfer cyfernod Spearman, y newid macsimwm y gall y camgymeriad hwn fod wedi ei wneud.
[UCLES(P)]

6 Rhowch ddisgrifiad byr o amgylchiadau pan fyddai'n addas defnyddio

(a) cyfernod cydberthyniad rhestrol.

(b) y cyfernod cydberthyniad llinol (lluoswm–moment).

Mae'r tabl canlynol yn rhoi mesurau o gyfnod canolbwyntio a gallu gofodol 15 plentyn ysgol ag anawsterau darllen.

Cyfnod canolbwyntio	15	16	17	19	20
Gallu gofodol	40	42	35	30	41

Cyfnod canolbwyntio	22	23	24	28	29
Gallu gofodol	23	22	29	31	28

Cyfnod canolbwyntio	30	31	32	34	38
Gallu gofodol	37	33	27	26	25

(i) Plotiwch ddiagram gwasgariad a thrafodwch ei oblygiadau ar gyfer y cydberthyniad rhwng y ddau ffactor.

(ii) Cyfrifwch gyfernod cydberthyniad rhestrol Spearman.

(iii) Gan nodi unrhyw dybiaethau angenrheidiol ynghylch y data, gwnewch brawf, ar y lefel arwyddocâd 5%, i weld a yw'r data yn rhoi tystiolaeth o gydberthyniad negatif rhwng cyfnod canolbwyntio a gallu gofodol.

[UCLES(P)]

7 Pan ofynnir i blentyn dyslecsig ysgrifennu dau ddigid mae tebygolrwydd, p, y bydd y plentyn yn ysgrifennu'r digidau yn y drefn anghywir. Mewn arbrawf, adroddir wrth y plentyn ddilyniant o chwe digid wedi eu trefnu yn y drefn esgynnol, ddau ddigid ar y tro.

(i) Dangoswch fod y tebygolrwydd bod y plentyn yn ysgrifennu'r dilyniant yn y drefn gywir yn $(1 - p)^3$.

(ii) Dangoswch mai gwerth lleiaf posibl S, cyfernod cydberthyniad rhestrol Spearman rhwng y dilyniant cywir a'r dilyniant a ysgrifennodd y plentyn, yw $\frac{29}{35}$.

(iii) Darganfyddwch fynegiad ar gyfer $E(S)$ yn nhermau p.

[UCLES(P)]

Crynodeb o'r bennod

Diffiniwch S_{xx}, S_{yy} ac S_{xy}, er enghraifft, gan

$$S_{xy} = \Sigma\{(x_i - \bar{x})(y_i - \bar{y})\} = \Sigma x_i y_i - \frac{\Sigma x_i \Sigma y_i}{n}$$

◆ Llinell ffit y sgwariau lleiaf, sef **llinell atchwel amcangyfrifedig y ar x**, yw $y = a + bx$, lle mae:

$$b = \frac{S_{xy}}{S_{xx}}$$

$$a = \bar{y} - b\bar{x}$$

Mae'r dewis hwn ar gyfer a a b yn minimeiddio cyfanswm y gweddillebau sgwâr:
$\Sigma\{y_i - (a + bx_i)\}^2$.

Y cyfernod cydberthyniad lluoswm–moment, r:

$$r = \frac{S_{xy}}{\sqrt{S_{xx}S_{yy}}}$$

Os yw $r = \pm 1$ yna mae'r pwyntiau $(x_1, y_1), \ldots, (x_n, y_n)$ yn unllin.

◆ **Cyfernod cydberthyniad rhestrol Spearman, r_s:**
Boed i d_i nodi'r gwahaniaeth rhwng y ddau safle a roddwyd i eitem i. Yna:

$$r_s = 1 - \frac{6\Sigma d_i^2}{n(n^2 - 1)}$$

Ymarferion 14g (Amrywiol)

1 Mae asidedd/alcalinedd hylif yn cael ei fesur drwy ei werth pH (mae gwerth pH dŵr pur yn 7 ac mae gwerthoedd is yn nodi asidedd). Mae'r data yn y tabl canlynol yn cyfeirio at fesuriadau o werthoedd pH samplau o ddŵr a gasglwyd o lynnoedd yng nghyffiniau gwaith mwyndoddi copr yng Nghanada. Credir bod y malurion a'r llwch o'r gwaith copr yn cael eu cludo drwy'r atmosffer ac y byddant yn llygru'r gymdogaeth. Mae'r data canlynol yn dangos *d*, sef pellter (mewn km) llyn oddi wrth y gwaith copr, ac *a*, y gwerth pH.

d	3.9	6.5	13.5	41.9	47.7
a	3.40	3.20	4.20	5.19	4.41

d	52.3	61.3	75.5	90.3
a	6.75	7.01	6.40	4.75

(a) Pa un yw'r newidyn dibynnol?

(b) Plotiwch y data gan ddefnyddio diagram gwasgariad.
Trafodwch unrhyw nodweddion diddorol.

(c) Cyfrifwch werth y cyfernod cydberthyniad, *r*, a ddiffinnir gan:
$$r = \frac{n\Sigma xy - \Sigma x \Sigma y}{\sqrt{\{n\Sigma x^2 - (\Sigma x)^2\}\{n\Sigma y^2 - (\Sigma y)^2\}}}$$
Eglurwch yn ofalus sut y dylid dehongli'r gwerth hwn.

(ch) Ffitiwch linell atchwel addas yn y ffurf
$$E(Y|x) = \alpha + \beta x$$
gan roi gwerthoedd amcangyfrifedig α a β i fanwlgywirdeb addas.

(d) Eglurwch yn ofalus yr hyn y mae gwerthoedd α a β yn ei olygu yng nghyd-destun y cwestiwn.

(dd) Lle credwch fod hynny'n briodol, rhowch y gwerthoedd pH amcangyfrifedig ar gyfer llynnoedd sydd 0 km, 50 km, 100 km a 200 km o'r gwaith copr. Os nad ydych yn teimlo ei bod yn addas i roi gwerth pH amcangyfrifedig, yna eglurwch sail eich penderfyniad.

2 Tybiwch ein bod yn gwybod bod y berthynas rhwng dau newidyn *x* ac *Y* yn llinol, a bod disgwyliad yr hapnewidyn *Y* yn 0 pan fo *x* = 0. Y berthynas addas felly yw:
$$E(Y|x) = \beta x$$
Penderfynwch ar fynegiad ar gyfer amcangyfrifyn sgwariau lleiaf β. Dangoswch y weithdrefn gan ddefnyddio diagram gwasgariad a chan ddangos ym mha ystyr y mae'r amcangyfrifyn yn un 'sgwariau lleiaf'.

Mae'r data yn y tabl canlynol yn cynrychioli'r incwm cyfartalog *y pen*, *I*, a'r gwariant, *E* yn UDA (wedi ei fesur mewn doleri 1982).

	1960	1965	1970	1975	1980	1985
I	6036	7027	8134	8944	9722	10 622
E	5561	6326	7275	7926	8783	9830

(a) Cynrychiolwch y data ar ddiagram gwasgariad.

(b) Cynigwch fodel ar gyfer y data, gan egluro'r rheswm/rhesymau dros eich dewis.

(c) Amcangyfrifwch baramedr(au) eich model.

(ch) Cyfrifwch y gwerthoedd gwariant a ragfynegwyd ar gyfer y chwe blynedd dan sylw.

(d) Eglurwch yr hyn a olygir gan 'doleri 1982'. Beth yw goblygiad y cynnydd yn y gwerthoedd dros amser?

3 Dewisir deg swp o ddeunydd crai. Ar gyfer pob swp, mesurir y purdeb, *x*, cyn prosesu a'r cynnyrch, *Y*, ar ôl prosesu. Yma mae gan *x* gyfeiliornad dibwys ond mae *Y* yn hapnewidyn, a arsylwir fel *y*. Dyma'r canlyniadau:

x	4.0	5.6	2.4	5.0	3.3
y	9.2	10.3	8.9	10.1	9.3

x	5.7	2.6	5.3	4.5	4.8
y	10.2	9.3	10.8	9.9	9.3

Y model a gynigir yw $E(Y_i|x_i) = \alpha_0 + \beta(x_i - \bar{x})$. Tynnwch ddiagram gwasgariad bras a gwiriwch fod y model yn ymddangos yn gredadwy. Cyfrifwch amcangyfrifon sgwariau lleiaf α_0 a β ac esboniwch ddehongliad 'go iawn' y gwerthoedd hyn.

4 Mewn ymchwiliad labordy i gyfradd ffotosynthesis (*Y*) y planhigyn *Larrea tridenta* a pherthynas hyn â'r lefel arbelydriad (*X*), cafwyd y canlyniadau isod:

x	1.9	2.9	2.9	4.0	4.0	5.5
y	13	34	40	34	39	73

x	5.5	5.5	8.0	8.0	8.0
y	52	65	98	82	84

Crynhoir y data gan $\Sigma x = 56.2$, $\Sigma x^2 = 335.18$, $\Sigma y = 614$, $\Sigma y^2 = 41\,244$, $\Sigma xy = 3688.3$.

(*parhad*)

(i) Plotiwch ddiagram gwasgariad.

(ii) Cyfrifwch hafaliad llinell atchwel amcangyfrifedig Y ar X a thynnwch y llinell hon ar y diagram gwasgariad.

(iii) Trafodwch addasrwydd y model llinol.

(iv) Amcangyfrifwch y gyfradd ffotosynthesis pan fo lefel yr arbelydriad yn 5.2.

[UCLES(P)]

5 Brasluniwch ddiagram gwasgariad yn dangos sampl deunewidyn â chyfernod cydberthyniad (lluoswm–moment) llinol o −1.

Mae cyfradd metabolaeth gorffwys (RMR), mewn kcal/24h, a phwysau corff, mewn kg, 12 menyw a ddewiswyd ar hap yn cael eu dangos yn y tabl isod.

Pwysau'r corff (x)	43.1	48.1	49.9	50.8
RMR (y)	870	1372	1079	1146

Pwysau'r corff (x)	51.8	52.2	52.6	53.5
RMR (y)	1115	1132	1161	1172

Pwysau'r corff (x)	57.6	61.4	62.3	64.9
RMR (y)	1325	1351	1402	1365

Crynhoir y data gan
$\Sigma(x - 50) = 48.2$, $\Sigma(y - 1200) = 90$,
$\Sigma(x - 50)^2 = 639.98$, $\Sigma(y - 1200)^2 = 276\,650$,
$\Sigma(x - 50)(y - 1200) = 9031.6$

(i) Plotiwch ddiagram gwasgariad ar gyfer y data uchod a nodwch beth y mae'n ei ddangos ynglŷn â'r cydberthyniad rhwng y gyfradd metabolaeth gorffwys a phwysau'r corff.

(ii) Cyfrifwch gyfernod cydberthyniad (lluoswm–moment) llinol y sampl.

[UCLES(P)]

6 Rhoddir arddwysedd ymbelydredd I ar adeg t, o ffynhonnell ymbelydrol, gan y fformiwla $I = I_0 e^{-kt}$, lle mae I_0 a k yn gysonion. Dangoswch fod y berthynas rhwng $\ln I$ a t yn llinol. Cafwyd y data canlynol o ffynhonnell arbennig. Gellir ystyried bod gwerthoedd t yn union, tra gall gwerthoedd I gynnwys cyfeiliornad arbrofi.

t	0.2	0.4	0.6	0.8	1.0
I	3.22	1.63	0.89	0.41	0.36

Rhoddir yr wybodaeth ganlynol ichi, yn gywir i 5 lle degol,
$\Sigma \ln I = -0.371\,82$, $\Sigma(\ln I)^2 = 3.458\,46$,
$\Sigma t \ln I = 1.375\,54$.

(i) Darganfyddwch hafaliad llinell atchwel amcangyfrifedig $\ln I$ ar t a thrwy hynny rhowch amcangyfrifon ar gyfer I_0 a k.

(ii) Cyfrifwch yr arddwysedd ymbelydredd a ddisgwylid pan fo $t = 0.5$.

(iii) Cyfrifwch y cyfernod cydberthyniad (lluoswm–moment) llinol rhwng t a $\ln I$.

(iv) Eglurwch pam y mae'n rhesymol defnyddio'r hafaliad atchwel a gafwyd yn (i) i amcangyfrif gwerth t pan fo $I = 1.5$. Cyfrifwch y gwerth hwn. [UCLES]

7 (a) Nodwch, gan roi rheswm, pa effaith a gaiff y canlynol ar werth y cyfernod cydberthyniad lluoswm–moment rhwng dau newidyn x ac y
(i) newid unedau x,
(ii) newid tardd y.

(b) Mae'r data canlynol yn ymwneud â'r sgorau canrannol ar brawf ffitrwydd corfforol, taldra (mewn centimetrau), pwysau (mewn cilogramau) ac oedrannau (mewn blynyddoedd) deg disgybl ysgol gynradd.

Disgybl	Sgôr (s)	Taldra (m)	Pwysau (w)	Oedran (a)
1	58	130	41.8	8
2	60	120	38.6	9
3	59	154	54.1	11
4	72	140	38.6	9
5	62	145	44.9	10
6	54	153	52.4	10
7	81	139	30.2	8
8	62	148	41.4	9
9	86	150	38.4	10
10	94	160	32.1	11

Plotiwch ddiagram gwasgariad ar gyfer pwysau a sgorau.

O wybod
$u = (w - 30)/0.1$, $v = s - 50$,

a bod
$\Sigma u = 1125$, $\Sigma u^2 = 179671$, $\Sigma v = 188$,
$\Sigma v^2 = 5226$, $\Sigma uv = 13927$,

cyfrifwch werth y cyfernod cydberthyniad, r_{uv}, rhwng u a v.

Nodwch werth r_{ws}.

Eglurwch sut y mae eich graff yn awgrymu bod eich gwerth yn gywir. (*parhad*)

Mae llinell atchwel yn mynd i gael ei ffitio rhwng *s* ac un o'r tri newidyn arall er mwyn rhagfynegi sgorau disgyblion yn y prawf ffitrwydd. O wybod bod $r_{hs} = 0.357$ ac $r_{as} = 0.188$, pa rai o'r tri newidyn fyddech chi'n eu dewis? Rhowch reswm dros eich dewis.   [JMB]

8   Ar ddechrau gêm gardiau arbennig mae chwaraewr yn penderfynu, o edrych ar y cardiau sydd ganddo yn ei law, ar werth hapnewidyn *P*, y mae'r chwaraewr yn ei ddefnyddio i amcangyfrif beth fydd y sgôr ar ddiwedd y gêm. Mae'r hapnewidyn *S* yn dynodi'r wir sgôr ar ddiwedd y gêm. Mae'r tabl isod yn dangos gwerthoedd *S* a *P* a gafwyd mewn hapsampl o 20 gêm. (Er enghraifft, roedd dwy gêm lle'r oedd gwerth *S* yn 10; yn un o'r rhain roedd gwerth *P* yn 26 ac yn y llall roedd yn 28.)

s	*p*
11	31
10	26, 28
9	24, 27
8	20, 25, 23, 23
7	23, 21, 18
6	18, 22, 25
5	13, 16
4	11, 13
3	10

Gwyddom fod $\Sigma p = 417$, $\Sigma p^2 = 9351$.

(i)   Plotiwch yr holl ddata ar ddiagram gwasgariad.

(ii)   Darganfyddwch amcangyfrif o werth y cyfernod cydberthyniad lluoswm–moment rhwng *S* a *P*.

(iii)   Darganfyddwch amcangyfrif o linell atchwel sgwariau lleiaf *S* ar *P*.
   [UCLES(P)]

9   Yn y tabl isod rhoddir sgorau 10 ymgodymwr swmo mewn dwy gystadleuaeth.

Ymgodymwr	1	2	3	4	5
Sgôr cystadleuaeth gyntaf (*x*)	10	10	13	6	9
Sgôr ail gystadleuaeth (*y*)	12	9	11	8	8

Ymgodymwr	6	7	8	9	10
Sgôr cystadleuaeth gyntaf (*x*)	7	6	9	5	6
Sgôr ail gystadleuaeth (*y*)	9	8	11	8	5

Crynhoir y canlyniadau hyn gan $\Sigma x = 81$, $\Sigma x^2 = 713$, $\Sigma y = 89$, $\Sigma y^2 = 829$, $\Sigma xy = 753$.

(i)   Dangoswch y data hyn yn glir ar ddiagram gwasgariad.

(ii)   Darganfyddwch werth y cyfernod cydberthyniad (lluoswm–moment) llinol rhwng *x* ac *y*.

(iii)   Darganfyddwch amcangyfrifon sgwariau lleiaf gwerthoedd y paramedrau α a β yn y llinell atchwel $y = \alpha + \beta x$.   [UCLES(P)]

10   Cafodd cynnwys lleithder, *M*, mewn gramau o ddŵr y 100 gram o solidau sych, samplau craidd o laid o foryd ei fesur ar ddyfnder *D* metr. Dangosir y canlyniadau yn y tabl.

Dyfnder (*D*)	0	5	10	15
Cynnwys lleithder (*M*)	90	82	56	42

Dyfnder (*D*)	20	25	30	35
Cynnwys lleithder (*M*)	30	21	21	18

(a)   Ar bapur graff lluniwch ddiagram gwasgariad o'r data hyn.

(b)   Darganfyddwch, i 3 lle degol, y cyfernod cydberthyniad lluoswm–moment. Heb gynnal prawf arwyddocâd, dehonglwch ystyr eich canlyniad.

(c)   Darganfyddwch hafaliad llinell atchwel *M* ar *D*, gan roi'r cyfernodau i 2 le degol.

(ch)   Darganfyddwch, i 2 le degol, gyfanswm minimwm sgwariau'r gweddillebau ac eglurwch, gan ddefnyddio geiriau a diagram, beth a gynrychiolir gan y rhif hwn.

(d)   Gan ddefnyddio eich hafaliad, amcangyfrifwch, i 2 le degol, y gostyngiad yn *M* pan geir cynnydd o 1 yn *D*.
   [ULSEB]

11   Gwyddyom fod perthynas linol fras rhwng cynnyrch swp-brosesu yn y diwydiant cemegol a thymheredd, o leiaf dros amrediad cyfyngedig o dymereddau. Gwneir dau fesuriad o'r cynnyrch ar bob un o 8 tymheredd, o fewn yr ystod hwn, gyda'r canlynidau isod:

Tymheredd (°C) *x*	180	190	200	210
Cynnyrch (tunelli metrig) *y*	136.2	147.5	153.0	161.7
	136.9	145.1	155.9	167.8

(*parhad*)

Tymheredd (°C) x	220	230	240	250
Cynnyrch (tunelli metrig) y	176.6 164.4	194.2 183.0	194.3 175.5	196.5 219.3

$\Sigma x = 1720$ $\Sigma x^2 = 374\,000$

(a) Plotiwch y data ar ddiagram gwasgariad.

(b) Ar gyfer pob tymheredd, cyfrifwch gymedr y ddau gynnyrch. Cyfrifwch hafaliad llinell atchwel y cynnyrch cymedrig hwn ar dymheredd. Tynnwch y llinell atchwel ar eich diagram gwasgariad.

(c) O edrych ar y llinell atchwel rhagfynegwch gynnyrch swp ar bob un o'r tymereddau canlynol: (i) 175, (ii) 185, (iii) 300. Trafodwch faint o ansicrwydd sydd ym mhob un o'ch tri rhagfynegiad.

(ch) Er mwyn gwella rhagfynegiadau'r cynnyrch cymedrig ar wahanol dymereddau yn y cyfwng 180 i 250 penderfynir cymryd wyth mesuriad cynnyrch arall. Argymhellwch, gan roi rheswm, ar ba dymereddau y dylid cynnal y mesuriadau hyn.   [AEB 91]

12 Dywedodd myfyriwr ystadegaeth fod cyfernod cydbethyniad rhestrol yn rhoi brasamcan o'r cyfernod (lluoswm–moment) llinol. Brasluniwch ddiagram gwasgariad i ddangos sefyllfa lle mae'r gosodiad hwn yn anghywir. Amheuir bod myfyrwyr sy'n gorffen arholiadau mathemateg yn gynnar yn dueddol o gael gwell canlyniadau na myfyrwyr nad ydynt yn gorffen yn gynnar. Mae'r data canlynol yn dangos yr amseroedd (t munud) a'r sgôr (s) ar gyfer hapsampl o 12 myfyriwr a safodd arholiad mathemateg.

t	25	28	32	35	40	44
s	81	59	88	79	95	86

t	47	49	52	55	59	60
s	38	44	54	48	68	73

$\Sigma t = 256$, $\Sigma t^2 = 24\,614$, $\Sigma s = 813$, $\Sigma s^2 = 59\,001$, $\Sigma st = 34\,624$]

(i) Ar gyfer y sampl, cyfrifwch amrywiannau s a t. Cyfrifwch hefyd $\Sigma(s - \bar{s})(t - \bar{t})$ a thrwy hynny, neu fel arall, cyfrifwch y cyfernod cydberthyniad (lluoswm–moment) llinol.

(ii) Cyfrifwch gyfernod cydberthyniad rhestrol Spearman ar gyfer y sampl.
Drwy hynny rhowch brawf, ar y lefel arwyddocâd 5%, ar y rhagdybiaeth bod myfyrwyr sy'n gorffen yn gynnar yn dueddol o wneud yn well na rhai sy'n gorffen yn hwyrach.
                                    [UCLES]

13 Eglurwch pam y mae'n ddoeth plotio diagram gwasgariad cyn dehongli cyfernod cydberthyniad sydd wedi ei gyfrifo ar gyfer sampl a dynnwyd o ddosraniad deunewidyn.

Brasluniwch ddiagramau gwasgariad bras i ddangos y canlynol:

(i) cyfernod (lluoswm–moment) llinol agos at sero ond gyda pherthynas amlwg rhwng y newidynnau,

(ii) perthynas aflinol rhwng y newidynnau sy'n rhoi cyfernod cydberthyniad rhestrol o +1.

Os oes gan gyfernod cydberthyniad sampl werth sy'n agos at +1 neu at −1 pa wybodaeth bellach sydd ei hangen cyn y gellir penderfynu a oes perthynas yn cael ei nodi rhwng y newidynnau?

Rhagdybir bod cydberthyniad positif rhwng poblogaeth gwlad a'i harwynebedd. Mae'r tabl canlynol yn rhoi hapsampl o 13 gwlad, ynghyd â'u harwynebedd x, mewn miloedd o km^2, a'u poblogaeth y, mewn miliynau.

Gwlad	1	2	3	4	5
x	2.5	28	30	72	98
y	0.5	5	2	4	42

Gwlad	6	7	8	9	10
x	121	128	176	239	313
y	21	16	3	14	37

Gwlad	11	12	13
x	407	435	538
y	6	17	22

Plotiwch ddiagram gwasgariad a thrafodwch beth y mae'n ei awgrymu o safbwynt y rhagdybiaeth.

Cyfrifwch gyfernod cydberthyniad addas a rhowch brawf ar ei arwyddocâd ar y lefel 5%.
                                    [UCLES]

14 Yn y tabl dangosir oedrannau, mewn misoedd, a phwysau, mewn kg, hapsampl o 9 baban.

Baban	A	B	C	D	E
Oedran (x)	1	2	2	3	3
Pwysau (y)	4.4	5.2	5.8	6.4	6.7

Baban	F	G	H	I
Oedran (x)	3	4	4	5
Pwysau (y)	7.2	7.6	7.9	8.4

(*a*) Cyfrifwch, i 3 lle degol, y cyfernod cydberthyniad lluoswm moment rhwng pwysau ac oedran y babanod hyn. Rhowch ddehongliad byr o'ch canlyniad.

(*b*) Darganfyddwch hafaliad $y = ax + b$ llinell atchwel pwysau ar oedran y sampl hon, gan roi'r cyfernodau a a b yn gywir i 3 lle degol. Dehonglwch ystyr eich gwerthoedd a a b.

(*c*) Defnyddiwch yr hafaliad hwn i amcangyfrif pwysau cymedrig baban 6 mis oed. Nodwch unrhyw amheuon sydd gennych am yr amcangyfrif hwn, gan roi eich rhesymau.

Gofynnir i fachgen, nad yw'n gwybod beth yw pwysau nac oedrannau'r babanod hyn, eu rhestru trwy ddyfalu yn ôl eu pwysau cynyddol. Mae'n eu gosod yn y drefn hon:

A C E B G D I F H

(*ch*) Cyfrifwch, i 3 lle degol, gyfernod cydberthyniad rhestrol rhwng trefn y bachgen a threfn gywir y pwysau.

(*d*) Gan gyfeirio at y tablau a roddir a chan ddefnyddio lefel arwyddocâd 5%, trafodwch unrhyw gasgliadau a wnewch o'ch canlyniad. [ULSEB]

15 Eglurwch sut y gwnaethoch ddefnyddio, neu sut y gallech fod wedi defnyddio, cyfernod cydberthyniad i ddadansoddi canlyniadau arbrawf. Nodwch yn gryno pryd y mae'n addas defnyddio cyfernod cydberthyniad rhestrol yn hytrach na chyfernod cydberthyniad lluoswm–moment.

Cafodd saith sampl o graig o leoliad arbennig eu dadansoddi. Cofnodwyd canrannau, C ac M, dau ocsid a gynhwysid ym mhob sampl. Dangosir y canlyniadau yn y tabl.

Sampl	1	2	3	4
C	0.60	0.42	0.51	0.56
M	1.06	0.72	0.94	1.04

Sampl	5	6	7
C	0.31	1.04	0.80
M	0.84	1.16	1.24

O wybod bod

$$\Sigma CM = 4.459, \Sigma C^2 = 2.9278, \Sigma M^2 = 7.196$$

darganfyddwch, i 3 lle degol, gyfernod cydberthyniad lluoswm-moment canrannau'r ddau ocsid.

Cyfrifwch hefyd, i 3 lle degol, gyfernod cydberthyniad rhestrol.

Gan ddefnyddio'r tablau a roddir nodwch unrhyw gasgliadau sy'n codi o werth eich cyfernod cydberthyniad rhestrol. Nodwch yn eglur y rhagdybiaeth nwl y rhoir prawf arni. [ULSEB]

16 Gofynnwyd i blant fwyta amrywiaeth o felysion a dosbarthu pob un ar y raddfa ganlynol:

ddim yn hoffi o gwbl/ddim yn hoffi/diduedd/hoffi/hoffi'n fawr iawn.

Cafodd hyn wedyn ei drosglwyddo i raddfa rifyddol 0, 1, 2, 3, 4, lle roedd 0 yn cynrychioli 'ddim yn hoffi o gwbl'. Cynhyrchodd dull tebyg sgôr ar y raddfa 0, 1, 2, 3 ar gyfer pa mor felys oedd pob un o'r melysion a aseswyd gan bob plentyn (po felysaf oeddynt, yr uchaf oedd y sgôr).

Dyma'r dosraniad amlder a gafwyd

		hoffter				
		0	1	2	3	4
	0	5	2	0	0	0
melyster	1	3	14	16	9	0
	2	8	22	42	29	37
	3	3	4	36	58	64

(a) Cyfrifwch y cyfernod cydberthyniad lluoswm–moment ar gyfer y data hyn. Rhowch sylwadau byr ar y data ac ar y cyfernod cydberthyniad.

(b) Gofynnwyd i blentyn raddio 7 o felysion yn ôl pa mor dda a pha mor felys oeddynt, a chafwyd y canlyniadau hyn:

(*parhad*)

SAFLEOEDD

Melysion	A	B	C	D	E	F	G
Hoffter	3	4	1	2	6	5	7
Melyster	2	3	4	1	5	6	7

Cyfrifwch gyfernod cydberthyniad rhestrol Spearman ar gyfer y data hyn.

(c) Awgrymir y dylid cyfrifo'r cyfernod cydberthyniad lluoswm–moment yn rhan (b) a chyfernod cydberthyniad rhestrol Spearman yn rhan (a). Trafodwch yr awgrym hwn.   [AEB 91]

17 Roedd cwmni llogi peiriannau yn cadw cofnodion o oedran, X mis, a chostau cynnal a chadw, £Y, un math o beiriant. Mae'r tabl canlynol yn crynhoi data hapsampl o 10 o'r peiriannau.

Peiriant	A	B	C	D	E
Oedran, x	63	12	34	81	51
Cost cynnal a chadw, y	111	25	41	181	64

Peiriant	F	G	H	I	J
Oedran, x	14	45	74	24	89
Cost cynnal a chadw, y	21	51	145	43	241

(a) Cyfrifwch, i 3 lle degol, y cyfernod cydberthyniad lluoswm–moment.
(Gallwch ddefnyddio $\Sigma x^2 = 30\,625$, $\Sigma y^2 = 135\,481$, $\Sigma xy = 62\,412$.)

(b) Cyfrifwch, i 3 lle degol, gyfernod cydberthyniad rhestrol Spearman.

(c) Casglwyd data tebyg ar gyfer math gwahanol o beiriant. O boblogaeth fawr o beiriannau o'r fath cymerwyd hapsampl o 10 ac roedd cyfernod cydberthyniad rhestrol Spearman, yn seiliedig ar $\Sigma d^2 = 36$, yn 0.782.

Gan ddefnyddio lefel arwyddocâd 5% a chan ddyfynnu o dablau gwerthoedd critigol a ddarparwyd, dehonglwch y cyfernod cydberthyniad rhestrol hwn. Defnyddiwch brawf dwy-gynffon a nodwch yn eglur eich rhagdybiaethau nwl ac arall.   [ULSEB(P)]

18 (a) Beth a olygir pan ddywedir bod y cyfernod cydberthyniad (lluoswm–moment) yn annibynnol ar y raddfa fesur?

(b) Lluniodd 10 pensaer gynllun bob un ar gyfer adeilad newydd a dyfarnodd dau feirniad, A a B, farciau x ac y, yn annibynnol, yn y drefn honno, i'r 10 cynllun, fel y nodir yn y tabl isod.

Cynllun	1	2	3	4	5
Beirniad A (x)	50	35	55	60	85
Beirniad B (y)	46	26	48	44	62

Cynllun	6	7	8	9	10
Beirniad A (x)	25	65	90	45	40
Beirniad B (y)	28	30	60	34	42

Gwyddom fod $\Sigma x = 550$, $\Sigma x^2 = 34\,150$, $\Sigma y = 420$, $\Sigma y^2 = 19\,080$, $\Sigma xy = 25\,020$.

Cyfrifwch y cyfernod cydberthyniad (lluoswm–moment) rhwng y marciau a ddyfernir gan y ddau feirniad.

Cyfrifwch hefyd gyfernod cydberthyniad rhestrol Spearman ar gyfer y data a rhowch brawf, ar y lefel 1%, ar y rhagdybiaeth nad oes cydberthyniad rhwng y marciau a ddyfernir gan y ddau feirniad.

Yn fyr, trafodwch rinweddau cymharol defnyddio'r ddau gyfernod cydberthyniad gwahanol hyn gyda'r set arbennig hon o ddata.   [UCLES]

Atodiad

Tebygolrwyddau cronnus ar gyfer y dosraniad binomial

Ar gyfer gwerthoedd penodol n a p, mae'r tabl yn rhoi gwerthoedd $P(X \leq r)$.

n	r	p									
		0.05	0.10	0.15	0.20	0.25	0.30	0.35	0.40	0.45	0.50
2	0	.9025	.8100	.7225	.6400	.5625	.4900	.4225	.3600	.3025	.2500
	1	.9975	.9900	.9775	.9600	.9375	.9100	.8775	.8400	.7975	.7500
3	0	.8574	.7290	.6141	.5120	.4219	.3430	.2746	.2160	.1664	.1250
	1	.9928	.9720	.9393	.8960	.8438	.7840	.7183	.6480	.5748	.5000
	2	.9999	.9990	.9966	.9920	.9844	.9730	.9571	.9360	.9089	.8750
4	0	.8145	.6561	.5220	.4096	.3164	.2401	.1785	.1296	.0915	.0625
	1	.9860	.9477	.8905	.8192	.7383	.6517	.5630	.4752	.3910	.3125
	2	.9995	.9963	.9880	.9728	.9492	.9163	.8735	.8208	.7585	.6785
	3		.9999	.9995	.9984	.9961	.9919	.9850	.9744	.9590	.9375
5	0	.7738	.5905	.4437	.3277	.2373	.1681	.1160	.0778	.0503	.0313
	1	.9774	.9185	.8352	.7373	.6328	.5282	.4284	.3370	.2562	.1875
	2	.9988	.9914	.9734	.9421	.8965	.8369	.7648	.6826	.5931	.5000
	3		.9995	.9978	.9933	.9844	.9692	.9460	.9130	.8688	.8125
	4			.9999	.9997	.9990	.9976	.9947	.9898	.9815	.9688
6	0	.7351	.5314	.3771	.2621	.1780	.1176	.0754	.0467	.0277	.0156
	1	.9672	.8857	.7765	.6554	.5339	.4202	.3191	.2333	.1636	.1094
	2	.9978	.9842	.9527	.9011	.8306	.7443	.6471	.5443	.4415	.3438
	3	.9999	.9987	.9941	.9830	.9624	.9295	.8826	.8208	.7447	.6563
	4		.9999	.9996	.9984	.9954	.9891	.9777	.9590	.9308	.8906
	5				.9999	.9998	.9993	.9982	.9959	.9917	.9844
7	0	.6983	.4783	.3206	.2097	.1335	.0824	.0490	.0280	.0152	.0078
	1	.9556	.8503	.7166	.5767	.4449	.3294	.2338	.1586	.1024	.0625
	2	.9962	.9743	.9262	.8520	.7564	.6471	.5323	.4199	.3164	.2266
	3	.9998	.9973	.9879	.9667	.9294	.8740	.8002	.7102	.6083	.5000
	4		.9998	.9988	.9953	.9871	.9712	.9444	.9037	.8471	.7734
	5			.9999	.9996	.9987	.9962	.9910	.9812	.9643	.9375
	6					.9999	.9998	.9994	.9984	.9963	.9922
8	0	.6634	.4305	.2725	.1678	.1001	.0576	.0319	.0168	.0084	.0039
	1	.9428	.8131	.6572	.5033	.3671	.2553	.1691	.1064	.0632	.0352
	2	.9942	.9619	.8948	.7969	.6785	.5518	.4278	.3154	.2201	.1445
	3	.9996	.9950	.9786	.9437	.8862	.8059	.7064	.5941	.4770	.3633
	4		.9996	.9971	.9896	.9727	.9420	.8939	.8263	.7396	.6367
	5			.9998	.9988	.9958	.9887	.9747	.9502	.9115	.8555
	6				.9999	.9996	.9987	.9964	.9915	.9819	.9648
	7						.9999	.9998	.9993	.9983	.9961
10	0	.5987	.3487	.1969	.1074	.0563	.0282	.0135	.0060	.0025	.0010
	1	.9139	.7361	.5443	.3758	.2440	.1493	.0860	.0464	.0233	.0107
	2	.9885	.9298	.8202	.6778	.5256	.3828	.2616	.1673	.0996	.0547
	3	.9990	.9872	.9500	.8791	.7759	.6496	.5138	.3823	.2660	.1719
	4	.9999	.9984	.9901	.9672	.9219	.8497	.7515	.6331	.5044	.3770
	5		.9999	.9986	.9936	.9803	.9527	.9051	.8338	.7384	.6230
	6			.9999	.9991	.9965	.9894	.9740	.9452	.8980	.8281
	7				.9999	.9996	.9984	.9952	.9877	.9726	.9453
	8						.9999	.9995	.9983	.9955	.9893
	9								.9999	.9997	.9990

Mae gwerthoedd coll yn cyfateb i debygolrwyddau yn hafal i 1.000, yn gywir i
4 lle degol.

Tebygolrwyddau cronnus ar gyfer y dosraniad Poisson

Ar gyfer gwerthoedd penodol λ, mae'r tabl yn rhoi gwerthoedd $P(X \leq r)$.

r	λ									
	0.1	0.2	0.3	0.4	0.5	0.6	0.7	0.8	0.9	1.0
0	.9048	.8187	.7408	.6703	.6065	.5488	.4966	.4493	.4066	.3679
1	.9953	.9825	.9631	.9384	.9098	.8781	.8442	.8088	.7725	.7358
2	.9998	.9989	.9964	.9921	.9856	.9769	.9659	.9526	.9371	.9197
3		.9999	.9997	.9992	.9982	.9966	.9942	.9909	.9865	.9810
4				.9999	.9998	.9996	.9992	.9986	.9977	.9963
5							.9999	.9998	.9997	.9994
6										.9999

r	λ									
	1.2	1.4	1.6	1.8	2.0	2.5	3.0	3.5	4.0	5.0
0	.3012	.2466	.2019	.1653	.1353	.0821	.0498	.0302	.0183	.0067
1	.6626	.5918	.5249	.4628	.4060	.2873	.1991	.1359	.0916	.0404
2	.8795	.8335	.7834	.7306	.6767	.5438	.4232	.3208	.2381	.1247
3	.9662	.9463	.9212	.8913	.8571	.7576	.6472	.5366	.4335	.2650
4	.9923	.9857	.9763	.9636	.9473	.8912	.8153	.7254	.6288	.4405
5	.9985	.9968	.9940	.9896	.9834	.9580	.9161	.8576	.7851	.6160
6	.9997	.9994	.9987	.9974	.9955	.9858	.9665	.9347	.8893	.7622
7		.9999	.9997	.9994	.9989	.9958	.9881	.9733	.9489	.8666
8				.9999	.9998	.9989	.9962	.9901	.9786	.9319
9						.9997	.9989	.9967	.9919	.9682
10						.9999	.9997	.9990	.9972	.9863
11							.9999	.9997	.9991	.9945
12								.9999	.9997	.9980
13									.9999	.9993
14										.9998
15										.9999

Mae gwerthoedd coll yn cyfateb i debygolrwyddau yn hafal i 1.000, yn gywir i 4 lle degol.

Y ffwythiant dosraniad normal

Mae'r tabl yn rhoi gwerthoedd $\Phi(z) = P(Z < z)$, pan fo gan Z ddosraniad normal, cymedr 0 ac amrywiant 1.

z	$\Phi(z)$										ADIO								
	0	1	2	3	4	5	6	7	8	9	1	2	3	4	5	6	7	8	9
0.0	.5000	.5040	.5080	.5120	.5160	.5199	.5239	.5279	.5319	.5359	4	8	12	16	20	24	28	32	36
0.1	.5398	.5438	.5478	.5517	.5557	.5596	.5636	.5675	.5714	.5753	4	8	12	16	20	24	28	32	36
0.2	.5793	.5832	.5871	.5910	.5948	.5987	.6026	.6064	.6103	.6141	4	8	12	15	19	23	27	31	35
0.3	.6179	.6217	.6255	.6293	.6331	.6368	.6406	.6443	.6480	.6517	4	7	11	15	19	22	26	30	34
0.4	.6554	.6591	.6628	.6664	.6700	.6736	.6772	.6808	.6844	.6879	4	7	11	14	18	22	25	29	32
0.5	.6915	.6950	.6985	.7019	.7054	.7088	.7123	.7157	.7190	.7224	3	7	10	14	17	20	24	27	31
0.6	.7257	.7291	.7324	.7357	.7389	.7422	.7454	.7486	.7517	.7549	3	7	10	13	16	19	23	26	29
0.7	.7580	.7611	.7642	.7673	.7704	.7734	.7764	.7794	.7823	.7852	3	6	9	12	15	18	21	24	27
0.8	.7881	.7910	.7939	.7967	.7995	.8023	.8051	.8078	.8106	.8133	3	5	8	11	14	16	19	22	25
0.9	.8159	.8186	.8212	.8238	.8264	.8289	.8315	.8340	.8365	.8389	3	5	8	10	13	15	18	20	23
1.0	.8413	.8438	.8461	.8485	.8508	.8531	.8554	.8577	.8599	.8621	2	5	7	9	12	14	16	19	21
1.1	.8643	.8665	.8686	.8708	.8729	.8749	.8770	.8790	.8810	.8830	2	4	6	8	10	12	14	16	18
1.2	.8849	.8869	.8888	.8907	.8925	.8944	.8962	.8980	.8997	.9015	2	4	6	7	9	11	13	15	17
1.3	.9032	.9049	.9066	.9082	.9099	.9115	.9131	.9147	.9162	.9177	2	3	5	6	8	10	11	13	14
1.4	.9192	.9207	.9222	.9236	.9251	.9265	.9279	.9292	.9306	.9319	1	3	4	6	7	8	10	11	13
1.5	.9332	.9345	.9357	.9370	.9382	.9394	.9406	.9418	.9429	.9441	1	2	4	5	6	7	8	10	11
1.6	.9452	.9463	.9474	.9484	.9495	.9505	.9515	.9525	.9535	.9545	1	2	3	4	5	6	7	8	9
1.7	.9554	.9564	.9573	.9582	.9591	.9599	.9608	.9616	.9625	.9633	1	2	3	4	4	5	6	7	8
1.8	.9641	.9649	.9656	.9664	.9671	.9678	.9686	.9693	.9699	.9706	1	1	2	3	4	4	5	6	6
1.9	.9713	.9719	.9726	.9732	.9738	.9744	.9750	.9756	.9761	.9767	1	1	2	2	3	4	4	5	5
2.0	.9772	.9778	.9783	.9788	.9793	.9798	.9803	.9808	.9812	.9817	0	1	1	2	2	3	3	4	4
2.1	.9821	.9826	.9830	.9834	.9838	.9842	.9846	.9850	.9854	.9857	0	1	1	2	2	2	3	3	4
2.2	.9861	.9864	.9868	.9871	.9875	.9878	.9881	.9884	.9887	.9890	0	1	1	1	2	2	2	3	3
2.3	.9893	.9896	.9898	.9901	.9904	.9906	.9909	.9911	.9913	.9916	0	1	1	1	1	2	2	2	2
2.4	.9918	.9920	.9922	.9924	.9927	.9929	.9931	.9932	.9934	.9936	0	0	1	1	1	1	1	2	2
2.5	.9938	.9940	.9941	.9943	.9945	.9946	.9948	.9949	.9951	.9952	0	0	0	1	1	1	1	1	1
2.6	.9953	.9955	.9956	.9957	.9958	.9960	.9961	.9962	.9963	.9964	0	0	0	0	1	1	1	1	1
2.7	.9965	.9966	.9967	.9968	.9969	.9970	.9971	.9972	.9973	.9974	0	0	0	0	0	1	1	1	1
2.8	.9974	.9975	.9976	.9977	.9977	.9978	.9979	.9979	.9980	.9981	0	0	0	0	0	0	0	1	1
2.9	.9981	.9982	.9982	.9983	.9984	.9984	.9985	.9985	.9986	.9986	0	0	0	0	0	0	0	0	0

Pwyntiau canrannol cynffon-uchaf ar gyfer y dosraniad normal safonol

Mae'r tabl yn rhoi gwerthoedd z y mae $P(Z > z) = 1 - \Phi(z) = q\%$, pan fo dosraniad Z yn $N(0, 1)$.

$q(\%)$	z	$q(\%)$	z	$q(\%)$	z	$q(\%)$	z	$q(\%)$	z
50	0.000	15	1.036	2.5	1.960	1.0	2.326	0.04	3.353
45	0.126	14	1.080	2.4	1.977	0.9	2.366	0.03	3.432
40	0.253	13	1.126	2.3	1.995	0.8	2.409	0.02	3.540
35	0.385	12	1.175	2.2	2.014	0.7	2.457	0.01	3.719
30	0.524	11	1.227	2.1	2.034	0.6	2.512	0.0^25	3.891
25	0.674	10	1.282	2.0	2.054	0.5	2.576	0.0^21	4.265
24	0.706	9	1.341	1.9	2.075	0.4	2.652	0.0^35	4.417
23	0.739	8	1.405	1.8	2.097	0.3	2.748	0.0^31	4.753
22	0.772	7	1.476	1.7	2.120	0.2	2.878	0.0^45	4.892
21	0.806	6	1.555	1.6	2.144	0.1	3.090	0.0^41	5.199
20	0.842	5	1.645	1.5	2.170	0.09	3.121	0.0^55	5.327
19	0.878	4.5	1.695	1.4	2.197	0.08	3.156	0.0^51	5.612
18	0.915	4	1.751	1.3	2.226	0.07	3.195	0.0^65	5.731
17	0.954	3.5	1.812	1.2	2.257	0.06	3.239	0.0^61	5.998
16	0.994	3	1.881	1.1	2.290	0.05	3.291	0.0^75	6.109

Pwyntiau canrannol ar gyfer y dosraniad-*t*

Os oes gan T ddosraniad-t_v, yna mae gwerth tabledig, t, yn peri bod $P(T < t) = p\%$.

v	$p(\%)$								
	75	90	95	97.5	99	99.5	99.75	99.9	99.95
1	1.000	3.078	6.314	12.71	31.82	63.66	127.3	318.3	636.6
2	0.816	1.886	2.920	4.303	6.965	9.925	14.09	22.33	31.60
3	0.765	1.638	2.353	3.182	4.541	5.841	7.453	10.21	12.92
4	0.741	1.533	2.132	2.776	3.747	4.604	5.598	7.173	8.610
5	0.727	1.476	2.015	2.571	3.365	4.032	4.773	5.893	6.869
6	0.718	1.440	1.943	2.447	3.143	3.707	4.317	5.208	5.959
7	0.711	1.415	1.895	2.365	2.998	3.499	4.029	4.785	5.408
8	0.706	1.397	1.860	2.306	2.896	3.355	3.833	4.501	5.041
9	0.703	1.383	1.833	2.262	2.821	3.250	3.690	4.297	4.781
10	0.700	1.372	1.812	2.228	2.764	3.169	3.581	4.144	4.587
11	0.697	1.363	1.796	2.201	2.718	3.106	3.497	4.025	4.437
12	0.695	1.356	1.782	2.179	2.681	3.055	3.428	3.930	4.318
13	0.694	1.350	1.771	2.160	2.650	3.012	3.372	3.852	4.221
14	0.692	1.345	1.761	2.145	2.624	2.977	3.326	3.787	4.140
15	0.691	1.341	1.753	2.131	2.602	2.947	3.286	3.733	4.073
16	0.690	1.337	1.746	2.120	2.583	2.921	3.252	3.686	4.015
17	0.689	1.333	1.740	2.110	2.567	2.898	3.222	3.646	3.965
18	0.688	1.330	1.734	2.101	2.552	2.878	3.197	3.610	3.922
19	0.688	1.328	1.729	2.093	2.539	2.861	3.174	3.579	3.883
20	0.687	1.325	1.725	2.086	2.528	2.845	3.153	3.552	3.850
21	0.686	1.323	1.721	2.080	2.518	2.831	3.135	3.527	3.819
22	0.686	1.321	1.717	2.074	2.508	2.819	3.119	3.505	3.792
23	0.685	1.319	1.714	2.069	2.500	2.807	3.104	3.485	3.768
24	0.685	1.318	1.711	2.064	2.492	2.797	3.091	3.467	3.745
25	0.684	1.316	1.708	2.060	2.485	2.787	3.078	3.450	3.725
26	0.684	1.315	1.706	2.056	2.479	2.779	3.067	3.435	3.707
27	0.684	1.314	1.703	2.052	2.473	2.771	3.057	3.421	3.690
28	0.683	1.313	1.701	2.048	2.467	2.763	3.047	3.408	3.674
29	0.683	1.311	1.699	2.045	2.462	2.756	3.038	3.396	3.659
30	0.683	1.310	1.697	2.042	2.457	2.750	3.030	3.385	3.646
40	0.681	1.303	1.684	2.021	2.423	2.704	2.971	3.307	3.551
60	0.679	1.296	1.671	2.000	2.390	2.660	2.915	3.232	3.460
120	0.677	1.289	1.658	1.980	2.358	2.617	2.860	3.160	3.373
∞	0.674	1.282	1.645	1.960	2.326	2.576	2.807	3.090	3.291

Pwyntiau canrannol ar gyfer y dosraniad χ^2

Os oes gan X ddosraniad χ^2_ν, yna bydd gwerth tabledig, x, yn peri bod
$P(X < x) = p\%$.

ν		$p(\%)$							
	Cynffon isaf			Cynffon uchaf					
	0.5	2.5	5	90	95	97.5	99	99.5	99.9
1	0.0^43927	0.0^39821	0.0^23932	2.706	3.841	5.024	6.635	7.879	10.83
2	0.01003	0.05064	0.1026	4.605	5.991	7.378	9.210	10.60	13.82
3	0.07172	0.2158	0.3518	6.251	7.815	9.348	11.34	12.84	16.27
4	0.2070	0.4844	0.7107	7.779	9.488	11.14	13.28	14.86	18.47
5	0.4117	0.8312	1.145	9.236	11.07	12.83	15.09	16.75	20.52
6	0.6757	1.237	1.635	10.64	12.59	14.45	16.81	18.55	22.46
7	0.9893	1.690	2.167	12.02	14.07	16.01	18.48	20.28	24.32
8	1.344	2.180	2.733	13.36	15.51	17.53	20.09	21.95	26.12
9	1.735	2.700	3.325	14.68	16.92	19.02	21.67	23.59	27.88
10	2.156	3.247	3.940	15.99	18.31	20.48	23.21	25.19	29.59
11	2.603	3.816	4.575	17.28	19.68	21.92	24.72	26.76	31.26
12	3.074	4.404	5.226	18.55	21.03	23.34	26.22	28.30	32.91
13	3.565	5.009	5.892	19.81	22.36	24.74	27.69	29.82	34.53
14	4.075	5.629	6.571	21.06	23.68	26.12	29.14	31.32	36.12
15	4.601	6.262	7.261	22.31	25.00	27.49	30.58	32.80	37.70
16	5.142	6.908	7.962	23.54	26.30	28.85	32.00	34.27	39.25
17	5.697	7.564	8.672	24.77	27.59	30.19	33.41	35.72	40.79
18	6.265	8.231	9.390	25.99	28.87	3.153	34.81	37.16	42.31
19	6.844	8.907	10.12	27.20	30.14	32.85	36.19	38.58	43.82
20	7.434	9.591	10.85	28.41	31.41	34.17	37.57	40.00	45.31
21	8.034	10.28	11.59	29.62	32.67	35.48	38.93	41.40	46.80
22	8.643	10.98	12.34	30.81	33.92	36.78	40.29	42.80	48.27
23	9.260	11.69	13.09	32.01	35.17	38.08	41.64	44.18	49.73
24	9.886	12.40	13.85	33.20	36.42	39.36	42.98	45.56	51.18
25	10.52	13.12	14.61	34.38	37.65	40.65	44.31	46.93	52.62
30	13.79	16.79	18.49	40.26	43.77	46.98	50.89	53.67	59.70
40	20.71	24.43	26.51	51.81	55.76	59.34	63.69	66.77	73.40
50	27.99	32.36	34.76	63.17	67.50	71.42	76.15	79.49	86.66
60	35.53	40.48	43.19	74.40	79.08	83.30	88.38	91.95	99.61
70	43.28	48.76	51.74	85.53	90.53	95.02	100.4	104.2	112.3
80	51.17	57.15	60.39	96.58	101.9	106.6	112.3	116.3	124.8
90	59.20	65.65	69.13	107.6	113.1	118.1	124.1	128.3	137.2
100	67.33	74.22	77.93	118.5	124.3	129.6	135.8	140.2	149.4

Ar gyfer gwerthoedd ν sydd yn fwy na 100, defnyddiwch y canlyniad bod gan $\sqrt{2X}$ ddosraniad normal bras, cymedr $\sqrt{2\nu - 1}$ ac amrywiant 1.

Gwerthoedd critigol ar gyfer y cyfernod cydberthyniad lluoswm-moment, *r*

Tybir bod X ac Y yn anghydberthynol a bod ganddynt ddosraniadau normal.

Gwerthoedd critigol ar gyfer profion un gynffon

Y gwerthoedd yn y tabl yw pwyntiau 5% ac 1% cynffon uchaf dosraniad *r* a thrwy hynny maent yn addas ar gyfer profion 10% a 2% dwy gynffon.

n	5%	1%	n	5%	1%	n	5%	1%	n	5%	1%
4	.900	.980	13	.476	.634	22	.360	.492	40	.264	.367
5	.805	.934	14	.458	.612	23	.352	.482	50	.235	.328
6	.729	.882	15	.441	.592	24	.344	.472	60	.214	.300
7	.669	.833	16	.426	.574	25	.337	.462	70	.198	.278
8	.621	.789	17	.412	.558	26	.330	.453	80	.185	.260
9	.582	.750	18	.400	.543	27	.323	.445	90	.174	.245
10	.549	.715	19	.389	.529	28	.317	.437	100	.165	.232
11	.521	.685	20	.378	.516	29	.312	.430	110	.158	.222
12	.497	.658	21	.369	.503	30	.306	.423	120	.151	.212

Gwerthoedd critigol ar gyfer profion dwy gynffon

Y gwerthoedd yn y tabl yw pwyntiau 2.5% a 0.5% cynffon uchaf dosraniad *r* a thrwy hynny maent yn addas ar gyfer profion 5% ac 1% dwy gynffon.

n	5%	1%	n	5%	1%	n	5%	1%	n	5%	1%
4	.950	.990	13	.553	.684	22	.423	.537	40	.312	.403
5	.878	.959	14	.532	.661	23	.413	.526	50	.279	.361
6	.811	.917	15	.514	.641	24	.404	.515	60	.254	.330
7	.754	.874	16	.497	.623	25	.396	.505	70	.235	.306
8	.707	.834	17	.482	.606	26	.388	.496	80	.220	.286
9	.666	.798	18	.468	.590	27	.381	.487	90	.207	.270
10	.632	.765	19	.456	.575	28	.374	.478	100	.197	.256
11	.602	.735	20	.444	.561	29	.367	.470	110	.187	.245
12	.576	.708	21	.433	.549	30	.361	.463	120	.179	.234

Ar gyfer gwerthoedd y tu allan i gwmpas y tablau, defnyddiwch y ffaith, o dybio H_0, bod $r\sqrt{\dfrac{n-2}{1-r^2}}$ yn arsylwad o ddosraniad-t_{n-2}.

Ar y llaw arall, defnyddiwch y canlyniad bod $r\sqrt{n-1}$ yn fras yn arsylwad o ddosraniad $N(0,1)$.

Gwerthoedd critigol ar gyfer cyfernod cydberthyniad rhestrol Spearman, r_s

Tybir bod o leiaf un trefniant yn cynnwys hapdrynewid o'r rhifau 1 i n.

Gwerthoedd critigol ar gyfer profion un gynffon

Mae'r cofnodion yn y tabl yn werthoedd lleiaf r_S (i 3 ll.d.) sy'n cyfateb i debygolrwyddau un gynffon yn llai na neu'n hafal i 5% (neu 1%). Mae'r gwerth arsylwedig yn arwyddocaol *os yw'n hafal i, neu'n fwy na'r* gwerth yn y tabl. Ni fydd y lefel arwyddocâd union fyth yn fwy na'r gwerth nominal. Gellir defnyddio'r tabl i ddarparu gwerthoedd critigol 10% a 2% mewn profion dwy gynffon ar gyfer r_S hefyd. Mae'r seren yn dangos na ellir ennill arwyddocâd ar y lefel hon yn yr achos hwn.

n	5%	1%	n	5%	1%	n	5%	1%	n	5%	1%
4	1.000	*	11	.536	.709	18	.401	.550	25	.337	.466
5	.900	1.000	12	.503	.678	19	.391	.535	26	.331	.457
6	.829	.943	13	.484	.648	20	.380	.522	27	.324	.449
7	.714	.893	14	.464	.626	21	.370	.509	28	.318	.441
8	.643	.833	15	.446	.604	22	.361	.497	29	.312	.433
9	.600	.783	16	.429	.582	23	.353	.486	30	.306	.425
10	.564	.745	17	.414	.566	24	.344	.476	40	.264	.368

Gwerthoedd critigol ar gyfer profion dwy gynffon

Mae'r cofnodion yn y tabl yn werthoedd positif lleiaf r_S (i 3 ll.d.) sy'n cyfateb i debygolrwyddau dwy gynffon yn llai na neu'n hafal i 5% (neu 1%). Mae'r gwerth arsylwedig yn arwyddocaol *os yw'n hafal i, neu'n fwy na'r* gwerth yn y tabl. Ni fydd y lefel arwyddocâd union fyth yn fwy na'r gwerth nominal. Gellir defnyddio'r tabl i ddarparu gwerthoedd critigol 2.5% a 0.5% mewn profion un gynffon ar gyfer r_S hefyd. Mae'r sêr yn dangos na ellir ennill arwyddocâd ar y lefelau penodol yn yr achosion hyn.

n	5%	1%	n	5%	1%	n	5%	1%	n	5%	1%
4	*	*	11	.618	.755	18	.472	.600	25	.398	.511
5	1.000	*	12	.587	.727	19	.460	.584	26	.390	.501
6	.886	1.000	13	.560	.703	20	.447	.570	27	.383	.492
7	.786	.929	14	.538	.679	21	.436	.556	28	.375	.483
8	.738	.881	15	.521	.654	22	.425	.544	29	.368	.475
9	.700	.833	16	.503	.635	23	.416	.532	30	.362	.467
10	.648	.794	17	.488	.618	24	.407	.521	40	.313	.405

Ar gyfer $n > 40$, o dybio H_0, mae r_S yn fras yn arsylwad o ddosraniad normal, cymedr 0 ac amrywiant $\frac{1}{n-1}$.

Haprifau

07552	37078	70487	39809	35705	42662
28859	92692	51960	51172	02339	94211
64473	62150	49273	29664	05698	05946
55434	20290	33414	26519	65317	47580
20131	05658	01643	17950	74442	30519
04287	26200	37224	23042	85793	50649
19631	42910	35954	88679	34461	45854
52646	83321	52538	41676	71829	00734
11107	55247	73970	67044	29864	72349
16311	04954	92332	51595	96460	77412
37057	83986	98419	76401	15412	68418
33724	28633	85953	82213	07827	48740
43737	15929	19659	52804	72335	25208
16929	84478	31341	60265	19404	27881
10131	98571	20877	34585	22353	54505
29998	48921	60361	12353	28334	84764
96525	74926	82302	97562	57805	40464
49955	60120	14557	04036	55397	54710
27936	70742	69960	69090	25800	53457
43045	75684	77671	70298	21292	27677
38782	35325	61068	64149	73456	06831
47347	47512	09263	83713	04450	31376
98561	93657	76725	55243	95540	31611
30674	43720	80477	82488	44328	55607
20293	63332	24626	56001	23528	85302

Atebion

Ymarferion 1a

1

0	1	2	3	4	5	6
6	8	4	2	3	0	1

2

0	1	2	3
7	5	4	2

3

4	5	6	7	8
1	4	7	5	4

4

3	4	5	6	7	8	9	10	11
1	1	2	3	2	5	2	3	1

5

25	26	27	28	29	30	31	32	33	34
1	0	0	5	3	1	4	3	0	1

6

46	47	48	49	50	51	52	53	54
1	3	4	2	3	5	3	3	1

7

1	2, 8
2	1, 4, 7, 7, 7
3	1, 4, 5, 7
4	1, 2, 8
5	0

Allwedd: 3|5 = 35

8

3	4
3	5, 5, 8
4	1, 1, 4
4	5, 6, 7, 7
5	1, 1
5	6
6	2
6	
7	3, 4

Allwedd: 6|2 = 62

9

16	2
17	
18	2, 7
19	2, 5, 7
20	0, 4, 8, 9
21	0, 3, 3, 5, 7, 9
22	4, 9

Allwedd: 16|2 = 162

10

1	74, 99
2	22, 44, 63, 84
3	21, 35, 62, 76, 77
4	13, 14, 24
5	02, 10

Allwedd: 5|02 = 50.2

11

Cyff		Gwreiddiog
	30	5, 9
8	40	3, 4, 6, 8
8, 7, 5, 2	50	0, 1, 3, 6
8, 5, 3, 1, 0	60	

Allwedd: 8|40 = 48 = 40|8

Mae'r gwerthoedd ar gyfer y cyffion toredig yn fwy ar y cyfan.

12

Anffafriol		Dim adwaith
	20	9
9, 7, 3	30	8
4, 1	40	4
1	50	1, 3, 3, 3, 4, 7
4	60	3, 7, 8
2	70	

Allwedd: 4|40 = 44 = 40|4

Mae'r cleifion hŷn yn llai tebygol na'r rhai iau i gael adwaith anffafriol.

Ymarferion 1b

1 Uchderau yn y cymarebau $6:8:4:2:3:0:1$

2 Uchderau yn y cymarebau $7:5:4:2$

3 Uchderau yn y cymarebau $1:4:7:5:4$

4 Uchderau yn y cymarebau $1:1:2:3:2:5:2:3:1$

5 Uchderau yn y cymarebau $4:5:9:7:2:5:1:1:1$

6 (i) a (ii) cymarebau $1:3:5:2$
   (iii) Onglau'r sectorau $33°, 98°, 164°, 65°$

7 (iii) Onglau'r sectorau $29°, 65°, 95°, 99°, 73°$

10 (ii) Onglau'r sectorau (bechgyn) $34°, 71°, 102°, 102°, 51°$, a (merched) $22°, 57°, 85°, 95°, 101°$
   Radiysau'r siartiau cylch yn ddewisol yn y gymhareb $\sqrt{148}:\sqrt{114}$

11 (i) Onglau'r sectorau: (1872) $311°, 49°, 0°$; (1931) $330°, 27°, 3°$; (1965) $319°, 18°, 24°$

Ymarferion 1c

1 Ffiniau yn 749.5, ayb. Amlderau: $5, 2, 9, 4$

2 Ffiniau yn 24.95, ayb. Amlderau: $1, 3, 5, 4, 3, 2, 2$

3 Ffiniau yn (dyweder) 35.0, 40.0, ayb.
   Amlderau: $1, 3, 6, 4, 6, 3, 2$

4 Ffiniau yn (dyweder) 9.5, 19.5, ayb.
   Amlderau: $3, 7, 4, 7, 5, 2, 2$

5 Ffiniau yn 0, 19.5, 39.5, 59.5, 99.5
   Uchderau yn y cymarebau $4.10:17:12:3$

6 Ffiniau yn $-0.5, 29.5, 49.5, 69.5, 99.5$
   Uchderau yn y cymarebau $3:18:55.5:14$

7 Ffiniau yn 0, 1, 5, 15, …, 100 (dyweder)
   Uchderau yn y cymarebau
   $759:782:742:772:930:779:671:568:517:302:66$

8 Ffiniau yn 16 (dyweder), 20, 25, 30, 35, 40, 45 (dyweder)
   Uchderau yn y cymarebau
   $13.1:34.7:49.7:32.3:10.7:2.0$

9 Uchderau yn y cymarebau
   $572.4:1158:1399:1441:1141:878:553:319:83$

10 Ffiniau yn 0, 2, 5, 9, 13
   Uchderau yn y cymarebau $17.5:17:20.75:8.75$

11 Ffiniau yn 0, 4.5, 9.5, 14.5, 19.5, 29.5
   Uchderau yn y cymarebau $2.2:7:15:18:2.5$

Ymarferion 1ch

1 (i) Plotio yn (4.5, 0), (14.5, 1), (24.5, 3), ayb.
   (ii) Plotio yn (9.5, 0), (19.5, 1), … , (69.5, 37)

2 (i) Plotio yn (624.5, 0), (674.5, 1), ayb.
  (ii) Plotio yn (649.5, 0), (699.5, 1), … , (899.5, 37)
3 Plotio yn (4, 0), (4, 1), (5, 1), (5, 5), (6, 5), … , (8, 21)
4 Plotio yn (3, 0), (3, 1), (4, 1), (4, 2), (5, 2), … , (11, 20)
5 Plotio yn (0, 0), (0, 4), (1, 4), (1, 9), (2, 9), … , (8, 35)
6 Plotio yn (0, 0), (2, 35), (5, 86), (9, 169), (13, 204)
7 Plotio yn (0, 0), (1, 759), (5, 3888), (15, 11 305),
  … , (100, 58 190) [Anwybyddwch y cyfeiliornad
  talgrynnu]
8 Plotio yn (16, 0), (20, 52.4), (25, 225. 8), … , (45, 699.2)

Ymarferion 1d

Nid yw'r datrysiadau isod, sy'n dangos dewis yr awdur,
yn unigryw.
1 Cyfres amser: pwyntiau cysylltiedig o (1970, 6.5) i
  (1979, 9.2)
2 Diagram gwasgariad. Echelin *y* toredig
3 Cyfres amser: pwyntiau cysylltiedig o (1750, 25.5) i
  (1850, 17.2). Echelin *y* toredig
4 Cyfres amser: pwyntiau cysylltiedig o (Ion '94, 255) i
  (Hyd '95, 243). Echelin *y* toredig
5 Cyfres amser: Un posibilrwydd fyddai dangos
  cynhyrchiad trwy ddefnyddio pwyntiau cysylltiedig
  o (chw 1af 1993, 238) i (4ydd chw 1995, 228). Echelin
  y wedi'i thorri ddwywaith gan hepgor 0 < *y* < 50 a
  120 < *y* < 200. Allforion ar yr un graff gyda llinell
  doredig yn cysylltu (chw 1af 1993, 57) i (4ydd chw
  1995, 91). Ar y llaw arall, gellid llunio ail gyfres amser
  i fynd gyda'r graff cynhyrchiad yn dangos newidiadau
  yn y gymhareb allforion i gynhyrchiad: yn cysylltu
  (chw 1af 1993, 0.24) i (4ydd chw 1995, 0.40)

Ymarferion 1dd (Amrywiol)

Mae rhai cwestiynau yn y set hon o ymarferion yn
gofyn am sylwadau ar y data a roddir. Yn aml, mae
sawl sylw posibl. Dylid ystyried yr atebion a roddir fel
enghreifftiau yn unig o'r atebion y gellid eu rhoi.

1

1	9
2	1, 2, 3, 3, 4, 4, 4, 4, 5, 6, 8
3	1, 4, 8, 9, 9, 9
4	2, 3, 3, 4, 4, 5, 6, 8
5	0, 3, 6
6	0, 1, 3
7	Allwedd: 5|3 = 53
8	3

2

1.6	0, 9
1.7	0, 2, 6, 9
1.8	7, 8
1.9	2, 3, 3, 9
2.0	1, 8
2.1	1, 1, 2
2.2	2, 3
2.3	Allwedd: 2.2|3 = 2.23
2.4	4

3 Ar gyfer marwolaethau, bydd angen siart cylch gyda
  dau sector ag onglau 254° a 106°.

4 27°, 10°, 20°, 51°, 112°, 136°, 3° yn fras
5 (i) Cynyddu'n gyflym hyd at 1989, dim llawer o
  newid ers hynny
  (ii) Dau graff cyfres amser wedi eu harosod ar ei gilydd
  (iii) (a) Gwir, 0.18 < 0.2;
    (b) Dim gwybodaeth am rifau cerbydau
6 (i) Gwallau talgrynnu cronnus
  (ii) Nifer mewn cartrefi yn lleihau; mwy o fenywod
  na gwrywod
  (iii) Nid yw nifer y cartrefi yn gyson
7 (*a*) 86°, 38°, 32°, 20°, 168°, 16°
  (*b*) 5.48 cm
8 Uchderau yn y cymarebau 2 : 4 : 3 : 14 : 4 : 2 : 0.5;
  newidyn di-dor
9 Uchderau yn y cymarebau 4 : 15 : 25 : 9 : 6 : 2.3 : 1; ar
  sgiw i'r dde

Ymarferion 2a

1 B
2 5–8 oed
3 25–34
4 Mae nifer cymedrig y coesau yn llai na 2
5 11.21 s
6 (i) 0 (ii) 1.06
7 (i) 8 (ii) 7.4
8 4.54 m
9 0.003
10 £11.96
11 90.61 kg, 91.24 kg
12 22
13 (i) 2 (ii) 2.8
14 $\frac{1}{2}$ mod
15 50

16

2	9
3	1, 1, 2
3	5, 5, 5, 7, 7, 8, 9
4	0, 1, 1, 2, 2, 3, 4
4	5, 8 Allwedd: 3|7 = 37 Canolrif = 39

17

3	4, 5, 5, 8
4	1, 1, 4, 5, 6, 7, 7
5	1, 1, 5, 6
6	
7	4, 5
8	2 Allwedd: 7|5 = 75 Canolrif = 46.5

18 (i) 31.6 (ii) 31
19 (i) 29.8 (ii) 29.5
20 (i) 9.73 (ii) 10 (iii) 10

Ymarferion 2b

3 (i) 36 (ii) 204 (iii) 92
4 36.5
5 1239
6 9.81
7 −2
8 15.4

Ymarferion 2c

Efallai y bydd rhai atebion ychydig yn wahanol o ganlyniad i wahanol dybiaethau ynglŷn â chywirdeb cofnodi'r data gwreiddiol.

1 0.39
2 1.2
3 3.97, 4
4 27.9, 27.5
5 (i)   89   (ii) 100
6 (iii) 114 milltir   (ii) 80–99 milltir
7 (i)   16 010 milltir   (ii) 15 000–15 999 milltir
8 (i)   26.4   (ii) 21–25
9 $a = 2, b = 3$
10 £14 450

Ymarferion 2ch

1 (i)   1008   (ii) 2.08   (iii) 1080
2 1.000 000 005, 1.000 000 005, 1.000 000 006
3 £801   **11** 16 010 milltir
4 29.78   **12** 26.37
5 (i) £54.95   **13** 5.9
6 £2.62   **14** £15 300
7 70.74   **15** -0.4805
8 50.04   **16** 19.85
9 1003.1 mb   **17** 44
10 0.8177 mm

Ymarferion 2d

1 0.81 mm, 0.83 mm
2 48, 52
3 993 mb, 1015 mb
4 20, 35; 35.5
5 2.5, 5; 2
6 41, 55; 44.7
7 15 220 milltir, 16 830 milltir; 14 280 milltir, 15 070 milltir
8 20, 33; 19, 34
9 (a)   29   (b) (i) 8.5 mun   (ii) 11.4 mun
10 (*a*)   Plotio yn (5,6), (10,20), (15,85), (20,148), (25,172), (30,184), (35,194), (40,200)
   (*b*)   16.2 litr   (*c*) £7.64   (*ch*) 19%

Ymarferion 2dd

Mae rhai cwestiynau yn y set hon o ymarferion yn gofyn am sylwadau ar y data a roddir. Yn aml, mae sawl sylw posibl. Dylid ystyried yr atebion a roddir fel enghreifftiau yn unig o'r atebion y gellid eu rhoi.

1 15, 7; $Q_1 = 6, Q_2 = 9.5, Q_3 = 13$; 10.5
2 18, 11.5; $Q_1 = 12.0, Q_2 = 19.0, Q_3 = 23.5$; 19.0
3 $Q_1 = 149, Q_2 = 180, Q_3 = 300$; wisgers yn diweddu yn 108 a 301, allanolyn yn 660
4 $Q_1 = 157, Q_2 = 225, Q_3 = 331$
5 Ysmygwyr: $Q_1 = 119, Q_2 = 125, Q_3 = 130$
   Di-ysmygwyr: $Q_1 = 113, Q_2 = 116, Q_3 = 129$
6 $Q_1 = 9, Q_2 = 22, Q_3 = 36$; wisgers yn diweddu yn 0 a 57, allanolyn yn 104

7 21, 12.25; $Q_1 = 2.25, Q_2 = 5, Q_3 = 14.5$
8 (i) Llygod mawr profiadol:

11	8
12	0, 1
12	5, 6, 7, 8, 9
13	0, 0, 1, 2
13	5, 7 Allwedd: 12|6 = 126

Llygod mawr dibrofiad:

12	6
13	4
13	5, 9
14	2, 4
14	5, 5, 7, 9
15	2, 3
15	6 Allwedd: 14|7 = 147

   (ii)   Profiadol: $Q_1 = 123$ s, $Q_2 = 128.5$ s, $Q_3 = 131$ s
      Dibrofiad: $Q_1 = 138$ s, $Q_2 = 145$ s, $Q_3 = 150$ s
   (iii)   Mae llygod mawr profiadol yn gyflymach yn gyffredinol, gydag amserau llai amrywiol
9 (a) (ii) 6, 3
   (b) Y tlodion
   (c) Ydy, o dybio bod cyfenw a pherchnogaeth ffôn yn annibynnol ar ei gilydd.
10 (a)

40	1, 2, 3, 4, 4, 6, 7, 7, 8, 8
50	0, 2, 2, 2, 3, 4, 6, 7, 8, 8
60	0, 2, 3, 3, 6, 6, 7, 7, 8
70	0, 0, 2, 2, 4, 4, 6, 7, 8, 8, 8
80	0, 1, 2, 5, 5, 6, 6, 7
90	3, 3, 4 Allwedd: 50|2 = 502

   (b) 66 milltir, $Q_1 = 52$ milltir, $Q_3 = 78$ milltir
   (ch) (i) Mae darganfod canolrif a chwarteli yn haws ac mae'n dangos y dosraniad
       (ii) Hawdd deall y diagram
11 (i)   Plot gyda 'grisiau' yn (1,21), (2,52), (3,70), (4,88), (5,96); 2, 1
   (ii)   cymedr > canolrif
      Y cymedr yn 2.73 o leiaf

Ymarferion 2e

1 2.8, 1.17   **8** 83.9, 574.8
2 15.2, 4.75   **9** 1.16, 0.457
3 12.0, 4.0   **10** 0.0721, 0.0721
4 1.315 kg, 0.122 (kg)^2 **11** -2.1, 1.45
5 3.05   **12** 1.66
6 71.8   **13** 10.5, 6.70
7 -29.0, 6.99

Ymarferion 2f

1 (i) $\frac{5}{3}$ (ii) 1   (iii) 2.47
2 (i)   6   (ii) $\frac{19}{3}$ (iii) 1.13
3 0.744
4 4.65
5 4, 3.39
6 36.2, 1.42
7 45.5

8 £14.65, £² 5.21
9 0.0136 mm
10 1 030 000 (milltir)²
11 7.09
12 15.9
13 204, 256
14 1.685 m, 0.475
15 £14.07, 7.21
16 30 700 km, 70.9×10^6 (km)²
17 1 000 001.33 miligram, 10.07 miligram

Ymarferion 2ff

1 (i) 0.97 (ii) −0.60 (iii) 0.63
2 0.42   **5** 0.16
3 0.41   **6** 0.22
4 −0.06   **7** Cyfernod chwartel = 1
8 (i) 3.76, 1, 7.83, 0, 4   (ii) 0.48   (iii) 1.1   (iv) 0.5
9 0.09

Ymarferion 2g

1 124 g   **3** £22.38
2 54.8%   **4** 405 000
5 (i) 132   (ii) 125   (iii) 105
6 Jones 127, Smith 128
7 (i)

Car	Bws	Fan	Beic modur
100	100	100	100
107	106	111	90
116	111	122	89
118	113	123	83
118	118	128	81
118	113	127	68
118	113	125	63

(iii) Faniau

Ymarferion 2ng (Amrywiol)

Mae rhai cwestiynau yn y set hon o ymarferion yn gofyn am sylwadau ar y data a roddir. Yn aml, mae sawl sylw posibl. Am y rheswm hwn dylid ystyried yr atebion a roddir fel enghreifftiau yn unig o'r atebion y gellid eu rhoi.

1 Canolrif = $15\frac{1}{2}$
2 2 o bobl

3

16	2
17	Allwedd: 16|2 = 162
18	2, 7
19	2, 5, 7
20	0, 4, 8, 9
21	0, 3, 3, 5, 7, 9
22	4, 9 canolrif = 28.5

4 (b) 19.16, 20
    (c) 0.958
5 75–84. Gan gymryd y terfannau isaf ac uchaf yn 16 a 99, uchderau mewn cyfrannedd ag 1.75:1:8.38:20.79:9.57
6 (i) −1.8°C   (ii) −2°C   (iii) 12.6   (iv) 3.6°C

7 (i) 10.4, 10, 2.73, 8.5, 13
   (ii) Mae dau fodd; 0.48
   (iii) 0.33
8 (i) 33.5, 42.5, 23.4
   (ii) 34.3, 12.7
9 35b 1m, 11b 3m   (a) 33b 9m, 17b 11m   (b) 65.0%
10 (i) (a) Uchderau yn y gymhareb
         1:3:10:24:5.5:2.75:0.5:0.125:0.25
      (b) 152.5 ml; manwl gywirdeb wedi'i gyfyngu gan fod y data wedi'u grwpio.
      (c) plotio drwy (25,1), (50,4), (100,24), … , (800,100); 125 ml
      (ch) Y canolrif yn fwy addas: mae dau werth mawr iawn a fyddai'n chwyddo'r cymedr
   (ii) 1000.5 mm, 1.4 (mm)²
11 (i) 106.9 cm   (ii) 109.0 cm   (iii) 0.73
12 (a) £46.7, £12.4
    (b) Gan nad oes gan y grŵp uchaf arffin uchaf
13 Uchderau yn y gymhareb 6:15:8:3:1.5:0.5:0.11
   (i) 35 000   (ii) 24b 8m
14 Uchderau yn y gymhareb 38:23:11.5:4.5:1
   (ii) 1.11 mun, 1.11 mun
   (iii) Gwerth cymedrig; gwahaniaeth nodweddiadol i'r gwerth hwnnw
15 (i) 13.6 bl, 1.37 bl
   (ii) plotio drwy (11,0), (12,165), (13,349), (14, 565), (15, 796), (16,1000); tua 13.7 blwydd
   (iii) 14.2 blwydd
16 (a)

3.7	7
3.8	0, 3, 4, 4
3.8	7, 9
3.9	0, 0, 1, 1, 1, 1, 4
3.9	6, 6, 7, 7, 7, 8, 8, 9, 9
4.0	0, 1, 1, 1, 2, 2, 2, 3, 3, 3, 4
4.0	5, 5, 5, 6, 7, 7, 7, 9
4.1	1, 2, 3
4.1	6, 6, 8
4.2	0, 1 Allwedd: 3.9|4 = 3.94

   (b) 3.91 owns, 4.01 owns, 4.06 owns
   (ch) uchderau yn y gymhareb 1:4:2:7:9:11:8:3:3:2
   (d) Bwytaodd unigolyn nodweddiaddol tua 4 owns o gaws mewn wythnos. Ychydig iawn o amrywiaeth oedd yn faint o gaws a fwytawyd (rhwng 3.77 a 4.21 owns)

17 (a) (i)

2	1, 4, 4
2	
3	0, 0, 0, 0, 1, 1, 1, 1, 2, 2, 3, 3, 4, 4, 4, 4, 4
3	6, 6, 6, 6, 7, 7, 8, 9
4	0, 0, 1, 1, 1, 2, 2, 2, 3, 3
4	5, 6, 6, 6, 7
5	0, 1, 1
5	5, 6, 6
6	2, 2 Allwedd: 2|1 = 21

   (ii) 37 mun, Q_1 = 32.3 mun, Q_3 = 44.5 mun
   (b) Y canolrif. Byddai'r tri gwerth isel yn lleihau'r cymedr. Mae'r newidyn sy'n cael ei fesur yn ddidor; mae'r modd yn ganlyniad i dalgrynnu

18 Mae grwpio yn ei gwneud hi'n haws i gyfrifo, ond collir peth manwl gywirdeb. Plotio trwy (14.5,0), (19.5,22), (24.5,64), (29.5,134), (34.5,172), (39.5,188), (50.5,200); 27.1 cm, 8.8 cm; Plotio trwy (13,0), (27,50), (32,100), (35,150), (42,200)

19 (a) O leiaf 11 oed ond o dan 12 (yn 1984); roedd 2 631 000 disgybl yn y DG yn 1984 yn 12 oed o leiaf ond o dan 14; 9 876 000

(b) 10.5 bl

(c) 295.7, 690.0, 825.0, 877.0, 591.5, 105.0. Mae'r dwyseddau amlder ar eithafon y dosraniad oedran yn is, gan nad yw addysg yn orfodol yn yr oedrannau hyn

20 (a) (i) Mae'n hawdd gweld prif nodweddion data mewn llun

(ii) Mae'n anodd darllen gwerthoedd union oddi ar graff. Mae diagram bar yn dangos amlderau ar gyfer gwerthoedd unigol; mae histogram yn dangos amlderau cyfanredol ar gyfer amrediad o werthoedd

(b) Uchderau yn y gymhareb
2 : 12 : 27 : 30 : 18 : 14 : 9 : 4 : 1
(i) 30.6 A (ii) 30.9 A (iii) 2.22 A; 0.41
Cynffon hir o werthoedd uchel

21 Plotio drwy (10,0), (20,5), (30,16), (40,32), (45,51), (50,65), (60, 77), (70, 86), (80,92), (100,95); canolrif = 44.1 s, ARhCh = 20.4 s; cymedr = 45.8 s, GS = 16.8 s; Dull A: terfynnau yn 28 a 64; Dull B: terfynnau yn 29 a 63, % oedrannau: 16%, 68%, 16%. Ychydig iawn o wahaniaeth rhwng y ddau ddull

22 (a) (i) Meintiau esgidiau (ii) Cyflogau
(iii) Masau cynnwys tuniau o fwyd cathod

(b) 2, 2; ni ellir cyfrifo'r gwyriad safonol
Mae'r data ar sgiw

23 (a) (i) £6530, £1546 (ii) Cyflogau

(b) Mae'r data wedi'u grwpio gyda dosbarthiadau pen pen-agored

(c) 7%; GS = £3800; £7970, £3550

24 modd = 2, canolrif = 3, cymedr = 3.53, GS = 1.98; 0.80 a 0.77. Mae cynffon hir o werthoedd sydd yn fwy na'r canolrif a'r modd ill dau

25 (a) Mae'r gost sydd ei hangen yn gyfanswm, nid cymedr. Ychydig iawn o bobl sy'n bwyta brecwast o 1 pwys o facwn, dwsin o wyau, ayb

(*b*) 19.86 c (c) 219

26 Mae'r indecs amhwysol yn gyfwerth â thybio bod yr un nifer o'r pedwar math o staff ac felly'n rhoi gormod o ystyriaeth i'r grwpiau bach o weithwyr (a dim digon i'r grwpiau mawr)
1984: 122.41, 143.18
1990: 139.24, 131.03, 181.82
Indecs = 152.45
Cyfanswm bil cyflog: 1980: £6760, 1984: £8560, 1988: £9980
Indecs 1984 = 126.63, Indecs 1988 = 147.63
Mae'r indecs newydd yn welliant gan ei fod yn ystyried meintiau'r pedwar grŵp staff gwahanol. Mae angen gwybodaeth am faint y grwpiau yn 1984 ac 1988. Gellid defnyddio hyn fel pwysau i gyfrifo

gwerthoedd yr indecs ar gyfer 1984 ac 1988. Gallai'r canlyniadau fod yn gamarweiniol o hyd gan fod y cwmni, mae'n siŵr, yn cyflogi cyfarwyddwyr, ayb.

27 (i) Graffiau cyfres amser wedi'u harosod (gyda data Ion wedi'u hailadrodd)

(ii) 32.8, 593.6

(iii) (a) Gellir: ar gyfer o leiaf un diwrnod ym mhob un o fis Meh, Gorff, Awst, roedd tym. > 30.4

(b) Na: does dim gwybodaeth am nifer y diwrnodau

28 (i) Mwy a mwy o gartrefi â setiau teledu, llai a llai o gartrefi â thrwyddedau du a gwyn

(ii) Graffiau cyfres amser wedi'u harosod

(iii) Gwir. Anwir: mae 6.8% y flwyddyn am 9 mlynedd (nid 10) yn gyfwerth â gostyngiad o 47% (y gwir gyfradd blynyddol cymedrig yw 8.8%). Anwir: 1.2 miliwn

Ymarferion 3a

Awgrymiadau yn unig yw'r datrysiadau hyn.

1 (a) Hapsampl?

(b) Yn well ganddynt Miaw nag arsenig?

(c) Pam dim ond 10 cath? Efallai bod 10 000 o gathod wedi eu rhannu'n 1000 grŵp o faint 10. Fyddai dim syndod pe bai'n well gan naw cath yn un o'r grwpiau hyn Miaw.
(Sut y gwyddom fod yn well ganddynt Miaw?)

2 (a) Dim gwerth gofyn: bydd bron pawb yn dweud 'Ydw'

(b) Bron cynddrwg â rhan (a)

(c) Synhwyrol – rhoddir dewis i'r ymatebwyr: efallai bydd y cyngor yn dysgu rhywbeth

3 (a) Mae'r ymatebwyr hynny'n debygol o gael barn eithafol am raglennu teledu, yr hoffent i bawb wybod amdani

(b) Dydy gwirfoddolwyr byth yn gynrychiadol

(c) Dim ond y 'dosbarth uwch' sy'n cael eu henwi mewn papurau cenedlaethol

(ch) Efallai bod tueddiad rhanbarthol mewn un ardal

(d) Rhaid i'r cyfwelydd fod yn barod i deithio, ond mae'r dull hwn yn golygu y bydd sawl cyfweliad ym mhob ardal fechan

4 (i) $\frac{1}{105}$ (ii) $\frac{1}{126}$ (iii) $\frac{1}{126}$; Dull (i)

5 Dull gwael: dylid disgwyl gwahaniaethau o ddydd i ddydd. Hefyd bydd y defnydd yn dibynnu ar amser y dydd

6 (i) Teg. Gellid dewis yr un etholwr ddwywaith. Gellid dewis etholwyr o'r un cartref

(ii) Teg. Osgoir problemau gyda rhan (i)

(iii) Gwael iawn. Gallai'r gyfradd ymateb fod yn is nag $\frac{1}{3}$ a bydd ymatebwyr gwirfoddol yn dueddol

7 (i) Gwael iawn. Yn dibynnu ar ymatebion gwirfoddol, ond gallai siopwyr 1 pm dydd Llun fod yn gwbl wahanol i, dyweder, siopwyr 5 pm dydd Gwener

(ii) Gwell na rhan (i), ond mae dal angen ymatebion gwirfoddol

(iii) Tipyn gwell: pob amser a diwrnod wedi eu hystyried. Cyfweliadau yn hytrach na gwirfoddolwyr. Fodd bynnag, nid yw'n glir sut y gwneir y samplu, na beth sy'n digwydd os yw cyfweleion potensial yn gwrthod

8 Nac ydy. Dim ond y boblogaeth honno sy'n gwylio'r rhaglen a gaiff ei samplu. Ni fydd y rhai sy'n ffonio yn gynrychiadol o'r boblogaeth honno hyd yn oed

9 (i) $\frac{1}{1100}$ (ii) $\frac{1}{500}$ (iii) $\frac{1}{600}$

Ymarferion 4a

1 (i) $\frac{1}{2}$ (ii) $\frac{5}{6}$ (iii) $\frac{1}{3}$ (iv) $\frac{1}{3}$
2 (i) $\frac{2}{5}$ (ii) $\frac{4}{15}$ (iii) $\frac{2}{3}$
3 (i) $\frac{1}{4}$ (ii) $\frac{1}{13}$ (iii) $\frac{1}{52}$ (iv) $\frac{3}{13}$
4 (i) $\frac{9}{10}$ (ii) $\frac{4001}{10\,000}$ (iii) $\frac{1}{10\,000}$ (iv) $\frac{1}{10}$ (v) $\frac{1}{100}$
5 (i) $\frac{3}{4}$ (ii) $\frac{3}{4}$
6 (i) $\frac{1}{3}$ (ii) $\frac{2}{3}$ (iii) $\frac{7}{30}$ (iv) $\frac{1}{3}$ (v) $\frac{3}{10}$ (vi) $\frac{3}{5}$
7 (i) $\frac{1}{36}$ (ii) $\frac{1}{6}$ (iii) $\frac{1}{12}$ (iv) $\frac{1}{9}$ (v) $\frac{1}{12}$ (vi) $\frac{1}{9}$
8 (i) $\frac{3}{14}$ (ii) $\frac{9}{14}$ (iii) $\frac{5}{14}$ (iv) 1 (v) 0

Ymarferion 4b

1 (i) $\frac{1}{2}$ (ii) $\frac{2}{3}$ (iii) $\frac{2}{3}$ (iv) $\frac{1}{2}$
   (v) B ac C; C a D (vi) B, C, D (vii) $\frac{5}{6}$
   (viii) 0
2 (iv) B, C (v) $\frac{7}{12}, \frac{5}{18}, \frac{1}{3}$ (vi) $\frac{5}{12}, \frac{1}{9}, 1, 0, \frac{11}{18}$
3 (a) $P(A) = \frac{1}{2}, P(B) = \frac{1}{4}, P(C) = \frac{5}{12}, P(D) = \frac{1}{9},$
       $P(E) = \frac{1}{2}$
   (b) Anghynhwysol: A ac E, C a D; cynhwysfawr: A
       ac E
4 (i) 0.3 (ii) 0.1 (iii) 0.3 (iv) 0.4
5 (i) $\frac{1}{7}$ (ii) $\frac{3}{7}$ (iii) $\frac{4}{7}$
6 (i) $\frac{1}{10}$ (ii) $\frac{1}{4}$ (iii) $\frac{7}{10}$ (iv) $\frac{4}{5}$ (v) $\frac{1}{20}$
7 (i) $\frac{4}{13}$ (ii) $\frac{1}{26}$ (iii) $\frac{4}{13}$ (iv) $\frac{1}{4}$
   (v) $\frac{1}{52}$ (vi) $\frac{7}{13}$ (vii) $\frac{9}{26}$ (viii) $\frac{1}{13}$
   (ix) $\frac{25}{52}$ (x) $\frac{1}{52}$ (xi) $\frac{7}{26}$
8 (i) 0.283 (ii) 0.220 (iii) 0.660
   (iv) 0.373 (v) 0.340

Ymarferion 4c

1 (i) $\frac{13}{36}$ (ii) $\frac{4}{9}$ (iii) $\frac{7}{36}$ (iv) $\frac{3}{4}$
2 (i) $\frac{4}{9}$ (ii) $\frac{4}{9}$ (iii) $\frac{1}{9}$ (iv) $\frac{4}{9}$ (v) $\frac{2}{9}$
3 0.999
4 (i) 0.288 (ii) 0.352
5 (i) $\frac{1}{4}$ (ii) $\frac{17}{24}$ (iii) $\frac{1}{24}$ (iv) $\frac{1}{3}$
6 (i) $\frac{7}{25}$ (ii) $\frac{18}{25}$ (iii) $\frac{14}{75}$ (iv) $\frac{68}{75}$ (v) 0 (vi) 1
7 (i) 0.395 (ii) 0.5
8 a) $P(A) = \frac{1}{64}, P(B) = \frac{3267}{8000} = 0.408, P(C) = \frac{61}{125} = 0.488,$
     $P(D) = \frac{613}{1600} = 0.383$

Ymarferion 4ch

1 720 (i) $\frac{1}{5}$ (ii) $\frac{1}{3}$ (iii) $\frac{2}{3}$
2 6.23×10^9 (i) $\frac{1}{156}$ (ii) $\frac{1}{78}$ (iii) $\frac{23}{156}$ (iv) $\frac{1}{2}$
3 $12\,600, 840$ (i) $\frac{4}{5}$ (ii) $\frac{1}{45}$
4 $900\,900$ (i) $\frac{2}{143}$ (ii) $\frac{2}{75\,075}$

5 720 (i) $\frac{1}{6}$ (ii) $\frac{1}{6}$ (iii) $\frac{1}{30}$ (iv) $\frac{1}{6}$ (v) $\frac{3}{5}$
6 120 (i) $\frac{3}{10}$ (ii) $\frac{2}{5}$ (iii) $\frac{3}{5}$
7 (i) 24 (ii) 12

Ymarferion 4d

1 455 (i) 225 (ii) 325
2 $1.24 \times 10^9, 2.99 \times 10^{10}$
3 540 000
4 1260
5 98
6 120
7 35
8 (i) 1680 (ii) 420
9 1320
10 1680
11 240
12 9450

Ymarferion 4dd

1 (i) $\frac{2}{9}$ (ii) $\frac{14}{45}$ (iii) $\frac{31}{45}$
2 0.649
3 (i) $\frac{33}{112}$ (ii) $\frac{3}{14}$ (iii) $\frac{55}{112}$ (iv) $\frac{11}{56}$ (v) $\frac{1}{56}$ (vi) $\frac{1}{7}$
4 (i) $\frac{8}{33}$ (ii) $\frac{3}{11}$ (iii) $\frac{1}{11}$
5 20 (i) $\frac{1}{10}$ (ii) $\frac{3}{10}$ (iii) $\frac{3}{10}$ (iv) $\frac{3}{10}$ (v) $\frac{3}{5}$
6 (i) $\frac{12}{133}$ (ii) $\frac{4}{95}$ (iii) $\frac{33}{266}$ (iv) $\frac{13}{266}$
7 (i) $\frac{1}{99}$ (ii) $\frac{14}{33}$
8 $\frac{1}{2}$
9 (i) $\frac{1}{1140}$ (ii) $\frac{8}{19}$

Ymarferion 4e

1 (i) $\frac{2}{7}$ (ii) $\frac{5}{7}$ (iii) $\frac{2}{3}$ (iv) $\frac{1}{3}$
2 (i) $\frac{5}{8}$ (ii) $\frac{5}{8}$ (iii) $\frac{37}{40}$ (iv) $\frac{32}{37}$
   (v) $\frac{20}{37}$ (vi) 0 (vii) $\frac{5}{8}$
3 (i) $\frac{5}{12}$ (ii) $\frac{3}{4}$ (iii) $\frac{2}{3}$ (iv) $\frac{5}{11}$
4 (i) annibynnol (ii) annibynnol
   (iii) ddim yn annibynnol
5 (i) $\frac{2}{3}$ (ii) $\frac{1}{2}$
6 (i) $\frac{2}{5}$ (ii) $\frac{2}{15}$ (iii) $\frac{8}{15}$ (iv) $\frac{1}{5}$
7 (a) $\frac{1}{36}$ (b) $\frac{1}{6}$ (c) $\frac{1}{3}$
   (d) $\frac{11}{36}$ (e) $\frac{1}{36}$ (f) $\frac{1}{2}$
8 (a) $\frac{1458}{4096} = 0.356$ (b) $\frac{729}{4096} = 0.178$
   (c) $\frac{2187}{4096} = 0.534$ (d) $\frac{730}{4096} = 0.178$
   (e) $\frac{729}{730} = 0.999$
9 $\frac{21}{40}$
10 $P(A) = \frac{14}{99}$, $P(B) = \frac{14}{33}; \frac{5}{21}; \frac{5}{7}$
12 $\frac{1}{2}, \frac{11}{120}, \frac{7}{12}, \frac{11}{60}$
13 (i) $\frac{1}{50}$ (ii) $\frac{9}{50}$ (iii) $\frac{27}{95}$ (iv) $\frac{19}{29}$
14 (i) $\frac{77}{95}$
15 (i) $\frac{1}{4}$ (ii) $\frac{5}{24}$ (iii) $\frac{5}{8}$ (iv) $\frac{1}{9}$
   Nid yw A a B yn annibynnol

16 (i) $\frac{1}{6}$ (ii) $\frac{1}{2}$ (iii) $\frac{1}{2}$ (iv) $\frac{1}{4}$

17 (i) $\frac{1}{14}$ (ii) $\frac{97}{105}$ (iii) $\frac{37}{42}$

(iv) $\frac{85}{97}$; nid yw'r digwyddiadau yn annibynnol gan fod yr atebion i (iii) a (iv) yn wahanol

18 (i) $\frac{3}{28}$ (ii) $\frac{1}{2}$ (iii) $\frac{2}{3}$

19 (a) $\frac{7}{5}$ (b) $\frac{4}{15}$ (c) $\frac{4}{15}, \frac{119}{450}$

20 (i) $\frac{7}{10}$ (ii) $\frac{2}{7}$ (iii) $\frac{1}{3}$ (iv) $\frac{4}{9}$ (v) $\frac{3}{5}$

Ymarferion 4f

1 (a) 0.012   (b) 0.030   (c) 0.400

2 (*a*) $x = 0.2, P(A) = 0.4, P(B) = 0.5$

(*c*) $P(B \cap C) = 0.2, P(C) = 0.5$

(*ch*) nid ydynt yn annibynnol oherwydd, er enghraifft, $P(B \cap C) \neq P(B) \times P(C)$

3 (*a*) $\frac{5x}{11}$ (*b*) $\frac{5}{11}x = 2\left(\frac{9}{10} - x\right)$ (*ch*) $\frac{11}{15} = \frac{y}{0.1 + y}$ (*d*) $\frac{7}{8}$

4 (i) (*a*) ydynt   (*b*) nac ydynt

(*c*) $\frac{7}{10}$, ddim yn annibynnol

(ii) (*a*) $\frac{1}{4}$ (*b*) $\frac{1}{3}$ (*c*) $\frac{3}{16}$

5 (i) (*a*) $\frac{7}{30}$ (*b*) $\frac{1}{10}$

(ii) (*a*) 0.0106   (*b*) 0.000 266

Ymarferion 4ff

1 (i) $\frac{1}{3}$ (ii) $\frac{2}{3}$ (iii) $\frac{7}{16}$ (iv) $\frac{9}{16}$

2 (i) $\frac{3}{41}$ (ii) $\frac{38}{41}$ (iii) $\frac{27}{59}$ (iv) $\frac{32}{59}$

3 $\frac{8}{11}$

4 (i) $\frac{50}{67}, \frac{52}{67}$ (ii) $\frac{150}{311}$

5 (a) $\frac{3}{10}$ (b) $\frac{7}{9}$

6 (a) $\frac{3}{20}$ (b) $\frac{1}{6}$ (c) $\frac{59}{60}; \frac{1}{3}$

7 $P = \frac{9p}{(7p + 2)}$, y graff yn dangos cwadratig drwy $(0, 0)$ ac $(1, 1)$ gyda $P > p$ rhyngddynt. Mae'r prawf yn helpu i adnabod y clefyd

8 $\frac{17}{1000}, \frac{3}{17}$

9 (i) $0.70, 0.68$ (ii) 0.28   (iii) $\frac{21}{32}$

10 (a) (i) $P(L \cap M) = 0$,

(ii) $P(L \cup M \cup N) = 1; P(L) + P(M) + P(N) = 1$

(b) (i) 0.24   (ii) 0.26   (iii) 0.62   (iv) $\frac{14}{27}$

11 (*a*) mae E ac F yn annibynnol

(*b*) mae E ac F yn gyd-anghynhwysol

(*c*) cyd-anghynhwysol   (*ch*) 0   (*d*) $\frac{1}{6}; \frac{13}{25}; \frac{3}{4}$

Ymarferion 4g (Amrywiol)

1 (a) $\frac{5}{324}$ (b) $\frac{5}{1944}$ (c) $\frac{5}{972}$ (ch) $\frac{613}{648}$ (d) 0.335

2 (a) $\frac{3}{8}$ (b) $\frac{33}{40}$ (c) 0.2244   (ch) 0.1671

3 (i) $\frac{1}{45}$ (ii) $\frac{9}{25}$

4 (i) $\frac{9}{32}$ (ii) $\frac{83}{128}$

5 (i) 0.18   (ii) 0.88

6 $\frac{15}{44}$; ddim yn annibynnol; $\frac{1}{10}$

7 (*a*) Cafodd y myfyriwr y broblem gyntaf a'r ail yn gywir.

Cafodd y myfyriwr o leiaf un o'r problemau yn gywir

(*b*) $\frac{1}{2}, \frac{11}{12}$ (*c*) $\frac{6}{7}$ (*ch*) $\frac{4}{5}$ (*d*) $\frac{1}{2}$

---

8 (i) $\frac{5}{8}$ (ii) $\frac{3}{5}$ (iii) $\frac{13}{20}$

9 (ii) 0.512   (a) 0.064   (b) 0.479   (c) 0.457

10 (i) $\frac{63}{125}$ (ii) $\frac{54}{125}$ (iii) $\frac{369}{625}$ (iv) 44

11 (a) (i) $\frac{2}{5}$ (ii) $\frac{28}{125}$ (iii) $\frac{118}{125}$ (iv) $\frac{7}{20}$

(b) (i) C (ii) B (iii) $\overline{A}$

(c) (i) $\frac{179}{250}$ (ii) $\frac{21}{179}$

12 (i) $\frac{5}{6}$ (ii) $\frac{13}{15}$

13 (iii) (a) $\frac{19}{96}$ (b) $\frac{19}{96}$ (c) $\frac{173}{576}$

Ymarferion 5a

1

x	0	1	2
P_x	$\frac{3}{28}$	$\frac{15}{28}$	$\frac{10}{28}$

2

x	0	1	2
P_x	$\frac{9}{64}$	$\frac{30}{64}$	$\frac{25}{64}$

3

x	2	3	4	5	6	7	8
P_x	$\frac{1}{12}$	$\frac{2}{12}$	$\frac{2}{12}$	$\frac{2}{12}$	$\frac{2}{12}$	$\frac{2}{12}$	$\frac{1}{12}$

4

x	0	3	10
P_x	$\frac{18}{20}$	$\frac{1}{20}$	$\frac{1}{20}$

5

x	0	1	2
P_x	$\frac{19}{34}$	$\frac{13}{34}$	$\frac{2}{34}$

6

x	1	$\frac{1}{2}$	$\frac{1}{3}$	$\frac{1}{4}$	$\frac{1}{5}$	$\frac{1}{6}$
P_x	$\frac{1}{6}$	$\frac{1}{6}$	$\frac{1}{6}$	$\frac{1}{6}$	$\frac{1}{6}$	$\frac{1}{6}$

7

x	−5	−4	−3	−2	−1	0	1	2
P_x	$\frac{1}{36}$	$\frac{2}{36}$	$\frac{3}{36}$	$\frac{4}{36}$	$\frac{5}{36}$	$\frac{6}{36}$	$\frac{5}{36}$	$\frac{4}{36}$

x	3	4	5
P_x	$\frac{3}{36}$	$\frac{2}{36}$	$\frac{1}{36}$

8

x	0	1	2	3	4	5
P_x	$\frac{3}{18}$	$\frac{5}{18}$	$\frac{4}{18}$	$\frac{3}{18}$	$\frac{2}{18}$	$\frac{1}{18}$

9

x	0.40	1.40	2.40
P_x	$\frac{1}{400}$	$\frac{38}{400}$	$\frac{361}{400}$

10 ii), v), vi), viii), ix)

Ymarferion 5b

1 (i) $P_x = \frac{1}{10}, x = 0, 1, \ldots 9$

(ii) Na; $Y: P_1 = P_2 = \frac{111}{300}, P_3 = \frac{12}{300}$,

$P_4 = \ldots = P_9 = \frac{11}{300}$,

2 $P(N = n) = \frac{1}{6}\left(\frac{5}{6}\right)^{n-1}, n = 1, 2, \ldots$

(i) 0.335   (ii) 0.598

3 $P_0 = \frac{5}{6}, P_1 = \frac{1}{6}$

4 $P_0 = P_1 = \frac{1}{2}$

6 (i) $P_n = \frac{1}{20}\left(\frac{19}{20}\right)^{n-1}, n = 1, 2, \ldots$

(ii) $P_0 = \frac{19}{20}, P_1 = \frac{1}{20}$

Ymarferion 5c

1 $\frac{5}{4}, \frac{55}{28}$

2 $\frac{5}{4}, \frac{65}{32}$

5 $\frac{1}{2}, \frac{21}{34}$

6 0.408, 0.249

7 $0, \frac{35}{6}$

3 $5, \frac{169}{6}$

4 0.65, 5.45

8 $\frac{35}{18}, \frac{35}{6}$

9 2.30, 5.385

Ymarferion 5ch

1 $\frac{45}{112}, 0.634$

2 $\frac{15}{32}, 0.685$

3 $\frac{19}{6}, 1.780$

4 $\frac{2011}{400} = 5.03, 2.24$

5 $\frac{25}{68}, 0.606$

6 0.0818, 0.286

7 $\frac{35}{6}, 2.415$

8 $\frac{665}{324} = 2.05, 1.43$

9 0.095, 0.308

11 3

12 0.1, 0.9

13 $\frac{4}{7}, \frac{2}{7}, \frac{4}{35}, \frac{1}{35}, \frac{8}{5}, \frac{16}{25}$

Ymarferion 5d (Amrywiol)

1 (a) $P(X = 0) = \frac{15}{32}, P(X = 1) = \frac{11}{32}, P(X = 2) = \frac{5}{32},$

$\quad P(X = 3) = \frac{1}{32},$

(b) $\frac{11}{16}$ (c) $\frac{4}{11}$

2 (i) $\frac{3}{10}$ (ii) 52c

3 (i) $\frac{5}{18}$ (ii) $\frac{10}{3}$

4

s	0	1	2
P_s	$\frac{3}{25}$	$\frac{20}{25}$	$\frac{2}{25}$

; cymedr $= \frac{24}{25}$

5 $\frac{1}{3}(2n + 1)$

6 (i) $\frac{1}{4}$ (ii) $\frac{7}{16}$ (iii) $\frac{3}{16}$

n	0	1	2	3
$P(N = n)$	$\frac{3}{16}$	$\frac{7}{16}$	$\frac{5}{16}$	$\frac{1}{16}$

$E(N) = \frac{5}{4}$

7 (i) $\frac{3}{16}$ (ii) $\frac{17}{32}$; $Var(X) = 0.601$

8 (a) $\frac{1}{4}, \frac{5}{4}$

(c)

z	2	3	4	5	6
$P(Z = z)$	$\frac{1}{8}$	$\frac{1}{4}$	$\frac{1}{4}$	$\frac{1}{4}$	$\frac{1}{8}$

$4, \frac{3}{2}$

9 (*a*) 20 (*b*) 0.0387 (*c*) 0.265

Ymarferion 6a

1 (i) 18 (ii) 18 (iii) −6 (iv) 18

2 (i) 1, 4 (ii) 10, 36 (iii) −7, 36

3 $\frac{1}{4}, \frac{1}{36}$

4 (i) 81 (ii) 85 (iii) 78

5 2, 3

6 −4, 9

7 $\frac{15}{2}, \frac{5}{2}$

8 £50, £2

9 $(a, b) = \pm \left(\frac{1}{\sigma}, -\frac{\mu}{\sigma} \right)$

10 σ^2

11 $(c, d) = (3, 85)$ neu $(−3, 115)$

12 $1, \frac{35}{3}$

13 10, 50

Ymarferion 6b

1 $E(U) = 10, Var(U) = 12, E(V) = 12, Var(V) = 7,$

$\quad E(W) = −9, Var(W) = 19$

2 (i) 7 (ii) 25 (iii) 0 (iv) 337 (v) $\frac{25}{12}$ (vi) 2

3 $\mu, \frac{1}{2}\sigma^2$

4 (i) 50, 73 (ii) 442

5 −20, 106

6 150, 25. Tybir bod nifer y cwsmeriaid yn y ddau fanc
yn annibynnol

Ymarferion 6c

1 $12, \frac{1}{9}$

2 3.5, 0.171

3 6, 0.775

4 $10 − 9p, \frac{81}{200}p(1 − p)$

5 90 kg, 0.4 kg². Tybir bod y milwyr ar y bwrdd yn
hapsampl o'r boblogaeth o filwyr
22 500 kg, 158 kg

6 401

7 84, 252

8 $E(m) = 1, Var(m) = \frac{2}{9}, P(M = 1) = \frac{13}{27},$

$\quad P(M = 2) = \frac{7}{27},$

$\quad E(M) = 1, Var(M) = \frac{14}{27}, E(U) = \frac{5}{3}, Var(U) = \frac{8}{27}$

Ymarferion 6ch (Amrywiol)

1 (a) 2.8, 4.86 (b) $P_0 = 0.09, P_2 = 0.12, P_4 = 0.22,$
$\quad P_6 = 0.24, P_8 = 0.17, P_{10} = 0.12, P_{12} = 0.04; 5.6,$
$\quad 9.92$

(c) $\frac{8}{39}$ (ch) $\frac{13}{73}, 1$

2 (i) (a) $\frac{2}{15}$ (b) $\frac{2}{5}$

(ii) (a) $k = \frac{1}{100}$ (b) 3.54, 0.468 (c) 14.7, 11.7

3 (a) 0.128

(b) $P_r = (0.2)(0.8)^{r−1}, r = 1, 2, \ldots,$ geometrig

(c) 0.512; 10, 40; 0.0768

4 (i) $q = 1 − 3p$ (ii) $p, \sqrt{(3p − p^2)}$

(iii) $P(Y = −2) = p^2, P(Y = −1) = 2p(1 − 3p),$

$\quad P(Y = 0) = 1 − 6p + 13p^2,$

$\quad P(Y = 1) = 4p(1 − 3p),$

$\quad P(Y = 2) = 4p^2, E(Y) = 2p$

5 $\mu = \frac{21}{4}; \frac{1}{24}, \frac{21}{2}$

6 $2, 1; P(Y = −4) = (Y = 4) = \frac{1}{16},$

$\quad P(Y = −2) = P(Y = 2) = \frac{1}{4}, P(Y = 0) = \frac{3}{8}; 4, 3$

7 $k = \frac{1}{15}; \frac{2}{3}, \frac{34}{45}, \frac{3}{225}, \frac{4}{3}, \frac{68}{45}$

8 £$(108 − 4x); x = 2; (£^2) \frac{245}{9}$

Ymarferion 7a

1 (i) $\frac{1}{27}$ (ii) $\frac{6}{27}$ (iii) $\frac{12}{27}$ (iv) $\frac{8}{27}$

(v) $\frac{8}{27}$ (vi) $\frac{12}{27}$ (vii) $\frac{6}{27}$ (viii) $\frac{1}{27}$

2 (i) $\frac{81}{256}$ (ii) $\frac{54}{256}$ (iii) $\frac{1}{256}$

3 (i) $\frac{1}{4}$

(ii) $\frac{3}{8}$; Na, gan fod canlyniad y tafliad yn annibynnol
ar y galwad

4 $\frac{5}{72}$ (i) Na (ii) Na

5 (i)   0.0001   (ii)   0.9999
6 0.336

Ymarferion 7b

1 (i)   0.250   (ii)   0.311   (iii) 0.393
(iv) 0.617   (v)   0.711
2 0.315
3 0.318. Mae arolygon ffôn fel arfer yn dueddol (gweler Pennod 3)
4 0.844, 0.156
5 0.211
6 0.0172
7 (i)   0.531   (ii)   0.984
8 0.368
9 0.408
10 0.275

Ymarferion 7c

1 (i)   0.942   (ii)   0.001 29
2 (i)   0.0548   (ii)   0.111   (iii) 0.633
3 (i)   0.869   (ii)   0.703
4 0.717
5 0.0171, 0.0471
6 0.135

Ymarferion 7ch

1 10, 8
2 (i)   2, 1.6   (ii)   1, 0.9   (iii) 3, 2.5
3 $\mu = \frac{5}{3}; \frac{25}{18}, 0.485$
4 4.4, 0.332. Mae'r model siŵr o fod yn rhesymol oni bai bod amserlen y trên yn amrywio. Byddai'r model yn afresymol pe bai'r gyrrwr yn newid ei phatrwm drwy, er enghraifft, adael am y gwaith 5 munud yn gynt
5 4.2, 1.65; 0.653
6 0.197
7 0.1, 0.9; 0.007 44, 0.000 827
8 $\mu = 18.4, \sigma = 1.21; 0.599, 0.982$
9 15, 0.7
10 101

Ymarferion 7e (Amrywiol)

1 (i)   0.187   (ii)   2
2 $\frac{23}{120}$; 27.9, 39.7, 23.5, 7.4, 1.3, 0.1, 0.0
3 $(0.9)^n, 29$
4 56
5 (*a*)   0.736   (*b*)   0.188
6 0.996
7 0.205
8 (i)   0.0081, 0.0756, 0.2646, 0.4116, 0.2401   (ii)   8.34
(iii) 8   (iv)   0.652
9 (i)   0.8   (ii)   0.180
10 (a)   (i) $\frac{1}{2}$ (ii) $\frac{1}{40}$ (iii) $\frac{1}{20}$ (iv) $\frac{9}{20}$
(b)   (i)   0.590   (ii)   0.009   (iii) 0.237

Ymarferion 8a

1 (i)   0.135   (ii)   0.271   (iii) 0.271
(iv) 0.677   (v)   0.594
2 (i)   0.986   (ii)   0.090   (iii) 0.0144
3 (i)   0.175   (ii)   0.440   (iii) 0.384
4 0.469
5 3
6 (i)   0.191   (ii)   0.658
7 0.0341
8 0.256
9 0.368

Ymarferion 8b

1 (i)   0.9161   (ii)   0.9665
2 (i)   0.0629   (ii)   0.0023
3 (i)   0.1128   (ii)   0.3359
4 $\lambda = 1.8$
5 $\lambda = 2.0$
6 $P(X = x) = \dfrac{e^{-1}}{x!}, 0.0144, 0.205$

Ymarferion 8c

1 (i)   0.433   (ii)   0.762
2 (i)   0.594   (ii)   0.857
3 0.638
4 0.953
5 (i)   0.697   (ii)   0.072
6 0.067
7 0.164; 0.2, 0.2
8 Union: (i)   0.141   (ii)   0.228   (iii) 0.236
Yn fras: (i)   0.149   (ii)   0.224   (iii) 0.224
9 (i)   0.0488   (ii)   2303
10 0.677
11 (i)   0.325   (ii)   0.221; 3.3; 0.321

Ymarferion 8ch (Amrywiol)

1 (i)   0.310   (ii)   0.819
2 0.492
3 0.135, 5461
4 (i)   0.267   (ii)   0.468
5 (i)   0.222   (ii)   0.0649
6 (i)   0.819   (ii)   0.407   (iii) 0.122
7 (i) $C = \frac{1}{32}$, modd = 1, cymedr = $\frac{63}{32}$
(ii) (*a*)   0.249   (*b*)   0.929   (*c*)   0.508; 0.542
8 0.115, 6
9 (i)   0.987   (ii)   0.514; 0.187
10 (i) $\frac{1}{21}$ (ii) $\frac{20}{9}$; 0.528
11 (*a*)   0.0498   (*b*)   0.199   (*c*)   0.166
12 (a)   (i)   1, 4   (ii)   10, 10
(b)   (i)   0.577   (ii)   0.0404
(iii) 0.0404   (iv)   £260, £118.32
13 (*a*)   (i)   0.670 32   (ii)   0.061 55   (iii) 0.148 13
(*b*) $e^{-2n/5}, 5$ (*c*)   (i) $\frac{3}{2}$ (*ch*) 0.594
14 (i)   0.974   (ii)   87.9
15 (i)   0.127   (ii)   0.044
(iii) Binomial: 0.585 neu Poisson: 0.577
(iv) 113   (v)   0.606

16 0.043

17 (i) (b) 1.5 (ii) 0.577 (iii) 0.025

Ymarferion 9a

1 (i) $\frac{1}{18}$ (ii) $\frac{5}{27}$ (iii) $\frac{14}{27}$

2 (i) $\frac{3}{16}$ (ii) $\frac{7}{16}$ (iii) $\frac{1}{8}$ (iv) $\frac{1}{16}$

3 (i) $\sqrt{5}$ (ii) $\frac{7}{16}$ (iii) 0 (iv) $\frac{1}{4}$ (v) $\sqrt{5}$

4 (i) $\frac{1}{2}$ (ii) $\frac{3}{4}$

5 (i) 1 (ii) 0 (iii) $\frac{3}{4}$

6 $\frac{1}{24}$ (ii) 3 (iii) $\frac{13}{16}$

7 (i) Na, gan y byddai naill ai $f\left(\frac{1}{2}\right)$ neu $f\left(-\frac{1}{2}\right)$ yn negatif

(ii) Oes $\left(\text{mae } k = \frac{1}{3}\right)$

(iii) Na, gan fod $\int_0^3 f(x)\,dx = 1$ yn gofyn am $k = -\frac{4}{9}$, ac yna, er enghraifft, $f(2.5) < 0$

(iv) Oes $\left(\text{bydd } k \text{ ychydig yn llai nag } \frac{1}{8}\right)$

8 $12; \frac{1}{10000}(600c^2 - 80c^3 + 3c^4); 0.916, 0.949, 0.973;$ 750 galwyn

Ymarferion 9b

1 (i) $\frac{1}{8}$

(ii) $$F(x) = \begin{cases} 0 & x \leq 1 \\ \frac{1}{16}(x+5)(x-1) & 1 \leq x \leq 3 \\ 1 & x \geq 3 \end{cases}$$

(iii) $\frac{9}{16}$ (iv) 2.12

2 (i) $\frac{1}{4}$ (ii) 0

(iii) $$F(x) = \begin{cases} 0 & x \leq -2 \\ \frac{1}{8}(4-x^2) & -2 \leq x \leq 0 \\ \frac{1}{8}(x^2+4) & 0 \leq x \leq 2 \\ 1 & x \geq 2 \end{cases}$$

(iv) $\frac{1}{8}$

3 (i) $\frac{1}{4}$

(ii) $$F(x) = \begin{cases} 0 & x \leq 1 \\ \frac{1}{2}(x-1) & 1 \leq x \leq 2 \\ \frac{1}{4}x & 2 \leq x \leq 4 \\ 1 & x \geq 4 \end{cases}$$

(iii) 1.2 (iv) 3.2

4 (i) $\frac{1}{4}$

(ii) $$F(x) = \begin{cases} 0 & x \leq -2 \\ \frac{1}{8}(x+2)^2 & -2 \leq x \leq 0 \\ \frac{1}{16}(8+6x-x^2) & 0 \leq x \leq 2 \\ 1 & x \geq 2 \end{cases}$$

(iii) $\frac{11}{16}$ (iv) $\frac{3}{16}$

5 (i) $\frac{1}{3}$

(ii) $$F(x) = \begin{cases} 0 & x \leq -2 \\ \frac{1}{9}(8+x^3) & -2 \leq x \leq 1 \\ 1 & x \geq 1 \end{cases}$$

(iii) -2 (iv) -1.52

6 (i) $\frac{3}{19}$

(ii) $$F(x) = \begin{cases} 0 & x \leq 0 \\ \frac{1}{19}\{(x+2)^3 - 8)\} & 0 \geq x \geq 1 \\ 1 & x \geq 1 \end{cases}$$

(iii) 0.596

7 (i) k (ii) $\frac{3}{4}$

(iii) $$F(x) = \begin{cases} 0 & x \leq 1 \\ \frac{1}{4}(x^3 - 3x + 2) & 1 \leq x \leq 2 \\ 1 & x \geq 2 \end{cases}$$

8 (i) -6

(ii) $$F(x) = \begin{cases} 0 & x \leq 3 \\ (x-3)^2 & 3 \leq x \leq 4 \\ 1 & x \geq 4 \end{cases}$$

(iii) 3.5, 3.87

9 (i) $\frac{1}{9}$

(ii) $$F(x) = \begin{cases} 0 & x \leq 0 \\ \frac{1}{9}x & 0 \leq x \leq 1 \\ \frac{1}{9}(4x-3) & 1 \leq x \leq 3 \\ 1 & x \geq 3 \end{cases}$$

(iii) $\frac{57}{40}$

10 (i) 1

(ii) $$F(x) = \begin{cases} 0 & x \leq 0 \\ x(2-x) & 0 \leq x \leq 1 \\ 1 & x \geq 1 \end{cases}$$

(iii) 0.293

11 (i) $\frac{2}{7}$

(ii) $$F(s) = \begin{cases} 0 & s \leq 0 \\ \frac{1}{7}s(s+6) & 0 \leq s \leq 1 \\ 1 & s \geq 1 \end{cases}$$

(iii) 0.536 (iv) 0.536

12 (i) $\frac{1}{129}$

(ii) $$F(t) = \begin{cases} 0 & t \leq 5 \\ \frac{1}{387}(t^3 - 125) & 5 \leq t \leq 8 \\ 1 & t \geq 8 \end{cases}$$

(iii) 0.461

13 (a) $a = 1.4, b = -0.8$ (b) 0.404, 0

Ymarferion 9c

1 (i) $\frac{4}{3}$ (ii) 2 (iii) $\frac{2}{9}$ (iv) $\frac{4}{9}$

2 (i) 1 (ii) $\frac{7}{15}$

3 (i) $\frac{3}{2}$ (ii) $\frac{7}{12}$

4 (i) $\frac{20}{9}$ (ii) $\frac{235}{162} = 1.45$ (iii) $\frac{5}{2}$
(iv) $\frac{11}{27}$ (v) $\frac{302}{15} = 20.1$ (vi) $\frac{16}{27}$

5 (i) $\frac{1}{8}$ (ii) $\frac{17}{4}$ (iii) $\frac{1}{192}$ (iv) $\frac{1}{48}$

6 (i) $\frac{14}{3}$ (ii) $\frac{8}{9}$

7 (i) $\frac{4}{65}$ (ii) $\frac{844}{325}$ (iii) 0.0765 (iv) 0 (v) 0.153

8 (i) $\frac{1}{2}$ (ii) $\frac{1}{12}$ (iii) 6 (iv) 1

9 (i) $\frac{1}{9}$ (ii) $\frac{17}{4}$ (iii) 0.482

10 $k = 2, \mu = 1; 0.325$

11 $c = \frac{1}{3}, 0.5, 0.022$

Ymarferion 9ch

1 (i) $$f(x) = \begin{cases} \dfrac{2}{x^2} & 1 < x < 2 \\ 0 & \text{fel arall} \end{cases}$$ (ii) 1.39

2 (i) $-\frac{1}{8}$ (ii) $\frac{1}{8}$ (iii) $\frac{13}{6}$ (iv) $\frac{11}{36}$

3 (i) $\dfrac{1}{a^2}$ (ii) $\frac{4}{3}$

(iii) $$f(x) = \begin{cases} \frac{9}{8}\left(x - \frac{4}{3}\right) & \frac{4}{3} < x < \frac{8}{3} \\ 0 & \text{fel arall} \end{cases}$$

(iv) 2.28

4 (i) $f(x) = \begin{cases} \frac{1}{4} & 4 < x < 8 \\ 0 & \text{fel arall} \end{cases}$

(ii) 6   (iii) 5, 7   (iv) 6

5 (i) $f(x) = \begin{cases} \frac{1}{8} & -4 < x < 0 \\ \frac{1}{8} & 4 < x < 8 \\ 0 & \text{fel arall} \end{cases}$

(ii) 2   (iii) 0   (iv) $\frac{52}{3}$

6 (i) $a = -\frac{1}{2}, b = \frac{1}{2}$

(ii) $f(x) = \begin{cases} \frac{1}{4} & 0 < x < 2 \\ \frac{1}{2} & 2 < x < 3 \\ 0 & \text{fel arall} \end{cases}$

(iii) 1, 2.5

7 (i) $a = \frac{3}{7}, b = \frac{1}{14}$

(ii) $f(x) = \begin{cases} x & 0 < x < 1 \\ \frac{3}{14}x^2 & 1 < x < 2 \\ 0 & \text{fel arall} \end{cases}$

(iii) 1   (iv) 1   (v) $\frac{191}{168}$

Ymarferion 9d

1 $f_Y(y) = \begin{cases} \frac{1}{9} & 5 < y < 14 \\ 0 & \text{fel arall} \end{cases}$

2 $f_Y(y) = \begin{cases} \dfrac{1}{6\sqrt{y-3}} & 7 < y < 28 \\ 0 & \text{fel arall} \end{cases}$

3 $f_Y(y) = \begin{cases} \frac{1}{3}\left(\dfrac{2}{\sqrt{y}} - 1\right) & 0 < y < 1 \\ 0 & \text{fel arall} \end{cases}$

4 $f_Y(y) = \begin{cases} \dfrac{2(y+1)^5}{21} & 0 < y < 1 \\ 0 & \text{fel arall} \end{cases}$

Ymarferion 9dd

1 (i) $f(x) = \begin{cases} \frac{1}{2} & 0 < x < 2 \\ 0 & \text{fel arall} \end{cases}$

(ii) $F(x) = \begin{cases} 0 & x \leq 0 \\ \frac{1}{2}x & 0 \leq x \leq 2 \\ 1 & x \geq 2 \end{cases}$

(iii) $\frac{1}{4}y, (0 < y < 4)$

(iv) $g(y) = \begin{cases} \frac{1}{4} & 0 < y < 4 \\ 0 & \text{fel arall} \end{cases}$

2 (i) $a = 1, b = 7$ (ii) $\frac{1}{3}$

3 (i) 0.4   (ii) 0.577

4 $c = 1, d = 9$

5 $a = 4, b = 10$

6 (a) (i) 90   (ii) 2700

(b) (i) 180   (ii) 10 800

7 (a) $(h, k) = (b - a, a)$ neu $(a - b, b)$

(b) $r = \sigma\sqrt{12}, s = \mu - \sigma\sqrt{3}$

8 $\frac{1}{4}$

9 (i) $\dfrac{x^2}{a^2}$ pan fo $x \leq a$, 1 pan fo $x > a$ (ii) $\frac{2}{3}a$

10 $\frac{1}{6}h^2, \frac{1}{2}$

Ymarferion 9e (Amrywiol)

1 (i) $\frac{5}{8}, \frac{19}{320}$ (ii) $\frac{5}{16}$ (iii) 0.0305   (iv) $\frac{29}{40}$

2 $\frac{3}{4}, \frac{19}{80}$

$F(x) = \begin{cases} 0 & x \leq 0 \\ \frac{1}{16}x(12 - x^2) & 0 \leq x \leq 2 \\ 1 & x \geq 2 \end{cases}$

0.00659

3 (i) 0.455, 3   (ii) 3.64, 4.95

(iii) $F(x) = \begin{cases} 0 & x \leq 1 \\ \ln x/\ln 9 & 1 \leq x \leq 9 \\ 1 & x \geq 9 \end{cases}$

4 (i) $\frac{1}{4}$ (ii) 0.134

(iii) $f(x) = \begin{cases} 2(1 - x) & 0 < x < 1 \\ 0 & \text{fel arall} \end{cases}$

(iv) $\frac{1}{3}$

5 (i) $\frac{3}{4}, \frac{1}{4}$ (iii) $\frac{1}{2}$ (iv) $\frac{27}{64}$ (v) $\frac{175}{48}$

6 (a) $\frac{2}{5}$ (b) 0.162   (c) 0.446

(ch) 0.239   (d) $\frac{1}{5}$

7 (a)

$F(w) = \begin{cases} 0 & w \leq 0 \\ \frac{1}{3125}w^4(25 - 4w) & 0 \leq w \leq 5 \\ 1 & w \geq 5 \end{cases}$

(b) 0.650   (c) 0.794   (ch) 3.75

(dd) Mae'r modd tipyn yn fwy na'r cymedr a'r canolrif: mae'r dosraniad ar sgiw negatif

8 $a = \frac{1}{50}, b = \frac{1}{15}$ (a) $\frac{20}{3}$ m   (b) $\frac{11}{3}$

(c) $\frac{311}{6} = 51.8; \frac{9}{20}$

Ymarferion 10a

Nodwch y gall defnyddio gwerthoedd dosraniad normal o gyfrifiannell arwain at werthoedd sydd ychydig yn wahanol i'r rhai a roddir, sy'n seiliedig ar dablau. Gall gwahaniaethau bychain ddigwydd hefyd o ganlyniad i gyfeiliornadau talgrynnu – mae hyn yn wir am y rhan fwyaf o'r setiau o ymarferion dilynol.

1 (i) 0.8849   (ii) 0.0359   (iii) 0.0808

(iv) 0.2119

2 (i) 0.0113   (ii) 0.5403   (iii) 0.3848

3 (i) 0.5762   (ii) 0.1096   (iii) 0.5208

4 (i) 1.4   (ii) −0.4   (iii) −1.2

(iv) 2.6   (v) 1.6   (vi) −1.8

5 (i) 0.6   (ii) 1.6

Ymarferion 10b

1 (i) 0.1587   (ii) 0.9452   (iii) 0.1151

(iv) 0.7881

2 (i) 0.8041   (ii) 0.3413   (iii) 0.2515

(iv) 0.0968

3 (i) 0.7881   (ii) 0.0548   (iii) 0.5434

(iv) 0.3674

4 (i) 0.2119   (ii) 0.2347   (iii) 0.1859

(iv) 0.8844

5 (a) 0.8849   (b) 0.2119   (c) 0.3446

(ch) 0.9641   (d) 0.2881   (dd) 0.8490

(e) 0.3087

Ymarferion 10c

1 (i) 0.8243   (ii) 0.1084   (iii) 0.0787

(iv) 0.6981

2 (i) 0.000 657   (ii) 0.999 849   (iii) 0.002 25
(iv) 0.997 58
3 (i) 0.4231   (ii) 0.6970   (iii) 0.2772
(iv) 0.1679
4 (i) 0.7181   (ii) 0.5248   (iii) 0.1241
(iv) 0.4783
5 (i) 0.3696   (ii) 0.6915   (iii) 0.2266
(iv) 0.8413
6 (i) 0.1056   (ii) 0.5986   (iii) 0.6915
(iv) 0.2266
7 63 g
8 0.0931, trwm, trwm

Ymarferion 10ch

1 (i) 1.881   (ii) 1.645   (iii) -3.090
(iv) -2.326 (v) 3.719   (vi) 3.090
2 (i) 29.405   (ii) 28.225   (iii) 4.550
(iv) 8.370   (v) 38.595   (vi) 35.450
3 6.47
4 -0.037
5 24.4
6 5.62
7 $\mu = 3.08, \sigma = 3.66$
8 (i) 411.6 g   (ii) 432.8 g
9 6.08, $\sigma < 6.08$
10 $\mu = 2.07$ m, $\sigma = 0.458$ m
11 $\mu = 507.1$ m, $\sigma = 7.34$ m
12 $\mu = 3.62, \sigma^2 = 0.002 56$
13 (i) 0.66   (ii) 75.7
14 $\mu = 50.15, \sigma = 4.00$

Ymarferion 10d

1 (i) 0.866   (ii) 0.710   (iii) 0.203   (iv) 0.609
2 (i) 0.500   (ii) 0.650   (iii) 0.242   (iv) 0.807
3 (i) 0.244   (ii) 0.500   (iii) 0.132   (iv) 0.411
4 (i) 0.327   (ii) 0.079   (iii) 0.186   (iv) 0.0023
5 0.977
6 0.655
7 (i) 0.217   (ii) 0.000 24
8 0.074
9 0.982
10 0.991
11 0.897
12 (i) 0.197   (ii) 0.345
13 (i) 0.798   (ii) 0.323   (iii) 0.132   (iv) 0.228
14 (i) 0.0802   (ii) 0.516
15 (i) 0.904   (ii) 0.952; 0.324
16 0.981   (i) 0.037   (ii) 0.0016 (tybir sypiau
o'r un maint)
17 (a) 0.0228   (b) 0.988   (c) 0.083   (ch) 0.209
18 (i) 0.252   (ii) 0.290   (iii) 0.722   (iv) 21.9
19 (i) 0.933   (ii) 0.006   (iii) 0.858
20 (i) 0.559   (ii) 0.933   (iii) 0.289
21 (i) 0.037   (ii) 0.815   (iii) 108, 1.40
22 (a) 0.036
(b) Cymedr 0.23, amrywiant 0.0125; 0.020
23 197 mm; 0.292, 0.939, 0.881, 208 mm

Ymarferion 10dd

1 $N\left(15, \frac{5}{14}\right), 0.453$
2 (i) 0.923   (ii) 0.988
3 (i) 0.094   (ii) 0.902
4 (i) 0.977   (ii) 0.977
5 193
6 65
7 (i) 0.843   (ii) 0.986   (iii) 0.998
8 (i) 0.937   (ii) 9.59
9 (i) 0.885   (ii) 207.7   (iii) 0.344   (iv) 1.10
10 0.050, 0.819
11 (a) $N\left(\mu, \frac{\sigma^2}{n}\right)$ (b) 28
12 (a) 0.1587   (b) 2, 0.125   (c) $N(1, 0.006 25), 0.103$
13 (a) 0.773   (b) 0.628   (c) 2.80 kg (ch) 0.936
(d) $N(19.0, 0.0408)$ (dd) 18.7 kg i 19.4 kg
14 (i) Gan fod tebygolrwydd gwerth negatif o
ddosraniad $N(32, 5^2)$ yn ddibwys.
(ii) (a) 0.345   (b) 0.611   (iii) 0.758
(iv) 31 mm   (v) 0.263   (vi) 97
15 (a) (i) 0.036   (ii) 0.915; 0.836, 8   (b) 0.601

Ymarferion 10e

1 0.114
2 0.835
3 0.036
4 0.848
5 (i) 0.113   (ii) 0.047
6 0.913, 0.016
7 0.197, 0.088
8 0.994
9 0.821
10 0.068
11 (i) 0.324   (ii) 0.608;   0.929
Mae'r frawddeg gyntaf yn awgrymu bod y
tebygolrwydd o berfformiad di-fai yn gyson: mae hyn
yn annhebygol o fod yn hollol wir
12 0.196, 9, 0.0024, £13 200
13 (a) $n = 10, p = \frac{1}{2}$
(b) (i) 0.694   (ii) 0.049; 0.0019
14 0.859   (c) 0.203   (ch) 0.034

Ymarferion 10f

1 0.069
2 0.959
3 0.092
4 0.962
5 0.964
6 (a) 0.102   (b) 0.099;   0.749
7 (i) 0.858   (ii) 0.155   (iii) 0.22
8 (i) 0.067   (ii) 0.286   (iii) 0.739   (iv) 0.465
(v) $N(29.7, 29.7), 0.442$
9 (ii) (1) 0.195   (2) 0.567   (4) 0.147
10 (i) 0.404   (ii) 0.009   (iii) 0.099;   0.088
11 (i) 0.938   (ii) 0.371   (iii) 0.192   (iv) £16.40
12 (i) (A) 0.741   (B) 0.037   (iii) 100

Ymarferion 10ff (Amrywiol)

1 0.527, 0.966

2 (a) 0.194   (b) 0.667   (c) 0.736   (ch) 0.683

3 (a) 0.0064   (b) 0.189   (c) 0.189

4 0.159, 0.774, 0.067; 2.7 kg; £37.53

5 Fel brasamcan i ddosraniad cymedr sampl ac i ddosraniad binomial
94.9%, 0.496; 2.19 μm, 0.703 μm; 3.1%

6 (i) 0.38%   (ii) 98.6%
0.008 mm; 9.508 mm, 0.007 mm

7 (a) 0.115   (b) 0.311   (c) 167.75
(ch) 0.096   (d) 0.053

8 (a) 0.115   (b) 33.3 g   (c) N(510, 375), 0.788
(ch) 0.111

9 (a) 0.04 mm, 0.05 mm   (b) 21.2%   (c) 0.059
(ch) 0.042 mm, (d) 5.9%

10 (i) 0.976   (ii) 0.026   (iii) 0.027

11 0.021; 0.143; 0.814

12 (i) 0.018   (ii) 507.3   (iii) 14

13 0.21; 450 g 12.98 g

14 (i) $c = \frac{1}{10}, d = \frac{1}{6}; \frac{16}{3}$ (ii) $\frac{11}{100}$
(iii) 240, 256; 0.800

15 (*a*) 0.971   (*b*) 78   (*c*) 10

16 (a) Pan fo *n* yn fawr ac nad yw *p* nac $1 - p$ yn fach iawn
(b) Pan nad yw'r paramedr Poisson yn fach 0.809, 0.026

17 0.692, 0.030

18 (i) 105 awr (ii) 0.105   (iii) (a) A   (b) B

19 (i) 0.988, 0.606   (ii) 0.855   (iii) 0.783

20 (a) (ii) 0.90   (b) (i) 0.155   (ii) 0.497, 0.042

21 (a) Pan fo *n* yn fawr a *p* yn fach iawn
(b) Pan fo *n* yn fawr ac *np* ac $n(1 - p)$ ill dau yn weddol fawr (> 5, dyweder)
(c) 0.311   (ch) 0.149
(d) 0.697 (Poisson) neu, yn fwy cywir, 0.711 (binomial)

22 $\mu = 2.56, \sigma = 0.27$; 5.11 mm, 0.38 mm; 0.99; 0.88

23 (i) f(*x*) = 1/(2*a*) pan fo $-a < x < a$, f(*x*) = 0 fel arall
(ii) $0, \frac{1}{3}a^2$ (iii) $0, \frac{1}{3}na^2, N\left(0, \frac{1}{3}na^2\right)$
(iv) $5 \times 10^{-8}, 2.12 \times 10^{-9}$. Er bod cyfeiliornadau gweddol fawr yn ddichonadwy, mewn gwirionedd maent yn annhebygol o ddigwydd

24 0.579, 24.6 kg, 0.897
(i) N(25.05*n*, 0.0625*n*)
(ii) N(1002 − 25.05*n*, 0.9 − 0.0225*n*)
(iii) N(1002, 0.9 + 0.04*n*); 14

25 (i) 0.734   (ii) 29.2 cm   (iii) 0.801
(iv) (1) 0.930, (2) 0.057   (v) 0.608 cm

26 £440   (*a*) B(*n*, 0.006), lle mae *n* yn faint sampl
(*b*) Risg = 1.35% < 5%
(*c*) Yma mae *n* yn fawr a *p* yn fach iawn

Ymarferion 11a

1 (6.34, 10.06), (5.76, 10.64)

2 (2.55, 2.86), (2.48, 2.93)

3 (i) (10.33, 11.01)   (ii) (10.27, 11.08)

4 (98.9, 111.7)

5 (i) (18 600, 19 700)   (ii) (130 000 000, 138 000 000)

6 (28.4, 32.5)

7 7

8 (i) 65.6 mun, 5.65 mun   (ii) (62.9, 68.3)

9 (i) 1.25 g   (ii) $\sigma_n = 1.09$ g   (iii) $\frac{s}{\sqrt{n}} = 0.196$ g;
(1000.6, 1001.9)

10 (30.4 kg, 32.4 kg)

11 (i) 9.875 ohm, 0.25 ohm^2,
(ii) (9.745 ohm, 10.005 ohm)

12 (i) 145   (ii) 225   (iii) (140.9, 149.1)

13 (259 ml, 273 ml)

14 $N\left(\mu_2 - \mu_1, \frac{\sigma_1^2}{n_1} + \frac{\sigma_2^2}{n_2}\right)$ (£1541, £1659); (£117, £283)

Ymarferion 11b

1 (0.823, 0.963)

2 (0.502, 0.583)

3 (i) (0.667, 0.800)   (ii) (0.777, 0.905)

4 65 700. Byddai hyn yn ddrud iawn: gallai fod yn synhwyrol i ostwng y manwl gywirdeb sydd ei angen.

4 (0.314, 0.384)

6 (0.100, 0.188)

7 (0.260, 0.379). Ni fyddai barn gwragedd tŷ ar un stad yn annibynnol ar ei gilydd. Nid yw "Ydych chi'n defnyddio…?" yr un fath, er enghraifft, ag "A fyddech chi'n argymell…?"

Ymarferion 11c

1 (i) 0.01   (ii) 0.05   (iii) 0.725

2 (i) 0.975   (ii) 0.995   (iii) 0.90

3 (i) 0.95   (ii) 0.20   (iii) 0.15

4 (i) 1.860   (ii) 2.602   (iii) 4.773
(iv) −2.681   (v) −2.776   (vi) 3.169

Ymarferion 11ch

1 (i) (7.08, 9.58) (ii) (6.53, 10.13)

2 (999.56, 1004.81)

3 (1.65, 3.09)

4 (89.9 g, 114.8 g)

5 (£66.20, £195.60)

6 128.8, 36.9, (122.6, 135.0) (mewn km h^{-1})

7 (78.4 N, 88.4 N). Tybir bod y data yn hapsampl o arsylwadau annibynnol o ddosraniad normal. Yn y cyd-destun hwn ystyr 'hyder 99%' yw, os ffurfir nifer fawr o gyfyngau yn y ffordd hon, y bydd 99% ohonynt yn cynnwys cymedr y boblogaeth

8 (i) 172.7, $s^2 = 64.57$, (167.0, 178.4). Tybir bod y bechgyn wedi eu dewis ar hap. Tybir bod y taldra wedi ei ddosrannu'n normal
(ii) Cyfwng hyder cul. Am fod gan amrywiant y cymedr *n* yn yr enwadur ac am fod y gwerth-*t* critigol wedi ei leihau wrth i *n* gynyddu
(iii) Mae tybio hapddetholiad yn hanfodol. Oherwydd theorem y derfan ganolog, gellir ymlacio'r dybiaeth o normalrwydd

Ymarferion 11d (Amrywiol)

1 (a) 480 (b) $(8.16, 23.8), (245, 715)$
2 (i) 211.0 ml (ii) $(210.1\,\text{ml}, 211.9\,\text{ml})$
3 $N\left(\mu, \frac{\sigma^2}{n}\right)$ (a) (9.7 mun, 19.3 mun)
  (b) (11.8 mun, 14.6 mun)
4 (a) (i) (5.94 mg, 9.56 mg)
   (ii) 9.27 mg. Gan mai symiau mawr o amhuredd yn
      unig sydd o bwys.
   (iii) (2.49 mg, 13.01 mg)
   (b) 18
   (c) (0.068, 0.172)
5 (0.1335, 0.3165). Os ffurfir nifer fawr o gyfyngau yn y
   ffordd hon bydd 95% ohonynt yn cynnwys cyfran y
   boblogaeth. $(1009\,\text{g}, 1036\,\text{g}), (1026\,\text{g}, 1039\,\text{g})$,
   (£901, £940)
6 (i) 31 (ii) (a) 0.005 53 (b) 0.194
   c) 0.0518; 0.014
7 (a) 0.13 (b) 51 b 2 m, 9 b 3 m
   (c) Grŵp oedran uchaf diarffin
   (ch) Heb ei effeithio gan y grŵp oedran diarffin
   (d) (0.49, 0.59)
8 (i) 4.40, 22.49 (ii) (1.46, 7.34)
   (iii) (2.05, 6.15)

Ymarferion 12a

1 H_0: Cymedr = 460.3; H_1: Cymedr $\neq$ 460.3
   $z = 2.18 > 1.96$: tystiolaeth arwyddocaol bod y
   cymedr wedi newid
2 H_0: Cymedr = 5.82; H_1: Cymedr $<$ 5.82
   $z = -2.72 < -1.645$: tystiolaeth arwyddocaol bod y
   prawf yn cymryd llai o amser
3 H_0: Cymedr = 95.2; H_1: Cymedr $>$ 95.2
   $z = 1.32 < 2.326$: dim tystiolaeth arwyddocaol o
   gynnydd mewn hyd oes
4 $z = -1.53 > -1.881$: dim tystiolaeth arwyddocaol
   bod gorbwyslais ar werth μ
5 H_0: Cymedr = 170.2; H_1: Cymedr $>$ 170.2
   $z = 1.48 < 1.645$: dim tystiolaeth arwyddocaol i
   gadarnhau'r gred
6 H_0: Cymedr = 1130; H_1: Cymedr $<$ 1130
   $z = -1.48 < -1.282$: tystiolaeth arwyddocaol bod y
   pellter cymedrig wedi lleihau
7 $N\left(\mu, \frac{\sigma^2}{100}\right); z = 1.99 < 2.326$: dim tystiolaeth
   arwyddocaol bod $\mu > 1.75$ (prawf un gynffon)
8 $\bar{x} > \mu_0 + \dfrac{2.576\sigma}{\sqrt{n}}$ neu $\bar{x} < \mu_0 - \dfrac{2.576\sigma}{\sqrt{n}}$;

   $\mu_0 > \bar{x} + \dfrac{1.645\sigma}{\sqrt{n}}$
9 $\frac{25}{3}$; 0.986; Derbyn $\mu = 105$ os yw cyfanswm y pwysau
   yn fwy na 5224 g, fel arall derbyn $\mu < 105$
10 173; $z = 1.09 < 1.645$: dim tystiolaeth arwyddocaol y
   byddant yn darganfod mwy
11 N(160, 36); $z = -2.58$: tystiolaeth arwyddocaol ar
   unrhyw lefel ddim yn llai nag 1%; pwysau cymedrig y
   tu allan i'r cyfwng 160 ± 7.06 (o dybio lefel 5%)
12 $\frac{1}{2}, \frac{1}{12}$; N(6,1); $z = -1.230 > -1.96$ (o dybio lefel 5%):
   dim tystiolaeth arwyddocaol o wahaniaeth
13 $z = -1.86 < -1.645$: tystiolaeth yn ddigonol

Ymarferion 12b

1 $z = 2.17 < 2.326$: dim tystiolaeth arwyddocaol o
   gynnydd
2 $z = -4.13 < -2.576$: tystiolaeth arwyddocaol nad
   yw'r cymedr yn 70.0
3 $z = -1.33 > -1.645$: dim tystiolaeth arwyddocaol i
   wrthod yr honiad
4 $z = -2.13 < -1.645$: tystiolaeth arwyddocaol o lai o
   amser
5 $z = -1.80 < -1.645$: tystiolaeth arwyddocaol
   cymedr < 20
6 $z = -2.03 < -1.645$: tystiolaeth arwyddocaol $\mu < 80$

Ymarferion 12c

1 $z = -0.79 > -1.282$: dim tystiolaeth arwyddocaol
2 $z = -2.49 > -2.576$: dim tystiolaeth arwyddocaol
3 $z = 1.72 > 1.645$: tystiolaeth arwyddocaol o
   danamcangyfrif y gyfran
4 $z = 1.74 > 1.645$: tystiolaeth arwyddocaol $\lambda > 1$

Ymarferion 12ch

1 $z = 1.48 < 1.645$: dim tystiolaeth arwyddocaol o
   duedd
2 $z = -1.35 > -1.96$: dim tystiolaeth arwyddocaol yn
   erbyn yr honiad
3 $z = 2.35 > 2.326$: tystiolaeth arwyddocaol yn erbyn yr
   honiad
4 $z = -1.07 > -1.282$: dim tystiolaeth arwyddocaol o
   leihad
5 $z = -3.03 < -2.326$: tystiolaeth arwyddocaol $p < 0.4$
6 $z = -2.74 < -1.405$: tystiolaeth arwyddocaol bod y
   gefnogaeth wedi'i goramcangyfrif
7 H_0: Cyfran = 10%; H_1: Cyfran $>$ 10%
   $z = 1.57 > 1.405$: tystiolaeth arwyddocaol bod y
   gefnogaeth wedi'i than-nodi
8 $z = 1.99 > 1.751$: tystiolaeth arwyddocaol o gyfran fwy
9 $z = 1.22 < 1.645$: dim tystiolaeth arwyddocaol bod
   cyfran > 0.7
10 (i) $\frac{1}{3}$; (ii) $z = 1.833 > 1.751$: tystiolaeth
   arwyddocaol o ysmygu

Ymarferion 12d

Rhoddir y graddau rhyddid, ν, fel canllaw.
1 $t = -1.50 > -1.833$; $\nu = 9$: dim tystiolaeth
   arwyddocaol bod sail
2 $t = -2.00 > -2.262$; $\nu = 9$: dim tystiolaeth
   arwyddocaol o duedd
3 $t = 2.17 > 1.895$; $\nu = 7$: tystiolaeth arwyddocaol bod
   màs cymedrig > 2000 g
4 Tybir y gellir trin y data fel arsylwadau annibynnol o
   ddosraniad normal
   $t = 2.19 > 1.729$; $\nu = 19$: tystiolaeth arwyddocaol bod
   lefel yr ymbelydredd wedi codi
5 (i) $\sqrt{(\text{amcangyfrif di-duedd o amrywiant y boblogaeth})}$
   (ii) N(0,1); t gyda $\nu = n - 1$

6 0.106   (i) $z = -1.66 > -1.96$: dim tystiolaeth arwyddocaol o newid
(ii) $t = -2.33 < -2.262$; $v = 9$: tystiolaeth arwyddocaol o newid yn y cymedr
7 $t = 2.48 > 1.833$; $v = 9$; tystiolaeth arwyddocaol o gynnyrch uwch
8 3.88%, 77.0 cl. $t = 1.82 < 2.110$; $v = 17$: dim tystiolaeth arwyddocaol bod y graddnodiad yn anghywir

Ymarferion 12dd

Defnyddir CH fel talfyriad ar gyfer Cyfwng Hyder.
1 H_0: cymedr = 460.3; H_1: cymedr $\neq$ 460.3. Tystiolaeth arwyddocaol bod y cymedr wedi newid
(a) $p = 0.029 < 0.05$
(b) CH yn (460.4, 462.0); nid yw'n cynnwys 460.3
2 Tystiolaeth arwyddocaol nad 70.0 yw'r cymedr:
(a) $p = 0.00003 < 0.01$
(b) CH yn (68.6, 69.7); nid yw'n cynnwys 70.0
3 Dim tystiolaeth arwyddocaol i wrthod yr honiad:
(a) $p = 0.184 > 0.10$
(b) CH yn (905.1, 965.9); yn cynnwys 960
4 (a) 1.43, 0.656, 0.118
(b) (1.20, 1.67), 2.02 y tu allan i'r CH: tystiolaeth arwyddocaol o newid
5 (i) 4.31, 2.70   (ii) (3.78, 4.84)
(iii) 6 y tu allan i'r CH: tystiolaeth arwyddocaol yn erbyn honiad y gwleidydd
(iv) Y boblogaeth yn arwahanol, yn cynnwys cyfanrifau 0, 1, ...Y cymedr tua 1.5 gwyriad safonol yn unig uwchlaw 0, y gwerth minimwm: rhaid bod y dosraniad ar sgiw
(v) Nid yw'n annilys, oherwydd y prawf lefel hyder
6 (0.356, 0.484), 0.5 y tu allan i'r CH: tystiolaeth arwyddocaol nad 0.5 yw'r cyfrannedd
7 (a) (200.7 g, 209.1 g)   (b) 20%, (5.7%, 34.3%)
(c) 0.0038
(ch) Anaddas i'w gyflwyno: prif broblem yw bod cyfran y sampl o dan 191 g. Fodd bynnag, os yw'r boblogaeth yn normal, mae'r sampl yn annodweddiadol: dylai cynnydd bach yn y cymedr (e.e. i 210) fod yn ddigon
8 (a) 0.400, (0.208, 0.592)   (b) (494.4 g, 499.9 g)
(c) (i) 6.0 g   (ii) (435.9 g, 473.9 g)
(ch) 454 o fewn y CH: dim tystiolaeth arwyddocaol yn erbyn yr honiad

Ymarferion 12e

1 (i) Derbyn: $\overline{X} < 14.40$, Gwrthod: $\overline{X} > 14.40$
(ii) 0.281, 71.9%
2 (i) Derbyn: $\overline{Y} > 19.18$, Gwrthod: $\overline{Y} < 19.18$
(ii) 0.361, 63.9%
3 (i) $-6.39 < \overline{X} < -4.61$ (ii) 0.132, 86.8%
4 (i) $\overline{X} > 53.48$ (ii) 0.297, 70.3%
5 (a) Mae gwall Math I yn gwrthod rhagdybiaeth nwl cywir.
Derbyn $\mu = 13$ gan fod 13.21 o fewn (12.1, 13.9)

(b) Mae gwall Math II yn derbyn rhagdybiaeth nwl anghywir
(c) Derbyn $\mu = 13$ gan fod 13.21 > 13 (dim angen cyfrifo'r terfan)
(ch) Mae cyfwng hyder $p\%$ yn un a ffurfir drwy ddull sy'n golygu, os ffurfir nifer fawr o gyfyngau drwy'r un dull, y bydd $p\%$ ohonynt yn cynnwys gwir werth paramedr y boblogaeth. (11.9, 14.5)
6 (i) Gwrthod: $\overline{X} \leq 24$, derbyn $p = 0.3$ (ii) $a = 22$
(iii) 87%

Ymarferion 12f

1 H_0: $p = \frac{1}{6}$, H_1: $p > \frac{1}{6}$, Rhanbarth derbyn: $n \leq 3$;
Rhanbarth gwrthod: $n \geq 4$; 7%
(i) Derbyn $p = \frac{1}{6}$
(ii) Derbyn $p > \frac{1}{6}$
2 Rhanbarth derbyn $2 \leq n \leq 6$, 9.6%
3 (a) (ii) 0.82, (b) 5.74%
4 Mae'r rhanbarth critigol yn nodi'r gwerthoedd sy'n arwain at wrthod H_0 o blaid H_1. Y lefel arwyddocâd yw'r tebygolrwydd y bydd gwerth yn disgyn i'r rhanbarth critigol pan fo H_0 yn gywir. Y pŵer yw'r tebygolrwydd y bydd gwerth yn disgyn i'r rhanbarth critigol pan fo H_0 yn anghywir. H_0: $p = 0.3$, H_1: $p < 0.3$; nifer wedi'u halogi ≤ 2, gwir lefel 3.5%; pŵer = 40.5%; $z = -2.69 < -2.326$: tystiolaeth arwyddocaol bod llai na 30% wedi'u halogi
5 (i) 7.5%
(ii) 32.3%. Lefel arwyddocâd uchel ond pŵer isel. Cynyddu maint y sampl (ac adolygu'r rhanbarth critigol)
6 8
7 Mae'r rhagdybiaeth nwl yn nodi gwerth paramedr penodol a ddefnyddir i lunio prawf. Derbynnir y gwerth hwn oni bai bod tystiolaeth arwyddocaol bod y paramedr yn disgyn i'r rhanbarth a nodir gan y rhagdybiaeth arall. Mae'r prawf yn un-gynffon os credir, er enghraifft, bod y paramedr efallai wedi cynyddu, ond ni all fod wedi gostwng. Ceir sefyllfa dwy-gynffon os nad oes syniad i ba gyfeiriad y gall y paramedr fod wedi newid
(a) H_0: $p = 0.35$, H_1: $p < 0.35$; Rhanbarth derbyn: nifer y gwrywod ≥ 5, gwir lefel 11.8%, tystiolaeth arwyddocaol bod y gyfran yn is nag arfer
(b) $z = 1.78 < 1.96$: dim gwahaniaeth arwyddocaol
8 Mae'r rhagdybiaeth nwl yn nodi gwerth paramedr penodol a ddefnyddir i lunio prawf. Derbynnir y gwerth hwn oni bai bod tystiolaeth arwyddocaol bod y paramedr yn disgyn i'r rhanbarth a nodir gan y rhagdybiaeth arall. Mewn prawf un-gynffon dim ond y gwerthoedd mewn un gynffon o'r dosraniad a fydd yn arwain at wrthod H_0; mewn prawf dwyochrog gall gwerthoedd prawf o'r naill gynffon neu'r llall arwain at wrthod. Gwneir y dewis yn dibynnu ar ba un ai oes syniad bod y paramedr wedi newid i gyfeiriad penodol (un-ochrog) ai peidio
H_0: $\mu = 8.5$, H_1: $\mu < 8.5$; 7.44%; 81.5%; 15.0%

9 H_0: $p = 0.75$, H_1: $p > 0.75$. Argymell (c); mae cyfran y sampl yn fwy na 75%, ond nid yw hyn yn arwyddocaol. Bydd sampl fawr yn egluro a yw'r cynnydd yn real ynteu'n ganlyniad i siawns

10 Dod i'r casgliad nad yw tystiolaeth o gyfradd is yn arwyddocaol ar y lefel 5%

Ymarferion 12ff

1 (i) $-1.76 < -1.645$, tystiolaeth arwyddocaol bod $\mu_1 < \mu_2$

(ii) $-1.76 > -1.960$, dim tystiolaeth arwyddocaol bod $\mu_1 \neq \mu_2$

2 $1.99 < 2.326$, dim tystiolaeth arwyddocaol bod yr ail gymedr yn fwy na'r cyntaf

3 $3.63 > 1.645$, tystiolaeth arwyddocaol bod $k_A > k_B$

4 $1.64 < 1.960$, dim tystiolaeth arwyddocaol bod hydoedd ysgrifennu yn wahanol

Ymarferion 12g

1 (i) $1.346 < 1.645$

(ii) $1.350 < 1.645$, dim tystiolaeth arwyddocaol i gefnogi'r amheuon

2 $0.88 < 1.282$, dim tystiolaeth arwyddocaol bod cymedr y bore yn llai na chymedr y prynhawn

3 (i) $1.85 > 1.645$

(ii) $1.86 > 1.645$, tystiolaeth arwyddocaol bod coed talach yn tyfu yn A yn y ddau achos

4 $2.01 > 1.960$, tystiolaeth arwyddocaol o wahaniaeth yn y pellteroedd cymedrig

Ymarferion 12ng

1 $0.000\,512$, $2.63 > 1.812$: tystiolaeth arwyddocaol o fwy o gwrw o'r dafarn gyntaf

2 $2.69 < 2.921$, dim tystiolaeth arwyddocaol o wahaniaeth yn y pwysau cymedrig

3 Mae prawf yn un-gynffon os credir, er enghraifft, bod y paramedr wedi lleihau, ond na all fod wedi cynyddu. Ceir sefyllfa dwy-gynffon os nad oes syniad i ba gyfeiriad y mae paramedr wedi newid.
Tybio dosraniad normal. $1.03 < 1.415$, dim tystiolaeth arwyddocaol o newid yn y màs cymedrig. Tybio bod yr amrywiant heb newid

4 Angen bod gan samplau annibynnol o ddosraniadau normal yr un amrywiant

(i) $0.86 < 2.101$, dim tystiolaeth arwyddocaol bod gwahaniaeth yn yr oedrannau. Na, dim tystiolaeth bod yr un o'r ddwy set o oedrannau o ddosraniad normal na bod yr amrywiant yr un fath

(ii) $(0.385, 0.815)$

5 133.73, $0.58 < 1.714$, dim tystiolaeth arwyddocaol i wrthod rhagdybiaeth o'r un cymedr

6 $N\left(\mu, \dfrac{\sigma^2}{n}\right)$. Tybio dosraniad normal. Tybio y gellir ystyried gwerthiannau'r 12 diwrnod fel hapsampl $2.43 > 2.326$, tystiolaeth arwyddocaol o gynnydd yn y gwerthiant $1.78 < 2.508$, newid y casgliad blaenorol

Ymarferion 13a

1 (i) 0.025 (ii) 0.95 (iii) 0.005 (iv) 0.990
(v) 0.05

2 (i) 0.090 (ii) 0.045 (iii) 0.015

3 (i) 14.86 (ii) 12.83 (iii) 2.706 (iv) 7.879
(v) 9.348

Ymarferion 13b

1 $1.77 < 7.815$; $\nu = 3$: dim tystiolaeth arwyddocaol nad yw X yn Poisson gyda chymedr 1.6

2 $4.29 < 11.34$; $\nu = 3$: dim tystiolaeth arwyddocaol i wrthod y rhagdybiaeth nwl

3 $6.56 > 5.991$; $\nu = 2$: tystiolaeth arwyddocaol bod y sampl yn dueddol

4 $6.80 < 7.815$; $\nu = 3$: dim tystiolaeth arwyddocaol nad yw'r periant yn gweithio'n gywir

5 $7.33 < 13.82$; $\nu = 2$: dim tystiolaeth arwyddocaol bod yr arbrawf wedi ei gynnal yn anghywir

6 $3.48 < 7.815$; $\nu = 3$: dim tystiolaeth arwyddocaol na ddewiswyd y sampl ar hap

7 $\frac{1}{6}$; $3.96 < 5.991$; $\nu = 2$: dim tystiolaeth arwyddocaol nad yw'r dosraniad yr un fath ag X

8 $x_2 = 253.39$, $x_3 = 254.61$, $x_4 = 256.02$; 8 bob un

(i) $6.75 < 9.488$; $\nu = 4$: tystiolaeth arwyddocaol o blaid honiad y gwneuthurwr

(ii) 0.800

Ymarferion 13c

Gall y gwerthoedd amrywio rhywfaint yn dibynnu ar fanwlgywirdeb y cyfrifo.

1 Cyfuno 2 a 3: $2.61 < 9.210$; $\nu = 2$: dim tystiolaeth arwyddocaol i wrthod y rhagdybiaeth bod $X \sim B(3, 0.45)$

2 Cyfuno 3 a 4: $5.91 < 11.34$; $\nu = 3$: dim tystiolaeth arwyddocaol i wrthod y rhagdybiaeth bod $X \sim B(4, 0.3)$

3 Cyfuno 3 a ≥ 4: $0.091 < 7.815$; $\nu = 3$: dim tystiolaeth arwyddocaol i wrthod y rhagdybiaeth bod $X \sim$ Poisson gyda chymedr 1.2

4 Cyfuno'r ddau bâr allanol: $5.50 < 15.09$; $\nu = 5$: dim tystiolaeth arwyddocaol i wrthod y rhagdybiaeth bod $X \sim N(20, 36)$

5 Cyfuno 4, 5 a 6: $3.34 < 9.488$; $\nu = 4$: dim tystiolaeth arwyddocaol i wrthod y rhagdybiaeth bod $X \sim B(6, \frac{1}{3})$

6 Cyfuno 3, 4 a ≥ 5: $1.77 < 7.815$; $\nu = 3$: dim tystiolaeth arwyddocaol o duedd

7 Cyfuno oren a melyn: $8.67 > 7.815$; $\nu = 3$: tystiolaeth arwyddocaol nad yw'n hapsampl

8 Cyfuno 4 a ≥ 5: $1.63 < 9.488$; $\nu = 4$: dim tystiolaeth arwyddocaol i wrthod yr honiad

9 $B(5, 0.2)$: Cyfuno 4 a 5: $2.89 < 9.488$; $\nu = 4$: dim tystiolaeth arwyddocaol nad yw'r sampl yn gyson â'r dosraniad a ragwelwyd

10 $P(10 < X < 20) = 0.0606$, $P(20 < X < 30) = 0.2417$, $P(40 < X < 50) = 0.2417$, $P(50 < X < 60) = 0.0606$, $P(X \geq 60) = 0.0062$; Cyfuno $(x < 20)$ a hefyd

$(x \geq 50)$, $14.8 > 13.28$ (lefel 1%); $\nu = 4$: tystiolaeth arwyddocaol ar y lefel 1% nad yw'r amseroedd yn dilyn y dosraniad normal a nodir

11 Cyfuno $(x < 177)$ a hefyd $(x \geq 183)$, $7.09 < 9.488$ (lefel 5%) $\nu = 4$: dim tystiolaeth arwyddocaol ar y lefel 5% nad yw dosraniad y taldra yn $N(180, 3)$

12 (i) $8.00 < 16.92$ (lefel 5%); $\nu = 9$: dim tystiolaeth arwyddocaol ar y lefel 5% i wrthod y rhagdybiaeth haprwydd

(ii) Cyfuno (2 a 3), a hefyd (4 neu fwy): $X^2 = 5.91 < 7.815$ (lefel 5%); $\nu = 3$: dim tystiolaeth arwyddocaol ar y lefel 5% i wrthod y rhagdybiaeth haprwydd

Ymarferion 13ch

Gall y gwerthoedd amrywio rhywfaint yn dibynnu ar fanwlgywirdeb y cyfrifo.

1 Amcangyfrif $p = 0.3$, cyfuno 3 a 4: $9.88 > 9.210$; $\nu = 2$: tystiolaeth arwyddocaol nad dosraniad binomial

2 Amcangyfrif $p = 0.15$, cyfuno 2, 3 a 4: $0.096 < 3.841$; $\nu = 1$: dim tystiolaeth arwyddocaol i wrthod binomial

3 Amcangyfrif cymedr $= 1$, cyfuno 3, 4 a ≥ 5: $7.49 > 5.991$; $\nu = 2$: tystiolaeth arwyddocaol nad dosraniad Poisson

4 Amcangyfrif cymedr $= 0.5$, cyfuno 2, 3 a ≥ 4: $0.33 < 3.841$; $\nu = 1$: dim tystiolaeth arwyddocaol i wrthod Poisson

5 Amcangyfrif $p = 0.1$, cyfuno 2, 3 a ≥ 4: $0.72 < 3.841$; $\nu = 1$: dim tystiolaeth arwyddocaol i wrthod binomial

6 (b) $6.10 < 7.815$ (lefel 5%); $\nu = 3$: dim tystiolaeth arwyddocaol ar y lefel 5% i wrthod normal

7 Amcangyfrif $p = 0.4$, cyfuno 3 a 4: $11.1 > 9.210$; $\nu = 2$: tystiolaeth arwyddocaol nad yw'r ffit yn dda

8 Cyfuno 0 ac 1, a hefyd 5, 6 a ≥ 7: $9.55 > 7.815$; $\nu = 3$: tystiolaeth arwyddocaol nad yw'r model yn addas. Nid yw'r arsylwadau o'r un dosraniad binomial, sy'n awgrymu bod tebygolrwydd cymhlethdodau yn amrywio o lwfeddyg i lawfeddyg

9 (i) $\bar{x} = 2.00$ (ii) Cyfuno 5, 6, 7 a ≥ 8: $10.9 > 9.488$; $\nu = 4$: tystiolaeth arwyddocaol nad yw'n ddosraniad Poisson

10 (i) $2.46, s^2 = 2.65$ Gan fod y cymedr a'r amrywiant bron yn hafal

(ii) Cyfuno 5, 6 a ≥ 7: $3.65 < 9.488$; $\nu = 4$: dim tystiolaeth arwyddocaol i wrthod Poisson

11 Cyfuno 2, 3 a ≥ 4: $2.39 < 3.841$; $\nu = 1$: dim tystiolaeth arwyddocaol i wrthod Poisson

12 Cyfuno'r 4 categori cyntaf, a hefyd y 3 olaf: $4.91 < 16.81$; $\nu = 6$: dim tystiolaeth arwyddocaol i wrthod $N(\mu, 1)$

13 (a) $(\bar{x} = 72.24, s = 3.403)$, $10.68 > 7.815$; $\nu = 3$: tystiolaeth arwyddocaol nad yw'r model yn addas. Efallai bod y dosraniad yn normal, ond yn colli'r gynffon isaf

Ymarferion 13d

Gall y gwerthoedd amrywio rhywfaint yn dibynnu ar fanwlgywirdeb y cyfrifo.

1 $7.54 < 9.488$; $\nu = 4$: dim tystiolaeth arwyddocaol o wahaniaethau

2 $19.3 > 13.28$; $\nu = 4$: tystiolaeth arwyddocaol o gysylltiad

3 $X_c^2 = 4.01 > 3.841$; $\nu = 1$: tystiolaeth arwyddocaol o gysylltiad

4 Cyfuno 16-17 ac 18-24: $3.47 < 7.815$; $\nu = 3$: dim tystiolaeth arwyddocaol o wahaniaethau

5 (i) $1.94 < 5.991$ (lefel 5%); $\nu = 2$: dim tystiolaeth arwyddocaol ar y lefel 5% i wrthod y rhagdybiaeth

(ii) $X_c^2 = 0.121 < 3.841$; (lefel 5%); $\nu = 1$: dim tystiolaeth arwyddocaol ar y lefel 5% i wrthod y rhagdybiaeth

6 $3.27 < 5.991$; $\nu = 2$: dim tystiolaeth arwyddocaol o gysylltiad

7 $4.78 < 5.991$; $\nu = 2$: dim tystiolaeth arwyddocaol o hoffter gwahanol

8 Cyfuno C a D neu E: $13.00 < 13.28$; $\nu = 4$, neu gyfuno I a II: $8.90 < 11.34$; $\nu = 3$: dim tystiolaeth arwyddocaol o gysylltiad

9 $2.01 < 5.991$; $\nu = 2$: dim tystiolaeth arwyddocaol o gysylltiad

10 $3.27 < 7.378$; $\nu = 2$: dim tystiolaeth arwyddocaol o gysylltiad

11 $17.01 > 5.991$; $\nu = 2$: tystiolaeth arwyddocaol o gysylltiad. B sydd â'r gyfradd drosglwyddo isaf. Dylid sicrhau bod y cleifion wedi eu dyrannu ar hap (efallai cafodd meddyg C yr achosion anoddaf)

12 $X_c^2 = 7.40 > 3.841$; $\nu = 1$: tystiolaeth arwyddocaol o gysylltiad

Ymarferion 13dd (Amrywiol)

1 (a) $13.20 < 14.07$; $\nu = 7$: dim tystiolaeth arwyddocaol nad yw'n hapsampl

(b) *Naill ai* Cyfuno 2 ac uwch; $0.870 < 5.991$; $\nu = 2$, *neu* Cyfuno 1 ac uwch; $0.22 < 3.841$; $\nu = 1$: Dim tystiolaeth arwyddocaol nad yw'r melysion glas wedi eu dosrannu ar hap

2 Amcangyfrif $\lambda = \frac{5}{52}$; $1.34 < 7.815$; $\nu = 3$: dim tystiolaeth arwyddocaol i wrthod dyfaliad y meteorolegydd

3 $12.5 < 14.68$; $\nu = 9$: dim tystiolaeth arwyddocaol i wrthod y rhagdybiaeth

$z = -2.37 < -1.96$, tystiolaeth arwyddocaol bod llai o ddyblau

4 (*a*) $B(20, 0.08)$

(*b*) $P(X = 1) = 0.3282$, $P(X = 2) = 0.2711$, $P(X \geq 6) = 0.0038$

(*c*) (i)   0.034   (ii) 0.932

(*ch*) $3.44 < 11.07$; $\nu = 5$: dim tystiolaeth arwyddocaol nad yw'r canlyniadau'n gyson â'r model

5 (i) $E(X) = \dfrac{1}{p}$ (ii) $\bar{y} = 1.50$

Y	1	2	3	4
Amlder	133.3	44.4	14.8	4.9

Cyfuno 4, 5, 6 a $\geqslant$ 7: 2.71 < 4.605; $v = 2$: dim tystiolaeth arwyddocaol nad yw'r sampl yn cefnogi'r syniad

6 (i) 20.94 > 9.488; $v = 4$: tystiolaeth arwyddocaol o gysylltiad. Gwerth lleiaf $k = 0.1$

(ii) Amcangyfrif $p = \frac{11}{40}$; (0.195, 0.355)

7 (*a*) 14.29 < 15.51; $v = 8$: dim tystiolaeth arwyddocaol nad yw'r lliwiau yr un mor debygol

(*b*) Cyfuno'r ddwy res olaf: 4.31 < 9.488; $v = 4$: dim tystiolaeth arwyddocaol o gysylltiad

8 (*a*) (i) 0.0283 (ii) 0.0354

(*b*) 17.24 > 16.27; $v = 3$: tystiolaeth arwyddocaol o gysylltiad. Mae cyfradd y damweiniau yn disgyn gydag oedran

Ymarferion 14a

1 (ii) $\Sigma x = 10$, $\Sigma x^2 = 16.92$, $\Sigma y = 65.5$, $\Sigma y^2 = 609.13$, $\Sigma xy = 99.48$

(iii) $\bar{x} = 1.25$, $\bar{y} = 8.19$, $S_{xx} = 4.42$, $S_{yy} = 72.85$, $S_{xy} = 17.61$

(iv) $a = 3.21$, $b = 3.98$ (vi) $y = 4.01$

2 (ii) $\Sigma g = 327.3$, $\Sigma g^2 = 22\,177.55$, $\Sigma h = 263.6$, $\Sigma h^2 = 16\,626.22$, $\Sigma gh = 12\,488.07$

(iii) $\bar{g} = 54.55$, $\bar{h} = 43.93$ (iv) $h = 67.80 - 0.437g$

3 (ii) $\Sigma w = 1750.4$, $\Sigma w^2 = 733\,651.02$, $\Sigma z = 0.0658$, $\Sigma z^2 = 0.007\,352\,36$, $\Sigma wz = -4.654\,66$

(iii) $\bar{w} = 350.1$, $\bar{z} = 0.0132$

(iv) $w = 406.3 - 4269z$ (vii) $w = 162.1$

4 (*b*) Mae'r diagram gwasgariad yn dangos tuedd llinol

(*c*) $\bar{x} = 42.417$, $\bar{y} = 61.083$, $b = 0.966$, $y - 61.1 = 0.966(x - 42.4)$

(*ch*) $y = 20.1 + 0.966x$

(*d*) Mae cost sylfaenol o tua £20 000; mae pob eitem ychwnageol yn costio tua £1

(*dd*) $x = 33$. Byddant yn gwneud colled os ydynt yn cynhyrchu llai na 33 000 eitem y mis

5 Mae'r llinell yn mynd trwy $(\bar{x}, \bar{y})$

(b) $y = 20.7 + 0.961x$ (c) x tua 32

(ch) Byddant yn gwneud colled wrth gynhyrchu llai na 32 000 uned y chwarter

Ymarferion 14b

1 (ii) $\Sigma x = 4$, $\Sigma x^2 = 46.36$, $\Sigma y = 42.6$, $\Sigma y^2 = 364.26$, $\Sigma xy = -71.01$

(iii) $\bar{x} = 0.400$, $\bar{y} = 4.26$, $S_{xx} = 44.76$, $S_{yy} = 182.8$, $S_{xy} = -88.05$

(iv) $a = 5.05$, $b = -1.97$

2 (ii) $\Sigma u = 22.5$, $\Sigma u^2 = 83.99$, $\Sigma v = 73$, $\Sigma v^2 = 859.52$, $\Sigma uv = 258.71$

(iii) $\bar{u} = 3.21$, $\bar{v} = 10.43$, $S_{uu} = 11.67$, $S_{vv} = 98.23$, $S_{uv} = 24.07$

(iv) $v = 3.80 + 2.06u$ (vi) 13.7

3 $y = 1.86 + 0.02r$; 1.91 km

4 $y = 12.4 + 0.6x$; 66.4

Ymarferion 14c

1 (ii) $y = -7.345 + 12.63x$ (iii) 36.85

2 (ii) $v = -0.459 + 0.204u$ (iii) 1.38

3 (ii) $t = 27.7 + 0.874v$ (iii) 80.1

(iv) 0.00333. Roedd y gwerth arsylwedig yn anarferol iawn

4 (ii) $y = 0.243 + 0.00486x$ (iii) 3.74%

5 (i) $r = -90.8 + 116s$ (ii) 101 revs/min

(iii) Yn ôl y llinell, gyda dim gwynt byddai'r anemomedr yn cylchdroi ar -90.8 revs/min.

Ymarferion 14ch

1 $y = 14.86 + 8.06c$, 39.03 tunnell fetrig: cynnyrch cymedrig y lleiniau gafodd eu trin ar y crynodiad hwn. Byddai amcangyfrif yn golygu allosod y tu hwnt i amrediad y data

2 $\bar{A} = 14.875$, $\bar{T} = 17.5$, $A = 6.30 + 0.49T$; 16.1, gan ei fod yn defnyddio gwybodaeth o bob un o'r 8 gwerth sampl; 0.49, gan y byddai amcangyfrif yn golygu allosod y tu hwnt i amrediad y data

3 (i) $\ln y = 1.759 + 0.763x$

(ii) 565. Optimistaidd – yn bendant ni fydd y berthynas yn dal am nifer o flynyddoedd, ac efallai na fydd yn dal ym mlwyddyn 6

(iii) (0.524, 1.002)

4 (ii) $\ln p = -12.47 + 0.198x$ (iii) 10.8

5 (i) $f = 11.7 + 0.226w$ (ii) 104.5

(iii) (0.132, 0.321)

Ymarferion 14d

1 $y = 1.91 + 3.02x$

(a) (2.71, 3.33)

(b) 1.65 < 1.960: derbyn $\beta = 2.80$

(c) (45.9, 48.5)

(ch) 2.45 > 1.645: gwrthod $y = 33.5$

(d) $(-1.29, 5.11)$

(dd) $-0.046 > -2.576$: derbyn $\alpha = 2.00$

2 (a) $a = -19.12$, $b = 8.04$

(b) $(-27.1, -11.1)$, (7.88, 8.20)

(c) 0.225 < 1.960: derbyn $\alpha = -20$

(ch) $-4.703 < -1.645$: gwrthod $\beta = 8.4$

(d) (363.7, 369.6)

(dd) 620 > 1.645: gwrthod $y = 450$

Ymarferion 14dd

1 Minimeiddio swm sgwâr y gwahaniaethau rhwng y gwerthoedd arsylwedig a ffitiedig,

(a) yn y cyfeiriad y (b) yn y cyfeiriad x

(i) $t = 3.43 + 1.24d$

(ii) Gwrthdro'r buanedd cymedrig mewn milltiroedd y funud

(iii) 127 munud

2 (i) $y = 2.19 + 1.95x, x = 14.74 + 0.252y$ (ii) 27
3 (i) $y = 15.8 + 0.722x$ (ii) 66   (iii) 59
4 (a) $x = 37.4 + 0.949y; y = 44.3 + 0.584x$
   (c) $(\bar{x}, \bar{y})$
   (ch) 152 mm, 185 mm
   (d) Os oedd y pwyntiau data yn union gydlinol
5 (a) $x = \bar{x} + b*(y - \bar{y}); b* = S_{xy}/S_{yy}$
   (b) (i) $y = 41.8 + 1.55x$ (ii) 51.1   (iii) 41.8
6 Mae un llinell yn minimeiddio swm sgwâr y
   gwahaniaethau rhwng y gwerthoedd arsylwedig a
   ffitiedig yn y cyfeiriad y a'r llall yn y cyfeiriad x
   (i) $y = 1.51 + 1.29x$ (ii) 46.6

Ymarferion 14e

1 (i) $c = 2.48 + 0.608m$ (ii) 0.593   (iii) 11.4
2 (i) 0.981   (ii) $y = -7.42 + 1.12x$,
                $x = 6.89 + 0.862y$
   (iii) 8.20   (iv) 13.9
3 (a) 0.745
   (b) Y graddau y mae x ac y yn perthyn yn llinol
4 Mae cydberthyniad yn fesur o'r graddau y mae dau
   newidyn yn perthyn yn llinoll
   (b) (i) 255   (ii) 0.935
   (c) Nid yw'r diagram yn dangos unrhyw
       duedd gromlinol, ac mae maint y cyfernod
       cydberthyniad yn agos i 1
   (ch) $p = 2.58 + 0.879t$; 15
5 Mae y yn ddibynnol, mae x yn annibynnol. Gellir, os
   mesurir y gwerthoedd x yn y data heb gyfeiliornad
   (a) 0.979: mae perthynal linol fras ac mae ffosiliau
       hirach yn lletach na rhai byrrach
   (b) $l = 13.2 + 0.770w$ (c) 0.77 mm

Ymarferion 14f

1 $r = -0.952$. Ar gyfer y dyfnderau a samplwyd, mae
   cynnwys y lleithder yn disgyn yn fras yn llinol gyda
   chynnydd yn nyfnder y sampl
2 (b) $r = 0.913 > 0.715$: tystiolaeth arwyddocaol
       ar y lefel arwyddocâd 1% bod caledwch yn
       cynyddu'n llinol gydag alcalinedd cynyddol
   (c) $h = 22.6 + 0.821a$
   (ch) $h = 47.2$ mg/l. Oherwydd dylid gwneud y
       rhagfynegiad hwn o linell atchwel sgwariau lleiaf
       yr alcalinedd ar galedwch
3 (b) $r = -0.118 > -0.632$: dim tystiolaeth
       arwyddocaol bod $\rho \neq 0$
   (c) Claf 7
   (ch) Byddai $y = x^2$ yn enghraifft, gyda gwerthoedd x
       wedi'u canoli ar sero

Ymarferion 14ff

1 $r_s = 0.452 < 0.643$: dim tystiolaeth arwyddocaol o
   gydberthyniad positif
2 $\rho = 0.517 < 0.600$: dim tystiolaeth arwyddocaol o
   gydberthyniad

3 (a) $r_s = 0.661$
   (b) $0.661 > 0.564$; tystiolaeth arwyddocaol o
       gydberthyniad positif. Mae'r neidwyr yn gyson.
       H_0: Mae'r urddau teilyngdod yn annibynnol;
       H_1: Mae'r urddau teilyngdod yn perthyn
4 $r_s = 0.714 \geqslant 0.714$: ar y lefel 5%, tystiolaeth
   arwyddocaol o gydberthyniad positif. H_0: Mae trefn yr
   arbenigwr yn annibynnol ar y dyddiad cynhyrchu
5 $r_s = 0.818$; newid mwyaf $= 0.035$
6 (a) Pan fo ychydig o werthoedd clwm
   (b) Pan na ddisgwylir perthynas gromlinol
   (i) bydd y cydberthyniad yn negatif
   (ii) $r_s = -0.529$
   (iii) Tybio y gellir trin y data fel hapsampl.
        $-0.529 < -0.446$: tystiolaeth arwyddocaol o
        gydberthyniad negatif
7 (iii) $1 - \frac{6}{35}p$

Ymarferion 14g (Amrywiol)

1 (a) a
   (b) Mae'n ymddangos bod y pâr data olaf yn
       allanolyn
   (c) 0.682 Fel mesur o linoledd
   (ch) $\widehat{\alpha} = 3.66, \widehat{\beta} = 0.032$
   (d) α yw'r gwerth pH yn y ffwrnais fwyndoddi, β w
       cyfradd newid y pH gyda phellter (mewn km)
   (dd) Ar gyfer 0, 50, 100: 3.66, 5.23, 6.81.
        Mae 200 km yn allosodiad rhy fawr
2 (a) $\widehat{\beta} = \Sigma xy/\Sigma x^2$.
   (b) Mae E yn debygol o fod mewn cyfrannedd ag I
   (c) $\beta = 0.906$
   (ch) 5470, 6370, 7370, 8110, 8810, 9630
   (d) Wedi'i gywiro ar gyfer chwyddiant. Cynnydd
       mewn cyfoeth
3 $\alpha_0 = 9.73, \beta = 0.418$. α_0 yw'r cynnyrch o ddefnydd â
   phurdeb cymedrig; β yw'r newid yn y cynnyrch wrth
   i'r purdeb gynyddu yn ôl 1 uned
4 (ii) $y = -2.80 + 11.5x$
   (iii) Ffit resymol   (iv) 57
5 (i) Mae gan fenywod sydd â phwysau uwch CFG
       uwch fel arfer, gyda'r berthynas yn fras yn llinol.
   (ii) 0.781
6 (i) $\ln I = 1.65 - 2.88t, I_0 = 5.23, k = 2.88$
   (ii) 1.24
   (iii) -0.984
   (iv) Oherwydd bod gwertohedd t wedi eu mesur yn
        union. 0.43
7 (a) (i) Dim effaith (y newidiadau yn y rhifiadur a'r
            enwadur yn canslo)
       (ii) Dim effaith (nid yw'r newid yn effeithio'r
            amrywioldeb
   (b) $r_{uv} = -0.762, r_{ws} = -0.762$. Mae'r graff yn
       dangos perthynas linol fras gyda goledd negatif
       Dewis w gan mai $|r_{ws}|$ yw'r mwyaf
8 (ii) 0.913   (iii) $s = -0.0366 + 0.340p$
9 (ii) 0.701   (iii) $a = 4.33, b = 0.564$
10 (b) -0.952: perthynas linol gref, gyda graddiant
        negatif

(c)　$m = 83.58 - 2.20d$

(ch)　5266. Minimwm swm sgwâr y gwahaniaethau rhwng y gwerthoedd arsylwedig a ffitiedig yn y cyfeiriad M

(dd)　2.20

11 (b)　136.55, 146.3, 154.45, 164.75, 170.5, 188.6, 184.9, 207.9, $y = -35.7 + 0.953x$

　　(c)　(i)　131.1: amhendant iawn (ymhell y tu allan i amrediad y data)

　　　　(ii)　140.7: gweddol bendant

　　　　(iii)　250.3: amhendant iawn (ymhell y tu allan i amrediad y data)

　　(ch)　Cymryd pedwar arsylw ar dymheredd o 180 a phedwar ar 250 er mwyn lleihau amrywiant amcangyfrif y goledd

12 Byddai gan ddiagram gydag $n - 1$ gwerth (x, y) diberthynas yn agos i $(0, 0)$ ac un gwerth yn $(1000, 1000)$ gyfernod cydberthyniad rhestrol yn agos i 0 ond cyfernod llinol yn agos i 1.

　　(i)　326.7, 129.8, -1012.5, $r = -0.410$

　　(ii)　$r_s = -0.448 > -0.503$: dim tystiolaeth arwyddocaol bod rhai sy'n gorffen yn gynnar yn gwneud yn well

13 Er mwyn gwirio bod unrhyw berthynas yn llinoll

　　(i)　Plotio $y = x^2$ rhwng -1 ac 1

　　(ii)　Plotio $y = x^2$ rhwng 0 a 2

　　Plot yn dangos nad effaith allanolion yw'r canlyniad. Perthynas aflinol. $r_s = 0.555 > 0.484$: tystiolaeth arwyddocaol o gydberthyniad positif

14 (a)　$r = 0.972$. Mae babanod hŷn yn pwyso mwy, gyda pherthynas linol gref

　　(b)　$y = 3.50 + 1.04x$. Y pwysau cymedrig ar enedigaeth yw 3.5 kg; mae'r pwysau'n cynyddu ar gyfradd gymedrig o 1 kg y mis

(c)　9.7 kg. Mae'r amcangyfrif yn gofyn am ychydig o allosodiad o'r data a roddir

(ch)　a (d) $r_s = 0.783 > 0.600$: tystiolaeth arwyddocaol, ar y lefel 5%, o gydberthyniad positif

15 Pan fo'r data yn drefnol neu phan fo tystiolaeth o berthynas aflinol lle mae un newidyn yn cynyddu (neu'n lleihau) wrth i'r llall gynyddu. $r = 0.825$; $r_s = 0.929 > 0.786$: tystiolaeth arwyddocaol, ar y lefel 5%, o gydberthyniad. H_0: Nid yw canrannau'r ddau ocsid yn perthyn i'w gilydd

16 (a)　$r = 0.460$. Mae plant yn hoff o felysion melys: mae melysion sur yn amhoblogaidd

　　(b)　$r_s = 0.750$

　　(c)　Mae'r data yn (a) yn cynnwys nifer fawr o glymau: felly byddai cyfernod cydberthyniad rhestrol yn anaddas. Mae'r data yn (b) yn rhestrol: dim ond cyfernod cydberthyniad rhestrol fyddai'n addas

17 (a)　$r = 0.937$

　　(b)　$r_s = 0.976$

　　(c)　$0.782 > 0.564$: tystiolaeth arwyddocaol, ar y lefel 5%, o gydberthyniad positif rhwng costau cynnal a chadw ac oedran. H_0: Safleoedd gwerthoedd x ac y yn annibynnol; H_1: Y safleodd yn perthyn

18 (a)　Ar gyfer unrhyw gysonion an-sero, a a b (â'r un arwydd), mae'r cyfernod cydberthyniad rhwng aX a bY yn hafal i'r un rwng X ac Y

　　(b)　$r = 0.810$; $r_s = 0.745 \geqslant 0.745$: tystiolaeth arwyddocaol o gydberthyniad positif. Yn yr achos hwn mae'n haws cyfrifo cyfernod Spearman os nad yw'r data cryno ar gael

Mynegai